PERSONNALITÉ

THÉORIE ET RECHERCHE

2e édition

PERSONNALITÉ
THÉORIE ET RECHERCHE

2e édition

Daniel Cervone
University of Illinois, Chicago

Lawrence A. Pervin
Rutgers University

Adaptation française :

Louise Nadeau
Université de Montréal

Jean-Sébastien Boudrias
Université de Montréal

Jean Gagnon
Université de Montréal

PEARSON

Montréal Toronto Boston Columbus Indianapolis New York San Francisco Upper Saddle River
Amsterdam Le Cap Dubaï Londres Madrid Milan Munich Paris
Delhi México São Paulo Sydney Hong-Kong Séoul Singapour Taipei Tōkyō

Développement de produits
Pierre Desautels

Supervision éditoriale
Yasmine Mazani

Traduction
Miville Boudreault, Annie Desbiens, Guy Patenaude
et Johanne Tremblay

Révision linguistique
François Morin

Correction d'épreuves
Diane Plouffe et Marie-Claude Rochon

Recherche iconographique et demandes de droits
Chantal Bordeleau et Andrée-Anne Tremblay

Direction artistique
Hélène Cousineau

Coordination de la production
Muriel Normand

Conception graphique et réalisation de la couverture
Benoit Pitre

Illustration de la couverture
Lina Vandal (1952-). Within 9 (2013). Mix media (acrylique, fusain,
pigments sur toile), 30x40. © Lina Vandal, tous droits réservés.

© ÉDITIONS DU RENOUVEAU PÉDAGOGIQUE INC. (ERPI), 2014
Membre du groupe Pearson Education depuis 1989

1611, boulevard Crémazie Est, 10e étage
Montréal (Québec) H2M 2P2
Canada
Téléphone : 514 334-2690
Télécopieur : 514 334-4720
info@pearsonerpi.com
pearsonerpi.com

Dépôt légal – Bibliothèque et Archives nationales du Québec, 2014
Dépôt légal – Bibliothèque et Archives Canada, 2014

Imprimé au Canada   3456789   MI   20 19 18 17
ISBN 978-2-7613-5644-2   20689 ABCD   SM9

PRÉFACE

Voilà maintenant plus de 40 ans paraissait la première édition de cet ouvrage. La discipline a beaucoup changé depuis, et le contenu présenté dans ce manuel a naturellement suivi ces évolutions au fil du temps. De nombreuses modifications caractérisent cette 12e édition. Cependant, avant de les énumérer, nous devons souligner que les objectifs fondamentaux de ce manuel demeurent les mêmes depuis le début:

(1) **Présenter les grandes perspectives théoriques de la psychologie de la personnalité.** Nous explorons de façon approfondie les perspectives théoriques de ce champ d'études en nous concentrant sur les principales d'entre elles. À l'inverse, certains manuels présentent de nombreuses théories, notamment des perspectives mineures qui ont peu de pertinence concernant le champ d'études scientifiques contemporain. Une telle démarche comporte un revers: à présenter de trop nombreuses théories, on risque de les traiter superficiellement, y compris pour les plus influentes. C'est pourquoi nous nous sommes efforcés d'offrir aux étudiants une description fouillée de chacune des principales perspectives théoriques de la psychologie de la personnalité. Si nous utilisons le terme «perspective», c'est parce que nous n'examinons pas seulement les travaux des théoriciens classiques (Freud ou Rogers, par exemple), mais aussi les progrès accomplis sur les plans théorique et empirique par d'autres chercheurs qui ont épousé leurs points de vue généraux.

(2) **Atteindre un équilibre entre objectivité et esprit critique.** Nous nous employons à décrire en toute objectivité les théories de la personnalité. Cependant, nous n'en sommes pas moins critiques. Pour chaque théorie, nous présentons ses forces et ses limites. Le but de nos évaluations n'est pas de convaincre les étudiants des mérites d'une approche particulière, mais d'élargir leur compréhension du champ d'études et de les aider à améliorer leur capacité de raisonnement.

(3) **Intégrer la théorie et la recherche.** La théorie et la recherche entretiennent une relation réciproque. En effet, si les percées théoriques stimulent la recherche, celle-ci contribue au développement des théories de la personnalité, à leurs transformations et à leur évaluation. Notre objectif est de montrer aux étudiants en quoi consiste cette relation.

(4) **Intégrer des études de cas à la théorie.** Par nécessité, la théorie et la recherche doivent composer avec l'abstraction et les généralisations, et ne pas s'en tenir à des cas uniques et particuliers. Un fossé sépare donc le général du particulier. Pour le combler, nous présentons des éléments tirés d'études de cas qui illustrent l'évaluation et l'interprétation que chaque théorie fait de la personne. De plus, nous suivons au fil des chapitres un cas particulier afin de montrer l'interprétation qu'en font les diverses théories. Les étudiants peuvent ainsi répondre à la question suivante: «Les portraits que ces théories brossent d'une même personne diffèrent-ils entièrement ou correspondent-ils à des perspectives complémentaires?» L'inclusion d'études de cas permet aussi aux étudiants que la psychologie clinique intéresse de faire des liens entre la psychologie de la personnalité et la pratique clinique.

(5) **Donner des bases qui permettront de comparer les théories.** La même méthodologie est suivie pour chacune des approches théoriques. Nous présentons, pour chaque théorie, le traitement des structures de la personnalité, les processus ou la dynamique, le développement de la personnalité et les applications cliniques. Au terme de chaque chapitre, nous évaluons la théorie à l'étude. Chaque chapitre donne ainsi aux étudiants l'occasion de faire leurs propres comparaisons et de commencer à tirer leurs propres conclusions quant aux mérites de chaque théorie.

(6) **Présenter le champ d'études de la personnalité de façon claire sans nuire à sa complexité.** Nous nous efforçons de faire découvrir aux étudiants la réalité de ce qu'est la psychologie de la personnalité, avec ses nuances et sa complexité. En même temps, afin de la rendre aussi accessible que possible, nous mettons l'accent sur la clarté de la présentation, notamment par un style rédactionnel et des exemples qui correspondent aux attentes des étudiants, tout en leur fournissant le contenu informatif dont ils ont besoin.

Les objectifs de cet ouvrage demeurent les mêmes, mais son contenu a évidemment été mis à jour. Au nombre des nouveautés de cette 12ᵉ édition, signalons une rubrique récurrente portant sur la personnalité et le cerveau, dont l'ajout témoigne des changements observés au sein du champ d'études. Il y a plusieurs années, certaines perspectives théoriques reposaient sur une dimension biologique, alors que celle-ci était totalement absente d'autres théories. Or, aujourd'hui, la recherche fondée sur des données biologiques documente toutes les perspectives. Certains phénomènes, que des théoriciens de la personnalité ont étudiés de façon approfondie selon une analyse psychologique, ont une origine neuropsychologique, comme l'ont constaté des psychologues de la personnalité et des neuroscientifiques œuvrant hors de ce champ d'études. La rubrique « La personnalité et le cerveau » figure dans chacun des chapitres de ce manuel. Le chapitre 2, qui porte sur les méthodes de recherche, s'enrichit d'informations supplémentaires nécessaires pour comprendre ce nouveau contenu.

En plus de nombreuses mises à jour, le manuel comporte une nouvelle étude de cas, reprise de chapitre en chapitre, qui constitue le deuxième ajout important à cette édition. En outre, dans le chapitre 14, consacré à la personnalité en contexte, une étude de cas montre qu'une analyse détaillée des relations entre les systèmes de la personnalité et les contextes sociaux renseigne autant les chercheurs en psychologie de la personnalité que les psychologues cliniciens. Nous avons également modifié et enrichi le chapitre 9 sur les fondements biologiques de la personnalité pour rendre compte des découvertes réalisées dans ce domaine.

Nous espérons que *Personnalité : Théorie et recherche* permettra aux étudiants d'apprécier la complexité de la personnalité, la capacité des études de cas et de la recherche empirique à débrouiller cette complexité, et la valeur scientifique et pratique de la théorie systématique sur la personne. Nous espérons également que les étudiants découvriront une théorie de la personnalité qui les interpelle et leur est utile dans leur propre vie. Enfin, nous espérons que les enseignants trouveront dans le texte et les ressources supplémentaires qui l'accompagnent des outils favorisant l'atteinte de leurs objectifs d'enseignement.

REMERCIEMENTS

La version française de cet ouvrage est le fruit d'un long travail de collaboration. Tout d'abord, les traducteurs, Miville Boudreault, Annie Desbiens, Guy Patenaude et Johanne Tremblay, ont fait le premier et laborieux travail permettant le passage de l'anglais au français. Tous ont œuvré à rendre ce texte vivant, accessible, agréable à lire. Le personnel de la maison d'édition Pearson ERPI s'est montré d'une diligence exemplaire. Yasmine Mazani, la chef d'orchestre de ce projet, en a assuré la coordination afin que toute l'équipe travaille en harmonie, tandis que Pierre Desautels s'est occupé des aspects administratifs et marketing du livre. François Morin a effectué la révision linguistique avec patience et minutie, et les épreuves ont été patiemment corrigées par Diane Plouffe et Marie-Claude Rochon. Enfin, mes collègues Jean-Sébastien Boudrias et Jean Gagnon, professeurs au département de Psychologie de l'Université de Montréal ont, comme moi, assuré la révision scientifique du manuscrit. Grâce à ce travail de collaboration, nos étudiants et nos collègues enseignants disposent d'un ouvrage à jour, clair, qui permet tout à la fois de comprendre le rôle fondamental de la personnalité dans le développement humain, la santé mentale et physique, et de situer la personnalité au cœur de la pratique clinique.

Louise Nadeau
Professeur titulaire
Département de psychologie
Université de Montréal

TABLE DES MATIÈRES

Préface V

CHAPITRE 1

LA THÉORIE DE LA PERSONNALITÉ:
de l'observation quotidienne aux théories
systématiques 3

Cinq objectifs pour les théoriciens
de la personnalité 6

    1. Des observations qui soient scientifiques 6

    2. Une théorie qui soit systématique 7

    3. Une théorie qui soit vérifiable 7

    4. Une théorie qui soit exhaustive 7

    5. Une théorie qui ait des applications 7

Pourquoi étudier la personnalité? 8

Définir la personnalité 8

Questions sur l'individu: qui, comment
et pourquoi 10

Répondre scientifiquement aux questions
sur l'individu: comprendre la structure,
les processus, le développement
et le changement thérapeutique 10

    La structure 10

        Les unités d'analyse 10

        La hiérarchie 12

    Les processus 13

    La croissance et le développement 13

        Les déterminants génétiques 14

        Les déterminants environnementaux 15

    La psychopathologie et le changement
    de comportement 18

Les grands débats 18

    La conception philosophique de la personne 18

    Les déterminants internes et externes
    du comportement 19

    La stabilité à travers les situations et le temps 19

    L'unité du comportement
    et le soi en tant que concept 20

    Les différents états de conscience
    et le concept d'inconscient 21

    L'influence du passé, du présent et de l'avenir
    sur le comportement 22

    Peut-il exister une science de la personnalité
    et quel type de science serait-ce? 22

L'évaluation des théories 23

Les théories de la personnalité: introduction 24

    La difficulté d'élaborer une théorie
    de la personnalité 24

    Les théories de la personnalité abordées
    dans ce livre 24

    Les théories multiples comme autant
    de boîtes à outils 26

Résumé 27

CHAPITRE 2

L'ÉTUDE SCIENTIFIQUE DE L'ÊTRE HUMAIN:
les données de la psychologie
de la personnalité 29

Les données de la psychologie
de la personnalité 31

    Les types de données 31

    Comparer les sources de données 33

    Les mesures nomothétiques et les mesures
    idiographiques 34

    La personnalité et les données sur le cerveau 35

    La théorie de la personnalité et l'évaluation 36

Les buts de la recherche: fidélité,
validité et éthique 38

    La fidélité 38

    La validité 38

    L'éthique de la recherche
    et les politiques publiques 39

Les trois méthodes de recherche 40

    L'étude de cas (recherche clinique) 41

        L'étude de cas: un exemple 41

    La recherche corrélationnelle 43

        La recherche corrélationnelle: un exemple 44

    La recherche expérimentale 45

        La recherche expérimentale: un exemple 47

    L'évaluation des trois méthodes de recherche 49

        La recherche clinique et l'étude de cas:
        les forces et les limites 49

        La recherche corrélationnelle et les
        questionnaires: les avantages et les limites 51

La recherche expérimentale et l'étude
en laboratoire: forces et limites 52

En bref 54

La théorie de la personnalité et la recherche 54

L'évaluation de la personnalité
et l'histoire de Jacques 55

Un aperçu biographique 56

Résumé 56

CHAPITRE 3

L'APPROCHE PSYCHODYNAMIQUE:
la conception freudienne de la personnalité 59

Sigmund Freud (1856-1939):
aperçu biographique 61

Les rapports entre l'individu et la société
selon Freud 62

L'esprit humain comme système d'énergie 63

L'individu et la société 64

La science de la personnalité selon Freud 66

La théorie psychanalytique de la personnalité
selon Freud 66

La structure 66

Les niveaux de conscience et le concept
d'inconscient 67

Les rêves 68

Les motivations inconscientes 69

L'inconscient et la recherche en psychanalyse . . . 69

Statut scientifique actuel du concept
d'inconscient 71

L'inconscient psychanalytique
et l'inconscient cognitif 73

Le ça, le moi et le surmoi 74

Les processus 76

La pulsion de vie et la pulsion de mort 76

La dynamique du fonctionnement psychique . . . 77

L'angoisse, les mécanismes de défense
et la recherche contemporaine 78

Le déni 78

La projection 80

L'isolation, la formation réactionnelle
et la sublimation 80

Le refoulement 82

La croissance et le développement 84

Le développement des pulsions et les stades
de développement 84

Les stades du développement psychosocial
selon Erikson 88

L'importance des premières expériences 90

Le développement des processus cognitifs 92

Résumé 93

CHAPITRE 4

LA THÉORIE PSYCHANALYTIQUE DE FREUD:
applications, conceptions théoriques connexes
et recherche contemporaine 95

L'évaluation psychodynamique
de la personnalité: les tests projectifs 97

Le rationnel des tests projectifs 97

Le test de Rorschach 98

Le test d'aperception thématique 99

Les tests projectifs sont-ils efficaces? 100

La psychopathologie 102

Les types de personnalité 102

Le conflit et les mécanismes de défense 103

Le changement psychologique 104

L'exploration de l'inconscient:
l'association libre et l'interprétation des rêves 105

Le processus thérapeutique: le transfert 105

Étude de cas: Le petit Hans 107

**L'histoire de Jacques: Le test de Rorschach
et le test d'aperception thématique (TAT)** 110

Les conceptions connexes et l'évolution
de la théorie 113

Deux contestataires de la première heure:
Adler et Jung 113

Alfred Adler (1870-1937) 113

Carl G. Jung (1875-1961) 114

L'importance des facteurs culturels
et interpersonnels: Horney et Sullivan 117

Réinterpréter les forces motivationnelles 117

Karen Horney (1885-1952) 117

Harry Stack Sullivan (1892-1949) 118

La relation d'objet, la psychologie du soi
et la théorie de l'attachement 119

La théorie de la relation d'objet 119

La psychologie de soi et la personnalité
narcissique 119

La théorie de l'attachement 121

L'évaluation critique 128

Les observations sont-elles scientifiques? 129

La théorie est-elle systématique ? 129

La théorie est-elle vérifiable ? 129

La théorie est-elle exhaustive ?.............. 130

La théorie a-t-elle des applications ?.............. 130

Principaux apports et résumé.............. 131

Résumé.. 132

CHAPITRE 5

L'APPROCHE PHÉNOMÉNOLOGIQUE :
la théorie de la personnalité
selon Carl Rogers......................... 133

Carl R. Rogers (1902-1987) :
un survol biographique 135

La conception de la personne selon Rogers....... 137

La subjectivité de l'expérience 137

Les sentiments d'authenticité............ 137

Le caractère positif de la motivation
humaine 138

Une perspective phénoménologique 138

L'étude de la personnalité selon Rogers.......... 139

La théorie de la personnalité selon Rogers....... 139

La structure.............................. 139

Le soi.............................. 139

L'évaluation du concept de soi 141

Le processus 144

L'actualisation de soi 144

La cohérence du soi et la congruence.......... 144

La croissance et le développement.............. 149

Résumé............................... 153

CHAPITRE 6

L'APPROCHE PHÉNOMÉNOLOGIQUE
DE ROGERS :
applications, conceptions associées
et recherche contemporaine 155

Les applications cliniques................. 157

La psychopathologie................... 157

Le désaccord entre le soi et l'expérience 157

Le changement psychologique................ 158

Les conditions thérapeutiques nécessaires
au changement 158

Les résultats de la thérapie
centrée sur le client 161

La présence 162

Étude de cas : Mme Oak 164

L'histoire de Jacques : Le différenciateur
sémantique : la théorie phénoménologique 166

Les conceptions voisines........................ 167

Le courant humaniste........................ 167

Abraham H. Maslow (1908-1970) 167

La psychologie positive 168

La classification des forces humaines.......... 168

Les vertus des émotions positives............. 169

Le *flow* (expérience optimale ou autotélique) ... 170

L'existentialisme.................... 170

L'existentialisme de Sartre : conscience,
néant, liberté et responsabilité 171

L'existentialisme expérimental contemporain ... 173

Théorie et recherche :
les observations récentes........................ 174

Les divergences entre les éléments du soi 174

Les fluctuations de l'estime de soi
et la contingence de l'estime de soi.............. 175

L'authenticité et les motivations intrinsèques 176

Études interculturelles sur le soi 178

Les différences culturelles dans le soi
et dans le besoin de considération positive 178

L'évaluation critique 180

Les observations sont-elles scientifiques ? 180

La théorie est-elle systématique ?............... 181

La théorie est-elle vérifiable ?................. 182

La théorie est-elle exhaustive ?................. 182

La théorie a-t-elle des applications ?............. 182

Principaux apports et résumé.................. 183

Résumé............................... 184

CHAPITRE 7

LA THÉORIE DES TRAITS
DE PERSONNALITÉ :
les conceptions d'Allport,
d'Eysenck et de Cattell 185

Un coup d'œil sur les théoriciens
des traits de personnalité..................... 187

La conception de la personne
et la théorie des traits de personnalité 187

Le concept de trait de personnalité.............. 188

La science de la personnalité selon
les théories des traits de personnalité 188

À quoi servent les traits de personnalité
comme construits scientifiques 189

    La description 189

    La prédiction 189

    L'explication 189

Les diverses théories des traits de personnalité:
les postulats et hypothèses communs 190

La théorie des traits de Gordon W. Allport
(1897-1967) 191

    Les traits de personnalité: la structure
    de la personnalité selon Allport 192

    L'autonomie fonctionnelle 193

    La recherche idiographique 193

    Commentaire sur Allport 194

Les principales dimensions des traits
de personnalité: l'analyse factorielle 194

La théorie des traits fondée sur l'analyse
factorielle de Raymond B. Cattell (1905-1998) 196

    Les traits de surface et les traits de source:
    la structure de la personnalité selon Cattell 196

    La source de confirmation empirique:
    données-L, données-Q et données-T 197

    La stabilité et la variabilité du comportement 199

    Commentaire sur Cattell. 200

La théorie des trois facteurs de Hans J. Eysenck
(1916-1997) 202

    Les «superfacteurs»: la structure
    de la personnalité selon Eysenck 202

        Mesurer les facteurs 205

    Le fondement biologique des traits
    de personnalité 206

    Extraversion et comportement social 208

    Psychopathologie et changement
    de comportement 209

    Commentaire sur Eysenck 209

Résumé 210

L'hypothèse lexicale fondamentale 217

La recherche interculturelle: les «Cinq Grands»
sont-ils universels? 217

Les «Cinq Grands» dans les inventaires
de personnalité 220

    L'inventaire de personnalité NEO-PI-R
    et sa structure hiérarchique: les facettes 220

    L'intégration des facteurs d'Eysenck
    et de Cattell aux «Cinq Grands» 221

    L'autoévaluation et l'évaluation par un tiers 222

Un modèle théorique des «Cinq Grands» 222

La croissance et le développement 225

    Les différences attribuables à l'âge
    chez les adultes 225

    Les premiers résultats de recherche
    sur l'enfance et l'adolescence 228

    La stabilité et le changement
    de la personnalité 228

Et s'il en manquait un?
Le modèle à six facteurs 229

Les applications du modèle à cinq facteurs 230

L'histoire de Jacques: L'évaluation basée
sur l'analyse factorielle des traits 232

Le débat personne-situation 235

L'évaluation critique 238

    Sur quelle base de données repose
    l'observation scientifique? 238

    La théorie est-elle organisée de façon
    systématique? 239

    La théorie est-elle vérifiable? 239

    La théorie est-elle exhaustive? 239

    Les applications 240

    Principales contributions et résumé 241

Résumé 241

CHAPITRE 8

LA THÉORIE DES TRAITS DE PERSONNALITÉ:

le modèle à cinq facteurs, les applications
et l'évaluation de la théorie

    211

Le modèle à cinq facteurs:
ce qu'en dit la recherche 213

    L'analyse de la terminologie employée pour
    désigner les traits dans le langage courant
    et dans les questionnaires 213

CHAPITRE 9

LES FONDEMENTS BIOLOGIQUES DE LA PERSONNALITÉ

Le tempérament 245

    La constitution et le tempérament:
    de l'Antiquité au milieu du xxe siècle 246

    La constitution et le tempérament:
    études longitudinales 247

    La biologie, le tempérament et
    le développement de la personnalité:
    la recherche contemporaine 248

Les enfants inhibés et non inhibés :
la recherche de Kagan et de ses collègues 248

Interprétation des données sur les fondements
biologiques de la personnalité 250

Le contrôle volontaire et le développement
de la conscience 251

Évolution, psychologie évolutionniste
et personnalité 253

La psychologie évolutionniste 254

L'échange social et la détection
de la tricherie 255

Les différences entre les sexes :
une question d'évolution ? 256

Le choix d'un partenaire chez les hommes
et chez les femmes 257

Les causes de la jalousie 258

Évolutionnisme et différences entre les sexes :
des données probantes ? 259

Les gènes et la personnalité 260

La génétique comportementale 261

Les études de croisements sélectifs 261

Les études de jumeaux 261

Les études d'adoption 263

Le coefficient d'héritabilité 264

L'héritabilité de la personnalité :
les résultats de recherche 264

Mises en garde 265

Le paradigme de la génétique moléculaire 266

Les facteurs environnementaux et les interactions
gènes-environnement 267

Les environnements partagés
et les environnements non partagés 267

Les effets des environnements non partagés ... 269

Les trois types d'interactions nature-culture 269

L'humeur, les émotions et le cerveau 270

La dominance hémisphérique cérébrale 271

Les neurotransmetteurs et le tempérament :
la dopamine et la sérotonine 272

Les trois grandes dimensions du tempérament :
AN, AP et DoI 273

La plasticité des processus biologiques :
la cause et les effets 275

De l'expérience à la biologie 275

Le statut socioéconomique et la sérotonine 276

Les recherches neuroscientifiques sur
les fonctions psychologiques de haut niveau 277

Le cerveau et le concept de soi 278

Le cerveau et le jugement moral 279

Résumé 281

CHAPITRE 10

LE BÉHAVIORISME ET LES APPROCHES FONDÉES SUR L'APPRENTISSAGE

La conception béhavioriste de la personne 285

La conception béhavioriste de la science
de la personnalité 286

Le déterminisme environnemental
et le concept de personnalité 286

Expérimentation, variables observables
et systèmes simples 288

Watson, Pavlov et le conditionnement classique ... 289

Le béhaviorisme de Watson 289

La théorie du conditionnement classique
de Pavlov 290

Les principes du conditionnement classique 290

La psychopathologie et le changement 293

Les réactions émotionnelles conditionnées 293

La peur « inconditionnée » à l'égard d'un lapin ... 294

La désensibilisation systématique 294

Une réinterprétation du cas du petit Hans 296

Les recherches ultérieures 297

La théorie du conditionnement opérant
de Skinner 298

Une vision du théoricien 299

La théorie skinnérienne de la personnalité 301

La structure 301

Le processus : le conditionnement opérant 301

La croissance et le développement 304

La psychopathologie 304

L'évaluation du comportement 305

La modification du comportement 307

Libre arbitre ? 308

L'évaluation critique 309

L'observation scientifique : la base de données 309

Une théorie systématique ? 310

Une théorie vérifiable ? 310

Une théorie globale ? 310

Les applications 311

Principales contributions et résumé 311

Résumé 312

CHAPITRE 11

UNE THÉORIE COGNITIVE :
la théorie des construits
personnels de George A. Kelly 313

George A. Kelly (1905-1966) :
un coup d'œil sur le théoricien 316

La science de la personnalité selon Kelly 317

La conception de la personne 319

La théorie de la personnalité
de George A. Kelly 320

    La structure 320

    Les construits et leurs répercussions
    sur les rapports interpersonnels 321

    Les types de construits et le système
    de construits 321

        Évaluation : le répertoire des construits
        de rôles (test de Kelly) 324

        Ce que révèle l'évaluation des construits
        personnels 324

        La complexité-simplicité cognitive 325

    Les processus 328

        Prévoir les événements 329

        L'anxiété, la peur et la menace 331

    La croissance et le développement 333

Les applications cliniques 334

    La psychopathologie 334

    Le changement et la thérapie d'assignation
    de rôle 334

**L'histoire de Jacques : Le test de Kelly :
la théorie des construits personnels** 336

Les visions connexes et l'évolution
de la théorie 337

L'évaluation critique 338

    Sur quelle base de données l'observation
    scientifique repose-t-elle ? 338

    Une théorie systématique ? 339

    Une théorie vérifiable ? 339

    Une théorie exhaustive ? 339

    Les applications 340

    Principales contributions et résumé 340

Résumé 341

CHAPITRE 12

LA THÉORIE SOCIOCOGNITIVE :
Bandura et Mischel 343

La théorie sociocognitive par rapport
aux théories précédentes 345

Une présentation des théoriciens 346

    Albert Bandura (1925-...) 346

    Walter Mischel (1930-...) 346

La personne selon la théorie sociocognitive 347

La science de la personnalité selon la théorie
sociocognitive 348

La théorie sociocognitive de la personnalité :
la structure 348

    Les compétences et habiletés 348

    Les croyances et les attentes 349

        Le soi et le sentiment d'efficacité personnelle ... 350

        Le sentiment d'efficacité personnelle
        et le rendement 352

    Les objectifs 354

    Les normes d'évaluation 355

    La nature des structures sociocognitives
    de la personnalité 357

La théorie sociocognitive de la personnalité :
le processus 357

    Le déterminisme réciproque 357

    La personnalité en tant que système
    cognitivo-affectif 358

La croissance et le développement
selon la théorie sociocognitive 361

    L'apprentissage par l'observation (ou modelage) ... 361

        La différence entre l'acquisition et l'exécution ... 363

        Le conditionnement vicariant 364

    L'autorégulation et la motivation 364

        L'efficacité personnelle, les buts
        et les réactions d'autoévaluation 366

    La maîtrise de soi et la gratification différée 367

    L'apprentissage de la capacité à différer
    la gratification 368

        Le paradigme de la gratification différée
        selon Mischel 369

Résumé de la perspective sociocognitive
de la croissance et du développement 371

Résumé 372

CHAPITRE 13

LA THÉORIE SOCIOCOGNITIVE:
applications, conceptions théoriques
connexes et état de la recherche 375

Les éléments cognitifs de la personnalité:
croyances, objectifs et normes d'évaluation 377

   Les croyances sur le soi et les schémas de soi 377

      Les schémas de soi et les méthodes
      des temps de réponse 379

      Les motivations axées sur le soi et le
      traitement de l'information motivationnel 381

Les objectifs d'apprentissage et
les objectifs de performance 383

      Objectifs d'apprentissage et objectifs
      de performance: les théories implicites 384

   Les normes d'évaluation 385

      Les normes personnelles, les écarts
      avec le soi, l'émotion et la motivation 387

   Une approche de la personnalité centrée
   sur des principes généraux 390

   La psychopathologie et le changement:
   le modelage, les conceptions de soi et
   les perceptions d'autoefficacité 391

      Le sentiment d'autoefficacité, l'anxiété
      et la dépression 392

      Le sentiment d'autoefficacité et la santé 393

      Le changement thérapeutique: le modelage
      et la participation guidée 394

Le stress et les stratégies d'adaptation 397

   La thérapie rationnelle-émotive d'Ellis 399

      La thérapie cognitive de la dépression
      mise au point par Beck 400

      La triade cognitive de la dépression 400

      La recherche portant sur les cognitions
      erronées 400

      La thérapie cognitive 401

L'histoire de Jacques 402

L'évaluation critique 403

   L'observation scientifique: les données
   de recherche 403

   La théorie sociocognitive: systématique? 404

   La théorie sociocognitive: vérifiable? 404

   La théorie sociocognitive: complète? 404

   Les applications 405

   Principales contributions et résumé 405

Résumé 406

CHAPITRE 14

LA PERSONNALITÉ ET SON CONTEXTE:
les relations interpersonnelles, la culture
et le développement tout au long de la vie 407

Les relations interpersonnelles 410

   La sensibilité au rejet 410

      Focalisation attentionnelle «chaude»
      et «froide» 412

   Le transfert dans les relations
   interpersonnelles 413

Relever les défis sociaux et scolaires:
l'optimisme stratégique et
le pessimisme défensif 415

La constance de la personnalité prise
dans son contexte 416

Le développement de la personnalité
et le contexte socioéconomique 419

   Les causes et les effets des attributs
   de la personnalité 420

Le fonctionnement de la personnalité
tout au long de la vie 421

   La résilience psychologique et la vieillesse 421

   La vie affective pendant la vieillesse:
   la sélectivité socioaffective 422

Les individus et les contextes culturels 423

   Deux stratégies pour une réflexion
   sur la personnalité et la culture 423

      Stratégie nº 1: Personnalité... et culture? 423

      Stratégie nº 2: La culture et la personnalité 425

   La construction sociale de la personnalité
   et du soi au sein d'une culture 426

      La vision du soi indépendante et
      interdépendante 426

La personnalité dans son contexte:
une approche pratique 427

   Évaluer la personnalité dans son contexte:
   une étude de cas 428

   Les processus de la personnalité et le contexte:
   susciter un changement social 431

En bref 433

Résumé 434

CHAPITRE 15

ÉVALUATION DES THÉORIES DE LA PERSONNALITÉ ET DE LA RECHERCHE

Structures, processus, développement
et changement thérapeutique 437

    La structure de la personnalité. 437

    Les processus 438

    La croissance et le développement 438

    La psychopathologie et le changement 439

L'histoire de Jacques 441

Comment ont-ils fait ? Une évaluation
critique de la personnalité 442

    Les théories et la recherche. 442

    L'observation scientifique : la base de données 442

Des théories systématiques ? 443

Des théories vérifiables ? 444

Des théories globales ? 444

Les applications 445

Conclusion : les théories comme coffres à outils. .. 446

Résumé 447

Glossaire 449

Bibliographie 459

Sources des illustrations 493

Index des auteurs. 495

Index des sujets 503

CHAPITRE 1

LA THÉORIE DE LA PERSONNALITÉ :
de l'observation quotidienne
aux théories systématiques

Cinq objectifs pour les théoriciens de la personnalité

Pourquoi étudier la personnalité ?

Définir la personnalité

Questions sur l'individu : qui, comment et pourquoi

Répondre scientifiquement aux questions sur l'individu : comprendre la structure, les processus, le développement et le changement thérapeutique

Les grands débats

L'évaluation des théories

Les théories de la personnalité : introduction

Mon amie n'a pas beaucoup confiance en elle. C'est ma meilleure amie, mais elle essaie toujours de montrer qu'elle est la meilleure en essayant de me voler mon petit ami. C'est une fausse amie, il faut croire. Elle est agréable à côtoyer, sauf quand il y a un gars dans les parages. Elle fera alors tout ce qu'elle peut pour montrer qu'elle est la meilleure parce que, en réalité, elle a une faible estime d'elle-même. Elle doit constamment avoir un gars à ses côtés, autrement elle se sent nulle.

Cette personne que je connais est extrêmement insécure. Cette insécurité se manifeste par des comportements bizarres qui, en fin de compte, reflètent une âme paranoïaque et triste qui a traversé beaucoup d'épreuves sans toujours arriver à accepter la cause de ces malheurs. Au lieu de reconnaître qu'il est lui-même l'instigateur de ses propres malheurs, il en blâme les autres.

Je peux être égoïste, mais je crois que c'est parce que j'essaie d'être parfaite. Parfaite dans le sens que je veux être une première de classe, une bonne mère, une épouse aimante, une excellente employée, une amie enrichissante. Mon compagnon trouve que j'essaie trop d'être « Mère Teresa » parfois. Non pas que ce soit une mauvaise chose, mais je peux en devenir dingue par moments. J'ai eu une enfance et une vie adulte difficiles, alors je crois que j'essaie de compenser ces périodes difficiles. Je veux être productive et bonne : je veux être un atout dans mon petit monde.

Moi, je fais toujours l'idiot. Je suis assez intelligent pour réussir à l'école et faire des études en génétique, mais je ne sais jamais quand me la fermer. Je suis souvent très offensant et j'emploie un langage plutôt acerbe, bien que je sois timide la plupart du temps et que je parle à peu de gens. Par moments, je suis sarcastique, cruel et prétentieux. Pourtant, on m'a déjà dit que j'étais aimable et adorable ; c'est peut-être vrai, mais seulement avec ceux qui à mes yeux méritent que je leur parle de temps à autre. J'aime beaucoup argumenter, parfois même juste pour m'amuser.

Mon ami est une personne extravertie et agréable à côtoyer. Toutefois, quand quelque chose n'est pas à son goût, je veux dire d'après ses critères à lui, alors il devient perfectionniste de façon obsessionnelle. S'il croit que quelqu'un est incapable d'accomplir une tâche, il s'impose et l'accomplit lui-même. Derrière ce qu'il laisse voir, il a un caractère épouvantable, il est gueulard et jamais content. Devant les autres, il joue au gars toujours content.

Ces gens sont timides par moments. Ils ont tendance à s'ouvrir à certaines personnes seulement. On ne sait jamais à quel moment ils sont heureux ou malheureux. Ils n'expriment jamais leurs vrais sentiments, et les rares fois où ils le font, c'est tellement dur pour eux. C'est vrai qu'ils ont vécu un traumatisme qui les a fait se refermer sur eux-mêmes ; ils semblent avoir peur de se montrer tels qu'ils sont. Ils sont drôles et ils arrivent à s'amuser et ils sont amusants à côtoyer, mais parfois on ne sait pas trop s'ils ont vraiment du plaisir. Ces personnes sont aimées par plein de monde et sont très généreuses, mais elles n'aiment pas « être sérieuses ».

Ces descriptions ont été rédigées par des personnes comme vous, c'est-à-dire par des étudiants inscrits au cours de psychologie de la personnalité. Ils les ont écrites le tout premier jour de classe. Lorsque nous, les auteurs de cet ouvrage, donnons ce cours, il nous arrive souvent de le commencer en demandant à nos étudiants de décrire leur personnalité et celle d'un ami. Les descriptions des étudiants sont pertinentes et riches en détails. À tel point que nous sommes tentés de nous dire que la classe déborde de théoriciens de la personnalité !

En un sens, c'est le cas. Nous sommes tous des théoriciens de la personnalité. Nous passons d'innombrables heures à nous interroger, tant sur nous-mêmes (« Pourquoi suis-je déprimée ? », « Pourquoi est-ce que je deviens si anxieux quand je dois parler en public ? ») que sur les autres (« Pourquoi mes parents sont-ils aussi bizarres ? », « Si je présente Maria à Michel, se plairont-ils ? »). Lorsque nous nous posons de telles questions, nous formulons des idées (des idées riches, complexes et structurées) sur le pourquoi du comportement des gens. En somme, nous élaborons nos propres théories de la personnalité.

Nos multiples interrogations sur les gens soulèvent un point qui vaut d'être mentionné dès maintenant, au tout début de ce cours sur la psychologie de la personnalité : vous en savez déjà beaucoup sur la matière du cours. Vous en savez probablement davantage sur le sujet de ce cours, qui débute à peine, que sur n'importe quelle autre matière universitaire. À titre de comparaison, imaginez ce qui se passerait si l'enseignant d'un autre cours demandait à ses élèves de faire ce que nous demandons : de rédiger une description du sujet du cours dès le premier jour de classe. Imaginez que c'est un enseignant de mathématiques, d'histoire ou de chimie qui vous demanderait cela : « Décrivez le calcul intégral », « Résumez les causes de la révolution bolchevique », « Décrivez vos liaisons chimiques préférées ». Il serait absurde de prescrire cette tâche puisque ces cours sont des *introductions* à une matière. Il en est tout autrement pour le cours sur la psychologie de la personnalité. La personnalité n'a pas « besoin » d'introduction. Vous connaissez déjà plusieurs types de personnalités et pouvez les décrire en détail. Vous avez déjà des idées sur ce qui motive les gens et sur les différences entre eux. Vous utilisez d'ailleurs ces idées pour comprendre ce qui arrive, pour prédire ce qui arrivera et pour aider vos amis à gérer le stress et les vicissitudes de la vie. Vous possédez déjà votre propre théorie de la personnalité, et vous vous en servez.

Mais alors, vous demandez-vous peut-être, pourquoi suivre ce cours si vous en savez autant sur la personnalité ? Que peuvent vous apprendre des spécialistes de la psychologie de la personnalité ? Qu'est-ce que les théoriciens de la personnalité présentés dans ce livre font de plus que vous ? Le présent chapitre répondra à ces questions. Plus particulièrement, nous décrirons le domaine de la psychologie de la personnalité à partir des trois questions ci-dessous.

LE CHAPITRE...
EN QUESTIONS

1. En quoi les théories scientifiques de la personnalité diffèrent-elles des idées que vous vous faites sur la personnalité dans votre vie quotidienne ?

2. Pourquoi existe-t-il plusieurs théories de la personnalité et quelles sont les principales différences entre ces théories ?

3. Que tentent d'accomplir les psychologues de la personnalité ? Autrement dit, quels aspects de l'individu et des différences individuelles essaient-ils de comprendre et quels facteurs sont si importants que toute théorie de la personnalité doit nécessairement en tenir compte ?

Tout le monde veut en savoir davantage sur la personnalité. Comment est mon ami, réellement? Comme suis-je, réellement? Peut-on changer de personnalité et, si cela est possible, comment faire? La nature humaine a-t-elle des caractéristiques de base et, le cas échéant, quelles sont ces caractéristiques? Il est beaucoup moins difficile de poser ces questions que d'y répondre de manière crédible, scientifique et probante. Les psychologues de la personnalité sont un des groupes qui tentent de répondre à ces questions. Le présent ouvrage est une introduction à cette discipline, plus précisément à ses méthodes de recherche, aux principaux résultats de recherche et aux théories les plus importantes.

À plusieurs égards, la psychologie de la personnalité vous semble probablement familière. Les questions que se posent les psychologues professionnels au sujet de l'individu ressemblent aux questions que les gens ordinaires se posent. Il existe cependant de grandes différences entre les réflexions courantes et spontanées des gens ordinaires et les théories scientifiques structurées des psychologues de la personnalité. Ces différences ne résident pas tant dans les questions posées que dans la façon de chercher des réponses. Pour commencer, examinons quelques-unes de ces réponses.

Songez un instant à la façon dont vos idées se forment à propos des gens. Vous observez vos parents et amis et interagissez avec eux. Vous réfléchissez sur vous-même. Vous glanez des idées dans des livres, des chansons, des films, des émissions à la télé, des pièces de théâtre. Quoi qu'il en soit, vous finissez par tirer de ce magma des croyances que vous faites vôtres sur la nature des gens et les principales différences qui les distinguent. Cet ensemble de conceptions peut s'avérer satisfaisant tant que vous ne cherchez pas à élaborer une théorie probante de la personnalité. Les théoriciens de la personnalité, eux, ont précisément cette responsabilité. Pour construire une théorie de la personnalité, ils doivent atteindre cinq objectifs qu'on néglige ordinairement dans le quotidien lorsqu'on réfléchit sur les gens.

CINQ OBJECTIFS POUR LES THÉORICIENS DE LA PERSONNALITÉ

Les cinq objectifs poursuivis par les théoriciens de la personnalité comportent à la fois de l'abstrait (les idées utilisées pour comprendre l'être humain, son développement et les différences individuelles) et du concret (les observations scientifiques qui deviennent la base de données des idées avancées). Les théories existantes atteignent ces objectifs à des degrés divers. Au fil de votre lecture, vous serez à même de voir dans quelle mesure chacune répond à ces objectifs. Voici les cinq objectifs que les théoriciens de la personnalité doivent poursuivre:

1. Des observations qui soient scientifiques

Les bonnes théories scientifiques se fondent sur des observations scientifiques méticuleuses. En observant les gens de manière scientifique, les psychologues de la personnalité peuvent arriver à des descriptions systématiques des tendances humaines universelles et des différences entre individus. Ces descriptions sont les données de base qu'ils doivent ensuite tenter d'expliquer.

En psychologie de la personnalité, une observation doit répondre à trois critères pour être dite scientifique:

(1) *Étudier des groupes d'individus nombreux et divers.* Les psychologues ne peuvent pas fonder leurs théories sur des observations de petits groupes d'individus croisés au hasard dans leur vie quotidienne. Les gens peuvent être différents d'un milieu social ou culturel à un autre, et ces différences ne se révèlent parfois que lorsqu'elles sont étudiées dans des contextes de vie bien précis (Cheng, Wang et Golden, 2011). Les psychologues doivent donc étudier divers échantillons d'individus dans leurs recherches.

(2) *S'assurer que les observations sont objectives.* En recherche scientifique, on doit absolument éliminer toutes les idées préconçues et tous les stéréotypes susceptibles de fausser ses observations. Les chercheurs doivent aussi décrire en détail leurs méthodes de recherche afin que d'autres puissent reprendre ces méthodes et vérifier leurs résultats.

(3) *Utiliser des instruments spécialisés pour étudier les processus mentaux, les réactions émotionnelles et les systèmes biologiques qui contribuent au fonctionnement de la personnalité.* Les psychologues observent les individus tout comme vous le faites, à la différence près qu'ils doivent consolider leurs observations courantes avec des preuves. Pour obtenir ces preuves, ils utilisent des instruments de recherche spécialisés avec lesquels vous vous familiariserez tout au long du livre (en particulier au chapitre 2).

2. Une théorie qui soit systématique

Une fois que des psychologues disposent de bonnes descriptions de la personnalité, ils peuvent formuler une théorie de la personnalité. Le but de la théorie est de fournir des explications. En d'autres mots, une théorie permet aux psychologues d'expliquer ce qu'ils ont observé durant leur recherche.

Lorsqu'ils étudient la personnalité, les psychologues professionnels s'intéressent aux mêmes choses que vous, mais leur tâche ne s'arrête pas là. Avant de vous inscrire à ce cours, vous entreteniez déjà beaucoup d'idées sur les divers types d'individus, mais vous n'avez pas à établir des liens logiques et systématiques entre vos idées. Vous pouvez dire, un jour : « Mon amie est déprimée parce que son petit ami a rompu avec elle » et, le lendemain, dire : « Ma mère est déprimée comme l'était sa mère ; c'est génétique », sans avoir à faire le lien entre les deux. Personne ne vous demande de décrire la relation entre des facteurs interpersonnels (rupture amoureuse) et des facteurs biologiques (tendances héréditaires). C'est toutefois ce que la communauté scientifique exige des théoriciens de la personnalité. Ceux-ci doivent expliquer les liens entre toutes leurs idées pour élaborer une théorie qui soit structurée de manière systématique.

3. Une théorie qui soit vérifiable

Si vous dites à un ami « Mes parents sont bizarres », votre ami ne vous répondra probablement pas « Prouve-le ! ». C'est toutefois ce que la communauté scientifique répond chaque fois que des scientifiques affirment quelque chose : « Prouvez-le ! » Les psychologues de la personnalité doivent émettre des hypothèses qui sont vérifiables, preuves scientifiques objectives à l'appui.

Bien entendu, c'est ainsi pour toutes les sciences. En psychologie de la personnalité, cependant, il peut être particulièrement difficile d'atteindre cet objectif de théorie vérifiable. Il en est ainsi parce que c'est un domaine où l'objet d'étude comporte des aspects psychiques (les buts, les rêves, les souhaits, les impulsions, les conflits, les émotions, les mécanismes de défense inconscients) qui sont immensément complexes et donc difficiles à étudier scientifiquement.

4. Une théorie qui soit exhaustive

Supposons que vous venez de louer un appartement et que vous envisagez d'avoir un colocataire pour partager le loyer. Pour choisir votre colocataire, vous vous poserez probablement quelques questions sur sa personnalité : Aime-t-elle s'amuser ? Est-elle consciencieuse ? Ouverte d'esprit ? Et ainsi de suite. Il y a cependant des questions que vous n'aurez pas à vous poser. Par exemple, si la personne aime s'amuser, vous ne vous demanderez pas si cette qualité est innée ou acquise ; si elle se dit consciencieuse, vous ne vous demanderez pas si elle le sera plus ou moins dans vingt ans ; et si elle est ouverte d'esprit, vous ne vous demanderez pas si c'est surtout grâce à ses expériences culturelles où elle a appris sur le monde ou plutôt grâce à une tendance humaine universelle qui a évolué et qui se transmet génétiquement.

Lorsque vous vous interrogez sur une personne, vous pouvez faire preuve de sélectivité, c'est-à-dire vous poser certaines questions et en ignorer d'autres. Les théoriciens de la personnalité, eux, doivent être exhaustifs et répondre à toutes les questions pertinentes sur le fonctionnement de la personnalité, sur son développement et sur les différences individuelles.

5. Une théorie qui ait des applications

Comme nous l'avons clairement constaté dans les descriptions rédigées par des étudiants, au début du chapitre, tout le monde a déjà des idées pertinentes sur la personnalité avant de commencer un cours sur la psychologie de la personnalité. Cela dit, il est rare que les gens ordinaires convertissent leurs connaissances sur la personnalité en applications systématiques. Vous pouvez très bien savoir que le problème de tel ami est un manque de confiance et que le problème de tel autre ami est le repli sur soi, mais vous n'avez pas à vous servir de ce savoir pour créer des thérapies visant à améliorer la confiance en soi ou l'ouverture aux autres. Les psychologues de la personnalité, eux, le font. Ils tentent non seulement d'élaborer des théories systématiques et vérifiables, mais aussi de convertir leur savoir théorique en applications bénéfiques. Vous en saurez davantage sur plusieurs de ces applications tout au long de votre lecture.

Pour résumer, le présent ouvrage est une introduction à un domaine d'étude dont l'objet ne consiste pas simplement à dire des choses intéressantes et pertinentes au sujet des gens. Les psychologues de la personnalité poursuivent les cinq objectifs suivants : (1) observer des individus de manière scientifique et élaborer des théories qui sont (2) systématiques, (3) vérifiables et (4) exhaustives, et

(5) qui se convertissent en applications. Ce sont ces cinq objectifs qui distinguent le travail des psychologues de la personnalité de celui du poète, du dramaturge et du psycho-vulgarisateur (ou de l'étudiant qui rédige un profil de personnalité à son tout premier cours). Le poète, le dramaturge et vous, l'étudiante ou l'étudiant, avez tous une connaissance pertinente de la nature humaine. Mais seuls les psychologues de la personnalité ont pour tâche d'élaborer des théories systématiques, vérifiables et exhaustives qui sont fondées sur des observations scientifiques et qui se convertissent en applications bénéfiques pour les individus et la société.

Tout au long de cet ouvrage, nous évaluerons des théories de la personnalité à la lumière des cinq objectifs mentionnés plus haut. Cette évaluation figure dans la section « L'évaluation critique », qui suit la théorie décrite. Dans le tout dernier chapitre, nous tenterons de voir où en est l'ensemble de la discipline par rapport aux cinq objectifs.

POURQUOI ÉTUDIER LA PERSONNALITÉ ?

Pourquoi les étudiants choisissent-ils de suivre un cours sur la personnalité ? Pour répondre à cette question, on peut comparer la matière de ce cours à celle d'autres cours de psychologie. Prenons le cours *Introduction à la personnalité*, par exemple, le cours typique de psycho 101. Les étudiants sont souvent déçus par son contenu parce que le cours ne semble pas s'intéresser à l'individu dans sa totalité et son intégrité. Ils vont plutôt y étudier des parties de l'individu (son système visuel, son système nerveux autonome, sa mémoire à long terme, etc.) et certains de ses comportements (apprendre, résoudre des problèmes, prendre des décisions, etc.). Certains se demanderont alors : « Où, en psychologie, apprend-on sur l'individu dans sa totalité et son intégrité ? » La réponse est : ici, dans un cours sur la psychologie de la personnalité. Les théoriciens de la personnalité s'intéressent à l'individu entier ; ils essaient de comprendre les liens entre les différents aspects du psychisme de l'individu ainsi qu'entre ces aspects et le milieu social et culturel dans lequel vit l'individu (Magnusson, 1999, 2012). L'une des raisons d'étudier la psychologie de la personnalité est donc la suivante : elle s'intéresse au sujet le plus complexe et le plus intéressant qui soit : l'individu dans sa totalité, son intégrité, sa cohérence et son unicité.

Il existe une autre raison de suivre un cours de psychologie de la personnalité : élargir son champ intellectuel. Les théories de la personnalité que nous décrirons ont été influentes non seulement au sein de la communauté scientifique des psychologues, mais également au sein de la société dans son ensemble. Elles font partie intégrante de la tradition intellectuelle du dernier siècle. En tant que telles, ces modèles théoriques ont déjà influencé vos propres idées. Avant même de suivre un cours sur la personnalité, vous pouviez dire que telle personne avait un gros « ego », qualifier telle autre d'« introvertie » ou croire qu'un lapsus apparemment innocent révélait les motivations cachées de votre interlocuteur. On peut donc dire que vous utilisez *déjà* le langage et les concepts des théoriciens de la personnalité. Ce cours vous permettra donc d'approfondir certaines de vos croyances sur les gens, croyances que vous avez acquises en vivant dans une culture elle-même influencée par le travail des théoriciens de la personnalité.

DÉFINIR LA PERSONNALITÉ

L'étude de la personnalité comporte trois volets : (1) les caractéristiques humaines universelles, (2) les différences individuelles et (3) l'unicité de l'individu. Qu'est-ce qui est vrai en général au sujet de l'être humain ? Quels sont les traits universels de la nature humaine ? Lorsqu'on étudie les différences individuelles, la grande question devient : En quoi les gens diffèrent-ils les uns des autres ; existe-t-il un ensemble de différences individuelles fondamentales ? Enfin, au sujet de l'unicité, les chercheurs se demandent comment expliquer l'unicité de l'individu d'une manière scientifique (puisque la science a pour tâche de formuler des principes généraux plutôt que de dresser des portraits d'entités uniques). Les psychologues de la personnalité se penchent sur une foule de questions plus précises, comme vous le verrez tout au long du livre, mais ces questions plus précises sont généralement mieux comprises lorsqu'on les aborde dans le contexte plus large des trois volets mentionnés : les caractéristiques universelles de la personnalité, les différences individuelles et l'unicité de l'individu.

Étant donné ces trois volets, comment définir la personnalité ? Les mots ont souvent plusieurs significations, et le mot *personnalité* ne fait pas exception. Il s'emploie de différentes manières. En fait, les définitions sont si nombreuses qu'un des premiers manuels publiés sur l'histoire de la psychologie de la personnalité (Allport,

1937) consacrait tout un chapitre à la seule définition du mot *personnalité*.

Plutôt que de proposer une définition unique du mot **personnalité**, il est bon de se rappeler cet enseignement des philosophes : si l'on veut savoir ce qu'un mot signifie, on doit examiner la façon dont il est employé et, ce faisant, ne pas oublier qu'un mot peut être utilisé de plusieurs manières différentes (Wittgenstein, 1953). Le mot *personnalité* est effectivement employé différemment selon les personnes. La population en général l'emploie souvent pour faire un jugement de valeur : on aime quelqu'un qui a une « belle personnalité » ou « beaucoup de personnalité ». En revanche, on dira d'une personne ennuyeuse qu'elle n'a « pas de personnalité ». Selon cet usage courant, le mot signifie « charisme ». Les scientifiques de la personnalité utilisent toutefois le mot différemment. L'ouvrage que vous avez entre les mains est tout sauf un livre qui pourrait s'intituler *Le charisme : théorie et recherche*. Les théoriciens de la personnalité ne cherchent pas à poser des jugements de valeur sur la beauté des personnalités. Ils tentent plutôt de faire avancer la recherche scientifique objective sur l'être humain. Penchons-nous sur la définition du mot selon ces chercheurs.

La définition du mot *personnalité* varie subtilement d'un chercheur à l'autre. Les différences de définition rendent compte de différences dans les croyances théoriques. Au fil de votre lecture, vous constaterez que certaines de ces différences revêtent une grande importance. Pour l'instant, cependant, considérez que ces différences sont subtiles. Les chercheurs en psychologie de la personnalité s'entendent sur la signification du mot *personnalité*. Tous emploient le terme personnalité pour désigner *les caractéristiques de la personne qui contribuent à sa manière habituelle et distinctive de sentir, de penser et de se comporter*. Maintenant que nous avons posé cette définition, examinons-la de plus près.

Par « *habituelle* », nous voulons dire que les caractéristiques de la personnalité sont les qualités qui sont à tout le moins constantes dans le temps et d'une situation à l'autre de la vie d'une personne. Les gens ont tendance à avoir des modes de fonctionnement relativement stables. Cela dit, nous savons que les gens changent avec le temps et se comportent souvent différemment dans différentes situations. Ainsi, l'individu qui était introverti à une certaine période de son existence se révèle extraverti plus tard dans sa vie. Ou alors l'individu introverti en société devient extraverti dans d'autres contextes. La tâche du psychologue de la personnalité est de décrire et d'expliquer

les modes de fonctionnement psychique d'une personne, c'est-à-dire les modes qui ressortent lorsqu'on observe la personne au fil du temps et dans diverses situations.

Par « *distinctive* », nous désignons les caractéristiques psychiques qui distinguent les individus les uns des autres. Voici un contre-exemple parlant. Si quelqu'un vous demande de décrire votre personnalité, vous ne direz pas : « J'ai tendance à me sentir triste quand un malheur arrive, mais heureux quand une bonne chose arrive. » Vous ne répondrez pas cela parce que *tout le monde* se sent triste dans une situation triste et heureux dans une situation heureuse. Cette tendance psychique n'est pas distinctive. Même lorsque les psychologues de la personnalité étudient les caractéristiques universelles (c'est-à-dire les aspects de la vie psychique communs à tous les humains), ils utilisent généralement leur compréhension de ces caractéristiques universelles comme cadre pour étudier les différences individuelles.

Par « *contribuent* », nous voulons dire que les psychologues de la personnalité cherchent à déterminer les facteurs psychiques qui ont un lien de causalité et, donc, qui expliquent au moins partiellement les tendances distinctives et habituelles d'un individu. À l'instar de toute science, une bonne partie de la psychologie de la personnalité est descriptive. Les théoriciens de la personnalité décrivent, par exemple, les tendances du développement de la personnalité, les principales différences individuelles au sein d'une population ou les modes de comportement de tel individu dans diverses situations. Les théoriciens de la personnalité cherchent toutefois à passer de la description à l'explication scientifique en dégageant les facteurs psychologiques qui présentent des liens de causalité avec le développement de la personnalité, les différences individuelles et le comportement individuel observé. Leur tâche consiste donc à *décrire* et à *expliquer* les modes de fonctionnement psychique des gens, tant les modes communs à tous les humains (nature humaine) que les modes relevant d'idiosyncrasies.

Enfin, par « *sentir, penser et se comporter* », nous voulons dire que la notion de personnalité est étendue et touche tous les aspects de l'individu : ses pensées, ses expériences émotionnelles et ses comportements sociaux. Les psychologues

Personnalité
Ensemble de caractéristiques d'une personne qui expliquent les modes stables de son comportement.

de la personnalité cherchent à comprendre l'individu entier. C'est évidemment tout un défi qu'ils se donnent.

QUESTIONS SUR L'INDIVIDU : QUI, COMMENT ET POURQUOI

À partir de notre définition de la personnalité, posons-nous une autre question : lorsque les théoriciens de la personnalité élaborent une théorie de la personnalité, à quels genres de questions essaient-ils de répondre ? Les questions portant sur les individus sont de trois types. Nous voulons savoir *qui* ils sont, *comment* ils sont devenus qui ils sont et *pourquoi* ils se comportent comme ils le font. Nous tentons d'élaborer des théories qui expliquent le qui, le comment et le pourquoi.

Le *qui* fait référence aux caractéristiques de la personne et à leurs interactions entre elles. Le *comment* s'intéresse aux déterminants de la personnalité d'un individu et incite à se demander comment les facteurs génétiques contribuent à la personnalité et comment les facteurs environnementaux et les expériences d'apprentissage social influent sur le développement de la personnalité. Quant au *pourquoi*, il relève des causes et des raisons qui sous-tendent le comportement de l'individu. Les réponses à ce *pourquoi* renvoient généralement aux motivations : la personne est-elle motivée par le désir de réussir ou par la peur de l'échec ? Si un enfant réussit bien à l'école, est-ce pour plaire à ses parents, pour acquérir des habiletés, pour rehausser son estime de soi ou pour faire concurrence à ses pairs ? Une mère est-elle surprotectrice parce qu'elle est très affectueuse, parce qu'elle cherche à donner à son enfant ce qu'elle n'a pas reçu dans sa propre enfance ou parce qu'elle compense le sentiment d'hostilité qu'elle éprouve à l'égard de son enfant ? Une théorie exhaustive de la personnalité doit proposer un ensemble cohérent de réponses à ces trois catégories de questions (qui, comment et pourquoi).

Structure

Dans la théorie de la personnalité, concept qui se rapporte aux aspects les plus stables et les plus durables de la personnalité.

Unités d'analyse

Variables de base d'une théorie ; les unités d'analyse utilisées pour conceptualiser la structure de la personnalité diffèrent d'une théorie à l'autre.

RÉPONDRE SCIENTIFIQUEMENT AUX QUESTIONS SUR L'INDIVIDU : COMPRENDRE LA STRUCTURE, LES PROCESSUS, LE DÉVELOPPEMENT ET LE CHANGEMENT THÉRAPEUTIQUE

Pour répondre aux questions *qui*, *comment* et *pourquoi*, les psychologues de la personnalité se penchent sur quatre éléments : (1) la *structure* de la personnalité, c'est-à-dire les composants de base de la personnalité ; (2) les *processus* de la personnalité, c'est-à-dire les aspects dynamiques de la personnalité, dont les motivations ; (3) la *croissance et le développement*, c'est-à-dire la façon dont nous devenons chacun une personne unique ; et (4) la *psychopathologie et le changement de comportement*, c'est-à-dire la façon dont l'individu change et les raisons pour lesquelles certains résistent au changement ou en sont incapables. Nous allons maintenant présenter chacun de ces éléments et y revenir ensuite tout au long du livre.

La structure

Le concept de **structure** se rapporte aux aspects les plus stables et durables de la personnalité. Les gens possèdent des qualités psychologiques qui persistent au fil des jours et des années. Les qualités durables qui définissent un individu et qui le distinguent des autres constituent ce que les psychologues appellent la structure de la personnalité. En ce sens, on peut faire une analogie avec les parties du corps ou avec l'atome et la molécule en physique : la structure est la composante de base de toute théorie de la personnalité.

Les unités d'analyse

Comme vous le verrez tout au long du livre, les différentes théories de la personnalité rendent compte de différentes conceptions de la structure de la personnalité. Pour formuler cela de façon plus technique, on pourrait dire que les variables de base, ou **unités d'analyse**, qui sont utilisées pour élaborer un modèle scientifique de la structure de la personnalité, diffèrent d'une théorie à l'autre. La notion d'unité d'analyse est importante pour comprendre les différences entre les théories de la personnalité, aussi prendrons-nous le temps d'illustrer cette notion.

Pendant que vous lisez ces lignes, vous êtes probablement assis ou assise sur une chaise. Si l'on vous demande de décrire cette chaise, vous pourriez dire « elle pèse environ quatre kilos ». Une autre personne pourrait dire « elle coûte probablement une cinquantaine de dollars ». Une autre personne encore pourrait décrire la chaise en disant « elle est assez bien conçue ». Chacune de ces unités d'analyse (le poids, le coût, la conception) nous fournit des informations sur la chaise. Même si ces unités d'analyse nous donnent des informations qui sont systématiquement liées entre elles (les chaises mal conçues pèsent moins lourd et coûtent moins cher), elles sont manifestement distinctes : si une amie vous disait « cette chaise coûte probablement une cinquantaine de dollars », vous ne rétorqueriez pas « non, tu es folle, elle pèse environ quatre kilos ».

Le principe, ici, c'est qu'on peut décrire à peu près n'importe quoi de plus d'une façon (avec plus d'une unité d'analyse), et que chacune de ces descriptions peut fournir des données valables sur la chose décrite. Y compris sur un individu. Les théories de la personnalité que vous allez étudier dans ce manuel utilisent chacune des unités d'analyse différentes pour analyser la structure de la personnalité. Les analyses qui en résultent sont aussi justes les unes que les autres, chacune à sa manière et chacune fournissant différentes informations sur la personnalité. Voyons quelques-unes des unités d'analyse employées par les théoriciens de la personnalité.

Une des unités d'analyse les plus utilisées est le **trait de personnalité**. Le mot *trait* évoque généralement la stabilité de la réaction émotionnelle ou comportementale de l'individu dans diverses situations. Par exemple, si une personne agit habituellement d'une manière consciencieuse, le fait d'être consciencieuse fait partie de ses traits de personnalité. L'expression *tendance naturelle* est presque synonyme de *trait*. Un trait décrit la propension d'un individu, ce qu'il est porté à faire, sa tendance naturelle à agir de telle ou telle manière. Vous utilisez fort probablement des mots qui résument des traits pour décrire les gens. Si vous dites d'un ami qu'il est « expansif », « honnête », « désagréable » ou « ouvert d'esprit », vous employez des adjectifs qui correspondent à des traits de personnalité. Ces adjectifs ont quelque chose d'implicite, de sous-entendu. Si, par exemple, vous dites que quelqu'un est « expansif », le mot sous-entend deux choses : (1) la personne a tendance à être expansive *de manière habituelle* dans son comportement quotidien (même si elle ne l'est pas de temps à autre) et (2) la personne à tendance à être expansive *comparativement aux autres*. Si vous utilisez les traits de cette façon, alors vous les utilisez de la même façon que la plupart des psychologues de la personnalité.

Une autre caractéristique mérite d'être soulignée au sujet des unités d'analyse qui sont des traits : les traits sont généralement considérés comme étant des dimensions continues. Les gens possèdent tel ou tel trait à des degrés divers ; la plupart se situent au milieu du continuum d'un trait et certains se trouvent à l'une ou l'autre extrémité du continuum.

Le **type** est une autre unité d'analyse. Le concept de type correspond à un regroupement de plusieurs traits. Par exemple, certains chercheurs ont exploré des combinaisons de traits de personnalité et convenu qu'il existe trois types de personnes : (1) les personnes qui réagissent de manière adaptative et résiliente au stress psychologique ; (2) les personnes qui réagissent de manière inhibée en situation sociale ou qui retiennent exagérément leurs émotions ; et (3) les personnes qui réagissent de manière désinhibée ou qui expriment exagérément leurs émotions (Asendorpf, Caspi et Hofstee, 2002). Le concept qui importe le plus concernant le type et qui le distingue du trait, c'est que les types de personnalité sont considérés comme des catégories qualitativement distinctes. Autrement dit, une personne qui appartient à tel type de personnalité ne possède pas simplement une caractéristique donnée à un certain degré, elle possède des caractéristiques appartenant à une catégorie distincte. La meilleure façon de l'expliquer est de faire une analogie qui n'a rien à voir avec la psychologie. La taille d'une personne n'est pas une variable du genre « type ». Même si l'on peut dire d'une personne qu'elle est « grande » ou « petite », nous savons que ces mots ne définissent pas des catégories distinctes de gens. La taille est plutôt une dimension continue. En revanche, le sexe d'une personne est une catégorie. Contrairement à « grande » ou « petite », les mots « femme » ou « homme » nomment des catégories qualitativement distinctes de personnes.

Bon nombre de psychologues utilisent des unités d'analyse autres que les traits ou les types. Plusieurs conçoivent la

Trait de personnalité
Caractéristique psychologique durable d'un individu ; ou type de construit psychologique (« construit de trait ») qui fait référence à cette caractéristique.

Type
Ensemble de traits de personnalité qui peut former une catégorie qualitativement distincte de personnes (c'est-à-dire un type de personnalité).

personnalité comme étant un **système**. Un système est un ensemble de parties liées entre elles de multiples façons et qui, ensemble, produisent un comportement qui reflète non seulement les parties de l'individu, mais aussi leur organisation. Comme le dit l'expression, le tout est plus grand que la somme de ses parties. Les théoriciens qui voient la personnalité comme un système savent que les gens ont des caractéristiques distinctives que les traits et les types décrivent bien, mais ils étudieront davantage l'organisation de ces unités entre elles que les unités elles-mêmes. Par exemple, ils diront de certaines personnes qu'elles ont des systèmes de personnalité complexes et des autres qu'elles ont des systèmes de personnalité simples, ou alors que le système de personnalité de certains individus est bien intégré et que celui des autres individus est conflictuel.

« Je ne suis ni un bon ni un mauvais policier. Comme vous, je suis un amalgame complexe de traits de personnalité positifs et négatifs qui s'expriment ou non, selon les circonstances. »

La personnalité en tant que système complexe

La hiérarchie

En plus des unités d'analyse, un autre aspect important dans l'étude de la structure de la personnalité est la hiérarchie. Les théories de la personnalité se distinguent par la façon dont elles organisent hiérarchiquement les composantes structurelles. Selon la hiérarchie adoptée, les composantes structurelles ont plus ou moins de poids et, par conséquent, régissent ou non le fonctionnement des composantes secondaires.

En général, deux choses sont hiérarchiquement liées si l'une est un exemple de l'autre ou sert l'autre (et qu'elle est régie par l'autre). Par exemple, la relation entre les « arbres » et les « végétaux » est hiérarchique dans le sens où les arbres sont un exemple de la catégorie plus large des végétaux. Le « jogging » et « se mettre en forme » sont également liés hiérarchiquement, en ce sens que le jogging sert à se mettre en forme (alors que se mettre en forme ne sert pas à faire du jogging).

Il existe beaucoup de systèmes hiérarchiques bien connus, où les sous-systèmes supérieurs régissent les sous-systèmes inférieurs. Pensons au système nerveux. L'encéphale, au sommet de la hiérarchie, régule le fonctionnement des autres parties du système. Une entreprise est également un système hiérarchique. Les cadres, au sommet de l'entreprise, dirigent les activités des unités inférieures de l'organisation.

La personnalité est-elle hiérarchique ? Comme vous le verrez, certaines théories le prétendent. Par exemple, les théories qui mettent l'accent sur le rôle des objectifs dans le fonctionnement de la personnalité soutiennent que les objectifs de l'individu sont liés entre eux de manière hiérarchique. Ainsi, les objectifs généraux (comme réussir, être une bonne personne) se trouvent en haut de la hiérarchie, déterminent des sous-objectifs plus précis et dictent les actions (comme recevoir une promotion, être aimable avec les étrangers ; Carver et Scheier, 1998). Les théories fondées sur les traits de personnalité sont également hiérarchiques, en ce sens qu'un petit ensemble de traits généraux commandent des sous-tendances.

D'autres approches, cependant, se distancent du concept de la hiérarchie et mettent plutôt de l'avant que la personnalité est un système flexible et fluide dans lequel différentes parties influent les unes sur les autres sans grande structure fixe et rigide. Pensons à deux aspects de la personnalité : (1) les émotions impulsives et (2) les plans qu'un individu se donne pour maîtriser son comportement impulsif. Il peut n'y avoir aucune relation hiérarchique immuable entre les deux. À certains moments, les impulsions nous envahissent et dominent notre volonté. À d'autres moments, notre capacité de planifier nous

Système

Ensemble d'éléments étroitement liés les uns aux autres et qui fonctionnent ensemble ; dans l'étude de la personnalité, des mécanismes psychologiques distincts peuvent fonctionner ensemble en tant que système et produire le phénomène psychologique de la personnalité.

Hiérarchie

Système dans lequel certaines unités occupent un rang supérieur et, de ce fait, régissent les fonctions des autres unités.

permet de maîtriser nos émotions. Aucun de ces deux aspects de la personnalité ne régit l'autre en tout temps ou ne le sert constamment.

Les processus

Tout comme on peut comparer les théories selon leur analyse de la structure de la personnalité, on peut comparer les théories selon leur analyse des processus de la personnalité. Par **processus** de la personnalité, on entend les réactions psychologiques qui varient de manière dynamique, c'est-à-dire qui changent au cours d'une période relativement brève. Ainsi, bien que vous soyez la même personne d'un moment à l'autre, vos pensées, vos émotions et vos désirs varient rapidement et énormément. À tel moment vous êtes en train d'étudier, puis à l'instant suivant vos pensées pour une amie vous distraient, puis vous avez faim et vous grignotez quelque chose, puis vous vous sentez coupable de ne pas être en train d'étudier, puis de trop manger. Ce courant rapide et dynamique de motivations, d'émotions et d'actions est ce que les psychologues de la personnalité tentent d'expliquer lorsqu'ils étudient les processus de la personnalité.

La motivation : Certaines théories de la personnalité sont axées sur les types de motivations (réduction de la tension, actualisation de soi, pouvoir, etc.).

Comme c'est le cas pour l'étude de la structure de la personnalité, les unités d'analyse utilisées pour étudier les processus de la personnalité diffèrent d'un théoricien à l'autre. Les différences résident principalement dans l'approche adoptée au regard de la motivation. Les théoriciens de la personnalité étudient différents types de

processus motivationnels. Certains se concentrent sur les motivations biologiques fondamentales. D'autres estiment que la motivation qui consiste à prédire les événements est plus importante dans la motivation humaine que les états biologiques du moment présent. D'autres étudient plutôt le rôle des processus psychiques conscients dans la motivation, tandis que d'autres encore avancent que les processus motivationnels inconscients sont les plus importants. Pour certains théoriciens, la motivation de s'améliorer est au cœur de la motivation humaine. D'autres trouvent que les théoriciens qui se concentrent ainsi sur les « processus du soi » négligent le fait que, dans certaines cultures, le mieux-être personnel motive moins l'individu que le mieux-être de la famille, de la communauté, de la société dans son ensemble. Dans leur étude des processus motivationnels, les théoriciens de la personnalité dont il est question dans le présent ouvrage tentent d'apporter des réponses scientifiques et modernes aux questions classiques que la communauté intellectuelle du monde entier se pose sur la nature humaine depuis plus de deux millénaires.

La croissance et le développement

Les théoriciens de la personnalité tentent de comprendre non seulement ce qu'un individu est dans le moment présent, mais comment il est devenu ce qu'il est. En somme, ils essaient de comprendre le développement de la personnalité.

Dans son ensemble, l'étude de la personnalité se divise en deux parties. La première consiste à définir les modes de développement communs à la plupart des individus, sinon tous. Ainsi, un théoricien peut supposer que tous les individus se développent suivant une série de stades, ou que certaines motivations ou certaines expériences émotionnelles sont plus courantes à tel âge plutôt qu'à tel autre pour la plupart des individus. La deuxième partie consiste à comprendre les facteurs développementaux qui contribuent aux différences individuelles. Quels facteurs font en sorte que chez un individu se développe tel style de personnalité plutôt qu'un autre ?

Dans l'étude des différences individuelles, on a souvent divisé les causes possibles en deux catégories : celles issues

> **Processus**
> Dans la théorie de la personnalité, concept qui se rapporte aux aspects motivationnels de la personnalité.

de la nature (innées) et celles issues de la culture (acquises). Nous pouvons être ce que nous sommes en raison de notre nature biologique, c'est-à-dire en raison de caractéristiques biologiques qui nous ont été transmises génétiquement. D'un autre côté, notre personnalité peut refléter le milieu où nous avons été élevés, c'est-à-dire les expériences que nous avons vécues en famille et dans la société. On pourrait poser la question suivante à la blague : « Qui blâmer si vous n'aimez pas votre personnalité ? Vos parents à cause de la façon dont ils vous ont élevé ? Ou vos parents à cause des gènes qu'ils vous ont transmis ? »

À différentes périodes de son histoire, la recherche en psychologie a tenté d'expliquer la personnalité en mettant de l'avant tantôt la culture tantôt la nature. Au milieu du xxe siècle, les théoriciens ont beaucoup insisté sur les causes environnementales du comportement et prêté relativement peu d'attention aux causes génétiques. À partir des années 1970 (Loehlin et Nichols, 1976), on a commencé à étudier systématiquement les ressemblances de personnalité chez les jumeaux. Ces études ont apporté des preuves incontestables à l'effet que les gènes contribuent à la personnalité.

Au cours des dernières années, une troisième tendance a vu le jour. Les chercheurs ont dégagé certaines interactions entre les facteurs génétiques et environnementaux. L'un des résultats de recherche les plus déterminants est que les expériences environnementales activent certains mécanismes génétiques, principalement en « allumant » ou en « éteignant » certains gènes. Comme les gènes codent pour des protéines qui deviennent la matière structurelle de notre corps, cela signifie que certains types d'expériences peuvent littéralement modifier la biologie de notre organisme (Gottlieb, 1998 ; Rutter, 2012). Cette hypothèse suppose, à son tour, que la dichotomie nature-culture ne signifie plus grand-chose. La nature et la culture (la biologie et l'expérience) ne seraient pas des forces opposées, mais plutôt des forces qui agissent ensemble pour façonner l'organisme au cours de sa vie (Lewontin, 2000 ; Meaney, 2010).

Compte tenu de la contribution reconnue des deux types de déterminants (génétiques et environnementaux), la question que vous vous posez peut-être, maintenant, est

la suivante : quels aspects de la personnalité sont influencés par les facteurs biologiques et lesquels sont influencés par les facteurs environnementaux ? Il s'agit là d'une grande question à laquelle nous tenterons d'apporter des réponses tout au long de cet ouvrage. Pour l'instant, toutefois, voyons brièvement quelques-uns des facteurs étudiés dans la recherche moderne en psychologie de la personnalité.

Les déterminants génétiques

Les facteurs génétiques jouent un rôle essentiel dans la formation de la personnalité et dans les différences individuelles (Kim, 2009). La recherche contemporaine permet aux psychologues de la personnalité de mettre le doigt sur les modes d'influence des gènes sur la personnalité. L'un de ces modes d'influence est le **tempérament**, terme qui renvoie aux tendances comportementales et émotionnelles d'origine biologique qui sont manifestes dès la petite enfance (Strelau, 1998).

Les caractéristiques du tempérament que des chercheurs ont étudiées en profondeur sont les réactions de peur et le comportement inhibé (Fox, Henderson, Marshall, Nichols et Ghera, 2005). L'intensité des réactions de peur varie considérablement d'un individu à l'autre, particulièrement dans des situations nouvelles et inhabituelles (dans des circonstances sociales en présence de beaucoup d'étrangers, par exemple). Les gènes contribuent aux différences individuelles qui existent dans les systèmes cérébraux participant aux réactions de peur. Ces différences biologiques produisent à leur tour des différences psychiques qui se manifestent dans les comportements et les émotions (Fox et Reeb-Sutherland, 2010). Étant donné que des facteurs génétiques influent sur le développement du cerveau, ces chercheurs peuvent dégager un lien précis entre les gènes et les systèmes biologiques, puis entre ces systèmes et le tempérament tel qu'il s'exprime dans les comportements et les émotions. Ce qui est intéressant, dans les travaux de ces chercheurs, c'est qu'ils renseignent non seulement sur l'influence des gènes, mais aussi sur l'influence de l'environnement. Certains résultats indiquent que les enfants au tempérament timide changent et deviennent moins timides lorsqu'ils vont à la garderie, où ils côtoient chaque jour beaucoup d'autres enfants (Schmidt et Fox, 2002), mais les données sur ce sujet ne vont pas toutes dans le même sens (Kagan, 2011).

Les psychologues évolutionnistes, c'est-à-dire les psychologues qui étudient le rôle de l'évolution dans les

---

Tempérament

Tendances émotionnelles et comportementales d'origine héréditaire qui apparaissent tôt dans l'enfance.

Les déterminants de la personnalité : Les différences génétiques et les différences dans les expériences de vie, tant au sein de la famille qu'en dehors de la famille, contribuent aux différences de personnalité entre frères et sœurs.

la peur) sont ressenties de manière semblable et rendues par des expressions faciales similaires dans toutes les cultures (Ekman, 1993, 1994 ; Izard, 1994), comme si ces émotions faisaient partie de notre patrimoine évolutif. Mais ici encore, cependant, on constate quelques différences d'une culture à l'autre (Jack, Caldara et Schyns, 2011), ce qui donne à penser que l'environnement intervient également.

Les déterminants environnementaux

Même les psychologues qui défendent le plus la thèse biologique reconnaissent que la personnalité est dans une large mesure façonnée par l'environnement. Si nous n'avions pas grandi dans la société avec d'autres gens, nous ne serions pas des *personnes* dans le sens où on l'entend généralement. Notre concept de soi se développe dans un environnement social, de même que nos objectifs de vie et les valeurs qui nous guident. Certains déterminants environnementaux produisent des similitudes entre les individus, tandis que d'autres contribuent aux différences individuelles et à l'unicité de chaque individu. Les déterminants environnementaux qui se révèlent importants dans l'étude du développement de la personnalité sont la culture, la classe sociale, la famille et les pairs.

La culture ▪ Parmi les déterminants environnementaux de la personnalité, les expériences individuelles que nous vivons en tant que membres d'une culture donnée sont primordiales : « La culture est un facteur déterminant dans notre définition de la personne » (Benet-Martinez et Oishi, 2008, p. 543). Chaque culture possède ses propres modes institutionnalisés et approuvés de comportements acquis, de rituels et de croyances. Ces pratiques culturelles, à leur tour, reflètent souvent des croyances religieuses et philosophiques de longue date et apportent à l'individu des réponses aux questions fondamentales sur notre nature, sur notre rôle dans la communauté et sur les valeurs et les principes les plus importants dans notre vie. Cela signifie que la plupart des membres d'une culture partagent certaines caractéristiques de la personnalité.

Il est intéressant de noter que les gens ne prêtent pas grande attention aux tendances culturelles communes parce qu'ils les tiennent pour acquises. Si vous vivez en Amérique du Nord ou en Europe occidentale, par exemple, vous ne vous rendez peut-être pas compte à quel point votre conception de vous-même et vos objectifs de vie sont

caractéristiques psychiques, se penchent eux aussi sur le fondement génétique de la personnalité (Buss et Hawley, 2011). Selon les psychologues évolutionnistes, les humains d'aujourd'hui possèdent des tendances psychiques qui sont issues de notre passé évolutif. Selon eux, les gens seraient prédisposés à adopter certains types de comportement parce que ces comportements ont contribué à leur survie et au succès reproductif au fil de l'évolution. L'analyse évolutive des facteurs génétiques est fondamentalement différente des analyses décrites dans les deux derniers paragraphes. Dans une analyse évolutive, les chercheurs ne se penchent pas sur les causes génétiques des *différences* individuelles. Au contraire, ils tentent d'élucider les causes génétiques des caractéristiques *universelles* des êtres humains, celles communes à tous les individus. Les humains partagent en grande partie les mêmes gènes. Même les soi-disant différences raciales sont des différences superficielles dans des caractéristiques telles que des teintes dans la couleur de la peau ; la structure de base du cerveau humain est universelle (Cavalli-Sforza et Cavalli-Sforza, 1995). Les psychologues évolutionnistes estiment donc que nous venons tous au monde dotés des mêmes mécanismes psychiques qui nous prédisposent à répondre à l'environnement d'une façon qui s'est révélée favorable au fil de l'évolution. Ces réponses à l'environnement englobent celles que nous avons pour attirer les membres du sexe opposé, pour prendre soin des enfants, pour nous montrer altruistes envers des membres de notre groupe social ou pour exprimer des émotions vis-à-vis des objets ou des événements. La recherche sur les émotions indique qu'un certain nombre d'émotions fondamentales (la colère, la tristesse, la joie, le dégoût et

L'évolution de la vie psychique et de la personnalité

Depuis les débuts de la psychologie scientifique, on reconnaît dans la littérature que le cerveau humain, à l'instar du reste de l'anatomie humaine, est le produit de l'évolution. Dans *Principes de psychologie*, un des premiers manuels sur ce sujet et qui continue d'être une référence, William James (1890) concluait son ouvrage avec un chapitre qui expliquait comment la théorie de Charles Darwin avait aidé à comprendre les structures mentales.

L'idée de tenir compte des principes biologiques de l'évolution dans les analyses de la vie psychique et de la personnalité repose sur celle qu'à la naissance, l'esprit humain n'est *pas* une page blanche. Il est *faux* de croire que l'esprit, à la naissance, est dépourvu de contenu ou de tendances inhérentes. En raison de la sélection naturelle à l'œuvre au cours de l'évolution, l'individu naît plutôt avec des tendances et des aptitudes innées. Les mécanismes neurobiologiques dont proviennent les tendances psychologiques qui se sont révélées adaptatives au cours de l'évolution font partie de notre patrimoine mental.

De nos jours, aucun chercheur en psychologie de la personnalité ne doute que la personnalité soit, en partie, un produit de l'évolution. Des questions importantes demeurent cependant sans réponse. Quel pourcentage de la vie mentale est expliqué par notre passé évolutif (plutôt que par les expériences vécues après la naissance)? L'évolution nous a-t-elle légué un ensemble fixe de tendances qui ont été utiles dans notre passé évolutif ou nous a-t-elle légué un cerveau qui s'adapte avec souplesse aux exigences du présent?

Au cours des dernières années, ces questions ont intéressé non seulement les psychologues et d'autres scientifiques, mais aussi la population en général. Cet intérêt est en partie attribuable aux publications de Steven Pinker, un psychologue de l'Institut de technologie du Massachusetts. Dans son livre *The Blank Slate* (Pinker, 2002), Pinker laisse entendre que la société a mis trop de temps à accepter l'idée que l'individu est un produit du passé évolutif de son espèce. Les gens aiment à penser que les qualités psychologiques de l'individu peuvent être modifiées par des expériences nouvelles. Nous espérons, par exemple, que l'amélioration du rôle parental, de l'éducation et des politiques sociales pourra contribuer à bâtir un monde meilleur où il y aura moins de préjugés et de violence et davantage de tolérance et de paix. Toutefois, nous dit Pinker, certaines caractéristiques de la psychologie humaine pourraient bien être extrêmement difficiles à changer parce qu'elles ont été engendrées par l'évolution. Les caractéristiques psychologiques qui se sont révélées adaptatives au cours de l'évolution seraient des caractéristiques fixes ancrées profondément dans l'humain d'aujourd'hui. Pour comprendre les composantes de base de la nature humaine, il serait donc essentiel de reconnaître l'influence des facteurs évolutifs sur le développement psychique. Cette compréhension pourrait ensuite être déterminante pour élaborer des politiques sociales efficaces et pour reconnaître celles qui ne fonctionneront pas.

Les analyses de Pinker ne font pas l'unanimité, ni dans le champ de la psychologie ni ailleurs. Certains estiment que le cadre évolutif de Pinker explique seulement des aspects très limités de l'expérience humaine. Par exemple, dans sa recension de l'ouvrage de Pinker pour le magazine *The New Yorker*, l'éminent universitaire Louis Menand (2002) fait observer qu'une grande partie de l'activité humaine semble complètement déconnectée des actions et événements du passé évolutif. Ainsi, beaucoup de gens passent énormément de temps à créer des œuvres d'arts, à jouer de la musique ou à en écouter, ou à étudier des systèmes de pensée religieux ou philosophiques. Menand ne voit pas comment les forces évolutives pourraient expliquer cette propension à créer et à apprécier des produits intellectuels imaginatifs et nouveaux puisque, durant une grande partie de l'évolution, les humains ont consacré le plus gros de leur temps aux activités directement liées à la survie et à la reproduction.

Il est peut-être possible pour un psychologue évolutionniste tel que Pinker d'expliquer, *a posteriori*, comment les forces évolutives ont pu favoriser des activités humaines aussi créatives et complexes. Mais une éventuelle explication n'empêcherait pas certains scientifiques de reprocher à la psychologie évolutionniste de se fonder davantage sur des spéculations que sur des faits établis. Un biologiste a d'ailleurs déjà dit que les données sur lesquelles se basent les arguments de la psychologie évolutionniste «manquent étonnamment de rigueur. Trop souvent, les données sont minces, les hypothèses de rechange sont négligées et tout le discours risque de tomber dans la fabulation désordonnée» (Orr, 2003, p. 18). Une recension récente et détaillée conclut que les psychologues évolutionnistes, en spéculant sur l'environnement de nos ancêtres éloignés, sous-estiment les effets de l'environnement d'aujourd'hui (Buller, 2005). Les recherches montrent que les connexions de notre cerveau ne sont pas entièrement prédéterminées par des facteurs génétiques relevant de l'évolution et «qu'elles s'adaptent également à leur environnement local» (Buller, 2005, p. 199). À mesure que l'individu se développe, ses expériences ont des effets sur les connexions neuronales dans son cerveau. La personnalité de l'individu est donc le produit d'un cerveau biologique qui est façonné non seulement par les forces universelles de l'évolution mais aussi par les expériences individuelles durant le développement.

Peu de scientifiques en psychologie de la personnalité, si tant est qu'il en existe, estiment que l'esprit est une page blanche à la naissance. Cela dit, plusieurs se demandent si la psychologie évolutionniste est un cadre pertinent pour expliquer le fonctionnement psychologique de l'individu. Cette question suscite beaucoup d'intérêt à l'heure actuelle et demeure controversée.

Sources : Buller, 2005 ; James, 1890 ; Menand, 2002 ; Orr, 2003 ; Pinker, 2002 ; Smith, 2002.

façonnés par votre appartenance à une culture qui valorise beaucoup les droits individuels et dont les membres sont en compétition économiquement pour améliorer leur statut social et financier. Et comme tous les gens autour de nous vivent dans ce même contexte culturel, nous présumons souvent que ce contexte est universel et va de soi. Pourtant, le contexte culturel dans lequel vivent les sociétés des autres parties du monde est très différent. Par exemple, les cultures asiatiques semblent valoriser davantage la contribution de l'individu à sa communauté que l'individualisme et le gain personnel (Nisbett, Peng, Choi et Norenzayan, 2001). En fait, même dans le monde occidental, les croyances culturelles sur le rôle de l'individu dans la société change d'une période de l'histoire à une autre. L'idée que les individus se fassent concurrence économiquement pour améliorer leur position sociale est caractéristique des sociétés occidentales contemporaines, mais tel n'était pas le cas dans ces mêmes sociétés à l'époque médiévale (Heilbroner, 1986). De manière générale, les étudiants des universités américaines se sont peu à peu centrés davantage sur eux-mêmes entre les années 1960 et les années 1990, et les femmes américaines sont devenues plus affirmées et dominantes de 1968 à 1993 (Benet-Martinez et Oishi, 2008).

La culture dans laquelle nous vivons peut donc exercer sur la personnalité une influence subtile mais forte : elle définit nos besoins et les moyens de les satisfaire ; notre expérience de diverses émotions et la façon dont nous exprimons nos sentiments ; nos relations avec autrui et avec soi ; ce que nous trouvons drôle ou triste ; notre manière de vivre et de mourir ; et ce que nous considérons comme sain ou malsain (Markus et Kitayama, 2011).

La classe sociale ■ Si certains de nos modes de comportement proviennent de notre appartenance à une culture, d'autres proviennent de notre appartenance à une classe sociale. Rares sont les aspects de la personnalité d'un individu que l'on peut expliquer sans tenir compte du groupe auquel il appartient. Le groupe social – qu'il s'agisse de la classe « inférieure » ou « supérieure », de la classe ouvrière ou d'une profession libérale – a une importance particulière. Les facteurs liés à la classe permettent de déterminer le statut de l'individu, son rôle, ses responsabilités et les privilèges dont il jouit. Ces facteurs influent sur la perception que l'individu a de lui-même et des membres des autres classes sociales, ainsi que sur la façon dont il gagne et dépense son argent. Les études indiquent que les facteurs liés au statut socio-économique influent sur le développement cognitif et émotionnel de l'individu (Bradley et Corwyn, 2002). Comme les facteurs culturels, donc, les facteurs inhérents à la classe sociale modifient notre façon de définir les situations et d'y réagir.

La famille ■ Si certains facteurs environnementaux comme la classe sociale et la culture sont à l'origine de similitudes entre les individus, d'autres entraînent des variations considérables dans le développement de la personnalité. C'est le cas de la famille (Park, 2004 ; Pomerantz et Thompson, 2008). Le milieu familial peut être chaleureux et aimant ou hostile et propice au rejet, surprotecteur et possessif ou sensible au besoin de liberté et d'autonomie des enfants. Chaque mode de comportement parental a un effet sur le développement de la personnalité de l'enfant. Les parents influencent le comportement de leurs enfants d'au moins trois façons :

(1) Par leurs comportements, ils créent des situations qui suscitent un certain comportement chez l'enfant (par exemple, la frustration entraîne l'agressivité).

(2) Ils agissent en qualité de modèles auquel l'enfant peut s'identifier.

(3) Ils récompensent certains comportements plutôt que d'autres.

De prime abord, on pourrait croire que les pratiques familiales ont une influence qui contribue à rendre les membres d'une même famille semblables entre eux. Or, les pratiques familiales peuvent également créer des différences. Pensons aux différences entre les membres féminins et masculins d'une famille. Depuis toujours, dans beaucoup de sociétés, les garçons jouissent de privilèges et de possibilités dont les filles ne jouissent pas. Ces façons différentes d'élever les filles et les garçons n'ont certainement pas contribué à rendre semblables les filles et les garçons ; elles ont plutôt amené des différences dans leur développement. Comme le sexe d'un enfant, le rang de naissance peut également produire des différences entre les membres de la famille. Par exemple, les parents expriment parfois des préférences subtiles à l'égard du premier-né (Keller et Zach, 2002), qui est souvent plus consciencieux et centré sur la réussite que les enfants qui suivent (Paulhus, Trapnell et Chen, 1999).

Les pairs ▪ À l'extérieur de la famille, quels facteurs environnementaux influent sur le développement de la personnalité ? Les expériences vécues par l'enfant avec ses pairs font partie de ces facteurs extérieurs à la famille. En fait, certains psychologues estiment que l'influence des pairs est encore plus importante dans le développement de la personnalité que les expériences vécues au sein de la famille (Harris, 1995). À la question « Pourquoi les enfants issus d'une même famille sont-ils si différents ? » (Plomin et Daniels, 1987), on peut répondre : « Parce qu'ils vivent des expériences différentes à l'extérieur de la maison et que les expériences qu'ils vivent en famille ne les rendent pas plus semblables » (Harris, 1995, p. 481). Les groupes de pairs servent à socialiser l'individu en l'amenant à accepter de nouvelles règles de comportement et lui procurent des expériences qui auront des effets durables sur le développement de sa personnalité. Par exemple, les enfants qui ont des amitiés de piètre qualité, marquées par beaucoup de disputes et de conflits, ont tendance à adopter un style de comportement déplaisant et hostile (Berndt, 2002).

La psychopathologie et le changement de comportement

Certains croient que l'élaboration d'une théorie de la personnalité est une activité déconnectée de la vie réelle, un exercice intellectuel abstrait qui n'est pas en prise sur les préoccupations de la vie quotidienne. Pourtant, les théories de la personnalité peuvent revêtir une grande importance pratique. Les gens font souvent face à des problèmes psychologiques compliqués : ils sont déprimés et esseulés, un ami proche est dépendant aux drogues, ils s'interrogent sur leur vie sexuelle, ils se disputent avec leur partenaire de vie et ont peur de la rupture. Pour résoudre ce genre de problèmes, un cadre conceptuel s'impose si l'on veut être capable de déterminer les causes du problème et les facteurs susceptibles d'amener un changement. En d'autres mots, une théorie de la personnalité est nécessaire.

Depuis longtemps, les problèmes pratiques qui ont été les plus importants dans l'élaboration de théories de la personnalité avaient pour objet la psychopathologie. Plusieurs des théoriciens abordés dans le présent ouvrage étaient également thérapeutes et ont commencé leur carrière en tentant de résoudre les problèmes pratiques qu'ils rencontraient en cherchant à aider leurs clients. Leurs théories sont en partie nées du désir de systématiser ce qu'ils apprenaient sur la nature humaine en essayant de résoudre des problèmes pratiques en thérapie.

Les théories de la personnalité ne sont pas toutes issues de la pratique clinique, mais pour être valable, toute théorie doit pouvoir se traduire par des bienfaits d'ordre pratique pour les individus et la société dans son ensemble.

LES GRANDS DÉBATS

Nous venons d'explorer quatre éléments de l'étude de la personnalité : (1) la structure de la personnalité, (2) les processus de la personnalité, (3) le développement de la personnalité et (4) la psychopathologie et le changement de comportement. Dans la prochaine section, nous aborderons plusieurs volets conceptuels essentiels à l'étude de la personnalité. Par « volets conceptuels », nous entendons un ensemble d'aspects qui sont tellement fondamentaux que l'on ne peut pas les ignorer, quels que soient le sujet abordé et l'école de pensée à laquelle on appartient.

La conception philosophique de la personne

Les théoriciens de la personnalité ne se confinent pas aux questions pointues sur la nature humaine. Ils se posent de front la grande question : quelle est la nature fondamentale de l'humain ? Autrement dit, les théoriciens de la personnalité participent à la définition philosophique de la nature fondamentale de l'être humain. Par conséquent, l'une des qualités essentielles dont il faut juger lorsqu'on évalue une théorie est la vue d'ensemble qu'elle donne de la personne.

Les théories de la personnalité reposent sur des conceptions très différentes les unes des autres au regard des qualités fondamentales de la nature humaine. Dans certaines théories, l'être humain est un acteur rationnel. Il raisonne au sujet du monde qui l'entoure, il évalue les avantages et les inconvénients de différentes décisions et il se comporte suivant ces calculs rationnels. Dans cette conception de la personne, les différences individuelles traduisent avant tout des différences entre les processus cognitifs qui interviennent dans ces calculs.

Selon d'autres théories, l'être humain est un animal. Dans cette conception de la personne, l'organisme humain agit principalement sous la force de ses pulsions irrationnelles et animales. Les processus cognitifs rationnels sont ainsi considérés comme des éléments relativement faibles de la personnalité comparativement aux puissantes pulsions animales.

Au cours des dernières décennies du XXe siècle, on a souvent utilisé l'analogie de l'ordinateur pour décrire l'être humain. On disait que l'être humain traitait et emmagasinait des représentations symboliques à la manière de l'ordinateur qui traite et emmagasine l'information. Et comme les personnes se déplacent, certains disaient même qu'une analogie avec les robots plutôt qu'avec les ordinateurs convenait encore mieux pour décrire la nature humaine.

Il importe de comprendre que ces conceptions de la nature humaine ont vu le jour dans différentes conjonctures sociohistoriques. Les tenants de ces approches ont vécu des expériences qui leur sont propres et subi l'influence de leur époque. Ainsi, au-delà des preuves et des faits scientifiques, les théories de la personnalité portent la marque des facteurs personnels, de l'esprit de leur époque et de l'école philosophique à laquelle appartiennent les membres d'une culture donnée.

Les déterminants internes et externes du comportement

Le comportement humain est-il déterminé par des processus internes ou par des événements internes? La question ici porte sur l'influence relative de ces deux types de déterminants. Toutes les théories de la personnalité conviennent que l'on doit tenir compte des facteurs internes et des événements du milieu environnant pour définir le comportement. Ces théories divergent toutefois sur l'importance accordée aux déterminants internes et externes.

Examinons, par exemple, la différence entre les conceptions de deux des psychologues les plus influents du XXe siècle: Sigmund Freud et B.F. Skinner. Selon Freud, nous sommes dominés par des forces internes inconnues: des pulsions inconscientes et des émotions enfouies profondément dans notre inconscient. Selon Skinner, nous sommes dominés par des forces externes: les récompenses et les punitions imposées par l'environnement gouvernent nos actions. «L'individu n'agit pas sur le monde, c'est le monde qui agit sur lui», écrit Skinner (1971, p. 211).

Les points de vue de Freud et de Skinner sont diamétralement opposés à la lumière des connaissances scientifiques d'aujourd'hui. À l'heure actuelle, presque tous les psychologues de la personnalité reconnaissent tant l'apport des déterminants internes que celui des déterminants externes dans le comportement humain. Pourtant, les théories contemporaines diffèrent considérablement dans la prépondérance qu'elles accordent soit aux déterminants externes soit aux déterminants internes. Ces différences deviennent manifestes lorsqu'on examine les variables de base (ou, comme nous les avons nommées précédemment, les unités d'analyse). En guise d'exemple, prenons deux points de vue que nous reverrons plus loin. Dans les théories de la personnalité fondées sur les traits, les unités d'analyse correspondent aux structures qui sont transmises génétiquement et produisent des modes de comportement très généralisés (McCrae et Costa, 2008). Dans les théories de la personnalité sociocognitives, les unités d'analyse sont les structures cognitives et les processus cognitifs que l'individu acquiert au fil de ses interactions dans l'environnement social et culturel (Bandura, 1999; Mischel et Shoda, 2008). Comme on peut le déduire à partir de leurs unités d'analyse, ces deux théories n'accordent pas la même importance aux déterminants internes et aux déterminants externes.

La stabilité à travers les situations et le temps

Quel est le degré de stabilité de la personnalité d'une situation à l'autre? Dans quelle mesure êtes-vous la «même personne» lorsque vous êtes avec vos amis plutôt qu'avec vos parents, ou lorsque vous participez à une fête plutôt qu'à une discussion en classe? Jusqu'à quel point votre personnalité est-elle stable? Votre personnalité actuelle ressemble-t-elle à celle que vous aviez enfant, et sera-t-elle la même dans vingt ans?

Il est plus difficile qu'on le croit de répondre à ces questions, en partie parce qu'on doit déterminer ce qui est représentatif de la constance ou de l'inconstance de la personnalité. Prenons un exemple simple. Supposons que vous avez deux superviseurs au travail, l'un masculin et l'autre féminin, et que vous avez tendance à adopter un comportement agréable envers l'un et déplaisant envers l'autre. Peut-on dire que votre personnalité est inconstante? Si l'on estime que l'amabilité est une caractéristique de base de la personnalité, alors la réponse est oui. Mais supposons que cette situation soit analysée par un psychologue qui adhère à la théorie psychanalytique, selon laquelle (1) les gens que nous rencontrons dans notre vie adulte peuvent représenter symboliquement les figures parentales et (2) une des dynamiques fondamentales de la personnalité est l'attirance pour le parent du sexe opposé et la rivalité avec le parent du même sexe, c'est-à-dire la dynamique appelée *complexe d'Œdipe*. Selon cette théorie, votre comportement serait au contraire très *cohérent*. Vos deux superviseurs représenteraient symboliquement vos deux figures parentales et vous ne feriez que manifester avec constance les motivations œdipiennes qui vous font vous comporter différemment envers l'une et l'autre personne.

Les théoriciens peuvent convenir de ce qui est représentatif de la constance, mais ils ne s'entendent pas toujours sur les facteurs qui contribuent à la stabilité de la personnalité. Pensons à la stabilité de la personnalité au fil des ans. Il ne fait aucun doute que les différences individuelles sont constantes, jusqu'à un certain point, sur de longues périodes (Fraley, 2002; Roberts et Del Vecchio, 2000). Si une personne est plus extravertie que ses amis aujourd'hui, elle sera fort probablement plus extravertie que ces mêmes personnes dans vingt ans. Mais pourquoi? Une des raisons possibles, c'est que les structures fondamentales de la personnalité sont transmises génétiquement et ne changent que très peu au cours de la vie. Une autre raison possible, toutefois, est que l'environnement joue un rôle crucial dans le maintien de la stabilité de la personnalité. L'exposition aux mêmes membres de la famille, aux mêmes amis, aux mêmes systèmes d'éducation et aux mêmes situations sociales sur de longues périodes peut contribuer à la stabilité de la personnalité au fil du temps (Lewis, 2002).

La recherche sur la personnalité donne à penser que plusieurs des qualités d'une personne sont très stables au fil du temps. Par exemple, les qualités qui sont manifestes chez un individu à l'adolescence peuvent l'être encore dans sa personnalité à l'âge adulte, comme l'évoquent ces photos de l'ancien président américain Bill Clinton.

Aucun théoricien de la personnalité ne croit qu'une personne introvertie peut devenir une personne extravertie du jour au lendemain. Cependant, les différents cadres théoriques peuvent générer des points de vue différents sur ce qu'est la stabilité et l'instabilité de la personnalité ainsi que sur la capacité de l'individu de modifier le fonctionnement de sa personnalité au fil du temps et des situations. Pour certains théoriciens, la variabilité du comportement est un signe d'instabilité de la personnalité. Pour d'autres, une telle variabilité traduit plutôt une capacité personnelle constante d'adapter son comportement en fonction de ce que demandent les différentes situations sociales (Mischel, 2004).

L'unité du comportement et le soi en tant que concept

Nos expériences psychologiques ont dans l'ensemble une nature unifiée, ou cohérente (Cervone et Shoda, 1999b). Notre comportement est généralement structuré et organisé plutôt qu'imprévisible et désordonné. D'une situation à une autre dans la vie, nous maintenons une vision stable du soi, de notre passé et de nos objectifs de vie. Nos expériences et nos actions ont quelque chose d'unifié.

La nature unifiée de nos expériences semble aller de soi, et pourtant, elle devrait étonner. Le cerveau contient une foule de systèmes de traitement de l'information, dont plusieurs fonctionnent simultanément, partiellement isolés les uns des autres (Pinker, 1997). Si nous examinons le contenu de nos propres expériences conscientes, nous constaterons que la plupart de nos pensées sont fugaces. Il est difficile de garder une seule idée longtemps dans notre esprit; des idées en apparence inopinées semblent

Le soi en tant que concept : Les psychologues de la personnalité s'intéressent à la façon dont le soi en tant que concept se développe et permet d'organiser l'expérience.

constamment nous traverser l'esprit. Pourtant, notre expérience du monde est rarement aussi désordonnée que ces pensées, ni nos vies aussi décousues. Pourquoi ?

Il existe deux façons de répondre à cette question. La première est que les multiples parties du fonctionnement mental forment un système complexe. Ces parties inter-agissent entre elles, et les modes d'interaction permettent aux parties de faire fonctionner le système comme un tout cohérent et harmonieux. Les simulations par ordinateur du fonctionnement de la personnalité (Nowak, Vallacher et Zochowski, 2002) ainsi que les études neuro-scientifiques des liens de réciprocité entre les régions du cerveau (Sporns, 2011 ; Tononi et Edelman, 1998) commencent à faire la lumière sur la façon dont l'esprit procède pour donner de la cohérence à l'expérience et au comportement.

La deuxième façon de répondre à la question précitée fait appel au concept de soi. Bien que nous subissions une grande diversité d'événements de vie, nous les vivons toujours à partir de la même perspective, c'est-à-dire de notre point de vue à nous (Harré, 1998). L'individu se construit des souvenirs autobiographiques cohérents qui contribuent à la compréhension cohérente qu'il a de lui-même (Conway et Pleydell-Pearce, 2000). Le concept

de soi se révèle donc important pour expliquer la nature unifiée de l'expérience (Baumeister, 1999 ; Robins, Norem et Cheek, 1999 ; Robins, Tracy et Trzesniewski, 2008).

Les différents états de conscience et le concept d'inconscient

Sommes-nous conscients des contenus de notre vie psychique ? Ou est-ce que la majorité de nos activités psychiques ont lieu sans que nous en ayons conscience ?

D'un côté, il ne fait pas de doute qu'une bonne partie des activités du cerveau se déroulent en dehors de la conscience. Pensons par exemple à ce qui se produit pendant que vous lisez ces lignes. Votre cerveau assure simultanément plusieurs fonctions, depuis la surveillance de votre état physiologique interne jusqu'au décodage des symboles imprimés qui forment les mots sur cette page. Tout cela se produit sans attention consciente. Autrement dit, vous ne vous dites pas consciemment : « je me demande si ces gribouillis forment des mots » ou « je devrais peut-être vérifier si mes organes reçoivent suffisamment d'oxygène ». Ces fonctions se déroulent automatiquement. Mais ce ne sont pas là les fonctions auxquelles les psychologues de la personnalité s'intéressent le plus.

Les théoriciens de la personnalité se demandent plutôt si des aspects significatifs du fonctionnement de la personnalité (la motivation, les émotions) se déploient sans que nous en ayons conscience. S'ils croient que c'est le cas, ils essaient de conceptualiser les systèmes psychiques qui produisent les phénomènes conscients et inconscients (Kihlstrom, 2008 ; Pervin, 2003). Le fait que *certaines* fonctions cérébrales s'accomplissent à l'extérieur de la conscience ne veut pas dire que les processus les plus significatifs de la personnalité se déroulent sans que nous en soyons conscients. Les gens réfléchissent beaucoup sur eux-mêmes. Ils sont les plus susceptibles de réfléchir sur eux-mêmes lorsqu'ils sont à des carrefours, face à des expériences d'une grande importance, où les décisions prises (aller à l'université ou non, se marier ou pas avec telle personne, avoir des enfants ou non, choisir une profession plutôt qu'une autre, etc.) ont des répercussions à long terme. Lors de ces expériences déterminantes, l'activité consciente a de l'influence. C'est pourquoi plusieurs psychologues de la personnalité étudient les réflexions conscientes de l'individu sur lui-même, tout en sachant que de nombreux aspects de la vie psychique se déroulent hors du champ de la conscience.

L'influence du passé, du présent et de l'avenir sur le comportement

Dans quelle mesure sommes-nous « prisonniers de notre passé » plutôt que façonnés par les événements présents ou par nos aspirations futures ? Les théoriciens reconnaissent que les facteurs opérant uniquement dans le présent peuvent influer sur le comportement. En ce sens, seul le présent compte pour comprendre le comportement. Toutefois, les expériences du passé lointain ou récent peuvent avoir des répercussions sur le présent. De même, ce que pense un individu dans le moment présent peut refléter ses réflexions ayant pour objet l'avenir, proche ou lointain. La manière de considérer le passé ou l'avenir varie d'une personne à l'autre. De même, la tendance à attribuer au passé ou à l'avenir les causes des comportements présents varie d'un théoricien de la personnalité à l'autre. Comme vous le verrez plus loin, certains théoriciens estiment que nous sommes avant tout prisonniers de notre passé. Selon la théorie psychanalytique, ce sont

Les effets des expériences précoces : Les psychologues s'entendent généralement sur l'importance possible des expériences précoces dans le développement de la personnalité ; ils sont toutefois en désaccord quant à la question suivante : les caractéristiques de la personnalité qui viennent des expériences précoces durent-elles toute la vie ? Ou la personnalité est-elle malléable au point de pouvoir y apporter des changements substantiels plus tard dans la vie ?

les premières expériences de vie qui structurent notre personnalité, et la dynamique de personnalité alors établie persiste tout au long de la vie. Certains critiquent fortement cette façon de concevoir la personnalité. Selon la théorie des construits personnels (voir le chapitre 11) et la théorie sociocognitive (voir les chapitres 12 et 13), l'individu possède la capacité de changer ses propres aptitudes et tendances personnelles et d'explorer les systèmes sociaux et psychologiques qui lui confère un pouvoir d'agir sur sa vie (Bandura, 2006).

Peut-il exister une science de la personnalité et quel type de science serait-ce ?

Un dernier aspect important existe, en l'occurrence le *type* de théorie de la personnalité qu'on peut raisonnablement mettre de l'avant. Jusqu'à maintenant, nous avons fait comme s'il existait une science de la personnalité, présupposant que les méthodes scientifiques peuvent renseigner sur la nature de l'être humain. Cette supposition semble raisonnable. L'individu est un objet dans un univers physique. Il est formé de systèmes biologiques eux-mêmes composés de parties biologiques et physiques. La science devrait pouvoir nous renseigner à leur propos.

Or, il y a lieu de s'interroger sur le type d'analyse scientifique qui puisse s'utiliser pour comprendre l'être humain. Une bonne part des avancées en science sont issues d'analyses réductionnistes. Une analyse réductionniste sert à comprendre un système et consiste à réduire un tout complexe en ses parties, plus simples, afin de montrer comment les parties concourent à faire fonctionner le système dans son ensemble.

Les analyses réductionnistes fonctionnent à merveille avec les systèmes physiques. Par exemple, on peut comprendre un système biologique en analysant la biochimie de ses parties. On peut également comprendre la chimie en scrutant les phénomènes physiques qui sous-tendent ses composantes. La personnalité, toutefois, n'est pas qu'un système physique. L'individu construit le sens et y réagit. Il s'efforce de se comprendre lui-même et de donner un sens aux événements qu'il a vécus. Rien ne nous indique que les méthodes scientifiques traditionnelles, qui consistent à décomposer un système en ses parties, puissent suffire pour comprendre les processus par lesquels l'être humain donne un sens à quelque chose. Nombre de chercheurs, en fait, estiment que ces méthodes ne le peuvent pas et qu'on ne devrait pas appliquer à l'étude des systèmes sémantiques humains les méthodes utilisées en sciences physiques (Geertz, 2000). Pour eux, l'idée que l'individu puisse avoir des «parties» ou des «composantes» est «au mieux une métaphore» (Harré, 1998, p. 15). Le problème, avec cette métaphore, réside dans le cliché qui affirme que «le tout est plus grand que la somme de ses parties».

Faisons une analogie avec l'analyse d'une œuvre d'art telle que *La Joconde* de Léonard de Vinci. En principe, on peut analyser ses parties: il y a de la peinture de telle couleur ici, de la peinture d'une autre couleur là, etc. Ce type d'analyse ne nous permet cependant pas de comprendre pourquoi ce tableau est un chef-d'œuvre. Pour le comprendre, il faut considérer l'œuvre dans son ensemble et dans le contexte historique de sa création. De la même manière, l'énumération des parties psychologiques d'une personne ne peut pas dépeindre cette personne dans son intégrité et révéler les processus développementaux qui ont contribué à son unicité. En lisant ce livre, donc, la question que vous devez vous poser est de savoir si les théoriciens de la personnalité ont réussi autant que de Vinci à donner un portrait psychologique entier d'individus complexes.

L'ÉVALUATION DES THÉORIES

Comme nous l'avons mentionné, l'existence de plusieurs théories de référence est une des caractéristiques uniques de cette discipline scientifique qu'est la psychologie de la personnalité. Les théories de la personnalité sont nombreuses à nous décrire la nature humaine et les différences individuelles. Nous sommes alors portés à nous demander comment évaluer ces théories les unes par rapport aux autres. Comment évaluer les points forts et les points faibles des différentes théories? Quels critères utiliser pour le faire?

Pour évaluer une chose, on doit habituellement commencer par se demander ce que cette chose est censée accomplir. Ensuite seulement peut-on juger de son efficacité. Donc, on doit d'abord déterminer les *fonctions* d'une théorie, puis évaluer l'efficacité avec laquelle cette théorie remplit ces fonctions. Comme toutes les théories scientifiques, les théories de la personnalité ont trois fonctions: (1) organiser des connaissances existantes, (2) produire de nouvelles connaissances sur des éléments importants et (3) cerner des éléments entièrement nouveaux qui méritent d'être étudiés.

La première de ces fonctions est évidente. La recherche génère une foule de faits sur la personnalité, le développement de la personnalité et les différences individuelles. Le chercheur ne se contente pas d'énumérer ces faits de façon désordonnée, il les organise de manière systématique et logique afin que quiconque puisse savoir où en est la science sur le sujet de la personnalité. Cette façon de procéder facilite l'utilisation des connaissances.

La deuxième fonction est un peu moins évidente. Dans tout domaine d'étude, il y a des questions (tant en recherche fondamentale que dans les applications des connaissances scientifiques) qui sont jugées importantes par tous ceux qui œuvrent dans ce domaine d'étude. Une bonne théorie doit produire de nouvelles connaissances sur ces questions. Elle doit être générative. Elle doit aider les autres membres de la communauté scientifique à produire de nouvelles connaissances sur ces questions. En biologie, la théorie de Darwin sur la sélection naturelle fut utile non seulement parce qu'elle organisait des faits connus sur la flore et la faune de la planète, mais également parce qu'elle débouchait sur de nouvelles avenues en biologie. En psychologie de la personnalité, certaines théories ont été très génératives. Elles ont permis aux chercheurs qui se familiarisaient avec elles de s'en servir pour générer de nouvelles connaissances sur la personnalité.

La troisième fonction d'une théorie (cerner des éléments entièrement nouveaux qui méritent d'être étudiés) revêt un intérêt particulier tant pour les théoriciens de la personnalité que pour les gens ordinaires. Une théorie de la personnalité peut dégager des champs de recherche entièrement nouveaux dont on n'aurait peut-être pas soupçonné l'existence sans cette théorie. Par exemple, la théorie psychodynamique a débouché sur des questions psychologiques qui étaient tout à fait nouvelles pour la plupart des gens: la possibilité que nos principales pensées et émotions soient inconscientes, et la possibilité que nos expériences précoces déterminent les caractéristiques de notre personnalité à l'âge adulte. D'autres théories ont dégagé de nouveaux champs de recherche. Ainsi, la psychologie évolutionniste (voir le chapitre 9) propose l'idée selon laquelle nos modes de pensée et de comportement ne s'acquièrent pas au cours de nos vies, mais font plutôt partie de notre patrimoine génétique ancestral. Quant à la théorie béhavioriste (voir le chapitre 10), elle repose sur l'idée que les actions attribuées par l'individu à son libre-arbitre sont, en fin de compte, causées par son environnement. Les hypothèses fascinantes et parfois radicales de ces théories sur la nature humaine ont donné lieu à de nouvelles et précieuses recherches sur la nature humaine.

En somme, vous pourrez évaluer les théories présentées dans cet ouvrage en jugeant de l'efficacité avec laquelle (1) elles organisent l'information, (2) elles génèrent des connaissances et (3) elles débouchent sur de nouveaux champs de recherche.

LES THÉORIES DE LA PERSONNALITÉ : INTRODUCTION

Jusqu'ici, nous avons vu un certain nombre d'éléments : les sujets sur lesquels une théorie de la personnalité doit se pencher, les questions importantes que ces sujets soulèvent et les critères à utiliser pour évaluer une théorie de la personnalité. Dans la dernière section de ce chapitre, nous allons jeter un coup d'œil sur les théories elles-mêmes.

La difficulté d'élaborer une théorie de la personnalité

À ce point-ci du chapitre, il apparaît clairement que l'élaboration d'une théorie exhaustive de la personnalité est une tâche extrêmement difficile. Les théoriciens doivent poursuivre un certain nombre d'objectifs scientifiques qui dépassent les simples intuitions. Ils doivent répondre aux questions *qui*, *comment* et *pourquoi* au sujet de la structure de la personnalité, de ses processus, de son développement et du changement. Ils doivent aussi tenir compte des déterminants de la personnalité, depuis leurs dimensions moléculaires jusqu'à leurs dimensions socioculturelles. Ils doivent également se pencher sur des questions conceptuelles, qu'il s'agisse de proposer une définition philosophique de l'individu ou de déterminer si une théorie scientifique de la nature humaine est possible.

Existe-t-il des chercheurs qui accomplissent cette tâche parfaitement ? Existe-t-il une seule théorie qui soit devenue universelle grâce à sa portée, à ses données probantes et aux nouvelles connaissances qu'elles génèrent ? La réponse est non. Il existe plusieurs cadres théoriques, et chacun a ses points forts et ses points faibles. Plus important encore, chaque théorie a ses propres qualités ; autrement dit, chacune offre des connaissances uniques

sur la nature humaine. C'est pour cette raison que nous présentons dans cet ouvrage non pas une théorie de la personnalité, mais plusieurs.

Les théories de la personnalité abordées dans ce livre

Quels cadres théoriques ont eu le plus d'impact sur la psychologie de la personnalité ? Dans ce livre, vous vous familiariserez avec six théories. Voici un bref aperçu de chacune.

La première théorie que nous verrons est l'approche psychodynamique (voir les chapitres 3 et 4) proposée par Freud. La théorie psychodynamique conçoit la vie psychique comme un système d'énergie. L'énergie biologique fondamentale réside en partie dans la vie psychique, et l'énergie psychique s'oriente vers la satisfaction des besoins physiques. L'individu ne peut toutefois pas satisfaire ses besoins sexuels ou autres besoins physiques chaque fois qu'il le désire. Souvent, son envie de satisfaire ses besoins physiques sera en conflit avec les dictats de la société. Le comportement de l'individu reflèterait donc ce conflit entre les désirs biologiques d'un côté et les contraintes sociales de l'autre. En psychanalyse, on dit de la vie psychique qu'elle contient différents systèmes qui accomplissent différentes fonctions : satisfaire les besoins physiques, représenter les règles et les normes sociales, et atteindre un équilibre stratégique entre les pulsions biologiques et les contraintes sociales. Autre caractéristique de la théorie psychodynamique : une bonne partie de cette activité mentale se produirait à l'extérieur de notre conscience. Nous ne sommes pas conscients des pulsions qui sous-tendent nos émotions et notre comportement ; ces pulsions sont inconscientes.

Nous verrons ensuite l'approche phénoménologique (voir les chapitres 5 et 6), qui offre un contraste frappant avec l'approche psychodynamique. Les théories phénoménologiques s'intéressent moins aux processus inconscients et davantage à l'expérience consciente que fait l'individu de son environnement, c'est-à-dire à son expérience phénoménologique. Les théoriciens appartenant à l'école phénoménologique reconnaissent que l'individu a des motivations d'origine biologique, mais ils estiment qu'il possède aussi des motivations « supérieures » de croissance personnelle et de réalisation de soi, et que ces motivations sont plus importantes au bien-être personnel que ne le sont les pulsions animales mises de l'avant par Freud.

Enfin, comparativement à l'approche psychodynamique, l'approche phénoménologique accorde beaucoup d'importance au soi. Le développement d'une compréhension stable et cohérente du soi est un aspect clé de la santé psychologique dans l'approche phénoménologique.

L'approche fondée sur les traits de personnalité (voir les chapitres 7 et 8) est très différente des deux approches précitées. Cette différence traduit une vision différente non seulement de la nature de la personnalité mais aussi de la meilleure façon d'arriver à une théorie de la personnalité. La plupart des théoriciens des traits de personnalité croient que, pour élaborer une théorie de la personnalité, il faut d'abord résoudre deux problèmes scientifiques : (1) déterminer les différences individuelles les plus importantes à mesurer et (2) définir une mesure fiable de ces différences. Une fois ces problèmes résolus, les chercheurs pourraient mesurer les différences individuelles les plus importantes dans la personnalité, et ces mesures pourraient ensuite servir d'assise à une théorie complète de la personne. Une importante avancée s'est produite à la fin du xxᵉ siècle lorsqu'un grand nombre de théoriciens de la personnalité sont arrivés à la conclusion que ces deux problèmes avaient en fait été résolus. La plupart s'entendent aujourd'hui sur les différences individuelles les plus importantes et sur la façon de les mesurer.

Le chapitre 9 porte sur un des aspects les plus passionnants de la science moderne de la personnalité : les fondements biologiques de la personnalité. Nous verrons donc où en est la recherche sur l'origine génétique des traits de personnalité et sur les systèmes cérébraux qui sous-tendent les différences individuelles. Dans ce chapitre, il sera question non seulement des théories axées sur les traits mais aussi des théories évolutionnistes. Les psychologues évolutionnistes expliquent les modes de comportement sociaux contemporains par des mécanismes psychiques issus de l'évolution.

Au chapitre 10, vous vous familiariserez avec les idées du béhaviorisme, qui repose sur l'apprentissage. Dans la théorie béhavioriste, le comportement est considéré comme une adaptation à des réactions positives et négatives de l'environnement. Selon cette approche, comme les individus répondent différemment aux renforcements dans différents contextes, ils acquièrent différents styles de comportement. Les processus d'apprentissage de base expliqueraient donc les variations dans les styles de comportement que nous nommons *personnalité*. Le béhaviorisme est fondamentalement différent des théories présentées précédemment. Pour le psychologue béhavioriste, les unités d'analyse des théories que nous avons mentionnées (les « forces inconscientes » de l'approche psychodynamique, le « soi » de l'approche phénoménologique, les « traits » de personnalité) ne sont pas à l'origine du comportement. Ces unités d'analyse ne servent, pour les béhavioristes, qu'à décrire des manières de penser, de ressentir et d'agir qui s'expliquent toutes, en fin de compte, par l'environnement. Selon les psychologues béhavioristes, en somme, c'est l'environnement qui façonne notre comportement.

Le chapitre 11 traite d'une théorie très à part, celle des construits personnels. La théorie des construits personnels s'intéresse à la capacité de l'individu d'interpréter le monde. Contrairement aux béhavioristes, pour qui l'environnement détermine les expériences de l'individu, les tenants des construits personnels étudient les idées subjectives, ou construits personnels, que l'individu utilise pour interpréter son environnement. Par exemple, tel individu voit l'environnement universitaire comme étant difficile, tandis que tel autre le trouve ennuyeux ; l'un peut considérer que les rendez-vous galants sont romantiques alors que l'autre les perçoit comme menaçants sur le plan sexuel. Selon les théoriciens des construits personnels, les différences individuelles dans le fonctionnement de la personnalité pourraient provenir des construits personnels que les individus utilisent pour interpréter leur environnement.

La dernière approche théorique abordée dans cet ouvrage est l'approche cognitive (voir les chapitres 12 et 13). À certains égards, la théorie cognitive est semblable à l'approche des construits personnels, en ce sens qu'elle s'intéresse aux processus mentaux qui interviennent dans l'interprétation de l'environnement par l'individu. Toutefois, l'approche cognitive élargit le concept des construits personnels d'au moins deux manières. En premier lieu, comme son nom l'indique, la théorie cognitive explore en détail les contextes sociaux dans lesquels l'individu acquiert des connaissances, des habiletés et des croyances. La personnalité se développerait sous l'effet d'influences en chassé-croisé, ou *interactions réciproques*, entre les individus et l'environnement (l'environnement familial, interpersonnel, social et culturel). En second lieu, l'approche cognitive prête beaucoup d'attention à l'*autorégulation*, qui relève des processus psychologiques par lesquels l'individu fixe ses propres objectifs, maîtrise ses émotions et adopte des lignes de conduite.

Le chapitre 14 met la personnalité en contexte. Nous y explorerons des travaux de recherche actuels qui portent sur un élément critique, à savoir qu'on peut apprendre beaucoup sur la personnalité de l'individu en étudiant les contextes (les situations sociales, le milieu culturel, les relations interpersonnelles, etc.) dans lesquels il mène son existence. Ces travaux de recherche exploitent considérablement l'approche cognitive décrite aux chapitres 12 et 13 et nous permettent de voir où en est la recherche actuelle sur l'individu et son environnement social. Le chapitre 15 conclut l'ouvrage par une évaluation critique de la psychologie de la personnalité dans son ensemble.

Ce livre tire grand profit des connaissances scientifiques actuelles sur le cerveau. Les psychologues de la personnalité ont aujourd'hui accès à des connaissances sur le cerveau dont ils ne disposaient pas autrefois, lorsque les premières théories de la personnalité ont vu le jour. Il est donc possible de réévaluer les théories de la personnalité à la lumière de ce savoir, et c'est ce que nous faisons dans plusieurs chapitres, sous la rubrique « La personnalité et le cerveau ».

Les théories multiples comme autant de boîtes à outils

L'idée de présenter plusieurs théories dans un même livre peut sembler étrange au premier abord. Dans la plupart des autres disciplines scientifiques (en chimie ou en physique, par exemple), les cours ne s'articulent pas autour de plusieurs théories. La matière est plutôt organisée suivant un cadre théorique universellement accepté. Cet usage dénote en partie la « maturité » de ces disciplines, qui sont étudiées depuis beaucoup plus longtemps que la psychologie. Cependant, même les sciences qui ont atteint cette maturité peuvent mettre de l'avant des points de vue différents sur un même phénomène. Supposons que vous posez à un physicien des questions sur la nature de la lumière. Vous apprendrez qu'il existe une théorie qui stipule que la lumière est une onde. Et vous apprendrez également qu'une autre théorie en physique pose que la lumière est composée de particules individuelles. Si vous demandiez au physicien laquelle de ces deux théories est la bonne, il vous répondrait : ni l'une ni l'autre. La lumière se comporte comme une onde et aussi comme une particule. La théorie de l'onde et la théorie de la particule apportent toutes deux des données importantes sur la nature de la lumière.

Il en est de même avec les théories de la personnalité. Chacune met au jour des éléments importants au sujet de la nature humaine. En lisant sur ces théories, vous ne devriez pas vous demander « laquelle de ces théories est la bonne ». Il vaut mieux les évaluer en vous demandant en quoi elles peuvent faire avancer les connaissances et les applications actuelles. Même une théorie qui se trompe à certains égards peut avoir une grande valeur (Proctor et Capaldi, 2001).

Pendant que nous préparions une des éditions précédentes de cet ouvrage, une collègue nous a suggéré d'utiliser une métaphore sur la façon de concevoir les théories de la personnalité. Cette métaphore est utile parce qu'elle incite à faire preuve d'ouverture et à ne pas se limiter à des évaluations simplistes qui se borneraient à déclarer bonnes ou mauvaises telles ou telles théories. Notre collègue, donc, a suggéré de comparer les différentes théories de la personnalité à des boîtes à outils. Chaque théorie contient un ensemble d'« outils ». Certains de ces outils sont des concepts théoriques, d'autres sont des méthodes de recherche et d'autres encore sont des techniques pour l'évaluation de la personnalité ou des méthodes de thérapie. Chacun des éléments d'une théorie est un outil, en ce sens que chacun remplit une ou plusieurs fonctions. Autrement dit, chacun permet d'accomplir une ou plusieurs tâches qui peuvent consister à décrire les différences individuelles, à cerner les motivations humaines fondamentales, à expliquer le développement du concept de soi, à établir les causes des réactions émotionnelles, à prédire le rendement au travail ou à réduire la détresse psychologique au moyen d'une thérapie. Ce sont toutes là des tâches que les psychologues veulent accomplir. Et chaque théorie apporte ses outils conceptuels pour leur permettre de s'en acquitter.

La métaphore de la boîte à outils comporte deux avantages : (1) elle incite à se poser les bonnes questions sur les théories de la personnalité et (2) elle permet d'éviter de se poser les mauvaises. Pour bien comprendre ces avantages, imaginez que vous devez évaluer de vrais outils. Supposons que vous voyez un plombier, un électricien et un mécanicien transportant chacun un coffre à outils pour son travail. Vous n'irez pas leur dire : « Votre coffre à outils n'est pas le bon. » L'idée qu'un coffre à outils puisse ne pas être le bon n'a pas grand sens. Un coffre à outils peut convenir moins bien qu'un autre pour telle ou telle tâche. Il peut être moins utile pour des travaux qui requièrent plus d'outils. Ou il peut, au contraire, être plus pratique qu'un coffre encombrant qui contient trop d'outils. En somme, vous évalueriez les coffres à outils de notre exemple en fonction du type de travaux à faire et selon que l'ajout – ou le retrait – de certains outils en ferait un meilleur coffre à outils. Vous ne les évalueriez pas en vous demandant « lequel est le bon ».

Il en va ainsi de l'évaluation des théories de la personnalité. Lorsque nous vous présentons une théorie, nous vous encourageons à poser des questions comme les suivantes : « Qu'est-ce qu'on peut accomplir avec les outils conceptuels de cette théorie ? » ; « Quels avantages les outils conceptuels de cette théorie possèdent-ils par rapport aux outils des autres théories ? » ; ou « Quels outils pourrait-on ajouter (ou retirer) pour améliorer cette théorie ? ». Il vaut mieux vous poser ces questions que vous demander quelle théorie est la bonne.

La métaphore sur la boîte à outils permet une dernière chose. Elle donne à penser que l'existence de théories multiples en psychologie de la personnalité n'est pas une mauvaise chose. Dans la vie, les gens qui possèdent des coffres à outils différents peuvent apprendre les uns des autres ; ils peuvent décider d'ajouter à leur coffre un outil que quelqu'un d'autre possède ou vouloir faire le travail de quelqu'un d'autre avec les outils qu'ils ont déjà. En fin de compte, la diversité des outils peut améliorer le travail à faire. Il en est peut-être ainsi dans le monde des outils conceptuels. Lorsque plusieurs théories existent, les chercheurs sont plus enclins à se pencher sur des travaux et des arguments qui ne vont pas dans le sens des leurs. Le choc des idées qui se produit alors peut les inciter à raffiner leurs propres idées, à les élargir et, au fil du temps, à les améliorer. La diversité théorique peut donc accélérer les progrès globaux d'une discipline.

Nous espérons que vous aurez plaisir à explorer l'univers théorique et pratique de la psychologie de la personnalité, une discipline capricieuse mais en constante évolution.

RÉSUMÉ

1. Dans la vie de tous les jours, nous nous intéressons tous à la personnalité. Le travail des théoriciens de la personnalité est cependant différent, en ce sens que leurs théories visent cinq objectifs que n'ont pas nos réflexions courantes : leurs théories doivent (1) être basées sur des *observations scientifiques*, (2) être cohérentes et *systématiques*, (3) être *vérifiables*, (4) être *exhaustives* et (5) avoir des applications utiles.

2. Les chercheurs en psychologie de la personnalité tentent de répondre aux questions *qui*, *comment* et *pourquoi* en étudiant quatre aspects bien précis : (1) la structure de la personnalité, (2) ses processus, (3) son développement et (4) sa modification (y compris par psychothérapie).

3. Les théoriciens de la personnalité se sont penchés sur une foule de questions au cours de l'histoire de leur discipline. En élaborant des théories pour répondre à ces questions, ils espèrent construire un cadre conceptuel qui servira trois fonctions : (1) organiser les connaissances existantes sur la personnalité, (2) générer de nouvelles connaissances sur des questions importantes et (3) dégager de nouveaux champs d'étude.

4. Il existe plusieurs théories de la personnalité, et on peut considérer ces théories comme autant de boîtes à outils, chacune apportant des outils conceptuels uniques pour accomplir les différentes tâches des psychologues de la personnalité.

CHAPITRE 2

L'ÉTUDE SCIENTIFIQUE DE L'ÊTRE HUMAIN :
les données de la psychologie de la personnalité

Les données de la psychologie de la personnalité

Les buts de la recherche : fidélité, validité et éthique

Les trois méthodes de recherche

La théorie de la personnalité et la recherche

L'évaluation de la personnalité et l'histoire de Jacques

Dans le cadre du cours de psychologie de la personnalité, trois étudiants collaborent à un projet de recherche sur les effets du désir de réussite sur le rendement scolaire. Dès leur première rencontre, ils se rendent compte qu'ils ont des opinions radicalement différentes sur la façon de procéder. Alexandre est convaincu que la meilleure approche serait de suivre un étudiant pendant un trimestre et d'enregistrer minutieusement tous les renseignements pertinents (notes, changements dans la motivation, impressions sur les cours, etc.) afin d'obtenir un tableau complet et approfondi. Sarah n'est pas d'accord avec la méthode d'Alexandre, car les conclusions ne s'appliqueraient qu'à cette seule personne; elle choisirait plutôt d'élaborer un ensemble de questions générales et de soumettre son questionnaire au plus grand nombre d'étudiants possible en leur demandant d'y répondre par écrit. Elle examinerait ensuite les corrélations qui existent entre les réponses obtenues et les résultats scolaires. Yolanda rejette ces deux approches. Elle croit que la meilleure façon de comprendre quelque chose sur le plan scientifique est de mener des expériences. Elle suggère de faire une manipulation expérimentale de manière à motiver certains élèves et à en démotiver d'autres, et elle ferait ensuite un test de performance.

Les opinions exprimées par les élèves illustrent les trois principales méthodes de recherche utilisées en psychologie de la personnalité: l'étude de cas, la recherche corrélationnelle à l'aide de questionnaires et les expériences en laboratoire. Ces trois méthodes seront explicitées dans les pages qui suivent. Mais, tout d'abord, nous allons examiner les différents types d'informations, ou données, susceptibles d'être utilisées dans une étude, ainsi que les objectifs généraux visés par les chercheurs lorsqu'ils mènent des recherches sur la personnalité.

LE CHAPITRE...
EN QUESTIONS

1. Quel type de données est-il important de recueillir pour étudier l'être humain?

2. Qu'entend-on par *fidélité* et *validité* des observations?

3. Comment doit-on procéder pour étudier l'être humain? Doit-on effectuer des recherches en laboratoire ou dans le milieu naturel? Doit-on utiliser l'autodescription (ou autoévaluation), c'est-à-dire les renseignements qu'un individu fournit sur lui-même, ou la description que des observateurs informés fournissent? Doit-on étudier de nombreux individus ou un seul individu?

4. Obtient-on des résultats différents ou identiques en utilisant un type de données plutôt qu'un autre, une méthodologie de recherche plutôt qu'une autre? Autrement dit, des études fondées sur des perspectives différentes aboutissent-elles à une même description de la personne?

Le premier chapitre suggérait que nous sommes tous intuitivement des théoriciens de la personnalité. Nous nous forgeons une opinion sur autrui, c'est-à-dire ce qui le motive, influence son développement psychologique et le distingue des autres. Or, les théories élaborées par les psychologues de la personnalité diffèrent des vôtres. Comme vous l'avez appris, les chercheurs doivent formuler leurs idées de manière très explicite afin qu'elles puissent être validées à l'aide de preuves scientifiques objectives.

Le chapitre 2 porte sur la recherche sur la personnalité. En l'étudiant, nous aborderons un thème dont il a été question dans le chapitre 1. Nous sommes tous, de manière intuitive, des psychologues de la personnalité, car nous constatons des différences entre les individus et des modes stables de comportement chez chacun. Ces observations sont les « preuves » qui servent de fondement à nos théories intuitives sur la personnalité.

Cependant, la « recherche » du profane diffère de celle du psychologue de la personnalité. Ce dernier applique une démarche établie afin de maximiser l'objectivité et la précision des données qu'il obtient. En publiant ses résultats de recherche, le psychologue de la personnalité permet à ses collègues de reproduire ses résultats, de vérifier ses données et de réexaminer ses conclusions. Ce chapitre présente les pratiques auxquelles les chercheurs ont recours pour y arriver.

Même si le présent chapitre est consacré à la recherche plutôt qu'à la théorie, il ne faut jamais perdre de vue que la frontière entre la théorie et la recherche n'est pas aussi étanche que l'organisation des chapitres le laisse supposer. On pourrait avoir l'impression que les psychologues doivent mener des recherches sans tenir compte de l'aspect théorique pour ensuite, dans un deuxième temps, élaborer des théories afin d'expliquer les résultats obtenus. Cette façon de procéder est impossible, car il n'existe rien de tel qu'une recherche « sans théorie ». La recherche implique l'étude systématique des relations entre les événements. Règle générale, nous avons besoin d'un cadre théorique pour dégager les événements à étudier en priorité. Nous avons également besoin de la théorie pour nous dire comment procéder.

Par exemple, supposons que vous souhaitiez valider l'idée selon laquelle les personnes qui ressentent de l'anxiété à propos de leur vie sentimentale réussissent moins bien leurs études en raison des effets négatifs de l'anxiété sur leur capacité d'apprendre. Pour vérifier cette idée, vous devriez d'abord mesurer le niveau d'anxiété ressenti par ces personnes. Comment ? Il serait impossible d'y arriver sans formuler d'abord des hypothèses. Une option consisterait à leur poser directement la question suivante : « Ressentez-vous de l'anxiété à propos de votre vie sentimentale ? » Toutefois, cette approche repose sur deux hypothèses hasardeuses : (1) les individus sont conscients de leur niveau d'anxiété et capables de l'évaluer ; (2) ils parleront avec franchise et précision de leur anxiété si vous leur posez la question. Ces hypothèses peuvent s'avérer fausses et une théorie sur la personnalité pourrait vous indiquer en quoi elles sont erronées. Par exemple, les théories psychodynamiques avancent que certaines personnes sont anxieuses au point de ne plus être conscientes de leur anxiété. Elles la répriment. Cette théorie indique donc que vous devez utiliser une approche de recherche différente. D'autres méthodes de recherche, comme la mesure du niveau d'éveil physiologique ou des facultés cérébrales pour mesurer les niveaux d'anxiété, reposent également sur des fondements théoriques ayant trait à la nature de l'anxiété, à ses causes et à son mode d'expression. La théorie et la recherche sont donc étroitement associées. La théorie sans recherche n'est que conjectures et spéculations, et la recherche sans théorie est une collecte de faits non intégrés ou vides de sens.

LES DONNÉES DE LA PSYCHOLOGIE DE LA PERSONNALITÉ

Il existe plusieurs façons de recueillir de l'information scientifique, ou données, sur les êtres humains. Vous avez le choix entre les quatre possibilités suivantes. Vous pourriez demander à un individu de vous dire ce qu'il aime. Vous pourriez également l'observer pendant qu'il vaque à ses activités quotidiennes afin de le constater par vous-même. Comme cette méthode serait plutôt fastidieuse, vous pourriez demander à son entourage de vous parler de sa personnalité. Une quatrième possibilité consisterait à remplacer les observations ou les jugements subjectifs par des données objectives sur la vie de cette personne (dossier scolaire, rendement au travail, etc.).

Les types de données

À partir de ces différentes possibilités, les psychologues de la personnalité ont défini quatre catégories de données susceptibles d'être utilisées pour la recherche (Block, 1993).

Ce sont les **données biographiques** (L-data), les **observations** (O-data), les **résultats d'épreuves** psychométriques ou expérimentales (T-data) et l'**autodescription** ou **autoévaluation** (S-data). Comme nous le constaterons, chaque catégorie présente des avantages et des inconvénients (Ozer, 1999).

La première catégorie – les données biographiques – est extraite de documents existants. Ainsi, les chercheurs qui s'intéressent à la relation entre les facteurs liés à la personnalité et le rendement scolaire peuvent utiliser des relevés de notes en guise de données biographiques (Caprara, Vecchione, Alessandri, Gerbino et Barbaranelli, 2011). De même, les chercheurs qui s'intéressent au lien entre la personnalité et la criminalité n'ont pas à poser la question « Avez-vous commis un crime ? » et à se fier à la véracité des réponses obtenues. Ils peuvent plutôt utiliser des données biographiques comme le casier judiciaire (Huesmann, Eron et Dubow, 2002). Cependant, comme il existe des caractéristiques de la personnalité pour lesquelles il n'existe aucune donnée biographique, il faut alors se tourner vers d'autres sources.

La deuxième catégorie – les observations – se compose de renseignements fournis par des observateurs informés tels que les parents, les amis, les enseignants. Habituellement, ces personnes doivent répondre à un questionnaire ou à toute autre forme de notation qui leur permet d'évaluer les caractéristiques de la personnalité de l'individu ciblé. Par exemple, ils peuvent remplir un questionnaire dans lequel ils évaluent la gentillesse, l'extraversion ou le caractère consciencieux de la personne à l'étude. Parfois, les chercheurs sont formés pour observer l'individu dans son cadre quotidien et effectuer une évaluation de la personnalité en fonction de leurs observations. Par exemple, on peut former des moniteurs pour qu'ils observent le comportement des enfants d'une colonie de vacances et recueillent ensuite des données pertinentes sur leur personnalité pour faire le lien entre d'une part des conduites précises comme l'agressivité verbale, l'agressivité physique ou la soumission, et d'autre part des caractéristiques du milieu de vie de la colonie ou les caractéristiques de la personnalité comme la confiance en soi, l'équilibre affectif ou les habiletés sociales (Shoda, Mischel et Wright, 1994 ; Sroufe, Carlson et Shulman, 1993). Comme l'indiquent ces exemples, on peut faire des observations sur des caractéristiques de comportement très précises ou plus générales. De plus, on peut recueillir les données d'un seul ou de plusieurs observateurs (par exemple, un ou plusieurs amis, ou un ou plusieurs enseignants). Dans ce dernier cas, on peut vérifier la concordance ou la fidélité des observations multiples au sujet d'une personne.

Pour obtenir la troisième catégorie d'information – les résultats d'épreuve –, les chercheurs soumettent l'individu à des épreuves expérimentales afin de mesurer son rendement ou sa capacité d'effectuer des tâches bien précises. Beaucoup de tests du genre ont été mis au point par les psychologues de la personnalité au début du XXe siècle. Par exemple, ils ont pu mesurer la capacité des individus à appréhender avec justesse les émotions ressenties par les personnages d'un recueil de nouvelles ; la tendance à remuer tout en étant assis sur une chaise ; les expressions faciales en réaction à de faibles décharges électriques (Cattell et Gruen, 1955). Plus récemment, l'accroissement de l'intérêt pour les résultats d'épreuves s'explique par l'arrivée des technologies informatisées, qui facilitent grandement la gestion et l'analyse de grands nombres d'épreuves (Ortner et Schmitt, sous presse). Parmi les autres données de ce type, signalons les mesures évaluant la capacité des élèves à attendre calmement sous promesse d'une récompense à venir plus importante (Mischel, 1990, 1999) ou la vitesse avec laquelle les adultes répondent à des questions portant sur leurs qualités personnelles ou leurs opinions sur des questions sociales (De Houwer, Teige-Mocigemba, Spruyt et Morrs, 2009). Dans de tels cas, les épreuves expérimentales fournissent des données objectives, c'est-à-dire qu'elles ne contiennent aucune impression subjective à propos d'un individu et offrent uniquement des preuves objectives de son rendement ou de son aptitude à accomplir une tâche.

Donnée biographique
Donnée ou renseignement au sujet de l'individu recueilli dans ses antécédents personnels ou d'autres données archivées.

Observation
Donnée ou renseignement fourni par des observateurs bien informés tels que les parents, les amis ou les enseignants.

Résultat d'épreuve
Donnée recueillie par la méthode expérimentale ou les tests psychométriques standardisés.

Autodescription ou autoévaluation
Ensemble de données ou de renseignements fournis par le participant sur lui-même.

Finalement, la quatrième catégorie – l'autodescription (ou autoévaluation) –, correspond aux renseignements qu'un individu donne sur lui-même. L'outil le plus utilisé dans cette catégorie est le questionnaire. Lorsqu'il répond à un questionnaire sur la personnalité, l'individu adopte le rôle d'observateur et s'évalue lui-même (par exemple, « Êtes-vous une personne consciencieuse ? »). Les questionnaires de personnalité peuvent servir à mesurer une caractéristique très précise ou englober l'ensemble des caractéristiques faisant partie de ce que l'on considère être la personnalité. Dans un tel cas, les questionnaires contiennent habituellement un grand nombre d'énoncés portant sur un certain nombre (entre 2 et 16) de qualités individuelles distinctes (voir notamment Tellegen et Waller, 2008). L'autodescription comporte cependant des limites. Les individus peuvent ne pas avoir conscience de leurs propres caractéristiques psychologiques, ou avoir tendance à se dépeindre sous un jour favorable. Dans un cas comme dans l'autre, les réponses obtenues peuvent comporter des inexactitudes sur le plan des qualités individuelles signalées. Par contre, leur facilité d'utilisation, conjuguée à leur capacité avérée à prédire des résultats psychologiques significatifs (comme nous le verrons dans les chapitres suivants), explique la popularité des questionnaires comme sources de données.

La généralisation de l'usage d'Internet a offert au psychologue de la personnalité un autre outil pour l'autodescription. En effet, des questionnaires d'autodescription sont dorénavant publiés sur Internet, ce qui permet souvent à des milliers d'individus d'y répondre. Plutôt que d'être limitées aux réponses fournies par les étudiants de niveau postsecondaire, comme c'est souvent le cas lors des recherches sur la personnalité qui utilisent des questionnaires d'autodescription, les données recueillies avec Internet offrent un échantillon plus diversifié de répondants. D'ailleurs, une comparaison entre les résultats obtenus avec Internet et ceux basés sur l'utilisation de questionnaires distribués avec des moyens plus traditionnels montre que les deux méthodes donnent des résultats comparables. Cette recherche indique donc qu'Internet pourrait aider à mieux comprendre le fonctionnement de la personnalité chez les individus (Gosling, Vazire, Srivastava et John, 2004).

Ces quatre catégories forment un système pratique pour organiser les différentes sources de données recueillies sur le terrain. Cependant, deux éléments doivent entrer en ligne de compte. (1) Les chercheurs combinent habituellement différentes sources de données dans une même étude. Par exemple, ceux qui cherchent à faire ressortir des modèles relatifs à la structure de la personnalité utilisent à la fois des observations et l'autodescription, jugeant que les similitudes qui s'en dégagent leur permettent d'affirmer que ces modèles représentent des caractéristiques significatives de la personnalité de l'être humain, plutôt que des artefacts dus à l'utilisation d'une source d'information en particulier (McCrae et Costa, 1987). (2) Certains types de données sont peu compatibles avec le système de classification proposé (données-L, O, T, S). En raison de l'évolution de la psychologie de la personnalité qui a mené à la mise au point de nouveaux instruments de mesure, des catégories additionnelles pourraient s'avérer nécessaires pour refléter cette nouvelle diversité dans les méthodes (Cervone et Caprara, 2001). On n'a qu'à penser aux données liées à la personnalité et au cerveau (présentées ci-dessous), qui s'appliquent difficilement à ces catégories.

Comparer les sources de données

Une fois les quatre catégories présentées, une question se pose : quel est le degré de concordance des mesures obtenues entre elles (Pervin, 1999) ? Par exemple, si une personne se décrit comme très consciencieuse, d'autres observateurs (amis, enseignants) feront-ils la même évaluation ? Si elle obtient un score élevé dans un questionnaire mesurant la dépression, ce résultat sera-t-il confirmé par une entrevue menée par un professionnel ? Si elle se considère comme très extravertie, obtiendra-t-elle le même résultat en laboratoire, où ce trait est mesuré, par exemple, par sa participation à une discussion de groupe ?

Cette question en apparence simple sur les liens qui existent entre les différentes sources de données est plus complexe qu'il n'y paraît. De nombreux facteurs influent sur le degré de concordance entre les types de données. Déterminer la source de données dont il est question constitue un premier enjeu. Nous savons que les scores obtenus dans les questionnaires auto-révélés diffèrent souvent des résultats obtenus en laboratoire. Les questionnaires auto-révélés ont tendance à mesurer des opinions générales dans une variété considérable de situations (« Je suis généralement d'humeur plutôt égale »), alors que les méthodes expérimentales évaluent les traits de personnalité dans un cadre très précis. Cette différence est souvent déterminante et se traduit par des divergences entre les deux catégories de données.

Il existe un lien plus étroit entre les observations et l'autodescription. Les psychologues de la personnalité constatent souvent des concordances significatives lorsqu'ils comparent les données obtenues par ces deux méthodes (notamment Funder, Kolar et Blackman, 1995 ; McCrae et Costa, 1987). Cependant, ici également, différentes méthodes peuvent mener à des conclusions différentes (John et Robins, 1994 ; Kenny, Albright, Malloy et Kashy, 1994 ; Pervin, 1999). Les biais dans la perception de soi entrent en ligne de compte, surtout lorsque la caractéristique de la personnalité évaluée implique un jugement de valeur (par exemple, stupide, chaleureux), ce qui réduit d'autant la concordance entre l'autodescription et l'évaluation faite par autrui (John et Robins, 1993, 1994 ; Robins et John, 1997). Certaines caractéristiques de la personnalité sont par ailleurs plus faciles à observer et à évaluer que d'autres (la sociabilité, par opposition au névrosisme), ce qui augmente la concordance entre les résultats de l'autodescription et ceux de l'évaluation faite par autrui, et entre les évaluations obtenues d'observateurs différents au sujet de la même personne (Funder, 1995 ; John et Robins, 1993). En outre, il semble que certaines personnes soient plus aisées à évaluer que d'autres (Colvin, 1993). En résumé, il existe divers facteurs – notamment le degré auquel une caractéristique de la personnalité est favorable et observable, ainsi que le degré de facilité à juger la personne évaluée – qui agissent sur la concordance entre les sources de données.

En général, chaque catégorie de données sur la personnalité devrait être vue comme comportant ses avantages et ses inconvénients. Les questionnaires auto-révélés ont un avantage marqué sur les autres catégories : comme les individus en savent beaucoup à leur sujet, le meilleur moyen qui s'offre au psychologue qui souhaite les connaître consiste à leur demander de parler d'eux-mêmes (Allport, 1961 ; Kelly, 1955 ; Lucas et Diener, 2008). Les méthodes d'autoévaluation ont cependant des limites. La description que les personnes font d'elles-mêmes à l'aide d'un questionnaire peut être influencée par des facteurs non pertinents comme la formulation linguistique des questions et leur ordre de présentation (Schwarz, 1999). Les personnes peuvent également mentir ou déformer inconsciemment leurs réponses (Paulhus, Fridhandler et Hayes, 1997), tentant ainsi peut-être de jeter un éclairage plus positif sur eux-mêmes.

C'est pour ces raisons que certains chercheurs considèrent l'évaluation faite par des *proches* comme le meilleur moyen

de mesurer la personnalité d'un individu. Encore ici, des problèmes peuvent néanmoins survenir comme un manque de concordance entre les conclusions des différents évaluateurs au sujet d'une même personne (Hofstee, 1994 ; John et Robins, 1994 ; Kenny et coll., 1994). C'est pour cette raison que certains psychologues dénoncent le recours trop massif aux questionnaires en psychologie, qu'il s'agisse d'autoévaluation ou d'évaluations faites par des proches. Pour eux, les mesures objectives du comportement et des systèmes biologiques sous-jacents à ce comportement constituent des sources plus fiables de données dans l'édification d'une science de la personnalité (Kagan, 2003). Or, le psychologue de la personnalité s'intéresse souvent à des aspects de l'expérience individuelle pour lesquels il n'existe aucun indicateur comportemental ou biologique. Pour connaître les perceptions conscientes des individus à propos d'eux-mêmes ainsi que leurs croyances au sujet du monde qui les entoure, il faut revenir à notre point de départ : le moyen le plus efficace reste encore de leur poser la question.

Les mesures nomothétiques et les mesures idiographiques

Les sources de données sur la personnalité peuvent également différer selon l'approche utilisée pour les mesurer : nomothétique ou idiographique. Dans une approche nomothétique, on applique exactement les mêmes mesures (par exemple, le même questionnaire) à tous les participants à une recherche en psychologie, puis on compile les résultats exactement de la même façon. De telles méthodes sont, et de loin, les méthodes les plus employées en psychologie de la personnalité. Lorsque les psychologues veulent en savoir davantage sur les caractéristiques d'une population, ils posent à un grand nombre de personnes les mêmes questions, puis ils utilisent la même méthode pour compiler les résultats.

Les approches nomothétiques comportent des avantages évidents : elles sont simples tout en étant objectives. Elles possèdent cependant deux limites. La première est que les questions posées par les psychologues peuvent ne pas s'appliquer à certains individus. Si vous avez déjà répondu à un questionnaire sur la personnalité, vous avez peut-être eu l'impression que certaines questions étaient pertinentes et touchaient un aspect important de votre personnalité, tandis que d'autres l'étaient beaucoup moins parce qu'elles abordaient des sujets qui ne vous concernaient pas. Une méthode nomothétique ne permet pas de distinguer les questions selon leur pertinence : elle se contente d'additionner vos réponses et de calculer un résultat final. La seconde limite d'une approche nomothétique est qu'elle peut omettre certains traits de personnalité qui vous sont propres. Vous pouvez posséder certaines qualités psychologiques idiosyncratiques – par exemple, une expérience passée déterminante, une aptitude singulière, une valeur religieuse ou morale importante, un objectif de vie à long terme – que les questions qui vous sont posées laissent complètement de côté.

En principe, ces obstacles peuvent être surmontés par l'utilisation d'une approche idiographique, c'est-à-dire une approche qui ne se limite pas à soumettre le même ensemble de questions à un groupe de personnes. Il existe différentes possibilités (Cervone et Shadel, 2003 ; Cervone, Shadel et Jencius, 2001 ; Huprich et Meyer, 2011). Par exemple, une de ces options consiste à utiliser un ensemble déterminé de questions tout en permettant aux répondants d'indiquer celles qui ont plus ou moins de pertinence pour eux (Markus, 1977). Une autre possibilité est de donner aux gens des questionnaires de personnalité ouverts, c'est-à-dire dont les questions leur permettent de se décrire eux-mêmes dans leurs propres mots, plutôt que de les obliger à répondre à des descriptions formulées entièrement par l'expérimentateur. Une question de type « Vrai ou faux : j'aime participer à de grandes fêtes » serait une question fermée, alors que la question « Quelles sont vos activités préférées pendant le week-end ? » serait une question ouverte. Les méthodes ouvertes se sont avérées d'une grande utilité dans l'évaluation du concept de soi. Par exemple, on peut demander aux gens de dresser une liste de mots ou de phrases qui décrivent des aspects importants de leur personnalité (Higgins, King et Mavin, 1982), ou de raconter des anecdotes qui rappellent des expériences importantes qu'ils ont vécues (McAdams, 2011 ; Woike et Polo, 2001).

Les deux termes techniques utilisés par les psychologues de la personnalité pour décrire ces approches sont **nomothétique** et **idiographique**. Le terme *nomothétique* vient du mot grec *nomos*, qui signifie « loi » et fait référence à la recherche de lois scientifiques qui s'appliquent de manière uniforme à tous. Quant au terme *idiographique*, qui s'applique aux techniques d'évaluation s'adaptant aux individus, il vient du mot grec *idios*, qui se rapporte aux caractéristiques personnelles, privées et distinctives

(comme dans *idiosyncratique*). De manière générale, les techniques nomothétiques décrivent une population d'individus en fonction d'un nombre déterminé de variables de la personnalité, utilisant pour ce faire une quantité fixe d'éléments de mesure. À l'inverse, les techniques idiographiques ont pour objectif de base de dresser le portrait d'un individu potentiellement unique et idiosyncratique. Comme nous le verrons dans les chapitres suivants, les théories de la personnalité diffèrent selon qu'elles sont fondées sur des approches nomothétiques ou idiographiques.

La personnalité et les données sur le cerveau

Les quatre catégories de données étudiées jusqu'à présent sont d'ordre psychologique. Ces données fournissent aux chercheurs de l'information sur les réactions psychologiques des individus : leur comportement, leurs pensées, leurs réactions émotionnelles.

En plus de la psychologie, les psychologues de la personnalité s'intéressent également à la biologie. Ils cherchent à cerner les mécanismes biologiques qui ont une influence sur les modes récurrents et distinctifs des individus sur les plans du comportement, des émotions et de la pensée, c'est-à-dire leur personnalité. (Voir à ce sujet la définition de la *personnalité* au chapitre 1.) Bien entendu, les mécanismes biologiques se retrouvent principalement dans le cerveau. Les psychologues de la personnalité ont donc besoin de données sur le cerveau en guise de complément aux données psychologiques.

Deux types de données sur le fonctionnement du cerveau se sont avérés particulièrement utiles pour les psychologues de la personnalité. Nous les décrirons brièvement dans les paragraphes suivants et vous les retrouverez dans les prochains chapitres.

Nomothétique
Se dit de toute stratégie d'évaluation et de recherche dont l'objectif premier est de cerner un ensemble commun de principes et de lois qui s'appliquent à tous les membres d'une population d'individus.

Idiographique
Se dit de toute stratégie d'évaluation et de recherche dont l'objectif premier est de dresser le portrait d'un individu potentiellement unique et idiosyncratique.

La première source de données sur le cerveau met à profit les propriétés électriques du cerveau. L'**électroencéphalogramme** (EEG) est une méthode qui sert à enregistrer l'activité électrique du cerveau. Ces enregistrements sont obtenus à l'aide d'électrodes placées sur le cuir chevelu. Les électrodes captent l'activité électrique des cellules cérébrales, ou *neurones* ; en effet, l'activité biochimique des neurones à l'intérieur du cerveau génère une activité électrique si intense qu'elle peut être détectée par des électrodes installées à l'extérieur du cerveau, sur le cuir chevelu. Les enregistrements EEG s'effectuent généralement en laboratoire ; cependant, la mise au point de technologies portables permet de faire des enregistrements à l'extérieur d'un environnement de laboratoire (Casson, Smith, Duncan et Rodriguez-Villegas, 2010).

Lors d'un EEG, plusieurs électrodes sont fixées à différents endroits sur le cuir chevelu. Les électrodes placées sur les régions situées tout près du cerveau sont les plus sensibles à l'activité cérébrale. En analysant l'activité ainsi captée, les chercheurs peuvent déterminer les zones du cerveau qui sont les plus actives à un moment précis. En évaluant simultanément chez des participants (1) l'état psychologique (par exemple, le ressenti de différentes émotions) et (2) l'activité EEG (plus particulièrement l'activité captée par chacune des électrodes), les chercheurs peuvent établir un lien entre l'activité psychologique et l'activité cérébrale, leur permettant ainsi de déterminer les régions du cerveau où pourraient loger des états et des fonctions psychologiques spécifiques.

La deuxième source de données sur le cerveau est obtenue grâce à l'**imagerie par résonnance magnétique fonctionnelle (IRMf)**, méthode qui permet de dépeindre (ou de « mettre en images ») l'activité cérébrale pendant qu'une personne effectue différentes tâches (ou « fonctions » psychologiques). Lorsque des parties du cerveau deviennent actives en réaction à ces tâches, l'IRMf capte les fluctuations du flux sanguin qui les irrigue. Tout comme un afflux de sang additionnel irriguera vos muscles lorsque vous soulevez un poids, un afflux de sang additionnel irriguera une zone de votre cerveau si vous utilisez celle-ci pour, par exemple, résoudre un problème, vous remémorer un événement passé ou former une image mentale. La technologie IRMf détecte les variations du flux sanguin pour produire une image du cerveau qui montre ses régions les plus actives, et donc les plus « fonctionnelles » – c'est-à-dire celles qui contribuent directement à l'accomplissement de la tâche (Ulmer et Jansen, 2010).

Lors d'une recherche effectuée à l'aide de la technologie IRMf, les participants sont placés dans un appareil appelé tomodensitomètre crânien. Cet appareil est muni d'un puissant aimant qui capte les variations dans le flux sanguin (détectables grâce aux propriétés magnétiques des globules rouges). Une fois à l'intérieur de l'appareil, les participants reçoivent des consignes, des images et d'autres stimuli sur un écran vidéo et effectuent différentes tâches en réponse à ces stimuli. Une scintigraphie cérébrale est alors prise pendant que les participants accomplissent ces tâches.

Comme nous l'avons mentionné précédemment, les technologies EEG et IRMf fournissent de l'information sur les fonctions biologiques, et non sur les expériences psychologiques. Cependant, en combinant ces méthodes avec les catégories de données psychologiques décrites au début de ce chapitre, les chercheurs peuvent établir des liens entre le biologique et le psychologique et découvrir les fondements biologiques à des processus et des structures liés à la personnalité.

La théorie de la personnalité et l'évaluation

Une des tâches dont doit s'acquitter le psychologue en personnalité est l'évaluation. Une *évaluation de la personnalité* comprend toute méthode standardisée – c'est-à-dire composée d'une série d'étapes bien définies – permettant de découvrir la personnalité d'un individu ou de mesurer les écarts sur le plan de la personnalité entre les membres d'une population. (Tout groupe important de personnes susceptible d'intéresser un chercheur constitue une *population*.) Les méthodes d'évaluation de la personnalité fournissent les données de base que les psychologues utilisent pour atteindre leurs principaux objectifs professionnels, comme prédire le comportement des individus,

---

Électroencéphalogramme

Méthode servant à enregistrer l'activité électrique du cerveau à l'aide d'électrodes placées sur le cuir chevelu.

Imagerie par résonnance magnétique fonctionnelle

Méthode qui permet de dépeindre l'activité cérébrale pendant qu'une personne effectue différentes tâches, en profitant du fait que le flux sanguin irriguant les différentes parties du cerveau fluctue lorsque celles-ci deviennent actives en réaction à ces tâches.

mener des recherches expérimentales sur les processus fondamentaux de la personnalité et, à des fins d'utilisation clinique, comprendre les problèmes psychologiques et élaborer des stratégies thérapeutiques.

Pour choisir la source de données à utiliser pour évaluer une personnalité, le psychologue dispose de plusieurs options : quatre sources différentes de données psychologiques ; des stratégies idiographiques et nomothétiques de collecte de données à partir de ces sources ; les différentes méthodes de collecte de données sur le cerveau étudiées dans la section précédente. Laquelle choisir ?

La théorie guide habituellement ce choix. En effet, ce sont les théories sur la personnalité qui précisent les cibles à atteindre par l'évaluation, c'est-à-dire les aspects de la personnalité qui sont les plus importants à étudier. Le choix d'une cible dictera par la suite la source de données à privilégier. Voici quatre exemples de cibles à atteindre en psychologie de la personnalité.

(1) *Comportement moyen.* Certaines théories de la personnalité ont pour cible l'étude du comportement moyen, habituel, des individus. On considère les tendances qui se dégagent du comportement moyen comme des révélateurs de la structure interne de la personnalité. Les évaluations visent donc à mesurer comment les individus agissent en moyenne – leur tendance moyenne à être calme (par opposition à anxieux), extraverti (par opposition à renfermé), honnête (par opposition à trompeur), et ainsi de suite (notamment Van der Liden, Tsaousis et Petrides, 2012).

(2) *Variabilité dans le comportement.* D'autres études portent à croire que l'évaluation des tendances moyennes sur le plan du comportement est insuffisante. Il faut également explorer les *variations* du comportement dans divers contextes sociaux. Les manifestations de cette variabilité, par exemple des relations chaleureuses avec un de ses parents et hostiles avec l'autre, ou un comportement anxieux dans certaines situations et calme et confiant dans d'autres, sont considérées comme révélatrices de la structure de la personnalité (Mendoza-Denton et Ayduk, 2012).

(3) *Pensées conscientes.* L'expérience consciente, c'est-à-dire le flux de pensées, de sensations et d'émotions conscientes chez un individu, représente une troisième cible d'évaluation. Dans une étude de la personnalité et de l'expérience consciente, un chercheur pourrait, par exemple, demander à des personnes de décrire leurs croyances à propos d'elles-mêmes, leurs objec-

tifs de vie, ou encore ce qu'elles ressentent (enthousiasme, ennui ou concentration calme) au gré des événements qui parsèment leur journée (Nakamura et Csikszentmihalyi, 2009).

(4) *Événements mentaux inconscients.* Les pensées et les émotions *qui ne sont pas* conscientes constituent la quatrième cible d'évaluation. Certaines théories de la personnalité insistent davantage sur les événements mentaux *inconscients*, c'est-à-dire les événements mentaux (par exemple, les pensées, les motivations) dont les individus ne sont pas conscients. Les chercheurs dont le travail est basé sur ces théories doivent concevoir des méthodes qui leur permettent de découvrir ces contenus mentaux inconscients (notamment McClelland, Koestner et Weinberger, 1989).

Comment le choix d'une cible à évaluer guide-t-il le choix du type de données à rechercher ? En y réfléchissant un peu, vous pourrez le trouver par vous-même. Voici quelques questions qui vous aideront en ce sens.

Pourriez-vous utiliser des observations ou des autodescriptions pour évaluer les tendances comportementales moyennes ? Il semble en effet raisonnable de supposer que les gens devraient être en mesure d'indiquer, avec un certain degré d'exactitude, leur comportement typique et le comportement typique des personnes qu'ils observent.

Pourriez-vous utiliser des observations pour évaluer le flux des pensées conscientes ? Non. Si, par exemple, une observatrice vous surprend en train de rêvasser, elle ne pourra dire à quoi vous pensez. Pour évaluer vos expériences conscientes, un chercheur aurait besoin de vos autodescriptions.

Pourriez-vous utiliser des autodescriptions pour évaluer des pensées inconscientes ? Non, encore une fois. Les gens ne peuvent pas rapporter leurs pensées inconscientes, précisément parce qu'elles sont inconscientes. Pour mesurer un contenu mental inconscient, vous avez besoin de mesures effectuées en laboratoire.

Les relations entre la théorie, les cibles d'évaluation et le choix des sources de données seront illustrées à maintes reprises dans les chapitres à venir. Pour le moment, notons que ces relations soulignent un thème abordé dans le chapitre 1 : on ne peut étudier la personnalité en collectant d'abord une quantité importante de données, puis en formulant une théorie. Il faut d'abord une théorie pour déterminer ensuite ce qu'il faut mesurer et comment y arriver.

LES BUTS DE LA RECHERCHE : FIDÉLITÉ, VALIDITÉ ET ÉTHIQUE

Peu importe la question à l'étude, et peu importe le choix de la méthode pour ce faire, un projet de recherche ne peut réussir à moins que les méthodes utilisées possèdent les deux qualités suivantes : les mesures de la personnalité doivent (1) être reproductibles (si l'étude est menée de nouveau, elle doit donner les mêmes résultats), et (2) mesurer réellement le concept théorique qui est à l'étude. Dans le langage de la recherche, les mesures doivent être (1) *fidèles* et (2) *valides*.

La fidélité

Le concept de **fidélité** fait référence au degré de reproductibilité des observations. Il s'agit de déterminer si les mesures sont fiables, ou stables. Si nous utilisons une mesure de la personnalité sur un groupe de personnes, que nous l'utilisons de nouveau avec eux peu de temps après, nous nous attendons à ce que ces mesures, prises à deux moments différents, révèlent les mêmes caractéristiques de la personnalité. Sinon, cette mesure est considérée comme peu fiable.

Divers facteurs peuvent affecter la fidélité d'un test psychologique. Par exemple, il peut s'agir de l'état psychologique des participants qui sont sous observation ; les réactions des gens peuvent être influencées par des facteurs passagers comme l'humeur au moment où ils sont observés. Par exemple, supposons que vous êtes soumis à un test de la personnalité qui s'étend sur deux jours et que pendant l'une de ses journées, vous êtes d'humeur particulièrement maussade. Votre état d'esprit peut influer sur vos réactions ce jour-là, produisant ainsi un résultat différent d'une journée à l'autre. D'autres facteurs concernent le test lui-même. Par exemple, des questions ambiguës peuvent avoir une incidence sur la fidélité. De même, l'absence de rigueur dans l'analyse

Fidélité
Stabilité, fiabilité et capacité de reproduire les observations.

Validité
Pertinence des données recueillies par rapport au phénomène ou aux variables qui nous intéressent (aussi appelé « validité du construit »).

d'un test ou des règles peu claires pour l'interprétation des résultats peuvent engendrer un manque de concordance, ou de fiabilité, dans les résultats.

Pour mesurer la fiabilité, on utilise habituellement deux méthodes usant de techniques différentes pour répondre aux diverses questions à propos d'un test (West et Finch, 1997). La première méthode évalue la cohérence interne : existe-t-il une corrélation entre les différents éléments d'un test comme on pourrait s'y attendre si chaque élément est un reflet d'une construction psychologique commune ? La seconde méthode mesure la fiabilité test-retest : si les personnes participent au test à deux moments différents, obtiennent-elles les mêmes résultats, ou des résultats très similaires ? L'exemple suivant souligne les différences entre les types de fiabilité. Supposons que l'on ajoute quelques éléments portant sur l'intelligence à un test sur l'extraversion. La fidélité test-retest de la mesure resterait élevée (car les gens obtiendraient probablement les mêmes résultats sur les questions portant sur l'intelligence à différents moments dans le temps). Par contre, la cohérence interne du test serait moindre (car il est probable qu'il n'y aurait pas de corrélation entre les éléments portant sur l'intelligence et ceux portant sur l'extraversion).

La validité

En plus d'être fidèles, les observations doivent être valides. La **validité** est le degré avec lequel des observations reflètent le phénomène qui est à l'étude dans une recherche donnée. Le meilleur exemple à donner sur la validité est un exemple où la mesure ne s'avère pas valide : supposons que l'on cherche à évaluer l'intelligence des gens en leur proposant un quizz sur les personnes ayant gagné des concours d'amateurs télédiffusés. Cette mesure pourrait s'avérer fidèle. Toutefois, elle ne pourrait être valide puisque les questions de ce genre ne sont pas des indicateurs des aptitudes mentales que nous appelons « intelligence ».

Pour qu'un test soit utile pour élaborer et tester une théorie de la personnalité, il doit avoir une *validité de construit*, c'est-à-dire être une mesure valide de la variable psychologique, ou construit, qu'elle est censée mesurer (Cronbach et Meehl, 1955 ; Ozer, 1999). Pour établir la validité de construit d'un test, les psychologues de la personnalité tentent généralement de démontrer la relation systématique qui existe entre un test et un critère externe, qui est une mesure indépendante (ou externe) du test lui-même.

Des considérations d'ordre théorique guident le choix du critère externe. Par exemple, pour mettre au point un test sur la propension à ressentir de l'anxiété et établir sa validité de construit, on utiliserait des concepts théoriques sur l'anxiété pour choisir le critère externe (par exemple, des indices physiologiques indiquant une poussée d'anxiété) que le test devrait prédire. On établirait habituellement la validité en montrant la corrélation entre le test et le critère externe. Toutefois, en plus de la corrélation entre les données, les tests de validité pourraient comporter des comparaisons entre deux groupes de personnes qui sont, en théorie, pertinents pour le test. Un groupe d'individus qui ont été diagnostiqués par des psychologues cliniciens comme souffrant d'un trouble anxieux devrait, par exemple, obtenir des notes plus élevées lors d'un soi-disant test d'anxiété que les individus qui n'ont pas reçu un tel diagnostic; autrement, il faudrait conclure à l'absence de validité du test d'anxiété.

La validité comporte d'autres aspects (Ozer, 1999; West et Finch, 1997). Par exemple, un chercheur qui voudrait présenter un nouveau test de personnalité doit être en mesure de montrer que sa validité est *discriminante*, c'est-à-dire qu'il se distingue, d'un point de vue empirique, des autres tests qui existent déjà. Autre exemple, si un chercheur proposait un nouveau test sur la «tendance à se faire du souci» et constatait qu'il présente une corrélation extrêmement forte avec les tests de névrosisme déjà utilisés, la valeur du nouveau test serait faible en raison d'un manque de validité discriminante.

Une idée relativement nouvelle à propos de la validité d'un test établit un lien entre le concept de validité et celui de causalité. En vertu de ce lien, un test est une mesure valide d'une qualité psychologique si: (1) cette qualité existe réellement; (2) des variations dans la qualité entraînent des modifications dans les résultats du processus de mesure (Borsboom, Mellenbergh et van Heerden, 2003). Voici un exemple. Supposons que vous souhaitiez mesurer «l'aptitude à résoudre des problèmes courants» (par exemple, comment se faire des amis ou épargner de l'argent). Une mesure valide pourrait être de compter le nombre de solutions que des personnes peuvent générer lorsqu'on leur présente des problèmes de la sorte (Artistico, Orom, Cervone, Krauss et Houston, 2010). Cette mesure est valide parce qu'elle répond aux deux critères: (1) cet attribut existe: tous les individus possèdent, à divers degrés, l'aptitude à résoudre les problèmes du quotidien; (2) les variations dans cet attribut entraînent des variations dans le résultat: une aptitude moins

marquée (une connaissance moindre des stratégies de résolution de problèmes et une moins bonne capacité à passer de la parole aux actes) entraînerait une diminution des solutions proposées. Comparons cet exemple avec la situation hypothétique suivante: mesurer l'influence des fantômes sur le fonctionnement de la personnalité. (Cette mesure pourrait comporter des questions comme «À combien de reprises au cours du dernier mois votre personnalité a-t-elle été affectée par les fantômes? 1 à 3 fois? 4 à 10 fois? Plus de 10 fois?».) Peu importe ce que les personnes disent en réponse à ce test, et peu importe la corrélation entre ces réponses et d'autres résultats, ce test ne constituerait pas une mesure valide du construit. Pourquoi? Parce que l'attribut (les fantômes et leur influence) n'existe pas. Comme il n'existe pas, il ne peut exercer d'influence causale sur les réponses au test. Par conséquent, il ne peut y avoir de mesure valide de ce construit d'un point de vue causal.

En résumé, la fidélité permet de déterminer si un test offre une mesure stable et reproductible, tandis que la validité permet de savoir si une mesure capte réellement la qualité psychologique qu'elle est censée mesurer et si cette mesure varie selon cette qualité.

L'éthique de la recherche et les politiques publiques

La recherche en psychologie implique des préoccupations d'ordre éthique. Ces questions d'ordre éthique touchent autant le déroulement d'une recherche que l'analyse et la divulgation de ses résultats (Smith, 2003). Ces préoccupations ne datent pas d'hier. Il y a un demi-siècle, lors d'une célèbre recherche, des participants qui jouaient le rôle «d'enseignants» devaient présenter à d'autres participants (les «apprenants») une liste de mots à associer par paires et les punir en leur administrant une décharge électrique lorsqu'ils commettaient une erreur (Milgram, 1965). Même si aucune décharge électrique véritable n'était infligée, les «enseignants» croyaient que c'était le cas. Beaucoup ont commandé des chocs de grande intensité malgré les supplications feintes des apprenants pour qu'ils cessent. Dans une autre étude où l'on simulait le milieu carcéral, on a demandé à des participants de jouer le rôle de gardiens et à d'autres celui de prisonniers (Zimbardo, 1973). Les «gardiens» manifestaient de l'agressivité verbale et physique envers les «prisonniers», qui acceptaient ce traitement inhumain. Dans les deux études, les participants étaient soumis à des niveaux de stress si élevés qu'il est permis de se demander si le coût exigé des participants l'emportait sur les gains en matière de science.

De tels programmes de recherche soulèvent des questions fondamentales sur le plan moral. Les chercheurs ont-ils le droit de recourir à la duperie pour tromper les participants ? De les soumettre à un stress intense ? À leur tour, ces interrogations soulèvent une question plus fondamentale encore : Quels principes d'ordre éthique doivent guider les réponses à ces questions ?

L'American Psychological Association (APA) a adopté une liste de principes déontologiques (American Psychological Association, 1981). L'essence de ces principes est la suivante : « Le psychologue effectue la recherche en respectant la dignité et le bien-être des participants. » À cet effet, il doit évaluer l'acceptabilité morale de la recherche, s'assurer que les participants à l'étude ne sont aucunement en danger et établir une entente claire et équitable avec les participants au sujet des obligations et des responsabilités de chacun. Même si la dissimulation ou la duperie sont jugées nécessaires dans certains cas, elles doivent être minimisées. Il incombe au chercheur de protéger les participants et de réduire au minimum l'inconfort mental et physique. En plus des lignes directrices de l'APA, des lignes directrices similaires ont été adoptées par le gouvernement des États-Unis (c'est-à-dire qu'elles ont été formulées par une agence fédérale et qu'elles s'appliquent à l'ensemble du territoire américain) pour guider les recherches. Tous les projets de recherche en psychologie doivent être soumis pour approbation à un comité déontologique qui évalue si cette recherche est conforme aux lignes directrices.

Comme nous l'avons vu précédemment, les principes déontologiques s'appliquent également à la présentation des résultats d'une recherche. On répond ainsi à une préoccupation récurrente sur la « prolifération des fraudes » (Fisher, 1982), c'est-à-dire à la possibilité qu'un chercheur rapporte des résultats inexacts qui ont été sciemment déformés. Dans les années 1970, une analyse statistique a révélé que sir Cyril Burt, éminent psychologue britannique, avait délibérément faussé des données dans son étude sur la transmission des caractères héréditaires de l'intelligence (Kamin, 1974). Au début du XXe siècle, un chercheur a dû se rétracter parce que les résultats de recherche qu'il avait publiés n'étaient pas rapportés de façon exacte et valide (Ruggiero et Marx, 2001). Plus récemment, un psychologue a remis sa démission après

avoir admis que les données présentées dans plusieurs de ses études avaient été fabriquées de toutes pièces (*New York Times*, 2 novembre 2011).

Les rapports de recherche frauduleux sont rares. Toutefois, en psychologie comme dans toutes les autres sciences, on ne peut jamais exclure la fraude. Les études de corroboration indépendantes, qui visent à reproduire les résultats d'une recherche effectuée par un autre, sont le mécanisme de protection utilisé par la science pour contrer la fraude. Les résultats que vous lirez dans cet ouvrage ont été en très grande partie confirmés de manière indépendante.

Il existe toutefois un aspect plus insidieux que la fraude : ce sont les effets des biais personnels et sociaux sur le développement des problématiques de recherche ainsi que sur les catégories de données admises à titre de preuves (Pervin, 2003). Dans une étude sur les différences sexuelles, les chercheurs peuvent poser des questions empreintes de préjugés sexuels (par exemple, demander si les « femmes sont aussi habiles que les hommes » pour une tâche donnée) ou être portés à accepter d'emblée la validité d'une recherche si celle-ci confirme leurs idées préconçues à propos des hommes et des femmes. Même si les scientifiques s'efforcent de rester objectifs, ils sont susceptibles – comme nous tous d'ailleurs – de laisser leurs opinions et leurs attentes teinter involontairement leur jugement et leurs conclusions.

Le respect de l'éthique dans la divulgation des résultats d'une recherche sur le plan de la psychologie de la personnalité est important non seulement pour l'avancement de la science, mais aussi pour la société dans son ensemble. Les recherches sur la personnalité sont applicables à de nombreux domaines : les traitements cliniques en psychothérapie ; les politiques scolaires destinées à motiver les élèves ; les tests de sélection pour les demandeurs d'emploi, et ainsi de suite. Ces applications soulignent la responsabilité qui incombe aux chercheurs en psychologie de rapporter les résultats de leurs recherches de manière précise et exhaustive.

LES TROIS MÉTHODES DE RECHERCHE

Tous les psychologues de la personnalité cherchent à obtenir des résultats qui sont fidèles et valides. Leurs opinions diffèrent cependant quant au choix de la méthode qui leur permettra d'atteindre leurs objectifs. Trois méthodes ressortent du lot : (1) l'étude de cas (recherche clinique); (2) la recherche corrélationnelle; (3) la recherche expérimentale.

L'étude de cas (recherche clinique)

Cette méthode a pour objet d'étudier des individus de manière détaillée. Beaucoup de psychologues considèrent que les analyses approfondies de cas individuels, ou **études de cas (recherche clinique)**, sont le meilleur moyen de saisir la personnalité humaine dans toute sa complexité.

Dans une étude de cas, le psychologue interagit de manière prolongée avec l'individu qui est la cible de l'étude. Le psychologue profite de ces interactions pour acquérir une compréhension des structures et des processus psychologiques qui sont les plus importants dans la personnalité de cet individu. Les études de cas sont, de par leur nature même, des méthodes *idiographiques* (terme présenté au début de ce chapitre), en ce sens que leur objectif consiste à peindre un portrait psychologique de la personne en particulier qui fait l'objet de l'étude.

Les études de cas peuvent être menées uniquement à des fins de recherche. Toutefois, d'un point de vue historique, les études de cas ont souvent été menées dans le cadre de traitements cliniques. En effet, les psychologues cliniciens doivent acquérir une meilleure connaissance des qualités propres à chacun de leurs clients afin de déterminer l'intervention à faire; c'est pourquoi les études de cas portant sur la personnalité font partie intégrante de l'environnement clinique. D'ailleurs, les études de cas menées par des cliniciens ont joué un rôle clé dans le développement de certaines théories majeures sur la personnalité. En fait, beaucoup de théoriciens dont il sera question dans ce livre ont reçu une formation de psychologue clinicien, de psychologue en counseling ou de psychiatres. C'est en tentant de résoudre les problèmes de leurs patients qu'ils ont pu mettre à profit les découvertes faites en milieu clinique pour élaborer leurs théories sur la personnalité.

La stratégie de recherche: L'étude de cas est une des méthodes employées dans la recherche en psychologie de la personnalité.

et au fait qu'elle comportait généralement plusieurs aspects. Ils se voient comme possédant une variété de caractéristiques psychologiques. Ces concepts à propos du soi se développent au fur et à mesure que les individus interagissent avec les autres. Comme nous entrons tous en interaction avec beaucoup de personnes différentes, divers aspects de notre concept de soi peuvent souvent s'avérer pertinents dans certaines situations mettant en scène différents individus. Par exemple, vous pourriez vous considérer comme une personne sérieuse et habile à s'exprimer lorsque vous interagissez avec des professeurs, comme une personne enjouée et confiante en présence de vos amis, et comme une personne romantique et désireuse de plaire lors d'un rendez-vous galant. Pour saisir la personnalité d'une personne, il peut s'avérer nécessaire d'étudier la façon dont les divers aspects du soi entrent en action lorsque les personnes voient leur vie à partir de points de vue différents qui impliquent des individus jouant différents rôles dans leur existence. Pour Hermans (2001), ces points de vue différents s'apparentent aux diverses « prises de position » que l'on peut adopter à propos de soi.

Cette vision du concept de soi pose un défi majeur pour la plupart des méthodes de recherche. Habituellement, lorsque le nombre de personnes est élevé, la recherche

L'étude de cas: un exemple

Pour illustrer le type d'information qu'une étude clinique systématique peut générer, examinons de plus près les travaux du célèbre psychologue néerlandais Hubert Hermans (2001). Hermans s'est intéressé à l'opinion que les individus avaient d'eux-mêmes – leur concept de soi –

Étude de cas (recherche clinique)

Méthode de recherche qui permet d'étudier un individu de manière détaillée. Cette stratégie est habituellement associée à la recherche clinique, c'est-à-dire la recherche effectuée par un thérapeute dans le cadre d'interactions répétées et permettant d'approfondir les expériences d'un client.

Les défis de la vie sociale varient à un point tel que nous devons parfois nous adapter en mobilisant des « soi différents » selon les circonstances.

d'aujourd'hui, où des personnes provenant de cultures différentes entrent en contact les unes avec les autres beaucoup plus fréquemment que dans le passé en raison des migrations d'une partie du monde à une autre pour recevoir une formation ou trouver du travail. Le cas qu'il a rapporté est celui d'un homme de 45 ans originaire d'Algérie et prénommé Ali. Même si Ali a grandi en Afrique du Nord, il vivait en Europe du Nord depuis plus de vingt ans au moment de

expérimentale et la recherche corrélationnelle fournissent une quantité limitée de données. Or, pour comprendre la complexité du concept de soi tel que le décrit Hermans, il faut disposer d'une quantité importante d'informations sur une personne ainsi que sur les individus et l'environnement social qui composent sa vie. Lorsqu'un tel niveau de détails est requis, les psychologues de la personnalité ont recours aux études de cas.

Hermans (2001) a présenté une étude de cas qui révèle la complexité de la personnalité dans une époque, celle

l'étude ; il travaillait pour une entreprise néerlandaise et était marié à une femme originaire des Pays-Bas.

Pour cette étude de cas, Hermans a utilisé une méthode de recherche systématique qui peut servir à l'étude d'un seul individu. Cette méthode consiste à demander à la personne d'énumérer une liste de caractéristiques qui décrivent ses attributs ainsi qu'une liste de personnes et de situations qui sont importantes pour elle. La personne doit ensuite indiquer l'importance relative de chaque caractéristique par rapport à chaque situation. À partir

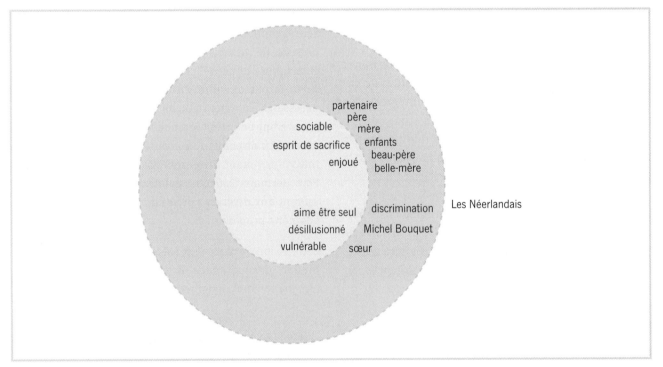

Figure 2.1 | **Les concepts de soi**

Cette figure présente les résultats d'une étude de cas sur un homme d'origine algérienne vivant aux Pays-Bas et marié à une Néerlandaise.

Source : D'après Hermans, H.J.M. (2001). The construction of a personal position repertoire : Method and practice. *Culture and Psychology*, 7, 323-365. © Sage Publications Ltd., reproduction autorisée.

de cette évaluation, Hermans a conçu un graphique qui montre la structure des croyances de cette personne. Dans le graphique ci-dessus, le cercle intérieur représente les caractéristiques personnelles tandis que le cercle extérieur représente les autres personnes et situations.

La figure 2.1 présente les caractéristiques psychologiques d'Ali et révèle un fait intéressant à son sujet. Ali voit sa vie comme étant composée d'éléments distincts, et il décrit les différentes caractéristiques de sa personnalité en fonction des différents environnements dans lesquels il évolue. Un des éléments de ce concept de soi porte sur les membres de sa famille, autant sa propre famille que celle de son épouse. Ali était très bien accepté par ces gens. Quand il était en leur compagnie, Ali était heureux et plein d'entrain, prêt à faire des sacrifices pour les autres. Or, la vision qu'Ali avait de lui-même et de son univers social comportait un deuxième cercle, ce qui est parfaitement concevable pour un individu arrivé dans une nouvelle culture qui n'est pas toujours accueillante envers les immigrants. Ali a reconnu que certaines personnes faisaient preuve de discrimination à son endroit ou entretenaient des opinions politiques qu'il désapprouvait. Face à ces personnes, il se sentait désillusionné et vulnérable. Fait intéressant, il ressentait la même chose envers sa sœur, que son épouse et lui considéraient comme la « sorcière de la famille » (Hermans, 2001, p. 359). L'information détaillée fournie par cette étude de cas a permis de mieux comprendre les nuances dans la vie de cet homme, ce que d'autres méthodes de recherche ne peuvent habituellement pas fournir.

La recherche corrélationnelle

On utilise les tests et les questionnaires de personnalité lorsqu'il est impossible ou qu'il n'est pas souhaitable d'étudier les individus en profondeur, et quand on ne peut entreprendre des expériences en laboratoire. De plus, le questionnaire de personnalité a pour avantage de recueillir simultanément une quantité importante de données sur un grand nombre de personnes. Aucun individu n'est étudié aussi en profondeur qu'avec l'étude de cas mais, avec les questionnaires, le chercheur peut étudier les caractéristiques différentes de la personnalité chez un grand nombre d'individus.

Les tests et les questionnaires de personnalité sont souvent associés à l'étude des différences entre les individus. Beaucoup de psychologues de la personnalité croient que la première étape cruciale pour la compréhension de la

Les tactiques de recherche : Les questionnaires de personnalité permettent d'obtenir une quantité importante de données sur un grand nombre de personnes.

nature humaine consiste à dresser un tableau des différences entre les individus. Les questionnaires de personnalité sont souvent conçus pour mesurer ces différences individuelles. Par exemple, les psychologues de la personnalité peuvent s'intéresser à l'utilisation des questionnaires pour mesurer les différences sur le plan de l'anxiété, de la conscience de soi, de l'amabilité, de la tendance à prendre des risques, ou d'autres qualités psychologiques.

En plus de mesurer les variables de la personnalité, le psychologue souhaite généralement connaître les interactions qu'elles ont les unes avec les autres. Les personnes anxieuses sont-elles moins aimables que celles qui sont détendues ? Les gens avec une conscience de soi élevée sont-ils moins enclins à prendre des risques ? C'est le genre de questions que se pose la **recherche corrélationnelle**. Ce terme vient de celui qu'on emploie en statistiques pour désigner le degré d'association entre deux variables : le **coefficient de corrélation**. Un coefficient de corrélation est un nombre qui reflète le degré auquel deux variables sont liées linéairement. Si les personnes qui obtiennent des scores élevés sur une variable tendent à obtenir des scores élevés sur l'autre variable, on considère alors que les variables possèdent une corrélation *positive*. (Une telle corrélation existerait entre l'anxiété et la conscience

Recherche corrélationnelle
Méthode de recherche qui consiste à mesurer et à relier statistiquement les différences entre les individus, plutôt que de les manipuler dans le cadre d'une recherche expérimentale.

Coefficient de corrélation
Indice statistique qui permet de quantifier à quel point deux variables sont associées de façon linéaire l'une à l'autre.

de soi.) Par contre, si les personnes qui obtiennent des scores élevés sur une variable ont tendance à obtenir des scores plus *faibles* sur l'autre variable, on considère alors que les variables possèdent une corrélation *négative*. (Il peut exister une telle corrélation entre l'anxiété et la confiance en soi puisque les gens qui ont peu confiance en eux sont plus susceptibles de se désigner comme anxieux.) Enfin, s'il n'existe aucune relation linéaire systématique entre deux variables, on dit qu'elles ne sont pas corrélées. (Il est possible qu'il n'y ait pas de corrélation entre l'anxiété et l'amabilité, car autant les personnes anxieuses que celles qui ne le sont pas peuvent faire preuve ou non d'amabilité.) Le coefficient de corrélation est calculé de telle manière qu'une corrélation positive parfaite – c'est-à-dire une corrélation où le point arrive exactement sur la droite – est une corrélation de 1,0. Une corrélation négative parfaite est une corrélation de –1,0. Une corrélation de zéro indique qu'il n'existe aucune relation linéaire entre deux mesures.

Il est à noter que l'expression *recherche corrélationnelle* fait référence à une *méthode* de recherche, et non simplement à une mesure statistique (la corrélation). Cette méthode permet aux chercheurs d'examiner la relation entre les variables au sein d'une grande population d'êtres humains, mais sans qu'aucune variable ne soit expérimentalement manipulée. Dans certaines circonstances, les chercheurs peuvent choisir de ne pas calculer un simple coefficient de corrélation pour étudier la relation entre deux variables ; ils peuvent, par exemple, utiliser des méthodes statistiques plus sophistiquées afin de déterminer s'il existe un lien entre deux variables, même après avoir vérifié l'influence possible d'autres variables. (Par exemple, un chercheur pourrait se demander s'il existe un lien entre les résultats obtenus lors d'un test d'aptitude intellectuelle d'un enfant et le revenu personnel après avoir pris en considération d'autres variables, comme le niveau de revenu de ses parents.) Même dans le cas où ces méthodes raffinées d'analyse des données sont utilisées, la méthode corrélationnelle demeure une approche permettant seulement d'examiner la relation entre les variables sans qu'elles aient été manipulées expérimentalement.

La recherche corrélationnelle : un exemple

Une recherche sur la relation qui existe entre les caractéristiques de la personnalité et la longévité (Danner, Snowdon et Friesen, 2001) offre un exemple éloquent de l'efficacité de la recherche corrélationnelle à répondre à des questions qui restaient sans réponse avec les autres

techniques. Cette recherche cherchait à déterminer s'il existe un lien entre le fait d'éprouver des émotions positives et l'espérance de vie. Les travaux menés précédemment sur cette question indiquaient que la vie affective peut influer sur le bien-être physique. Par exemple, les émotions ont été associées à l'activation du système nerveux autonome (SNA), lequel à son tour agit sur l'appareil circulatoire (Krantz et Manuck, 1984), qui est un élément essentiel de la santé. Ces prémisses laissaient entendre que si on parvenait à rassembler des individus tendant à éprouver des émotions positives et d'autres tendant à l'inverse, et que l'on pouvait suivre ces deux groupes pendant une période suffisamment longue, il serait alors possible de déterminer si les personnes ayant des émotions positives vivent plus longtemps. Il est à noter que *seule* une recherche corrélationnelle pouvait répondre à cette question. Une étude de cas ne permettait pas de produire des résultats convaincants, car même si on parvenait à relever un cas où une personne éprouve beaucoup d'émotions positives et vit un grand nombre d'années, il serait impossible de déterminer si un cas unique peut être généralisé à une population tout entière. De même, une recherche expérimentale serait aussi à exclure, car on ne peut manipuler facilement la tendance des gens à vivre des états émotifs, sans compter qu'il serait contraire à l'éthique de manipuler une variable susceptible d'abréger

Les recherches indiquent que les individus qui éprouvent des émotions positives à un degré relativement élevé ont tendance à vivre plus longtemps.

l'espérance de vie des participants. Heureusement, une recherche corrélationnelle connue sous le nom de *nun study* (Danner et coll., 2001), menée auprès des membres d'une communauté religieuse, a permis d'explorer cette question. Cette étude portait sur un grand nombre de religieuses de confession catholique vivant aux États-Unis. Toutes les religieuses qui ont participé à cette recherche étaient nées avant 1917. En 1930, les autorités de l'Église catholique leur avaient demandé d'écrire leur autobiographie. Avec l'autorisation des religieuses, les chercheurs ont pu lire ces autobiographies et les codifier en fonction de la quantité d'émotions positives recensées dans les textes. Certaines autobiographies présentaient un contenu positif relativement restreint (par exemple, « J'ai l'intention de faire de mon mieux pour ma communauté, pour la propagation de ma foi et pour ma sanctification personnelle »), alors que d'autres indiquaient que leur auteure ressentait des émotions positives à un degré élevé (« l'année dernière… a été pleine de bonheur. Dorénavant, je regarde en avant le cœur rempli de joie ») (Danner et coll., p. 806).

Pendant les années 1990 et en l'an 2000, environ 40 % des religieuses, qui étaient alors âgées entre 75 et 95 ans, sont décédées. Les chercheurs ont alors pu établir un lien entre le fait d'avoir vécu des émotions positives, ainsi que le révélaient les biographies de 1930, et la longévité à la fin du siècle.

Cette étude a montré une relation étonnamment étroite entre les expériences émotionnelles et la durée de vie. Les religieuses qui avaient éprouvé davantage d'émotions positives pendant les années 1930 avaient également vécu plus longtemps. On peut représenter la relation entre les expériences émotionnelles et la longévité en comptant le nombre de mots émotionnellement positifs employés dans les autobiographies et en divisant la population en quartiles (c'est-à-dire en quatre groupements, chacun représentant approximativement un quart de la population), qui vont de la plus petite à la plus grande quantité de mots exprimant une émotion (tableau 2.1). Sur le nombre de religieuses qui avaient exprimé une quantité élevée d'émotions positives, environ le cinquième était décédé pendant la période observée. Quant aux sœurs qui avaient exprimé une faible quantité d'émotions positives, plus de la moitié avait rendu l'âme ! Cette tendance se vérifiait même lorsque les membres des groupes ayant un nombre élevé et un nombre faible d'émotions avaient le même âge au début de la période à l'étude.

La recherche expérimentale

Une des grandes réalisations de la science n'est pas une découverte résultant d'une recherche, mais la mise au point d'une méthode de recherche : le devis expérimental. La principale caractéristique d'une expérience de ce type consiste à soumettre les participants à une condition expérimentale de manière *aléatoire*. L'expérience tout entière compte un certain nombre de conditions différentes où une ou plusieurs variables à l'étude sont manipulées. Si les personnes soumises à une condition réagissent différemment de celles soumises à une autre condition, on peut en conclure que la variable qui a été manipulée a exercé une influence de cause à effet sur leurs réactions. Cette conclusion est valide précisément parce que les conditions ont été attribuées au hasard aux participants. Grâce à ce mode d'attribution, il n'existe aucune relation systématique entre les conditions expérimentales et les tendances psychologiques préexistantes chez les individus. Si des individus placés dans des conditions différentes se comportent différemment après la manipulation expérimentale, alors qu'ils se comportaient de la même façon avant son introduction, c'est donc la manipulation qui a causé ces variations dans les réactions. Cette méthode de recherche, qui permet de manipuler les variables en les attribuant de manière aléatoire aux personnes placées dans des conditions différentes, est caractéristique de la **recherche expérimentale**.

Tableau 2.1 | **La relation entre l'expression d'émotions positives dans des textes écrits à un jeune âge et la longévité**

Mots exprimant une émotion positive	Âge	Décès (%)
I quartile (faible)	79,9	55
II quartile	81,1	59
III quartile	79,7	33
IV quartile (élevé)	79,0	21

Source : Danner, D.D., Snowdon, D.A., & Friesen, W.V. (2001). Positive emotions in early life and longevity: Findings from the nun study. *Journal of Personality & Social Psychology*, 80, 804-813.

Recherche expérimentale

Méthode de recherche qui permet à l'expérimentateur de manipuler des variables, habituellement en affectant au hasard les participants aux différentes conditions expérimentales.

APPLICATIONS ACTUELLES | La personnalité et la santé

Comme l'illustre la recherche sur les religieuses que nous venons de voir, la santé est devenue aujourd'hui un champ d'application majeur pour la psychologie de la personnalité. Les chercheurs tentent de détecter des différences individuelles dans les attributs propres à la personnalité qui sont systématiquement liées à des problématiques de santé.

Un exemple particulièrement révélateur de cette tendance sur le plan de la recherche nous est fourni par les travaux récents d'une équipe de chercheurs des États-Unis et de la Finlande (Raïkkönon, Matthews et Salomon, 2003), qui se sont intéressés au problème des maladies cardiovasculaires. Comme ils le mentionnaient, les facteurs biologiques qui accroissent chez les individus le risque de souffrir de problèmes cardiaques sont déjà bien connus. Il s'agit d'un ensemble de facteurs, dont l'obésité, l'hypertension artérielle, des niveaux anormaux de lipides (les lipides sanguins) dans le sang et la résistance à l'insuline. On sait également que la présence de ce groupe particulier de problèmes – appelé syndrome métabolique – tend à persister de l'enfance jusqu'à l'âge adulte ; les personnes qui souffrent d'obésité et de résistance à l'insuline dans leur enfance sont plus susceptibles de présenter les mêmes problèmes une fois adultes.

Il est donc important de déterminer la cause de ce syndrome métabolique. Les chercheurs ont tenté de répondre à la question suivante : existe-t-il chez l'enfant des facteurs de personnalité qui permettraient de prédire l'apparition de ces facteurs de risque biologiques ?

Le facteur de personnalité qu'ils ont retenu était celui de l'hostilité, en fondant leur décision sur des travaux menés précédemment qui montraient une relation, chez les adultes, entre les problèmes cardiovasculaires et la tendance à réagir aux événements avec hostilité et colère. Les auteurs de cette étude prédisaient que les différences individuelles en matière d'hostilité pendant l'enfance permettraient de prédire l'apparition de certains aspects du syndrome métabolique.

Notons qu'il s'agit ici d'une prédiction difficile à vérifier. Il ne s'agit pas simplement de montrer qu'il existe un lien, ou une corrélation, entre l'hostilité et les facteurs de risque cardiovasculaire. En vertu de cette hypothèse, l'hostilité *permettra de prédire* le développement de facteurs de risque. On pourra ainsi prédire que les enfants qui passent par des périodes intenses d'hostilité à un moment de leur vie présenteront des facteurs de risque relativement plus *élevés* à un autre moment de leur vie. Vérifier cette idée requiert une étude de type longitudinale, c'est-à-dire une recherche où les différentes variables sont évaluées à différents moments dans le temps.

Les auteurs ont entrepris un tel projet de recherche. Ils ont étudié un groupe important d'enfants et d'adolescents d'origines afro-américaine et euro-américaine. Les évaluations ont été faites à deux reprises et à des intervalles espacés en moyenne de plus de trois ans. Chaque fois, les chercheurs ont examiné les enfants présentant un grand nombre de facteurs de risque de maladies cardiovasculaires et ceux en présentant un petit nombre, puis ils ont cherché des différences possibles entre eux en matière d'hostilité.

À la première séance d'évaluation, certains enfants présentaient de tels facteurs de risque, d'autres non. Les enfants exempts de ces facteurs lors de cette première séance ont particulièrement intéressé les chercheurs : présenteraient-ils les facteurs de risque biologiques une fois rendus à la deuxième séance, et le facteur de personnalité lié à l'hostilité permettrait-il de prédire lesquels présenteraient ces risques biologiques et lesquels ne les présenteraient pas ? Les enfants qui manifestaient une plus grande hostilité lors de la première séance présenteraient-ils les problèmes de santé qui augmentent le risque de cardiopathie une fois rendus à la deuxième ?

Les chercheurs ont découvert que, comme ils s'y attendaient, l'hostilité permettait de prédire l'apparition de facteurs de risque de maladies cardiovasculaires. La figure 2.2 montre les résultats pour deux facteurs : l'obésité (mesurée par l'indice de masse corporelle) et la résistance à l'insuline. L'axe vertical indique le degré d'hostilité qui a été évalué à l'aide d'une entrevue : un professionnel formé posait aux participants une série de questions conçues pour révéler des différences individuelles quant à leur disposition à réagir à des situations d'une manière hostile et axée sur l'affrontement. Les enfants qui présentaient lors de la deuxième séance les deux facteurs du syndrome métabolique étaient ceux chez qui on avait constaté des différences sur le plan de l'hostilité lors de la première séance. En résumé, les enfants hostiles étaient particulièrement susceptibles de présenter des facteurs de risque de maladies cardiovasculaires.

D'autres recherches seront nécessaires pour déterminer avec exactitude la nature du lien entre l'hostilité et les problèmes de santé. Comme les auteurs l'expliquent, reste à explorer la possibilité que le développement et la maturation des systèmes biologiques (par exemple, les hormones de croissance) soient responsables à la fois de l'hostilité et des problèmes de santé. On doit néanmoins envisager la possibilité que les enfants qui manifestent de l'hostilité soient les plus susceptibles d'adopter des comportements qui, à leur tour, causent des problèmes de santé. Il peut exister un lien entre l'hostilité et les modes de vie malsains (tabagisme, consommation d'alcool, sédentarité) qui, en retour, peuvent contribuer à l'apparition de problèmes de santé. Cette dernière hypothèse est particulièrement intéressante, parce qu'elle soulève la possibilité que les interventions psychologiques puissent avoir à long terme des effets bénéfiques sur la santé. Les interventions qui enseignent aux enfants à maîtriser leurs tendances à réagir à leur environnement d'une manière hostile sont susceptibles de promouvoir des modes de vie plus sains et une meilleure santé.

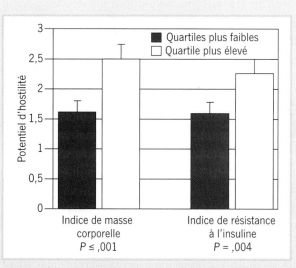

Figure 2.2 | Ce graphique montre le lien entre les différences individuelles sur le plan de l'hostilité et la présence de facteurs biologiques réputés pour augmenter le risque de problèmes cardiovasculaires. Les individus qui présentent des niveaux élevés de ces deux facteurs de risque, c'est-à-dire l'indice de masse corporelle (à gauche) et la résistance à l'insuline (à droite), sont également ceux qui manifestent des niveaux élevés d'hostilité.

Source : Räikkönen, K., Matthews, K.A., & Salomon, K. (2003). Hostility predicts metabolic syndrome risk factors in children and adolescents. *Health Psychology, 22*, 279-286.

La recherche expérimentale : un exemple

Les travaux menés par Claude Steele (1997) et ses collègues au sujet du phénomène connu sous le nom de « menace du stéréotype » nous offrent un exemple saisissant de recherche expérimentale. Cette recherche a pour objet d'analyser les circonstances où des individus se soucient de bien réussir en présence d'autres personnes (par exemple, lorsqu'ils passent un examen et que d'autres personnes, notamment l'enseignant titulaire du cours, sauront s'ils ont réussi ou non). Dans de telles situations, il existe parfois des stéréotypes négatifs quant aux résultats obtenus par des groupes d'individus en particulier. Par exemple, il peut s'agir d'un stéréotype selon lequel les femmes sont moins douées que les hommes pour les mathématiques, ou encore que les individus provenant d'une origine ethnique en particulier sont considérés comme plus ou moins intelligents que les autres. Lorsqu'une personne appartient à un groupe associé à un stéréotype, et qu'elle est consciente de ce stéréotype, une menace d'ordre psychologique apparaît. Cette menace qui existe dans l'esprit de cette personne est le risque de confirmer ce stéréotype. Dans beaucoup de cas, cette menace du stéréotype peut avoir des répercussions sur la performance. Par exemple, si vous devez passer un examen difficile et que l'appréhension de confirmer un stéréotype associé au groupe auquel vous appartenez vous traverse sans cesse l'esprit, cette distraction peut, comme toute autre distraction, vous pousser à moins bien réussir.

La recherche en laboratoire est une des techniques utilisées pour en apprendre davantage sur la personnalité. Les participants prennent part à des activités dans un environnement contrôlé en laboratoire qui ont été conçues pour déterminer l'effet de divers processus associés à la personnalité sur les émotions, les processus de la pensée et la performance.

En principe, il serait possible d'étudier le processus associé à la menace du stéréotype avec des études de cas ou des recherches corrélationnelles. Cependant, comme nous le mentionnions précédemment, ces méthodes ne permettront pas d'obtenir des résultats probants montrant un lien de causalité entre la menace du stéréotype et la performance. Pour explorer cette possible menace du stéréotype, Steele et ses collègues ont plutôt utilisé la méthode expérimentale (Steele, 1997). Par exemple, ils ont examiné les résultats obtenus par des étudiants d'origines afro-américaine et euro-américaine en réponse à un test oral semblable à ceux utilisés pour les tests d'aptitudes intellectuelles. Le stéréotype négatif à propos de l'intelligence est un des nombreux stéréotypes qui persistent toujours dans la culture américaine à propos des Afro-Américains. Cette expérience comportait deux conditions expérimentales. Dans la première, tous les participants devaient répondre à un questionnaire démographique où ils devaient spécifier leur race. Dans la seconde, la partie questionnaire démographique était éliminée. Les étudiants de race blanche et ceux de race noire étaient assignés au hasard à l'une ou l'autre condition expérimentale. Le résultat de l'étude a révélé que, chez les étudiants noirs, remplir le questionnaire démographique avait un effet négatif sur le résultat obtenu lors du test oral ultérieur (figure 2.3) : ils obtenaient un moins bon résultat que les étudiants blancs en raison de la menace du stéréotype. Même si nous utilisons cette étude à titre d'exemple de la méthode expérimentale, nous ne pouvons passer sous silence ses conséquences sur le plan social. Poser des questions liées à la race dans le questionnaire démographique pourrait être la cause involontaire des écarts lors des tests d'intelligence.

Ainsi, si un groupe d'élèves noirs obtenaient de moins bons résultats aux tests d'intelligence que les étudiants blancs, il ne faudrait pas automatiquement en conclure qu'ils sont moins intelligents ; ces résultats qui nous inciteraient à sous-estimer leurs aptitudes intellectuelles réelles seraient plutôt dus à la menace du stéréotype.

L'influence de la menace du stéréotype peut se faire sentir dans d'autres situations et avec des personnes appartenant à d'autres groupes. Par exemple, les femmes pourraient être victimes de stéréotypes négatifs quant à leurs aptitudes en mathématiques. La crainte de confirmer ces

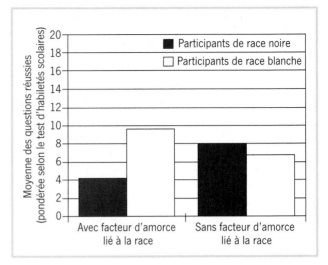

Figure 2.3 | Ce graphique montre le résultat obtenu en moyenne lors d'un test oral difficile par les participants de race noire et de race blanche à une recherche qui comportait deux conditions expérimentales. Les conditions variaient selon que l'on demandait aux étudiants d'indiquer (avec facteur d'amorce lié à la race) ou de ne pas indiquer (sans facteur d'amorce lié à la race) leur race avant de passer le test.

Source : D'après Steele, C.M. (1997). A threat in the air: How stereotypes shape intellectual identity and performance. *American Psychologist, 52*, 613-629.

stéréotypes pourrait contribuer aux écarts enregistrés lors des examens dans cette matière. Toujours dans le même ordre d'idées, il a été démontré que les disparités entre les sexes où les hommes obtiennent de meilleurs résultats que les femmes en mathématiques disparaissaient lorsque la menace du stéréotype était réduite (Spencer, Steele et Quinn, 1999). La recherche expérimentale sur les stéréotypes met ainsi en lumière un processus psychologique général dont l'impact est important sur le plan social.

Les recherches indiquent que s'il existe un stéréotype social négatif à propos d'un groupe, les personnes qui appartiennent à ce groupe obtiendront de moins bons résultats d'examen en raison de l'influence qu'exerce la menace du stéréotype sur leur performance. Ce phénomène peut survenir même si les individus possèdent une intelligence et des aptitudes supérieures à la moyenne.

L'évaluation des trois méthodes de recherche

Ayant examiné les buts de la recherche en psychologie de la personnalité, nous sommes maintenant en mesure d'évaluer les trois principales méthodes de recherche. Nous constaterons que chaque stratégie comporte des avantages et des inconvénients en raison de la méthodologie utilisée.

La recherche clinique et l'étude de cas : les forces et les limites

Le principal avantage des études de cas, particulièrement celles menées dans un environnement clinique, est d'éviter le caractère potentiellement superficiel et artificiel propre aux méthodes corrélationnelle et expérimentale. Une étude de cas permet au chercheur de découvrir des aspects extrêmement importants de la vie d'un individu, ce que bien souvent ne permettent pas une brève expérience et un questionnaire. Les cliniciens qui mènent des études de cas observent directement ce que le client pense et ressent à propos de divers événements ; ils étudient le comportement qui les intéresse sans avoir besoin de transposer leurs observations du milieu artificiel au milieu naturel.

Un autre avantage de la recherche clinique est d'être souvent le seul moyen pratique d'étudier certains phénomènes. Lorsqu'il est nécessaire d'analyser dans toute leur complexité les processus de la personnalité, les relations personne-environnement et les processus internes de l'individu, les études de cas approfondies s'avèrent souvent l'unique option.

L'étude approfondie de quelques individus comporte deux caractéristiques principales qui se démarquent de la recherche effectuée sur des groupes (Pervin, 1983). D'une part, les relations établies pour l'ensemble d'un groupe ne refléteront peut-être pas la manière dont se comportent un ou quelques individus au sein d'un sous-groupe ; la courbe d'apprentissage moyenne, par exemple, ne correspond peut-être pas au mode d'apprentissage de l'individu. D'autre part, en ne tenant compte que des données collectives, on peut laisser de côté des aspects importants du fonctionnement typique et unique d'un individu. Il y a quelque temps déjà, Henry Murray témoignait en faveur de l'utilité des études individuelles et des études de groupe : « Pour s'exprimer comme le profane, les individus qui ont eu la réaction de la majorité peuvent avoir obéi à des motifs différents. En outre, les solutions statistiques laissent sans explication la réaction atypique manifestée par la minorité des individus. On ne peut que la considérer comme une exception malheureuse à la règle et la passer sous silence. Les moyennes effacent les "caractéristiques individuelles des organismes individuels" et, ce faisant, ne réussissent pas à révéler l'interaction complexe des forces qui déterminent chaque événement concret » (1938, p. viii).

Quant aux limites de la méthode de l'étude de cas, deux inconvénients majeurs sont à rapporter : (1) les conclusions d'une étude de cas ne se généralisent pas toujours à d'autres personnes ; (2) l'étude de cas ne permet pas de démontrer le lien de causalité, c'est-à-dire l'influence

Tableau 2.2 | **Les avantages et les limites des principales méthodes de recherche**

Avantages potentiels	Limites potentielles
Recherche clinique et étude de cas	
1. Évite le caractère artificiel du laboratoire.	1. Observation pouvant être peu méthodique.
2. Permet d'explorer la complexité des relations personne-environnement.	2. Favorise une interprétation subjective des données.
3. Permet une étude approfondie de chaque cas individuel.	3. Ne permet pas d'établir de relations causales.
Recherche corrélationnelle et questionnaire	
1. Permet d'étudier une vaste gamme de variables.	1. Établit un lien corrélationnel plutôt que causal.
2. Examine les relations entre plusieurs variables.	2. Présente des problèmes de fidélité et de validité pour les questionnaires auto-révélés.
3. Permet de constituer de vastes échantillons de participants à la recherche.	3. Ne permet pas d'étudier les individus en profondeur.
Recherche expérimentale et étude en laboratoire	
1. Permet de manipuler des variables spécifiques.	1. Exclut les phénomènes qui ne peuvent être étudiés en laboratoire.
2. Fournit des données objectives.	2. Crée un environnement artificiel qui limite la généralisation des résultats.
3. Permet d'établir des relations de cause à effet entre les phénomènes.	3. Favorise les exigences implicites de la situation et les effets attribuables à l'expérimentateur.

exercée par un processus psychologique sur un autre processus psychologique. Dans la science de la personnalité, comme dans toutes les autres sciences, les chercheurs souhaitent dégager les causes du phénomène qu'ils étudient. Ils espèrent non seulement décrire une personne, mais déterminer comment et pourquoi différents aspects d'une personnalité peuvent en infléchir d'autres. Si une étude de cas offre une merveilleuse description, elle ne peut expliquer la causalité. Par exemple, supposons une étude de cas décrivant les changements qui se produisent au cours d'une année dans le bien-être d'un individu soumis à un traitement. Cette étude pourrait décrire ces changements avec précision, mais sans être en mesure de démontrer que le traitement est la cause des changements observés. Des événements autres que le traitement clinique peuvent avoir exercé une influence causale.

Il existe une troisième limite : les études de cas reposent souvent sur les impressions subjectives des chercheurs. Contrairement aux stratégies corrélationnelles et expérimentales, qui emploient généralement des méthodes de mesures objectives, les études de cas reposent habituellement sur des comptes rendus plutôt imprécis, comme l'opinion qu'un thérapeute a de son client ou de sa cliente. De tels rapports peuvent refléter non seulement les attributs psychologiques (croyances, attentes et préjugés) de la personne étudiée, mais également ceux des psychologues qui les ont rédigés. Il n'existe aucune assurance qu'un chercheur différent qui examinerait le même cas en arriverait aux mêmes conclusions. Cette subjectivité peut occasionner une fidélité et une validité moindres des données produites par l'étude de cas.

L'utilisation des rapports verbaux

La recherche clinique n'implique pas nécessairement l'utilisation des rapports verbaux des participants, même si de toute évidence elle s'en sert souvent. Les rapports verbaux engendrent des problèmes caractéristiques du type de données qu'elles produisent. Deux groupes très différents ont contesté le fait que l'on puisse traiter les propos de l'individu comme étant le reflet exact du passé ou du présent. Dans le premier groupe, comprenant les psychanalystes et les psychologues d'orientation psychodynamique (voir les chapitres 3 et 4), on soutenait que les individus déforment souvent les faits pour des raisons inconscientes : « Les enfants ont une perception incorrecte, sont très peu conscients de leurs états intérieurs et retiennent des souvenirs faux. Beaucoup d'adultes font à peine mieux » (Murray, 1938, p. 15). Dans l'autre groupe, formé de nombreux théoriciens de la psychologie expéri-

mentale, on affirmait que les individus n'ont pas accès à leurs processus internes et répondent aux questions de l'intervieweur à partir d'inférences sur ce qui a dû se passer plutôt que de rapporter exactement ce qui s'est réellement produit (Nisbett et Wilson, 1977 ; Wilson, Hull et Johnson, 1981). Par exemple, même si l'expérimentateur affirme que les participants ont pris des décisions conformément à certaines manipulations expérimentales, ces derniers peuvent donner une tout autre justification à leur comportement ; les consommateurs à qui l'on demande pourquoi ils ont acheté tel produit au supermarché peuvent avancer une raison très différente de celle qui fera l'objet de la démonstration expérimentale. Dans une certaine mesure, les gens fournissent les *raisons* subjectives de leur conduite, non les *causes* réelles. Bref, que ce soit parce que les individus cherchent à se protéger ou parce qu'ils éprouvent des difficultés « normales » à connaître leurs processus internes, les rapports verbaux sur soi produisent des données dont la fidélité et la validité sont douteuses (West et Finch, 1997 ; Wilson, 1994).

D'autres psychologues soutiennent qu'il faut accepter les rapports verbaux pour ce qu'ils sont : des données (Ericsson et Simon, 1993). Selon eux, rien ne justifie qu'on les considère comme moins utiles qu'une réaction motrice manifeste, tel qu'actionner une manette. En fait, on peut analyser les réponses verbales d'une manière aussi objective, systématique et quantitative que les réactions comportementales. Si on n'écarte pas d'emblée les réponses verbales, on peut alors se poser la question suivante : Quelles sont les données verbales les plus utiles et les plus fiables ? Selon Ericsson et Simon, le participant ne peut rendre compte que de faits auxquels il accorde ou a accordé de l'attention. Si l'expérimentateur lui demande de se remémorer des faits auxquels il n'a jamais prêté attention ou de les expliquer, le participant répondra par déduction ou énoncera une hypothèse au sujet de l'événement (White, 1980). Ainsi, si vous demandez à des individus pourquoi ils ont acheté tel produit au lieu de tel autre au supermarché, alors qu'ils ne se sont pas posé la question au moment de l'achat, ils émettront une inférence ou une hypothèse plutôt que de rendre compte de l'événement.

Ceux qui appuient l'utilisation des rapports verbaux prétendent qu'ils peuvent être une source d'information utile lorsqu'ils sont obtenus avec soin et qu'on tient compte des circonstances dans lesquelles ils ont été obtenus. Bien que les psychologues expérimentaux aient discrédité il y a longtemps l'introspection (c'est-à-dire la description verbale d'un processus qui se passe à l'intérieur de la personne), on constate maintenant un intérêt accru pour les données ainsi produites. L'acceptation des rapports verbaux peut nous permettre d'élargir le champ des données possibles de manière à bénéficier d'une observation plus riche et détaillée au plan de la signification psychologique. Par ailleurs, nous ne devons pas perdre de vue les critères de fidélité et de validité. Ainsi, nous devons veiller à ce que d'autres chercheurs puissent effectuer les mêmes observations et interprétations et à ce que les données correspondent effectivement aux concepts qu'elles sont censées mesurer. Même si nous reconnaissons l'utilité des rapports verbaux et leur vaste potentiel, nous ne devons pas ignorer les mauvais usages et les interprétations naïves dont ils peuvent faire l'objet. Bref, les données provenant des rapports verbaux devraient subir le même examen rigoureux que les autres observations de recherche.

La recherche corrélationnelle et les questionnaires : les avantages et les limites

Un des principaux avantages de la recherche corrélationnelle faite à l'aide de questionnaires réside dans la taille des échantillons, car elle rend souvent possible l'étude d'un grand nombre de personnes. Par exemple, en utilisant Internet pour mener leurs recherches, les psychologues peuvent ainsi avoir accès à des échantillons de participants extrêmement vastes et diversifiés (Fraley, 2007).

La fidélité est un autre avantage de la méthode corrélationnelle. Beaucoup de questionnaires offrent des indices d'une grande fiabilité sur les construits psychologiques qu'ils sont censés mesurer. Cet aspect est particulièrement important puisque les tests doivent être fidèles pour être en mesure de déceler des caractéristiques importantes de la personnalité qui passeraient autrement inaperçues. Par exemple, les chercheurs constatent que les différences individuelles dans les traits de personnalité demeurent très stables au fil du temps ; par exemple, il est probable que les différences constatées entre des individus au début de l'âge adulte sur le plan de l'extraversion et du caractère consciencieux resteront les mêmes une fois la maturité atteinte et pendant la vieillesse (notamment Costa et McCrae, 2002). On ne pourrait détecter cette constance si les mesures des traits de la personnalité n'étaient pas d'une aussi grande fidélité.

Si les recherches corrélationnelles ont joui d'une grande popularité parmi les psychologues de la personnalité, il ne faut pas perdre de vue que cette méthode comporte trois limites. La première de ces limites permet de différencier la recherche corrélationnelle de l'étude de cas. Contrairement à la recherche corrélationnelle, qui n'offre qu'une information relativement superficielle sur les individus, l'étude de cas fournit une information riche en détails. Par exemple, une étude corrélationnelle permettra de connaître les résultats qu'a obtenus un individu à divers tests de personnalité utilisés dans le cadre d'une recherche. Toutefois, s'il existe d'autres variables qui sont importantes pour cette personne, une recherche corrélationnelle ne permettra habituellement pas de les découvrir.

La seconde limite est commune à la recherche corrélationnelle et à l'étude de cas ; dans un cas comme dans l'autre, il demeure difficile de tirer des conclusions définitives quant à la causalité. La présence d'une corrélation entre deux variables ne signifie pas automatiquement que l'une soit la cause de l'autre. Une « troisième » variable peut avoir influé sur les deux autres variables à l'étude de manière à établir entre elles une corrélation. Par exemple, dans l'étude sur les religieuses, il est possible qu'un facteur psychologique, biologique ou environnemental qui n'a pas été mesuré ait pu provoquer chez certaines religieuses une diminution des émotions positives et de l'espérance de vie. Si on reprenait l'exemple de la recherche sur les religieuses, mais en l'appliquant cette fois à des étudiants de niveau universitaire, on pourrait de nouveau constater qu'une vie émotionnelle positive permet de prédire la longévité. Toutefois, cela ne signifiera pas nécessairement que ressentir des expériences positives pendant ses études aide à vivre plus longtemps. Par exemple, le degré de réussite dans les études pourrait jouer le rôle de troisième variable. En effet, on pourrait supposer que les étudiants qui réussissent bien éprouvent davantage d'émotions positives en raison des succès qu'ils obtiennent, ce qui leur assure une carrière bien rémunérée au terme de leurs études. Ces emplois lucratifs leur permettraient d'avoir accès à de meilleurs soins de santé, ce qui à son tour contribuerait à allonger leur vie, qu'ils continuent ou non à ressentir fréquemment des émotions positives. Dans cet exemple hypothétique, il pourrait exister une corrélation entre les émotions et l'espérance de vie, mais sans qu'il y ait de lien causal direct entre elles.

Une troisième limite porte sur les biais associés aux questionnaires d'autodescription. Lorsque les individus se décrivent eux-mêmes dans un questionnaire, ils peuvent manifester un biais dans leurs réponses qui n'a aucun lien avec le contenu exact des questions ou du construit psychologique que les psychologues tentent d'évaluer. De tels biais font référence à des **styles de réponse**. Deux styles de réponse illustrent bien les problèmes soulevés. Le premier, appelé l'*acquiescement*, concerne la tendance à adopter une attitude favorable ou défavorable quel que soit le contenu des éléments. Par exemple, un participant peut préférer des réponses comme « oui » ou « d'accord » plutôt que « non » ou « pas d'accord ». Le deuxième style de réponse est la *désirabilité sociale*. Au lieu de réagir à la signification psychologique voulue d'un élément du questionnaire, le participant peut répondre principalement en fonction du fait que certains types de réponses sont plus ou moins désirables. Par exemple, à la question « Avez-vous déjà volé quelque chose dans un magasin ? », répondre « non » est plus acceptable socialement que répondre « oui ». Si les participants manifestent un biais dans leurs réponses afin de les rendre socialement acceptables, il faut en conclure que les résultats obtenus ne sont pas le reflet fidèle de leurs véritables caractéristiques psychologiques.

Une étude a souligné le problème de la déformation non consciente des réponses et insiste également sur la valeur potentielle du jugement clinique (Shedler, Mayman et Manis, 1993). Dans cette recherche dirigée par des psychologues ayant une approche psychanalytique qui doutaient de l'acceptation au pied de la lettre des données de l'auto-description, des individus apparemment en « bonne santé mentale », selon les résultats d'un questionnaire d'auto-description, étaient évalués par un clinicien d'approche psychodynamique. À partir de ses évaluations cliniques sont apparus deux sous-groupes distincts : l'un composé d'individus en bonne santé mentale conformément aux résultats du questionnaire, l'autre composé d'individus en état de détresse psychologique qui ont maintenu l'*illusion* de santé mentale par le déni défensif de leurs difficultés. On a constaté que la réaction physiologique au stress des individus des deux groupes différait considérablement. Les participants du groupe affichant une santé mentale illusoire révélaient un taux beaucoup plus élevé de signes coronariens associés au stress que les participants du groupe affichant une réelle bonne santé mentale. En fait, les premiers montraient même un taux de réactivité

coronarienne au stress supérieur à celui des participants dont les résultats signalaient leur état de détresse. Les différences de réactivité au stress parmi les deux sous-groupes étaient significatives sur le plan statistique ainsi que sur le plan médical. On a donc déduit que, « pour certains individus, les questionnaires de santé mentale sont apparemment une mesure valide de la santé mentale. Pour d'autres, ils semblent mesurer un déni défensif. Ainsi, il ne paraît y avoir aucun moyen de déterminer ce qui est mesuré chez un répondant donné par le seul résultat du test » (Shedler, Mayman et Manis, 1993, p. 1128).

Ceux qui favorisent l'utilisation des questionnaires proposent d'éliminer ces problèmes et sources de biais par une construction et une interprétation plus rigoureuses. Les psychologues peuvent amoindrir ou éliminer les effets de l'acquiescement en variant la formulation des questions de telle sorte qu'une majorité de réponses « oui » n'entraîne pas une note finale plus élevée. Ils peuvent aussi utiliser des questionnaires spécialement conçus pour mesurer si une personne a tendance à donner des réponses socialement désirables. Les questionnaires de personnalité comprennent généralement des éléments ou des échelles mesurant si les participants mentent ou s'ils cherchent à se présenter sous un jour plus favorable. Cependant, l'ajout de telles échelles dans un projet de recherche peut souvent s'avérer un inconvénient ou une inclusion coûteuse, ce qui explique pourquoi elles sont peu utilisées.

La recherche expérimentale et l'étude en laboratoire : forces et limites

À bien des égards, la recherche expérimentale en laboratoire représente le modèle scientifique idéal. Demandez à quiconque de décrire un scientifique et il évoquera sans doute l'image d'un individu travaillant dans un laboratoire stérile. Comme nous l'avons vu, cette image est trop limitée : les psychologues de la personnalité emploient une vaste gamme de méthodes scientifiques, et la recherche en laboratoire est l'une d'entre elles. Mais c'est aussi une méthode importante. Comme nous l'avons noté, la méthode expérimentale possède cette capacité unique de permettre la manipulation des variables à l'étude et l'établissement de relations de cause à effet. Dans une expérience bien conçue et bien dirigée, chaque étape est soigneusement planifiée pour limiter les effets de variables autres que celles à l'étude. On examine quelques variables seulement, ce qui élimine la difficulté d'avoir à interpréter des relations complexes entre des variables. On établit des relations systématiques entre

Style de réponse

Tendance des participants à répondre aux éléments du test d'une manière systématiquement biaisée en se fondant sur la forme des questions ou des réponses plutôt que sur leur contenu.

les changements de certaines variables et les conséquences sur d'autres variables, si bien que l'expérimentateur peut affirmer: «Si X, donc Y.» On fournit les détails complets de la démarche expérimentale afin que d'autres chercheurs puissent reproduire les résultats dans d'autres laboratoires.

Les détracteurs de la recherche en laboratoire estiment qu'il s'agit d'un procédé trop souvent artificiel, de portée limitée. On prétend que les résultats obtenus en laboratoire ne se reproduiront peut-être pas dans un autre cadre. De plus, les liens établis entre des variables isolées ne résisteront peut-être pas devant la complexité du comportement humain. En outre, comme la recherche en laboratoire comporte généralement de brèves expositions aux stimuli, on peut ne pas reconnaître des processus importants qui surviennent ou se déploient avec le temps. Lorsque vous en apprendrez davantage sur la recherche sur la personnalité dans les prochains chapitres du présent ouvrage, vous vous demanderez également si les différentes théories parviennent à produire des résultats expérimentaux susceptibles d'être généralisés à des situations réelles.

À titre d'entreprise humaine, la recherche expérimentale sur des êtres humains est soumise aux influences inhérentes aux relations interpersonnelles régissant la vie quotidienne. On pourrait définir l'investigation de ces influences comme la psychologie sociale de la recherche. Voici deux exemples qui illustrent bien la situation. Premièrement, il peut y avoir des facteurs qui influent sur le comportement des participants humains qui ne font pas partie du devis expérimental; mentionnons la possibilité que des signaux implicites dans le milieu expérimental suggèrent au participant que l'expérimentateur a une certaine hypothèse et que, dans «l'intérêt de la science», le participant se comporte de façon à confirmer cette hypothèse. Ces facteurs, appelés **exigences implicites de la situation expérimentale**, laissent entendre que l'expérience psychologique est une forme d'interaction sociale dans laquelle les participants donnent aux faits un but et une signification (Orne, 1962; Weber et Cook, 1972). Le but et la signification de la recherche peuvent varier d'un participant à un autre de telle sorte que ces variables ne font pas partie du devis expérimental et qu'elles en diminuent, par conséquent, la fidélité et la validité.

Deuxièmement, en plus de ces sources d'erreurs ou de biais provenant du participant, il faut également tenir compte des sources involontaires d'influence ou d'erreur provenant de l'expérimentateur. Sans s'en rendre compte, l'expérimentateur peut se tromper dans l'enregistrement et l'analyse des données ou fournir des indices aux participants et ainsi influer sur leur comportement d'une façon particulière. Ces **effets attribuables à l'expérimentateur**, involontaires, peuvent amener les participants à se comporter conformément à l'hypothèse du chercheur (Rosenthal, 1994; Rosenthal et Rubin, 1978). À titre d'exemple, examinons le cas classique du cheval Hans (Pfungst, 1911). Hans était un cheval qui pouvait additionner, soustraire, multiplier et diviser en tapant du sabot. On présentait un problème de mathématique au cheval et, aussi incroyable que cela puisse paraître, il était capable de donner la réponse. Dans le but de découvrir le secret du talent de Hans, on a manipulé une variété de facteurs situationnels. Si Hans ne pouvait pas voir l'expérimentateur qui l'interrogeait ou si l'expérimentateur ne connaissait pas la réponse, le cheval était alors incapable de fournir la bonne réponse. En revanche, si l'expérimentateur connaissait la réponse et s'il était visible, Hans pouvait donner la réponse. Apparemment, l'expérimentateurr signalait involontairement au cheval le moment où il devait commencer à taper du sabot et le moment où il devait s'arrêter. Les coups de sabot commençaient lorsque l'interrogateur penchait la tête vers l'avant, s'accéléraient lorsque l'interrogateur penchait la tête plus avant et s'arrêtaient lorsque l'interrogateur se redressait. Comme nous pouvons le constater, l'effet de l'expérimentateur peut parfois être subtil et ni le chercheur ni le participant ne sont conscients de son existence.

Les exigences implicites de la situation expérimentale et les effets attribuables à l'expérimentateur peuvent constituer des sources d'erreur dans les trois types de recherche, même si c'est dans le contexte de la recherche expérimentale qu'ils ont été le plus souvent étudiés. Cependant, comme c'est la recherche expérimentale qui se rapproche le plus de l'idéal scientifique, c'est dans ce domaine que les sources d'erreur sont les plus notables.

Exigence implicite de la situation expérimentale
Tout signal implicite inhérent au milieu expérimental ou qui influe sur le comportement du participant étudié.

Effet attribuable à l'expérimentateur
Effet involontairement induit par le comportement de l'expérimentateur et qui amène les participants à se comporter de façon à corroborer l'hypothèse de ce dernier.

Les psychologues utilisant une méthode de recherche expérimentale ont contesté de nombreuses critiques formulées à l'encontre de ce type de recherche et énoncé plusieurs faits en sa faveur. Examinons maintenant certains avantages propres à la méthode expérimentale. (1) La recherche expérimentale est la méthode la plus appropriée pour vérifier les hypothèses causales. La généralité de la relation peut faire ensuite l'objet d'une investigation plus approfondie. (2) Certains phénomènes ne seraient jamais découverts à l'extérieur du laboratoire. (3) Certains phénomènes peuvent difficilement être étudiés ailleurs qu'en laboratoire ; par exemple, en laboratoire, on autorise les participants à se montrer plus agressifs, à la différence du milieu social naturel, où les interdits sont souvent très forts. (4) Il existe peu de données empiriques à l'appui de la thèse selon laquelle les participants essaient habituellement de confirmer l'hypothèse de l'expérimentateur ou quant à la présence d'artefacts expérimentaux en général. En effet, de nombreux participants adoptent une attitude plus réfractaire que docile (Berkowitz et Donnerstein, 1982).

Même si on accepte d'emblée ces quatre points, reste une critique qui est difficile, voire impossible, à réfuter : certains phénomènes ne peuvent tout simplement pas être reproduits en laboratoire. Une théorie de la personnalité peut échafauder des hypothèses sur les réactions émotionnelles d'individus soumis à des niveaux de stress extrêmes, ou encore sur leur état d'esprit à propos de questions très intimes. Face à de telles interrogations, les méthodes en laboratoire peuvent s'avérer impuissantes. En effet, il serait contraire à l'éthique de créer en laboratoire des niveaux de stress extrêmement élevés. En outre, les gens sont peu enclins à révéler leurs pensées intimes lors d'une brève rencontre en laboratoire. Ainsi, le psychologue de la personnalité n'a pas toujours la possibilité de conduire une recherche en laboratoire simple pour répondre à ses interrogations.

En bref

Dans l'évaluation des méthodes de recherche utilisées, nous avons présenté les avantages et les limites potentiels, plutôt qu'effectifs (tableau 2.2, page 49). En fait, les résultats d'une méthode correspondent généralement à ceux d'une autre méthode (Anderson, Lindsay et Bushman, 1999). Au fond, chaque méthode doit être évaluée sur ses mérites et sa capacité de faire avancer les connaissances plutôt que sur des idées préconçues. On peut utiliser une

méthode de recherche conjointement avec une autre dans toute entreprise de recherche. De plus, on peut intégrer les données recueillies dans l'élaboration d'une donnée plus globale.

LA THÉORIE DE LA PERSONNALITÉ ET LA RECHERCHE

Dans le premier chapitre, nous avons examiné la nature de la théorie de la personnalité ainsi que les efforts déployés pour systématiser les connaissances acquises et orienter la recherche vers de nouvelles connaissances. Dans le présent chapitre, nous avons examiné la nature même de la recherche sur la personnalité, c'est-à-dire étayer les théories avec des données scientifiques objectives. Nous avons étudié les quatre types de données recueillies par les psychologues de la personnalité dans leur recherche, puis nous avons vu les avantages et les limites des trois méthodes de recherche traditionnelles utilisées pour l'étude de la personnalité (recherche clinique, recherche expérimentale et recherche corrélationnelle).

Comme nous l'avons déjà mentionné, la théorie et la recherche sur la personnalité ne sont pas deux domaines indépendants l'un de l'autre ; elles sont étroitement liées. Les conceptions théoriques proposent des avenues à explorer et précisent les types de données qui se qualifient comme « preuves » de la personnalité. Par exemple, les chercheurs de la personnalité s'intéressent aux réactions physiologiques d'un individu, mais non à son signe astrologique, car les théories sur la personnalité contiennent des idées qui établissent des liens entre le fonctionnement physiologique et psychologique, tout en ne laissant aucune place à l'influence des forces astrales.

Outre leur interdépendance, la théorie et la recherche sont également liées d'une autre façon. Les théoriciens manifestent des préférences et des partis pris concernant la méthodologie de recherche. Le père du behaviorisme aux États-Unis, John B. Watson, préconisait l'utilisation d'animaux dans la recherche, ce qui s'expliquait en partie par l'inconfort qu'il ressentait lorsqu'il travaillait avec des êtres humains. Pour sa part, Sigmund Freud, fondateur de la psychanalyse, était un thérapeute qui ne croyait pas possible d'étudier des phénomènes psychanalytiques importants autrement qu'en situation de thérapie. Quant à Hans Eysenck et Raymond Cattell, deux éminents théoriciens de la personnalité, c'est l'influence exercée dès le début de leurs carrières respectives par les méthodes statistiques sophistiquées faisant appel à la corrélation qui a façonné leurs idées sur le plan théorique. Traditionnellement, la recherche en psychologie de la personnalité a eu tendance à privilégier l'un ou l'autre de deux points de vue concernant chacune des questions associées aux trois méthodes de recherche : (1) *provoquer les événements* (recherche expérimentale), par opposition à *étudier ce qui s'est produit* (recherche corrélationnelle) ; (2) *étudier des groupes d'individus* (recherche expérimentale), par opposition à *étudier un seul individu* (recherche clinique) ; (3) *étudier un ou quelques aspects de l'individu* (recherche expérimentale), par opposition à *étudier l'individu dans sa totalité* (recherche clinique). C'est pourquoi on constate des préférences ou des partis pris à l'égard de la recherche clinique, expérimentale et corrélationnelle. Malgré l'objectivité de la science, la recherche est une entreprise humaine et ces préférences en font partie intégrante. Tous les chercheurs essaient d'être les plus impartiaux possible dans leurs travaux et avancent généralement des raisons « objectives » pour justifier le choix d'une méthode. Autrement dit, on souligne les avantages de la méthode de recherche adoptée par rapport aux avantages et inconvénients des autres méthodes. Au-delà de ces considérations rationnelles, des facteurs d'ordre personnel entrent néanmoins en jeu. Comme dans le choix d'une catégorie de données, les psychologues sont souvent plus à l'aise avec une méthode de recherche plutôt qu'avec une autre.

En outre, on peut ajouter que les diverses théories de la personnalité sont associées à des stratégies particulières de recherche et, de ce fait, à des types différents de données. Les liens qui unissent la théorie, les données et la recherche sont tels que les types d'observations associées à une théorie de la personnalité divergent souvent de façon considérable des observations associées à une autre. De plus, les phénomènes étudiés par une théorie ne sont pas aussi faciles à étudier par les méthodes de recherche que privilégie une autre théorie. Une première théorie de la personnalité nous entraîne à recueillir un type de données et à suivre une méthode de recherche, alors qu'une deuxième nous convie à recueillir d'autres types de données et à adopter une méthode différente. L'une n'est pas meilleure que l'autre, elles sont simplement différentes ; nous devons évaluer ces différences lorsque nous examinons chaque approche théorique et chaque méthode de recherche. Cette tendance s'est vérifiée au cours de l'histoire et reste toujours d'actualité aujourd'hui (Cervone, 1991). Comme les chapitres suivants du présent ouvrage sont organisés autour des principales approches

théoriques de la personnalité, il est important de tenir compte de ces liens et de ces différences lors de la comparaison des théories.

L'ÉVALUATION DE LA PERSONNALITÉ ET L'HISTOIRE DE JACQUES

Comme nous l'avons constaté, l'étude de la personnalité implique l'évaluation de l'individu en fonction des caractéristiques de la personnalité que nous présumons être d'une importance théorique. Le terme *évaluation* s'applique généralement aux efforts que l'on déploie pour mesurer les aspects de la personnalité de l'individu en vue de prendre une décision appliquée ou clinique : cette personne sera-t-elle une bonne candidate pour ce poste ? Profitera-t-elle de tel ou tel type de traitement ? Cet individu sera-t-il un bon candidat pour le programme de formation ? De plus, le terme *évaluation* est souvent attribué aux efforts que l'on déploie pour atteindre une compréhension globale de l'individu en recueillant une grande variété de renseignements à son sujet. De ce fait, l'évaluation d'un individu comporte l'administration d'une variété de tests ou de mesures de la personnalité, ce qui permet également, comme nous l'avons mentionné plus haut, de comparer les résultats de différentes sources d'information. Le présent ouvrage présume que chaque méthode d'évaluation offre un aperçu du comportement humain et qu'il n'existe pas de test qui puisse, à lui seul, fournir ou espérer fournir un tableau global de la personnalité de l'individu. Les individus sont des êtres complexes et nos tentatives pour évaluer la personnalité doivent refléter cette complexité. Dans les chapitres suivants, nous étudierons plusieurs théories de la personnalité et plusieurs méthodes d'évaluation. En outre, nous examinerons l'évaluation d'un individu, Jacques, du point de vue de chaque théorie et méthode d'évaluation. Grâce à cette démarche, nous serons en mesure de constater le lien qui existe entre la théorie et l'évaluation, et de déterminer également si des approches différentes produisent une représentation similaire de l'individu.

Avant de décrire Jacques, nous présenterons quelques renseignements au sujet de l'évaluation. Jacques étudiait à l'université lorsque, à la fin des années soixante, il s'est proposé pour participer à un projet portant sur l'étude approfondie des étudiants. Il s'est engagé dans le projet surtout en raison de son intérêt pour la psychologie, mais aussi parce qu'il espérait mieux se comprendre. À l'époque, il a donc passé une série de tests. Ceux-ci représentaient un échantillon des tests utilisés à l'époque. Depuis lors, d'autres théories de la personnalité et des tests connexes se sont ajoutés. Jacques a donc accepté de relater ses expériences de vie et de passer d'autres tests 5, 20 et 25 ans plus tard. Il a pu ainsi passer des tests élaborés en association avec les nouvelles théories de la personnalité.

Nous n'avons donc pas la possibilité d'évaluer tous les tests au cours de la même période. Nous pouvons cependant examiner la personnalité d'un individu pendant une période prolongée, et par conséquent étudier la façon dont les théories, et les tests, se rapportent aux événements antérieurs et postérieurs de la vie de Jacques. Commençons par un bref aperçu de ce dernier; nous reviendrons sur son cas tout au long de l'ouvrage lorsque nous examinerons les diverses approches de la personnalité.

Un aperçu biographique

Dans son autobiographie, Jacques signale qu'il est né à Montréal à la fin de la Seconde Guerre mondiale et qu'il a reçu beaucoup d'attention et d'affection pendant son enfance. Son père est diplômé de l'université et possède une concession d'automobiles; sa mère est femme au foyer et elle fait aussi du travail bénévole auprès des aveugles. Jacques considère qu'il entretient de bons rapports avec son père et décrit sa mère comme une personne «très empathique et très aimante». Il est l'aîné de quatre enfants, dont une sœur de quatre ans plus jeune que lui et deux frères de cinq et sept ans ses cadets. Les principaux thèmes de son autobiographie concernent son incapacité d'entretenir des relations satisfaisantes avec les femmes, son désir de réussite et ses échecs relatifs depuis le collège, ainsi que son incertitude face à la poursuite d'études supérieures en administration des affaires ou en psychologie clinique. Dans l'ensemble, il croit que les autres ont une haute opinion de lui parce qu'ils utilisent des critères d'appréciation superficiels; intérieurement, toutefois, il est inquiet.

Nous avons donc un aperçu limité d'une personne. Avec un peu de chance, les détails s'accumuleront au fil de l'évaluation du point de vue des différentes théories de la personnalité. Nous espérons qu'à la fin de l'ouvrage vous aurez une vision globale de Jacques.

RÉSUMÉ

1. L'étude de la personnalité repose sur l'analyse systématique des relations entre les phénomènes ou événements d'intérêt. Elle permet de recueillir quatre catégories de données — les données biographiques, l'observation, les résultats d'épreuves expérimentales et l'autodescription (ou autoévaluation) — au moyen de trois méthodes : la recherche clinique, les expériences en laboratoire et la recherche corrélationnelle avec administration de questionnaires.

2. Toutes les recherches visent à obtenir des résultats fidèles et valides, c'est-à-dire des informations qui peuvent être reproduites et qui sont pertinentes compte tenu des concepts psychologiques à l'étude. À titre d'entreprise humaine, la recherche comporte des enjeux d'ordre éthique au sujet du traitement des participants et de la publication des résultats.

3. La recherche clinique comprend l'étude approfondie des individus. L'étude portant sur le concept de soi d'un individu confronté à différentes situations sociales au cours de sa vie constitue un exemple de ce type de recherche.

4. Dans la recherche corrélationnelle, l'expérimentateur mesure deux ou plusieurs variables et détermine le degré du lien qui existe entre elles. Les questionnaires sont particulièrement importants dans la recherche corrélationnelle. La recherche portant sur le lien existant entre des facteurs de la personnalité et la longévité constitue un exemple de ce type de recherche.

5. La recherche expérimentale comporte la manipulation d'une ou plusieurs variables afin d'en déterminer l'incidence sur des résultats ou conséquences d'intérêts. La manipulation des variables liées au phénomène de la menace du stéréotype constitue un exemple de ce type de recherche.

6. On peut considérer que chacune des trois méthodes offre des avantages et des inconvénients (tableau 2.2). Ainsi, chaque stratégie de recherche peut ouvrir de nouveaux horizons ou s'engager dans un cul-de-sac.

7. Les théories de la personnalité se distinguent par le type de données et la méthode qu'elles privilégient. Il y a donc un lien entre la théorie, le type de données et la méthode de recherche. Nous ne devrons pas perdre de vue ces liens lorsque nous examinerons les principales théories de la personnalité dans les chapitres suivants. Nous aborderons également l'étude de cas du même individu selon chaque perspective, à des fins d'illustration et de comparaison.

CHAPITRE 3

L'APPROCHE PSYCHODYNAMIQUE :
la conception freudienne de la personnalité

Sigmund Freud (1856-1939) : un aperçu biographique

Les rapports entre l'individu et la société selon Freud

La science de la personnalité selon Freud

La théorie psychanalytique de la personnalité selon Freud

essica, la meilleure joueuse de l'équipe nationale de tennis, se prépare pour la finale du tournoi. Comme elle n'a jamais rencontré son adversaire auparavant, elle décide d'aller la trouver et de se présenter à elle avant le match. Sans se presser, elle se rend à l'extrémité du court où son adversaire est en train de faire ses exercices d'échauffement, elle s'approche pour lui dire qu'elle est contente de la rencontrer, mais elle lui dit: «*Bonjour, je m'appelle Jessica! Contente de vous renverser!*» Vous pouvez imaginer l'embarras de Jessica! Troublée, elle se reprend et corrige cette bévue commise en toute innocence avant de retourner de l'autre côté du filet pour s'échauffer à son tour. «*Comment ai-je pu commettre une bourde pareille?*» songe-t-elle.

Le lapsus de Jessica était-il innocent? Freud aurait répondu par la négative. Selon lui, l'erreur de Jessica dévoilerait plutôt, de manière très révélatrice, l'existence d'une motion pulsionnelle agressive inconsciente. La théorie psychanalytique de Freud représente un exemple de l'approche psychodynamique et clinique adoptée dans l'étude de la personnalité. On voit dans le comportement le résultat de l'interaction dynamique qui s'exerce entre les motivations, les pulsions, les besoins et les conflits. La recherche se déploie principalement dans le contexte clinique et s'intéresse d'abord à l'individu, aux différences individuelles, et consacre ses efforts à évaluer et à comprendre l'individu dans sa totalité. Toutefois, les chercheurs contemporains, pour leur part, tentent de relever le défi d'étudier les processus psychodynamiques en laboratoire dans le cadre de recherches expérimentales.

LE CHAPITRE...
EN QUESTIONS

1. Comment Freud a-t-il élaboré sa théorie, et en quoi celle-ci a-t-elle été façonnée par les événements historiques et personnels qui ont marqué sa vie?

2. Quelles sont les principales caractéristiques du modèle théorique freudien de l'esprit humain?

3. Comment les individus se protègent-ils contre l'angoisse et en quoi, selon Freud, leurs stratégies pour réduire l'angoisse constituent-elles un élément central de la dynamique de la personnalité?

4. Quelle est l'importance des expériences vécues durant la petite enfance dans le développement de la personnalité?

SIGMUND FREUD (1856-1939): APERÇU BIOGRAPHIQUE

Sigmund Freud est né en 1856 en Moravie, à Freiberg, dans l'actuelle République tchèque. Peu après sa naissance, sa famille a déménagé à Vienne et c'est là que Freud a passé la majeure partie de sa vie. Son père, de vingt ans plus âgé que sa mère, avait eu deux fils d'un précédent mariage, et Freud était l'aîné des enfants du second mariage. Ses parents ont eu sept autres enfants par la suite. Intellectuellement précoce, le jeune Sigmund était le préféré de sa mère et Freud en était bien conscient. Une fois devenu célèbre, il avoua que l'homme qui a été indiscutablement le favori de sa mère « conserve toute sa vie un sentiment de conquérant, cette confiance en la réussite qui produit souvent le véritable succès » (Freud, 1900/1953, p. 26).

Enfant, il avait de grandes ambitions et rêvait de devenir général ou politicien, mais l'antisémitisme ambiant empêchait ce jeune juif de réaliser son rêve. Il se tourna donc vers la médecine.

Sa formation en médecine à l'université de Vienne a profondément marqué sa réflexion sur la personnalité. Il fut fortement influencé par son professeur de physiologie, Ernst Brücke, qui était partisan du mouvement appelé **mécanisme**, un courant de pensée qui s'intéressait à la nature et aux possibilités de la biologie. Le mouvement mécaniste s'opposait à un autre mouvement, le vitalisme, qui considérait que la science biologique ne peut *pas* totalement expliquer la vie biologique puisque la vie elle-même vient de forces immatérielles, comme l'âme ou l'esprit, qui animent le corps, lequel resterait autrement inerte. Les partisans du mouvement mécaniste soutenaient que la physiologie pouvait fournir une explication globale et que les facteurs physiques et chimiques pouvaient parfaitement expliquer le fonctionnement des organismes, y compris la vie elle-même (Gay, 1998). La position mécaniste, acceptée aujourd'hui, a ouvert la voie au développement d'une véritable science des personnes. Le rejet par Brücke du vitalisme et son adhésion aux principes scientifiques du mécanisme constituent le fondement de la conception dynamique du fonctionnement psychique théorisé plus tard par Freud (Sulloway, 1979).

Après avoir obtenu son diplôme en médecine, Freud se consacre pendant quelques années à la neurologie. Dans ses premiers travaux, comparant le cerveau d'un adulte et celui d'un enfant, il conclut que les structures du début demeurent tout au long de la vie, conception qui annonce déjà sa vision ultérieure du développement de la personnalité. Pour des raisons financières toutefois, notamment le fait qu'il avait désormais une famille à faire vivre, Freud abandonne la recherche et se tourne vers la pratique médicale.

En 1897, l'année suivant le décès de son père, Freud connaît des épisodes dépressifs et des crises d'angoisse. Bien décidé à comprendre ce qui lui arrive, il entreprend une activité qui s'est révélée fondamentale pour le développement de la psychanalyse, une autoanalyse. Il analyse alors ses propres expériences, se concentrant particulièrement sur ses rêves qui, estime-t-il, révèlent les pensées et les désirs inconscients. Freud a poursuivi cette autoanalyse toute sa vie, y consacrant chaque jour la dernière demi-heure de sa journée de travail.

Sigmund Freud

Mécanisme

Mouvement intellectuel du XIXe siècle selon lequel les principes de base des sciences naturelles peuvent expliquer non seulement le comportement des objets physiques, mais également le comportement et les pensées de l'être humain.

Avec ses patients, il essaie plusieurs techniques pour découvrir les causes psychologiques des problèmes qui les affectent. L'une d'elles est l'hypnose, qu'il avait apprise du réputé psychiatre français Jean Charcot. Constatant toutefois que tous les patients ne répondent pas à l'hypnose, il explore d'autres techniques. L'une d'elles, qui deviendra essentielle à son travail, est la méthode de la **libre association**. Par cette méthode, le patient en analyse laisse survenir à son esprit toutes ses pensées telles qu'elles se présentent, sans contrainte ni falsification aucunes. En laissant libre cours à ses pensées, la personne peut découvrir des associations entre ses idées qui étaient demeurées cachées. Pour Freud, l'association libre était à la fois un outil thérapeutique et une méthode scientifique, et elle a fourni les premiers éléments probants de sa théorie de la personnalité.

En 1900, Freud publie son ouvrage le plus important, *L'interprétation des rêves.* À cette époque, il ne fait plus que traiter des patients, il élabore une véritable théorie du psychisme, un modèle conceptuel des structures de base de l'esprit humain et de son fonctionnement. Bien que brillant, le livre ne se vend qu'à quelque 600 exemplaires en 8 ans. On ridiculise sa conception de la sexualité infantile et on boycotte même les établissements médicaux où l'on enseigne la théorie freudienne. Un de ses premiers disciples, Ernest Jones, est forcé de démissionner de son poste de neurologue parce qu'il pose à ses patients des questions à propos de leur vie sexuelle. Sur le plan personnel, Freud perd toutes ses économies durant la Première Guerre mondiale et craint pour la vie de deux de ses fils qui sont au front. En 1920, une de ses filles meurt à l'âge de 26 ans. Ce contexte historique a peut-être incité Freud, du moins partiellement, à élaborer à l'âge de 64 ans sa théorie de la pulsion de mort, qui tend à ramener l'être vivant à l'état inorganique libre de toute tension, par opposition à la pulsion de vie, qui tend à l'union et au maintien de la vie.

Freud poursuit son travail et acquiert peu à peu une grande reconnaissance. En 1909, une invitation à prononcer une série de conférences aux États-Unis contribue à accroître sa notoriété à l'extérieur de l'Europe. L'Association psychanalytique internationale est créée en 1910. Durant ces années et les années suivantes, Freud publie abondamment, les patients doivent s'inscrire sur une liste d'attente pour le consulter et il jouit d'une renommée grandissante. L'importance de son œuvre et le fait qu'il ait eu de nombreux adeptes et disciples font en sorte que, à sa mort le 23 septembre 1939 à Londres, où il s'était réfugié l'année précédente pour fuir les nazis, il est une célébrité mondiale. Aujourd'hui, les idées et la terminologie psychanalytique de Freud sont mondialement connues même de ceux qui n'ont jamais lu ses écrits ou suivi un cours de psychologie. Parmi les grandes personnalités du XXe siècle, Freud est certainement, avec Einstein, celui qui a le plus contribué à la vie intellectuelle de l'Occident.

Certains considèrent Freud comme un homme compatissant, courageux et génial. D'autres, songeant à ses nombreuses disputes et ruptures avec ses collègues, voient en lui un homme rigide, autoritaire et intolérant (Fromm, 1959). Quelle que soit leur opinion, tous reconnaissent cependant qu'il a poursuivi ses recherches avec grand courage. Il a exposé des détails de sa vie personnelle pour illustrer ses théories. Il a su résister aux critiques de ses collègues et au mépris de la société. Il l'a fait, selon ses propres mots, pour être « au service d'une passion dominante… un tyran qui est venu à ma rencontre… la psychologie » (Gay, 1998, p. 74).

LES RAPPORTS ENTRE L'INDIVIDU ET LA SOCIÉTÉ SELON FREUD

Tout au long de ce livre, nous ferons une courte biographie du théoricien avant de présenter son œuvre, comme nous venons de le faire pour Freud. Ensuite, avant de décrire la théorie et les processus et structures de la personnalité élaborés par ce théoricien, nous examinerons sa conception de la personne, car toute théorie de la personnalité s'appuie sur une certaine conception de la nature humaine et de la personne. Nous procéderons ainsi pour deux raisons : d'abord, ces éléments d'information nous aideront à mieux comprendre les concepts en jeu et permettront de cerner plus rapidement les idées qui soutiennent la théorie, fournissant ainsi des bribes de connaissance utiles pour les lectures à venir. Également, cette section sur la conception de l'individu nous permet de répondre à une question que certains pourraient se poser : « Pourquoi dois-je étudier cette théorie de la personnalité ? » Pour une raison toute simple : les théories décrites dans ce livre touchent des idées fondamentales, soit la nature de l'esprit

Libre association

En psychanalyse, méthode par laquelle le patient tente de rendre compte à l'analyste de tout ce qui lui vient à l'esprit sans filtrer ses pensées. La libre association rencontre la résistance du patient.

humain, de l'humain et de la société, et ce sont ces idées que résume la présente section.

L'esprit humain comme système d'énergie

La théorie de la personnalité de Freud est essentiellement une théorie sur le psychisme humain (ou vie psychique), un modèle scientifique de l'architecture globale des structures et processus mentaux. En élaborant ce modèle, Freud a explicitement abordé «la vie mentale d'un point de vue *biologique*» (Freud, 1915/1970, p. 328). Il considère que l'esprit est une partie du corps, tente de comprendre comment le corps fonctionne et dégage les principes du fonctionnement mental en s'appuyant sur les principes du fonctionnement physiologique.

Comme nous l'avons mentionné, Freud considère le corps comme un **système d'énergie** mécanique. Puisque l'esprit est une partie du corps humain, il est donc lui aussi un système d'énergie mécanique et l'énergie psychique est générée par l'énergie physique produite par le corps.

Cette conception de l'esprit comme système d'énergie s'oppose à d'autres conceptions qui considèrent l'esprit comme un système d'information. Dans un tel système, le matériel est stocké et utilisé au besoin, comme l'information est stockée sur le disque dur d'un ordinateur, ou encore dans un livre sur l'étagère d'une bibliothèque : elle est là, disponible pour le moment où on en aura besoin. Dans le modèle freudien, toutefois, les contenus psychiques ne sont pas simplement stockés de manière inerte, ils font des choses. La vie psychique contient des pulsions qui «sont en actives» et qui exercent sur l'appareil psychique «une pression… une force» (Freud, 1915/1970, p. 328). Le psychisme, dès lors, est un système qui contient cette énergie et qui la dirige.

Si l'on accepte cette vision, le principal défi sur le plan scientifique consiste à expliquer comment circule cette énergie psychique, comment elle se disperse ou est endiguée. La conception freudienne de l'énergie psychique s'articule autour de trois idées principales. La première est que nous ne disposons que d'une quantité d'énergie limitée. Ainsi, si nous utilisons une certaine quantité d'énergie pour une activité particulière, il en restera moins pour d'autres activités. L'énergie investie dans des activités culturelles ne peut être investie dans des activités sexuelles, et inversement. La deuxième idée est que lorsque l'énergie qui s'exprime par une certaine voie est bloquée, elle ne disparaît pas pour autant : elle trouvera une autre voie offrant moins de résistance. La troisième idée, fondamentale dans le système d'énergie freudien, est que l'appareil psychique fonctionne dans le but de maintenir à un niveau aussi bas que possible ou, tout au moins, aussi constant que possible, la quantité d'excitation qu'il contient (Greenberg et Mitchell, 1983). Les besoins du corps créent sur le plan psychique un état de tension ressenti comme du déplaisir que la personne tente de réduire pour retrouver un état de quiétude interne. Par exemple, lorsque votre corps manque de nourriture, vous ressentez un état de tension que l'on appelle la faim et cela vous pousse à rechercher autour de vous quelque chose qui soulagera cette faim, ce qui réduira la tension et vous permettra de recouvrer un état de quiescence. Évidemment, Freud s'est intéressé à des situations beaucoup plus complexes. Le but de tout comportement est le plaisir, qui résulte de la réduction de la tension et de la libération de l'énergie. La théorie de la personnalité de Freud dont il est question dans le présent chapitre est essentiellement un modèle détaillé des structures et des processus de la personnalité qui sont à l'origine de ce flux dynamique d'énergie psychique.

Ce sont les développements qui ont eu cours dans le domaine de la physique qui ont incité Freud à considérer l'esprit humain comme un système d'énergie. Au XIXe siècle, le physicien Hermann von Helmholtz a élaboré le principe de la conservation de l'énergie selon lequel la matière et l'énergie peuvent être transformées, mais non détruites. Les physiciens n'étaient pas les seuls à étudier les lois de la transformation de l'énergie. Lors de sa formation médicale, Freud avait été en contact avec l'idée que la physiologie humaine s'appuie sur des forces obéissant au principe de la conservation de l'énergie. Cet âge de l'énergie et de la dynamique a fourni aux scientifiques une nouvelle conception de l'être humain, «selon laquelle l'homme en tant que système d'énergie obéit aux mêmes lois physiques que celles qui régissent la formation des bulles de savon et le mouvement des planètes» (Hall, 1954, p. 12-13). Freud a formulé cette vision dans une théorie de la personnalité.

Système d'énergie

Conception freudienne de la personnalité selon laquelle celle-ci résulterait de l'interaction de diverses forces (p. ex., les pulsions sexuelles et les pulsions du moi) ou sources d'énergie.

Pour la psychanalyse, les idées existent sous forme d'énergie mentale stockée dans l'appareil psychique. Dans certaines circonstances, l'énergie associée à une idée peut être libérée. La question de savoir comment cette énergie est libérée est un élément crucial de la théorie psychanalytique. Il est intéressant de savoir que ce n'est pas Freud qui a répondu à cette question, mais l'un de ses collègues, le médecin viennois Joseph Breuer.

À l'été 1882 survient un événement qui aura une importance déterminante dans le développement de la pensée psychanalytique. Breuer parle à Freud d'une patiente, Anna O., qui souffre d'une étonnante série de symptômes dont les causes biologiques demeurent indéterminées : paralysie partielle, vision embrouillée, toux persistante et difficulté de parler dans sa langue maternelle, l'allemand, alors qu'elle peut très bien s'exprimer dans sa langue seconde, l'anglais. Ces symptômes sont caractéristiques de l'*hystérie*. Déjà, les médecins grecs de l'Antiquité parlaient d'hystérie pour désigner un trouble caractérisé par des symptômes physiques (qui affectent principalement la motricité et la perception) résultant de problèmes de nature émotionnelle plutôt que de la maladie ou l'incapacité physique (Owens et Dein, 2006). Dans la psychologie et la psychiatrie contemporaines, l'hystérie est considérée comme un trouble de conversion parce qu'un problème, d'ordre émotionnel, se transforme ou est converti en un trouble psychologique qui altère la motricité et la perception. Le trouble de conversion est aussi connu comme un trouble de type « somatique » parce que le contenu psychologique perturbe le fonctionnement du corps, ou soma.

Anna O. elle-même est tombée par hasard sur le traitement qui pouvait la guérir. Elle a découvert que le fait de retrouver l'événement traumatique à l'origine du trouble pouvait la soulager de ses symptômes. Si elle pouvait ramener à sa conscience cet événement et revivre l'émotion originale qu'elle avait ressentie alors, le symptôme s'atténuerait et pourrait même disparaître.

Breuer, puis Freud, ont donné à cette expérience psychologique le nom de **catharsis**. La catharsis permet donc de libérer les émotions en parlant des problèmes qui sont à la source de ces émotions. En langage populaire, on

Catharsis
Technique permettant de se libérer de ses émotions grâce à la parole.

dira que la catharsis est le fait de « faire sortir » l'émotion de son système. En revivant un événement traumatique qu'elle avait enfoui dans sa mémoire, Anna O. a donc expérimenté la libération cathartique d'une énergie mentale depuis longtemps enfermée et qui était à l'origine de ses symptômes. Freud a appliqué la méthode cathartique à ses patients atteints d'hystérie et affirme avoir eu beaucoup de succès.

Le concept de catharsis a contribué à améliorer notre compréhension de l'esprit humain de deux façons. Premièrement, il confirmait la vision de Freud voulant que l'esprit soit un système d'énergie. C'est en effet la libération de cette énergie associée à des souvenirs depuis longtemps enfouis qui entraîne une amélioration de l'état du patient. Deuxièmement, avant de vivre l'expérience cathartique, les patients de Freud semblaient ignorer que leurs symptômes avaient leur origine dans des contenus psychiques. Ils avaient complètement oublié ces événements traumatiques alors que les symptômes liés à cet événement, eux, se manifestaient. C'est dire que le contenu mental *dont on n'a aucune conscience* est constamment actif dans notre esprit. Dès lors, le psychisme serait constitué de plusieurs parties, une partie où se logent les idées conscientes et une autre, plus mystérieuse et cachée, où se logent les idées qui n'appartiennent pas au domaine du conscient. C'est ce que Freud a appelé l'*inconscient*. La vision de Freud selon laquelle notre vie psychologique quotidienne est régie par des idées inconscientes (vision que nous explorons en détail ci-dessous) a révolutionné notre compréhension de la nature humaine.

Lorsque l'énergie psychique ne peut être libérée, elle ne disparaît pas pour autant. Comme le suggère le principe de la conservation de l'énergie, cette énergie est conservée. Ainsi, l'énergie qui normalement devrait servir à la satisfaction de la pulsion sexuelle, mais qui est inhibée, peut être canalisée dans d'autres activités. De nombreuses activités – dont, selon Freud, les activités associées à la production culturelle – sont l'expression d'une énergie sexuelle ou agressive qui n'a pu s'exprimer directement.

L'individu et la société

Un deuxième élément important de la conception freudienne de la personne concerne la relation entre l'individu et la société. La vision de Freud s'oppose à une autre conception qui est au cœur même de la culture occidentale et qui tient pour acquis que l'individu est fondamentalement bon. C'est la société qui le corrompt. L'individu naît

L'hystérie (trouble de conversion)

L'hystérie est un trouble qui a des manifestations étonnantes. Ceux qui en sont atteints éprouvent des perturbations dans les mouvements ou sur le plan perceptuel (paralysie, vision embrouillée) alors que la cause est d'ordre émotionnel. Comment cela est-il possible ?

Bien sûr, on peut penser que la personne simule ses symptômes. Elle a peut-être réellement des troubles affectifs, mais si personne n'y prête attention, elle pourra feindre une blessure ou la maladie pour qu'on s'intéresse enfin à elle. C'est exactement ce qu'ont pensé plusieurs collègues de Freud à l'époque où il a commencé à s'intéresser à l'hystérie.

Alors, comment savoir si les symptômes de l'hystérie sont réels ou feints ? Une avenue possible est de consulter les résultats de la recherche contemporaine sur la personnalité et le cerveau.

Des chercheurs (Voon et coll., 2010) ont eu recours aux techniques d'imagerie du cerveau pour étudier des patients atteints de trouble de conversion (le terme utilisé aujourd'hui pour désigner l'hystérie ; Owens et Dein, 2006). Ils ont étudié 16 patients chez qui on avait diagnostiqué un trouble de conversion. Ces patients présentaient des symptômes moteurs inexpliqués comme des tremblements, des tics ou des mouvements anormaux en marchant. Les chercheurs ont comparé ces 16 patients avec 16 personnes en parfaite santé psychologique et physique.

Ils ont étudié le fonctionnement cérébral des participants des deux groupes en ayant recours à l'imagerie par résonance magnétique fonctionnelle (IRMf) (voir le chapitre 2) pendant qu'on leur présentait des images de visages humains sur écran vidéo. Les visages exprimaient des émotions diverses comme la joie ou la peur, mais certains visages n'exprimaient aucune émotion. Les chercheurs pouvaient ainsi voir si l'activité cérébrale des deux groupes présentait des différences en réponse aux stimuli émotionnels.

Deux résultats étaient possibles : soit les deux groupes ne présentaient aucune différence, soit ils en présentaient qui, peut-être, révéleraient un fondement biologique de l'association postulée par Freud entre une détresse émotionnelle et les symptômes de l'hystérie.

Or, les chercheurs ont effectivement trouvé des différences. L'activité cérébrale des gens atteints de trouble de conversion différait de celle des gens sains lorsqu'on montrait aux deux groupes des visages exprimant une émotion (Voon et coll., 2010). Et la nature des différences avait de quoi étonner. Dans le cerveau des personnes atteintes du trouble de conversion, on a constaté de fortes connexions entre les régions du cerveau associées à l'émotion et celles associées à la motricité. C'est exactement ce à quoi Freud se serait attendu ! Comme l'ont avancé les chercheurs, ces connexions pourraient être responsables de l'apparition des symptômes. Chez les patients atteints du trouble de conversion, l'excitation émotionnelle pourrait donc perturber le fonctionnement normal des régions du cerveau responsables de la motricité. Des recherches ultérieures sont arrivées aux mêmes conclusions, à savoir que les régions du cerveau engagées dans la réponse émotionnelle peuvent avoir détourné de leur fonction habituelle les systèmes responsables du contrôle des mouvements du corps (Voon, Brezing, Gallea et Hallett, 2011, p. 2402).

De tels outils de recherche n'existaient pas à l'époque de Freud. Pourtant, ils révèlent aujourd'hui exactement ce qu'il avait conçu tout au long de sa vie.

---

pur, mais il succombe aux tentations que lui réserve la vie et il tombe en disgrâce. C'est l'histoire même du paradis terrestre : créés à l'image de Dieu, Adam et Ève naissent bons et innocents, mais sont corrompus par les tentations de Satan. Cette vision est prédominante dans la philosophie occidentale. Le célèbre philosophe français Jean-Jacques Rousseau soutenait qu'avant le développement de la civilisation contemporaine, les êtres humains vivaient relativement heureux et qu'essentiellement ils éprouvaient de la compassion les uns pour les autres.

La civilisation, affirmait-il, a détruit cette belle harmonie en créant entre les êtres humains une compétition pour les ressources, ce qui a donné naissance aux sentiments de jalousie et de suspicion.

Pour Freud, cette conception de la vie méritait une profonde réflexion. La psychanalyse considère que les pulsions sexuelles et agressives sont innées et font partie de la nature humaine. Obéissant en partie au *principe de plaisir*, l'individu cherche constamment à satisfaire ces pulsions et le rôle de la société est de réfréner ces tendances biologiques naturelles. L'une des fonctions essentielles de la civilisation, dit-il, «est de réprimer la vie sexuelle» (Freud, 1930/1949, p. 51). La société apprend à l'enfant que les pulsions biologiques naturelles sont socialement inacceptables et elle édicte des normes et des interdits en conséquence. Dès lors, la société civilisée ne corrompt pas d'innocents enfants, puisque les enfants ne sont pas par nature innocents; ils ont des désirs sexuels et des pulsions agressives que la société tente constamment de réprimer. La répression par la société des pulsions sexuelles de l'individu s'apparente à la répression que les élites dominantes de la société, désireuses de maintenir leur pouvoir, réservent aux classes inférieures: «La crainte d'une révolte de ceux qui sont opprimés les amène à imposer des mesures toujours plus strictes» (Freud, 1930/1949, p. 51).

Dès lors, la théorie générale de Freud n'est pas une simple conception révolutionnaire de l'esprit, elle offre également une vision nouvelle de la relation entre l'individu et la société.

LA SCIENCE DE LA PERSONNALITÉ SELON FREUD

Dans le contexte de l'étude de la personnalité, la vision scientifique de Freud est complexe. D'une part, son engagement envers une science naturelle de la personne est total, et c'est la physique qui constitue son modèle à cet égard. Il était «passionnément engagé envers un modèle scientifique qui pourrait reproduire le modèle de la physique, domaine phare des sciences naturelles» (Tauber, 2010, p. 27). D'autre part, cela lui a permis d'apprécier le lien entre la théorie et la recherche, de même que l'importance des concepts théoriques bien définis.

Cela dit, Freud a utilisé des méthodes que l'on peut qualifier de surprenantes pour un chercheur totalement engagé dans une vision scientifique du monde. Généralement, les scientifiques élaborent leurs théories avec le plus grand soin et seulement après avoir accumulé des éléments probants solides. Freud a procédé autrement. Il a créé une vaste théorie à partir de données probantes (les séances avec ses patients) relativement limitées. Toute sa vie, Freud a espéré que les progrès de la science pourraient permettre de valider ses principales intuitions.

Freud s'est aussi écarté du point de vue scientifique par le type de données qu'il a ou qu'il n'a pas utilisées.

Contrairement à tous les autres théoriciens dont il sera question dans le présent ouvrage, Freud n'a pas mené d'expériences de laboratoire ni eu recours à des tests psychologiques standardisés. Il ne croyait qu'en une seule des trois méthodes de recherche que nous avons présentées au chapitre 2: l'étude de cas. Il procédait par association libre, une méthode qu'il estimait nécessaire et appropriée à l'élaboration d'une théorie de la personnalité scientifique.

L'association libre pratiquée par Freud et ses disciples fournissait une mine d'informations sur les patients. Elle est probablement, et de beaucoup, la méthode qui permet de recueillir le plus d'information sur les individus. Pourtant, les scientifiques contemporains ne sont toujours pas convaincus que les éléments probants qu'elle permet d'obtenir sont suffisants pour élaborer une théorie solide. Ils remettent particulièrement en question le manque d'intérêt de Freud pour la recherche en laboratoire. «Au lieu de former des scientifiques, affirme l'un d'eux, Freud finit par former des cliniciens à l'intérieur d'un système d'idées passablement arrêtées» (Sulloway, 1991, p. 275). Ce n'est qu'après la mort de Freud qu'un grand nombre de psychologues chercheurs ont exploré les phénomènes psychanalytiques en utilisant les méthodes expérimentales. Nous prendrons connaissance des résultats de leurs travaux plus loin dans ce chapitre.

LA THÉORIE PSYCHANALYTIQUE DE LA PERSONNALITÉ SELON FREUD

Dans le chapitre 1, nous avons vu que les théories de la personnalité s'articulent autour de trois concepts: la structure, les processus, et la croissance et le développement. Voyons comment Freud a organisé ces trois concepts.

La structure

En analysant la structure de la personnalité, Freud avait comme but d'élaborer un modèle conceptuel permettant de comprendre le fonctionnement de l'esprit humain. Il s'est posé deux questions: quelles sont les structures fondamentales de l'esprit, et quel est leur rôle? Les réponses qu'il a trouvées à ces questions sont à la fois originales et complexes. En réalité, Freud a élaboré deux modèles conceptuels qui se complètent. L'un touche les niveaux de conscience: dans notre vie psychique, y a-t-il des éléments dont nous sommes conscients et d'autres dont nous sommes inconscients? L'autre touche les systèmes

À quel prix réprime-t-on des pensées excitantes?

Freud affirme que le progrès de la civilisation ne s'obtient qu'en inhibant davantage les processus de pensée régis par le principe de plaisir et en renforçant le sentiment de culpabilité. Cette inhibition accrue est-elle indispensable? Quel est le coût pour l'individu des efforts qu'il déploie pour réprimer ses envies et inhiber la «satisfaction débridée» de ses désirs?

Dans une étude, Daniel Wegner et ses collègues soutiennent que la répression des représentations sexuellement excitantes peut engendrer des réactions émotionnelles négatives et des symptômes psychologiques tels que les phobies (peurs irrationnelles) ou les obsessions (préoccupation liée à des pensées intrusives). On demandait à certains participants de ne pas penser à quoi que ce soit de sexuel, ce qui a suscité chez eux une excitation émotive; il en fut de même chez les participants à qui on avait permis d'entretenir des idées sexuelles.

Bien que dans les deux groupes de participants l'excitation ait diminué au bout de quelques minutes, les conséquences différaient. Dans le premier groupe, la tentative d'inhibition des représentations sexuellement excitantes a provoqué l'intrusion de ces pensées dans la conscience et la réapparition de vagues d'émotions. Cet état était absent chez les participants qui avaient été autorisés à penser à la sexualité.

Les chercheurs font valoir que la répression des pensées sexuellement excitantes peut susciter l'excitation; le fait de réprimer ces représentations peut les rendre encore plus excitantes que lorsqu'on y pense volontairement. Bref, ces tentatives de répression ne rendent peut-être pas plus service sur le plan émotionnel que sur le plan psychologique.

Sources: Petrie, Booth et Pennebaker, 1998; Wegner, 1992, 1994; Wegner, Shortt, Blake et Page, 1990.

---

fonctionnels de notre appareil psychique: comment fonctionne un système en particulier? Nous examinerons ces deux modèles l'un à la suite de l'autre.

Les niveaux de conscience et le concept d'inconscient

Que se passe-t-il dans notre esprit? Quelles sont les pensées qui nous habitent? Nous répondons généralement à ces questions en décrivant notre pensée du moment: nous pensons au thème de ce chapitre, ou encore à ce que nous pourrions faire si nous n'avions pas à le lire. Le flux de nos pensées, c'est-à-dire le contenu mental dont nous pouvons prendre connaissance seulement en y prêtant attention, constitue les pensées conscientes. L'une des grandes intuitions de Freud fut de comprendre que le flux de nos pensées conscientes ne suffit *pas* à expliquer ce qui se passe dans notre vie psychique, tant s'en faut. Pour Freud, les pensées conscientes ne sont que la pointe de l'iceberg.

Selon la théorie psychanalytique, il existe des variations dans le degré de conscience des phénomènes mentaux. Freud a proposé l'existence de trois niveaux de conscience. Le **conscient**, comme nous l'avons mentionné, regroupe les pensées dont nous sommes conscients à un moment donné. Le **préconscient** regroupe les phénomènes dont

nous pouvons être conscients si nous y prêtons attention. Par exemple, avant de lire cette phrase, vous ne pensiez fort probablement pas à votre numéro de téléphone et ce numéro n'était donc pas dans votre conscience. Il l'est très certainement maintenant; c'est une simple question de prêter attention à une information qui fait partie du préconscient et de l'amener à la conscience. Et il y a l'**inconscient**, c'est-à-dire les représentations mentales

Conscient

Un des trois systèmes de l'appareil psychique de la première topique freudienne contenant des pensées, des expériences et des sentiments dont on a conscience.

Préconscient

Un des trois systèmes de l'appareil psychique de la première topique freudienne désignant les pensées, les expériences et les sentiments inconscients, mais que nous pouvons facilement ramener à la conscience.

Inconscient

Un des trois systèmes de l'appareil psychique de la première topique freudienne contenant des pensées, des expériences et des sentiments dont nous ne sommes pas conscients. Selon Freud, une partie du contenu de l'inconscient est la conséquence du refoulement.

dont nous ne sommes pas conscients et dont la prise de conscience est impossible sauf dans des circonstances spéciales. Pourquoi ces pensées ne sont-elles pas accessibles à la conscience ? Freud soutient que c'est parce qu'elles sont sources d'angoisse. Nous sommes tous habités par des pensées et des désirs si traumatisants et si socialement inacceptables que les révéler au domaine du conscient provoquerait l'angoisse. Pour Freud : « Si certaines représentations sont incapables de devenir conscientes, c'est à cause d'une certaine force qui s'y oppose » (Freud, 1923, p. 4). Notre besoin de nous protéger contre l'angoisse que provoquent ces pensées illicites fait en sorte que ces dernières sont évacuées du conscient et sont maintenues dans l'inconscient.

Freud n'a pas été le premier à reconnaître qu'une certaine part de la vie mentale est inconsciente. Il a toutefois été le premier à explorer la vie inconsciente de manière scientifique et à expliquer de nombreux comportements quotidiens en les associant à des forces psychiques inconscientes. Comment y est-il parvenu ? Freud a cherché à comprendre les caractéristiques de l'inconscient en étudiant divers phénomènes psychologiques : les lapsus, les névroses, les psychoses, les œuvres d'art, les rituels. Dans cette démarche, l'analyse des rêves revêt une importance particulière.

Les rêves

Nos rêves révèlent le contenu de nos pensées inconscientes, qui sont totalement différentes de nos pensées conscientes. Selon la théorie psychanalytique, les rêves portent deux niveaux de contenu : le contenu manifeste, soit le récit du rêve et des événements qui s'y déroulent, et le contenu latent, qui regroupe les idées, les émotions et les désirs pulsionnels inconscients et qui sont manifestés dans le récit du rêve. En se livrant à l'analyse des rêves, Freud a découvert que tout est possible dans la vie inconsciente. L'inconscient est illogique (les contraires peuvent représenter la même chose). Il ne tient compte ni du temps (des événements appartenant à des périodes différentes peuvent coexister), ni de l'espace (les considérations de taille et de distance sont écartées, de sorte que des objets de grande dimension se glissent dans des objets plus petits et que des lieux éloignés voisinent avec des lieux plus proches). C'est un univers de symboles où plusieurs idées peuvent se condenser en un seul mot et l'élément d'un objet peut renvoyer à des significations multiples. Par l'entremise du processus de symbolisation, un serpent ou un nez peuvent représenter un pénis ; une église, une

chapelle ou un bateau peuvent symboliser une femme et une pieuvre, une mère dévorante. Une activité courante comme l'écriture peut symboliser l'acte sexuel, le crayon représentant l'organe mâle et le papier la femme qui reçoit l'encre (la semence) s'écoulant au rythme des brusques mouvements du crayon (Groddeck, 1923/1961). Dans *Le livre du ça*, Groddeck propose des exemples nombreux et fascinants concernant les mécanismes de l'inconscient ; il offre l'exemple suivant du fonctionnement de l'inconscient dans sa vie personnelle.

Je ne me souviens plus de son aspect physique [ma nourrice], je ne sais plus que son nom : Bertha, la resplendissante. Mais j'ai gardé de très claires réminiscences du jour de son départ. Elle me fit don, comme cadeau d'adieu, d'une pièce de bronze de trois *groschen*, dite « Drier »... Depuis, je suis poursuivi par le chiffre trois. Des mots, comme *trinité, triplice, triangle*, ont pour moi une résonance suspecte ; et pas seulement les mots, mais les notions qui s'y rattachent, jusqu'à des complexes d'idées, édifiées à ce propos et sur ce sujet par le cerveau têtu d'un enfant. C'est ainsi que j'ai, dès ma petite enfance, écarté le Saint-Esprit, parce qu'il était le troisième, qu'à l'école la construction des triangles devint pour moi un cauchemar... ce trois est devenu pour moi une sorte de chiffre fatidique.

Source : Groddeck, 1923/1961, p. 9.

La théorie du rêve de Freud comporte une seconde proposition. En plus de révéler les deux niveaux du rêve, soit le contenu manifeste et le contenu latent, Freud a suggéré qu'il existait une relation entre les deux niveaux. Le contenu latent porte les désirs inconscients de l'individu alors que le contenu manifeste en est l'accomplissement. Le récit du rêve (le contenu manifeste) représente, notamment par la symbolisation, l'accomplissement des désirs inconscients qui peuvent être impossible à accomplir dans la vie réelle. En rêve, l'individu peut satisfaire son désir sexuel ou exprimer son agressivité sous une forme déguisée et dès lors acceptable. Par exemple, le désir de vengeance inconscient qui pousse à vouloir tuer une autre personne peut être assouvi dans un rêve où une personne est tuée dans un affrontement. Dans *L'interprétation des rêves*, Freud analyse un grand nombre de rêves, un peu à la manière d'un détective, c'est-à-dire que chaque élément du rêve est traité comme un indice qui sert à révéler le désir inconscient sous-jacent exprimé dans le rêve sous forme déguisée.

Les motivations inconscientes

Freud croyait que l'inconscient était une région de l'appareil psychique où était stocké un ensemble de représentations mentales, mais il s'agit d'un mode de stockage bien différent du stockage de livres dans une bibliothèque. Sur les étagères d'une bibliothèque, les livres sont disposés dans un ordre logique, selon un système de classification bien défini. Les livres sont simplement placés sur une étagère, en attente qu'un lecteur se manifeste. L'inconscient fonctionne d'une manière totalement différente. Contrairement au livre, il n'est pas logique, il n'est pas une matière inerte : il est hautement motivé.

Les principes de la motivation entrent en jeu de deux manières. D'abord, les représentations psychiques entrent dans l'inconscient pour des raisons motivées. L'inconscient emmagasine des pensées si traumatiques qu'elles provoqueraient une intense souffrance psychologique si elles émergeaient dans la conscience. Ces pensées peuvent être, par exemple, des souvenirs d'expériences de vie traumatiques, des sentiments d'envie ou d'hostilité, des désirs sexuels interdits ou encore le désir de blesser un être cher. Ainsi, conformément à notre motivation fondamentale de rechercher le plaisir et d'éviter le déplaisir ou la douleur, nous sommes motivés à bannir ces pensées du conscient et à les refouler dans l'inconscient. Ensuite, les pensées inconscientes influent sur notre vie consciente. Cette affirmation est peut-être celle qui résume le mieux le message fondamental de Freud. Pour Freud, nos expériences psychologiques (nos pensées conscientes, nos émotions, nos actions) sont fondamentalement déterminées par des représentations mentales dont nous ne soupçonnons pas l'existence et qui logent dans l'inconscient. Qu'est-ce qui explique un lapsus, un rêve insensé, une crise d'angoisse soudaine et inexplicable, une attirance ou une répulsion envers une personne que l'on croise, un fort sentiment de culpabilité alors que nous n'avons rien à nous reprocher ? Pour Freud, tout cela tient à des forces psychiques inconscientes.

L'inconscient et la recherche en psychanalyse

On ne peut jamais observer l'inconscient directement. Comment est-il alors possible d'en corroborer l'existence ? Examinons les données dont nous disposons pour fonder le concept d'inconscient ; commençons par les observations cliniques de Freud, qui a compris l'importance de l'inconscient après avoir observé les phénomènes hypnotiques. Tout le monde sait que l'individu sous hypnose peut se remémorer les événements qu'il était

Alors que certaines erreurs lexicales sont le fruit d'une simple confusion dans le choix des mots, d'autres, les lapsus, semblent confirmer l'affirmation de Freud voulant qu'ils soient l'expression de désirs enfouis.

incapable de se rappeler auparavant. De plus, en vertu de la suggestion post-hypnotique, il accomplit des actes consécutifs à l'hypnose sans « savoir » consciemment qu'il agit selon cette suggestion ; autrement dit, il croit fermement qu'il agit volontairement et d'une manière indépendante de toute suggestion de la part d'une autre personne. Quand Freud renonça à la technique de l'hypnose afin de poursuivre son travail thérapeutique, il constata que les patients prenaient souvent conscience de souvenirs et de désirs auparavant enfouis. Ces découvertes étaient souvent associées à une émotion pénible chez les patients. L'observation clinique est convaincante lorsqu'on voit un patient qui soudainement fait face à une terrible angoisse, qui est pris d'une violente crise de larmes ou qui se met en colère parce qu'il se souvient d'un événement oublié ou entre en contact avec une émotion interdite. Ce sont donc des observations cliniques de ce genre qui ont amené Freud à penser que l'inconscient renferme des souvenirs et des désirs qui ne font pas partie de notre conscience et qui de surcroît sont « volontairement enfouis » dans l'inconscient.

Qu'en est-il des données expérimentales ? Dans les années 1960 et 1970, la recherche expérimentale s'est concentrée sur la perception inconsciente, appelée également **perception sans prise de conscience**. Peut-on « savoir » quelque chose sans être conscient qu'on le sait ? Une personne peut-elle entendre ou percevoir des stimuli, et être influencée par ces perceptions sans en être consciente ? C'est un phénomène qu'on nomme à présent *perception subliminale* : l'individu enregistre des stimuli émis à un seuil inférieur à celui qui est requis pour la prise de conscience. Dans une des premières études consacrées à cette question, on a présenté à un groupe de participants une illustration comportant l'image d'un canard formée par les branches d'un arbre. On a présenté à un autre groupe une illustration semblable, mais sans l'image du canard. La manœuvre s'effectuait si rapidement qu'on pouvait tout juste percevoir l'illustration. L'expérience a été réalisée au moyen d'un tachistoscope, appareil qui permet à l'expérimentateur de présenter les stimuli aux participants à une vitesse très rapide, rendant impossible la perception consciente. On a ensuite demandé aux participants de fermer les yeux, d'imaginer un paysage, de dessiner la scène et d'en nommer les divers éléments. A-t-on relevé des différences entre les deux groupes ? Les participants qui ont « vu » l'image du canard ont-ils exécuté des dessins qui différaient de ceux des autres ? Dans ce cas, faudrait-il associer ces écarts à des différences concernant le souvenir de ce qui avait été perçu ? L'étude a révélé que les participants qui avaient vu l'image du « canard » avaient, plus souvent que les autres, dessiné des images associées au canard (par exemple, canard, eau, oiseaux, plumes). Cependant, ces participants n'avaient pas signalé avoir vu le canard pendant l'expérience et la majorité d'entre eux ont eu de la difficulté à trouver le canard lorsqu'on leur demandait de le repérer. Autrement dit, bien qu'ils n'aient pas fait l'objet d'une perception consciente, les stimuli ont pourtant influé sur les images et les pensées présentes dans l'esprit des participants (Eagle, Wolitzky et Klein, 1966).

Le fait que les individus peuvent recevoir des stimuli dont ils ne sont pas conscients, mais qui néanmoins agissent sur eux, n'indique aucunement que des facteurs psychodynamiques ou motivationnels sont en cause. Peut-on démontrer qu'ils le sont ? À cet égard, citons deux pistes de recherche. La première renvoie à la **défense perceptive**, c'est-à-dire à un processus par lequel l'individu combat l'angoisse qui accompagne l'identification d'un stimulus menaçant. Lors d'une première expérience, on a présenté aux participants deux types de mots dans un tachistoscope : des mots neutres, comme *pomme*, *danse* et *enfant*, et des mots dotés d'une connotation affective, comme *viol*, *putain* et *pénis*. Les mots ont d'abord été présentés à des vitesses très rapides, puis à des vitesses de plus en plus lentes. On a ensuite noté à quel moment les participants étaient en mesure d'identifier chacun des mots et on a mesuré l'activité de leurs glandes sudoripares (qui révèle le niveau de tension) en réaction à chaque mot. Les résultats indiquent que les participants ont mis plus de temps à reconnaître les mots pourvus d'une connotation affective que les mots neutres et qu'ils ont montré des signes de réaction émotive à l'égard des mots connotés avant de les identifier verbalement (McGinnies, 1949). En dépit des critiques que soulève ce type de recherche (les participants ont-ils identifié plus rapidement les mots dotés d'une connotation affective, tout en hésitant à les nommer devant l'expérimentateur ?), il semble qu'on ait amplement démontré que les individus peuvent, hors du champ de la conscience, réagir de façon sélective et rejeter des stimuli émotionnels particuliers (Erdelyi, 1985).

Plus récemment, on s'est intéressé à l'**activation psychodynamique subliminale** (Silverman, 1976, 1982 ; Weinberger, 1992) ; dans cette étude, on tente de stimuler les désirs inconscients sans les ramener à la conscience. En général, on montre aux participants du matériel associé à des désirs que l'on suppose menaçants ou apaisants pour eux, puis on observe leurs réactions. Le matériel est présenté pendant une période de temps extrêmement brève, mais qui est théoriquement suffisamment longue pour susciter le désir inconscient tout en étant trop brève pour être identifiée consciemment. Dans le cas de désirs menaçants, on s'attend à ce que le matériel présenté de manière subliminale (sous le seuil de la conscience) réveille un conflit inconscient et accroisse ainsi les perturbations psychologiques. Dans le cas de désirs apaisants, on prévoit

---

Perception sans prise de conscience
Perception inconsciente, ou perception d'un stimulus sans véritable prise de conscience d'une telle perception.

Défense perceptive
Processus de défense (inconscient) mis en place pour se protéger contre la prise de conscience d'un stimulus perçu comme menaçant.

Activation psychodynamique subliminale
Méthode expérimentale associée à la théorie psychanalytique, dans laquelle on présente des stimuli sous le seuil de la perception consciente (subliminal) pour activer divers désirs et craintes.

que le matériel présenté d'une manière subliminale atténuera le conflit inconscient et réduira ainsi les perturbations psychologiques. Par exemple, « Je perds maman » peut bouleverser certains participants alors que « Maman et moi ne faisons qu'un » peut les rassurer.

Silverman et ses collègues ont démontré dans une série d'études qu'il est possible de provoquer de tels effets d'activation psychodynamique subliminale. Ils ont utilisé cette méthode pour présenter à des étudiantes de premier cycle du matériel accentuant le conflit (« Aimer papa est mal ») et du matériel atténuant le conflit (« Aimer papa est bien »). On a constaté que, si – hors du champ de la conscience – on montrait à des participantes enclines à des désirs sexuels conflictuels du matériel accentuant le conflit, le souvenir qu'elles conservaient des passages présentés après l'activation subliminale du conflit en était plus confus. Il n'en fut pas de même pour le matériel atténuant le conflit ou pour les participantes non sujettes à des désirs sexuels non conflictuels (Geisler, 1986). Il faut retenir de tout cela que, grâce à la théorie psychanalytique, on peut prévoir quels seront, parmi les éléments présentés, ceux dont le contenu aura un effet bouleversant ou un effet apaisant sur les divers groupes de participants, à condition que les stimuli soient perçus d'une manière subliminale ou inconsciente.

L'activation psychodynamique subliminale s'applique également à un autre champ d'investigation intéressant, celui des troubles de l'alimentation. Dans la première étude effectuée dans ce domaine, on a comparé des femmes saines psychologiquement et des femmes manifestant des symptômes de troubles de l'alimentation en fonction du nombre de craquelins consommés après la présentation subliminale des trois messages suivants : « Maman me quitte » ; « Maman s'équipe » ; « Mona s'équipe » (Patton, 1992). On voulait vérifier l'hypothèse suivante, fondée sur la théorie psychanalytique : les participantes souffrant de troubles de l'alimentation sont aux prises avec des sentiments de perte et d'abandon liés à des problèmes de soutien émotif et, par conséquent, elles cherchent des satisfactions de substitution en mangeant les craquelins, une fois le conflit activé de manière subliminale par le message « Maman me quitte ». Effectivement, les participantes souffrant de troubles de l'alimentation qui ont reçu le stimulus de l'abandon (« Maman me quitte ») de manière subliminale ont mangé, de façon significative, plus de craquelins que les participantes qui n'avaient pas de troubles de l'alimentation ou que celles qui, bien qu'affectées par des troubles de l'alimentation, avaient été

mises en contact avec le stimulus de l'abandon au-dessus du seuil de la perception consciente.

On a reproduit cette étude en y ajoutant des stimuli visuels : l'image d'un bébé en pleurs et d'une femme s'éloignant accompagnée du message « Maman me quitte » et l'image d'une femme qui marche accompagnée d'un stimulus neutre, dans ce cas « Maman marche ». Une fois de plus, les femmes souffrant de troubles de l'alimentation et mises en contact d'une manière subliminale avec la phrase et l'image d'abandon ont mangé, de manière significative, plus de craquelins que celles qui avaient été mises en contact avec des stimuli au-dessus du seuil de la perception consciente ou que celles qui, ne souffrant pas de troubles de l'alimentation, avaient été mises en contact avec des stimuli au-dessus du seuil ou sous celui-ci (Gerard, Kupper et Nguyen, 1993).

Certains scientifiques considèrent que les recherches portant sur la défense perceptive et sur l'activation psychodynamique subliminale sont des données expérimentales démontrant l'importance des facteurs psychodynamiques et motivationnels lorsqu'il s'agit de déterminer ce qui sera « entreposé » et « conservé » dans l'inconscient (Weinberger, 1992). Toutefois, ces expériences ont souvent fait l'objet de critiques méthodologiques, et parfois il a été difficile de reproduire certains de ces résultats dans d'autres laboratoires (Balay et Shevrin, 1988, 1989 ; Holender, 1986).

Statut scientifique actuel du concept d'inconscient

L'idée que l'être humain obéit à des motivations inconscientes se trouve toujours au cœur de la théorie psychanalytique. De manière plus générale, comment les psychologues de la personnalité envisagent-ils le concept d'inconscient ? À l'heure actuelle, la très grande majorité des psychologues, quelle que soit leur orientation, admettent que de nombreuses représentations mentales se manifestent hors du domaine de la conscience et que les processus inconscients influent considérablement sur nos préoccupations et nos émotions. Jacoby, un théoricien important qui n'est pas un adepte de la théorie psychanalytique, affirme : « Les influences inconscientes sont partout. Il est évident que les gens planifient et agissent parfois d'une manière consciente. Cependant, le comportement est plus fréquemment influencé par les processus inconscients ; autrement dit, nous agissons et, s'il y a contestation, nous trouvons des excuses » (Jacoby, Lindsay et Toth, 1992, p. 82).

Cette affirmation est corroborée par des recherches où les expérimentateurs présentent aux participants des mots qui s'adressent à des thèmes inconscients pendant une période de temps trop brève pour qu'ils soient perçus consciemment. Le fait que les participants répondent à ces mots suppose que les processus inconscients sont actifs (Luborsky et Barrett, 2006).

Ces observations ne font toutefois pas de tous les psychologues contemporains des adeptes de la théorie freudienne. Si la recherche montre que la plus grande part de la vie mentale se déroule hors du champ de la conscience, ce fait ne confirme pas nécessairement, comme le font remarquer plusieurs auteurs (notamment Kihlstrom, 2002), la vision freudienne de l'inconscient – c'est-à-dire un

APPLICATIONS ACTUELLES | Motivations inconscientes et politiques

Comment jugeons-nous les politiciens? Adoptons-nous un comportement analytique, totalement rationnel et dénué d'émotions, et sommes-nous à l'abri des motivations qui pourraient affecter notre jugement?

La théorie de la personnalité de Freud suggère que nos pensées sont toujours guidées par des émotions et soumises à des biais motivationnels. De la même manière que nous nous protégeons contre les pensées qui représentent une menace pour soi, nous nous protégeons contre les pensées qui représentent une menace pour les politiciens que nous aimons. C'est ce que confirme une recherche menée durant une élection présidentielle américaine (Westen, Blagov, Harenski, Kilts et Hamann, 2006). On a soumis aux participants des messages représentant une menace pour trois personnes connues, soit leur candidat préféré, son adversaire et une troisième personnalité, connue, mais sans lien avec le monde politique (par exemple, un athlète célèbre). Pendant la diffusion des messages, on enregistrait l'activité cérébrale des participants au moyen de l'imagerie par résonance magnétique fonctionnelle.

Les réactions des participants, tant sur le plan psychologique que sur le plan biologique, variaient selon le candidat visé. Sur le plan psychologique, les participants avaient tendance à devenir défensifs lorsqu'on leur présentait un message menaçant leur candidat préféré, alors qu'ils portaient un jugement sévère lorsque le message visait son adversaire. Sur le plan biologique, on a constaté une activité cérébrale beaucoup plus grande dans les régions du cerveau associées aux réponses émotionnelles lorsqu'on présentait aux participants un message menaçant pour leur candidat préféré. La réaction émotive semblait donc déclencher le processus de défense.

Une autre étude démontre non seulement l'existence du raisonnement invoqué dans le jugement que nous portons envers les politiciens, mais également le fait que ce raisonnement est inconscient (Weinberger et Westen, 2008). Cette recherche s'appuyait sur une étude antérieure démontrant que les stimuli subliminaux (hors du champ de la conscience) peuvent influer sur le jugement consistant à aimer ou non une cible présentée plus tard dans le champ de la conscience. C'est une publicité de l'équipe du président Bush lors de l'élection présidentielle de 2000 qui a inspiré cette recherche. Dans cette publicité, le mot RATS apparaissait (peut-être accidentellement) de manière subliminale et était associé au mot *Démocrates* (*Democrats* en anglais). Un tel message subliminal peut-il orienter le choix politique des individus?

Pour cette étude, menée sur Internet, on demandait aux participants de remplir un formulaire et, pendant qu'ils le faisaient, on leur présentait de manière subliminale l'un des quatre messages suivants: RATS, STAR (le mot RATS à l'envers), ARAB et XXXX, immédiatement suivi de la photo d'un jeune homme, celle-là au-dessus du seuil de conscience. On demandait ensuite aux participants d'évaluer le jeune homme, que l'on présentait comme un candidat à une élection, en fonction d'un certain nombre de caractéristiques (par exemple, l'honnêteté, la compétence, l'intérêt qu'il présentait comme candidat). On voulait savoir si le message subliminal pouvait orienter l'opinion des participants. Dans un premier temps, on a vérifié si le message subliminal était perçu par les participants et seules les données de ceux qui n'avaient pas perçu le message ont été retenues pour analyse. Comme on l'avait prévu, ceux à qui on avait présenté le stimulus subliminal RATS ont eu une opinion plus négative du candidat que les autres participants. En d'autres mots, le jugement d'une personne pourrait être influencé par un processus inconscient de traitement de l'information.

Ces deux études semblent confirmer, comme le suggère la vision psychanalytique, le rôle de la motivation inconsciente dans le traitement de l'information.

système d'énergie psychique par lequel deux formes primaires d'énergie inconsciente alimentent une série de processus psychologiques.

Les travaux récents du psychologue social John Bargh et de ses collègues (Bargh, 1997) fournissent une preuve éclatante de l'influence de l'inconscient sur nos comportements. Dans une étude, par exemple, on a demandé à un participant d'effectuer une tâche avec un autre individu, celui-là complice de l'expérimentateur. Le complice avait comme consigne de mal effectuer sa tâche. Le participant était donc confronté à un dilemme. Il devait en effet choisir entre, d'une part, le but d'accomplissement consistant à faire le travail avec toute la minutie possible, et, d'autre part, le but d'affiliation, qui impliquait de diminuer son propre rendement pour éviter que son coéquipier se sente incompétent. En réalité, Bargh et ses collègues avaient manipulé les buts de manière à ne pas attirer l'attention des participants sur ceux-ci. Avant de demander aux participants d'accomplir la tâche, on leur avait proposé de compléter un jeu de lettres où, dans différentes conditions expérimentales, on leur présentait des mots tantôt associés au but d'accomplissement de la tâche, tantôt au but d'affiliation. On voulait vérifier si les mots pouvaient, à l'insu des participants, les orienter vers l'un ou l'autre but. Comme on l'avait prévu, par opposition au but d'affiliation, l'activation du but d'accomplissement de la tâche dans le jeu de lettres incitait les participants à résoudre un plus grand nombre de problèmes. Il importe de souligner que les participants ont affirmé ne pas avoir eu conscience de l'influence des mots qu'on leur avait présentés lors du jeu de lettres. Dès lors, leur comportement était déterminé par des motivations hors du champ de la conscience.

L'inconscient psychanalytique et l'inconscient cognitif

L'étude que nous venons d'évoquer, tout comme d'autres études, fait ressortir un point important. D'une part, elle confirme l'influence du non-conscient sur le comportement, comme l'avait prédit Freud, et d'autre part le matériel inconscient faisant l'objet de l'étude est fort différent du matériel étudié par Freud. En effet, Bargh et ses collègues n'ont pas étudié les pulsions sexuelles ou agressives, ni les réactions affectives induites par un matériel chargé d'une signification psychologique profonde, mais plutôt des buts sociaux courants liés à l'exécution d'une tâche de laboratoire relativement simple. Si leurs conclusions confirment l'existence des influences inconscientes, ces influences n'ont rien à voir avec les expériences auxquelles Freud se réfère. Cette distinction – entre les pulsions sexuelles et agressives traumatiques inconscientes étudiées par Freud et le contenu inconscient plutôt banal qui a intéressé de nombreux chercheurs contemporains de la psychologie de la personnalité et de la psychologie sociale – entraîne la nécessité de bien distinguer entre l'inconscient psychanalytique et ce que l'on a appelé l'inconscient cognitif.

Comme nous l'avons constaté, dans la théorie psychanalytique, on souligne le caractère irrationnel et illogique du fonctionnement de l'inconscient. De plus, les psychanalystes supposent que l'inconscient renferme principalement des pensées, des émotions et des motivations de nature sexuelle et agressive. Enfin, selon eux, ce qui se retrouve dans l'inconscient y est pour des raisons motivées (la partie défensive), et ces contenus influent de manière motivée également sur le comportement quotidien (la partie pulsionnelle). En revanche, les tenants de l'approche cognitive de l'inconscient affirment qu'il n'existe fondamentalement aucune différence qualitative entre les processus inconscients et les processus conscients. De plus, dans l'approche cognitive de l'inconscient, on souligne l'idée qu'une grande diversité d'éléments peuvent relever de l'inconscient et qu'il n'y a pas lieu d'accorder un intérêt particulier aux éléments sexuels et agressifs. Aussi, cette façon de voir ne tient pas compte des facteurs motivationnels ; si les cognitions sont inconscientes, c'est parce qu'on ne peut les traiter au niveau de la conscience, qu'elles n'ont jamais atteint la conscience ou qu'elles sont trop routinières ou automatiques. Lacer ses chaussures, par exemple, représente un geste si machinal que nous ne savons plus comment nous nous y prenons pour l'accomplir. On pourrait en dire autant de la dactylographie et du repérage de l'emplacement des lettres sur le clavier. Bon nombre de nos croyances culturelles nous ont été transmises d'une manière si peu apparente que nous ne sommes même pas en mesure de les expliquer clairement. Comme nous l'avons noté au premier chapitre, c'est en entrant en contact avec des gens appartenant à une culture différente que nous en prenons conscience. Cependant, ces éléments ne sont pas devenus inconscients pour des raisons motivées et celles-ci n'exercent pas forcément une influence motivée sur notre comportement, bien qu'une telle influence soit possible. En effet, la recherche démontre de plus en plus l'existence de *motivations implicites* qui s'exercent hors du champ de la conscience, et de *motivations explicites* qui, elles, s'exercent dans le champ de la conscience. Il convient de souligner qu'il y a peu de liens entre les mesures des motivations implicites inconscientes

Tableau 3.1 | Les conceptions psychanalytique et cognitive de l'inconscient

Conception psychanalytique
1. Mise en relief des processus inconscients, illogiques et irrationnels.
2. Mise en évidence des motivations et des désirs que renferme l'inconscient.
3. Insistance sur les éléments de motivation.

Conception cognitive
1. Absence de différence fondamentale entre les processus conscients et inconscients.
2. Importance attribuée à ce qui relève de la pensée.
3. Prépondérance des éléments non liés à la motivation dans le fonctionnement de l'inconscient.

et les mesures des motivations explicites conscientes et que l'une et l'autre induisent des types de comportements forts différents. Enfin, il a été démontré que les stimuli subliminaux peuvent modifier nos pensées et nos émotions, bien qu'ils ne renvoient pas toujours à une signification psychodynamique particulière, à un désir menaçant par exemple (Klinger et Greenwald, 1995 ; Nash, 1999) (tableau 3.1).

Kihlstrom, un des grands défenseurs de la théorie cognitive de l'inconscient, donne un aperçu de ces contradictions :

L'inconscient décrit par la psychologie récente est passablement différent de ce que Sigmund Freud et ses collègues psychanalystes avaient en tête à Vienne. Leur inconscient était fait de cognitions chaudes (processus émotionnels) ; il était rongé par la luxure et la colère ; il était hallucinatoire, primitif et irrationnel. L'inconscient de la psychologie contemporaine est plus doux et plus modéré, plus mesuré et plus rationnel, même s'il n'est pas constitué que de cognitions froides (processus rationnels).

Source: Kihlstrom, Barnhardt et Tataryn, 1992, p. 788.

Bien qu'on ait tenté d'intégrer les deux conceptions, psychanalytique et cognitive, de l'inconscient, les différences demeurent (Bornstein et Masling, 1998 ; Epstein, 1994 ; Westen et Gabbard, 1999). Bref, même si on reconnaît

Moi

Un des trois systèmes de l'appareil psychique de la seconde topique freudienne désignant la partie de la personnalité qui tente de satisfaire les pulsions conformément à la réalité et aux valeurs morales de l'individu.

l'importance des manifestations de l'inconscient et son intérêt comme champ d'études, la théorie psychanalytique de l'inconscient reste controversée pour bien des chercheurs qui n'y souscrivent pas, sinon pour la presque totalité d'entre eux.

Parallèlement, les recherches sur le cerveau menées par les neuroscientifiques (voir le chapitre 9) ont mené à des conclusions qui intéressent tant les psychanalystes que les spécialistes des sciences cognitives. Premièrement, ils ont démontré que les événements vécus dans la petite enfance laissent des souvenirs affectifs qui influeront sur le fonctionnement futur de l'individu sans que celui-ci soit conscient de l'existence même de ces souvenirs. Cette influence tient au fait qu'une région du cerveau, l'amygdale, prend part à la formation de ces premiers souvenirs à une période de la vie où les structures cérébrales plus matures mises en œuvre dans la mémoire ne sont pas encore développées, comme l'hippocampe (Nadel, 2005). De plus, certains systèmes neuronaux seraient en mesure de conserver des souvenirs que le sujet ne désire pas conserver hors du champ de la conscience de la même manière que l'oubli motivé qu'ont décrit les psychanalystes (Anderson et coll., 2004). Ces découvertes nous aideront à préciser quels éléments des conceptions psychanalytique et cognitive de l'inconscient sont les plus justes sur le plan scientifique.

Le ça, le moi et le surmoi

En 1923, Freud a fait considérablement évoluer la théorie psychanalytique en élaborant un second modèle de l'appareil psychique. S'il ne renie pas la distinction qu'il avait déjà établie entre les divers niveaux de conscience que sont le conscient, le préconscient et l'inconscient, il affirme alors que « cette distinction s'est révélée inadéquate » (Freud, 1923, p. 7). En effet, pour Freud, il existe une instance psychique, le **moi** qui présente deux caractéristiques importantes. Premièrement, le moi a une fonction d'unité : il ne remplit qu'un seul type de tâches et le fait d'une manière cohérente et stable, donnant à l'individu le sentiment d'être un tout. Deuxièmement, cette instance agit à divers niveaux de conscience, tantôt dans le champ du conscient, tantôt dans le champ de l'inconscient. Voilà qui met à mal la théorie psychanalytique. La fonction d'unité du moi était incompatible avec l'existence des divers niveaux de conscience. Freud devait donc trouver un autre outil conceptuel, et celui qu'il a élaboré s'est révélé être l'un des plus solides et importants de la théorie psychanalytique : la distinction entre le ça, le moi et le surmoi. Chacune de ces instances forme dans l'appareil psychique un système de motivation distinct qui a une fonction bien particulière.

Le **ça** est la source première, le « grand réservoir » (Freud, 1923, p. 20) de toutes les énergies psychiques. Sa fonction est relativement simple à définir : le ça cherche à libérer l'excitation et la tension dans un but que nous avons déjà évoqué : réduire la tension et recouvrer un état de quiétude interne.

Le ça obéit au **principe de plaisir**, tout aussi simple à définir : recherche du plaisir (réduction de l'excitation) et évitement du déplaisir ou de la douleur (augmentation de l'excitation). Il ne fait rien d'autre, ni élaborer des stratégies pour atteindre le plaisir, ni même attendre que l'objet adéquat du plaisir apparaisse. Il n'est soumis à aucune norme sociale ni à aucune règle. Il est « totalement non moral » dira Freud (1923, p. 40). Le ça recherche la libération immédiate de la tension, sans tenir compte des contraintes inhérentes à la réalité extérieure, et il ne tolère aucune frustration. Il est libre de toute inhibition. Il est comme l'enfant gâté : il veut ce qu'il désire au moment où il le désire.

Le ça recherche la satisfaction de deux façons : par l'action ou par une hallucination (processus primaires de pensée) lui faisant croire qu'il a obtenu ce qu'il désire, car pour lui la satisfaction hallucinée a la même valeur que la satisfaction réelle.

Dans l'appareil psychique conçu par Freud, le ça agit totalement hors du champ de la conscience. Le ça est « inconnu et inconscient » (Freud, 1923, p. 14).

À l'opposé du ça, le **surmoi** touche les aspects moraux de nos comportements. Il renferme les idéaux que nous essayons d'atteindre et fixe les normes et standards moraux qui nous régissent. Il est à l'origine de la culpabilité que l'on ressent lorsque nous enfreignons ces normes. Le surmoi constitue l'intériorisation des règles morales établies par la société. Il contrôle nos comportements conformément à ces règles, offre des récompenses (fierté, amour de soi) lorsque nous nous conduisons « bien » et des punitions (culpabilité, sentiment d'infériorité) lorsque nous nous conduisons « mal ». Chez certaines personnes, le surmoi peut opérer sur un mode très primitif et être incapable de passer l'épreuve de la réalité, c'est-à-dire de modifier son action selon les circonstances. Dans ce cas, l'individu est incapable de faire la distinction entre la pensée et l'action, il se sent coupable d'avoir eu en tête une pensée même si elle ne s'est pas concrétisée. En outre, il

est attaché à des jugements sans nuances de type « tout ou rien », et à la recherche de la perfection. L'usage excessif de termes tels que *bon, mauvais, jugement* et *procès* dénote un surmoi rigide. Mais il peut aussi être protecteur et souple. Ainsi, la personne sait se pardonner ou excuser une autre personne si le fait reproché a un caractère accidentel ou résulte d'un stress grave. Au cours de leur développement, les enfants apprennent à établir ces distinctions importantes et à ne plus envisager les choses uniquement selon le mode du tout ou rien, bien ou mal, noir ou blanc.

Le moi est la troisième instance de la structure psychique. Alors que le ça cherche le plaisir et le surmoi la perfection, le moi est en quête de réalité. Le rôle du moi consiste à exprimer et satisfaire les désirs du ça conformément à deux contraintes : la réalité extérieure et les exigences du surmoi.

Tandis que le ça fonctionne selon le principe de plaisir, le moi agit selon le **principe de réalité** : la satisfaction des pulsions est différée jusqu'au moment où les conditions de la réalité permettent à l'individu d'obtenir le plus de plaisir possible avec le moins de déplaisir/douleur ou de conséquences négatives possible. Par exemple, la pulsion sexuelle venant du ça peut vous inciter à faire des avances à une personne que vous trouvez attirante. Toutefois, le moi peut vous amener à ne pas céder à cette impulsion s'il juge que vos chances de réussite sont faibles,

Ça

Un des trois systèmes de l'appareil psychique de la seconde topique freudienne désignant la partie de la personnalité contenant la source de toute l'énergie des pulsions.

Principe de plaisir

Selon Freud, un des deux principes régissant le fonctionnement mental et qui a pour but de procurer du plaisir et d'éviter la douleur ou le déplaisir.

Surmoi

Un des trois systèmes de l'appareil psychique de la seconde topique freudienne désignant la partie de la personnalité qui juge et critique les comportements de l'individu selon nos idéaux et nos valeurs morales.

Principe de réalité

Selon Freud, un des deux principes régissant le fonctionnement mental reposant sur la réalité et dans lequel la satisfaction du plaisir est différée jusqu'au moment le plus propice.

et il prendra alors le temps nécessaire pour élaborer une stratégie susceptible, cette fois, de réussir. Selon le principe de réalité, l'énergie du ça peut être bloquée, détournée ou libérée graduellement, selon les exigences de la réalité et du surmoi. Le principe de plaisir ne s'en trouve pas contredit, mais plutôt temporairement suspendu ou dominé par le principe de réalité.

Le moi a des capacités d'adaptation que n'a pas le ça. Il peut distinguer le désir du fantasme. Il peut supporter la tension et, par la pensée rationnelle, arriver à des compromis. Contrairement au ça, il subit des transformations au fil du temps et acquiert de nouvelles fonctions de plus en plus complexes durant l'enfance.

Bien que le moi semble être la composante de la personnalité qui représente le grand décideur en chef, Freud estimait que cette instance avait un pouvoir bien limité. Il comparait le moi au cavalier sur son cheval: «Le cavalier a la prérogative de guider le mouvement du puissant cheval» (Freud, 1923, p. 15). C'est le cheval (le ça) qui fournit l'énergie. Le cavalier tente de diriger cette énergie, mais, en fin de compte, la bête, plus puissante, peut aller où elle veut.

Bref, le moi freudien est logique, rationnel et il supporte la tension. Ses actions sont régies par trois maîtres: le ça, le surmoi et le monde réel.

Le conscient, l'inconscient, le ça, le moi et le surmoi sont des concepts très abstraits et Freud en était pleinement

«Un double scotch pour moi et mon surmoi, et un verre d'eau pour mon ça, qui conduit.»

La théorie psychanalytique: Freud a élaboré les concepts de ça, de moi et de surmoi, qui constituent les trois instances de la personnalité. (Dessin de Handelsman, © 1972, The New Yorker Magazine, reproduction autorisée.)

conscient. Bien sûr, il n'imaginait pas le ça, le moi et le surmoi comme des personnages agissant dans notre tête; il estimait simplement que la vie psychique comporte trois fonctions distinctes et il a conçu un système abstrait de l'appareil psychique qui exécute chacune de ces fonctions. Cette construction abstraite prend forme lorsqu'on examine les processus par lesquels s'exercent ces fonctions psychiques. Voyons quels sont ces processus.

Les processus

Les processus dans une théorie de la personnalité renvoient aux dynamiques motivationnelles. Freud considérait que l'énergie mentale (ou psychique) est essentiellement biologique. Dans la théorie psychanalytique, la source de toute l'énergie psychique réside dans les états d'excitation du corps qui cherchent à s'exprimer et à réduire la tension. Ces états d'excitation sont appelés *pulsions*, ou *instincts*. Si les deux mots ont été utilisés dans la traduction anglaise des écrits de Freud pour désigner le même concept, le mot *pulsion* rend mieux ce que Freud avait en tête. Le mot *instinct*, en effet, sert à désigner un patron comportemental fixe et prédéterminé (par exemple, c'est l'instinct qui conduit l'oiseau à construire son nid). La pulsion, par contre, est une source d'énergie qui peut mener à diverses actions déterminées par la situation et par les contraintes d'un environnement donné. C'est bien ce qu'avait imaginé Freud lorsqu'il a élaboré les processus en jeu dans la personnalité.

Dans ce cadre conceptuel, deux questions se posent: (1) Combien y a-t-il de pulsions et quelles sont-elles? et (2) Qu'advient-il de l'énergie libérée lorsque s'exercent ces pulsions? En d'autres mots, comment ces pulsions s'expriment-elles dans le quotidien? Freud a répondu à la première question lorsqu'il a élaboré sa théorie sur la pulsion de vie et la pulsion de mort. Il a répondu à la seconde lorsqu'il a expliqué la dynamique du fonctionnement psychique et les mécanismes de défense.

La pulsion de vie et la pulsion de mort

La vie quotidienne est faite de nombreuses activités: le travail, le temps passé avec les amis, l'éducation, la relation amoureuse, les activités sportives, les activités culturelles, la musique, etc. Puisque la plupart des individus s'adonnent à ces activités, on pourrait croire que chacune d'elles résulte de l'expression d'une pulsion bien précise (la pulsion du travail, la pulsion des amis, la pulsion de l'éducation, etc.). Ce n'est évidemment *pas* le modèle sur lequel Freud a travaillé. Tout au long de sa carrière, il a plutôt tenté de rattacher les activités humaines à quelques pulsions fondamentales, conformément à la notion de parcimonie que nous avons évoquée au chapitre 1, selon laquelle la complexité des comportements humains ne peut être expliquée efficacement que par une formulation théorique simple.

La pensée de Freud quant à la nature exacte des pulsions a évolué au fil des années. Dans son premier modèle de la pulsion, la pulsion du moi visait l'autoconservation de l'individu et la pulsion sexuelle visait avant tout la conservation de l'espèce. Plus tard, et cette deuxième version deviendra le modèle psychanalytique classique, il y aura toujours deux types de pulsions, mais ce seront la **pulsion de vie** et la **pulsion de mort**.

La pulsion de vie englobe la pulsion du moi et la pulsion sexuelle de la première version et elle vise donc la conservation et la reproduction de l'organisme. Freud donne à l'énergie qui est à l'origine de la pulsion de vie le nom de **libido**. La pulsion de mort, elle, est l'exact contraire de la pulsion de vie et vise donc la mort de l'organisme ou le retour de l'être vivant à l'état inorganique, c'est-à-dire à une absence complète d'excitation d'origine interne ou externe.

Il peut sembler difficile, voire impossible, d'envisager intuitivement que l'être humain soit soumis à une pulsion de mort. Pourquoi aurions-nous, inscrite en nous, une pulsion qui nous pousserait vers la mort? De nombreux psychologues, et même des psychanalystes, se sont posé la question, et la pulsion de mort est encore aujourd'hui l'une des notions les plus controversées de la théorie psychanalytique. Pourtant, l'idée de pulsion de mort est conforme à certaines idées prônées par les biologistes du XIXᵉ siècle et dont Freud avait connaissance (Sulloway, 1979). D'ailleurs, elle est conforme à cette idée de Freud que l'organisme vivant a une disposition naturelle à retourner à son état antérieur, c'est-à-dire à l'origine, à l'état libre de toute excitation, à l'état inorganique, avant la vie. Cette notion est aussi conforme à de nombreuses observations de la condition humaine. Malheureusement, en effet, des êtres humains tentent parfois d'échapper à leurs problèmes psychologiques par le suicide, que l'on peut interpréter comme une manifestation de la pulsion de mort. De plus, Freud croyait que l'être humain fait souvent dévier sa pulsion de mort vers autrui en se livrant à des gestes d'agression. Voilà pourquoi certains analystes parlent plutôt de pulsions agressives.

Ce modèle des motivations est intimement lié au modèle structural freudien. Les pulsions sexuelles et les pulsions agressives sont des éléments de la structure psychique et font notamment partie du ça. On se souviendra que le ça est la première des instances de l'appareil psychique, celle avec laquelle nous sommes nés. C'est dire que ces pulsions sexuelles et ces pulsions agressives sont inhérentes à la nature humaine puisqu'elles étaient en nous à la naissance. Nous ne formons pas ces pulsions, nous en héritons. Et pour Freud, la vie psychique est essentiellement animée par ces deux pulsions fondamentales.

La dynamique du fonctionnement psychique

Si l'être humain ne possède que deux pulsions fondamentales, alors comment peut-on expliquer toute la diversité des activités soumises aux motivations humaines et qui n'ont rien à voir avec la vie sexuelle ou l'agressivité? Freud a résolu ce problème de manière créative en posant comme postulat que les pulsions fondamentales peuvent s'exprimer de nombreuses façons et que les mécanismes psychiques peuvent diriger l'énergie vers divers types d'activités.

Dans la dynamique du fonctionnement psychique, que peut-il advenir des pulsions? On peut, au moins temporairement, les empêcher de s'exprimer, les exprimer en les modifiant ou les exprimer sans modification. Par exemple, l'affection peut être l'expression dérivée de la pulsion sexuelle, et le sarcasme l'expression dérivée de la pulsion agressive. Il est également possible de modifier la pulsion ou de la faire passer de son objet initial à un nouvel objet. Ainsi, l'amour que l'individu porte à sa mère peut être déplacé pour être reporté sur son épouse, ses enfants ou le chien. On peut ainsi transformer ou modifier

Pulsion de vie

Concept freudien désignant les pulsions ou les sources d'énergie (libido) axées sur l'autoconservation et la satisfaction sexuelle.

Pulsion de mort

Concept freudien désignant la pulsion ou source d'énergie orientée vers la mort ou le retour à un état inorganique.

Libido

Terme psychanalytique désignant l'énergie psychique associée d'abord aux pulsions sexuelles et plus tard à la pulsion de vie.

chacune des pulsions et les deux sont le plus souvent intriquées. Le football, par exemple, peut satisfaire à la fois les pulsions sexuelles et les pulsions agressives ; la chirurgie est peut-être un lieu où fusionnent l'amour et la destruction. On se rend compte que la théorie psychanalytique est en mesure d'expliquer plusieurs comportements différents grâce à deux pulsions seulement. C'est la nature fluide, mobile et changeante des pulsions et les nombreux types de satisfaction de substitution qui autorisent une telle variabilité du comportement. Au fond, une pulsion peut être satisfaite de plusieurs façons et un comportement donné peut renvoyer à des causes multiples selon les individus.

Dans la théorie psychanalytique, tous les processus peuvent se ramener à une dépense d'énergie investie dans un objet ou une force inhibant la dépense d'énergie, c'est-à-dire la satisfaction de la pulsion. Comme l'inhibition implique une dépense d'énergie, l'individu qui oriente le gros de ses efforts dans cette direction finit par éprouver de la fatigue et de l'ennui. L'interaction entre l'expression et l'inhibition des pulsions forme le fondement des aspects dynamiques de la théorie psychanalytique, dont la clé est le concept d'**angoisse**. Dans la théorie psychanalytique, la notion d'angoisse désigne une expérience affective douloureuse renvoyant au sentiment que l'individu fait face à une menace ou à un danger. Lorsqu'il se trouve dans un état d'angoisse « diffuse », l'individu est incapable de lier son état de tension à une menace précise ; en revanche, s'il ressent de la peur, il est en mesure d'en déterminer la cause. Selon la théorie psychanalytique, l'angoisse représente une émotion pénible qui sert à signaler la présence d'une menace imminente pour le moi ; dans ce cas, l'angoisse se comporte comme une fonction du moi et elle l'avertit du danger pour qu'il puisse agir.

Angoisse
Dans la théorie psychanalytique, émotion pénible qui signale au moi la présence d'une menace ou d'un danger.

Mécanisme de défense
Concept freudien désignant chacun des mécanismes utilisés par le moi en vue de réduire l'angoisse. C'est par leur intervention que certains désirs, pensées ou émotions sont exclus du champ de la conscience.

Déni
Mécanisme de défense par lequel on refuse de croire ou même de percevoir une réalité interne ou externe pénible.

La théorie psychanalytique de l'angoisse stipule qu'à un certain moment au début de la vie l'individu subit un traumatisme, un dommage ou une blessure. L'angoisse représente la répétition, en miniature, d'une expérience traumatisante antérieure. L'angoisse éprouvée aujourd'hui est donc associée à un danger appartenant au passé. L'enfant peut être sévèrement puni à la suite d'un acte de nature sexuelle ou agressive. Plus tard, l'adulte éprouvera de l'angoisse s'il ressent le désir de reproduire cet acte pour lequel il avait été blâmé. Il aura peut-être oublié la punition d'autrefois (traumatisme). Sur le plan structurel, on dira que l'angoisse traduit le conflit qui se déclenche entre les pulsions du ça et le surmoi menaçant de le punir. Autrement dit, le ça proclame « Je le désire ! », le surmoi rétorque « C'est affreux ! » et le moi ajoute « J'ai peur ! ».

L'angoisse, les mécanismes de défense et la recherche contemporaine

L'angoisse est tellement pénible que nous sommes incapables de la supporter très longtemps. Comment y réagissons-nous ? Si, comme l'affirme Freud, notre psychisme est le siège de pulsions sexuelles et de pulsions agressives qui sont socialement inacceptables, alors comment se fait-il que nous ne soyons pas constamment angoissés ? La réponse de Freud à cette question constitue l'un des éléments les plus établis de la théorie de la personnalité. Il a en effet suggéré que l'être humain trouve des moyens pour se protéger contre les idées susceptibles de provoquer l'angoisse, en élaborant des **mécanismes de défense**. Nous trouvons ainsi des façons de déformer la réalité et de rejeter certaines émotions hors du champ de la conscience pour ne pas éprouver d'angoisse. Ces mécanismes de défense sont générés par le moi comme stratégie pour s'adapter aux pulsions socialement inacceptables que lui envoie le ça.

Certaines choses sont trop terribles pour être vraies.

Source : Bob Dylan.

Le déni

Freud a distingué un certain nombre de mécanismes de défense. Certains sont simples, ou psychiquement primitifs, d'autres sont plus complexes. Le **déni** est un mécanisme de défense particulièrement primitif. L'individu peut, dans ses pensées conscientes, nier l'existence d'un événement traumatisant ou socialement inacceptable. L'événement en cause est si « terrible », pour reprendre le mot de la chanson de Bob Dylan, que l'individu refuse d'en reconnaître la réalité. On peut avoir recours à ce mécanisme de défense dès l'enfance. Il peut s'agir d'un déni de la réalité, comme le garçon qui, dans son fantasme, nie l'absence de pouvoir, ou d'un déni de réaction, comme la personne furieuse qui, niant être en colère, criera « Je ne suis pas en colère ! ». Le fait de protester de manière excessive peut refléter cette défense. Le déni de la réalité s'observe souvent chez l'individu qui refuse de reconnaître l'ampleur de la menace. L'expression « Oh ! non » qui vient aux lèvres à l'annonce du décès d'un ami proche représente un réflexe de déni. On sait que les enfants nient la mort de leur animal préféré et se comportent pendant longtemps comme s'il était encore vivant. Lorsqu'on a demandé à Edwin Meese, ancien ministre de la justice sous Ronald Reagan, à combien s'élevait la facture de ses frais juridiques, il a rétorqué : « Je ne sais vraiment pas. J'ai trop peur, je n'ose même pas y penser. » La mère de l'ex-président Bill Clinton, quant à elle, aurait affirmé : « Lorsque des événements désagréables surviennent, je fais tout pour les oublier. Dans ma tête, j'ai construit un compartiment étanche. J'y place les choses auxquelles je désire penser, le reste demeure à l'extérieur. À l'intérieur, c'est blanc ; à l'extérieur, c'est noir. Le seul gris que je tolère, c'est la mèche dans mes cheveux. » L'amie d'un des auteurs du présent ouvrage a organisé sa boîte de réception de courriels en trois sous-thèmes : les courriels « peu importants », les courriels « importants » et les courriels « qui me font peur ». Si un tel déni peut au départ être conscient, il peut devenir automatique et inconscient, de sorte que l'individu ne pense même plus à s'en préoccuper.

On note également un déni de la réalité lorsque la personne affirme ou prétend qu'une chose ne peut pas lui arriver, même si l'imminence de la catastrophe apparaît clairement. On a observé ce mécanisme de défense chez les Juifs qui ont été victimes des nazis. Steiner (1966), dans l'ouvrage qu'il consacre au camp de concentration nazi de Treblinka, explique que dans le camp, on se comportait comme si la mort n'existait pas, alors que le contraire était évident. L'extermination d'un peuple entier, écrit-il, est à ce point inconcevable que les gens refusaient de l'admettre. Ils préféraient accepter les mensonges plutôt que de supporter le terrible traumatisme de la vérité.

Le déni est-il forcément une mauvaise chose ? Devons-nous toujours éviter de nous dérober ? Les psychanalystes admettent en général que, même si les mécanismes de défense présentent une utilité pour réduire l'angoisse, ils peuvent être aussi inadaptés lorsqu'ils amènent l'individu à se détourner de la réalité. Ainsi, les psychanalystes considèrent que « l'orientation vers la réalité » est essentielle à la stabilité émotive et ils mettent en doute la valeur des tentatives visant à déformer l'image de soi ou des autres (Colvin et Block, 1994 ; Robins et John, 1997). Néanmoins, certains psychologues avancent que les illusions positives et la dérobade peuvent favoriser l'adaptation. Les illusions qu'on entretient sur soi-même, sur l'avenir et sur sa capacité de maîtriser les événements peuvent avoir de bons effets sur la santé mentale, et même lui être essentielles (Taylor et Armor, 1996 ; Taylor et Brown, 1988, 1994 ; Taylor et coll., 2000). La réponse à ces opinions contradictoires semble dépendre de l'ampleur de la déformation, de son caractère envahissant et des circonstances de son apparition. Par exemple, il peut être utile de se faire des illusions positives sur soi-même, à condition que ces illusions ne soient pas trop extrêmes. Le déni et la dérobade peuvent également soulager temporairement l'individu d'un traumatisme émotionnel et lui éviter d'être submergé par l'angoisse ou la dépression. Le déni peut être approprié s'il est impossible d'agir, par exemple lorsqu'on est aux prises avec une situation qu'on ne peut modifier (une maladie mortelle). Par contre, il faut

certainement le considérer comme peu approprié si, à cause de lui, l'individu s'abstient de prendre des mesures concrètes pour changer la situation.

La projection

La **projection** est un autre mécanisme de défense relativement primitif. Dans la projection, ce qui est interne et inacceptable est projeté à l'extérieur et est alors perçu comme externe. Par exemple, plutôt que de reconnaître sa propre hostilité, l'individu l'attribue aux autres. De nombreuses recherches ont été consacrées à la projection. Au début, les chercheurs ont eu de la difficulté à démontrer l'existence de ce phénomène en laboratoire (Halpern, 1977 ; Holmes, 1981). Plus récemment, toutefois, on a démontré qu'en réalité les individus ont tendance à projeter sur les autres leurs qualités psychologiques qu'ils ne désirent pas.

Newman et ses collègues ont analysé les processus mentaux qui sont en jeu dans la projection sur les autres des traits que nous refusons de nous attribuer (Newman, Duff et Baumeister, 1997). Ainsi, fondamentalement, l'individu a tendance à cibler les caractéristiques qu'il n'aime pas de lui-même. Ces caractéristiques surgissent dès lors facilement à son esprit, devenant, selon le terme utilisé par les chercheurs, « chronologiquement accessibles » (Higgins et King, 1981). Par exemple, si vous vous percevez comme un être paresseux et que vous ressassez constamment cette idée, la notion de paresse colorera toute votre réflexion sur vous-même et sera relativement fréquente dans vos pensées. C'est alors que peut intervenir le phénomène de la projection. Lorsque nous interprétons les comportements d'autrui, nous le faisons par le filtre des notions et concepts qui habitent nos pensées. En interprétant les comportements des autres à la lumière des caractéristiques négatives qui sont les nôtres, nous projetons ces caractéristiques négatives sur les autres. Revenons à la paresse : s'il s'agit là d'une caractéristique qui s'applique à vous et que cette notion est constamment présente à votre esprit, vous taxerez probablement de

paresseux l'individu que vous verrez à la plage en plein cœur de l'après-midi un jour de semaine, alors que quelqu'un d'autre que vous dira simplement de cette personne qu'elle se repose. L'élément central de la projection selon la psychanalyse est le fait d'attribuer à une autre personne un trait de personnalité que vous niez faire partie de vous-même : ce n'est pas vous qui êtes paresseux, c'est l'autre.

La recherche expérimentale confirme cette définition de la projection (Newman, Duff et Baumeister, 1997). Newman a soumis les participants à de faux commentaires négatifs sur deux traits de personnalité. On leur a ensuite demandé de supprimer de leur pensée l'un des deux traits de personnalité pendant qu'ils discutaient de l'autre trait. Très souvent, le résultat est le contraire du résultat recherché, le participant continuant par la suite de penser au trait qu'il devait supprimer. En effet, pour la suite de l'expérience, on a présenté aux participants une vidéo montrant une personne visiblement angoissée. Lorsqu'on leur a demandé d'évaluer cette personne sur divers traits de personnalité, les participants projetaient sur elle le trait qu'on leur avait demandé de chasser de leurs pensées. En d'autres mots, ils estimaient que la personne possédait le trait de personnalité négatif qu'ils avaient tenté de rejeter hors de leurs pensées au début de l'expérience.

Les travaux de Newman et ses collègues (1997) font ressortir un thème que nous avons abordé plus tôt dans ce chapitre. D'abord, ils confirment ce que Freud avait présagé : les individus se défendent contre leurs propres traits négatifs en les attribuant aux autres. Cela dit, les travaux de Newman ne permettent pas de confirmer directement le fonctionnement exact de ce processus de défense conçu par Freud. Contrairement à ce qu'enseigne la théorie freudienne, les travaux de Newman montrent que la projection se produit sur des traits de personnalité relativement courants (par exemple, la paresse) qui ne sont d'aucune façon liés aux pulsions du ça. De plus, pour expliquer les résultats auxquels ils sont arrivés, Newman et ses collègues (1997) s'appuient sur les principes explicatifs de la psychologie sociale cognitive (dont il sera question aux chapitres 12 et 13) plutôt que sur les principes de la psychanalyse.

L'isolation, la formation réactionnelle et la sublimation

Une autre façon de combattre l'angoisse consiste à isoler les événements entre eux dans la mémoire ou à séparer l'émotion du souvenir lui-même. Dans l'**isolation**, on

---

Projection

Mécanisme de défense par lequel on attribue aux autres (ou on projette sur eux) ses propres pulsions ou désirs inacceptables.

Isolation

Mécanisme de défense par lequel l'émotion est isolée d'un désir ou d'un souvenir pénible.

n'empêche pas la pulsion, la pensée ou l'acte d'accéder à la conscience, mais on dénie l'émotion qui l'accompagne habituellement. Ainsi, une femme peut avoir en tête l'idée ou le fantasme d'étrangler son enfant sans qu'aucun sentiment de colère n'y soit associé. Ce mécanisme se rapproche de l'intellectualisation, c'est-à-dire la prédominance de la pensée sur l'émotion, ou de la création de compartiments rationnels hermétiques. En pareil cas, les émotions que la personne éprouve peuvent exister de manière séparée, comme chez l'homme qui classe les femmes en deux catégories : les premières, chez qui on trouve de l'amour, mais non de la sexualité, et les secondes, chez qui on trouve de la sexualité, mais non de l'amour (le complexe de la madone et de la putain).

Celui qui utilise le mécanisme de l'isolation emploie également souvent le mécanisme de l'**annulation rétroactive**. Il s'agit alors d'annuler magiquement un acte ou un désir en le faisant suivre par un autre. Selon Anna Freud (1936, p. 33), « c'est une sorte de magie négative dans laquelle le deuxième geste de l'individu abolit ou invalide le premier, comme s'il n'avait jamais eu lieu, alors que les deux se sont effectivement produits dans la réalité ». Ce mécanisme s'exprime dans les compulsions – l'individu ressent une impulsion irrésistible à agir d'une certaine manière (il annule ainsi le fantasme du suicide ou du meurtre en employant des rites obsessionnels comme la fermeture des conduits de gaz à la maison) –, dans les rituels religieux ou dans les proverbes comme « Le malheur des uns fait le bonheur des autres ».

Dans la **formation réactionnelle**, l'individu lutte contre la manifestation d'une impulsion inacceptable (un comportement, une pensée, un sentiment) en ne reconnaissant et en n'exprimant que ce qui en représente le parfait contraire. Ce mécanisme de défense se traduit par un comportement qui est socialement acceptable, mais qui est aussi rigide, exagéré et inadéquat. La personne qui se sert de la formation réactionnelle ne peut avouer qu'elle éprouve d'autres sentiments, comme ces mères surprotectrices qui ne s'autorisent aucune hostilité consciente envers leurs enfants. La formation réactionnelle est le plus nettement visible lorsque le mécanisme de défense échoue et que le garçon modèle fait feu sur ses parents ou lorsque l'homme qui « ne ferait pas de mal à une mouche » se livre à un massacre.

Un autre mécanisme de défense que vous pouvez reconnaître en vous est la **rationalisation**. Il s'agit d'un mécanisme plus complexe que le simple déni qu'une pensée ou une action ait eu lieu. Dans la rationalisation, l'individu perçoit l'action, mais en déforme la motivation sous-jacente. Il réinterprète le comportement pour en faire quelque chose de raisonnable et d'acceptable. En d'autres mots, le moi ébauche une motivation pour justifier une action inacceptable provoquée par les pulsions irrationnelles du ça. Il convient particulièrement de souligner que, grâce à la rationalisation, l'individu peut exprimer la pulsion menaçante sans encourir la désapprobation du surmoi. Quelques-unes des pires atrocités de l'humanité n'ont-elles pas été commises au nom de l'amour ? Par le mécanisme de la rationalisation, nous pouvons adopter une attitude hostile ou immorale tout en professant l'amour ou la moralité. Bien sûr, pour qu'un mécanisme de défense soit efficace, il doit agir à l'insu de l'individu. Vous pourriez avoir recours à la rationalisation sans vous en rendre compte. Un individu pourra même affirmer qu'il ne fait « que rationaliser », mais sans réellement le penser.

Un autre mécanisme permettant d'exprimer sans inhibition les pulsions du ça d'une manière exempte d'angoisse est la **sublimation**. Dans ce mécanisme de défense relativement complexe, l'objet de satisfaction est remplacé par un objectif culturel plus élevé et plus éloigné de l'expression directe de la pulsion. Tandis que les autres mécanismes de défense heurtent les pulsions de plein fouet et que, dans l'ensemble, ils s'opposent à leur libération, dans la sublimation la pulsion est canalisée vers une autre voie, utile, celle-là. Contrairement à ce qui se passe pour les autres mécanismes de défense, le moi n'a pas à dépenser constamment de l'énergie pour empêcher

Annulation rétroactive
Mécanisme de défense utilisé pour annuler magiquement un acte ou un désir associé à l'angoisse en accomplissant un deuxième acte juste après.

Formation réactionnelle
Mécanisme de défense qui sert à exprimer le contraire d'une impulsion inacceptable.

Rationalisation
Mécanisme de défense employé pour donner une justification acceptable à un motif ou à un acte inacceptable.

Sublimation
Mécanisme de défense par lequel on remplace la première expression de la pulsion par un objectif culturel de plus haut niveau ou un comportement socialement acceptable.

la décharge. Freud voit dans *Sainte Anne, la Vierge et l'enfant Jésus* de Léonard de Vinci la représentation sublimée du désir de ce dernier pour sa mère. Les professions de chirurgien, de boucher ou de boxeur peuvent constituer des sublimations des pulsions agressives, à des degrés divers. La profession de psychiatre peut représenter la sublimation des tendances au voyeurisme. En somme, Freud est d'avis que l'essence de la civilisation réside dans la capacité de l'individu à sublimer ses pulsions sexuelle et agressive.

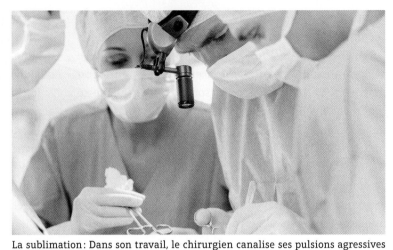

La sublimation: Dans son travail, le chirurgien canalise ses pulsions agressives vers une activité positive et utile.

Le refoulement

Enfin, nous en venons au principal mécanisme de défense de la théorie psychanalytique, le **refoulement**. Par ce mécanisme, on refoule une pensée, une idée ou même un désir hors du champ de la conscience parce que cette pensée, cette idée ou ce désir est tellement traumatisant et menaçant qu'il doit être stocké loin dans les profondeurs de la pensée. Le refoulement joue un rôle dans tous les autres mécanismes de défense et, tout comme ces derniers, il exige une constante dépense d'énergie pour repousser la menace hors du champ de la conscience.

> Dans les souvenirs de tout homme, il y a des choses qu'il ne confie pas à tout le monde, mais seulement à ses amis. Il y en a d'autres qu'il ne confie pas à ses amis, à peine à soi-même et encore sous le sceau du secret. Mais enfin, il y en a aussi que l'homme a peur de s'avouer à soi-même, et de pareilles choses s'amassent en assez grande quantité chez tout homme convenable.
>
> Source: *Les carnets du sous-sol*, Dostoïevski.

Dans son travail thérapeutique, Freud a reconnu l'existence du mécanisme du refoulement. Après plusieurs semaines ou plusieurs mois de thérapie, les patients se souvenaient d'événements traumatisants de leur passé et expérimentaient une catharsis. Avant cette catharsis, l'idée de l'événement était bien sûr présente dans l'esprit de l'individu, mais hors du champ de la conscience. Freud en a conclu que l'événement originel, vécu en toute

conscience, avait été tellement traumatisant que l'individu l'avait refoulé.

Pour Freud, ces expériences thérapeutiques confirmaient l'existence du mécanisme du refoulement. D'autres chercheurs ont par la suite étudié ce mécanisme en laboratoire. Une première étude fut menée par Rosenzweig (1941). Il a d'abord demandé aux participants (des étudiants de premier cycle) d'accomplir des tâches en variant le degré d'engagement personnel demandé aux participants pour chacune des tâches. Il a constaté que pour les tâches dans lesquelles ils se sentaient directement engagés, les participants se souvenaient davantage des tâches qu'ils avaient été en mesure d'accomplir que de celles qu'ils n'avaient pu mener à bien, refoulant probablement les expériences infructueuses. Lorsqu'ils ne se sentaient pas menacés, ils gardaient toutefois en mémoire un plus grand nombre de tâches non accomplies. Dans une étude semblable menée des années plus tard, on a présenté une vidéo érotique à des femmes ayant une culpabilité élevée en matière sexuelle et à d'autres affichant une faible culpabilité à ce sujet, en leur demandant d'évaluer leur degré d'excitation sexuelle. On enregistrait au même moment leurs réactions physiologiques. Les femmes ayant une culpabilité élevée ont signalé une excitation moins vive que les autres femmes, mais leurs réactions physiologiques étaient plus fortes. Il semble que la culpabilité associée à l'excitation sexuelle entraîne le refoulement ou bloque la prise de conscience de l'excitation physiologique (Morokoff, 1985).

Dans une étude fort intéressante et qui portait elle aussi sur le refoulement, on a demandé à des participants de repenser à leur enfance et de se remémorer une expérience ou une situation vécue alors. Ils devaient également se remémorer des expériences datant de l'enfance et

Refoulement
Mécanisme de défense fondamental qui permet de repousser une pensée, une idée ou un désir hors du champ de la conscience.

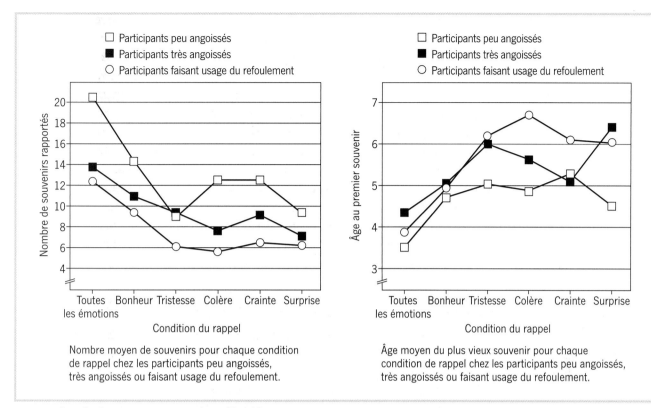

Figure 3.1 | **Refoulement et souvenirs affectifs**

Source : Davis, P.J., & Schwartz, G.E. (1987). Repression and the inaccessibility of affective memories. *Journal of Personality and Social Psychology*, *52*, 155-162. © 1987, American Psychological Association, reproduction autorisée.

associées à chacune des cinq grandes émotions, soit le bonheur, la tristesse, la colère, la crainte et la surprise, et indiquer à quand remontait leur plus vieux souvenir de chaque émotion. Les participants furent répartis en deux groupes, ceux qui présentaient un refoulement et ceux qui n'en présentaient pas (eux-mêmes se divisant en très angoissés et en peu angoissés), selon les réponses aux questionnaires. La capacité de se remémorer différait-elle selon les individus, comme le soutient la théorie psychanalytique du refoulement? On a constaté que les participants présentant un refoulement se souvenaient moins des émotions désagréables et qu'ils étaient nettement plus âgés au moment du plus vieux souvenir négatif (figure 3.1). Les auteurs en arrivèrent à la conclusion suivante : « Le patron des résultats est conforme à l'hypothèse selon laquelle le refoulement se caractérise par l'inaccessibilité des souvenirs liés à des émotions négatives ; il indique en outre que le refoulement est associé d'une certaine manière à la répression ou à l'inhibition des expériences émotives en général. La définition du concept de refoulement en tant que processus restreignant l'accès aux souvenirs affectifs négatifs semble valide » (Davis et Schwartz, 1987, p. 155).

D'autres études confirment la thèse selon laquelle certaines personnes ont un style défensif centré sur le refoulement (Weinberger, 1990). Ces individus disent être rarement aux prises avec l'angoisse ou d'autres affects négatifs, et semblent extérieurement très calmes. Mais il semble que ce flegme relatif ait un prix. Ainsi, ces personnes semblent avoir une réaction physiologique au stress plus forte que celles qui ne font pas un grand usage du refoulement et elles ont l'air d'être plus prédisposées à contracter des maladies (Contrada, Czarnecki et Pan, 1997 ; Derakshan et Eysenck, 1997 ; Weinberger et Davidson, 1994). La bonne contenance des gens qui font usage du refoulement dissimule parfois une tension artérielle et un pouls élevés, ce qui les prédispose à des affections telles que les maladies du cœur et le cancer (Denollet, Martens, Nyklícek, Conraads et de Gelber, 2008). Ce constat concorde avec des résultats indiquant que le peu d'expressivité émotionnelle est associé à un risque accru de maladies (Cox et Mackay, 1982 ; Levy, 1991 ; Temoshok, 1985, 1991).

En somme, la recherche contemporaine a permis de confirmer hors de tout doute que les gens sont parfois motivés à chasser de leur expérience consciente des pensées menaçantes ou douloureuses. Comme Freud l'avait prédit, certaines personnes qui affirment ne pas expérimenter une détresse psychique sont en réalité habitées par des pensées et des émotions anxiogènes dont elles ne sont aucunement conscientes. Cela dit, la recherche expérimentale n'a pu confirmer si les mécanismes de défense en jeu étaient exactement ceux qu'avait élaborés Freud. En particulier, il est difficile de démontrer en laboratoire le rôle du refoulement, c'est-à-dire sa capacité de protéger l'individu contre l'angoisse. Dès lors, si les psychanalystes cliniciens considèrent que l'existence du refoulement est confirmée par des preuves incontestables, les chercheurs d'approche expérimentale, eux, estiment que les preuves ne sont pas concluantes.

La croissance et le développement

Dans le premier chapitre, nous avons fait observer que l'étude du développement de la personnalité pose deux défis bien distincts : premièrement, dégager le modèle général de développement qui s'applique à tous les individus ou à la plupart d'entre eux et, deuxièmement, dégager les facteurs qui expliquent les différences de personnalité entre les individus. Dans sa théorie psychanalytique, Freud a abordé ces questions sous un angle particulièrement original, en suggérant que tous les êtres humains progressent par stades, puis que les événements qui se produisent aux divers stades déterminent le style de personnalité de chacun et fixent les différences entre eux, différences qui persistent tout au long de la vie. Les toutes premières expériences de l'enfance et le stade de développement auxquelles elles sont vécues ont un effet permanent sur la personnalité ; poussée à l'extrême, la conception psychanalytique affirme que les aspects les plus fondamentaux de la personnalité se forment au cours des cinq premières années d'existence.

Zone érogène

Selon Freud, chacune des régions du corps qui sont des sources de tension ou d'excitation et qui fournissent un but à la pulsion sexuelle.

Stade oral

Concept freudien désignant la période de la vie pendant laquelle la bouche constitue la source de l'excitation ou de la tension corporelle.

Le développement des pulsions et les stades de développement

À cette étape, vous devriez être en mesure de déterminer la question fondamentale qui se posait à Freud lorsqu'il étudiait le développement de la personnalité. Si l'on accepte l'hypothèse voulant que l'esprit humain est un système d'énergie et que les comportements sont au service des pulsions, alors quelle est la nature de ces pulsions auxquelles l'individu est soumis et avec lesquelles il doit composer tout au long de son développement ?

Ici encore, Freud s'appuie sur la biologie pour répondre à cette question. Il postule en effet que les pulsions sexuelles ont tendance à s'étayer sur certaines régions du corps qu'il appelle les **zones érogènes**. Il suggère également que la zone érogène d'où émane l'excitation change au cours du développement. En d'autres mots, à chacun des stades du développement, une zone érogène différente devient la source principale de l'excitation corporelle. C'est ainsi que Freud a élaboré une véritable théorie des stades du développement psychosexuel. Le développement se fait en plusieurs étapes ou stades, chaque stade correspondant à une région du corps bien précise. Si le recours au mot *psychosexuel* par Freud réfère à la dimension sexuelle, il serait plus approprié de parler de dimension sensuelle et d'affirmer qu'à chaque stade, la satisfaction sensuelle qui procure du plaisir (réduction de l'excitation) prend sa source dans une région du corps bien précise. Combien y a-t-il de tels stades, et comment peut-on les décrire ?

Pour Freud, la bouche est la zone érogène sur laquelle s'étaye la satisfaction sensuelle au premier stade du développement, qu'il appelle le **stade oral**. La satisfaction ou le plaisir vient donc de l'alimentation, de la succion du pouce et d'autres mouvements caractéristiques des nourrissons. On retrouvera des vestiges d'oralité dans des activités telles que mâcher de la gomme, manger, fumer et embrasser. À la première phase du stade oral, l'enfant est passif et réceptif. À la phase plus tardive du stade oral, on observera une fusion des plaisirs sexuels et des plaisirs liés à l'agression, avec la poussée des dents. Chez l'enfant, cette fusion se manifeste dans le fait de manger des craquelins en forme d'animaux. Plus tard, on trouve des traces d'oralité dans diverses sphères d'activité. Par exemple, les études universitaires fournissent des exemples d'associations orales avec l'inconscient : on « alimente » l'étudiant en lui procurant des éléments de réflexion, on lui demande d'« ingérer » des lectures complémentaires et de « régurgiter » ce qu'il a appris lors des examens.

DÉBATS ACTUELS — Souvenirs d'expériences traumatisantes ou mémoire fictive ?

Les psychanalystes soutiennent que, par le mécanisme du refoulement, l'individu enfouit dans l'inconscient le souvenir d'expériences traumatisantes remontant à l'enfance. Ils avancent aussi que, dans certaines circonstances, par exemple au cours d'une thérapie, il est possible de se remémorer ces expériences oubliées. Par contre, d'autres mettent en doute l'exactitude des souvenirs que les adultes conservent des expériences de l'enfance. Ce problème a défrayé la chronique lorsque des personnes affirmant se remémorer les violences sexuelles subies durant leur enfance ont intenté un procès à ceux qu'elles accusaient d'avoir commis ces crimes. Même si certains professionnels sont convaincus de l'authenticité de ces souvenirs de violences sexuelles et que, selon eux, c'est faire du tort à la victime que de refuser de les tenir pour vrais, d'autres contestent leur authenticité et invoquent le «syndrome des faux souvenirs». Alors que certains considèrent ces rappels comme salutaires pour ceux qui avaient refoulé le traumatisme de violence, d'autres laissent entendre que ces «souvenirs» surgissent sous l'effet des questions suggestives que mènent les thérapeutes convaincus du fait que ces violences ont bel et bien eu lieu.

Dans un article paru dans une revue destinée aux psychologues, on pose les questions suivantes : «Sur le plan scientifique, existe-t-il des preuves de l'authenticité des souvenirs concernant les violences sexuelles, souvenirs qu'on aurait d'abord "refoulés", puis qu'on se serait "remémorés" avec l'aide d'un thérapeute ? Comment les scientifiques, les juristes et les gens en détresse feront-ils pour différencier les souvenirs authentiques des souvenirs fictifs ?» Malheureusement, on ne peut répondre à ces questions de manière précise. D'abord, nous savons que l'être humain peut oublier des événements et se les rappeler par la suite. Nous avons tous vécu cette expérience d'événements du passé qui nous reviennent en mémoire. Cela dit, il est troublant de penser que nous pouvons nous «rappeler» certains événements qui ne se sont jamais produits comme si nous avions de «faux souvenirs».

La recherche confirme d'ailleurs l'existence de ce phénomène par lequel nous pouvons avoir des souvenirs d'événements qui n'ont jamais existé. C'est ce qu'ont démontré Mazzoni et Memon (2003) dans une recherche où les participants étaient convoqués à trois séances espacées d'une semaine l'une de l'autre. Lors de la première séance, les participants devaient remplir un questionnaire dans lequel ils devaient évaluer la probabilité d'avoir vécu une série d'événements durant leur enfance. Pour la deuxième séance, les chercheurs ont sélectionné deux des événements (des interventions médicales simples) compris dans le questionnaire de la semaine précédente, soit l'extraction d'une dent et le prélèvement d'un petit échantillon de peau du petit doigt. Pour l'un des deux événements, on a simplement fait lire un court texte d'information sur le type de procédure en cause, alors que pour l'autre événement, on a demandé aux participants d'imaginer le déroulement de l'événement. Lors de la troisième séance, les participants devaient remplir de nouveau le questionnaire qu'on leur avait présenté à la première séance, et raconter tout souvenir lié aux deux événements. Les chercheurs émettaient l'hypothèse que le fait d'avoir imaginé un événement

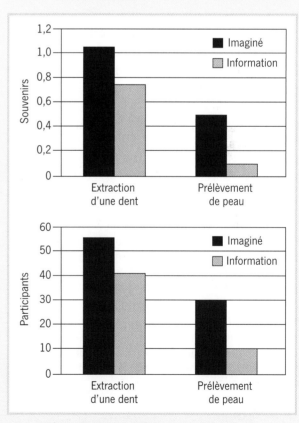

Figure 3.2 | Ces diagrammes montrent respectivement le nombre de souvenirs (diagramme du haut) et le pourcentage de participants qui ont expérimenté le souvenir des événements (diagramme du bas) après qu'on leur eut demandé d'imaginer l'événement ou qu'on leur eut présenté de l'information sur l'événement.

(c'est-à-dire se former une image mentale d'un événement survenu plus tôt) amène les gens à croire que l'événement s'est réellement produit. L'hypothèse s'est confirmée (figure 3.2). Qu'ils aient imaginé l'extraction d'une dent ou le prélèvement d'un morceau de peau, les participants à qui on avait demandé d'imaginer l'événement étaient plus susceptibles de croire que cet événement s'était réellement produit et d'imaginer certains détails de l'événement. Un des éléments clés de cette étude est le fait qu'il était impossible que les participants aient réellement vécu l'un des deux événements, soit le prélèvement d'un échantillon de peau. En effet, une recherche préalable avait indiqué que, dans la région où l'on devait mener l'étude, cette procédure médicale n'était jamais pratiquée par les médecins.

Par conséquent, les participants se remémoraient un événement (y compris l'environnement dans lequel le prélèvement avait prétendument eu lieu et le personnel médical présent) qui n'avait jamais eu lieu.

Ce type d'étude ne permet pas d'établir l'authenticité des souvenirs qui surgissent chez un patient en thérapie. La controverse n'est donc pas sur le point de s'éteindre. Les psychologues n'ont aucun moyen fiable pour déterminer si un souvenir est lié à un événement réel ou fictif. Toutefois, la recherche démontre qu'il est tout à fait possible de se souvenir d'un événement qui, de toute évidence, ne s'est jamais produit.

Sources: Loftus, 1997 ; Mazzoni et Memon, 2003 ; Williams, 1994.

Au second stade du développement, le **stade anal** (enfants de deux et trois ans), la muqueuse ano-rectale et l'intestin deviennent la zone d'excitation. On croit que la défécation soulage la tension et procure du plaisir en stimulant les muqueuses situées dans cette région. Le plaisir associé à cette zone érogène suscite un conflit dans l'organisme. Il y a en effet conflit entre expulsion et rétention, entre le plaisir libéré et le plaisir retenu, ainsi qu'entre le désir de trouver du plaisir dans l'évacuation et la rétention imposée par le monde extérieur. Il s'agit du premier grand conflit entre l'individu et la société. L'entourage exige que l'enfant enfreigne le principe de plaisir ou qu'il soit puni. L'enfant peut riposter et se souiller volontairement. Psychologiquement, l'enfant peut associer la défécation à une perte importante, ce qui peut engendrer la dépression, ou associer la défécation à une récompense ou à un cadeau offert aux autres, ce qui peut correspondre à un sentiment de pouvoir et de maîtrise.

Au **stade phallique** (enfants de quatre et cinq ans), l'excitation et la tension se concentrent sur les organes génitaux. La différence physiologique entre les sexes entraîne une différenciation psychologique. Le garçon connaît des érections et les nouvelles excitations provenant de cette zone provoquent un intérêt accru pour les organes génitaux. Il se rend compte de l'absence de pénis chez les filles, ce qui engendre chez lui la crainte de perdre son pénis, autrement dit l'**angoisse de castration**. Il rivalise avec son père pour obtenir l'affection de sa mère. Il projette sur son père l'hostilité ressentie envers lui, ce qui entraîne la peur de représailles. Cet état de choses mène alors au **complexe d'Œdipe**. En vertu de ce complexe, chaque garçon est voué à tuer symboliquement son père et à épouser sa mère. Le complexe peut être renforcé par la séduction présente chez la mère, et l'angoisse de castration peut être accentuée par les menaces vraiment proférées par le père de couper le pénis. Ces menaces surviennent dans un nombre surprenant de cas.

Les études sur l'activation psychodynamique subliminale dont nous avons fait état précédemment nous fournissent un moyen intéressant de corroborer le complexe d'Œdipe.

Stade anal
Concept freudien désignant la période de la vie pendant laquelle l'anus constitue la source de l'excitation ou de la tension corporelle.

Stade phallique
Concept freudien désignant la période de la vie pendant laquelle l'excitation ou la tension commence à prendre source dans les organes génitaux et au cours de laquelle l'enfant est attiré par le parent du sexe opposé.

Angoisse de castration
Concept freudien désignant la peur qu'éprouve le garçon, durant le stade phallique, devant la possibilité que son père lui coupe le pénis en raison de leur rivalité sexuelle à l'égard de la mère.

Complexe d'Œdipe
Concept freudien exprimant l'attrait sexuel de l'enfant pour le parent du sexe opposé et des sentiments ambivalents pour le parent du même sexe, considéré comme un rival. C'est aussi un conflit qui organise et structure la personnalité (p. ex., les relations sont organisées autour de trois personnes et non plus deux seulement).

Dans ces recherches, les participants reçoivent des stimuli présentés de manière subliminale au moyen d'un tachistoscope. Certains stimuli particuliers activent vraisemblablement des conflits inconscients. Dans l'une de ces études, les chercheurs ont présenté à des participants de sexe masculin des stimuli destinés à déclencher le conflit œdipien, puis ont examiné les effets de cette stimulation sur leur rendement dans une activité compétitive (Silverman, Ross, Adler et Lustig, 1978). Les stimuli choisis pour intensifier ou atténuer le conflit œdipien étaient les suivants : « Battre papa est mal » et « Battre papa est bien ». On a présenté également des stimuli neutres, comme « Les gens marchent ». Les stimuli ont été présentés au moyen d'un tachistoscope après que les participants se furent engagés dans une compétition de fléchettes. Une fois que chacun des stimuli eut été présenté sur le mode subliminal, on a vérifié de nouveau la performance des participants au jeu de fléchettes. Comme prévu, les deux stimuli œdipiens ont eu des effets bien nets et de sens opposés. Le stimulus « Battre papa est bien » a donné lieu à des pointages beaucoup plus élevés que le stimulus neutre, alors que le stimulus « Battre papa est mal » s'est soldé par des pointages beaucoup plus bas (tableau 3.2).

Il importe de souligner que les expérimentateurs n'ont pas obtenu de tels résultats lorsque les stimuli étaient présentés au-dessus du seuil de la conscience. L'activation psychodynamique ne semble donc fonctionner qu'au niveau inconscient. De plus, puisque l'effet subliminal n'est pas toujours présent dans les recherches en psychologie, il faut noter que les auteurs ont tenu compte du fait que les stimuli expérimentaux utilisés de même que les réponses obtenues devaient refléter les motivations des participants. Pour s'en assurer, les expérimentateurs ont préparé les participants en leur montrant des images et du matériel à contenu œdipien.

Toujours au stade phallique, le processus de développement est différent chez la fillette. Pour Freud, la fillette se rend compte qu'elle n'a pas de pénis et elle en attribue la responsabilité à sa mère, son premier objet d'amour. Alors que l'**envie du pénis** est chez elle de plus en plus marquée, la fillette fait du père son objet d'amour et elle s'imagine qu'elle retrouvera l'organe perdu en ayant un enfant de lui[1].

---

1. De nombreuses raisons ont amené les féministes à contester la théorie psychanalytique. Plus que tout autre concept, l'envie du pénis est considérée comme l'expression d'une conception machiste et hostile envers les femmes. Nous aborderons cette question au chapitre 4, en faisant l'évaluation critique de la théorie psychanalytique.

Tableau 3.2 | **Le conflit œdipien et la performance en situation de compétition**

Pointage au jeu de fléchettes			
	« Battre papa est mal »	« Battre papa est bien »	« Les gens marchent »
Présentation des trois stimuli au moyen d'un tachistoscope			
Moyenne avant présentation	443,7	444,3	439,0
Moyenne après présentation	349,0	533,3	442,3
Écart	− 94,7	+ 89,0	+ 3,3

Source : Résultats partiels adaptés de Silverman, L.H., Ross, D.L., Adler, J.M., & Lustig, D.A. (1978). Simple research paradigm for demonstrating subliminal psychodynamic activation : Effects of Oedipal stimuli on dart-throwing accuracy in college men. *Journal of Abnormal Psychology*, *87*, p. 346. © American Psychological Association, reproduction autorisée.

S'il disparaît chez le garçon en raison de l'angoisse de castration, le complexe d'Œdipe débute chez la fille en raison de l'envie du pénis. Comme chez le garçon, la séduction exercée par le père sur la fillette renforce le conflit vécu durant cette période. Et comme chez le garçon encore une fois, quoique dans des rôles inverses, la fillette résout le conflit en conservant le père comme objet d'amour et en s'identifiant pour cela avec la mère.

Les enfants ont-ils réellement des comportements œdipiens ou s'agit-il de souvenirs déformés entretenus par les adultes, notamment les patients en cure psychanalytique ? Une étude s'est penchée sur cette question en étudiant les comptes rendus que faisaient les parents des interactions parents-enfants, ainsi que l'analyse des réponses d'enfants aux histoires comportant des interactions parent-enfant. On a constaté que les enfants de quatre ans environ témoignent d'une préférence accrue pour le parent du sexe opposé et d'un antagonisme accentué envers le parent du même sexe. Ces comportements s'atténuent vers l'âge de cinq ou six ans. Fait à noter, même s'ils provenaient d'un autre courant théorique, les chercheurs ont néanmoins conclu que les comportements œdipiens signalés coïncidaient avec la théorie psychanalytique des relations œdipiennes entre les mères et les fils, et entre les pères et les filles (Watson et Getz, 1990).

Envie du pénis

Dans la théorie psychanalytique, envie qu'éprouve la fillette de posséder un pénis lorsqu'elle découvre la différence des sexes.

Dans le cadre de la résolution du complexe d'Œdipe, l'enfant s'identifie au parent du même sexe que lui. Il parvient à obtenir le parent du sexe opposé, non pas en vainquant le parent rival, mais par un processus d'**identification** au parent du même sexe. Ce processus d'identification au parent du même sexe au cours du stade phallique est essentiel et, de façon plus générale, il représente un concept crucial de la psychologie du développement. L'identification permet d'assimiler les qualités d'une autre personne et de les intégrer dans son fonctionnement. En s'identifiant à leurs parents, les enfants adoptent bon nombre de leurs valeurs et de leurs principes moraux. C'est pourquoi on dit du surmoi qu'il est l'héritier de la résolution du complexe d'Œdipe.

Selon Freud, tous les aspects importants de notre personnalité se forment au cours des stades de développement oral, anal et phallique. Après le stade phallique, l'enfant entre en **période de latence**, pendant laquelle, affirme Freud, il expérimente une baisse d'intérêt et de désir sexuel. L'apparition de la puberté, qui se caractérise par un réveil des désirs sexuels et des sentiments œdipiens, marque le début du **stade génital**. Les sentiments de dépendance et les désirs œdipiens qui n'ont pas été résolus pleinement aux stades antérieurs du développement refont surface. Les bouleversements que vivent les adolescents sont en partie attribuables à ces facteurs. Selon Freud, c'est en réussissant à traverser ces stades de développement que l'être humain devient un individu sain sur le plan psychologique, capable d'aimer et de travailler.

Les stades du développement psychosocial selon Erikson

Freud n'a pas accordé beaucoup d'attention aux étapes plus tardives du développement. Pour lui, les déterminants

Complexe d'Œdipe, compétition et identification : Pour que le garçon développe le sens de la compétition, la rivalité avec le père ne doit pas être source d'une angoisse trop profonde. Sur cette photo, le joueur des Cardinals de Saint-Louis Albert Pujols est en compagnie de son fils, Albert Junior.

importants agissaient sur le développement de la personnalité jusqu'à la fin du stade phallique. D'autres psychologues, qui acceptaient pourtant pleinement le modèle général de la personnalité proposé par Freud, étaient d'avis qu'il avait sous-estimé l'importance du développement de la personnalité pendant toute la durée de la vie.

Ils ont dès lors cherché à comprendre, d'un point de vue psychodynamique, comment se développe la personnalité aux stades plus tardifs. Le plus important d'entre eux est Erik Erikson (1902-1994).

Erikson croyait que le développement de l'individu n'était pas que psychosexuel, mais également psycho*social*. Ces stades du développement comportent des préoccupations d'ordre social (tableau 3.3). Pour lui, l'importance du premier stade du développement de la personnalité ne vient pas seulement du fait que l'enfant retire du plaisir de la région buccale, mais également du fait que l'alimentation du nourrisson par la mère met en place une situation sociale où se développera une relation de confiance ou de méfiance entre eux. De la même manière, le stade anal ne se réduit pas à un changement de zone érogène, c'est aussi l'apprentissage de la propreté, une

Identification

Acquisition, en tant que caractéristiques personnelles, de traits de personnalité appartenant à des personnes importantes pour soi (p. ex., les parents).

Période de latence

Dans la théorie psychanalytique, période venant après le stade phallique et pendant laquelle on assiste à une baisse des pulsions et de l'intérêt sexuels.

Stade génital

Dans la théorie psychanalytique, stade de développement associé à l'apparition de la puberté et à la formation de structures psychiques importantes (p. ex., le surmoi).

Erik H. Erikson

Selon Erikson (1950), durant la période de latence et au stade génital, l'enfant acquiert le sentiment du travail et de la réussite, ou bien développe un sentiment d'infériorité, mais, plus important encore, il acquiert le sentiment d'identité ou, au contraire, le sentiment de diffusion de rôles. Pour l'adolescent, la tâche cruciale consiste à établir le sentiment d'identité du moi, à acquérir une plus grande confiance que sa perception de lui-même est en continuité avec celle de son passé, et que sa perception de lui-même est conforme à la perception que les autres ont de lui.

Contrairement aux personnes qui jouissent d'un sentiment d'identité, celles qui ont un sentiment de confusion de rôle ont l'impression de ne pas se connaître, de ne pas savoir si leur identité correspond à ce que les autres pensent d'elles ; de plus, elles ignorent comment elles sont devenues ce qu'elles sont et quelle direction elles prendront dans le futur. À la fin de l'adolescence et au cours des années d'études supérieures, ces difficultés de l'individu à établir son identité peuvent l'amener à se joindre à divers groupes et à le rendre très anxieux quant au choix d'une carrière. S'il ne réussit pas à résoudre cette crise pendant cette période, il fera face à un sentiment de désespoir : la vie est trop courte et il est trop tard pour recommencer.

Dans sa recherche concernant le développement de l'identité, Marcia (1994) a cerné quatre statuts de l'identité que l'individu peut acquérir durant ce processus. Dans

situation sociale qui peut permettre à l'enfant d'acquérir un sentiment d'autonomie ou de céder à la honte et au doute. Au stade phallique, l'enfant doit résoudre la crise psychosociale qui se pose à lui entre la capacité de prendre plaisir à s'affirmer, à rivaliser et à réussir, ou se sentir coupable.

Tableau 3.3 | **Les huit stades du développement psychosocial selon Erikson et leurs répercussions sur la personnalité**

Stade psychosocial	Période	Dénouement positif	Dénouement négatif
Confiance, ou méfiance fondamentale	Premier âge (1 an)	Bienveillance, confiance en soi et dans les autres, optimisme.	Malveillance, méfiance à l'égard de soi-même et des autres, pessimisme.
Autonomie, ou honte et doute	Petite enfance (2-3 ans)	Volonté, maîtrise de soi et capacité de faire des choix.	Rigidité, conscience de soi excessive, doute et honte envers sentiment d'autocontrôle.
Initiative, ou culpabilité	Période préscolaire (4-5 ans)	Satisfaction procurée par les réalisations, les activités, à viser une direction et un but.	Culpabilité en rapport avec les buts désirés et les réalisations entreprises.
Application, ou sentiment d'infériorité	Période de latence	Capacité de se laisser absorber par le travail productif, fierté au sujet du résultat.	Sentiment d'inadéquation et d'infériorité, incapacité de remplir les tâches attendues.
Sentiment d'identité ou diffusion des rôles	Adolescence	Confiance en son sentiment de similitude et de continuité, espoir d'entreprendre une carrière répondant à ses valeurs.	Confusion par rapport aux rôles, absence de valeurs personnelles, manque de naturel.
Sentiment d'intimité, ou isolement	Début de l'âge adulte	Ouverture en profondeur, partage des idées, du travail et des sentiments.	Évitement de l'intimité, relations superficielles.
Générativité, ou stagnation	Âge adulte	Capacité de s'oublier au profit de la prochaine génération par le travail ou dans ses relations	Perte d'intérêt pour le travail et appauvrissement des relations avec les autres.
Intégrité personnelle, ou désespoir	Vieillesse	Sentiment de satisfaction et d'acceptation envers la vie que nous avons menée.	Peur de la mort, amertume au sujet de sa vie et de son déroulement.

l'identité achevée, l'individu a mis en place un certain sentiment d'identité après s'être adonné à une série d'explorations. Ce stade se caractérise par un fonctionnement psychologique de haut niveau; la personne fait montre d'autonomie dans ses idées, d'intimité dans ses relations interpersonnelles, elle recourt à un raisonnement moral complexe et elle sait résister au groupe et à ses exigences de conformité ainsi qu'aux manipulations de l'estime de soi. Dans l'identité moratoire, l'individu est au centre d'une crise d'identité. Il peut manifester un comportement psychologique de haut niveau, comme l'indiquent la pensée complexe et le raisonnement moral, et il valorise également l'intimité. Cependant, il se pose encore des questions sur son identité et ses qualités, et

Identité et diffusion des rôles : À l'adolescence, l'identité du moi se construit en partie par la confirmation que notre perception de nous-mêmes correspond à celle que nos amis ont de nous.

il semble moins enclin à s'engager que ceux qui appartiennent au premier groupe. Dans l'identité forclose, l'individu s'engage dans une identité sans s'être livré au processus d'exploration. Il fait montre de rigidité et il cède aux pressions du groupe qui le force à se conformer et qui manipule son estime de soi. Il a tendance à être conformiste et à rejeter tout ce qui s'écarte des standards perçus du bien et du mal. Enfin, dans l'identité diffuse, le sentiment d'identité et la capacité d'engagement sont faibles. C'est une personne dont l'estime de soi est très fragile, dont la pensée est souvent désorganisée et qui éprouve des difficultés à se rapprocher des autres. En somme, Marcia soutient que la formation de l'identité diffère selon les individus et que ces différences se répercutent sur l'identité, sur les processus cognitifs et sur les relations interpersonnelles. On considère que la formation de l'identité, même si elle n'établit pas forcément un modèle immuable, influe de manière importante sur le développement ultérieur de la personnalité.

Poursuivant sa description des étapes de la vie et des crises psychosociales associées, Erikson avance que certains parviennent à développer un sentiment d'intimité envers soi et avec les autres, à accepter les succès et les déceptions de leur propre vie, à déceler une continuité dans les cycles de la vie, alors que d'autres restent avec un sentiment d'isolement vis-à-vis de la famille et des amis, semblent survivre en adoptant une routine quotidienne immuable et se concentrent sur les déceptions du passé et sur la mort prochaine. Même si la façon dont l'adulte arrive ou pas à résoudre les crises psychosociales qu'il rencontre dépend des capacités et des forces qu'il a su acquérir durant son enfance, Erikson indique que ce n'est pas toujours le

cas et que ces enjeux psychosociaux peuvent avoir leurs propres déterminants (Erikson, 1982). En résumé, la contribution d'Erikson s'impose à nous pour trois raisons : (1) il a accordé autant d'attention aux fondements psychosociaux qu'aux fondements pulsionnels dans le développement de la personnalité ; (2) il a ajouté de nouveaux stades de développement, qui tiennent compte de tous les cycles de la vie, et il a exposé clairement les problèmes psychologiques qui se posent au cours de ces derniers stades ; (3) il a soutenu que l'individu se tourne vers l'avenir tout autant que vers le passé et que sa façon d'entrevoir l'avenir peut occuper, dans sa personnalité, une place aussi importante que sa vision du passé.

L'importance des premières expériences

La théorie psychanalytique souligne l'importance des premières expériences de vie dans le développement de la personnalité. Les recherches confirmant le rôle des pratiques parentales lorsque l'enfant a besoin d'une aide sur le plan psychologique le démontrent (Pomerantz et Thompson, 2008). De nombreux chercheurs toutefois soutiennent que les possibilités de développement de la personnalité et de changement sont tout aussi réelles tout au long de la vie des individus. Bien qu'il s'agisse là d'une question complexe qui ne fait pas l'unanimité (Caspi et Bem, 1990), plusieurs chercheurs soutiennent que Freud avait sous-estimé le fait que les changements qui surviennent dans la vie d'une personne peuvent l'amener à modifier sa personnalité (Kagan, 1998 ; Lewis, 2002). En fait, contrairement à ce qu'avançait Freud, une des grandes tendances de la psychologie contemporaine consiste à étudier la dynamique de la personnalité tout au long de la vie, de l'enfance jusqu'à un âge avancé (Baltes, Staudinger et Lindenberger, 1999).

Deux études illustrent la complexité du sujet. La première, entreprise par un psychanalyste (Gaensbauer, 1982), se penchait sur le développement affectif au cours de la petite enfance. On a examiné systématiquement le comportement de Julie, qui avait près de quatre mois. À l'âge de trois mois, elle avait été violentée physiquement par son père, qui lui avait fracturé le bras et le crâne. Les employés de l'hôpital la décrivaient somme un « bébé adorable », une enfant gaie, amusante et sociable, mais qui n'aimait pas se faire câliner lorsqu'on la prenait dans les bras et qui s'agitait à l'approche d'un homme. À la suite de ces mauvais traitements, on l'a placée dans une famille d'accueil où elle a reçu des soins adéquats, mais a connu peu de contacts avec les autres. Elle avait vécu une situation très différente avec sa mère naturelle, qui passait beaucoup de temps auprès d'elle et l'allaitait à volonté. La première observation systématique a eu lieu un mois environ après son arrivée au foyer d'accueil. À l'époque, on considérait que son comportement était conforme au diagnostic de la dépression : léthargie, apathie, manque d'intérêt et posture affaissée. Une analyse systématique de ses expressions faciales a révélé cinq émotions distinctes, chacune associée clairement à ses antécédents. On a observé de la tristesse lorsqu'elle était en présence de sa mère, de la crainte et de la colère lorsqu'un inconnu de sexe masculin l'approchait, ce qui n'était pas le cas avec une inconnue. Elle manifestait brièvement de la joie pendant les périodes de jeu. Enfin, on constatait chez elle de l'intérêt et de la curiosité lorsqu'elle était en contact avec des inconnues.

Après ce séjour dans la première famille d'accueil, on transféra Julie dans une autre famille où elle reçut chaleur et attention. Deux semaines plus tard, elle revenait à l'hôpital pour une autre évaluation, amenée cette fois par la mère de la deuxième famille d'accueil. Dans l'ensemble, elle semblait réagir comme un bébé normal. Elle n'a montré aucun signe de détresse et a même souri à un inconnu. Un mois après cette évaluation, sa mère naturelle l'a ramenée à l'hôpital pour la troisième évaluation. Dans l'ensemble, elle était animée et joyeuse. Toutefois, elle a pleuré abondamment quand sa mère a quitté la pièce. Elle a continué à pleurer quand sa mère est revenue, malgré les nombreux efforts mis en œuvre pour la réconforter. Il semble que la séparation d'avec sa mère naturelle continuait de provoquer beaucoup de chagrin. En outre, on a constaté qu'elle manifestait souvent de la tristesse et de la colère. À huit mois, Julie est retournée vivre auprès de sa mère naturelle, qui avait quitté son mari et reçu de l'aide sur le plan psychologique. À 20 mois, elle paraissait avoir un comportement normal et entretenir une excellente relation avec sa mère. Cependant, il y avait toujours de la colère et de la détresse quand l'enfant se séparait de sa mère.

Ces observations nous permettent de conclure à l'existence tant d'une continuité que d'une discontinuité entre les premières expériences affectives de Julie et ses réactions émotionnelles ultérieures. Dans l'ensemble, elle se portait bien et ses réactions émotionnelles correspondaient à la gamme habituelle des émotions que manifestent les bébés de son âge. En revanche, les réactions de colère occasionnées par les séparations et la frustration semblaient être associées à son passé. Le psychanalyste qui a effectué l'étude affirme que les événements traumatisants isolés ont peut-être moins de poids que les expériences moins dramatiques, mais souvent répétées. Autrement dit, s'il faut attacher de l'importance aux premières années, c'est davantage à cause des modèles de relations interpersonnelles qui se mettent alors en place que des événements isolés qui s'y produisent.

La deuxième étude, dirigée par un groupe de psychologues du développement, a évalué la relation entre les premiers rapports affectifs avec la mère et les problèmes psychopathologiques ultérieurs (Lewis, Feiring, McGuffog et Jaskir, 1984). On a observé le comportement d'attachement à la mère chez les garçons et les filles d'un an. La méthode d'observation utilisée consistait en une procédure normalisée comprenant une période de jeu avec la mère dans une situation non structurée suivie du départ de la mère et une période où l'enfant restait seul dans la salle de jeux, puis du retour de la mère et une deuxième période de jeu libre. On a classé le comportement des enfants selon l'une des trois catégories d'attachement suivantes : évitant, sécurisé ou ambivalent. L'appartenance aux catégories d'attachement évitant ou ambivalent laissait supposer l'existence de difficultés dans ce domaine. Puis, à l'âge de six ans, on a évalué l'attitude de ces enfants en demandant aux mères d'évaluer le profil psychologique de l'enfant à l'aide du Child Behavior Profile. Les résultats fournis par les mères furent comparés à ceux de l'enseignant. D'après l'évaluation, les enfants furent répartis en trois groupes : enfants normaux, enfants à risques et enfants perturbés.

Quel était le lien entre le premier comportement d'attachement et les pathologies décelées ultérieurement ? Il convient de noter particulièrement deux éléments. D'une part, les rapports entre comportement et pathologie différaient passablement selon qu'il s'agissait de garçons ou de filles. Chez les garçons, il existait des rapports étroits entre le classement de l'attachement à un an et l'apparition ultérieure d'une pathologie. Les garçons affichant un attachement évitant ou ambivalent à l'âge de un an souffraient davantage de troubles psychologiques que les garçons affichant un attachement sécurisé. En revanche, on n'a observé chez les filles aucune relation entre l'attachement et les troubles psychologiques ultérieurs. Par ailleurs, les auteurs ont noté qu'on n'arrivait pas aux mêmes résultats si on tentait de prédire l'apparition de troubles psychologiques en se basant sur les premières données (prospective) ou si on souhaitait interpréter les troubles psychologiques ultérieurs en fonction des difficultés d'attachement précoces (rétrospective). Dans le cas des garçons considérés à l'âge de 6 ans comme à risques ou perturbés, on a constaté que 80 % d'entre eux avaient appartenu, à l'âge de 1 an, à la catégorie d'attachement évitant ou ambivalent ; il existait donc un lien statistique étroit. Par contre, dans le cas de tous les garçons classés à 1 an dans les catégories de l'attachement évitant ou ambivalent et dont on prévoyait qu'ils seraient à risques ou perturbés à 6 ans, le rapport ne pouvait être établi que dans 40 % des cas. Ce résultat s'explique par le fait que le nombre de garçons classés dans ces catégories était beaucoup plus élevé que le nombre de cas diagnostiqués plus tard comme à risques ou perturbés. Ainsi, le clinicien s'appuyant sur les troubles psychologiques apparus ultérieurement pouvait se fonder sur des faits précis pour postuler un lien étroit entre les troubles psychologiques et les premières difficultés d'attachement. En revanche, sous l'angle de la prédiction, le lien est beaucoup plus ténu et il faut tenir compte d'autres variables. Comme l'admettait Freud lui-même, lorsque nous observons un trouble relevant de la pathologie, il est beaucoup plus facile de comprendre comment il a pu évoluer antérieurement. Par contre, lorsque nous examinons ces phénomènes d'une manière prospective, nous avons conscience de la diversité des trajectoires développementales possibles.

Processus primaire

Dans la théorie psychanalytique, mode de pensée qui n'obéit pas à la logique ou ne subit pas l'épreuve de la réalité et que l'on observe dans les rêves ou dans d'autres manifestations de l'inconscient.

Processus secondaire

Dans la théorie psychanalytique, mode de pensée qui obéit à la réalité et qui est associé au développement du moi.

Le développement des processus cognitifs

L'élément le plus marquant des travaux de Freud sur le développement de la personnalité est certainement sa théorie sur les stades psychosexuels (voir la section intitulée « La croissance et le développement », page 84). En plus de déterminer les stades du développement des pulsions sexuelles, Freud s'est également intéressé au développement des processus cognitifs. Il a établi une distinction théorique entre deux modes, ou processus de la pensée, le processus primaire et le processus secondaire. Avant de définir ces concepts, toutefois, il convient de souligner la portée extrêmement large d'une telle distinction. Essentiellement, il s'agit d'expliquer comment fonctionne la pensée humaine et quels sont les processus par lesquels l'individu traite l'information. On pourrait croire que l'esprit humain, comme un ordinateur, traite de la même manière toute l'information qu'il reçoit. Tout ordinateur, qu'il soit neuf ou vieux, que l'information apporte un contenu intéressant ou non, traite l'information de la même manière, soit comme une série d'informations numériques. Peut-être est-ce aussi le cas du fonctionnement de l'esprit humain. Freud, lui, soutenait plutôt que l'esprit humain a recours à deux processus bien distincts.

Le **processus primaire** est celui de l'inconscient. La pensée primaire est illogique et irrationnelle, et elle ne fait aucune distinction entre la réalité et le fantasme. Ces caractéristiques, soit l'absence de pensée logique et la confusion entre apparence et réalité, peuvent à première vue sembler quelque peu étranges et nous inciter à rejeter la théorie freudienne. Avant de tirer une telle conclusion, toutefois, voyons quelques exemples. La pensée logique et rationnelle se développe graduellement tout au long de l'enfance. Les très jeunes enfants n'ont pas la capacité de formuler des arguments logiques. Pourtant, ils ont bel et bien un mode de pensée, qui n'est pas le mode de pensée logique et rationnelle de l'adulte. Pour Freud, le mode de pensée de l'enfant est primaire. Prenons les rêves. Supposons que vous faites un cauchemar. Vous vous réveillez le cœur haletant et en sueur. C'est votre corps qui, réagissant au contenu de votre rêve, prépare une réponse physiologique, réponse bien inutile puisqu'il s'agit d'un rêve. Vous réagissiez à un événement qui n'était pas réel, mais imaginé (halluciné). Dans le rêve, l'imaginaire et le réel se confondent.

Le **processus secondaire**, lui, est du domaine du conscient, de l'épreuve de la réalité et de la logique. Ce processus n'est possible qu'après que l'enfant a maîtrisé le processus primaire et il s'installe parallèlement au développement du moi. Avec le développement du moi, l'individu devient une entité propre, se différenciant du reste du monde et cessant de se préoccuper uniquement de lui-même.

Tout comme Freud, les psychologues contemporains ont reconnu que plus d'un processus mental est en jeu dans l'esprit humain. Epstein (1994) établit une distinction entre le processus cognitif expérientiel et le processus cognitif rationnel. Semblable au processus primaire, le *processus expérientiel* s'installe tôt dans le développement de l'individu et se caractérise par sa nature holistique, concrète et fortement déterminée par les émotions. C'est le processus que l'individu utilise dans ses relations interpersonnelles lorsqu'il lui faut manifester de l'empathie et composer avec les intuitions. Le *processus rationnel*, semblable au processus secondaire, se développe à un stade plus tardif; il se caractérise comme étant plus abstrait et analytique et il s'appuie sur les règles de la logique et de l'évidence. C'est le processus utilisé pour résoudre des problèmes mathématiques.

On a démontré l'existence d'un conflit potentiel entre le processus expérientiel et le processus rationnel par une expérience au cours de laquelle on a proposé deux choix aux participants: choisir un bonbon rouge dans un bol contenant un bonbon rouge sur dix bonbons, ou choisir un bonbon rouge dans un bol contenant huit bonbons rouges sur cent bonbons (Denes-Raj et Epstein, 1994).

Connaissant la proportion de bonbons rouges dans chacun des deux bols, les participants savaient, rationnellement, que les probabilités étaient meilleures s'ils tiraient au hasard dans le bol contenant un bonbon rouge sur dix bonbons. Pourtant, plusieurs estimaient que leurs chances étaient meilleures s'ils tiraient au hasard dans l'autre bol. Ce conflit entre ce que l'on «sent» et ce que l'on «sait» exprime bien le conflit potentiel entre le processus expérientiel et le processus rationnel. Selon Epstein (1994), les deux systèmes de pensée sont parallèles et peuvent agir de manière conjointe ou conflictuelle l'une avec l'autre. De nombreux psychologues contemporains estiment que Freud avait fondamentalement raison de poser comme postulat l'existence de plus d'un processus cognitif, même s'ils peuvent diverger d'opinion avec lui quant à la nature exacte des deux processus. Il reste que la réflexion de Freud sur cette question avait remarquablement entrevu les innovations à venir dans le domaine.

Dans ce chapitre, nous avons examiné l'approche de Freud sur trois des quatre éléments fondamentaux de la théorie de la personnalité, soit la structure, les processus et le développement de la personnalité. Le prochain chapitre sera consacré au quatrième élément de cette théorie: le modèle psychopathologique et les applications cliniques destinées à améliorer la vie des individus. Nous aborderons également les autres modèles psychodynamiques élaborés tout au long du XXᵉ siècle en réaction au modèle freudien.

RÉSUMÉ

1. La théorie psychanalytique représente un exemple d'approche psychodynamique et clinique de la personnalité. Le fait de voir dans le comportement le résultat de l'interaction des motivations ou des pulsions témoigne de son caractère psychodynamique. Il s'agit d'une méthode clinique, car elle accorde une grande importance aux observations effectuées lors du traitement intensif des patients.

2. Freud conçoit un modèle de la personnalité basé sur une approche mécanistique, le déterminisme et l'énergie psychique. Cette conception est conforme aux idées scientifiques et à la formation médicale dont Freud avait subi l'influence au XIXᵉ siècle.

3. Freud a élaboré sa théorie en s'appuyant sur les études de cas. Pour lui, l'analyse en profondeur des cas cliniques constituait la seule méthode valable pour dégager la dynamique du conscient et de l'inconscient.

4. L'analyse intégrée des structures et des processus de la personnalité est au cœur de la théorie freudienne. La structure comprend trois systèmes psychiques, soit le ça, le moi et le surmoi, qui, obéissant à des principes de fonctionnement différents, sont par définition conflictuels. Les processus, eux, sont représentés par une énergie psychique qui prend sa source dans le ça et dont l'expression est canalisée, bloquée ou déformée par les actions du moi et soumise aux contraintes venant du surmoi.

5. Dans la théorie psychanalytique, la personnalité s'exprime par le conflit. Les pulsions du ça recherchent un assouvissement immédiat, mais le moi, soumis aux contraintes de la réalité, tente d'en différer la satisfaction, et le surmoi veut en assujettir l'expression en accord avec les standards moraux. Ainsi, toute expression de la personnalité est le fait d'un compromis entre les diverses instances psychiques. Le moi a alors recours à divers mécanismes de défense pour se protéger contre l'angoisse générée par les pulsions inacceptables du ça et la menace de critique venant du surmoi.

6. Selon la théorie psychanalytique, la personnalité se développe par stades. Chacun de ces stades implique une muqueuse du corps sur laquelle s'étaye la satisfaction sensuelle des pulsions. Ces stades se manifestent très tôt dans l'enfance. Plus que toute autre théorie, la théorie psychanalytique soutient que les expériences vécues dans la petite enfance ont un effet durable et immuable sur la personnalité de l'individu.

7. Le psychanalyste Erik Erikson a tenté d'élargir et d'approfondir la théorie psychanalytique en posant l'existence de stades de développement psychosocial.

CHAPITRE 4

LA THÉORIE PSYCHANALYTIQUE DE FREUD :
applications, conceptions théoriques connexes et recherche contemporaine

L'évaluation psychodynamique de la personnalité : les tests projectifs

La psychopathologie

Le changement psychologique

Étude de cas : Le petit Hans

L'histoire de Jacques

Les conceptions connexes et l'évolution de la théorie

La relation d'objet, la psychologie du soi et la théorie de l'attachement

L'évaluation critique

Lorsque vous étiez enfant, vous amusiez-vous à regarder les nuages ? Il fallait pour cela un ciel bleu rempli de gros nuages blancs et floconneux. Vous vous allongiez dans l'herbe avec un ami et vous contempliez les nuages. À force de regarder, vous finissiez par voir toutes sortes de choses intéressantes : des animaux, des dragons, le visage d'un vieil homme, et ainsi de suite. Souvent, il vous était impossible de faire part de vos découvertes à votre ami, car vous étiez le seul à les apercevoir. Pourquoi en était-il ainsi ? Peut-être que vous «projetiez» quelque chose de vous-même dans le nuage…

C'est sur cette notion que se fondent les tests projectifs, comme le test de Rorschach et le test d'aperception thématique (TAT). Dans le présent chapitre, nous nous intéresserons tout particulièrement à ces tests qui sont des techniques d'évaluation de la personnalité associées à l'approche psychodynamique. Les tests projectifs se servent de stimuli ambigus pour obtenir des réponses très personnelles que le clinicien peut ensuite interpréter. Nous examinerons également les efforts déployés par Freud pour comprendre et expliquer les symptômes de ses patients, ainsi que pour élaborer un traitement systématique. Après avoir analysé l'évolution récente de la théorie psychanalytique, nous nous livrerons à une évaluation critique de l'approche psychodynamique et effectuerons un résumé de la démarche.

LE CHAPITRE...
EN QUESTIONS

1. Comment peut-on évaluer la personnalité du point de vue psychodynamique ?

2. Selon le point de vue psychanalytique, quelles sont les causes de la psychopathologie et les meilleures méthodes pour traiter les personnes aux prises avec une détresse psychologique ?

3. Pourquoi certains des premiers disciples de Freud s'écartèrent-ils de la psychanalyse freudienne, et quelles nouvelles théories proposèrent-ils ?

4. Quels développements récents en psychologie de la personnalité s'inspirent des travaux de Freud, et que nous indiquent les travaux de recherche actuels au sujet de l'approche psychanalytique initiale de Freud ?

Dans le chapitre précédent, nous avons vu les idées qui définissent la théorie psychanalytique de Freud au regard de la personnalité. Dans le présent chapitre, nous verrons ce que l'on peut faire avec ces idées. Nous étudierons la façon d'appliquer les concepts théoriques de la psychanalyse aux questions pratiques de l'évaluation de la personnalité et du changement psychologique en thérapie.

Nous examinerons aussi « ce que l'on peut faire » avec les idées de Freud, mais dans un autre sens. Tout au long du XXe siècle, plusieurs psychologues estimaient qu'il valait mieux changer les conceptions de Freud que de les mettre en application. Ces théoriciens ont conservé des concepts clés de la pensée de Freud (notamment l'étude de la dynamique mentale interne, ou « psychodynamique »), mais ils ont modifié et élargi considérablement certains aspects de la théorie initiale. Aussi le présent chapitre se donnet-il comme deuxième objectif de revoir ces théories psychodynamiques postfreudiennes.

Le troisième objectif du chapitre a trait à la recherche contemporaine. Plus longuement qu'au chapitre 3, nous nous pencherons ici sur la recherche moderne dans le domaine des processus psychodynamiques. Enfin, pour clore le chapitre, nous évaluerons le point de vue psychanalytique de Freud à partir des résultats de recherche actuels.

L'ÉVALUATION PSYCHODYNAMIQUE DE LA PERSONNALITÉ : LES TESTS PROJECTIFS

Pour commencer, nous aborderons une difficulté à laquelle se butent non seulement la théorie de la personnalité, mais aussi la pratique clinique : l'évaluation psychologique. La difficulté de cette évaluation est de trouver des méthodes qui élucident la nature de la personnalité d'un individu, y compris les causes de toute détresse psychologique éprouvée par cet individu. Idéalement, ces méthodes devraient posséder deux caractéristiques. La première caractéristique tombe sous le sens : les méthodes d'évaluation devraient être précises, ou valides (rappelez-vous l'explication de la validité au chapitre 2). La deuxième caractéristique est un peu moins évidente : les méthodes d'évaluation devraient être rapides et efficaces. Elles doivent pouvoir renseigner le clinicien rapidement sur la personnalité du patient et lui permettre ainsi de prendre des décisions préliminaires quant au traitement.

Arrêtons-nous un moment pour juger de cette réelle difficulté d'un point de vue psychanalytique. Si vous souhaitiez évaluer la personnalité d'un individu, comment vous y prendriez-vous ? De toute évidence, vous ne vous contenteriez pas de poser à la personne des questions à contenu psychanalytique. Les questions directes (comme « À quelle fréquence songez-vous à tuer l'un de vos parents afin d'avoir des rapports sexuels avec l'autre ? ») sont absurdes pour au moins deux raisons : (1) la personne évaluée *ne peut pas* répondre à cette question (car le contenu pertinent est inconscient et sa simple mention active des mécanismes de défense qui empêchent le contenu d'atteindre la conscience) ; et (2) même si la personne pouvait répondre à cette question, elle ne le *voudrait* probablement pas (la plupart des gens ne veulent pas révéler aux autres de tels aspects de leur personnalité).

Pour contourner cette difficulté, Freud a utilisé la libre association dans son traitement psychanalytique. Toutefois, même en supposant que cette méthode soit valide (supposition fort incertaine), la technique de l'association libre n'atteint pas l'objectif de l'efficacité : il faut souvent des semaines ou des mois pour établir une alliance de travail entre le client et le thérapeute qui permettra au client de révéler, par le recours à ce procédé, des conflits profondément enfouis . Conscients de cela, des chercheurs inspirés par la théorie de Freud ont cherché de nouvelles techniques d'évaluation. La plus influente de ces méthodes est celle des **tests projectifs**.

Le rationnel des tests projectifs

La caractéristique première des tests projectifs est l'utilisation de stimuli ambigus. La personne évaluée doit répondre à une série d'items qui sont ambigus. Pour répondre à chaque item, la personne doit l'interpréter, c'est-à-dire qu'elle doit déterminer à quoi l'item ressemble ou à quoi il lui fait penser. Le raisonnement derrière ces tests est le suivant : les sens que la personne donnera aux items révéleront sa personnalité. Autrement dit, on suppose que la personne « projettera » des aspects de sa personnalité sur les items des tests en les interprétant (d'où le nom *tests projectifs*).

Test projectif

Test qui comprend généralement des stimuli vagues et ambigus permettant au participant de révéler des éléments particuliers de sa personnalité dans ses réponses (test de Rorschach, test d'aperception thématique).

L'emploi d'items de test ambigus diffère de la démarche utilisée dans les tests ou questionnaires psychologiques standardisés. Lorsque des psychologues rédigent les items d'un questionnaire, une de leurs priorités est habituellement la clarté. En ce sens, on trouverait médiocre un item de questionnaire tel que « Aimez-vous les choses ? », parce qu'il est vraiment ambigu ; *de quelles choses parle-t-on ?*, se demanderait probablement la personne évaluée. Cela dit, l'ambiguïté est justement ce que l'on recherche dans les tests projectifs. Le psychologue s'intéresse au sens que le participant donnera au stimulus ambigu.

Évidemment, ce ne sont pas les réponses aux items comme telles qui intéressent le psychologue. Ces réponses ne sont intéressantes que dans la mesure où elles peuvent dévoiler le style de pensée *typique* de l'individu, et le style de pensée revêt à son tour de l'intérêt parce qu'il peut révéler des aspects psychodynamiques inconscients sous-jacents. Un des principaux objectifs des tests projectifs est donc que l'interprétation des items de test par l'individu au cours d'une séance d'évaluation avec le psychologue renseigne sur la façon dont cet individu interprète habituellement l'ambiguïté dans sa vie quotidienne.

Deux tests projectifs ont été utilisés à grande échelle : le test de Rorschach et le test d'aperception thématique. Bien que ces tests n'aient pas été conçus par Freud, la théorie psychanalytique y est associée de la manière suivante :

(1) La théorie psychanalytique met en évidence la complexité du fonctionnement de la personnalité. On y considère la personnalité comme un système dynamique par lequel l'individu organise et structure les stimuli externes de l'environnement. Dans les tests projectifs, les participants répondent de façon complexe lorsqu'ils interprètent les items de test. Ils ne répondent pas que par « oui » ou « non », ils formulent leurs propres réponses. L'évaluateur peut donc observer des modes de pensée complexes, comme le requiert l'approche psychodynamique.

(2) La théorie psychanalytique souligne l'importance de l'inconscient et des mécanismes de défense. Dans les tests projectifs, le but du test et la manière dont les réponses du sujet seront interprétées sont dissimulés. Il y a donc possibilité de « court-circuiter » les mécanismes de défense du participant.

(3) La théorie psychanalytique s'appuie sur une conception holistique de la personnalité. Le théoricien s'intéresse aux relations entre les parties de la personnalité de la personne. Les tests projectifs facilitent l'interprétation holistique de l'individu. Ils produisent habituellement des interprétations de la configuration et de l'organisation des réponses au test plutôt que d'une seule réponse reflétant une caractéristique particulière.

Le test de Rorschach

Même si d'autres avant lui avaient eu recours aux analyses de taches d'encre, Hermann Rorschach, psychiatre suisse, fut le premier à comprendre comment utiliser ces analyses pour évaluer la personnalité. Il déposait de l'encre sur du papier et pliait la feuille pour produire des formes symétriques, mais mal définies. Il montrait ensuite ces taches d'encre à des patients hospitalisés. En procédant par tâtonnements, Rorschach en vint à déterminer les taches d'encre qui suscitaient des réponses différentes dans divers groupes psychiatriques. Il conserva dix d'entre elles, d'où les dix cartes du test qui porte son nom.

Lorsque l'examinateur fait passer le test de Rorschach, il fournit à la personne évaluée juste assez de renseignements pour qu'elle accomplisse la tâche. Ainsi le test est-il présenté comme « l'une des nombreuses façons utilisées de nos jours pour tenter de comprendre la personnalité d'un individu ». On demande au participant de regarder les cartes une par une et de faire part à l'examinateur de ce qu'il voit sur chaque carte. Il est libre de se concentrer sur toute l'image ou sur une partie de l'image. Une fois les images interprétées par le participant, l'examinateur lui demande sur quoi il s'est basé pour dire que tel ou tel item de test ressemblait à ceci ou cela. Toutes les réponses sont consignées.

Le test de Rorschach : L'interprétation des réponses au test de Rorschach a pour prémisse que le sujet « projette » sa personnalité sur des items non structurés tels que des taches d'encre.

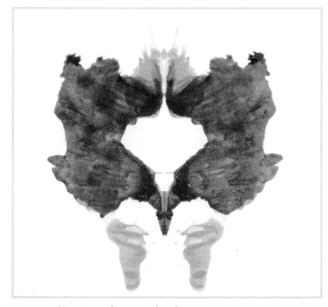

Figure 4.1 | **Le test de Rorschach**

Lorsqu'on interprète le test de Rorschach, on s'intéresse à la façon dont se forme la réponse, ou percept, ainsi qu'aux raisons qui la déterminent et à son contenu. Ainsi, les percepts qui correspondent à la structure et aux caractéristiques formelles de la tache d'encre révèlent un fonctionnement psychologique adéquat et bien adapté à la réalité. En revanche, les réponses mal formées et qui ne correspondent pas aux caractéristiques formelles de la tache d'encre (par exemple, forme plaquée sur la structure de la tache sans respect pour ses contours propres) témoignent de formes de pensée peu adaptées à la réalité ou d'un comportement bizarre. Les réponses du participant (qu'il mentionne des objets animés ou inanimés, des êtres humains ou des animaux, un contenu exprimant l'affection ou l'hostilité) ont beaucoup d'importance dans l'interprétation de la personnalité. Par exemple, le psychologue-évaluateur interprèterait différemment des réponses comportant des animaux qui se battent sans cesse et des réponses comportant des êtres humains qui s'adonnent à des activités fondées sur le partage et la collaboration.

On peut en outre interpréter symboliquement le contenu et considérer que le fait d'apercevoir une explosion représente une vive hostilité ; un cochon, une tendance à la gloutonnerie ; un renard, une propension à la ruse et à l'agressivité ; des araignées, des sorcières et des pieuvres, des images négatives d'une mère dominatrice ; des gorilles et des géants, des sentiments négatifs envers un père dominateur ; et une autruche, la volonté de se soustraire aux conflits (Schafer, 1954). La figure 4.1 présente un exemple de planche du Rorschach.

Dans l'interprétation des réponses au test, chaque réponse peut suggérer des hypothèses ou des interprétations concernant la personnalité de l'individu, et ces hypothèses font l'objet de comparaisons avec des interprétations fondées sur d'autres réponses du participant. L'examinateur prend note de tout comportement inhabituel et se sert de ces observations pour l'interprétation ultérieure. Par exemple, le participant qui ne cesse de demander des conseils sera peut-être considéré comme un individu dépendant ; celui qui semble tendu, qui pose des questions d'une manière subtile et qui examine le verso des cartes sera peut-être perçu comme une personne méfiante et même paranoïaque.

Le test d'aperception thématique

Le test d'aperception thématique (TAT), qu'on doit à Henry Murray et à Christina Morgan, est un autre test projectif couramment utilisé. Le test comprend des cartes représentant des scènes. La plupart de ces scènes montrent une ou deux personnes, mais certaines sont plus abstraites. L'examinateur présente ces scènes ambiguës au participant, l'une après l'autre, et lui demande d'inventer une histoire pour chacune. Le participant doit notamment raconter ce que les individus font, pensent et ressentent, ce qui est à l'origine de la scène et quel en est le dénouement.

Comme les scènes sont ambiguës, il y a possibilité que le participant projette sa personnalité sur le stimulus par la façon dont il l'interprète et par l'histoire que ce stimulus lui inspire : « Le test se fonde sur le fait bien établi que, lorsqu'un individu interprète une situation sociale ambiguë, il a tendance à dévoiler sa personnalité au même titre que le phénomène qui l'intéresse » (Murray, 1938, p. 530). L'hypothèse de départ est la suivante : les participants ne se rendent pas compte qu'ils parlent d'eux-mêmes lorsqu'ils inventent les histoires que leur inspirent les scènes illustrées, et leurs mécanismes de défense peuvent ainsi être contournés. Il est possible d'évaluer de manière systématique les réponses des participants sur une échelle élaborée par Murray ou selon un système d'interprétation plus impressionniste (Cramer, 1996 ; Cramer et Block, 1998).

Certaines cartes du test sont présentées aux hommes et aux femmes ; d'autres sont montrées uniquement aux participants du même sexe. Vous trouverez à la figure 4.2 un exemple de planche similaire à celles utilisées dans le TAT.

On fait usage du test d'aperception thématique tant dans le travail clinique que dans les études expérimentales, particulièrement celles portant sur la motivation chez l'être humain. D'après les recherches du psychologue David McClelland et ses collègues (McClelland, Koestner et Weinberger, 1989), les histoires inventées par les participants révèlent de manière unique les différences individuelles dans la motivation, par exemple le désir de réussir. Comme nous l'avons mentionné au chapitre 3, la mesure des motivations à l'aide de stimuli tels que les cartes du TAT (motivations implicites) donne des scores différents et prédit des comportements différents de celle effectuée à l'aide de questionnaires d'autoévaluation (motivations explicites) (Schultheiss, 2008).

Figure 4.2 | Voici une illustration semblable à celles utilisées dans le test d'aperception thématique élaboré par Murray et ses collègues. Les participants au test doivent inventer une histoire à partir de l'illustration. Les psychologues cotent ensuite le contenu motivationnel des histoires inventées.

Les tests projectifs sont-ils efficaces ?

Les tests projectifs ont été utilisés abondamment en psychologie clinique et en psychologie de la personnalité au cours des 50 dernières années. On les a administrés à des millions de personnes, littéralement (Lilienfeld, Wood et Garb, 2000). Compte tenu de leur popularité au fil des ans, la question qui nous vient est : sont-ils efficaces ?

Dans le contexte des tests psychologiques, la question de savoir si les tests projectifs sont efficaces revient à se demander s'ils permettent de prédire des aspects importants de la vie de l'individu. Selon le vocabulaire présenté au chapitre 2, il s'agit de se demander si les tests projectifs sont valides. Cette question est plus compliquée qu'il n'y paraît. Au moins deux difficultés se présentent. La première réside dans la possibilité que les tests projectifs prédisent certaines choses mais pas d'autres. Il pourrait bien être impossible de répondre par un simple oui ou non à la question « Les tests projectifs sont-ils efficaces ? », parce qu'ils sont peut-être efficaces, ou valides, mais seulement pour certaines dimensions. La deuxième difficulté est liée au fait qu'il existe plusieurs manières de coter les réponses obtenues aux tests. Avec le temps, les psychologues ont élaboré différents systèmes d'interprétation et de classification des réponses aux items des tests projectifs (notamment Cramer, 1991 ; Exner, 1986 ; Westen, 1990). Il est donc possible que certains systèmes de cotation soient efficaces et d'autres, moins.

En raison de ces deux difficultés, on ne peut pas dire si les tests projectifs sont efficaces ou non à partir d'une ou deux études isolées. Il faut plutôt recenser en détail les différents systèmes de cotation et l'étendue des sphères de fonctionnement que le psychologue souhaite prédire. Une recension particulièrement exhaustive a été effectuée par Lilienfeld et ses collaborateurs (2000). Ces auteurs ont examiné de près la complexité de la tâche qui consiste à évaluer la validité des tests projectifs. Ils ont passé en revue les études menées sur diverses méthodes projectives, y compris le test de Rorschach et le test d'aperception thématique, et sur divers systèmes de cotation des réponses à ces tests.

Qu'ont-ils découvert ? D'un côté, leur analyse a indiqué que certains systèmes de cotation sont valides selon les buts de l'évaluation. Par exemple, lorsqu'on évalue la présence de thèmes liés à la motivation de réussir dans les histoires se rapportant au TAT, tel que le donnent à entendre des psychologues comme David McClelland (McClelland et coll., 1989), il semble exister une corrélation entre les réponses obtenues au TAT et les mesures de comportements motivés. Les mesures de la motivation selon le test TAT prédit aussi le degré auquel les gens se rappellent les événements quotidiens : les participants se rappellent davantage les événements liés à leurs motivations (Woike, 1995 ; Woike, Gershkovich, Piorkowski et Polo, 1999). Cependant, ces résultats positifs se révèlent des exceptions. En effet, la recension de Lilienfeld et ses collègues (2000) a indiqué que les tests projectifs ne sont souvent pas efficaces. Par exemple, bien qu'il existe plusieurs façons de coter les réponses au test de Rorschach, le choix du système de cotation ne semble pas faire une grande différence: «La vaste majorité des indices de Rorschach» (Lilienfeld et coll., 2000, p. 54) ne présentaient pas de lien constant avec les mesures de résultats pertinents. Et bien que les méthodes de cotation des thèmes liés à la réussite dans les réponses au TAT présentent une certaine validité, «la plupart des systèmes de cotation du TAT» (p. 54), comme ceux du Rorschach, manquent de validité.

Ces conclusions négatives au sujet de la validité des tests projectifs concordent avec celles d'autres chercheurs (notamment Dawes, 1994; Rorer, 1990) qui ont fait une analyse objective des études réalisées sur les tests projectifs et qui ont constaté que ces tests ne sont pas assez efficaces pour servir à la pratique clinique. En fait, le groupe de Lilienfeld (2000) recommande que les étudiants en psychologie ne reçoivent plus de formation avancée dans l'utilisation de ces tests et fait remarquer que l'American Psychological Association a convenu que les tests projectifs ne devraient pas faire partie de la formation actuelle des psychologues.

Pourquoi les tests projectifs ne sont-ils pas très efficaces? Autrement dit, pourquoi ne permettent-ils que rarement aux psychologues de prédire des sphères de fonctionnement avec beaucoup de précision? Plusieurs raisons sont possibles, mais deux d'entre elles ressortent. La première concerne la fidélité interjuges: si deux psychologues (deux «juges») notent les réponses d'un participant à un test projectif, y aura-t-il accord entre leurs cotes (leurs jugements seront-ils fidèles?). Lorsqu'on utilise des questionnaires standardisés, la fidélité de la cotation va de soi; par exemple, dans un test à choix multiples, une personne tout autant qu'une machine peut coter le test avec une parfaite précision. Dans les tests projectifs, toutefois, les psychologues ne cotent pas de simples réponses à des choix multiples, mais plutôt des réponses verbales complexes qui requièrent interprétation. Or, les interprétations des psychologues peuvent refléter non seulement les pensées du participant au test, mais aussi celles des psychologues qui cotent. Les pensées, les sentiments et les biais d'interprétation de la personne qui cote peuvent donc fausser la cotation des résultats. Si des psychologues ont différents biais d'interprétation, alors la fidélité interjuges sera faible. Les études démontrent que les tests projectifs présentent cette lacune. La fidélité interjuges est trop faible. Même lorsqu'on utilise les systèmes de cotation les mieux conçus pour le test de Rorschach, «seulement la moitié environ» des variables du Rorschach présentent une fidélité correspondant à un «seuil de fidélité acceptable minimum» (Lilienfeld et coll., 2000, p. 33). Si différents psychologues ne s'entendent pas sur la cote à donner aux réponses d'un participant, alors il est évident que les cotes qu'ils attribuent ont peu de chances de produire des prédictions justes au regard du comportement de ce participant.

La deuxième raison de l'inefficacité des tests projectifs est que le contenu de leurs items n'a souvent aucun rapport avec le contenu de la vie quotidienne du participant. Si, par exemple, un participant a un style de pensée distinctif à l'égard des relations avec les membres du sexe opposé qui l'attirent, un test psychologique qui utilise des stimuli représentant des membres du sexe opposé aura des chances d'interpeller le style de pensée de ce participant, mais rien ne garantit que ce style de pensée se manifestera devant des taches d'encre abstraites. Les quelques tests projectifs qui fonctionnent bien sont souvent ceux qui utilisent «des stimuli particulièrement pertinents pour le construit à évaluer» (Lilienfeld et coll., 2000, p. 55). Par exemple, les chercheurs qui étudient les pensées des gens sur les relations interpersonnelles pourraient utiliser les cartes TAT sur lesquelles figurent des thèmes interpersonnels (Westen, 1991). Or, ce n'est pas ce que l'on fait habituellement. On a plutôt tendance à ne pas tenir compte du contexte et à utiliser un ensemble de stimuli généraux (par exemple, la série de cartes du test Rorschach) pour prédire les pensées et les sentiments d'une personne dans une vaste gamme de contextes. Les prédictions échouent alors souvent. Comme nous le verrons dans les chapitres ultérieurs, on emploie, dans d'autres théories de la personnalité, des méthodes d'évaluation beaucoup plus sensibles au contexte social que ne le sont les tests projectifs associés à l'approche psychodynamique.

Que peut-on conclure des limites des tests projectifs au regard de la théorie psychanalytique de Freud sur la personnalité? Certains diraient que ces tests ne disent pas grand-chose. Lorsqu'on évalue Freud, il est important de se rappeler qu'il n'a pas conçu de tests projectifs ni n'en a utilisés. Il se fiait entièrement à la technique de l'association libre dans ses entretiens cliniques. Il se peut donc que la théorie de Freud soit correcte même si les méthodes d'évaluation conçues par ses disciples présentent des lacunes. Cela dit, un des objectifs du théoricien de la personnalité est de fournir des lignes directrices capables d'orienter l'élaboration de méthodes d'évaluation dotées d'une fidélité et d'une validité de haut niveau. Quels que soient ses points forts, la psychanalyse n'a pas, dans l'ensemble, atteint cet objectif. Il se peut que des avancées futures améliorent la validité des méthodes d'évaluation et comblent les lacunes soulevées (Lilienfeld et coll., 2000), mais pour l'instant, l'évaluation psychologique et la prédiction ne font assurément pas partie des forces de l'approche psychodynamique.

LA PSYCHOPATHOLOGIE

Freud a passé le plus clair de sa carrière à traiter des patients atteints de troubles névrotiques. Selon lui, les processus psychologiques détectés chez ses patients étaient fondamentalement les mêmes que les processus psychologiques des gens qui n'avaient pas de névrose et qui ne consultaient pas. Il affirmait que les troubles névrotiques étaient présents sous des formes et à des degrés divers chez tous les individus. Ainsi, les analyses de Freud sur la pathologie (son évolution, sa dynamique psychologique première et son traitement) font partie intégrante de sa théorie générale de la personnalité.

Les types de personnalité

Un des aspects de la conception freudienne de la pathologie concernait le développement. Freud s'est demandé pourquoi une pathologie apparaissait chez tel individu et pas un autre, et pourquoi il présentait telle pathologie plutôt qu'une autre. Cette analyse est étroitement liée à un concept que nous avons vu plus tôt, soit la théorie des stades psychosexuels du développement (voir le chapitre 3). À tout stade de développement, le développement des pulsions peut connaître des ratés. Ces échecs constituent des **fixations**. Il y aura fixation si l'individu obtient trop peu de gratification pulsionnelle au cours d'un stade de développement et s'il craint de passer au stade suivant, ou s'il obtient trop de gratification et n'a pas d'incitation à poursuivre son développement. Si une fixation apparaît, l'individu cherchera à obtenir dans sa vie adulte le type de gratification qu'il était opportun d'obtenir à un stade antérieur (celui auquel la fixation est apparue). Par exemple, la personne qui présente une fixation au stade oral peut continuer en tant qu'adulte de rechercher une gratification orale en mangeant, en fumant ou en buvant.

La **régression** est un phénomène développemental lié à celui de la fixation. Dans la régression, l'individu cherche à retourner à un mode de gratification antérieur, à un point de fixation antérieur. La régression apparaît souvent en situation de stress, de sorte que de nombreux individus s'empiffrent, fument ou boivent trop d'alcool uniquement lors des périodes de frustration ou d'angoisse.

Comme il existe trois stades de développement distincts dans la petite enfance (oral, anal et phallique), les fixations peuvent donner lieu à trois types de personnalité (tableau 4.1).

Le **caractère de type oral**, qui résulte d'une fixation au stade oral, se caractérise par une préoccupation du fait de prendre et de recevoir. Les personnalités de type oral sont égocentriques, c'est-à-dire que l'individu ne s'intéresse qu'à lui-même. Il a de la difficulté à considérer autrui comme un être distinct et valable. Il ne perçoit les autres qu'en fonction de ce qu'ils peuvent lui offrir (nourriture). Il demande toujours quelque chose, que ce soit en insistant doucement ou en exigeant de manière agressive.

Le **caractère de type anal** prend son origine dans une fixation au stade anal et se caractérise par une transformation des gratifications des pulsions anales dans l'enfance. En général, les attributs du caractère anal correspondent aux processus en cours au stade anal de développement et qui n'ont pas été complètement abandonnés. Il s'agit principalement des processus corporels (rétention et relâchement des fèces) et des relations interpersonnelles (la lutte de pouvoir au sujet de l'apprentissage

Fixation

Concept freudien qui exprime l'arrêt ou l'interruption du développement psychosexuel de l'individu à un moment donné.

Régression

Concept freudien qui désigne le retour à un stade antérieur de développement dans la façon dont l'individu se comporte envers autrui et envers lui-même.

Caractère de type oral

Concept freudien désignant un type de personnalité caractérisé par une fixation au stade oral du développement, un mode d'adaptation de la personne au monde extérieur s'exprimant par le désir d'être nourri ou de dévorer et une préoccupation de recevoir et de prendre.

Caractère de type anal

Concept freudien désignant un type de personnalité caractérisé par une fixation au stade anal du développement et un mode d'adaptation de la personne au monde extérieur s'exprimant par un désir de contrôle ou de pouvoir et une préoccupation de donner ou retenir.

Tableau 4.1 | Les caractéristiques associées aux types de caractère psychanalytiques

Type de caractère	Attributs de la personnalité
Oral	Exigeant, impatient, envieux, avide, jaloux, colérique, déprimé (sentiment de vide intérieur), méfiant, pessimiste
Anal	Rigide, en quête de pouvoir et de contrôle, préoccupé par les obligations et les devoirs, le plaisir et les possessions, angoissé au sujet de la saleté ou de la perte de contrôle, inquiet d'avoir à choisir entre la soumission ou la rébellion
Phallique	Homme : exhibitionniste, compétitif, en quête de victoire, mise en évidence de la masculinité, du machisme et de la virilité Femme : naïve, exhibitionniste, séductrice

de la propreté). Associant les deux processus, l'individu ayant une personnalité de type anal accorde aux excrétions un pouvoir symbolique considérable. La persistance de ce point de vue apparaît dans de nombreuses expressions d'usage courant, par exemple dans le fait de donner aux toilettes le nom de « trône ». Le passage du caractère oral au caractère anal se traduit de la façon suivante : « Donne-moi » devient « Fais ce que je dis » ou « Je dois te donner » devient « Je dois t'obéir ». Le caractère anal se reconnaît par un ensemble de trois traits, qu'on appelle *triade anale*: ordre et propreté, parcimonie et avarice, et obstination. Les personnes au caractère anal compulsif éprouvent le besoin de faire régner partout l'ordre et la propreté, ce qui représente une formation réactionnelle à l'intérêt porté au désordonné et à la saleté. Le deuxième trait de la triade, la parcimonie et l'avarice, correspond à l'intérêt anal compulsif qui pousse à collectionner les choses ; cet intérêt remonte au désir de retenir les si puissantes et si importantes fèces. Le troisième trait de la triade, l'obstination, est lié à la résistance infantile anale à se départir de ses selles notamment sur l'ordre d'autrui. Selon une tendance évoquant l'apprentissage de la propreté et la lutte de pouvoir auquel il a donné lieu dans l'enfance, les personnes au caractère anal cherchent souvent à être maîtres des événements, à avoir une emprise sur les autres et à les dominer.

Si les personnalités de types oral et anal correspondent à des fixations partielles aux deux premiers stades de développement, le **caractère de type phallique** représente quant à lui le résultat d'une fixation partielle au stade phallique, durant le complexe d'Œdipe. La fixation a des répercussions différentes chez l'homme et la femme, et on s'est notamment attardé aux effets d'une fixation partielle

chez les hommes. Alors que pour la personne au caractère oral le succès signifie « J'obtiens », pour la personne au caractère anal il évoque « Je contrôle » et pour la personne au caractère phallique masculin il se rend par « Je suis un homme ». L'individu doté d'un caractère phallique masculin doit nier toute suggestion de castration. Pour lui, réussir veut dire manifester sa « grandeur » aux yeux des autres. Il doit en tout temps affirmer sa masculinité et sa puissance, comme l'illustrent ces propos de Theodore Roosevelt : « Parlez doucement, mais ayez avec vous un gros bâton ! » Le caractère excessif, exhibitionniste, du comportement de ces individus fait écho à l'angoisse de la castration qui les habite.

Chez la femme, le caractère phallique masculin reçoit le nom de *personnalité hystérique*. Pour se protéger de ses désirs œdipiens, la fillette s'identifie d'une manière excessive à sa mère et à la féminité. Elle emploie la séduction et le charme pour retenir l'intérêt de son père, mais nie tout dessein de nature sexuelle. Ce mode de comportement est ensuite repris à l'âge adulte ; elle attirera alors les hommes par la séduction tout en refusant d'admettre qu'elle entretient des visées sexuelles et paraîtra en général quelque peu naïve. Les femmes de type hystérique idéalisent la vie, leurs partenaires et l'amour ; les moments plus sombres de la vie les bouleversent.

Le conflit et les mécanismes de défense

Selon Freud, la psychopathologie est causée par les tentatives que fait l'individu pour satisfaire des pulsions qui ont fait l'objet d'une fixation à un stade antérieur de développement. Ainsi l'individu cherchera-t-il à satisfaire ses pulsions sexuelles et ses pulsions agressives sous des formes infantiles. Toutefois, en raison de son association avec un traumatisme passé, comme le traumatisme de ne pas avoir pu exprimer les désirs œdipiens, l'expression de ce désir peut signaler un danger pour le moi et engendrer de l'angoisse. Il en résulte une situation conflictuelle dans laquelle un désir donné et un comportement potentiel évoquent à la fois le plaisir et la douleur. Par exemple, un individu désirera céder à un comportement sexuel, mais

Caractère de type phallique
Concept freudien désignant un type de personnalité caractérisé par une fixation au stade phallique du développement et un mode d'adaptation de la personne au monde extérieur s'exprimant par le désir de réussite et une préoccupation à propos de la rivalité et de l'estime.

Tableau 4.2 | La théorie psychanalytique de la psychopathologie

Exemples de conflits		Comportement résultant des mécanismes de défense
DÉSIR	ANGOISSE	MÉCANISMES DE DÉFENSE
J'aimerais avoir des rapports sexuels avec cette personne.	Ces désirs sont mauvais et seront punis.	Déni de tous les comportements sexuels, obsession du comportement sexuel d'autrui.
J'aimerais éliminer tous ceux qui me donnent le sentiment d'être inférieur.	Si je suis hostile, ils riposteront et me feront du mal.	Déni du désir ou de la peur : « Je ne me sens jamais en colère » ; « Je n'ai peur de rien ni de personne ».
J'aimerais me rapprocher des autres et les laisser me nourrir ou prendre soin de moi.	Si je fais cela, ils m'étoufferont ou m'abandonneront.	Indépendance excessive et refus de la proximité, ou alternance de comportements de rapprochement et de fuite ; besoin excessif de s'occuper des autres.

son désir s'opposera à d'autres instances de la personnalité et provoquera un sentiment de culpabilité ou la crainte d'être puni. Ou encore il souhaitera exercer des représailles contre des personnes puissantes (lesquelles symbolisent les parents), mais son désir de vengeance sera inhibé par la crainte que des personnes (qui représentent également les parents) ne riposent d'une manière violente et destructrice. Le désir et la défense du moi pour éviter l'angoisse se trouvent chaque fois en conflit. La plupart du temps, il en résulte que l'individu ne peut pas dire « non », il ne peut pas s'affirmer, ou bien il se sent inhibé et malheureux (tableau 4.2).

Pour atténuer la douloureuse expérience de l'angoisse, les mécanismes de défense (voir le chapitre 3) entrent en jeu. Ainsi, l'individu peut nier ses pulsions agressives et sexuelles ou les projeter sur autrui. Si les mécanismes de défense réussissent, l'individu ne tient plus ses pulsions pour siennes et éprouve ainsi moins d'angoisse devant l'interdit. Si les mécanismes de défense échouent plus ou moins, l'énergie associée aux pulsions sexuelles ou agressives inconscientes peut s'exprimer dans des **symptômes** pathologiques. Qu'il se manifeste sous la forme d'un tic, d'une paralysie d'origine psychologique ou d'une compulsion, le symptôme représente l'expression déguisée d'une pulsion refoulée. La signification du symptôme, la nature de la pulsion menaçante et la nature du mécanisme de défense demeurent inconscientes. Par exemple, une mère sera fortement obsédée par l'idée qu'il pourrait arriver un accident à son enfant alors qu'elle est peut-être furieuse inconsciemment contre l'enfant et angoissée par le mal

qu'elle est susceptible de lui faire. Dans un autre exemple, une personne se sent obligée de se laver constamment les mains, de façon compulsive ; ce symptôme représente à la fois le désir d'être sale, ou de faire des choses « sales », et le mécanisme de défense contre ce désir (formation réactionnelle), qui se traduit par une propreté excessive. Dans les deux cas, ni le désir ni le mécanisme de défense n'affleure à la conscience ; seul le symptôme se manifeste.

Résumons-nous : selon la théorie psychanalytique freudienne, les troubles mentaux se caractérisent par un conflit entre une pulsion ou un désir et la défense du moi contre celui-ci en vue de diminuer l'angoisse signalant qu'un danger (interne ou externe) s'ensuivra si le désir est exprimé (décharge de la tension). Les désirs remontent à l'enfance : les désirs, les peurs et les défenses qui appartenaient à une période donnée de l'enfance ont été reportés à l'adolescence et à l'âge adulte. L'individu essaie de contrer l'angoisse qui constitue l'aspect douloureux de ce conflit en recourant à des mécanismes de défense. Cependant, si le conflit devient trop intense, ces mécanismes de défense peuvent engendrer des symptômes névrotiques ou déboucher sur le retrait psychotique de la réalité. Les symptômes représentent le conflit inconscient entre le désir ou la pulsion et la défense du moi contre celle-ci pour diminuer l'angoisse. Dans tous les cas de comportement psychopathologique, il existe un conflit inconscient qui remonte à l'enfance. Les problèmes psychologiques des adultes sont une répétition de certains aspects de la vie infantile dans la mesure où ces derniers conservent en eux des éléments immatures qui, sous l'effet du stress ou pour d'autres raisons, se réactivent et deviennent difficiles à gérer.

LE CHANGEMENT PSYCHOLOGIQUE

Comment le changement psychologique se produit-il ? Une fois qu'une manière de penser et de réagir aux situations se sont établis chez l'individu, par quel processus la

Symptôme
En psychopathologie, expression d'un conflit psychologique ou d'un fonctionnement psychologique perturbé ; selon Freud, un symptôme est l'expression déguisée d'une pulsion refoulée.

modification de la personnalité survient-elle? Selon la théorie psychanalytique, le développement normal de la personnalité humaine a lieu lorsqu'un niveau optimal de frustration est maintenu. Lorsqu'il y a frustration trop faible ou, au contraire, trop forte, à un stade de développement donné, la personnalité ne se développe pas normalement et on assiste à l'apparition d'une fixation. Le cas échéant, l'individu reproduit le modèle de comportement nonobstant le fait que la situation a changé. Lorsqu'un modèle névrotique s'est formé, comment peut-on interrompre le cycle répétitif et poursuivre le développement?

L'exploration de l'inconscient : l'association libre et l'interprétation des rêves

En thérapie, le principal défi est d'acquérir une compréhension profonde de la psychodynamique sous-jacente aux difficultés présentées par le patient. Comme nous l'avons vu au chapitre 3, la méthode utilisée par Freud pour comprendre le patient était l'**association libre**. On demande au patient de faire part à l'analyste de toutes les pensées qui lui viennent à l'esprit, de les dévoiler à mesure sans rien retenir et sans rien empêcher de parvenir à la conscience. Freud s'intéressait aux associations libres que le patient faisait non seulement avec le contenu de sa vie quotidienne mais aussi avec le contenu de ses rêves. Comme nous l'avons vu au chapitre précédent, les rêves peuvent fournir des éléments de compréhension sur les désirs inconscients. Grâce à l'association libre, l'analyste et le patient sont en mesure de dépasser le contenu manifeste du rêve pour atteindre le contenu latent, c'est-à-dire le désir inconscient qui se dissimule derrière le rêve tel qu'il a été raconté.

Au départ, Freud croyait qu'il suffisait de rendre l'inconscient conscient pour que s'opèrent le changement et la guérison. La théorie voyait alors dans le refoulement des souvenirs le fondement de la pathologie. Freud s'est ensuite rendu compte qu'on ne pouvait se contenter de mettre au jour les souvenirs enfouis. Les patients ont besoin d'acquérir une compréhension émotionnelle de leurs désirs et conflits. Pour effectuer un changement thérapeutique dans le contexte psychanalytique, donc, il faut s'attaquer aux émotions et aux désirs auparavant inconscients et faire face à ces expériences douloureuses dans un cadre où le patient se sent en sécurité. Si le trouble provient d'une fixation à un stade antérieur de développement, le patient utilisera sa cure psychana-

lytique pour poursuivre son développement psychologique normal. Si le patient tend à endiguer ses pulsions et à utiliser son énergie à des fins défensives, alors sa psychanalyse consistera à redistribuer son énergie afin que le patient en investisse davantage dans des activités plus gratifiantes, moins rigides, moins génératrices de culpabilité et qui correspondent à son âge développemental. Si le trouble a trait aux conflits et aux mécanismes de défense, la psychanalyse visera à atténuer le conflit et à libérer le patient des barrières imposées par les mécanismes défensifs. Si le problème du patient est la domination par son inconscient et la tyrannie du ça, alors sa psychanalyse consistera à rendre conscient ce qui était inconscient et à placer sous le contrôle du moi ce qui se trouvait auparavant sous la domination du ça et du surmoi.

Le processus thérapeutique : le transfert

En somme, on peut considérer la psychanalyse comme un processus d'apprentissage par lequel le patient reprend le processus de développement interrompu lors de l'apparition de la névrose et le mène à terme. Le principe de base de ce processus consiste à remettre le patient en contact, dans des conditions plus favorables, avec les situations affectives auxquelles il n'a pu faire face par le passé. La relation de **transfert** et le développement d'une névrose de transfert interviennent dans ce processus.

Le terme *transfert* désigne le processus par lequel le patient acquiert envers l'analyste des attitudes et des sentiments éprouvés dans le passé à l'égard des figures parentales. Puisqu'il se rapporte à la déformation de la réalité en fonction des expériences du passé, le transfert survient dans la vie quotidienne de tout un chacun et dans toutes les formes de psychothérapie. Par exemple, la recherche a démontré que les individus entretiennent des images mentales associées à des émotions qui reposent sur les

Association libre

En psychanalyse, méthode par laquelle le patient est encouragé à faire part à l'analyste de tout ce qui lui vient à l'esprit.

Transfert

En psychanalyse, processus par lequel le patient manifeste envers l'analyste des attitudes et des sentiments enracinés dans les expériences qu'il a connues antérieurement auprès de figures parentales.

premières relations interpersonnelles. Ces représentations mentales à forte charge affective influent sur notre manière de percevoir les autres, sur notre comportement envers eux ainsi que sur nos sentiments envers nous-mêmes. Ce processus s'opère souvent d'une manière automatique et inconsciente (Andersen et Chen, 2002).

Par le transfert, le patient répète en thérapie ses interactions quotidiennes avec autrui et ses interactions avec des figures importantes du passé. Par exemple, le patient qui voit dans la prise de notes par l'analyste une forme d'exploitation de la part de celui-ci répète ainsi l'attitude qu'il adopte envers les individus qu'il rencontre dans son existence quotidienne et celle qu'il a eue envers les figures importantes de son passé. Dans l'association libre, l'individu de caractère oral se préoccupe de savoir s'il « nourrit l'analyste et si ce dernier lui donne suffisamment en retour; l'individu de caractère anal se préoccupe de savoir qui contrôle le déroulement des séances; et l'individu de caractère phallique se préoccupe de savoir qui sortira vainqueur des échanges vécus comme une compétition. Ces attitudes, qui souvent appartiennent à l'existence quotidienne inconsciente du patient, sont révélées au cours de l'analyse.

Même si le transfert est une partie intégrante de toutes les relations et de toutes les formes de thérapie, il devient, de manière distinctive dans la psychanalyse, une force dynamique servant à changer le comportement. De nombreux éléments formels du cadre analytique sont organisés de manière à favoriser le développement du transfert. Ainsi, la position du patient, allongé sur le divan, invite au développement d'une relation qui n'est plus basée sur le modèle des interactions sociales. La fréquence des rencontres (jusqu'à cinq ou six par semaine) renforce l'importance affective de la relation analytique dans l'existence quotidienne du patient. Enfin, comme le patient en vient à investir émotionnellement l'analyste, alors qu'il le connaît très peu sur le plan personnel, ses réactions sont presque totalement déterminées par son conflit névrotique. L'analyste demeure un miroir ou un écran vierge sur lequel le patient projette ses désirs et ses angoisses.

Favoriser le transfert, ou la mise en place des conditions de son développement, provoque l'apparition de la névrose de transfert. C'est dans ce cadre que le patient laisse libre cours à ses conflits antérieurs, qu'il investit de ses

désirs et de ses angoisses passés les aspects les plus importants de sa relation avec l'analyste. Son but n'est plus de guérir, mais d'obtenir de l'analyste ce dont il a été privé dans l'enfance. Ainsi, au lieu de chercher le moyen de dépasser les rivalités, il cherchera à castrer l'analyste; plutôt que d'essayer d'être moins dépendant d'autrui, il cherchera à obtenir de l'analyste qu'il satisfasse entièrement son besoin de dépendance. Le fait que ces attitudes se déploient dans le cadre de l'analyse permet au patient ainsi qu'à l'analyste de découvrir les aspects pulsionnels et défensifs du conflit infantile original et de les comprendre. Il s'agit d'une démarche chargée de sens sur le plan affectif, car le patient s'investit beaucoup, émotionnellement, dans la thérapie. Le changement survient lorsque, grâce à cette introspection en lui-même, le patient prend conscience, tant intellectuellement qu'émotionnellement, de la nature de ses conflits et se sent libre de satisfaire ses pulsions avec maturité et libre de conflits.

Alors que par le passé la culpabilité et l'angoisse avaient entravé son développement, dans la situation analytique le patient se retrouve face à ses conflits d'autrefois. Pourquoi sa façon de réagir devrait-elle être différente, cette fois? Le changement qui apparaît dans l'analyse est essentiellement attribuable à trois facteurs : le conflit revêt moins d'intensité dans l'analyse qu'il n'en avait dans la situation première; l'analyste adopte une attitude différente de celles des parents; et le patient est plus âgé et a plus de maturité au moment de l'analyse, autrement dit il est en mesure d'utiliser des éléments de son moi qui se sont développés depuis pour faire face aux aspects de son fonctionnement qui sont restés sous-développés. Ces trois facteurs permettent d'effectuer un réapprentissage sur lequel s'appuiera ce qu'Alexander et French (1946)

Cabinet de consultation de Freud

appelle une *expérience affective correctrice*. La théorie psychanalytique soutient que le patient peut arriver à satisfaire ses pulsions autant que faire se peut en respectant les limites imposées par la réalité et par ses propres convictions morales, et qu'il peut y arriver en explorant les conflits anciens, en reconnaissant que des besoins infantiles ont été insatisfaits et qu'il est possible de les satisfaire à l'âge adulte, en comprenant ses angoisses passées et leur non-pertinence dans la réalité du présent.

Le petit Hans

Les études de cas menées par Freud peuvent aider à comprendre l'analyse de la personnalité selon l'approche psychanalytique. Freud a décrit en détail un petit nombre de cas. Bien que plusieurs de ces cas remontent au début de sa carrière et ne reflètent pas son modèle final de la personnalité, ils permettent de saisir l'approche freudienne générale à l'égard des conflits complexes et des angoisses psychiques. Nous livrons ici un résumé d'un de ces cas, celui du petit Hans (publié en 1909).

Le cas du petit Hans a trait à l'analyse d'une phobie chez un garçon de cinq ans qui avait peur d'être mordu par un cheval et refusait de quitter la maison. Le compte rendu de ce cas par Freud a ceci de particulier qu'il expose le traitement appliqué par le père du garçon et non par Freud. Le père de Hans rédigeait un compte rendu détaillé de son traitement et discutait souvent de son évolution avec Freud. L'interprétation du cas du petit Hans par Freud illustre très bien les principes psychanalytiques de ce dernier, en particulier ses théories sur la sexualité infantile, le fonctionnement du complexe d'Œdipe et de l'angoisse de castration, la dynamique de l'apparition des symptômes ainsi que le processus de changement du comportement.

L'origine de la phobie

Le compte rendu de la vie du petit Hans débute au moment où l'enfant a trois ans. À cette époque, il manifeste un vif intérêt pour son pénis qu'il appelle son «fait-pipi». Hans éprouve du plaisir à toucher son pénis et s'intéresse au fait-pipi des autres. Il veut savoir, par exemple, si sa mère a un fait-pipi et il est fasciné par la traite des vaches. Les attouchements de son pénis entraînent toutefois des menaces de la part de sa mère: «Si tu fais ça, je ferai venir le docteur A… qui te coupera ton fait-pipi! Et alors, avec quoi feras-tu pipi s'il te le coupe?» Ainsi, il y a une menace directe de castration énoncée par l'un des parents, en l'occurrence la mère. Freud voit dans cet événement le début du complexe de castration de Hans.

L'intérêt de Hans envers les fait-pipi s'étend à la grande taille du fait-pipi du cheval dans la rue et du lion au zoo, ainsi qu'à l'analyse des différences entre les objets animés et inanimés: un chien et un cheval ont un fait-pipi; une table et une chaise n'en ont pas. Hans est curieux de toutes sortes de choses, mais Freud rattache cette soif de connaissances à la curiosité sexuelle. Hans continue à se demander si sa mère possède un fait-pipi: «Je pense que, puisque tu es si grande, tu dois avoir un fait-pipi comme un cheval.» À trois ans et demi, c'est la naissance de sa sœur qui devient également un point de mire de son intérêt pour le fait-pipi. «Son fait-pipi est encore petit, mais elle grandira et son fait-pipi grossira.» Selon Freud, Hans ne peut pas admettre ce qu'il a vraiment vu, à savoir l'absence de fait-pipi. Admettre ce fait aurait signifié qu'il doit faire face à ses propres angoisses de castration. Ces angoisses surgissent au moment où il éprouve du plaisir à caresser l'organe, comme en font foi les commentaires à sa mère qui le sèche et le poudre après le bain.

HANS: Pourquoi tu n'y touches pas?
MAMAN: Parce que ce serait une cochonnerie.

Hans : Comment ? Une cochonnerie ? Pourquoi ?
(*Il rit.*) Mais c'est très plaisant.

Ainsi Hans, maintenant âgé de plus de quatre ans et s'intéressant à son pénis, commence à essayer de séduire sa mère. C'est à ce moment-là que ses troubles névrotiques deviennent manifestes. Le père, attribuant les difficultés du petit Hans à une trop grande excitation sexuelle due à la tendresse de sa mère, écrit à Freud que Hans a «peur d'être mordu dans la rue par un cheval» et que cette crainte semble être en rapport d'une quelconque façon avec le fait d'être effrayé par un grand pénis. (Comme nous l'avons indiqué plus haut, Hans a très tôt remarqué le grand pénis des chevaux et il en a tiré la conclusion que sa mère, parce qu'elle était si grande, devait «avoir un fait-pipi comme un cheval».) Hans a peur d'aller dans la rue et est déprimé le soir. Il a des cauchemars et se retrouve souvent dans le lit de sa mère. Alors qu'il marche dans la rue avec sa nourrice, il devient très effrayé et demande à retourner à la maison près de sa mère. La peur d'être mordu par un cheval se transforme en crainte que le cheval n'entre dans sa chambre. Il finit par souffrir d'une véritable phobie, qui est la crainte ou la peur irrationnelle d'un objet.

L'interprétation du symptôme

Le père essaie de rassurer son fils en lui proposant une interprétation de la peur des chevaux. Il dit à Hans que toute cette histoire de chevaux est une bêtise et rien de plus, qu'en vérité Hans aime énormément sa mère et que la peur des chevaux est associée à son intérêt pour le fait-pipi des chevaux. À la suggestion de Freud, le père explique à Hans que les femmes n'ont pas de fait-pipi. Cette explication semble procurer un certain soulagement à Hans, qui continuera toutefois d'être tourmenté par le désir obsessif de regarder les chevaux malgré la peur qu'il en a. Durant cette période, il subit l'ablation des amygdales, et sa phobie s'aggrave. Il craint qu'un cheval blanc le morde. Il continue de s'intéresser au fait-pipi chez les femmes. Au zoo, il a peur de tous les grands animaux, alors que les petits l'amusent. Chez les oiseaux, il a peur du pélican. En dépit de l'explication apportée par son père, Hans cherche à se rassurer. «Et tout le monde a un fait-pipi, et mon fait-pipi grandira avec moi quand je grandirai, car il pousse sur moi.» Selon Freud, Hans compare la taille des fait-pipi et il n'est pas satisfait du sien. Les grands animaux lui rappellent cette vérité désagréable. L'explication du père renforce son angoisse de castration qui s'exprime par les mots «car il pousse sur moi», comme s'il pouvait être coupé. C'est ce qui explique qu'il résiste devant l'information fournie et que la thérapie ne donne pas de résultats. Freud essaie de raisonner comme Hans à ce propos : «Existe-t-il donc vraiment des créatures qui ne possèdent pas de fait-pipi ? Si c'est le cas, cela veut dire qu'il ne serait pas impossible qu'on enlève le sien à Hans et qu'on fasse de lui, pour ainsi dire, une femme.»

À cette époque, Hans raconte le rêve suivant. «Il y avait dans la chambre une grande girafe et une girafe toute amochée, et la grande a crié parce que je lui avais enlevé la chiffonnée. Puis elle a cessé de crier et alors je me suis assis sur la girafe toute chiffonnée.» Le père interprète le rêve de la façon suivante : lui, le père, était la grande girafe, avec le gros pénis, et la mère était la girafe toute chiffonnée, qui n'avait pas de pénis. Le rêve était la reproduction d'une scène matinale dans laquelle la mère prenait Hans dans son lit avec elle. Le père la met en garde contre cette pratique («La grande a crié parce que je lui avais enlevé la girafe chiffonnée»), mais la mère continue de s'y adonner. La mère encourage l'enfant et renforce ses désirs œdipiens. Hans reste avec elle et, dans la réalisation du désir du rêve, il prend possession d'elle («puis la grande girafe a cessé de crier et alors je me suis assis sur la girafe toute chiffonnée»).

La méthode qu'adopta Freud pour analyser la phobie de Hans consistait à suspendre son jugement et à accorder une attention impartiale à tous les faits observables. Il apprit que, avant l'apparition de la phobie, Hans avait passé quelque temps seul avec sa mère dans une maison de vacances. Deux événements chargés de sens s'étaient alors produits. Hans avait d'abord entendu le père d'une amie lui dire qu'un cheval blanc mordait les gens et qu'elle ne devait pas mettre le doigt près de la bouche de ce cheval. Puis, alors qu'ils s'amusaient à imiter les chevaux, un ami qui rivalisait avec Hans pour l'affection des petites filles était tombé et s'était blessé au pied et avait saigné. Lors d'une rencontre avec Hans, Freud apprit que Hans s'inquiétait des œillères que portent les chevaux et de la pièce de cuir entourant leur museau. La phobie s'étendit et alla jusqu'à englober la peur que les chevaux ne ruent en tirant une lourde voiture de déménagement et ne chutent. On a ensuite découvert l'événement qui avait activé la vulnérabilité psychologique à former une phobie: lors d'une promenade avec sa mère, Hans avait été témoin de la chute d'un cheval qui, couché sur le flanc, s'était mis à donner des coups de pied.

Le point central de ce cas est la phobie des chevaux. Il est fascinant de noter la fréquence des références au cheval en relation avec le père, avec la mère et avec Hans lui-même. Nous avons déjà souligné l'intérêt de Hans pour le fait-pipi de sa mère en relation avec celui du cheval. À son père, il déclare: «Papa, ne t'éloigne pas de moi au trot.» Se pourrait-il que le père, qui porte une moustache et des lunettes, soit le cheval dont Hans a peur, le cheval qui entrera dans sa chambre la nuit pour le mordre? Ou se pourrait-il que Hans lui-même soit le cheval? Nous savons que Hans jouait au cheval dans sa chambre, qu'il trottait, qu'il ruait et hennissait comme un cheval. Il courait sans cesse vers son père et le mordait, comme il craignait lui-même se faire mordre par le cheval. Hans était par ailleurs suralimenté. Cela était-il lié à son obsession des grands et gros chevaux? Enfin, on sait que Hans se référait à lui-même comme à un jeune cheval et qu'il avait tendance à taper du pied lorsqu'il était en colère, comme le cheval qui avait chuté au cours de sa promenade avec sa mère. En ce qui concerne la mère, se pourrait-il que les lourdes voitures de déménagement symbolisent la mère enceinte et la chute du cheval la naissance ou l'accouchement d'un enfant? Ces associations sont-elles fortuites ou peuvent-elles jouer un rôle important dans notre compréhension de la phobie?

Selon Freud, la phobie de Hans s'explique surtout par un conflit œdipien. Hans éprouvait pour sa mère plus d'affection qu'il pouvait n'en gérer pendant le stade phallique de son développement. Même s'il avait une affection profonde à l'égard de son père, il le considérait également comme un rival pour l'affection de sa mère. Lors des vacances qu'il avait passées seul avec sa mère, il avait pu se mettre au lit avec elle et la garder pour lui seul. Cette situation a intensifié son attirance envers sa mère et son hostilité à l'égard de son père. Selon Freud, «Hans est vraiment un petit Œdipe, qui voudrait écarter son père, s'en débarrasser, afin d'être seul avec sa jolie maman, afin de dormir avec elle. Ce souhait avait pris naissance pendant les vacances d'été, alors que la présence et l'absence alternées du père avaient attiré l'attention de Hans sur les conditions auxquelles était liée cette intimité avec sa mère, qu'il désirait tellement.» La chute et la blessure de son ami et rival au cours de ces vacances avaient revêtu une grande importance, aussi, car elles avaient symbolisé pour Hans la défaite de ce rival.

La résolution du conflit œdipien

Au retour des vacances d'été, le ressentiment de Hans envers son père augmente. Il essaie de réprimer ce sentiment en faisant preuve d'une affection excessive. Il trouve une manière ingénieuse de résoudre le conflit œdipien: sa mère et lui seraient les parents des enfants, et le père pourrait être le grand-père. Ainsi, comme le souligne Freud, «le petit Œdipe a trouvé une solution plus satisfaisante que celle prescrite par le destin. Au lieu d'écarter son père, il lui octroie le même sort heureux que celui qu'il désire pour lui-même: il fait de lui un grand-père et lui permet aussi d'épouser sa propre mère.» Cependant, un tel fantasme ne pouvait pas être une solution satisfaisante, et Hans conserve une hostilité marquée envers son père. La phobie avait été déclenchée par la chute du cheval. À ce moment-là, Hans s'était mis à souhaiter que son père tombe et meure. L'hostilité qu'il éprouve envers son père et qu'il projette sur lui est symbolisée par ce qui arrive au cheval, l'enfant nourrissant à son égard des souhaits inspirés par la jalousie et l'hostilité. Il a peur que le cheval ne le morde parce qu'il souhaite voir tomber son père et les craintes que le cheval n'entre dans sa chambre surviennent la nuit lorsque culminent les fantasmes œdipiens. En jouant au cheval et en mordant son père, il s'identifie avec lui. La phobie exprime le désir et l'angoisse, et accessoirement permet à Hans d'arriver à ses fins et de rester à la maison en compagnie de sa mère.

En somme, sa peur d'être mordu par un cheval et sa crainte que les chevaux ne chutent représentaient toutes deux le père qui punirait Hans des souhaits malveillants qu'il nourrissait à son égard. Hans réussit à surmonter la phobie et, selon le compte rendu qu'en fit plus tard Freud, il semblait bien se porter. À quoi ce changement fut-il attribuable ? D'abord, il y eut les éclaircissements fournis par son père à propos de la sexualité. Même si Hans hésita à les accepter au début et même si elles provoquèrent chez lui un renforcement de l'angoisse de castration, ces explications ont offert à Hans l'occasion de maintenir son épreuve de la réalité. Ensuite, grâce à l'analyse élaborée tant par son père que par Freud, Hans est devenu conscient de ce qui auparavant était inconscient. Enfin, comme le père a laissé son fils exprimer ses sentiments et qu'il s'y est intéressé, la résolution du conflit œdipien s'en est trouvée facilitée ; Hans s'est identifié au père, ce qui a eu pour effet d'atténuer son désir de rivaliser avec lui et son angoisse de castration, et par conséquent de diminuer le risque d'apparition de nouveaux symptômes. Le cas du petit Hans comporte de nombreux problèmes du point de vue de la recherche scientifique : c'est le père lui-même qui interroge son fils et il le fait d'une manière non systématique ; adepte de la théorie psychanalytique, ses observations et interprétations sont peut-être biaisées. Quant à Freud, il doit se contenter d'une information de deuxième main ; il connaît les limites des données, mais celles-ci l'ont tout de même impressionné. Alors qu'auparavant sa théorie ne reposait que sur les souvenirs d'enfance de patients adultes, le cas du petit Hans permet d'inclure la vie sexuelle des enfants dans son champ d'observation.

Le cas du petit Hans nous donne une idée de l'abondante information qui s'offre à l'analyste ainsi que de la difficulté inhérente à l'interprétation de ces données. Ce seul cas renseigne sur plusieurs conceptions théoriques : sexualité infantile, fantasmes d'enfants, fonctionnement de l'inconscient, apparition et résolution des conflits, développement des symptômes, symbolisation et mécanismes de formation du rêve. En lisant cette étude de cas, nous voyons le courage de Freud de même que ses efforts pour découvrir les secrets de l'être humain malgré les limites imposées à ses observations, mais nous voyons aussi qu'il interprète des données que la plupart des psychologues contemporains rejetteraient. De nos jours, la plupart des chercheurs en psychologie estimeraient que ces données sont si peu systématiques et si potentiellement biaisées qu'ils ne s'en serviraient pas pour asseoir une théorie scientifique.

Le test de Rorschach et le test d'aperception thématique (TAT)

On a fait passer à Jacques, psychologue clinicien, deux tests projectifs : le test de Rorschach et le test d'aperception thématique. Dans le test de Rorschach, Jacques a fourni relativement peu de réponses, 22 au total. Ce constat étonne en raison de ce que l'on sait de son intelligence et de son potentiel créateur. Voyons comment il a réagi aux deux premières cartes et examinons les interprétations de nature qualitative (par opposition à d'autres systèmes de cotation de nature objective et quantitative) formulées par le psychologue, qui est également psychanalyste.

PREMIÈRE CARTE

JACQUES : la première chose qui me vient à l'esprit, c'est un papillon.

INTERPRÉTATION : d'abord prudent, il agit de manière conventionnelle dans une situation nouvelle.

JACQUES : ça me rappelle une grenouille. Pas une grenouille complète, les yeux d'une grenouille. Ça me rappelle vraiment juste une grenouille.

INTERPRÉTATION : il devient plus circonspect, presque difficile, et pourtant il a tendance à généraliser de manière excessive, alors qu'il se sent incompétent.

JACQUES : ça pourrait être une chauve-souris. Plus sinistre que le papillon parce qu'il n'y a pas de couleur. Obscur et de mauvais augure.

INTERPRÉTATION : Phobique, inquiet, déprimé et pessimiste.

DEUXIÈME CARTE

JACQUES : Ça pourrait être deux personnes sans tête dont les bras se touchent. Semblent porter des robes épaisses. Ce pourrait être une personne touchant sa main dans un miroir. Si ce sont des femmes, elles ne sont pas bien faites. Semblent lourdes.

INTERPRÉTATION : conscient d'autrui. Inquiet ou confus au sujet des rôles sexuels. Caractéristiques anales compulsives. Méprisant et hostile envers les femmes : sans tête et mal faites. Narcissisme qui s'exprime dans l'image du miroir.

JACQUES : ça ressemble à deux visages face à face. Masques, profils – plutôt des masques que des visages – incomplets, plutôt une façade, l'une avec le sourire et l'autre un froncement de sourcils.

INTERPRÉTATION : il présente une façade, souriante ou fronçant les sourcils, mais il ne se sent pas authentique. En dépit d'une façade d'assurance, se sent tendu au contact des autres. A répété à plusieurs reprises qu'il n'avait pas d'imagination. Est-il inquiet au sujet de son rendement et de son importance ?

D'autres cartes donnent lieu à des réponses intéressantes. Sur la troisième carte, Jacques perçoit des femmes tentant de soulever des poids. Encore une fois, cela suggère l'existence d'un conflit au sujet de son rôle sexuel et de son orientation ; serait-elle passive, ou bien active ? Sur la carte suivante, il explique qu'« ils ont à peu près tous l'apparence des animaux sinistres d'Alfred Hitchcock », ce qui donne à penser qu'il pourrait y avoir encore une fois un élément phobique dans sa conduite et une tendance à projeter les menaces sur l'environnement. Ses références occasionnelles à la symétrie et aux détails indiquent qu'il recourt à des mécanismes de défense compulsifs et à l'intellectualisation lorsqu'il se sent menacé. Des allusions à des femmes apparaissent à plusieurs reprises, dans un contexte d'agitation et de conflit. Sur la septième carte, il perçoit deux femmes appartenant à la mythologie ; elles seraient qualifiées de bonnes si elles étaient issues de la mythologie, mais de mauvaises si elles étaient grosses. Sur l'avant-dernière carte, il perçoit « une sorte de comte, le comte Dracula. Des yeux, des oreilles, une cape. Prêt à saisir quelqu'un, à sucer le sang. S'apprêtant à aller étrangler une femme ». L'évocation de la succion du sang dévoile des tendances au sadisme oral, aspect qui figure également dans une image mentale de vampires qui sucent le sang. Jacques a fait suivre l'image mentale du comte Dracula d'une image de barbe à papa rose. L'examinateur estime que sa réponse indique un ardent désir d'affection et de contact, dissimulé par le sadisme oral ; autrement dit, le participant utilise ses tendances orales agressives (sarcasme, attaques verbales) pour se protéger de ses désirs oraux plus passifs (être nourri, materné et dépendant).

L'examinateur conclut que le test de Rorschach révèle qu'il y a chez Jacques une structure névrotique dans laquelle l'intellectualisation, la compulsion et les réactions hystériques (peurs irrationnelles, préoccupations corporelles) servent à se protéger contre l'angoisse. Cependant, on pense que Jacques continue de se sentir angoissé et mal à l'aise au contact des autres, notamment de ceux qui représentent l'autorité. Le compte rendu du test de Rorschach conclut : « Il est en conflit avec son rôle sexuel. Alors qu'il désire ardemment obtenir de l'affection et entrer en contact avec une femme maternelle, il se sent très coupable de ces besoins et de sa vive hostilité envers les femmes. Il endosse une orientation passive, joue constamment un rôle et, derrière un tact de façade, il continue d'entretenir sa rage, sa tristesse et son ambition. »

Quelles sortes d'histoires Jacques a-t-il racontées dans le test d'aperception thématique ? Ce qui frappe le plus dans ces histoires, c'est la tristesse et l'hostilité qui imprègnent toutes les relations interpersonnelles. L'un de ces récits fait voir un garçon dominé par sa mère, un autre met en scène un gangster insensible et capable d'une grande cruauté, le troisième un mari bouleversé d'apprendre que sa femme n'est pas vierge. Dans les relations entre les hommes et les femmes, en particulier, l'un des deux est toujours méprisé par l'autre. Voici l'un de ces récits :

> On dirait deux personnes âgées. La femme est sincère, sensible et dépendante de l'homme. Il y a quelque chose dans l'expression de l'homme – la façon dont il la regarde, comme s'il l'avait conquise – qui témoigne d'une insensibilité. Lorsqu'ils sont ensemble, l'homme et la femme n'éprouvent pas les mêmes sentiments de compassion et de sécurité. À la fin, la femme est profondément blessée et doit se débrouiller seule. Normalement, j'aurais tendance à les imaginer mariés,

mais pas dans ce cas, car deux personnes âgées qui sont mariées seraient heureuses ensemble.

Dans ce récit, nous sommes en présence d'un homme ayant une attitude sadique envers une femme. Nous voyons également à l'œuvre un mécanisme de défense, de déni, quand Jacques suggère que ces deux personnes ne peuvent être mariées puisque les couples âgés mariés sont toujours heureux ensemble. Dans le récit qui suit, on trouve une fois de plus le thème du mauvais traitement infligé à une femme. Le thème de la sexualité y apparaît plus ouvertement, de même que des éléments évoquant une certaine confusion des rôles sexuels.

Cette image suscite en moi une pensée grossière. Je pense à Candy. C'est le gars qui a profité de Candy. Il prie auprès d'elle. Ce ne sont pas les derniers sacrements, mais il l'a convaincue qu'il est quelqu'un de puissant et elle cherche à obtenir ses bonnes grâces. Son genou à lui est sur le lit, il échoue, elle est naïve. Il couche avec elle pour des raisons mystiques. [*Il rougit.*] Elle reste naïve et continue de se laisser impressionner par ce genre de choses. Elle a un regard très très doux et compatissant. Se pourrait-il qu'il s'agisse du gars qui porte une cravate ? Je resterai fidèle à ma première interprétation.

Le psychologue qui interprète ces histoires souligne que Jacques semble manifester un comportement immature, naïf, qui se caractérise par un déni flagrant de tout ce qui est désagréable ou sale, le sale englobant selon lui la sexualité et les querelles conjugales. Le rapport poursuit ainsi : « Il hésite entre l'expression d'un désir sadique et l'expérience d'un sentiment de victimisation. Il combine probablement les deux, souvent en exprimant indirectement son hostilité lorsqu'il se sent injustement traité ou accusé. Il ne sait que penser des rapports chargés de sens que peuvent entretenir deux personnes. Il est à la fois ambivalent, idéaliste et pessimiste au sujet de ses chances de vivre une relation stable.

« Il a peur de l'engagement parce qu'il considère les activités sexuelles comme sales et qu'elles sont pour lui une façon d'utiliser son partenaire ou d'être utilisé. En même temps, il a soif d'attention, il a besoin de reconnaissance et il ressent fréquemment des pulsions sexuelles. »

Plusieurs thèmes importants se retrouvent dans l'un ou l'autre des deux tests. Le premier met en cause le manque de chaleur dans les rapports interpersonnels en général ; notons particulièrement la propension à se montrer désobligeant et par moments sadique envers les femmes. Il existe chez Jacques un conflit entre son intérêt pour la sexualité et le sentiment que les activités sexuelles sont sales et marquées par de l'hostilité. Le deuxième thème est la tension et l'angoisse camouflées derrière des appa-

rences de sang-froid. Le troisième thème porte sur son identité sexuelle, source de conflit et de confusion. Bien que Jacques présente des signes d'intelligence et un potentiel créateur, le caractère non structuré des tests projectifs a également révélé une certaine rigidité et du refoulement. Les mécanismes de défense compulsifs, l'intellectualisation et le déni ne lui permettent pas de venir à bout de ses angoisses.

Commentaires au sujet des données sur Jacques

Les données sur Jacques permettent de voir les caractéristiques les plus intéressantes des tests projectifs. Comme leurs objectifs et la clé de leur interprétation sont dissimulés, nous pouvons pénétrer derrière la façade de sa personnalité (derrière ses mécanismes de défense, comme disent les psychanalystes) et discerner ses besoins, ses motivations et ses désirs. Les informations présentées dans l'autobiographie de Jacques (voir le chapitre 2) n'indiquaient pas les thèmes psychologiques qui ressortent dans ses réponses aux tests projectifs. En même temps, les interprétations issues des tests projectifs correspondent aux thèmes de son autobiographie et les approfondissent, qu'il s'agisse de la tension qu'il dissimule derrière une façade ou sa relation conflictuelle avec les femmes.

À mesure que nous étudions la théorie psychanalytique et que nous nous apprêtons à nous familiariser avec d'autres théories, une question intéressante émerge. Il est difficile d'établir dans quelle mesure les autres théories de la personnalité pourraient utiliser les données sur Jacques comme le fait l'approche psychanalytique. Comme nous aurons l'occasion de le constater dans les chapitres suivants, les méthodes d'évaluation associées aux autres théories ne permettent habituellement pas de produire des données comme celles issues des tests projectifs. C'est seulement dans le test de Rorschach que nous obtenons des éléments tels que « des femmes essayant de soulever des poids », « comte Dracula… prêt à saisir quelqu'un, à sucer le sang. S'apprêtant à aller étrangler une femme » et « barbe à papa rose ». Et ce n'est que dans le test d'aperception thématique que l'on trouve des allusions répétées à la tristesse et à l'hostilité qui imprègnent les rapports interpersonnels. Ces réponses permettent d'effectuer des interprétations psychodynamiques. Un part importante du fonctionnement de la personnalité de Jacques s'explique par la mise en œuvre d'un mécanisme de défense contre des pulsions sadiques. Ses allusions à la succion du sang et à la barbe à papa, ainsi que le reste de ses réponses, conduisent à penser qu'il a une fixation partielle au stade oral. Il est d'ailleurs intéressant de noter que

Jacques souffre d'un ulcère d'estomac et qu'il doit boire du lait (traitement prescrit à l'époque) pour soulager la douleur.

À mesure que Freud est devenu connu, des adeptes ont suivi. Comme cela se produit presque inévitablement dans ce genre de situation, certains de ces disciples ont suivi Freud de près tandis que d'autres ont rejeté un ou plusieurs aspects de sa théorie et ont emprunté de nouvelles directions – directions qu'ils n'auraient peut-être jamais envisagées sans l'apport de Freud mais que Freud lui-même n'aurait pas prises. Dans le reste du présent chapitre, nous examinerons l'approche psychodynamique postfreudienne.

LES CONCEPTIONS CONNEXES ET L'ÉVOLUTION DE LA THÉORIE

Deux contestataires de la première heure : Adler et Jung

Alfred Adler et Carl G. Jung figurent parmi les nombreux analystes de la première heure qui ont rompu avec Freud et créé leur propre école de pensée. Tous deux avaient dès les débuts joué un rôle important auprès de Freud, Adler ayant occupé le poste de président de la Société psychanalytique de Vienne et Jung le poste de président de l'Association psychanalytique internationale. L'un et l'autre se sont éloignés de Freud en raison de l'importance selon eux démesurée que celui-ci accordait aux pulsions sexuelles.

Alfred Adler (1870-1937)

Alfred Adler appartint pendant près d'une décennie à la Société psychanalytique de Vienne et y joua un rôle actif. Cependant, en 1991, lorsqu'il présenta ses théories aux autres membres du groupe, la réaction fut à ce point hostile qu'il démissionna pour former sa propre école, la *psychologie individuelle*. Pourquoi les conceptions qu'il avait élaborées furent-elles si mal reçues par les psychanalystes ?

L'insistance sur les motivations sociales et les pensées conscientes plutôt que sur les pulsions sexuelles et les processus inconscients a été sans doute l'aspect le plus significatif de la rupture d'Adler d'avec Freud. Au début de sa carrière, Adler s'est intéressé aux infériorités constitutionnelles physiques et à la façon dont on les compense. La personne qui présente un organe faible peut essayer de compenser sa faiblesse en déployant des efforts particuliers pour la renforcer ou pour développer d'autres organes.

Ainsi, l'enfant qui bégaie essayera peut-être à l'âge adulte de devenir un grand conférencier ; celui dont la vision est défectueuse tentera de se donner une sensibilité auditive ou musicale particulière. Peu à peu, Adler se rendit compte qu'un principe général se dégageait : les gens éprouvent de manière consciente des sentiments d'infériorité et sont poussés à compenser ces douloureuses infériorités. Adler affirmait : « C'est le sentiment d'infériorité, le sentiment de ne pas être à la hauteur et le sentiment d'insécurité qui déterminent le but de l'existence d'une personne » (Adler, 1927, p. 72).

L'approche adlérienne réinterprète les conceptions freudiennes traditionnelles. Reprenons l'exemple bien connu du président américain Theodore Roosevelt qui prône la dureté en disant « ayez avec vous un gros bâton ». Alors que Freud pourrait voir dans cette phrase un mécanisme

Selon la théorie d'Adler, les gens sont poussés par le désir de compenser leur sentiment d'infériorité. Les efforts compensateurs qu'ils déploient peuvent façonner le déroulement de leur existence. Les motivations explorées par Adler sont parfois évidentes dans le parcours de vie de personnes devenues célèbres. Cette photo montre Brian Wilson, fondateur des Beach Boys, un des groupes musicaux les plus populaires de toute l'histoire de la musique contemporaine. D'où vient le succès de Wilson ? Sur son site Web officiel, on peut lire : « Après des années de mauvais traitements infligés par son père, Wilson s'est retrouvé presque sourd d'une oreille, dépressif et sans grande estime de lui-même. "J'ai compensé", dit-il. "Je me sentais inférieur aux autres parce que j'étais sourd d'une oreille. J'ai compensé cette infériorité et créé une musique supérieure." »

de défense contre l'angoisse de castration, un tenant de l'approche adlérienne y verrait plutôt l'expression d'efforts compensateurs contre un sentiment d'infériorité. Pour les disciples de Freud, le comportement très agressif d'une femme serait interprété comme l'expression de l'envie du pénis et pour ceux d'Adler comme une revendication masculine ou comme le rejet des stéréotypes féminins de faiblesse et d'infériorité. Selon Adler, les efforts de l'individu pour prendre en compte ces sentiments s'inscrivent dans son style de vie; ils constituent un aspect caractéristique du mode de fonctionnement de sa personnalité.

Le principe des efforts déployés pour compenser une infériorité ne vaut pas seulement pour les personnes qui présentent une infériorité physique. Elle vaut pour tout le monde, parce que chacun de nous, dans son enfance, a vécu de l'infériorité. « Il faut se rappeler que chaque enfant occupe une position d'infériorité dans la vie » (Adler, 1927, p. 69-70). Tous les jeunes enfants voient qu'ils sont moins capables de composer avec les objets et les événements que les adultes ou les enfants plus âgés de leur entourage. Tous les individus, donc, éprouvent cette force de motivation qu'inspire le sentiment d'infériorité.

Les concepts adlériens sont davantage orientés sur l'aspect social que ceux de Freud. Pour Adler, les efforts compensateurs sont l'expression d'une volonté de puissance, c'est-à-dire de la volonté de l'individu de compenser ses infériorités et son sentiment d'impuissance pour être un individu social efficace et fort. Sous sa forme névrotique, cette tendance peut s'exprimer par le désir de puissance et de domination sur autrui; sous sa forme plus saine, elle peut prendre la forme d'un « vif désir » d'unité et de perfection. Chez l'individu sain, la tendance à la supériorité se manifeste par la propension à la sociabilité et à la collaboration avec les autres ainsi que par l'affirmation de soi et la compétition. Depuis les origines, on constate chez les êtres humains une tendance innée à se lier aux autres et à collaborer avec eux. Notons également que la théorie d'Adler s'intéresse tout particulièrement à la façon dont l'individu réagit aux sentiments qu'il éprouve à l'égard du soi, aux objectifs qui orientent son comportement; elle accorde aussi une grande importance à l'influence du rang de famille sur le développement psychologique. Relativement au rang de naissance, de nombreux psychologues ont constaté que, dans une famille, les fils uniques ou les premiers-nés réussissent mieux, en général, que les fils cadets. Sur les vingt-trois premiers astronautes américains, il y avait vingt et un premiers-nés ou fils uniques. Sulloway (1996) a inscrit la question du rang de naissance dans un contexte évolutionniste en suggérant que les premiers-nés ont tendance à être consciencieux et conservateurs pour préserver leur statut d'aîné dans la famille, alors que les fils cadets, qui cherchent à établir leur statut et à réussir par d'autres moyens, sont des « rebelles nés ». Même si cette opinion soulève encore la controverse, remarquons que la démonstration de Sulloway au sujet des « premiers-nés conservateurs » et des « cadets rebelles » s'appuie tant sur sa propre recherche que sur celle d'autres théoriciens (Paulhus, Trapnell et Chen, 1999). Nombre de conceptions avancées par Adler se sont fait un chemin dans le grand public et ont été associées par la suite à des idées élaborées par d'autres théoriciens. Les chercheurs contemporains, tout comme Adler, se sont intéressés au pouvoir comme déterminant fondamental du comportement humain (Keltner, Gruenfeld et Anderson, 2003). Cependant, sa théorie de la psychologie individuelle n'a pas beaucoup influé sur la théorie de la personnalité et la recherche dans ce domaine.

Carl G. Jung (1875-1961)

Le rôle de Carl Jung dans l'histoire de la théorie psychodynamique est tout à fait unique. Tôt dans sa carrière, ce chercheur suisse lut les publications de Freud, fut profondément impressionné et commença une correspondance avec le psychanalyste viennois. Lorsque Freud et Jung se rencontrèrent par la suite, ils furent mutuellement admiratifs. Ils entamèrent une relation à la fois professionnelle et personnelle; leur correspondance donne à penser que leur relation participait autant d'une relation père-fils que d'un rapport entre confrères. Freud vit peu à peu dans Jung son « prince héritier », c'est-à-dire celui qui perpétuerait la tradition psychanalytique après sa mort. Ce n'est toutefois pas ce qui arriva. En 1909, des conflits à la fois personnels et professionnels commencèrent à détériorer leur relation (Gay, 1998). En 1914, Jung démissionna de son poste de président de l'Association psychanalytique internationale.

Quelle est la raison de la rupture entre Freud et Jung? Jung estimait que Freud prêtait à la sexualité une importance excessive. Il considérait la libido comme l'expression psychique d'une énergie vitale entendue au sens large. Si la sexualité relève de cette énergie vitale, la libido comprend également d'autres dispositions au plaisir et à la créativité. Du côté de Jung, cette réinterprétation de la libido fut la raison première de sa rupture d'avec Freud. (Freud, en revanche, vit leur rupture sous un angle psychanalytique, arguant que Jung exprimait des sentiments œdipiens envers son père professionnel, en l'occurrence Freud lui-même.)

Cette conception différente de l'énergie libidinale n'est qu'un des éléments qui distinguent la psychologie analytique de Jung de la psychanalyse de Freud. Jung trouvait exagérée l'importance que Freud accordait à l'idée que notre comportement est une simple répétition du passé, que pulsions et répressions psychologiques de l'enfance se reproduisent à l'âge adulte. Jung croyait plutôt que le développement de la personnalité suit également un mouvement vers l'avant. Les gens essaient d'acquérir une identité personnelle profonde et un sens de soi. En fait, les gens sont tellement orientés vers l'avenir qu'ils ont souvent des pratiques religieuses qui les préparent à une vie après la mort.

Un des éléments caractéristiques de la pensée de Jung est l'importance qu'il accorde à l'influence évolutionniste sur la vie psychique de l'humain. Jung accepte la notion d'inconscient de Freud, pour qui l'inconscient est un lieu contenant les expériences refoulées, mais il y ajoute un nouvel élément qui le prolonge, le concept d'**inconscient collectif**. Selon lui, les êtres humains entreposent dans l'inconscient collectif les expériences accumulées par les générations antérieures. L'inconscient collectif, contrairement à l'inconscient personnel, appartient à tous les êtres humains de par leurs ancêtres communs. Il fait partie de notre patrimoine autant humain qu'animal, et sert de lien avec la sagesse collective issue d'expériences passées remontant à des millions d'années : « Cette vie psychique représente l'esprit de nos ancêtres primitifs, leur manière de penser et de ressentir, la façon dont ils concevaient la vie et l'univers, les dieux et les êtres humains. C'est de l'existence de ces strates historiques que proviennent sans doute la croyance en la réincarnation et aux souvenirs de vies antérieures » (Jung, 1939, p. 24).

Les *archétypes*, qui sont des images ou des symboles universels, constituent une part importante de l'inconscient collectif. On rencontre des archétypes, par exemple celui de la mère, dans les contes de fées, les rêves, les mythes et dans certaines idéations psychotiques. Jung a été frappé par les images similaires qui apparaissent sous des formes légèrement différentes dans des cultures très éloignées les unes des autres. L'archétype de la mère, par exemple, revêt de multiples formes, positives ou négatives : l'être qui donne la vie, la femme fertile et « maternante », la sorcière ou celle qui menace de punir (« Ne touchez pas à mère Nature ») et la séductrice. Les archétypes peuvent prendre l'allure de personnes, de démons, d'animaux, de forces naturelles ou d'objets. Ils font indubitablement partie de l'inconscient collectif, comme l'atteste leur présence au sein de diverses cultures appartenant aussi bien au passé qu'à l'époque contemporaine.

La théorie de Jung met aussi en évidence les luttes menées par l'individu pour résoudre les conflits entre les forces antagonistes qui sont en lui. Citons par exemple la lutte qui se déroule entre le masque que nous présentons aux autres, représenté par l'archétype de la persona, et le moi intime, ou personnel. Si l'individu met trop en avant la *persona*, il peut y avoir une perte du sentiment de soi et un doute au sujet de son identité. En revanche, la *persona*, qui s'exprime dans les rôles sociaux et les coutumes, est un élément indispensable à la vie en société. De même, il existe une lutte entre les aspects masculins et féminins présents en chacun de nous. Tout homme possède une part féminine (l'archétype de l'anima) et toute femme possède une part masculine (l'archétype de l'animus) dans sa personnalité. S'il rejette sa part féminine, l'homme peut surestimer la maîtrise et la force, et paraître froid et insensible à l'égard d'autrui. À l'inverse, si elle rejette sa part masculine, la femme peut s'absorber d'une manière excessive dans la maternité. Les psychologues qui s'intéressent présentement aux stéréotypes sexuels applaudiraient à cette mise en évidence de la dualité de chacun, mais ils s'inscriraient en faux contre cette façon de qualifier certains traits de typiquement masculins ou féminins. Un des éléments intéressants mais controversés de l'analyse de Jung est l'idée que les stéréotypes basés sur le sexe ne sont pas un produit de l'expérience sociale de l'individu mais des expériences de ses ancêtres au cours de l'évolution. On trouve une conception semblable dans l'approche évolutionniste contemporaine (voir le chapitre 9).

Jung met de l'avant que tous les individus ont une tâche personnelle fondamentale : trouver l'unité dans le soi. Cette tâche consiste à harmoniser, ou intégrer, les différentes forces opposées de la psyché. La personne est motivée et guidée dans son cheminement vers la connaissance d'elle-même et son intégration par le plus important de tous les archétypes de Jung : le soi. Dans la psychologie

Inconscient collectif

Terme proposé par Carl Jung pour désigner les caractéristiques héréditaires, universelles et inconscientes de la vie psychique qui reflètent l'expérience de l'espèce humaine au cours de l'évolution.

jungienne, le « soi » ne fait pas référence aux croyances conscientes d'un individu au sujet de ses qualités personnelles. Le soi est plutôt une force inconsciente, plus précisément un aspect de l'inconscient collectif qui fonctionne comme un « centre d'organisation » (Jung, von Franz, Henderson, Jaffé et Jacobi, 1964, p. 161) au sein de tout le système psychologique de la personne. Selon Jung, le soi est souvent représenté symboliquement par des figures circulaires (le cercle représente un sentiment d'intégrité qu'on peut atteindre par la connaissance de soi). Les mandalas, ces dessins circulaires dont les motifs convergent vers un point central, sont des symboles détaillés de la lutte de l'être humain pour la connaissance de soi. Selon la théorie jungienne, puisque le soi est un archétype de l'inconscient collectif et puisque l'inconscient collectif est une dimension universelle de la personnalité humaine, on peut s'attendre à trouver des représentations symboliques du soi qui se ressemblent d'une culture à l'autre. Et c'est le cas. Les symboles qu'on trouve dans des cultures humaines chronologiquement ou géographiquement très éloignées les unes des autres présentent souvent une imagerie étonnamment similaire qui, selon Jung, représente la motivation inconsciente collective de grandir dans notre connaissance de soi.

Pour Jung, la quête du soi occupe toute la vie d'un individu. « La personnalité en tant que parfaite réalisation de la plénitude de l'être constitue un idéal inaccessible. L'inac-

cessibilité n'est toutefois pas un contre-argument, car les idéaux ne sont que des points de repère, jamais des buts » (Jung, 1939, p. 287). Cette lutte peut prendre beaucoup d'importance dans la vie lorsque l'individu atteint la quarantaine et se définit face aux autres d'une multitude de façons.

On trouve aussi chez Jung l'opposition entre *introversion* et *extraversion*, deux concepts qui définissent notre rapport au monde. L'individu se situe principalement à l'un ou l'autre de ces pôles, même si le pôle opposé est toujours présent. Dans l'introversion, l'individu se tourne fondamentalement vers l'intérieur, vers le soi. L'introverti est hésitant, réfléchi et prudent. Dans le cas de l'extraversion, au contraire, l'individu se tourne vers l'extérieur, vers les autres. L'extraverti est engagé socialement, actif et aventureux.

Comme nous l'avons fait pour Adler, nous nous sommes bornés à présenter quelques-uns des points saillants de la théorie jungienne. Beaucoup considèrent Jung comme l'un des penseurs les plus féconds du XXᵉ siècle. Sa théorie a exercé une influence dans bien d'autres domaines que la psychologie. On trouve encore des centres jungiens de formation clinique dans plusieurs pays. Cela dit, les travaux de Jung ont eu peu d'influence sur la psychologie scientifique. Une des principales raisons à cela est que, souvent, Jung ne proposait pas ses idées d'une manière

Le psychologue Carl Jung a émis l'hypothèse que les mandalas symbolisent le désir universel des êtres humains de se sentir entiers et complets. Comme l'archétype du soi est une caractéristique universelle de l'esprit humain selon Jung, on peut s'attendre à trouver des symboles de type mandala dans toutes les cultures. Et c'est le cas. Aussi semblables que soient les deux mandalas montrés dans l'illustration, ils viennent de deux cultures très éloignées l'une de l'autre : le mandala de gauche vient d'Asie centrale, tandis que celui de droite vient d'une communauté autochtone du sud-ouest des États-Unis.

scientifiquement vérifiable. Ses conceptions pleines d'imagination étaient plus spéculatives que les conceptions des autres théoriciens de la personnalité. Tellement spéculatives, en fait, que certains éléments de sa théorie sont difficiles, voire impossibles, à appuyer ou à rejeter à l'aide de méthodes scientifiques objectives.

L'importance des facteurs culturels et interpersonnels : Horney et Sullivan

Réinterpréter les forces motivationnelles

Au milieu du XXᵉ siècle, un groupe de théoriciens en psychanalyse amorcèrent une profonde réinterprétation des principes psychanalytiques fondamentaux. Ces théoriciens estimaient que le développement de la personnalité relevait, dans une plus large mesure que ce que Freud croyait, des interactions interpersonnelles. Ces interactions étant inhérentes aux contextes sociaux et culturels, les travaux de ces théoriciens ont donc repositionné la psychanalyse en la rapprochant des influences culturelles et interpersonnelles.

Comme Greenberg et Mitchell (1983) l'ont expliqué, il y a deux manières d'aborder les facteurs interpersonnels du point de vue psychodynamique. D'un côté, si l'on adhère aux principes freudiens traditionnels, les forces motivationnelles en œuvre dans le développement de l'individu sont les pulsions, concept-limite entre le psychisme et le biologique (les pulsions du ça visant le plaisir), et le développement de la personnalité s'articule autour des efforts de l'individu pour gérer les désirs issus des expériences de satisfaction vis-à-vis ses besoins biologiques, désirs souvent en conflit avec les normes de la société. Une fois les structures de personnalité ainsi érigées, elles influent à leur tour sur la vie sociale. Les pulsions sont donc primaires : moteur premier du développement, elles président à la formation des structures de la personnalité. Les relations sociales (avec les pairs et les amis, par exemple) revêtent une importance secondaire. Dans cette façon typiquement freudienne d'aborder les facteurs interpersonnels, ce ne sont pas les relations sociales qui déterminent les structures de personnalité, mais l'inverse : les relations sociales sont *déterminées* par les structures de personnalité, dont le développement est issu des pulsions du ça.

Les idées des théoriciens de la psychodynamique interpersonnelle se démarquent radicalement des conceptions freudiennes (Greenberg et Mitchell, 1983). Dans la théorie

interpersonnelle, les relations sociales occupent un rôle primaire et non secondaire. Ainsi, les structures de personnalité se développeraient par l'entremise des interactions avec autrui, c'est-à-dire qu'elle en est le résultat. Les individus autour de nous ont des styles émotionnels qui influent sur notre propre vie émotionnelle. Ils nous renvoient des évaluations qui influent sur notre concept de soi. L'acceptation d'autrui devient une force de motivation fondamentale.

Plusieurs chercheurs ont contribué à la théorie interpersonnelle, mais deux d'entre eux ont eu une importance historique notable : Karen Horney et Harry Stack Sullivan.

Karen Horney (1885-1952)

Karen Horney a reçu une formation d'analyste classique en Allemagne et a émigré aux États-Unis en 1932. Peu après son arrivée, elle rompt avec la pensée psychanalytique classique et elle élabore sa propre orientation théorique de même qu'un programme de formation psychanalytique.

Une des principales différences entre les travaux de Horney et la pensée psychanalytique traditionnelle porte sur la question des facteurs biologiques universels par opposition aux facteurs culturels et environnementaux : « Si nous concevons toute l'importance des conditions culturelles dans les névroses, les conditions biologiques et physiologiques qui, selon Freud, en constituent la source, reculent à l'horizon » (1937, p. viii). Trois considérations importantes l'amènent à insister sur les facteurs culturels. D'abord, le rôle de la culture sur l'identité sexuelle. L'influence des facteurs culturels sur : « nos idées de la masculinité et de la féminité est évidente, et il m'est apparu tout aussi évident que Freud en était arrivé à certaines conclusions dans la mesure où il avait négligé ces facteurs » (1945, p. 11). Ensuite, elle était associée à un autre psychanalyste, Erick Fromm, qui l'a aidée à prendre davantage conscience des facteurs sociaux et culturels. Enfin, Karen Horney considéra qu'elle avait observé elle-même des différences dans la structure de la personnalité chez les patients traités en Europe et aux États-Unis.

Ces observations l'ont en outre amenée à conclure que les rapports interpersonnels sont au cœur du fonctionnement de la personnalité, qu'il soit sain ou perturbé.

Horney se préoccupe de savoir comment, dans le fonctionnement névrotique, l'individu s'y prend pour venir à bout de l'angoisse fondamentale, ce sentiment d'isolement et d'impuissance qu'éprouve l'enfant dans un monde potentiellement hostile. Selon sa théorie de la névrose, il existe chez l'individu névrotique un conflit entre les trois façons de réagir à cette angoisse fondamentale, c'est-à-dire trois modèles ou tendances névrotiques : le mouvement vers autrui, le mouvement contre autrui et le mouvement de fuite devant autrui. On retrouve dans ces trois tendances la rigidité et l'absence d'épanouissement du potentiel individuel qui constituent l'essence de toute névrose. Celui qui va vers autrui tente de venir à bout de l'angoisse en faisant tout pour être accepté, désiré et approuvé. Il accepte de dépendre d'autrui et, hormis la quête d'une affection sans bornes, il se montre généreux, peu exigeant et porté à se sacrifier. Celui qui va contre les autres suppose qu'ils sont hostiles et que la vie est une lutte de tous contre tous. Dans l'ensemble, son comportement vise à démontrer qu'il n'a aucunement besoin des autres et qu'il est un dur. Celui qui s'éloigne des autres se retire des interactions sociales en manifestant un détachement névrotique. Il adopte souvent un comportement détaché envers lui-même et les autres, ce qui représente une façon de ne pas s'engager sur le plan affectif dans ses rapports avec autrui. Chaque névrosé manifeste l'une de ces tendances à titre de composante particulière de sa personnalité, mais le vrai problème vient de ce que ces trois tendances se trouvent en conflit lorsqu'il s'agit de maîtriser l'angoisse fondamentale.

Avant de quitter Karen Horney, analysons ses idées sur les femmes. Celles-ci remontent à ses premiers travaux, effectués dans le cadre de l'approche traditionnelle psychanalytique, et ont fait l'objet d'une série d'articles regroupés dans *La psychologie de la femme* (1973). Horney n'a jamais été d'accord avec les idées de Freud au sujet des femmes. Elle croyait que le concept d'envie du pénis venait peut-être d'un préjugé masculin entretenu par les psychanalystes qui soignaient des femmes névrosées dans un contexte social particulier : « Malheureusement, on en sait peu ou on n'en sait rien sur les femmes psychologiquement saines, ou sur les femmes vivant dans différents contextes culturels... » (1973, p. 226). Elle affirmait qu'il n'y avait pas chez les femmes de prédisposition biologique à l'adoption d'attitudes masochistes de faiblesse, de dépendance, de soumission et de dévouement. Ces attitudes, selon elle, témoignaient plutôt de la force des facteurs sociaux.

En somme, Horney refuse de mettre l'accent, comme le faisait Freud, sur les déterminants biologiques ; elle adopte plutôt une approche sociale et interpersonnelle, aussi bien dans ses idées sur les femmes que dans son orientation

théorique en général. C'est pour cette raison, entre autres, qu'elle envisageait avec beaucoup plus d'optimisme que ses collègues la capacité de changement et d'accomplissement de soi de l'individu.

Harry Stack Sullivan (1892-1949)

Parmi tous les théoriciens mentionnés dans la présente section, Sullivan, un Américain, est celui qui a accordé la plus grande importance au rôle des forces sociales et interpersonnelles dans le développement humain. Les tenants de sa théorie, appelée *Interpersonal Theory of Psychiatry* (1953), appartiennent à l'école des relations interpersonnelles de Sullivan.

Pour Sullivan, les expériences émotionnelles ne sont pas ancrées dans les pulsions biologiques, comme Freud le proposait, mais dans les relations avec autrui, et ce, même au début de la vie. Par exemple, l'anxiété peut être transmise par la mère lors de sa première interaction avec le nourrisson. Ainsi, dès le début, l'anxiété est de nature interpersonnelle. Le soi, concept crucial dans la théorie de Sullivan, est de la même façon d'origine sociale. Le soi se forme à travers les sentiments éprouvés lors des contacts avec autrui et à partir de la perception qu'a l'enfant de la façon dont il se sent valorisé ou évalué par les autres. L'expérience de l'angoisse par rapport au sentiment de sécurité contribue au développement de différentes parties du soi : le *moi bon*, associé aux expériences agréables, le *moi mauvais*, associé à la douleur et aux menaces à la sécurité, et le *non-moi*, ou la partie de soi qui est rejetée en raison de son rapport avec une angoisse insupportable.

Sullivan, on le constate, accorde beaucoup d'importance aux déterminants sociaux dans sa conception du développement de la personne. Comme le fait Erikson (voir le chapitre 3), il considère que les stades de développement postérieurs au complexe d'Œdipe contribuent de manière significative au développement global de la personne. Il s'intéresse surtout à l'enfance (*juvenile era*) et à la pré-adolescence. Au cours de la première période, qui correspond à peu près à l'école primaire, l'enfant connaît auprès de ses amis et de ses enseignants des expériences qui entrent en concurrence avec l'influence de ses parents. L'acceptation sociale devient cruciale et la réputation dont l'enfant bénéficie auprès des autres devient une grande source d'estime de soi ou d'angoisse. Au cours de la pré-adolescence, la relation avec un ami proche, du même sexe, devient très importante. Cette relation de grande amitié servira de base au développement d'une relation amoureuse avec une personne de l'autre sexe au cours de l'adolescence. Aujourd'hui, de nombreux psychologues de l'enfant soutiennent l'importance des premiers rapports qu'on entretient avec des pairs, comme le disait Sullivan des années auparavant (Lewis, 2002).

LA RELATION D'OBJET, LA PSYCHOLOGIE DU SOI ET LA THÉORIE DE L'ATTACHEMENT

La théorie de la relation d'objet

La théorie interpersonnelle de Sullivan tranche considérablement sur la tradition psychanalytique établie par Freud. Comme nous l'avons mentionné, la conception interpersonnelle de Sullivan donne une place plus grande aux expériences développementales vécues après la période œdipienne (durant la préadolescence, par exemple). Nous allons maintenant nous pencher sur des écoles de pensée qui ont suivi une autre voie. À l'instar de Sullivan, d'autres théoriciens en psychodynamique, qu'on appelait théoriciens de la relation d'objet, se sont intéressés aux relations interpersonnelles, à la différence que leurs idées « sont essentiellement des théories développementales qui décrivent les processus développementaux et les relations *avant* la période œdipienne » (St. Clair, 1986, p. 15).

Un obstacle à la compréhension de la relation d'objet se pose peut-être à l'instant même pour l'étudiante ou l'étudiant que vous êtes, et cet obstacle a trait à la signification du mot *objet*. Dans la théorie psychodynamique, le sens de ce mot est différent de son sens usuel. On emploie

Les pairs : Harry Stack Sullivan accordait beaucoup d'importance aux pairs et au « meilleur ami » du même sexe durant la préadolescence.

généralement le mot *objet* pour désigner des choses non vivantes : une chaise, une lampe, une boîte, etc. Dans la théorie de la relation d'objet, cependant, le mot *objet* fait référence à une personne. Les psychanalystes de l'école freudienne affirmaient que l'individu avait des pulsions qu'il dirigeait sur ce qui pouvait satisfaire cette pulsion en réduisant la tension. Ainsi, un objet est ce en quoi et par quoi la pulsion cherche à atteindre son but, sa satisfaction. Comme le besoin de réduire la tension est habituellement satisfait par une personne (le bébé affamé cherche le sein de sa mère, l'adulte souhaite un rapport sexuel avec une personne qui l'attire), les objets importants sont des personnes.

Du fait qu'ils étudient les objets, les théoriciens de la relation d'objet s'intéressent au domaine des relations interpersonnelles (Greenberg et Mitchell, 1983 ; Westen et Gabbard, 1999). Ils étudient en quoi les expériences vécues par l'individu dans le passé auprès de personnes significatives deviennent des parties ou des aspects du soi et influent ensuite sur les rapports qu'il entretient aujourd'hui avec les autres. À plusieurs égards, cette conception est proche du modèle psychanalytique initial de Freud, mais il y a une différence. Les théoriciens de la relation d'objet n'expliquent pas tous les aspects du développement de la personnalité, et ensuite son fonctionnement, en fonction des conflits entre les pulsions déterminées biologiquement et les contraintes sociales, comme Freud le faisait. Ils examinent plutôt les représentations mentales des relations avec les objets (c'est-à-dire avec autrui). Les relations qu'un individu a eues au début de son enfance déterminent la nature des modèles mentaux, ou représentations mentales, que cet individu se fait des autres. Une fois ces représentations mentales formées, elles demeurent dans l'esprit. Plus tard dans la vie, ces représentations mentales issues de l'enfance influent sur les nouvelles relations de l'individu : « Les vestiges des expériences passées… façonnent [ensuite] les perceptions que l'on a des gens et des relations » (St. Clair, 1986).

La psychologie de soi et la personnalité narcissique

Dans le domaine psychodynamique, il existe un ensemble d'idées proches parentes de la théorie de la relation d'objet : la psychologie du soi. (À noter que beaucoup de psychologues dont l'approche n'est *pas* psychodynamique s'intéressent également au soi et font parfois référence à leur discipline en l'appelant *psychologie du soi*. Dans la présente section, nous faisons spécifiquement référence à la psychologie du soi qui s'est développée au sein de l'école psychodynamique). La différence entre la théorie de la relation d'objet et la psychologie du soi est la suivante : les théoriciens de la relation d'objet (comme Otto Kernberg, par exemple) croient que les événements principaux de la petite enfance comportent des représentations de nos relations avec autrui et que les perturbations du développement créent des représentations négatives de soi et d'autrui, tandis que dans la psychologie du soi (dans les idées de l'analyste Heinz Kohut, par exemple), on se centre sur les expériences développementales qui influent sur les représentations mentales du soi. Si un individu a de mauvaises relations avec les autres, plus tard dans sa vie, le psychologue du soi les attribuera à des perturbations du développement du soi. Par exemple, la personne qui n'a pas acquis un sentiment de soi positif et distinct dans sa petite enfance peut, plus tard dans la vie, être très encline à rechercher des relations avec des individus qui la valoriseront ; autrement dit, la personne semblera psychologiquement dépendante et aura besoin des autres pour compenser la faible image qu'elle a d'elle-même.

La psychologie du soi s'est tout particulièrement intéressée à un phénomène appelé *narcissisme*. La définition du narcissisme varie légèrement d'un théoricien à l'autre, mais le terme fait généralement référence à un investissement de l'énergie psychique dans le soi. Les théoriciens tels que Kohut estiment que l'investissement narcissique d'énergie fait partie du développement de la personnalité de tous les individus. Tous les individus aspirent au développement de soi, à la maîtrise de soi et à une image de soi positive (St. Clair, 1986). Lorsque la personnalité se développe sainement et atteint sa maturité, l'individu est capable de répondre à ses propres besoins tout en étant sensible aux besoins des autres. Le besoin narcissique de mettre de l'avant les caractéristiques du soi peut même se manifester de manière positive en société, comme dans le cas de l'artiste dont les créations reflètent sa vie intérieure (St. Clair, 1986). Toutefois, si les expériences développementales n'ont pas abouti à la maturité, l'individu peut présenter une personnalité narcissique, c'est-à-dire que son narcissisme est devenu une caractéristique dominante de sa personnalité qui se répercute négativement sur ses relations avec autrui. Le narcissique affiche un sentiment grandiose de son importance et il est obsédé par des fantasmes de réussite et de pouvoir illimités. Ces individus (ceux qui acquièrent une person-nalité principalement narcissique) ont tendance à croire que la société leur doit des considérations et un traitement spécial, qu'ils méritent l'admiration et l'amour des autres, qu'ils sont spéciaux et uniques. En raison de l'investissement d'une trop grande énergie mentale dans leur propre personne, ils ont peu d'empathie pour les sentiments et les besoins des autres.

Bien que le narcissique affiche une image positive de lui-même, son estime de lui-même est vulnérable. Il a besoin d'admiration. Par moments, il idéalise ceux qui l'entourent, ainsi que lui-même, et à d'autres moments, il les dévalorise complètement. En thérapie, il n'est pas rare que le narcissique idéalise un instant le thérapeute pour sa perspicacité et qu'il le dévalue l'instant d'après, le trouvant stupide ou incompétent.

Échelle de narcissisme de Murray (1938, p. 181)

Je pense souvent à mon apparence et à l'impression que je produis chez les autres.

Je suis facilement blessé lorsqu'on me ridiculise ou qu'on exprime des remarques offensantes.

Je parle beaucoup de moi, de mes expériences, de mes sentiments et de mes idées.

Inventaire de la personnalité narcissique (Raskin et Hall, 1979)

J'aime vraiment être le centre d'attention.

Je pense que je suis une personne spéciale.

J'attends beaucoup des autres.

Je suis envieux de la chance des autres.

Je ne serai pas satisfait tant que je n'aurai pas obtenu tout ce que je mérite.

Figure 4.3 | Énoncés figurant dans le questionnaire d'évaluation du narcissisme

---

Pendant plusieurs années, le narcissisme a fait l'objet de nombreuses recherches systématiques. L'étude du narcissisme a notamment pour but d'élaborer des instruments d'évaluation aptes à déceler le narcissisme. Henry Murray, qui a conçu le test d'aperception thématique, a également élaboré un questionnaire visant à mesurer le narcissisme (figure 4.3). Plus récemment, on a construit l'*Inventaire de la personnalité narcissique* (IPN ; Raskin et Hall, 1979, 1981) (Emmons, 1987) (figure 4.3). Une étude a montré que les personnes qui ont obtenu un score élevé à l'inventaire de la personnalité narcissique utilisent beaucoup plus de références personnelles (je, me, mien) que ceux dont le score est faible (Raskin et Shaw, 1987). Une autre étude a permis d'établir un lien entre le score élevé obtenu à l'inventaire de la personnalité narcissique et le fait d'être décrit par les autres comme un individu exhibitionniste, assuré, contrôlant, prompt à critiquer et à évaluer (Raskin et Terry, 1987). On a constaté que ceux qui ont obtenu un score élevé à l'échelle du narcissisme évaluent leur rendement d'une manière plus positive que ne le font leurs pairs ou les collègues de travail, ce qui révèle un biais significatif à se surévaluer par rapport aux personnes dont le score est faible (John et Robins, 1994; Robins et John, 1997). De plus, alors que la plupart des gens se sentent mal à l'aise et embarrassés lorsqu'ils se voient dans un miroir ou sur une bande vidéo, les individus narcissiques éprouvent du contentement. Comme Narcisse qui dans le mythe contemplait son image dans l'eau de l'étang, les personnes narcissiques passent plus de temps à s'admirer dans le miroir, préfèrent se regarder eux-mêmes que de regarder les autres sur une bande vidéo et éprouvent un regain de l'ego à s'observer sur une bande vidéo (Robins et John, 1997).

Les chercheurs se sont également penchés sur les processus mentaux et les tendances interpersonnelles des individus narcissiques (Morf et Rhodewalt, 2001; Rhodewalt et Sorrow, 2002). Non seulement les narcissiques ont un style attributionnel autoglorifiant, mais ils ont également un concept de soi plutôt simpliste et manifestent une méfiance plutôt cynique à l'égard des autres (Rhodewalt et Morf, 1995). Ces résultats concordent avec la représentation du narcissique en tant qu'individu préoccupé de maintenir une estime de soi exagérée. Il n'est donc pas étonnant de constater que le narcissique cherche des partenaires amoureux qui l'admireront, contrairement à la personne non narcissique qui cherche des partenaires affectueux (Campbell, 1999).

La plupart des études portant sur le narcissisme mettent en corrélation les scores de l'inventaire de la personnalité narcissique et ceux obtenus dans d'autres questionnaires ou provenant de l'observation du comportement (par exemple, les références à soi, se regarder dans le miroir). Plus récemment, la recherche s'est cependant tournée vers les méthodes expérimentales. Par exemple, en s'appuyant sur des observations cliniques selon lesquelles les personnes narcissiques dont l'estime de soi a fait l'objet de critiques ou de menaces réagissent par la rage, la honte ou l'humiliation, Rhodewalt et Morf (1995) ont exposé des individus dont les scores de narcissisme étaient élevés ou faibles à des expériences de succès et d'échec dans deux tests présentés comme une évaluation de l'intelligence. Puisque les éléments d'évaluation étaient de difficulté moyenne, les participants ne pouvaient pas être sûrs

d'avoir fourni des réponses exactes, ce qui donnait aux expérimentateurs la possibilité de manipuler les commentaires au sujet de l'exactitude des réponses. Dans le but d'observer les effets de l'échec venant *après* la réussite par opposition à l'échec venant *avant* la réussite, on déclara à la moitié des participants qu'ils avaient réussi le premier test et échoué au second, tandis qu'on donna à l'autre moitié des résultats inverses. Après chacun des tests, les participants devaient répondre à des questions portant sur les émotions qu'ils ressentaient et les attributions causales de leur rendement. Comme prévu, les individus au score de narcissisme élevé ont réagi à l'échec avec davantage de colère que les individus dont le score était faible, notamment quand l'échec venait après le succès (figure 4.4). Ce résultat concorde avec les observations cliniques voulant que la colère narcissique soit une réaction aux menaces qu'on perçoit à l'égard d'une image de soi grandiose. De plus, on a constaté que les individus ayant un score de narcissisme élevé se montraient d'une grande vulnérabilité à des fluctuations de l'estime de soi selon que les commentaires à propos de leur soi étaient positifs ou négatifs. Ces commentaires avaient aussi des répercussions considérables sur le sentiment de bonheur (figure 4.4). Enfin, on a remarqué que les narcissiques étaient plus portés à s'autoglorifier en attribuant leur succès à leurs propres capacités et qu'ils rejetaient davantage le blâme sur les autres pour leurs échecs, comparativement aux individus moins narcissiques. Bref, les résultats expérimentaux confirment les observations cliniques quant à la vulnérabilité des individus narcissiques face aux attaques à l'estime de soi et quant à leur réaction de colère face à ces attaques.

La théorie de l'attachement

La dernière théorie que nous verrons dans cette recension des théories psychodynamiques postfreudiennes est la théorie de l'attachement. La théorie de l'attachement joue un rôle important dans la science de la personnalité d'aujourd'hui. Certains chercheurs estiment que les études actuelles sur le processus d'attachement ont donné un second souffle à la théorie psychodynamique au sein de la communauté scientifique (Shaver et Mikulincer, 2005), compte tenu des nombreuses critiques émises contre les conceptions de Freud au fil du temps.

La théorie de l'attachement telle que nous la connaissons aujourd'hui repose en grande partie sur les premiers travaux théoriques du psychanalyste britannique John Bowlby, lesquels furent considérablement consolidés

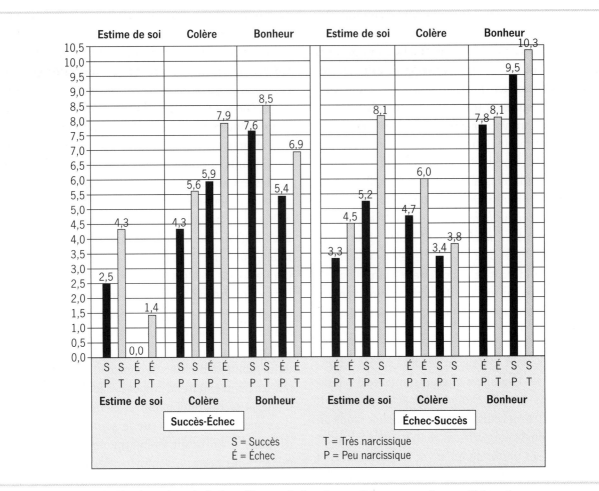

Figure 4.4 | **Les scores de l'estime de soi, de la colère et du bonheur obtenus par des participants très narcissiques ou peu narcissiques quand l'échec vient après le succès (à gauche) et quand l'échec vient avant le succès (à droite)**

Source: Rhodewalt, F., & Morf, C.C. (1995). Self and interpersonal correlates of the Narcissistic Personality Inventory: A review and new findings. *Journal of Research in Personality*, *29*, 1-23. © 1995, Academic Press, reproduction autorisée.

par les recherches empiriques de la psychologue du développement Mary Ainsworth (Ainsworth et Bowlby, 1991; Bretherton, 1992; Rothbard et Shaver, 1994). Bowlby s'est intéressé aux répercussions que la séparation précoce d'avec les parents pouvait avoir sur le développement de la personnalité. Ce problème prit beaucoup d'importance en Angleterre au cours de la Deuxième Guerre mondiale lorsque, pour les protéger des bombardements ennemis, de nombreux enfants des villes furent envoyés à la campagne, loin de leurs parents. Si l'on aborde cette situation dans une approche typiquement freudienne, on

se demandera comment la séparation d'avec les parents s'est répercutée sur le développement des pulsions instinctives (sexuelles et agressives) durant la période œdipienne par exemple. C'est toutefois ici que l'approche de Bowlby se distingue de celle de Freud. À partir de sa connaissance de l'éthologie (une branche de la biologie qui s'occupe de l'étude des animaux dans leur milieu naturel), Bowlby a émis l'hypothèse qu'il existait un système psychologique spécifiquement dédié à la relation parent-enfant. Il nomma ce système **système comportemental d'attachement (SCA)**.

Selon Bowlby, le SCA est inné, c'est-à-dire que tous les individus possèdent ce système de par leur constitution biologique. Le SCA aurait une importance motivationnelle qui incite le bébé à être proche (à rechercher la proximité physique) des personnes qui en prennent soin, particulièrement lorsqu'il se sent menacé. Un jeune enfant qui

Système comportemental d'attachement

Concept de Bowlby soulignant l'importance du lien qui s'établit entre le nourrisson et la figure maternelle, généralement la mère.

s'accroche à des adultes pour se rassurer et se sentir en sécurité, donc, est un exemple de comportement motivé par le SCA. Au cours de son développement, à mesure que le bébé se sent davantage en sécurité dans ses relations avec les adultes, la proximité des figures auxquelles il est attaché lui procure une « base de sécurité » pour l'exploration de l'environnement.

La théorie de l'attachement prédit que les effets des processus développementaux relevant de l'attachement sont de longue durée. La prédiction se fonde sur le raisonnement suivant. Les relations enfant-parent créent chez l'enfant des représentations mentales symboliques de lui-même et des personnes qui en prennent soin. Ces représentations mentales, appelées **modèles internes opérants**, contiennent des croyances abstraites et des attentes à l'égard des figures importantes. Une fois formés, les modèles internes opérants perdurent ; ce sont des structures durables de la personnalité.

La théorie de l'attachement de Bowlby reconnaît les différences individuelles dans l'attachement. Les parents ne répondant pas tous de la même façon aux besoins des bébés, les interactions entre les bébés et les personnes qui en prennent soin varient. Autrement dit, les différences parentales créent différents modèles internes opérants chez l'enfant. Ces représentations mentales peuvent contribuer à leur tour aux différences comportementales et émotionnelles de l'enfant à l'égard des autres.

L'élaboration par Ainsworth de la *technique de la situation étrangère* a marqué un tournant décisif dans la recherche empirique (Ainsworth, Bleher, Waters et Wall, 1978). Cette technique vise à déterminer les différences individuelles dans le style d'attachement par l'observation directe des interactions parent-enfant. (L'observation directe des parents est plus convaincante que, par exemple, des questions simplement posées aux parents sur leurs interactions avec leur enfant, car les réponses des parents peuvent être inexactes.) La technique de la situation étrangère consiste donc à observer de façon systématique et structurée la réaction des enfants au moment du départ (séparation) et du retour (réunion) de la mère ou d'une autre personne soignante. À partir de leurs observations, Ainsworth et ses collègues ont pu classer les enfants en trois catégories d'attachement : l'attachement sécurisé (environ 70 % des enfants), l'attachement anxieux/évitant (environ 20 % des enfants) et l'attachement anxieux/ambivalent (environ 10 % des enfants). Le bébé ayant un attachement de type *sécurisé* est sensible au départ de sa mère, mais il l'accueille

à son retour, il est facilement réconforté et il peut ensuite retourner explorer et jouer. Le bébé ayant un attachement de type *anxieux/évitant* proteste un peu au moment du départ de sa mère, mais il adopte un comportement fuyant à son retour en évitant son regard ou en s'éloignant. Enfin, l'enfant ayant un attachement anxieux/ambivalent trouve difficile la séparation d'avec sa mère de même que les retrouvailles ; il supplie sa mère de le prendre dans ses bras et, d'autre part, il se débat et insiste pour être déposé par terre.

Ce paradigme expérimental permet d'étudier objectivement des processus psychodynamiques qui peuvent servir à explorer une foule de questions de recherche. Par exemple, on peut utiliser la technique de la situation étrangère dans différents contextes culturels pour savoir si les modes d'attachement sont semblables d'une culture à l'autre. Des études ont d'ailleurs été faites sur ce sujet (Van Ijzendoorn et Kroonenberg, 1988) et ont démontré la présence de différences culturelles dans la prévalence des modes d'attachement (de même que des différences entre les groupes d'un même milieu culturel). Par exemple, dans une étude menée en Corée, le nombre de bébés coréens ayant un attachement de type évitant était très faible, ce qui pourrait refléter des styles parentaux propres à cette culture (Jin, Jacobvitz, Hazen et Jung, 2012).

Styles d'attachement à l'âge adulte ▪ Plus récemment, des psychologues ont utilisé la théorie de l'attachement pour mieux comprendre non seulement les relations parent-enfant mais aussi les relations amoureuses chez les adultes. Ils cherchaient à savoir s'il existait une relation entre les différences individuelles dans les liens émotionnels de la petite enfance et les différences individuelles dans la façon dont on se lie émotionnellement aux autres plus tard dans la vie. Pour étudier cette possibilité, Hazan et Shaver (1987) ont publié dans un journal un questionnaire sur l'amour que les lecteurs étaient invités à remplir. Afin qu'on puisse déterminer leur style d'attachement, les lecteurs-participants devaient s'inscrire dans l'une ou l'autre des trois catégories décrivant leurs rapports avec les autres. Ces trois catégories correspondaient aux trois modèles d'attachement définis ci-après

Modèle interne opérant

Concept de Bowlby qui désigne chacune des représentations mentales (images) du soi et d'autrui qui se développent au cours des premières années de vie de l'enfant, en particulier avec la personne qui en prend soin le plus souvent.

(figure 4.5). Pour savoir quel était leur modèle de relations amoureuses, on demandait aux participants de répondre au questionnaire publié sous un titre accrocheur dans le journal : « Parlez-nous de l'amour de votre vie ! » Les réponses aux questions portant sur la plus importante relation amoureuse de leur vie fournissaient des résultats qu'on réunissait sur douze échelles de l'expérience amoureuse (figure 4.5). On leur posait aussi des questions sur leur conception des rapports amoureux au fil du temps et sur leurs souvenirs d'enfance ayant trait aux rapports avec leurs parents et aux rapports entre leurs parents.

Selon leur type d'attachement (sécurisé, évitant, anxieux/ambivalent), les participants se distinguaient-ils dans leur façon de vivre leur plus importante relation amoureuse ? D'après les moyennes indiquées sur les échelles de l'expérience amoureuse, cela semble être le cas. Le modèle de l'attachement sécurisé est associé à des expériences de bonheur, d'amitié et de confiance ; le modèle de l'attachement évitant est associé à la crainte de l'intimité, à des fluctuations émotives et à la jalousie ; et le modèle de l'attachement anxieux/ambivalent est associé à une obsession à l'égard de la personne aimée, au désir d'union, à une attirance sexuelle extrême, à des fluctuations émotives et à la jalousie. De plus, les trois groupes différaient quant à leur conception de la relation amoureuse, quant aux modèles internes qu'ils en avaient formés. Les amoureux qui bénéficiaient d'un attachement *sécurisé* considéraient que les sentiments amoureux, même relativement stables, pouvaient augmenter ou diminuer, et ils écartaient l'amour fou souvent dépeint dans les romans et les films ; les amoureux ayant un attachement *évitant* doutaient que l'amour puisse durer et ils pensaient qu'il était rare de trouver une personne dont on pouvait vraiment devenir amoureux ; quant à ceux qui avaient un attachement *anxieux/ambivalent*, ils estimaient qu'il était facile de devenir amoureux, mais que l'amour véritable était rare. Enfin, les participants jouissant d'un attachement *sécurisé* avaient plus que les autres le souvenir de relations chaleureuses avec leurs deux parents ainsi qu'entre les deux parents.

Des études ultérieures ont approfondi ces résultats. Par exemple, on a constaté que le style d'attachement influe non seulement sur les relations interpersonnelles, mais sur l'attitude à l'égard du travail : les participants dotés d'un attachement *sécurisé* abordent leur travail avec assurance, sont peu troublés par la crainte de l'échec et ne laissent pas leur travail influer sur leurs relations personnelles ; les participants ayant un attachement *évitant* évitent les interactions sociales en se réfugiant dans le travail et, malgré leur réussite financière, sont moins satisfaits sur le plan professionnel que ceux qui ont un attachement sécurisé ; enfin, les participants ayant un attachement *anxieux/ambivalent* se laissent facilement influencer par les éloges et les blâmes concernant leur travail et laissent les soucis amoureux influer sur le rendement au travail (Hazan et Shaver, 1990). D'autres études établissent des liens entre le style d'attachement et la psychopathologie. L'attachement prédit souvent la psychopathologie en interaction avec d'autres facteurs. Par exemple, face à des événements très stressants (par exemple, un crime, la guerre ou le terrorisme), l'individu ayant un type d'attachement évitant éprouvera plus de détresse psychologique que les autres (Mikulincer et Shaver, 2012).

Un grand nombre d'études consacrées au style d'attachement se fondent sur les questionnaires autorapportés, mais une étude astucieuse de Fraley et Shaver (1998) a permis d'examiner le lien entre le style d'attachement et le comportement des couples au moment où, dans un aéroport, ils se séparent provisoirement. Un membre de l'équipe de recherche a d'abord demandé à des couples qui se trouvaient dans une salle d'attente de l'aéroport de bien vouloir remplir un questionnaire portant sur « Les effets du voyage sur les rapports entre les proches à l'ère moderne ». Les partenaires remplissaient séparément le questionnaire, qui comportait une évaluation du modèle d'attachement. Pendant qu'ils se livraient à cette activité, un membre de l'équipe de recherche s'asseyait à proximité pour les observer, à leur insu, et prendre des notes sur leurs interactions pendant qu'ils attendaient le départ de l'avion. Ces comportements étaient répartis en catégories de comportement d'attachement, entre autres la *recherche de contact* (embrassades, regard qui suit le partenaire), le *maintien du contact* (étreinte, réticence à se détacher), l'*évitement* (dérobade visuelle, rupture du contact) et la *résistance* (désir d'étreinte, mais également résistance au contact, signes de colère ou de contrariété). L'étude visait à déterminer si les personnes qui différaient quant au style d'attachement différaient également quant au comportement de séparation. On a constaté que cette corrélation existait chez les femmes, mais non chez les hommes. Les femmes manifestant un attachement *évitant* étaient moins portées à chercher et à maintenir le contact avec leur partenaire, moins enclines à offrir du soutien affectif à leur partenaire et plus susceptibles d'adopter un comportement de retrait, par exemple, s'écarter ou refuser le contact visuel, que les femmes qui n'avaient pas ce type d'attachement. Fait intéressant, le comportement des

Types d'attachement chez l'adulte

Parmi les énoncés suivants, lequel décrit le mieux vos sentiments?

Attachement sécurisé (N = 319, 56 %): Je m'attache aux autres sans difficulté; cela ne m'ennuie pas de dépendre d'eux et qu'ils dépendent de moi. Il ne m'arrive pas souvent de craindre d'être abandonné ou qu'on s'attache trop à moi.

Attachement évitant (N = 145, 25 %): Je suis plus ou moins à l'aise de m'attacher aux autres; il m'est difficile de leur faire entièrement confiance et de dépendre d'eux. Je suis nerveux quand une personne devient trop proche, et souvent mes partenaires amoureux désirent avoir avec moi une plus grande intimité que celle avec laquelle je me sens à l'aise.

Attachement anxieux/ambivalent (N = 110, 19 %): Je trouve que les autres hésitent à s'attacher autant que je le voudrais. Je me demande souvent si mon partenaire m'aime vraiment ou s'il souhaite me quitter. Je désire fusionner complètement avec l'autre, ce qui fait souvent fuir les gens.

Échelle	Élément	Moyenne des résultats (modèles d'attachement)		
		Évitant	Anxieux/ ambivalent	Sécurisé
Bonheur	Ma relation avec _____ me rendait (rend) très heureux.	3,19	3,31	3,51
Amitié	Je considérais (considère) _____ comme l'un de mes meilleurs amis.	3,18	3,19	3,50
Confiance	J'avais (j'ai) entièrement confiance en _____.	3,11	3,13	3,43
Peur de l'intimité	Je sentais (sens) parfois qu'une trop grande intimité avec _____ pouvait (peut) engendrer des problèmes.	2,30	2,15	1,88
Acceptation	J'étais (je suis) très conscient des défauts de _____, mais cela ne diminuait (diminue) pas mon amour pour lui (elle).	2,86	3,03	3,01
Émotions extrêmes	Ma relation avec _____ m'apportait (m'apporte) autant de souffrance que de joie.	2,75	3,05	2,36
Jalousie	J'aimais (j'aime) tant _____ que je me sentais (sens) souvent jaloux.	2,57	2,88	2,17
Obsession	Parfois, je n'arrivais pas (n'arrive pas) à contrôler mes pensées au sujet de _____.	3,01	3,29	3,01
Attirance sexuelle	J'étais (je suis) très attiré physiquement par _____.	3,27	3,43	3,27
Désir d'union	Parfois, je souhaitais (souhaite) que _____ et moi formions une seule entité, un «nous» sans frontières bien délimitées.	2,81	3,25	2,69
Désir d'échange	Plus que tout, je désirais (désire) que _____ ait les mêmes sentiments que moi.	3,24	3,55	3,22
Coup de foudre	Dès que j'ai vu _____, j'ai été accroché.	2,91	3,17	2,97

Figure 4.5 | **Items et moyennes relevant des trois types d'attachement évalués en fonction des douze échelles de l'expérience amoureuse**

Source: Hazan, C., & Shaver, P. (1987). Romantic love conceptualized as an attachment process. *Journal of Personality and Social Psychology*, *52*, 511-524. © 1987, American Psychological Association, reproduction autorisée.

femmes ayant un attachement de type *fuyant* n'était pas exactement le même selon qu'elles accompagnaient leur partenaire en voyage ou qu'elles le regardaient partir. Dans le cas où elles accompagnaient leur partenaire en voyage (une situation qui ne présente pas de risque d'abandon), les femmes ayant un attachement de type fuyant étaient plus portées à rechercher l'attention de leur partenaire et le contact avec lui. Les données révèlent donc que, du moins chez les femmes, la dynamique du comportement d'attachement décrite chez les enfants s'applique également aux adultes dans le contexte des relations amoureuses.

Types d'attachement ou dimensions de l'attachement? ■

Comme nous l'avons vu, Ainsworth estime que les différences individuelles quant au style d'attachement peuvent se diviser en trois types. Autrement dit, elle propose des unités d'analyse (voir le chapitre 1) dont les variables sont des types. Sa conception repose sur l'idée que les différents types d'attachement sont qualitativement distincts.

Bien que l'idée selon laquelle le style d'attachement varie d'un bébé à l'autre soit sensée, il n'est pas aussi aisé d'admettre que ces différences relèvent de catégories qualitativement distinctes d'individus. Il est rare que des

L'attachement

Au xxᵉ siècle, les pionniers de l'étude de l'attachement, tels que Bowlby et Ainsworth, ne disposaient pas des connaissances que nous avons aujourd'hui sur les systèmes cérébraux associés à l'attachement et qui ont ouvert la voie à la recherche sur le processus de l'attachement et le cerveau.

Comme cette voie n'est explorée que depuis peu, on ne comprend pas encore tout à fait les systèmes cérébraux qui président au processus de l'attachement. Une recension des travaux de recherche (Coan, 2010) nous en donne toutefois les principes généraux. L'un de ces principes est que le cerveau ne contient pas un «mécanisme d'attachement» unique qui serait localisé dans une partie cérébrale bien précise. On constate plutôt que plusieurs systèmes cérébraux contribuent au développement et au maintien des processus d'attachement et que, généralement, ces systèmes participent aussi à d'autres fonctions psychologiques que l'attachement. Un autre principe est que les systèmes cérébraux qui jouent des rôles clés dans l'attachement sont probablement les mêmes que ceux prenant part aux émotions humaines. Le processus de l'attachement est fondamentalement émotionnel. Les parents réagissent aux manifestations émotionnelles de leur bébé (un sourire, des pleurs, etc.) et le bébé désire une réaction émotionnelle affectueuse de la part du parent. Il est donc certain que les systèmes cérébraux qui permettent au bébé d'éprouver et de manifester des émotions contribuent au processus de l'attachement.

Pour ce qui est de savoir quels mécanismes cérébraux exactement sont concernés, on doit ici se rappeler que le cerveau a deux composantes. L'une est cellulaire: le cerveau renferme un nombre impressionnant de cellules individuelles, appelées *neurones*, qui sont réparties dans les diverses structures qui composent l'ensemble de l'encéphale. L'autre composante est moléculaire: les neurones communiquent entre eux au moyen de *neurotransmetteurs*, c'est-à-dire de molécules qui se déplacent d'un neurone à l'autre et qui commandent l'activité des neurones vers lesquels ils se déplacent. Examinons de plus près le processus de l'attachement et les neurotransmetteurs.

Un des neurotransmetteurs sollicités dans le processus de l'attachement est l'*ocytocine*, une hormone active dans plusieurs parties du cerveau qui participent aux émotions. On peut évaluer empiriquement les effets de l'ocytocine. Dans diverses expériences, des chercheurs ont fait utiliser à des participants un vaporisateur nasal qui contenait soit de l'ocytocine soit un placebo chimique inerte, puis ils ont évalué les effets de l'ocytocine sur les réactions qui s'ensuivaient quant à l'attachement. Dans une de ces études (Buchheim et coll., 2009), des participants ayant un attachement de type insécure ont reçu soit de l'ocytocine soit un placebo, puis on leur a montré des images sur le thème de l'attachement (une petite fille seule qui regarde par la fenêtre d'une maison, par exemple). Pour chaque image, les participants devaient choisir la description la mieux appropriée selon eux (parmi des descriptions telles que: «La fillette semble désespérée, peut-être abandonnée par quelqu'un» ou «Elle est malade et doit rester chez elle… sa mère arrive et la serre dans ses bras»). Les chercheurs ont constaté que les participants ayant reçu de l'ocytocine étaient davantage portés à faire correspondre les images à des descriptions évoquant la sécurité (par exemple, la description ci-dessus qui dit que la mère serre la fillette dans ses bras) (Buchheim et coll., 2009). Les résultats donnent donc à penser que l'ocytocine influe directement sur les sentiments et les pensées d'attachement.

Quelles régions du cerveau prennent part au processus de l'attachement? Les études attirent l'attention sur deux régions, la première étant attendue mais la seconde causant un certain étonnement. La première, l'attendue, est un ensemble de circuits neuraux qui participent aux réactions émotionnelles et aux formes simples de la motivation (la tendance fondamentale à rechercher les récompenses et à éviter les punitions; voir Coan, 2010). Ces circuits neuraux, situés principalement sur la face interne des hémisphères cérébraux, forment ce qu'on appelle le *système limbique*.

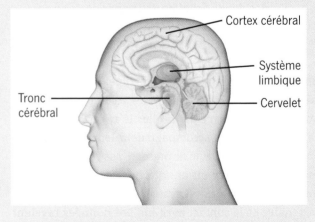

La seconde région à jouer un rôle dans l'attachement – celle qui étonne – est le cervelet, structure située à l'arrière de l'encéphale. Le cervelet étant d'abord et avant tout un centre de régulation de la fonction motrice, on ne s'attendrait pas à ce qu'il ait quelque chose à voir avec l'attachement. Pourtant, des recherches récentes montrent que le cervelet n'est pas du tout étranger à nos émotions et à nos efforts pour les maîtriser (Schutter et van Honk, 2009), y compris, vous l'aurez deviné, les émotions associées à l'attachement. Dans une étude menée auprès d'un groupe d'individus ayant des antécédents de détresse psychologique, des chercheurs ont utilisé une tomodensitométrie cérébrale pour mesurer le volume neuronal dans le cervelet. Les participants étaient des personnes qui avaient vécu des pertes interpersonnelles de diverses gravités (par exemple, la mort d'un être cher) et qui présentaient différents modèles d'attachement. Les résultats de l'étude montrent que l'anatomie du cervelet des participants différait selon les styles d'attachement. Les différences ressortaient davantage lorsqu'on examinait la relation entre la perte vécue et le cervelet: chez les participants ayant un style d'attachement évitant, et qui avaient vécu un grand nombre de pertes interpersonnelles, le cervelet avait un volume *inférieur*, tandis que chez les participants ayant un style d'attachement moins évitant et plus sécurisé, et qui avaient eux aussi vécu un grand nombre de pertes interpersonnelles, le cervelet avait un volume *supérieur*. Une forte corrélation, donc, existait entre la variable psychologique, c'est-à-dire le style d'attachement, et la variable neuronale, c'est-à-dire le volume neuronal dans le cervelet.

D'autres recherches seront nécessaires pour déterminer le rôle exact du cervelet dans le processus de l'attachement et, de façon plus générale, pour préciser les mécanismes cérébraux qui participent au développement d'un type d'attachement plutôt qu'un autre au début de la vie. En attendant, les connaissances actuelles nous offrent des pistes intéressantes pour résoudre ce mystère scientifique.

différences individuelles dans des qualités psychologiques observables appartiennent à des catégories différentes. En général, les tendances psychologiques que l'on observe (différences individuelles dans l'anxiété, la gentillesse, etc.) varient en fonction d'un grand nombre de facteurs. Or, lorsqu'un résultat donné varie en fonction d'un grand nombre de facteurs, la variation est répartie le long d'une même dimension, et non dans des catégories différentes. Par exemple, un grand nombre de facteurs influent sur les scores obtenus aux tests de quotient intellectuel: la scolarité, les gènes, la connaissance de la langue et les repères culturels du test. Par conséquent, les scores (QI) sont répartis sur une dimension continue et non dans des catégories distinctes. Une des questions sur laquelle la recherche contemporaine pourrait se pencher au sujet des styles d'attachement est donc la suivante: les différences dans les styles d'attachement relèvent-elles de catégories?

Des études récentes donnent à penser que la réponse à cette question est non. Fraley et Spieker (2003) ont examiné des données concernant un très grand nombre d'enfants âgés de 15 mois qui avaient participé à une étude utilisant la technique de la situation étrangère. Plutôt que de se demander quels enfants appartenaient à l'une ou l'autre des catégories d'attachement, ils se sont posé une question qui, logiquement, a préséance: les catégories d'attachement existent-elles? Ou existe-t-il plutôt des différences individuelles qui sont des variations d'une même dimension? On peut répondre à cette question en utilisant des études statistiques assez complexes mais très instructives qui permettent de savoir si des caractéristiques psychologiques différentes vont ensemble avec tellement de constance qu'elles forment des catégories distinctes (Meehl, 1992). Les résultats de ces études indiquent que dans le cas des styles d'attachement, ce n'est pas le cas; les variations observées sont plutôt de l'ordre de dimensions continues.

Ces données soulèvent la question de savoir quelles dimensions exactement pourraient le mieux rendre compte des différences individuelles dans l'attachement. Une réponse pourrait se trouver dans un modèle théorique qui décrit les différences individuelles dans les modèles internes opérants du soi et des autres (Bartholomew et Horowitz, 1991; Griffin et Bartholomew, 1994). D'après Bowlby et ce modèle théorique, on peut définir les styles d'attachement en fonction de deux dimensions: l'une qui rend compte des modèles internes opérants du soi et l'autre qui rend compte des modèles internes opérants d'autrui (figure 4.6). Chaque dimension comporte un aspect positif et un aspect négatif. Le côté positif du soi pourrait être illustré par l'estime de soi et par l'idée que les autres réagiront positivement, tandis que le côté positif d'autrui pourrait être illustré par la perspective que les autres seront disponibles et réceptifs, ce qui permet le rapprochement. Comme nous pouvons le constater dans la figure 4.6, un quatrième style d'attachement, celui du «rejetant» (de l'anglais *dismissing*), a été ajouté. Les personnes qui présentent ce style d'attachement ne se sentent pas à l'aise dans l'intimité relationnelle et préfèrent ne pas dépendre des autres, mais elles conservent

```
                        Aspect positif d'autrui

          Sécurisé                              Préoccupé
      (apprécie l'intimité                   (s'inquiète au sujet des
        et l'autonomie)                     relations interpersonnelles)

  Aspect positif du soi                              Aspect négatif du soi

           Rejetant                               Craintif
      (rejette l'intimité ;                  (redoute l'intimité, fuit
       contre-dépendant)                       les relations sociales)

                        Aspect négatif d'autrui
```

Figure 4.6 | **Les deux dimensions de l'attachement selon Bartholomew, soit les modèles internes opérants du soi et les modèles internes d'autrui, ainsi que les styles d'attachement qui y sont associés**

Sources : Bartholomew, K., & Horowitz, L.K. (1991). Attachment styles among young adults: A test of a four-category model. *Journal of Personality and Social Psychology*, 61, 226-244 ; Griffin, D., & Bartholomew, K. (1994). Models of the self and other: Fundamental dimensions underlying measures of adult attachment. *Journal of Personality and Social Psychology*, 67, 430-445. © American Psychological Association, reproduction autorisée.

une image de soi positive. Dans l'état actuel de la recherche, il semble que ce quatrième style d'attachement ait une certaine utilité, mais on s'interroge toujours sur ce qui pourrait constituer le nombre idéal de style d'attachement.

Les études présentées ici ne font qu'effleurer ce domaine de recherche devenu important. Les modèles d'attachement ont été associés au choix du partenaire et à la stabilité des relations amoureuses (Kirkpatrick et Davis, 1994), au développement de la dépression chez l'adulte et aux difficultés dans les relations interpersonnelles (Bartholomew et Horowitz, 1991 ; Carnelley, Pietromonaco et Jaffe, 1994 ; Roberts, Gotlib et Kassel, 1996), à la montée du sentiment religieux (Kirkpatrick, 1998), de même qu'à la façon dont l'individu résout les crises (Mikulincer, Florian et Weller, 1993). En outre, une étude récente révèle que le modèle d'attachement se met en place à la suite des expériences familiales communes aux frères et sœurs, au lieu d'être fortement déterminé par les facteurs génétiques (Waller et Shaver, 1994). C'est ainsi qu'une impressionnante documentation commence à se constituer (Fraley et Shaver, 2008).

Cela dit, certains faits doivent être gardés en mémoire. D'abord, bien que les données permettent de supposer qu'il existe une continuité du type d'attachement, tout indique que ces modèles ne sont pas immuables. La persistance du modèle d'attachement au fil du temps et les raisons qui expliquent sa stabilité sont à l'heure actuelle des questions très controversées. Ensuite, on tend à considérer dans ces études que l'individu n'a qu'un seul type d'attachement. Pourtant, il a été démontré que le même individu peut présenter plusieurs types d'attachement, un qui vaut pour ses rapports avec les hommes, un autre pour ses rapports avec les femmes, ou encore un qui se manifestera dans certains contextes et un autre ailleurs (Baldwin, 1999 ; Sperling et Berman, 1994). Enfin, il est important de signaler que la plupart des études font appel aux questionnaires autorapportés et au souvenir qu'on conserve des expériences vécues pendant l'enfance. Autrement dit, il faudra recueillir des données sur le véritable comportement des individus ayant des modèles d'attachement adulte différents et mener d'autres études permettant d'observer les gens de l'enfance à l'âge adulte. Jusqu'à maintenant, la recherche corrobore la théorie de Bowlby : les premières expériences de la vie sont primordiales pour la mise en place de modèles internes opérants qui ont, à leur tour, des répercussions considérables sur les relations personnelles. Par ailleurs, il sera nécessaire d'effectuer d'autres études pour savoir quelles expériences de l'enfance déterminent ces modèles, afin d'expliquer leur stabilité relative et de préciser leur rôle à l'âge adulte.

L'ÉVALUATION CRITIQUE

Tout au long de cet ouvrage, non seulement abordons-nous des théories de la personnalité, mais nous les évaluons également à partir des cinq critères décrits au chapitre 1. Rappelez-vous que ces critères sont les objectifs vers lesquels doit tendre toute théorie scientifique de la personnalité. Ils indiquent dans quelle mesure une théorie est : (1) fondée sur des observations scientifiques valables, c'est-à-dire sur des observations qui sont diverses et objectives et qui renseignent sur les systèmes cognitif, affectif et biologique de la personnalité; (2) systématique; (3) vérifiable; (4) exhaustive; et (5) elle conduit à des applications utiles. Après avoir passé en revue ces cinq critères au regard de la théorie étudiée, nous résumons les principales contributions de cette théorie.

Les observations sont-elles scientifiques?

Une des caractéristiques les plus distinctives de la psychanalyse est sa base de données. Freud a mis sur pied une nouvelle forme d'observation scientifique, la technique de l'association libre, et c'est presque entièrement sur les données issues de cette technique qu'il a fondé sa théorie.

Aujourd'hui, la plupart des scientifiques de la personnalité reprochent justement à Freud de s'être basé exclusivement sur la technique de l'association libre. Il est vrai que l'observation clinique des patients peut constituer un point de départ utile pour une théorie; le problème, c'est que Freud la considérait à la fois comme point de départ et point d'arrivée! Il ne s'est jamais engagé dans l'observation standardisée, objective et reproductible qui caractérise la science. Il s'en est plutôt remis à la seule base de données générée par l'association libre, laquelle présente malheureusement deux limites. En premier lieu, cette base de données n'est pas diversifiée: la clientèle de Freud était composée d'un groupe relativement peu nombreux de personnes plutôt instruites qui vivaient dans une ville particulière au centre de l'Europe. Or, il est extrêmement risqué de faire des généralisations sur la vie psychologique de l'être humain à partir d'observations issues d'un échantillon aussi étroit. La deuxième limite de la base de données de Freud est que la collecte de données n'offre aucune garantie d'objectivité: la personne qui observe et qui interprète les données (Freud) est aussi la personne qui élabore la théorie. Par conséquent, impossible de savoir si l'interprétation que faisait Freud de ses cas était biaisée par son propre désir de trouver des preuves qui appuieraient sa théorie.

Les observations cliniques de Freud, donc, ne produisent pas une base de données adéquate pour l'élaboration et la vérification d'une théorie scientifique, comme plusieurs l'ont fait remarquer (Edelson, 1984; Grunbaum, 1984, 1993). Bon nombre de détracteurs reprochent à Freud d'avoir souvent un biais dans ses observations en utilisant des méthodes suggestives et en supposant que les souvenirs existaient dans l'inconscient au lieu d'observer objectivement les expériences et les souvenirs de ses patients (Crews, 1993; Esterson, 1993; Powell et Boer, 1994). Eysenck,

dont nous étudierons la théorie dans un chapitre ultérieur, a émis sur la psychanalyse des critiques fréquentes et véhémentes: «Il est tout aussi impossible de vérifier les hypothèses freudiennes "sur le divan" que de juger des hypothèses rivales de Newton et d'Einstein en s'endormant sous un pommier» (1953, p. 229).

La théorie est-elle systématique?

Lorsqu'on évalue une théorie de la personnalité, on doit aussi se demander si elle est systématique. Une théorie ne doit pas être un ensemble d'affirmations sans lien entre elles au sujet des personnes. Les idées d'une théorie doivent être mises en rapport les unes avec les autres de manière logique et cohérente.

Sur ce plan, Freud excelle. Les éléments de sa théorie, très différents les uns des autres, sont liés ensemble d'une façon exceptionnellement cohérente. Les relations entre les processus et les structures de sa théorie sont claires: le ça, le moi et le surmoi (les structures psychologiques) ont des fonctions distinctes, notamment celle régissant l'énergie psychique dans la satisfaction des pulsions à l'intérieur des contraintes de la réalité (les processus centraux de la personnalité, ou dynamiques). Les analyses freudiennes du développement de l'enfant, du changement psychologique en thérapie et du rôle de la société dans la civilisation de l'individu forment toutes une suite logique de ses analyses de la structure et des processus de la personnalité. Freud était un théoricien exceptionnel, et cette aptitude ressort dans les interrelations très précises des éléments disparates de sa théorie. Cela dit, il faut reconnaître qu'au fil du temps, d'autres conceptions ont vu le jour et modifié divers éléments de la théorie psychanalytique. De nos jours, la psychanalyse est donc moins unifiée et moins dogmatique, mais elle est plus fluide (Westen, Gabbard et Ortigo, 2008).

La théorie est-elle vérifiable?

Freud a noué des liens systématiques entre les différents éléments de sa théorie, mais cela ne signifie pas que sa théorie globale est, sans ambiguïté, vérifiable (troisième critère d'une théorie scientifique). Une théorie peut être systématique mais comporter des éléments qui la rendent difficile à vérifier. C'est malheureusement le cas de la psychanalyse. Il est souvent difficile de savoir comment, exactement, on peut démontrer qu'une prédiction théorique est fausse, en psychanalyse.

Le problème, c'est que les psychanalystes peuvent expliquer la plupart des résultats qu'ils obtiennent, et même leur contraire. Supposons qu'un psychanalyste freudien croit que telle pulsion donnera naissance à tel comportement. Si le comportement en question se manifeste, la théorie est confirmée. S'il ne se manifeste pas, le psychanalyste peut conclure que la pulsion était tellement forte que les mécanismes de défense se sont activés et ont empêché le comportement. Et la théorie est confirmée à nouveau ! Et si une autre forme de comportement surgit de manière inattendue, alors cela devient pour le psychanalyste un compromis entre la pulsion et le mécanisme de défense… En somme, il n'y a jamais aucune conséquence négative sur la théorie dans son ensemble.

Les psychanalystes sont conscients des limites de leur cadre théorique. Certains croient même que cela ne pose aucun problème, arguant qu'il est possible de concevoir la psychanalyse comme un cadre permettant d'interpréter les événements plutôt que comme une théorie scientifique qui fait des prédictions précises et vérifiables (Ricoeur, 1970). La plupart des psychologues estiment toutefois que le travail de Freud doit être évalué à partir de critères standards et expressément conçus pour évaluer une théorie scientifique. Ces critères incluent la vérifiabilité. La psychanalyse présente donc le problème suivant : elle est tellement flexible que, telle une règle en caoutchouc qu'on peut plier, tordre ou étirer pour obtenir des mesures différentes d'un même objet, elle ne permet pas de faire des prédictions claires et nettes dont on peut démontrer la fausseté. « L'infinie flexibilité des mécanismes de défense [est] l'assurance freudienne contre la possibilité de données ininterprétables » (Crews, 1998, p. xxv). En somme, même les plus ardents adeptes du modèle psychanalytique déplorent qu'elle dépende excessivement des données d'études de cas : « Il ne fait aucun doute que les psychanalystes se tirent sérieusement une balle dans le pied en utilisant comme principale méthode la technique des études de cas pour vérifier leurs hypothèses » (Westen, Gabbard et Ortigo, 2008, p. 95).

La théorie est-elle exhaustive ?

L'exhaustivité est un autre critère à appliquer pour évaluer une théorie de la personnalité. La théorie couvre-t-elle tous les aspects de la personnalité ou repose-t-elle essentiellement sur les aspects les plus facilement expliqués par son système ?

Tant les disciples que les détracteurs de la psychanalyse doivent reconnaître que la théorie freudienne de la personnalité est extraordinairement exhaustive. Freud se penche sur un éventail de questions exceptionnellement vaste : la nature de l'esprit, la relation entre l'individu et la société, les rêves, la sexualité, le symbolisme, la nature du développement humain, les thérapies axées sur le changement psychologique, pour ne nommer que quelques exemples. La théorie de Freud est la plus exhaustive des théories de la personnalité. Comme nous le verrons plus loin, plusieurs théories conçues après celle de Freud ne disent que peu ou rien au sujet des principaux aspects de l'expérience humaine que Freud a examinés en profondeur.

La théorie a-t-elle des applications ?

À plusieurs égards, les applications (cinquième critère d'une théorie scientifique) constituent une force de la théorie psychanalytique, et cela n'est guère étonnant. La psychanalyse *était*, au départ, une application, c'est-à-dire que les toutes premières recherches de Freud en psychologie portaient sur des questions appliquées concernant le traitement de l'hystérie. C'est seulement par la suite que les travaux de Freud se sont orientés vers une théorie générale de la personnalité. En ce sens, Freud s'est beaucoup investi dans l'application de la théorie psychologique pour améliorer la vie des gens.

Ses efforts n'ont pas été vains. Dans les décennies qui ont suivi l'apparition de la thérapie et de la théorie de Freud, un grand nombre de chercheurs ont tenté de savoir si la psychanalyse était une thérapie efficace. Le présent ouvrage étant dédié à la théorie et à la recherche en psychologie de la personnalité, et non aux applications cliniques, nous ne ferons pas la recension des travaux de ces chercheurs. Nous nous contenterons plutôt de soulever deux points. Premier point : la psychanalyse « fonctionne », indubitablement (Galatzer-Levy, Bachrach, Skolnikoff et Waldron, 2000). Autrement dit, si l'on se demande si les gens qui vont en psychanalyse s'en sortent mieux que les gens qui ne consultent pas, et si l'on répond à cette question en passant en revue les nombreuses études qui ont été réalisées au fil des ans sur les résultats de diverses thérapies, on constate que oui, souvent, la psychanalyse profite considérablement aux patients. Deuxième point : d'autres thérapies existent qui sont bénéfiques pour les gens. D'autres théories de la personnalité ont produit d'autres types de thérapies qui procurent des bienfaits appréciables aux patients, comme nous le verrons dans les chapitres à venir. Ces autres types de thérapie ne comportent généralement pas d'éléments de la psychanalyse (comme la recherche du contenu inconscient conflictuel à l'origine du problème du patient), mais elles fonctionnent, de sorte qu'un grand nombre de psychologues les voient comme un coup porté à la théorie psychanalytique. Freud a élaboré une théorie spécifique sur les causes de la détresse psychologique et sur les étapes nécessaires pour soulager cette détresse. Or, dans la mesure où les thérapies non psychanalytiques fonctionnent, elles se trouvent à remettre en question les prémisses fondamentales de la théorie de Freud.

Principaux apports et résumé

Même le plus intransigeant détracteur de la théorie psychanalytique doit reconnaître que Freud a beaucoup apporté à la psychologie. Pour terminer notre présentation des théories psychodynamiques, nous retiendrons des apports de deux sortes.

Freud en un coup d'œil

Structure	Processus	Croissance et développement
Ça, moi, surmoi ; inconscient, préconscient, conscient	Pulsions sexuelles et pulsions agressives ; angoisse et mécanismes de défense	Zones érogènes ; stades de développement oral, anal et phallique ; complexe d'Œdipe

Tout d'abord, en observant de près le fonctionnement de la vie psychique, Freud a cerné des phénomènes importants que les psychologues avant lui avaient négligés. Même si l'on conteste les *explications* que Freud fait de ces phénomènes, il a le mérite d' avoir déterminé, comme autant d'objets d'étude en psychologie, des phénomènes dont la signification est énorme : les processus émotionnels et motivationnels inconscients, les mécanismes de défense contre les menaces psychologiques ; la nature sexuellement chargée de l'enfance. Si Freud n'avait pas mis au jour ces phénomènes, l'histoire de la psychologie de la personnalité en serait considérablement appauvrie.

Comme autre apport de Freud, signalons qu'il a formulé une théorie dont la complexité est suffisante. Par « suffisante », nous voulons dire que ses idées étaient suffisamment complexes pour rendre justice à la complexité du développement humain et de son individualité. En faisant des observations très détaillées de ses patients et en s'efforçant de développer ses idées, Freud est parvenu à formuler une théorie qui rend compte – correctement ou incorrectement – de presque tous les aspects du comportement humain. Aucune autre théorie de la personnalité ne se compare à la théorie psychanalytique quand il s'agit d'expliquer un éventail aussi vaste de comportements. Il en existe peu qui accordent une attention comparable à l'être humain dans sa totalité. Même en supposant que plusieurs aspects de la théorie freudienne sont fondamentalement faux, il demeure que sur le plan de la structure, cette théorie est exemplaire de ce que doit être une théorie exhaustive.

De nos jours, les opinions concernant l'œuvre et la contribution de Freud varient grandement : pour certains, l'apport de Freud à la science d'aujourd'hui est peu pertinent, tandis que pour d'autres, Freud est bien vivant, comme le laissait entendre la couverture d'un important magazine américain à l'occasion du 150e anniversaire du psychanalyste viennois (« Freud is NOT dead », *Newsweek Magazine*, 2006). Alors que certains critiquent les erreurs inspirées par l'application de la théorie psychanalytique au traitement de certaines maladies (la

Tableau 4.3 | **Les points forts et les points faibles de la théorie psychanalytique**

Points forts	Points faibles
1. Facilite la découverte et l'exploration de nombreux phénomènes intéressants.	1. Ne définit pas tous ses concepts de façon claire et nette.
2. Met au point des techniques destinées à la recherche et à la thérapie (association libre, interprétation des rêves, transfert).	2. Rend la vérification empirique difficile, voire impossible.
3. Reconnaît la complexité du comportement humain.	3. Souscrit au concept controversé de l'individu en tant que système d'énergie (théorie freudienne).
4. Embrasse un large éventail de phénomènes.	4. Tolère la résistance d'une partie de la profession à l'égard de la recherche empirique et des amendements de la théorie.

Pathologie	Changement	Cas représentatif
Sexualité infantile ; fixation et régression ; conflit ; symptômes	Transfert ; résolution de conflit ; « le moi naît du ça »	Le petit Hans

schizophrénie, entre autres) (Dolnick, 1998) et la corroboration limitée qu'ont reçue les principales hypothèses de la psychanalyse, d'autres sont plus favorables à ses méthodes de traitement et citent en exemple ses contributions durables à la recherche empirique. On a effectivement laissé entendre que plusieurs des conceptions psychanalytiques (motivations, représentations mentales inconscientes) font maintenant partie des traditions de la psychologie de la personnalité et de la psychologie sociale (Westen, Gabbard et Ortigo, 2008). Nous conclurons en résumant quelques-uns des points forts et des points faibles de la théorie psychanalytique (tableau 4.3). Quelles que soient les limites de l'œuvre de Freud, la psychologie a bénéficié de l'apport de cet homme doté d'un génie exceptionnel dans l'observation des comportements humains.

RÉSUMÉ

1. Les tests projectifs, comme le test de Rorschach et le test d'aperception thématique, sont utilisés pour évaluer la personnalité dans un cadre psychodynamique. Ces tests sont valables dans le sens où ce sont des méthodes dont les objectifs sont masqués et qui permettent d'obtenir de la part des participants des interprétations uniques du monde, y compris l'organisation complexe de leurs perceptions individuelles. Cependant, les tests projectifs présentent des problèmes de fidélité et de validité d'interprétation.

2. La théorie psychanalytique de la psychopathologie est centrée sur l'importance des fixations, ou interruptions du développement, et de la régression, ou retour à un stade antérieur de satisfaction. Les caractères oral, anal et phallique caractérisent des modèles de personnalité issus de fixations partielles à des stades antérieurs du développement. Selon la théorie psychanalytique, les troubles psychiques résultent de conflits entre la satisfaction des désirs pulsionnels et les défenses du moi. Les mécanismes de défense sont des moyens de réduire l'angoisse, mais ils peuvent engendrer l'apparition de symptômes. Le cas du petit Hans illustre comment un symptôme, par exemple une phobie, peut provenir de conflits associés au complexe d'Œdipe.

3. La psychanalyse est un processus thérapeutique qui permet à l'individu de s'engager dans une introspection pour résoudre des conflits remontant à l'enfance. On utilise les méthodes de l'association libre et de l'interprétation des rêves pour explorer les conflits inconscients. En thérapie, on se sert également du transfert, dans lequel le patient manifeste envers le thérapeute des attitudes et des sentiments qui se rapportent à des expériences vécues antérieurement auprès de figures parentales.

4. Plusieurs analystes de la première heure ont rompu avec Freud et mis sur pied leur propre école de pensée. Alfred Adler insistait davantage sur les concepts sociaux que sur les concepts biologiques, tandis que Carl Jung accordait plus d'importance à l'énergie vitale en général et à l'inconscient collectif. Des analystes comme Karen Horney et Harry Stack Sullivan ont pour leur part fait ressortir l'importance des facteurs culturels et des relations interpersonnelles; ils font partie du groupe des néofreudiens.

5. Les plus récents développements cliniques en psychanalyse ont trait aux problèmes de maturité dans la représentation de soi et d'estime de soi. Les psychanalystes qui s'y intéressent, appelés théoriciens de la relation d'objet, accordent davantage d'importance à la recherche de rapports interpersonnels qu'à l'expression de pulsions sexuelles et agressives. Les concepts de narcissisme et de personnalité narcissique ont soulevé un intérêt particulier. Le modèle de l'attachement élaboré par Bowlby de même que les études effectuées récemment sur le sujet démontrent l'importance des premières expériences, celles-ci façonnant les relations personnelles ultérieures et d'autres aspects du fonctionnement de la personnalité.

6. Lorsqu'on évalue la psychanalyse, on peut constater qu'elle a contribué de façon remarquable à la psychologie en cernant une foule de phénomènes importants et en créant des techniques de recherche et de thérapie. Toutefois, la théorie psychanalytique comporte des concepts ambigus et mal définis ainsi que des hypothèses difficiles à vérifier.

CHAPITRE 5

L'APPROCHE PHÉNOMÉNOLOGIQUE:
la théorie de la personnalité selon Carl Rogers

Carl R. Rogers (1902-1987) : un survol biographique

La conception de la personne selon Rogers

L'étude de la personnalité selon Rogers

La théorie de la personnalité selon Rogers

Votre premier rendez-vous amoureux. Devant votre grande nervosité, votre mère y va d'un conseil: «Sois toi-même, tout simplement. Il n'y a rien comme être soi.» La belle affaire! Aussi bien intentionnée soit-elle, votre mère soulève deux problèmes. D'abord, vous souhaitez impressionner l'être cher et gagner son amour. Et s'il ne vous aimait pas comme vous êtes, «tout simplement»? Ensuite, même si votre mère a raison, à quel moment, exactement, est-on vraiment soi?

La nature du soi et la tension entre la volonté d'être soi-même et celle de vouloir être aimé sont des fondements de la théorie de la personnalité qu'a élaborée Carl Rogers. Ce dernier s'y est intéressé d'abord en tant que psychologue clinicien. En juxtaposant ses observations cliniques à une recherche empirique systématique, il a élaboré une théorie qui tient compte de la personnalité dans sa totalité et qui met en lumière les efforts de la personne pour développer un sens de soi significatif.

Le travail de Rogers, en plus de constituer une théorie de la personnalité, relève de l'approche *phénoménologique*, c'est-à-dire qu'il s'intéresse à l'expérience individuelle subjective du monde ou, autrement dit, à l'expérience phénoménologique de la personne. À titre de thérapeute, Rogers souhaitait comprendre l'expérience phénoménologique que son patient avait de soi et du monde pour l'accompagner dans sa croissance personnelle. À titre de théoricien, il souhaitait développer un cadre de travail où la nature et le développement du soi constituent le cœur de la personnalité.

Le terme *humaniste* décrit également la théorie rogérienne. Les travaux de Rogers s'inscrivent dans un mouvement humaniste en psychologie dont la caractéristique principale est de mettre en lumière le potentiel de l'humain à se réaliser.

Ce chapitre vous présente donc l'approche – phénoménologique, humaniste, théorique du soi – que nous a léguée Carl Rogers, l'un des plus grands psychologues américains du XXe siècle.

LE CHAPITRE... EN QUESTIONS

1. Qu'est-ce que le soi, et qu'est-ce qui pousse une personne à agir de façon contraire à sa vraie nature?

2. Pour Freud, la réduction de la tension, la recherche du plaisir et le conflit intrapsychique constituaient les principaux moteurs de l'action. Est-il possible d'envisager la motivation humaine sous l'angle de la croissance personnelle, de la réalisation de soi et du sentiment de congruence?

3. En quoi est-il important d'avoir un concept de soi stable? Dans quelle mesure notre concept de soi correspond-il à ce que nous ressentons? Que faisons-nous lorsque nos sentiments entrent en conflit avec l'idée que nous avons de nous-mêmes?

4. Quelles sont les conditions qui permettent à l'enfant d'acquérir un sentiment positif de sa valeur personnelle?

Les chapitres précédents vous ont présenté la théorie psychanalytique de Freud et des approches psychodynamiques parentes. Le présent chapitre a trait à une deuxième perspective complètement différente. Il s'agit de celle de l'Américain Carl Rogers, dont les travaux relèvent d'une approche phénoménologique de l'étude des personnes.

Dans un premier temps, vous devriez examiner les liens que présentent ces deux conceptions, celle de Freud et celle de Rogers. Rogers n'était pas en désaccord avec tout ce que disait Freud au sujet de la personne. Il reconnaissait que Freud avait énoncé certaines idées au sujet du fonctionnement de l'esprit, dont la valeur s'est avérée dans le temps. De plus, la méthode de travail de Rogers ressemblait à certains égards à celle de Freud. Comme lui, Rogers a commencé sa carrière comme thérapeute et fondé sa théorie générale de la personnalité principalement sur ses expériences cliniques. Cependant, ces points communs sont moins importants que certaines différences fondamentales. Rogers s'opposait franchement à certains éléments clés de la théorie freudienne : sa description des personnes comme des êtres soumis à des forces inconscientes ; sa prétention voulant que la personnalité soit déterminée de façon irréversible par les premières expériences de la vie et sa conviction que l'expérience psychologique à l'âge adulte est une répétition des conflits refoulés de l'enfance. Aux yeux de Rogers, ces positions psychodynamiques ne représentaient pas correctement l'existence ou le potentiel humain. Rogers proposa donc une nouvelle théorie de la personne mettant l'accent sur les perceptions conscientes du présent plutôt que sur des vestiges inconscients du passé, sur les expériences interpersonnelles vécues au cours de la vie plutôt que simplement sur les relations parentales de l'enfance, et sur la capacité des gens d'atteindre une maturité psychologique plutôt que sur leur tendance à répéter les conflits de l'enfance.

Rogers a élargi notre conception de la nature humaine et l'a fait de façon très positive. Selon de nombreux psychologues contemporains, sa conception positive de la personne, au milieu du XXe siècle, n'a rien perdu de son importance. Plus d'un demi-siècle plus tard, elle a toujours de profondes conséquences sur la personne et sur sa capacité à se comprendre et à s'améliorer (McMillan, 2004).

CARL R. ROGERS (1902-1987): UN SURVOL BIOGRAPHIQUE

«Je parle en tant que personne, dans un contexte d'expérience et d'apprentissages personnels.» C'est ainsi que se décrit Rogers dans le chapitre intitulé «Qui je suis» de son ouvrage *Le développement de la personne*, paru en version française en 1968. L'auteur y présente un compte rendu personnel et très touchant de l'évolution de sa réflexion, tant sur le plan professionnel que personnel. Rogers explique en quoi consiste son travail et ce qu'il en pense.

Ce livre décrit la souffrance et l'espoir, l'anxiété et la satisfaction dont est rempli le cabinet de consultation de tout psychothérapeute. C'est le caractère unique de la relation particulière qui se forme entre chaque thérapeute et son client, ainsi que la description des éléments communs à toutes ces relations thérapeutiques. Ce livre décrira l'expérience extrêmement personnelle de chacun de nous. Il s'agit d'un client qui, assis à côté de mon bureau, dans mon cabinet, s'efforce d'être lui-même, tout en ayant une peur mortelle de se laisser aller à l'être [...]. Il s'agira aussi de moi-même alors que je m'efforce de percevoir son expérience ainsi que la signification, le sentiment, la sensation et la «saveur» qu'elle a pour lui. [...] Il s'agira de moi quand je me réjouis d'avoir le privilège de faire naître une personnalité nouvelle, assistant avec un sentiment de terreur mystérieuse à l'émergence d'un soi, d'une personne, ce processus de naissance dans lequel j'ai joué un rôle important et facilitant. [...] Ce livre décrira, à ce que je crois, la vie même, telle qu'elle se révèle de façon éclatante au cours du processus thérapeutique «avec sa force aveugle et son immense potentiel de destruction, mais aussi avec sa tendance inéluctable vers la maturation si les conditions d'une telle maturation se trouvent réunies».

Source: Rogers, 1961, trad. 1968, p. 4-5.

Né le 8 janvier 1902 à Oak Park, dans l'Illinois, Carl R. Rogers a grandi dans un climat moral et pieux très strict. Ses parents accordaient une grande importance au bien-être de leurs enfants, à qui ils ont inculqué l'amour du travail. La description que fait Rogers de son enfance révèle deux grandes tendances dont témoignera sa carrière. La première est son intérêt pour les questions éthiques et morales. La seconde est son respect des méthodes scientifiques. Il tenait peut-être cette dernière de son père, qui s'employait à exploiter la ferme familiale selon des fondements scientifiques, et de ses propres lectures d'ouvrages traitant d'agriculture.

Rogers a entrepris ses études universitaires en agriculture à l'Université du Wisconsin, avant de changer d'orientation deux ans plus tard pour devenir pasteur. Au cours d'un voyage en Asie, en 1922, il a l'occasion d'observer l'engagement d'adeptes d'autres doctrines religieuses ainsi que la haine viscérale que se vouent les Français et les Allemands qui, par ailleurs, semblent tout à fait aimables. Ce type d'expériences le pousse à préférer s'inscrire dans une école de théologie progressiste, le Union Theological Seminary de New York. Bien que les questions relatives au sens de la vie l'intéressent, Rogers éprouve des doutes à l'égard de certaines doctrines religieuses. Il choisit donc de quitter le séminaire pour travailler dans le domaine de la psychopédagogie et se considère dès lors comme un psychologue clinicien.

Rogers suit sa formation de troisième cycle au Teachers College de l'Université Columbia, où il obtient son doctorat en 1931.

Au cours de sa formation, il s'est frotté à la perspective dynamique de Freud en même temps qu'aux méthodes expérimentales rigoureuses alors enseignées au Teachers College. À nouveau, il est soumis à deux courants divergents. Vers la fin de sa vie, Rogers cherchera à concilier ces deux tendances en tentant d'intégrer le religieux et la science, l'intuition et l'objectivité, les approches clinique et statistique. Tout au long de sa carrière, Rogers s'emploiera à appliquer les méthodes objectives scientifiques à ce qui est fondamentalement humain.

La thérapie est l'expérience qui me permet d'une certaine manière de me laisser aller subjectivement. Au moyen de la recherche, je puis prendre du recul et examiner objectivement toute cette riche expérience subjective en me servant d'élégantes méthodes scientifiques pour m'assurer que je n'ai pas tenté de me tromper moi-même. Je suis de plus en plus convaincu que nous finirons par découvrir, en ce qui concerne la personnalité et le comportement, des lois aussi significatives pour la compréhension humaine ou le progrès humain, que celles de la gravité et de la thermodynamique.

Source: Rogers, 1961, trad. 1968, p. 13.

En 1968, Rogers et ses collègues d'orientation humaniste fondent un centre d'études de la personne, le Center for the Studies of the Person. Le développement du centre témoigne des divers changements qu'a connus la démarche professionnelle de Rogers, qui est passé d'une structure universitaire rigoureuse à un regroupement de confrères partageant la même perspective, qui a délaissé le travail auprès de personnes perturbées pour se consacrer à des sujets normaux, qui a abandonné la thérapie individuelle au profit d'ateliers de groupe intensifs, et la recherche empirique classique au profit de l'étude phénoménologique des personnes. Rogers considérait que la psychologie était une science essentiellement stérile et se sentait détaché de la discipline. Celle-ci n'en pas moins continué à saluer ses contributions. En 1946 et 1947, il fut président de l'American Psychological Association, qui lui décerna l'un des trois prix que l'Association attribua pour la première fois, en 1956, le Distinguished Scientific Contribution Award. L'APA lui décerna également le Distinguished Professional Contribution Award en 1972.

Chez Rogers, la théorie, l'être humain et la vie s'entremêlent. Dans le chapitre intitulé « Qui je suis », il énumère 14 principes que lui ont appris des milliers d'heures de thérapie et de recherche. En voici quelques-uns:

(1) Dans mes relations avec autrui, j'ai appris qu'il ne sert à rien, à long terme, d'agir comme si je n'étais pas ce que je suis.

(2) J'attache une valeur énorme au fait de pouvoir me permettre de comprendre une autre personne.

(3) À mes yeux, l'expérience est l'autorité suprême. [...] C'est à elle que je dois revenir sans cesse pour m'approcher de plus en plus de la vérité qui se développe graduellement en moi.

(4) J'ai fini par conclure que ce qu'il y a d'unique et de plus personnel en chacun de nous est probablement le sentiment même qui, s'il était partagé ou exprimé, toucherait le plus profondément les autres.

(5) Mon expérience m'a montré que, fondamentalement, tous les hommes ont une disposition positive.

(6) La vie, dans ce qu'elle a de meilleur, est un flux, un processus de changement, où rien n'est fixe.

Source: Rogers, 1961, trad. 1968, p. 15, 17, 22, 24, 25.

Rogers n'a pas tiré ces principes d'un chapeau. Son bagage de connaissances a documenté sa perspective. La théorie humaniste de Rogers trouve des origines au XVIIIe siècle dans la philosophie des Lumières, qui s'intéressait à la vie humaine (plutôt qu'au monde spirituel), dans la philosophie existentialiste du XIXe siècle, qui incitait les gens à réfléchir à la nature de l'existence pour mieux la saisir, et aux philosophes du XXe siècle contemporains de Rogers, qui analysaient le rôle de l'expérience subjective consciente dans la nature humaine (Moss, 2001). Nous examinerons certains de ces courants intellectuels au chapitre suivant. Pour l'instant, concentrons-nous sur les contributions de Rogers.

LA CONCEPTION DE LA PERSONNE SELON ROGERS

La subjectivité de l'expérience

La théorie de Rogers repose sur une compréhension profonde et significative de la condition humaine. Nous croyons faire l'expérience au quotidien d'une réalité objective. Lorsqu'un événement se produit, nous croyons qu'il existe tel que nous le voyons. Lorsque nous racontons à quelqu'un le menu de notre journée, nous croyons leur dire ce qui s'est vraiment produit. Nous sommes à ce point convaincus de notre connaissance objective d'une réalité considérée comme objective que nous songeons rarement à la mettre en doute. Rogers, lui, le fait. Rogers affirme qu'il ne réagit pas à une réalité absolue, mais à sa *perception* de cette réalité (Rogers, 1951, 1977). La *réalité* que nous observons est en fait un monde d'expériences privées, subjectives, ce qu'il appelle le champ phénoménal (Rogers, 1951, 1977).

Ce **champ phénoménal** – la zone des perceptions qui définissent notre expérience – est une construction *subjective*. La personne construit ce monde intérieur expérientiel, et sa construction reflète non seulement le monde extérieur de la réalité, mais aussi le monde intérieur de ses besoins, de ses croyances et de ses buts personnels. Les besoins psychologiques personnels façonnent les expériences subjectives, que nous interprétons de façon objectivement réelle.

Prenons quelques exemples simples. Si un enfant aperçoit le regard courroucé de sa mère, ou si vous remarquez que votre galant affiche une mine déçue, ces émotions – la colère et la déception – constituent la réalité vécue. Cependant, cette prétendue réalité est peut-être faussée. Les besoins personnels (celui d'être accepté par sa mère et celui de séduire le partenaire amoureux) peuvent expliquer que l'enfant perçoive de la colère chez sa mère et vous, de la déception chez votre compagnon. Or cette influence des besoins personnels sur leur perception du monde échappe couramment aux gens. À défaut de reconnaître ces besoins, la personne perçoit son *expérience* comme étant la réalité. Son expérience est sa réalité (Rogers, 1959, 1977). Nous sommes convaincus que les choses existent telles que nous les voyons. Or ce que nous voyons n'est pas un compte rendu objectif du monde réel, mais une construction subjective qui reflète nos besoins personnels.

Rogers n'est certainement pas le premier à avoir eu cette intuition. Bien avant lui, Platon a décrit par l'allégorie de la caverne le fait que des gens ne perçoivent que des ombres de la réalité parce qu'ils sont incapables d'apercevoir le monde objectif de l'existence. Rogers a cependant réussi à développer cette intuition pour en faire une théorie de la personnalité : un modèle du développement de la personne, des structures et de la dynamique de l'esprit, doublé de méthodes pour évaluer la personnalité et diriger une thérapie.

Les sentiments d'authenticité

L'analyse rogérienne de la subjectivité de l'expérience comporte deux autres aspects déterminants du regard que pose Rogers sur la personne. Le premier est que les gens sont sujets à une forme particulière de détresse psychologique. C'est un sentiment de détachement, l'impression chez une personne que ses expériences et les activités qui remplissent son quotidien n'émanent pas de son soi authentique. Comment expliquer l'émergence de ces sentiments ? Nous avons besoin de l'approbation des autres, en faisant nôtres *leurs* désirs et *leurs* valeurs. L'enfant essaie de se convaincre que frapper sa petite sœur est vraiment vilain, comme le lui ont dit ses parents, bien qu'il tire une grande satisfaction à le faire. La jeune adulte tente de se convaincre que le meilleur choix consiste à embrasser une carrière traditionnelle et à fonder une famille, comme l'affirment des proches qu'elle estime, bien qu'elle préférerait conserver son indépendance. Lorsque cela se produit, la personne fait un choix *raisonné*, mais elle ne *sent* pas de lien entre sa décision et ses propres valeurs. Elle ignore ses premières réactions émotionnelles et viscérales, et s'engage dans une voie qui la mènera à se dire un jour : « Je ne me connais pas vraiment » (Rogers, 1951, 1977). Rogers relate le cas d'une cliente qui décrivait ses expériences de la façon suivante : « J'ai toujours tenté d'être ce que les autres croyaient que je devais être, mais je me demande maintenant si je ne devrais pas considérer simplement que je suis ce que je suis » (Rogers, 1951, 1977).

Champ phénoménal
Perception et expérience subjectives du monde.

Remarquez comme la conception rogérienne des aspects délibéré/réfléchi et instinctif/viscéral de l'organisme est différente de la conception freudienne. Pour Freud, les réactions viscérales sont des pulsions primitives que le moi et le surmoi civilisés doivent refréner. La déformation et le déni de ces pulsions sont des réactions saines qui relèvent du fonctionnement normal de la personnalité. Pour Rogers, cependant, ces réactions instinctives sont une source de sagesse potentielle : les personnes qui vivent sans contrainte toute la gamme de leurs émotions, qui acceptent et assimilent tous les indices sensoriels que ressent leur organisme sont mieux adaptées sur le plan psychologique (Rogers, 1951, 1977).

Le conflit entre les éléments instinctifs et rationnels de l'esprit n'est donc pas, selon Rogers, une caractéristique immuable de la condition humaine. Le conflit peut céder le pas à la congruence. Les gens peuvent atteindre un état où leurs expériences conscientes et leurs buts correspondent à leurs valeurs intrinsèques, à ce qu'ils ressentent profondément.

Le caractère positif de la motivation humaine

La motivation humaine telle que la conçoit Rogers est l'aspect déterminant de sa perspective de la personne. Au cours de ses expériences cliniques, Rogers a acquis la conviction que la nature humaine est fondamentalement positive. Notre motivation la plus fondamentale nous pousse vers le développement positif. Rogers constate que certaines institutions tiennent un autre discours. Des religions, par exemple, affirment que nous sommes fondamentalement des pécheurs. Selon la psychanalyse, nos instincts primaires relèvent de l'agressivité et de la sexualité. Rogers n'admettait pas que les gens soient capables de comportements destructifs et méchants, et qu'ils s'y livrent fréquemment. Il soutenait à la base que lorsque nous nous sentons libres d'agir, nous sommes capables de réaliser notre potentiel et d'accéder à la maturité.

À ceux qui le traitaient d'optimiste naïf, Rogers rétorquait que ses conclusions s'appuyaient sur des décennies d'expérience en psychothérapie.

> **Phénoménologie**
> Étude de l'expérience humaine ; en psychologie de la personnalité, approche qui porte sur les perceptions et expériences subjectives de soi et du monde.

Je ne crois pas avoir une vue naïvement optimiste de la nature humaine. Je suis tout à fait conscient du fait que, par besoin de se défendre contre des peurs internes, l'individu peut en arriver à se comporter de façon incroyablement cruelle, horriblement destructive, immature, régressive, antisociale et nuisible. Il n'en reste pas moins que le travail que je fais avec de tels individus, la recherche et la découverte des tendances très positivement orientées qui existent chez eux comme chez nous tous, au niveau le plus profond, constituent un des aspects les plus réconfortants et les plus vivifiants de mon expérience.

Source : Rogers, 1961, trad. 1968, p. 25.

Rogers témoigne d'un profond respect pour l'être humain, tant par son propos que par sa théorie de la personnalité et son approche de la psychothérapie centrée sur la personne.

Une perspective phénoménologique

Rogers adopte une approche *phénoménologique* pour étudier la personne. Avant de présenter son œuvre, expliquons donc ce que signifie ce terme inusité.

En psychologie et dans d'autres disciplines, comme la philosophie, une approche phénoménologique est une approche qui explore les expériences conscientes de la personne. L'exploration ne cherche pas à caractériser le monde réel tel qu'il existe, indépendamment de l'observateur humain ; l'intérêt porte plutôt sur les expériences de l'observateur, sur la façon dont il perçoit le monde.

Une brève réflexion sur le contenu des deux chapitres précédents suffit pour comprendre le caractère singulier de la perspective rogérienne en psychologie de la personnalité. La tradition psychodynamique ne s'intéresse pas particulièrement à la phénoménologie. Pour Freud, l'expérience phénoménologique consciente ne constitue pas le cœur de la personnalité. En fait, le lien entre les deux ne peut qu'emprunter des voies on ne peut plus indirectes et relève de pulsions et de mécanismes de défense inconscients. Comme vous le verrez dans les prochains chapitres, d'autres théories formulées à peu près à la même époque que celle de Rogers (par exemple, la théorie des traits de personnalité et le béhaviorisme) accordent relativement peu d'attention aux nuances et à la dynamique de l'expérience phénoménologique quotidienne. Rogers fut donc un promoteur important de l'étude psychologique de la **phénoménologie**.

L'ÉTUDE DE LA PERSONNALITÉ SELON ROGERS

Qu'est-ce que l'intérêt de Rogers pour l'expérience phénoménologique a donc à voir avec sa perspective de la science de la personnalité ? Une perspective phénoménologique de la psychologie et un point de vue sur la science sont-ils deux choses distinctes ? L'une a-t-elle une quelconque implication sur l'autre ?

En y réfléchissant, l'union d'une conception traditionnelle de la science et d'une préoccupation pour les expériences phénoménologiques peut sembler difficile. La science telle qu'on la conçoit généralement repose sur des données claires : des instruments de laboratoire nous renseignent sur les caractéristiques physiques objectives (taille, masse, courant électrique, etc.) des réalités observées. Rogers affirmait néanmoins que la psychologie de la personnalité devait tenir compte des expériences intérieures subjectives. Ces expériences ne peuvent être mesurées comme des caractéristiques physiques objectives. Leur nature est plutôt subjective ; leur signification relève de l'interprétation qu'en font les personnes qui les vivent. Voici un exemple classique. Si quelqu'un cligne de l'œil, des mesures externes pourraient révéler le moment et la durée du clignement. Elles ne permettraient cependant pas de déterminer si la personne a vraiment fait un clin d'œil à quelqu'un qui se trouvait dans la pièce ou si elle a feint de le faire (en ne clignant de l'œil à personne en particulier). Les mesures externes ne pourraient non plus indiquer si la personne a cligné de l'œil de bon cœur ou si, sous le coup d'une timidité soudaine, elle était un peu embarrassée de le faire. Pour obtenir ce type de renseignements, nous devons connaître la signification qu'accorde la personne au fait de cligner de l'œil. Le philosophe Charles Taylor (1985) a observé que cette différence – c'est-à-dire la différence entre les objets mesurables physiquement et les états psychologiques intérieurs assortis d'une signification subjective – indique une division profonde entre les conceptions traditionnelles de la science et l'approche rogérienne de la personnalité. La perspective phénoménologique de Rogers soulève donc une question importante : la science de la personnalité peut-elle suivre le modèle des sciences physiques ?

On peut voir les travaux de Rogers comme une tentative de tirer le meilleur des deux mondes, celui de la science traditionnelle et celui de la compréhension clinique de l'expérience subjective. En thérapie, Rogers n'avait pas pour objectif principal de catégoriser son client selon une taxonomie scientifique ou de déterminer quelque facteur causal à l'origine de son comportement. Il cherchait plutôt à concevoir une compréhension approfondie de l'expérience que ses clients avaient de leur monde. Ses efforts à cet égard rappellent ceux du lecteur qui cherche à comprendre le monde que décrit le narrateur d'un roman ou l'auteur d'une autobiographie. En revanche, Carl Rogers avait un profond respect pour la méthode scientifique et croyait que la psychologie pourrait finir par s'inscrire comme une science légitime. Il prenait un soin particulier à soumettre à l'épreuve de la science ses idées sur les formes efficaces de thérapie. Rogers s'est efforcé courageusement de conjuguer les aspects scientifiques et humains de la science de la personnalité.

LA THÉORIE DE LA PERSONNALITÉ SELON ROGERS

Maintenant que nous nous sommes familiarisés avec Rogers, sa perspective générale de la nature humaine et sa conception de la science de la personnalité, examinons de plus près les particularités de la théorie rogérienne de la personnalité.

La structure

Le soi

Nous avons distingué, au chapitre 1, la structure et les processus associés aux théories de la personnalité. Cette distinction, utile pour comprendre le travail de Freud, s'avère à nouveau utile pour comprendre la théorie de Carl Rogers. Examinons d'abord les aspects structurels de la théorie rogérienne, dont le concept structurel clé est le soi.

Selon Rogers, le soi est un aspect de l'expérience phénoménologique. Il constitue un aspect de notre expérience du monde. Autrement dit, l'une des choses qui forment notre expérience consciente est l'expérience que nous avons de nous-mêmes, ou du « soi ». Plus formellement, selon Rogers, l'individu perçoit les objets externes et les expériences et leur attribue une signification. La structure globale de perceptions et de significations constitue le champ phénoménal de l'individu. Le soi est un sous-ensemble du champ phénoménal que l'individu reconnaît comme étant le « moi » ou le « je ». Le **soi** ou le **concept de soi**

> **Concept de soi (ou le soi)**
> Ensemble des perceptions et significations accordées au soi, au moi ou au je.

Le soi intuitif

Il y a différentes façons de se percevoir. Certaines vous demanderont beaucoup de réflexion pour répondre à une question vous concernant, même si la question porte sur un sujet que vous connaissez bien, c'est-à-dire vous. Si quelqu'un vous demande comment vous réagiriez au milieu d'une catastrophe naturelle, en quoi le fait d'avoir grandi dans une autre culture vous aurait rendu différent, ou encore à quoi ressemblera votre personnalité dans cinquante ans, vous ne pourrez répondre avec certitude, faute d'«intuitions» fermes. Vous devrez réfléchir sérieusement à chaque question avant d'être en mesure de proposer une réponse.

Le théoricien de la personnalité Carl Rogers s'intéressait particulièrement aux cas où les gens ont effectivement des intuitions. Il croyait que les gens possèdent un soi fondamental, authentique qu'ils peuvent pressentir de façon intuitive. Le raisonnement de Rogers, combiné aux cas de réflexion *non* intuitive sur le soi (voir plus loin), permet de faire une intéressante prédiction sur la personnalité et le cerveau. Si la réflexion intuitive et la réflexion non intuitive sur le soi empruntent des chemins différents, l'une et l'autre devraient activer des régions cérébrales différentes.

Les techniques d'imagerie cérébrale ont permis d'explorer cette question. Des chercheurs (Lieberman, Jarcho et Satpute, 2004) ont mené une étude auprès de deux groupes de participants. Le premier groupe comptait 11 joueurs de soccer de niveau collégial et le second groupe, 11 acteurs spécialisés dans l'improvisation. Les chercheurs ont montré à tous les participants des mots ayant trait soit au soccer (agile, athlétique, etc.) soit à l'interprétation (créatif, vif d'esprit, etc.). Les chercheurs postulaient que les participants ne penseraient de façon intuitive qu'au sujet des mots se rapportant à leur groupe : les participants devaient indiquer si chacun des mots qu'on leur présentait les décrivait ou non. Pendant l'exercice, une scintigraphie captait leur activité cérébrale. En analysant les images cérébrales, les chercheurs ont pu déterminer si des régions du cerveau qui s'activaient pendant la réflexion intuitive et la réflexion non intuitive étaient différentes.

Ce fut le cas. Contrairement à ce qu'ils ont observé lorsque les participants réfléchissaient de façon non intuitive (par exemple, les joueurs de soccer qui réfléchissaient à l'interprétation dramatique), le cerveau des personnes qui réfléchissent de façon intuitive sur elles-mêmes s'active en des zones différentes, soit des régions fondamentalement

associées à la vie affective (Lieberman et coll., 2004). Ces régions sont l'amygdale, structure cérébrale clé du traitement des émotions, une zone du lobe temporal (partie de l'hémisphère cérébral située de chaque côté de l'encéphale) censée contribuer au traitement rapide de l'information, et le cortex cingulaire postérieur, situé dans la portion centrale arrière (vers le derrière de la tête) de l'encéphale.

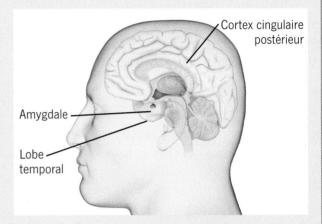

Des découvertes neurologiques plus récentes s'appuient sur une autre distinction établie par Rogers, soit la différence entre le soi réel et le soi idéal. Le soi réel ou actuel concerne le soi au moment présent. Le soi idéal renvoie aux possibilités futures. Cette distinction rogérienne entre la réflexion sur le soi au présent et celle orientée vers l'avenir sous-entend la possible activation de régions cérébrales différentes.

Pour explorer cette question, les chercheurs d'une étude récente (D'Argembeau et coll., 2010) ont présenté une série d'adjectifs à des participants. Dans deux contextes expérimentaux différents, les participants devaient déterminer si les mots décrivaient (1) leur soi actuel ou réel ou (2) leur soi futur, c'est-à-dire des attributs qu'ils pourraient posséder cinq ans plus tard. Les scintigraphies cérébrales ont révélé des modèles d'activation différents au cours de ces exercices. Une région proche du lobe frontal, le cortex préfrontal médian, était plus active lorsque les participants réfléchissaient à leur soi *actuel* que lorsqu'ils réfléchissaient à leur soi futur. Les chercheurs croient que cette région du cortex préfrontal serait particulièrement active lorsque les gens réfléchissent à des sujets auxquels ils sont liés «psychologiquement», et ils se sentent naturellement plus liés à leur soi actuel réel qu'à des réflexions les projetant cinq ans plus tard. À l'appui de cette interprétation, le cortex préfrontal médian était également moins actif lorsque les gens réfléchissaient à ce qu'ils étaient cinq ans plus tôt (D'Argembeau et coll., 2008, 2010).

La théorie rogérienne de la personnalité relevait de la psychologie et non de la biologie. Rogers n'a pas formulé d'hypothèse sur les structures cérébrales associées à la capacité de réfléchir de façon intuitive sur le soi actuel ou futur. Nous ne pouvons donc voir les résultats des études présentées ici comme soutenant directement la théorie de Rogers (puisqu'il n'a pas énoncé de théorie précise sur le cerveau). Néanmoins, les découvertes récentes en neuroscience sont conséquentes avec la prétention de Rogers voulant que les notions profondément intuitives sur le soi constituent un aspect propre à la vie mentale de l'être humain.

représente une configuration organisée et cohérente des perceptions. Bien qu'il évolue, le soi conserve toujours ce caractère configuré, intégré et organisé. Parce que ce caractère organisé perdure dans le temps et caractérise l'individu, le soi est une structure de la personnalité.

Rogers ne voit pas le soi comme une petite personne vivant à l'intérieur de nous. Le soi n'exerce pas de contrôle indépendant sur le comportement. C'est un ensemble organisé de perceptions que possède l'individu, lequel demeure le grand responsable de ses actions.

La configuration d'expériences et de perceptions appelée soi est généralement accessible à la conscience. Autrement dit, les gens ont conscience que le soi comprend des perceptions conscientes. Bien que les gens vivent effectivement des expériences dont ils ne sont pas conscients, le concept de soi est essentiellement conscient. (Notez que Rogers n'utilisait pas le terme *soi* au même sens que Carl Jung, dont les travaux ont fait l'objet d'un exposé au chapitre précédent. Jung voyait le soi comme une force archétypale inconsciente alors que Rogers utilisait le terme pour désigner notre concept de soi conscient.)

Rogers reconnaissait néanmoins deux aspects du soi: un soi réel et un **soi idéal**. Rogers reconnaissait que les gens conçoivent naturellement non seulement leur soi au présent, mais aussi leur soi potentiel à venir. Ils génèrent donc une structure organisée de perceptions non seulement de leur soi actuel mais aussi du soi idéal qu'ils aimeraient être. Le soi idéal est donc le concept de soi auquel aspire la personne. Il comprend les perceptions et significations susceptibles de correspondre au soi et celles auxquelles la personne accorde une grande valeur. Rogers conçoit donc que notre perception de nous-mêmes comprend deux composantes distinctes: le soi que nous croyons être actuellement et le soi que nous nous voyons devenir un jour.

Rogers affirmait qu'il n'avait pas entrepris sa démarche théorique en décidant qu'il était important d'étudier le soi. En fait, il pensait à l'origine que le terme *soi* était vague et peu pertinent sur le plan scientifique. Cependant, à force d'écouter ses clients parler de leur expérience psychologique sous l'angle du soi – ils disaient «ne pas se sentir eux-mêmes», être «déçus d'eux-mêmes», etc. – Rogers acquit la conviction que le soi était une structure psychologique par laquelle les gens interprétaient leur monde.

L'évaluation du concept de soi

La technique du Q-Sort ▪ Ayant pris acte de la position centrale du concept de soi, Rogers savait qu'il lui faudrait un instrument objectif pour le mesurer. Pour ce faire, il a recouru principalement à la **technique du Q-Sort**, mise au point par Stephenson (1953).

La technique du Q-Sort consiste, pour le psychologue qui utilise ce test, à remettre au participant un jeu de cartes, chacune présentant un énoncé qui décrit une caractéristique de la personnalité: «Se fait des amis facilement», «A du mal à exprimer de la colère», etc. Les participants doivent ordonner ces cartes selon que l'énoncé les décrit plus ou moins bien. Ils utilisent pour ce faire une échelle allant de «Ce qui me correspond le plus» à «Ce qui me correspond le moins». Ils doivent attribuer les cartes selon une distribution forcée, définie à l'avance, selon laquelle la plupart des cartes doivent être attribuées au milieu de l'échelle alors que quelques-unes seulement peuvent être

Soi idéal
Concept de soi que la personne souhaite posséder; notion clé de la théorie de Rogers.

Technique du Q-Sort
Instrument d'évaluation qui invite la personne à classer des énoncés selon une distribution normale; utilisée par Rogers pour mesurer des énoncés relatifs au soi et au soi idéal.

distribuées aux extrémités ; de cette façon, les participants réfléchissent soigneusement à la portée de chaque énoncé par rapport aux autres.

Deux aspects de la technique du Q-sort méritent d'être signalés. D'abord, le test constitue un juste milieu entre les instruments de mesure fixes et les instruments flexibles (voir le chapitre 2). Les mêmes énoncés sont soumis aux participants ; à cet égard, la mesure est fixe. En revanche, l'expérimentateur n'attribue pas un score à la personne en additionnant ses réponses de manière uniforme. Le test est au contraire flexible dans la mesure où les participants indiquent le sous-ensemble d'items qui, selon eux, leur correspondent le mieux. D'un participant à l'autre, différents sous-ensembles d'items désignent « ce qui me correspond le mieux » et « ce qui me correspond le moins ». Le test donne donc de la personne un portrait plus flexible, sans toutefois l'être entièrement, que ne le font d'autres mesures dont le contenu est entièrement fixe (comme vous le verrez dans les chapitres à venir). Les gens doivent utiliser les énoncés que leur soumet l'expérimentateur au lieu des descriptions qu'ils font d'eux-mêmes, et les distribuer comme on le leur a prescrit plutôt que selon une distribution qui leur semble plus sensée.

Ensuite, le Q-Sort peut être administré plus d'une fois à un individu pour évaluer le soi réel et le soi idéal. Lors de la deuxième évaluation, les participants doivent distribuer les énoncés selon qu'ils décrivent plus ou moins le soi qu'ils souhaiteraient idéalement être. En comparant les deux tests, celui du soi idéal et celui du soi réel, il est possible d'obtenir une mesure quantitative de la différence, ou de l'écart, entre ces deux aspects du concept de soi. Comme vous le verrez au chapitre 6, ces écarts sont importants en psychopathologie et dans le changement thérapeutique.

Le différenciateur sémantique ▪ Il est également possible d'évaluer le concept de soi au moyen du différenciateur sémantique (Osgood, Suci et Tannenbaum, 1957). Conçu pour mesurer les attitudes et déterminer la signification de concepts plutôt qu'en tant que test de personnalité, le différenciateur sémantique présente quand même une certaine utilité pour évaluer la personnalité. Le questionnaire invite les répondants à évaluer un concept sur diverses échelles de sept points définies par des adjectifs bipolaires comme « bon/mauvais », « fort/faible » ou « actif/ passif ». Un répondant aura ainsi à évaluer un concept comme « mon moi » ou « mon moi idéal » sur chacune des échelles d'adjectifs bipolaires. Une évaluation sur une échelle indiquera si le répondant considère que l'un des adjectifs s'appliquait beaucoup, un peu ou pas du tout. Les évaluations indiquent la signification que le répondant donne au concept.

Comme la technique du Q-Sort, le différenciateur sémantique est une technique structurée, dans la mesure où le répondant doit évaluer certains concepts et utiliser les échelles que lui fournit l'expérimentateur. Cette structure permet d'obtenir des données applicables à l'analyse statistique, mais comme le Q-Sort, elle autorise une certaine flexibilité dans l'utilisation des concepts et des échelles. Il n'existe pas de différenciateur sémantique standardisé. Il est possible d'utiliser une variété d'échelles pour des concepts comme « père », « mère » et « médecin » afin de déterminer ce qu'ils signifient pour les répondants. Prenons, par exemple, l'évaluation de concepts comme « mon soi » et « mon université » sur des échelles comme « progressiste/conservateur », « savant/amusant » et « céré- monieux/décontracté ». « Quelles ressemblances voyez- vous entre vous et votre université ? » « Quel lien faites-vous avec votre satisfaction à l'égard de votre université ? » Cer- taines études très semblables à celle-ci ont montré que plus les étudiants s'estimaient différents de leur milieu univer- sitaire, plus ils se sentaient insatisfaits et plus ils risquaient d'abandonner leurs études (Pervin, 1967a, 1967b).

Un cas de personnalité multiple permet d'illustrer une utilisation du différenciateur sémantique pour évaluer la personnalité. Dans les années 1950, deux psychiatres, Corbett Thigpen et Harvey Cleckley, ont rendu célèbres « les trois visages d'Eve ». Eve présentait trois person- nalités, chacune prédominant sur les autres pendant un certain temps avant d'être remplacée par l'une des deux autres. Les trois personnalités avaient pour nom Eve White, Eve Black et Jane. Au cours de leur recherche, les psychiatres parvinrent à amener chacune des trois personnalités à évaluer une variété de concepts à l'aide du différenciateur sémantique. Deux psychologues – C. Osgood et Z. Luria –, qui ne connaissaient pas la patiente, ont ensuite fait une évaluation qualitative et quantitative des résultats. Leur analyse comprenait des commentaires descriptifs et des interprétations des personnalités qui allaient plus loin que ce que livraient les données objec- tives. Par exemple, ils ont décrit Eve White comme une femme en contact avec la réalité sociale, mais en proie à un grand stress émotif ; Eve Black fut décrite comme décrochée de la réalité sociale, mais pleine d'assurance ; Jane, enfin, fut décrite comme ayant une personnalité très saine en surface, mais plutôt limitée et dépourvue de complexité. La figure 5.1 donne des trois personnalités

Eve White	Perçoit le monde de façon essentiellement normale ; elle a des amis, mais est insatisfaite d'elle-même. L'indice principal du trouble de la personnalité réside dans le fait que le *moi* (le concept de soi) est considéré comme étant un peu méchant, un peu passif et indéniablement faible.
Eve Black	Eve Black est parvenue à s'adapter de façon violente en se percevant comme étant littéralement parfaite, mais a dû, pour accomplir cette rupture, écarter complètement de la norme sa vision du monde. Pour se percevoir comme une bonne personne, Eve Black doit aussi voir la *haine* et l'*imposture* comme des valeurs positives.
Jane	Jane présente la configuration de personnalité la plus *saine* : elle accepte les évaluations de concepts courantes dans la société tout en conservant une évaluation satisfaisante d'elle-même. Le concept de soi, le *moi*, sans être très solide (mais pas faible non plus) se rapproche davantage des qualificatifs « bon » et « actif » du champ sémantique.

Figure 5.1 | **Courtes descriptions de personnalités selon les résultats obtenus au différenciateur sémantique dans un cas de personnalité multiple**

Source : Osgood, C.E., & Luria, Z. (1954). A blind analysis of a case of multiple personality using the semantic differential. *Journal of Abnormal and Social Psychology*, *49*, 579-591. © American Psychological Association, reproduction autorisée.

 **DÉBATS ACTUELS** La congruence avec le soi idéal : observe-t-on des différences entre les genres avec le temps ?

La notion de soi idéal et la méthode du Q-Sort qu'adopta Rogers ont influé sur la recherche portant sur le concept de soi. Par exemple, Block et Robins (1993) se sont intéressés à l'évolution de l'estime de soi pendant l'adolescence et le début de l'âge adulte. Votre estime de soi a-t-elle changé durant cette période ? Selon Block et Robins, la réponse à cette question pourrait varier selon votre genre : en moyenne, l'estime de soi augmente chez les garçons et diminue chez les filles durant ces années formatrices.

Les chercheurs ont déterminé l'estime de soi selon le degré de similarité entre le soi perçu et le soi idéal. Ils ont mesuré ces deux construits à l'aide d'adjectifs de la technique du Q-Sort, dont des items comme « compétitif », « affectueux », « responsable » et « créatif ». Les participants dont le soi perçu et le soi idéal étaient très semblables avaient une forte estime de soi. À l'inverse, ceux dont le soi conscient et le soi idéal présentaient de nombreuses différences avaient une faible estime de soi.

De 14 à 23 ans, les garçons ont pris de l'assurance alors que les filles en ont perdu. Alors qu'à 14 ans, les garçons et les filles obtenaient des scores comparables, les garçons avaient, à 23 ans, considérablement amélioré leur estime de soi. Apparemment, l'adolescence et le début de l'âge adulte se vivent différemment chez les garçons et les filles. Les garçons ont toutes les raisons de se réjouir : cette étape de la vie est associée à un rapprochement du soi réel et du soi idéal. Les filles connaissent malheureusement la situation inverse : elles s'éloignent de leur soi idéal lorsqu'elles entrent dans l'âge adulte.

Quels attributs de la personnalité associe-t-on aux hommes et aux femmes doués d'une forte estime de soi ? En utilisant les données d'entrevue approfondie qu'ils ont recueillies lorsque les participants avaient 23 ans, Block et Robins ont constaté que les femmes qui avaient une forte estime de soi valorisaient l'intimité dans leurs relations avec autrui. Les hommes qui avaient une forte estime de soi étaient en revanche plus distants sur le plan affectif et plus contrôlants dans leurs relations avec autrui. Ces différences entre les genres sur le plan des relations interpersonnelles témoignent des attentes très différentes que la société entretient à l'égard des modèles féminin et masculin. Bien sûr, les jeunes adultes dont la personnalité correspondait plus étroitement à ces attentes culturelles avaient de meilleures chances d'être bien dans leur peau et d'avoir un concept de soi proche de leur soi idéal.

Cette étude omet de répondre à une question qu'aurait pu poser Rogers : de quoi se compose le soi idéal ? Les hommes et les femmes ont-ils des perceptions différentes de ce qui constitue cet idéal ? Le soi idéal semble particulièrement sensible aux influences extérieures, aux valeurs que chérit une société. La nature du soi idéal nous renseigne sur les attributs que valorise une personne et dont elle tire son estime de soi. Voici une autre question pour les chercheurs : dans quelle mesure la façon de définir le soi idéal influe-t-elle sur l'adaptation psychologique ? Le soi idéal d'une personne réunit-il les caractéristiques de l'être humain qui s'est réalisé ou représente-t-il ce que la société considère comme étant la femme ou l'homme idéal ?

une description plus détaillée, bien qu'incomplète, selon les évaluations du différenciateur sémantique. L'analyse sur la foi de ces évaluations s'est avérée assez fidèle aux descriptions qu'ont proposées les deux psychiatres (Osgood et Luria, 1954).

Le processus

Comme nous venons de le voir, Rogers, contrairement à Freud, n'a pas présenté un modèle très complexe de la structure de la personnalité en la découpant en parties. Son modèle, beaucoup plus simple, met en lumière ce qu'il pressentait comme étant la structure centrale de la personnalité, en l'occurrence le soi. Son exposé sur le processus de la personnalité emprunte un style intellectuel analogue. Rogers postule l'existence d'un seul principe de motivation, lequel, bien sûr, comporte l'idée de soi.

L'actualisation de soi

Rogers ne croyait pas, comme Freud, que le comportement était déterminé par des pulsions primitives. Il croyait plutôt que le processus le plus fondamental de la personnalité était la tendance à aller de l'avant, à se développer. C'est ce qu'il appela la tendance à l'**actualisation de soi**. Selon Rogers, l'organisme présente une tendance fondamentale, celle de se réaliser, de se maintenir et de s'épanouir (Rogers, 1951). Dans un passage empreint de poésie, Rogers a décrit la vie comme un processus actif en le comparant à une petite algue en forme de palmier poussant au bord de l'océan, debout, solide et résistant, se maintenant et s'épanouissant par la maturation : « Dans cette algue en forme de palme résident la ténacité et l'élan vital, la capacité d'évoluer dans un milieu incroyablement hostile et de non seulement se maintenir, mais aussi de s'adapter, de se développer, de devenir elle-même » (traduction libre, Rogers, 1963, p. 2).

Le concept d'actualisation de soi renvoie à la tendance d'un organisme à passer de la simplicité à la complexité, de la dépendance à l'indépendance, de la fixité et de la rigidité à une démarche de changement et de libre expression. Le concept englobe la tendance de toute personne à réduire ses besoins, ses tensions, mais insiste sur le plaisir et la

---

Actualisation de soi

Tendance fondamentale de l'organisme à s'actualiser, à se maintenir et à s'améliorer, et à réaliser son potentiel ; concept mis de l'avant par Rogers et d'autres représentants du mouvement humaniste.

---

satisfaction que procurent les activités enrichissantes pour l'organisme.

Rogers n'a jamais conçu d'instrument pour mesurer la tendance à l'actualisation de soi. Au fil des ans, cependant, d'autres l'ont fait. Il existe, entre autres, une échelle de 15 items qui mesure la capacité d'agir de façon autonome, l'acceptation de soi ou l'estime de soi, l'acceptation de sa vie affective et la confiance dans les relations interpersonnelles (figure 5.2). Les résultats de ce questionnaire mesurant l'actualisation de soi présentent des similitudes avec d'autres questionnaires mesurant l'estime de soi et la santé, de même qu'avec des évaluations effectuées de façon indépendante pour mesurer la capacité d'actualisation de soi (Jones et Crandall, 1986).

Les autres doivent toujours approuver ce que je fais. (F)

Je crains d'être incompétent. (F)

Je n'ai pas honte de mes émotions. (V)

Je crois que les gens sont foncièrement bons et qu'on peut leur faire confiance. (V)

Figure 5.2 | **Items tirés d'un inventaire sur l'actualisation de soi**

Source : Jones, A., & Crandall, R. (1986). Validation of a short index of self-actualization. *Personality and Social Psychology Bulletin*, *12*, 63-73.

Plus récemment, Ryff (1995 ; Ryff et Singer, 1998, 2000) a proposé une conception à plusieurs facettes d'une bonne santé mentale ; cette conception comprenait l'acceptation de soi, de bonnes relations avec autrui, l'autonomie, la maîtrise de son environnement, un sens à sa vie et la croissance personnelle. Cette dernière composante s'approche, sur le plan conceptuel, du point de vue de Rogers sur le processus de croissance et l'actualisation de soi. Le questionnaire de Ryff, appelé *échelle de la croissance personnelle*, définit celui ou celle qui obtient un score élevé de croissance personnelle comme quelqu'un qui a le sentiment de se développer constamment et de réaliser son potentiel, qui est ouvert aux expériences nouvelles et dont l'évolution témoigne d'une meilleure connaissance de soi et d'une plus grande efficacité. Des études ont en outre montré que les gens ne sont jamais plus heureux que lorsqu'ils poursuivent des buts en harmonie avec le soi (Little, 1999 ; McGregor et Little, 1998).

La cohérence du soi et la congruence

Le principe d'actualisation de soi ne suffit visiblement pas à expliquer la dynamique du fonctionnement de la personnalité. La vie psychique n'est pas tant une marche

L'actualisation de soi : Rogers souligne particulièrement la tendance fondamentale de l'organisme à se réaliser.

ininterrompue vers l'actualisation de soi qu'un tissu de conflits, de doutes et de détresse psychologique. La difficulté théorique pour Rogers consistait donc à tenir compte d'une gamme plus complète de processus dynamiques dans sa théorie générale de la personne fondée sur le soi. Rogers s'y est notamment pris en posant que les gens aspirent à la cohérence du soi et à un sentiment de congruence entre leur soi et leurs expériences de vie. À ses yeux, la plupart des comportements qu'adopte l'organisme sont ceux qui sont cohérents par rapport à son concept de soi (Rogers, 1951).

Le concept de **cohérence** a d'abord été proposé par Lecky (1945), selon qui l'organisme ne cherche pas à obtenir du plaisir et à éviter la douleur, mais bien à maintenir la structure du soi. L'individu se donne un système de valeurs dont le cœur est l'évaluation du soi. Les gens organisent leurs valeurs et leurs rôles de façon à préserver la structure du soi. Leur comportement est cohérent par rapport à leur concept de soi, même si ledit comportement s'avère peu gratifiant. Si, par exemple, vous ne vous estimez pas compétent en orthographe, vous pourriez tenter d'agir de façon à conforter cette perception.

Outre la cohérence, Rogers soulignait l'importance, dans le fonctionnement de la personnalité, de la **congruence** entre le soi et l'expérience, c'est-à-dire entre ce que les gens ressentent et la façon dont ils se perçoivent. Si, par exemple, vous jugez vous être conduit froidement et avec antipathie avec quelqu'un alors que vous vous considérez comme une personne gentille qui fait preuve d'empathie envers son prochain, vous éprouverez un sentiment d'**incongruence** entre votre soi et votre expérience. Si vous vous percevez comme une personne discrète et qu'au cours d'une fête, vous sortez de votre réserve et vous comportez de façon très extravertie, vous risquez d'avoir la désagréable impression de n'avoir pas été vous-même.

Les états d'incongruence et les mécanismes de défense ■

Il arrive qu'une incongruence entre le soi et une expérience laisse entrevoir une incohérence du soi. Que se passe-t-il alors ? Selon Rogers, l'anxiété est le résultat d'une divergence entre l'expérience et la perception de soi. La personne qui, par exemple, croit qu'elle ne déteste jamais personne et qui éprouve brusquement des sentiments haineux éprouvera de l'anxiété lorsqu'elle prendra conscience de cette incongruence. Lorsque cela se produit, la personne sera poussée à défendre le soi en recourant à des mécanismes de défense. À cet égard, les travaux de Rogers sont similaires à ceux de Freud. Pour Rogers, cependant, les mécanismes de défense ne visent pas à éviter la prise de conscience de pulsions biologiques primaires provenant du ça. Ils visent à prévenir la perte d'une perception cohérente et intégrée du soi.

Selon Rogers, lorsque nous percevons une expérience comme étant menaçante parce qu'elle entre en conflit avec notre concept de soi, il arrive que nous ne permettions pas

Cohérence
Concept rogérien désignant l'absence de conflit dans la perception du soi.

Congruence
Concept rogérien désignant l'absence de conflit entre le concept de soi et l'expérience ; l'une des trois conditions dites essentielles au développement et au progrès thérapeutique.

Incongruence
Concept rogérien désignant l'existence d'une divergence ou d'un conflit entre le concept de soi et l'expérience.

qu'elle devienne consciente. Par un mécanisme dit de **subception**, nous pouvons avoir conscience qu'une expérience contredit notre concept de soi avant d'en avoir une représentation consciente. La réaction à la menace que présente la reconnaissance d'expériences conflictuelles avec le soi est un mécanisme de défense. Nous réagissons donc de manière défensive et tentons d'éviter de prendre conscience d'expériences qui nous semblent confusément incongrues par rapport à la structure du soi.

La **déformation** de la signification de l'expérience et le **déni** de son existence sont deux mécanismes de défense. Le déni sert à préserver la structure du soi de la menace en niant son expression consciente. La déformation, un phénomène plus courant, consiste à prendre conscience de l'expérience mais en lui donnant une forme cohérente par rapport au soi. Par exemple, si le concept de soi d'un étudiant comprend la caractéristique « Je ne suis pas doué en classe », l'expérience d'un test réussi haut la main l'amènera à la déformer en disant : « Ce professeur n'est pas malin » ou « J'ai eu de la chance » (Rogers, 1956). Cet exemple est remarquable par l'importance que l'étudiant accorde à la cohérence. Ce qui, en d'autres circonstances, serait sans doute une expérience positive (l'obtention d'une bonne note) devient source d'anxiété et déclenche un mécanisme de défense. Autrement dit, la clé réside dans le rapport entre l'expérience et le concept de soi.

La recherche en matière de cohérence du soi et de congruence ■

Une des premières études menées dans ce domaine par Chodorkoff (1954) a montré que les sujets mettaient plus de temps à percevoir des mots menaçants sur le plan personnel qu'à percevoir des mots neutres. Cette tendance était particulièrement observable chez les personnes mésadaptées ou sur la défensive. Les personnes mésadaptées, en particulier, tentent de dénier les stimuli menaçants.

Subception

Mécanisme rogérien par lequel la personne perçoit un stimulus sans en avoir une représentation consciente.

Déformation

Selon Rogers, mécanisme de défense qui consiste à modifier l'expérience pour la rendre conforme au concept de soi.

Déni

Mécanisme de défense, posé par Freud et Rogers, qui bloque la prise de conscience des sentiments menaçants.

Dans une autre recherche, Cartwright (1956) s'est intéressé à la cohérence du soi comme facteur d'influence de la remémoration immédiate de stimuli. Dans la foulée de la théorie de Rogers, Cartwright a formulé l'hypothèse que les gens se rappellent plus facilement des stimuli qui sont en harmonie avec leur concept de soi que ceux qui ne le sont pas, et que cette tendance est plus marquée chez les participants mésadaptés. En général, les participants ont mieux réussi à se rappeler les adjectifs qui leur paraissaient appropriés que ceux qu'ils jugeaient incompatibles avec leur concept de soi. En outre, les participants ont considérablement déformé les adjectifs qui ne correspondaient pas à leur concept de soi. Par exemple, un participant qui se percevait comme quelqu'un d'optimiste a erronément mentionné l'adjectif *optimiste* alors que l'expérimentateur lui avait présenté l'adjectif *pessimiste* ; un autre participant qui se considérait comme une personne aimable s'est rappelé le mot *hospitalier* alors qu'on lui avait présenté le mot *hostile*. Comme prévu, les participants mésadaptés (ceux qui avaient sollicité une thérapie ou dont la thérapie avait échoué) se sont souvenus des mots de façon beaucoup plus inégale que les participants bien adaptés (qui n'envisageaient pas de thérapie ou dont la thérapie avait été considérée comme étant réussie). Cette différence entre les scores s'expliquait particulièrement par la difficulté des participants mésadaptés à se souvenir des stimuli incompatibles avec leur concept de soi.

Les auteurs d'une étude semblable ont tenté de déterminer l'aptitude des participants à se souvenir d'adjectifs que des tiers avaient employés pour les décrire (Suinn, Osborne et Winfree, 1962). Les participants se sont mieux rappelé les adjectifs qui étaient compatibles avec leur concept de soi que ceux qui ne l'étaient pas. En somme, la justesse des souvenirs se rapportant à soi semble être fonction de la concordance des stimuli avec le concept de soi.

Les études présentées ci-dessus ont trait à la perception et au souvenir. Qu'en est-il du comportement manifeste ? Aronson et Mettee (1968) ont obtenu des résultats conformes à la perspective de Rogers voulant que les gens adoptent des comportements qui sont congruents avec leur concept de soi. Dans une étude portant sur la malhonnêteté, ils ont posé que si les gens sont soumis à la tentation de tricher, ils seront plus portés à le faire si leur estime de soi est plutôt faible : en fait, alors que la tricherie n'est pas incompatible avec une estime de soi généralement faible, elle l'est avec une estime de soi généralement forte. Les données recueillies permettent effectivement de penser que la nature du concept de soi influe sur la tendance à tricher.

Vaut-il mieux un soi cohérent ou un soi changeant?

Les gens endossent divers rôles au quotidien. Nous sommes des enfants, des amis, des amants, des étudiants et des travailleurs; nous remplissons parfois tous ces rôles dans la même journée. Chacun des rôles importants que nous tenons nous amène à concevoir une image de nous-mêmes dans ce rôle. Comment vous percevez-vous dans les rôles sociaux importants de votre vie? L'exercice qui suit vous invite à répondre à cette question.

Pensez à vos rôles d'étudiant, d'ami et de fils ou de fille. Décrivez ensuite comment vous vous voyez dans ces rôles en vous évaluant selon les cinq énoncés descriptifs ci-dessous:

PAS D'ACCORD				D'ACCORD
Beaucoup	Un peu	Ni l'un ni l'autre	Un peu	Beaucoup
1	2	3	4	5

Comment je me perçois dans chacun des rôles.

	Le fils ou la fille	L'ami	L'étudiant	Écart maximum
S'affirme.	_____	_____	_____	_____
Essaie d'être utile.	_____	_____	_____	_____
Est ponctuel.	_____	_____	_____	_____
S'inquiète beaucoup.	_____	_____	_____	_____
Est intelligent, a l'esprit vif.	_____	_____	_____	_____

Une fois vos réponses écrites, vous êtes en mesure d'explorer la stabilité ou la variabilité de votre concept de soi dans chacun de ces rôles. Pour chacun des énoncés, soustrayez le score le plus bas du score le plus élevé des trois évaluations de rôle. Voyons le premier énoncé, «Je m'affirme», en guise d'exemple. Si vous vous êtes attribué un 5 pour le rôle de fils ou de fille, un 3 pour le rôle d'ami et un 1 pour le rôle d'étudiant, votre écart maximum sera alors de 5 − 1 = 4.

Vous vous demandez peut-être ce que signifie cet écart et ce qui l'explique. Vous pouvez aussi calculer tous les écarts et les additionner pour connaître la variabilité de votre concept de soi. Votre score devrait se situer entre 0 et 20, 0 représentant une image de soi très stable pour ces trois rôles et 20, une image très variable. Quelle est la variabilité générale de votre concept de soi?

Comme l'ont montré Donahue et ses collègues (1993) dans deux études, certaines personnes se perçoivent essentiellement de la même façon dans tous les rôles sociaux qu'elles tiennent alors que d'autres ont des images très différentes. Par exemple, une femme se voyait dans tous ses rôles comme une personne facile à vivre et qui aime s'amuser alors qu'une autre se voyait de la sorte avec ses amis, mais beaucoup plus sérieuse avec ses parents. Laquelle des deux est la plus susceptible d'être la mieux adaptée, la première dont le concept de soi est stable dans tous ses rôles ou la seconde?

Qu'en penserait Rogers? Sa théorie, rappelez-vous, pose que la personne bien adaptée sur le plan psychologique a un soi cohérent et intégré. C'est donc dire qu'une très grande variabilité du concept de soi peut être nuisible à la santé mentale parce qu'elle indique une fragmentation et un manque d'intégration du soi «fondamental». On pourrait aussi dire que la variabilité a du bon parce qu'elle procure à la personne des identités propres à chaque rôle et lui permet de réagir avec flexibilité et de façon adaptée aux exigences de chaque rôle (voir par exemple Gergen, 1971).

Les résultats présentés par Donahue et ses collègues penchent nettement vers le point de vue de Rogers. Les participants dont l'identité variait considérablement selon le rôle qu'ils doivent assumer étaient plus susceptibles d'être anxieux et déprimés, et d'avoir une faible estime de soi. Leurs relations avec leurs parents avaient été anormalement difficiles durant leurs jeunes années. Arrivées au début de l'âge adulte, ces personnes étaient moins satisfaites de leurs relations avec autrui et de leur carrière. Comme on peut s'y attendre, ces personnes changeaient d'emploi et de partenaire plus souvent que les personnes qui présentent un concept de soi plus stable.

Ces constatations permettent de penser que diverses formes de troubles psychologiques et d'instabilité sont liées à des problèmes de cohérence du concept de soi entre les différents rôles. Autrement dit, un soi instable est fragmenté et conflictuel au lieu d'être spécialisé dans divers rôles. N'allez pas croire pour autant qu'un score élevé de variabilité révèle nécessairement des problèmes psychologiques. Il importe surtout que vous soyez à l'aise dans la façon dont vous modulez votre concept de soi selon vos divers rôles sociaux. Si ce n'est pas votre cas, vous pourriez envisager des avenues pour tenter d'unifier votre concept de soi en fonction des divers rôles que la vie vous amène à jouer. Harary et Donahue (1994) ont écrit un livre à ce sujet et y proposent de nombreux exercices utiles.

Sources: Donahue, Robins, Roberts et John, 1993; Harary et Donahue, 1994.

Les gens qui ont une haute opinion d'eux-mêmes sont susceptibles d'avoir une conduite digne de respect, alors que ceux qui ont une piètre opinion d'eux-mêmes seront portés à se comporter conformément à leur image de soi.

D'autres recherches confirment la théorie voulant que le concept de soi agisse sur le comportement à divers égards (Markus, 1983). Par exemple, les gens se conduisent souvent de manière à amener leur entourage à confirmer la perception qu'ils ont d'eux-mêmes : c'est l'effet de la prophétie autogérée (Darley et Fazio, 1980 ; Swann, 1992). Les gens qui se trouvent aimables se conduisent de façon à ce que leur entourage les aime, alors que les gens qui se croient désagréables se comporteront de manière à ce que les autres les trouvent tels (Curtis et Miller, 1986). Pour le meilleur ou pour le pire, votre concept de soi peut être maintenu par les comportements d'autrui à votre égard, lesquels peuvent avoir subi l'influence de votre propre concept de soi.

Dans le même ordre d'idées, les gens qui ont une piètre estime de soi s'emploient tellement à maintenir un concept de soi cohérent que parfois ils ne parviennent même pas à faire des actions simples qui amélioreraient leur humeur. Ils semblent résignés à conserver la piètre image qu'ils ont d'eux-mêmes et à baigner dans les émotions négatives. Heimpel et ses collègues (2002) ont mené une série d'études visant à tester l'hypothèse selon laquelle les gens qui ont une faible estime de soi sont moins motivés à se défaire de leur humeur sombre que les gens qui ont une bonne estime de soi. Au cours d'une étude, les expérimentateurs ont créé une ambiance propice à la morosité. Ils ont ensuite invité les participants à choisir une vidéo parmi une sélection. Celle-ci comprenait une vidéo d'un humoriste qui, comme le savaient les participants, saurait sûrement les dérider. On aurait pu s'attendre à ce que tout le monde choisisse de regarder le numéro d'humour. C'est ce qu'ont fait la majorité des personnes qui avaient une bonne estime de soi. Cependant, une minorité seulement de participants ayant une faible estime de soi a fait ce choix (Heimpel, Heimpel, Wood, Marshall et Brown, 2002). Autrement dit, la plupart des personnes qui avaient une faible estime de soi n'ont pas choisi une vidéo qui aurait pu chasser leur morosité. Elles ont choisi la stabilité, c'est-à-dire une humeur négative stable, alors qu'elles auraient

pu prendre les moyens de retrouver une meilleure humeur. La tendance à maintenir la cohérence dans une expérience psychologique peut donc parfois supplanter la simple tendance hédonique à vouloir se sentir mieux.

Le besoin de considération positive

Nous avons donc vu que les gens essaient généralement d'agir conformément à leur concept de soi et que les expériences incompatibles avec ce concept de soi sont ignorées ou niées. Mais pourquoi ? Pourquoi, selon la théorie de Rogers, une incompatibilité entre l'expérience et le soi serait-elle source d'anxiété pour la personne, qui aurait alors besoin de s'en défendre ? Pourquoi les gens ne pourraient-ils accepter toutes les expériences, bonnes ou mauvaises, comme des pas les menant vers l'actualisation de soi ?

Rogers a répondu à cette question en proposant que toute personne présente un besoin psychologique élémentaire, soit le **besoin de considération positive**. Selon cette notion, les gens ont non seulement besoin de pourvoir aux réalités biologiques essentielles de la vie – par la nourriture, l'eau, un toit, etc. – mais aussi à une dimension psychologique ; ils ont besoin de l'acceptation et du respect d'autrui, de leur considération.

Pour Rogers, le besoin de considération positive est une force importante dans le fonctionnement de la personnalité. En fait, ce besoin est assez important pour détourner l'attention d'expériences positives pour celui ou celle qui les vit. Selon Rogers, la considération positive de la part d'un proche significatif peut devenir à ce point impérieuse que la personne devient plus sensible à cette considération positive qu'à des expériences qui favorisent l'actualisation de soi (Rogers, 1959, 1977). Dans sa quête de considération positive, la personne peut alors perdre contact avec ses valeurs et sentiments véritables. C'est ainsi que les gens peuvent acquérir le sentiment de détachement de leur soi authentique dont nous avons traité au début de ce chapitre (voir la section intitulée « Les sentiments d'authenticité », page 137). Lorsqu'ils recherchent la considération positive d'autrui, les gens s'exposent à ignorer ou déformer l'expérience de leurs sentiments et désirs personnels.

Ce besoin de considération positive est particulièrement essentiel au développement de l'enfant. Le nourrisson a besoin de l'amour, de l'affection et de la protection de ses parents. Au cours de ses premières années de vie, il apprend auprès d'eux à déterminer ce qui est bien, c'est-à-dire ce qui est vu positivement. Ses parents peuvent

---

Besoin de considération positive

Dans la théorie rogérienne, besoin fondamental de l'être humain d'obtenir l'acceptation et le respect d'autrui.

BON CHIEN, BON CHIEN... POURQUOI PAS « SUPER CHIEN » ?

GREGORY

La théorie de Rogers met l'accent sur le besoin psychologique du regard positif.

active et aspire à se réaliser. La démarche d'actualisation de soi nous pousse à maintenir la congruence entre le soi et l'expérience. Cependant, la considération positive conditionnelle dont nous avons fait l'objet par le passé nous amène à nier ou déformer les expériences qui menacent la structure du soi.

La croissance et le développement

Le travail de Rogers l'a amené, tôt dans sa carrière, à travailler auprès des enfants, d'abord comme psychologue clinicien dans un bureau de la Society for the Prevention of Cruelty to Children, à Rochester, dans l'État de New York, puis comme directeur d'un centre d'aide qui supervisait les organismes sociaux locaux au service de l'enfance (Kirschenbaum, 1979). Bien qu'il n'ait pas fait de recherche fondamentale sur le développement de la personnalité, Rogers a bénéficié d'expériences de première main en matière de développement infantile et a abondamment écrit sur le traitement psychologique des enfants et des jeunes. Ces expériences professionnelles précoces trouvent un écho dans ses travaux plus récents consacrés au développement de la personnalité selon une perspective phénoménologique.

Rogers ne croyait pas, comme Freud, que le développement se limite aux premières années de la vie. Toute leur vie, les gens progressent vers l'actualisation de soi et composent avec une complexité, une autonomie, une socialisation et une maturité croissantes. Tôt dans la vie, le soi se distingue du champ phénoménal et devient une entité à part entière pour se complexifier toute la vie durant. Selon les travaux de Rogers, il importe de considérer des facteurs de développement sur deux plans d'analyse. Sur le plan des interactions parents-enfants, il faut voir si les parents ont entretenu un environnement optimal pour le développement psychologique de leur enfant. Pour Rogers,

poser sur lui un regard positif inconditionnel, en lui montrant qu'ils le respectent et le chérissent quoi qu'il fasse, ou ne lui témoigner du respect et de l'amour que lorsqu'il se conduit d'une certaine façon et pas autrement. Cette dernière attitude donne lieu, selon Rogers, à des **conditions de valorisation de soi** ; l'enfant apprend que certains sentiments et pensées lui procurent de la valeur, mais d'autres pas.

L'enfant qui jouit d'une considération positive inconditionnelle ne ressent pas le besoin de nier certaines expériences. L'enfant qui ressent des conditions de valorisation de soi doit jongler avec ses tendances naturelles et son besoin de considération positive de ses parents. Il composera avec la situation en niant un aspect de son expérience personnelle, essentiellement en niant ou en déformant une caractéristique de son soi véritable. Supposons, par exemple, qu'un garçon manifeste un intérêt pour les arts, intérêt que ses parents découragent au profit d'activités plus conformes aux stéréotypes sexuels (comme le sport). Pour gagner la considération de ses parents, l'enfant risque alors de nier son penchant pour les arts. Ce faisant, les parents ont créé un mécanisme qui amène l'enfant à nier un aspect de sa personnalité et à perdre contact avec cet aspect de lui.

En somme, Rogers ne sentait pas la nécessité de recourir aux notions de motivation et de pulsion pour expliquer l'activité de l'organisme et sa tendance à réaliser son potentiel. À ses yeux, la personne est fondamentalement

Condition de valorisation de soi
Chacun des critères d'évaluation d'une personne qui ne reposent pas sur les sentiments, préférences et penchants véritables de cette personne, mais sur ce que les autres considèrent comme étant des formes d'action souhaitables.

La considération positive: Le développement harmonieux de la personnalité passe par la considération positive inconditionnelle que le parent témoigne à son enfant.

l'environnement optimal s'accompagne d'une considération positive inconditionnelle. Sur le plan des structures psychologiques internes, il faut déterminer s'il y a congruence entre le soi et l'expérience quotidienne ou si, à l'inverse, la personne déforme des aspects de son expérience pour obtenir la considération d'autrui et un concept de soi cohérent.

En matière de développement, Rogers juge particulièrement important de savoir si l'enfant est libre de se développer et de s'actualiser ou si des conditions de valorisation de soi le pousseront à se tenir sur la défensive et à fonctionner dans un état d'incongruence. La recherche sur la théorie de l'attachement (voir le chapitre 4) confirme l'idée voulant qu'un environnement familial qui procure

Estime de soi

Évaluation globale du soi par la personne ou jugement personnel qu'elle porte sur sa valeur.

de la considération positive inconditionnelle soit associé à un attachement sécurisé ultérieur et aux caractéristiques d'une personne en pleine possession de ses moyens et en voie d'actualisation (Fraley et Shaver, 2008). Le soi ne se développe sainement que dans un climat propice à l'expérimentation et à l'acceptation de soi, et où l'enfant jouit de la considération de ses parents, même s'ils réprouvent certains de ses comportements. La plupart des pédopsychiatres et des psychologues le confirment. C'est ce qui distingue le parent qui dit à son enfant : « Je n'aime pas ce que tu fais » de celui qui dit : « Je ne t'aime pas. » Lorsqu'il dit « Je n'aime pas ce que tu fais », le parent accepte l'enfant même s'il n'approuve pas son comportement. Cette situation contraste avec celle où le parent exprime à l'enfant – verbalement ou de façon indirecte – que son comportement est mauvais et qu'il est mauvais lui aussi. L'enfant sent alors que la reconnaissance de certains sentiments serait incohérente par rapport à son image de soi qui le veut aimé et aimable, ce qui entraînerait le déni ou la déformation de ces sentiments.

La recherche sur les relations entre les parents et les enfants

Diverses études révèlent que les enfants se développent mieux lorsqu'ils se sentent acceptés par leurs parents et que ceux-ci font preuve d'une attitude démocratique. Les enfants de tels parents présentent un développement intellectuel plus rapide, ils font preuve d'originalité et ont un sentiment de sécurité affective et de maîtrise de leur vie. À l'inverse, les enfants qui se sentent rejetés de parents autoritaires sont instables, rebelles, agressifs et querelleurs (Baldwin, 1949 ; Pomerantz et Thompson, 2008). L'idée que se font les enfants de l'opinion qu'ont leurs parents à leur sujet est l'élément le plus crucial. S'ils estiment que leurs parents les évaluent de façon positive, ils apprécieront leur corps et leur soi. Dans le cas contraire, ils manqueront d'assurance et concevront une image négative à l'égard de leur corps (Jourard et Remy, 1955). Le regard que les parents posent sur leurs enfants reflèterait pour une bonne part le jugement qu'ils portent sur eux-mêmes. Les mères qui s'acceptent ont tendance à accepter leurs enfants (Medinnus et Curtis, 1963).

Une étude célèbre de Coopersmith (1967) sur les sources de l'**estime de soi** confirme encore davantage l'importance des observations de Rogers. Coopersmith définissait l'estime de soi comme l'évaluation qu'une personne fait d'elle-même. L'estime de soi constitue donc un jugement personnel durable de sa valeur et non un sentiment momentané agréable ou désagréable découlant d'une situation particulière. Les enfants qui ont participé à l'étude ont répondu à un questionnaire d'autoévaluation de leur estime de soi dont la plupart des items provenaient d'échelles qu'utilisait Rogers. Certains résultats avaient trait au rapport entre l'estime de soi et d'autres caractéristiques de la personnalité. Par exemple, les enfants qui avaient une bonne estime de soi se sont avérés plus sûrs d'eux, plus autonomes et plus créatifs que ceux dont l'estime de soi était faible.

L'autre aspect, plus important encore, de l'étude de Coopersmith est qu'elle fournit des éléments de réponses quant aux origines de l'estime de soi. En plus des évaluations de l'estime de soi des enfants, le chercheur disposait de renseignements sur la perception que les enfants avaient de leurs parents et sur l'attitude, les pratiques et le style de vie des mères (obtenus au moyen d'entrevues faites auprès d'elles). Il est intéressant de noter que les indicateurs de prestige social, tels que la richesse, le niveau de scolarité et le type d'emploi des parents, ne présentaient, pas de corrélation importante avec l'estime de soi de

Favoriser le potentiel créatif : La sécurité et la liberté psychiques offrent à l'enfant de meilleures conditions pour développer son potentiel créatif.

l'enfant. Les corrélations les plus fortes avaient plutôt trait aux relations interpersonnelles à la maison et à l'environnement immédiat. Il semble en effet que le jugement que les enfants portent sur eux-mêmes repose sur l'évaluation des autres.

Trois comportements et attitudes des parents semblent jouer un rôle important dans la formation de l'estime de soi des enfants. Le premier est le degré d'acceptation, d'intérêt, d'affection et de chaleur qu'expriment les parents à leur enfant. Les enfants des mères affectueuses qui avaient noué avec eux une relation étroite avaient une bonne estime de soi. Les enfants semblaient voir dans l'intérêt que leur mère leur témoignait un indice de leur valeur, le signe qu'ils étaient dignes d'attention et d'affection. La deuxième caractéristique importante des relations parents-enfants avait trait à la discipline. Les parents des enfants qui avaient une bonne estime de soi avaient clairement établi leurs exigences à l'égard du comportement et les faisaient respecter, tout en récompensant la bonne conduite. À l'inverse, les parents des enfants qui avaient une faible estime de soi n'avaient pas défini de ligne de conduite claire, ils étaient durs envers leurs enfants et leur manquaient de respect. Ils avaient davantage tendance à les punir qu'à les récompenser, à recourir à la force et à marchander leur amour. La troisième caractéristique, enfin, avait trait au style d'éducation – autocratique ou démocratique – qu'adoptaient les parents. Les enfants qui avaient une bonne estime de soi connaissaient parfaitement les règles de conduite qu'avaient établies leurs parents et les respectaient. À l'intérieur de ces limites, néanmoins, leurs parents les traitaient de façon juste et reconnaissaient leurs droits et leurs opinions. Les parents des enfants qui avaient une faible estime de soi ne fixaient pas de limites claires ; ils se montraient autocrates, tyranniques et inflexibles en matière de discipline.

Dans ses conclusions, Coopersmith a constaté que l'estime de soi repose sur trois conditions : l'acceptation totale ou presque totale de l'enfant par ses parents, la mise en place et l'application de limites claires et, enfin, le respect et la tolérance des actions individuelles lorsque celles-ci n'excèdent pas les limites établies (1967). Coopersmith a également observé que la *perception* qu'ont les enfants de leurs parents importe bien plus que les actions particulières des parents. De plus, le climat familial influence la perception que l'enfant a de ses parents et de leurs intentions.

Une autre étude soutient aussi l'affirmation de Rogers voulant que les conditions d'éducation procurent aux enfants la sécurité et la liberté psychiques requises pour développer leur potentiel créatif (Harrington, Block et Block, 1987). La considération positive inconditionnelle, l'empathie et la compréhension que témoignent les parents à leurs enfants leur procurent la sécurité psychique. En leur permettant d'exprimer librement leurs idées, c'est la liberté psychique qu'ils leur procurent. Pour en faire la démonstration, les chercheurs ont évalué les pratiques d'éducation et les modèles d'interaction parents-enfants chez des participants âgés de trois à cinq ans (figure 5.3). Quelques années plus tard, les chercheurs ont pu obtenir des évaluations indépendantes (faites par des tiers et non par les parents) du potentiel créatif des enfants devenus adolescents. Les chercheurs ont observé une relation positive importante entre la sécurité et la liberté psychiques du milieu familial (préscolaire) et le potentiel créatif évalué durant la période préscolaire et à l'adolescence. Le *degré rogérien* de la relation parent-enfant semble donc constituer un facteur environnemental important dans le développement de la personnalité.

Les caractéristiques de l'environnement propice à la créativité

Les parents respectent les opinions de l'enfant et l'encouragent à les exprimer.

Les parents et les enfants passent ensemble des moments intimes et chaleureux.

Les parents permettent à leur enfant de fréquenter des pairs ou des familles dont les valeurs et les idées sont différentes.

Les parents encouragent et soutiennent leur enfant.

Les parents favorisent l'autonomie de leur enfant.

Les caractéristiques de la personnalité créative

A tendance à tirer de la fierté de ses réalisations.

Fait preuve de débrouillardise pour organiser des activités et s'y investit à fond.

S'intéresse à toutes sortes de choses.

Tolère l'incertitude et la complexité.

Persévère malgré l'adversité.

Figure 5.3 | **Exemples de caractéristiques de l'environnement propice à la créativité et de caractéristiques de la personnalité créative**

Source: D'après Harrington, D.M., Block, J.H., & Block, J. (1987). Testing aspects of Carl Rogers's theory of creative environments: Child-rearing antecedents of creative potential in young adolescents. *Journal of Personality and Social Psychology*, *52*, 851-856. © American Psychological Association, reproduction autorisée.

Malgré ces constatations, certains psychologues doutent que le concept d'estime de soi convienne à une science de la personnalité. Les critiques jugent généralement cette notion trop large et rappellent que la plupart des gens traversent des périodes où ils ont une bonne opinion

d'eux-mêmes et d'autres où ils se jugent plus sévèrement ; le construit de l'estime de soi masquerait ces variations conjoncturelles. D'autres trouvent néanmoins que la notion d'estime de soi a du bon et qu'elle joue un rôle à plusieurs égards dans le fonctionnement psychologique (Dutton et Brown, 1997). Ce chapitre portait principalement sur la théorie de Rogers. Le prochain chapitre examine plus attentivement la recherche relative aux processus d'estime de soi et à l'utilité du construit d'estime de soi dans l'étude de la personnalité.

Les relations sociales, l'actualisation de soi et le bien-être ultérieur

Selon la théorie de Rogers, le rapport entre l'acceptation sociale et le regard positif que l'on pose sur soi est important non seulement pour le développement de l'enfant, mais aussi pour le fonctionnement de la personnalité au cours de la vie. La recherche s'appuie sur cette hypothèse.

Roberts et Chapman (2000) ont analysé les données d'une étude longitudinale sur le développement psychologique de femmes adultes. L'étude s'est échelonnée sur 30 ans, du début jusqu'au milieu de l'âge adulte. Bien qu'elle ne fût pas articulée autour de la théorie de la personnalité de Carl Rogers, l'étude contenait deux mesures qui s'appuient sur l'hypothèse rogérienne. La première était un indice de bien-être psychologique ; les participantes ont indiqué leur sentiment de bien-être, y compris par rapport à leur estime de soi, à quatre moments au cours de l'étude. La seconde mesure était un indice de la qualité de leurs rôles ; les participantes devaient indiquer si elles avaient des amis ou des personnes sur qui elles pouvaient compter selon divers rôles, y compris dans leur couple et au travail. La théorie de Rogers pose bien sûr que l'existence de relations positives augmente le bien-être psychologique. Les femmes devraient trouver dans leurs relations de soutien la considération positive qui réduira leur risque de se déprécier, d'éprouver un stress psychologique et de ressentir une plus faible conscience de soi.

En étudiant les femmes à différentes étapes de leur vie, les chercheurs ont pu évaluer l'effet de la qualité de leurs rôles sur les variations du bien-être : tel est le principal apport de cette étude longitudinale. De façon générale, ces analyses confirmaient les prévisions fondées sur la théorie de Rogers. Les personnes dont les rôles conjugal et professionnel constituaient d'importantes sources de stress exprimaient un degré de bien-être plus faible, alors que chez celles qui tiraient une grande satisfaction de leurs rôles sociaux, le bien-être et la maturité se sont améliorés (Roberts et Chapman, 2000). Bien qu'il soit difficile d'établir des relations causales dans ce type de recherche (c'est-à-dire de déterminer si les relations sociales exercent vraiment une influence sur le bien-être), les résultats reflètent l'hypothèse rogérienne selon laquelle la perception du soi et du bien-être psychologique peuvent changer au cours de la vie, et selon laquelle la considération positive qu'expriment les proches peut y contribuer directement.

Comme vous le voyez, les idées de Rogers demeurent pertinentes dans le cadre d'étude actuel. Dans le prochain chapitre, nous nous penchons davantage sur la recherche contemporaine qui s'inspire des théories de Rogers et nous examinons les applications cliniques de ses principes de même que des concepts théoriques parallèles très proches de la perspective phénoménologique de Rogers.

RÉSUMÉ

1. L'approche phénoménologique met l'accent sur la façon dont la personne se perçoit et perçoit le monde qui l'entoure. La théorie centrée sur la personne illustre cette approche.

2. Rogers s'est efforcé toute sa vie d'intégrer l'intuitif et l'objectif en conjuguant une sensibilité nuancée par l'expérience, tout en tenant compte de la rigueur scientifique.

3. Rogers mettait de l'avant les qualités positives personnelles, propices à l'actualisation de soi. Sa recherche témoigne d'un effort constant de comprendre l'expérience subjective, ou le champ phénoménal, de la personne.

4. Le concept de soi, c'est-à-dire l'organisation des perceptions et des expériences associées au « soi », au « moi », au « je », constitue pour Rogers le concept structurel clé. La notion du soi idéal suit de près et se définit comme le concept de soi auquel la personne aspire. La technique du Q-Sort est une méthode servant à étudier ces concepts et leur relation.

5. Pour Rogers, le moteur du comportement n'est pas la réduction de la tension, mais l'actualisation de soi, qui commande une ouverture constante à l'expérience et la capacité de l'intégrer dans un concept de soi élargi, plus différencié.

6. Rogers a également proposé que les gens cherchent la cohérence et le maintien de la congruence entre leurs perceptions du soi et leur expérience. Cependant, les expériences perçues comme menaçantes pour le concept de soi peuvent être bloquées avant d'atteindre le champ de la conscience au moyen de mécanismes de défense, comme la déformation et le déni. Diverses études soutiennent la théorie selon laquelle les gens se comportent de façon à préserver et confirmer la perception qu'ils ont d'eux-mêmes.

7. Les gens ont besoin de considération positive. La considération positive inconditionnelle permet aux enfants, comme aux adultes, de se développer dans la congruence et de s'actualiser. Lorsqu'elle est conditionnelle, la considération positive amène la personne à bloquer la prise de conscience de certaines expériences et à restreindre son potentiel d'actualisation de soi.

8. Le jugement que les enfants portent sur eux-mêmes reflète la réaction des autres à leur égard. Les parents d'enfants qui ont une bonne estime de soi sont affectueux et font preuve d'acceptation envers eux tout en imposant clairement et de façon cohérente leurs exigences et les règles de conduite à suivre.

CHAPITRE 6

L'APPROCHE PHÉNOMÉNOLOGIQUE DE ROGERS :
applications, conceptions associées
et recherche contemporaine

Les applications cliniques

Étude de cas : Mme Oak

L'histoire de Jacques

Les conceptions voisines

Théorie et recherche : les observations récentes

L'évaluation critique

Une bonne amitié est un lien à la fois merveilleux et mystérieux. Lorsque vous éprouvez du stress ou que la vie est difficile à gérer, le fait de parler à un ami (de simplement lui confier vos difficultés pendant qu'il vous écoute attentivement) peut vous faire du bien. On ne sait pas trop pourquoi. Même si l'ami en question n'a pas de conseil précis à vous donner ni de solutions à offrir, le simple fait qu'il soit là et vous écoute peut vous donner le sentiment que les choses vont mieux.

Mais qu'est-ce qui va mieux au juste? Vos études? Vos relations? Peut-être. Avec un peu de chance, toutefois, c'est *vous* qui allez mieux grâce à la présence de votre ami, et c'est là le plus important. En vous laissant explorer et exprimer vos sentiments, votre ami améliore, en quelque sorte, votre perception de vous-même. Après avoir parlé avec votre ami, vous êtes mieux à même d'accepter vos limites et d'apprécier vos forces.

C'était exactement le but que s'était donné Rogers quand il a élaboré sa théorie centrée sur le client: établir ce type de relation avec ses clients et leur permettre de se sentir mieux avec eux-mêmes. Cette approche thérapeutique est à la base de sa théorie de la personnalité (voir le chapitre 5) et sera le point de mire du présent chapitre. Comme nous le verrons, Rogers essayait, en thérapie, de découvrir comment ses clients niaient et déformaient certains aspects de leur expérience quotidienne. Il établissait ensuite une relation thérapeutique (un lien de confiance amical dans un contexte thérapeutique) au sein de laquelle les clients pouvaient mettre fin à cette distorsion, explorer leur vrai soi et faire ainsi l'expérience d'une croissance personnelle.

Décrire l'application clinique de la théorie rogérienne est le premier objectif du présent chapitre. Le deuxième objectif est de présenter des conceptions étroitement apparentées à celle de Rogers. Nous en verrons trois: (1) le courant humaniste, notamment la contribution du psychologue Abraham H. Maslow; (2) le mouvement de la psychologie positive, qui a joué un rôle important dans la psychologie contemporaine; et (3) l'existentialisme, une école de pensée philosophique dont l'influence semble s'accroître en psychologie de la personnalité.

Le troisième objectif de ce chapitre est de faire le point sur la recherche actuelle sur le soi. Une bonne partie de la recherche en science de la personnalité s'articule autour des idées rogériennes sur le soi et la personnalité. Comme nous le constaterons, certaines études confirment les idées initiales de Rogers, d'autres leur font prendre de nouvelles directions et d'autres encore remettent en cause les conclusions de Rogers. Dans certaines études interculturelles, par exemple, on se demande si la dynamique psychologique étudiée par Rogers aux États-Unis est représentative de l'expérience humaine universelle. Le troisième objectif de ce chapitre s'inscrit donc dans le but premier de cet ouvrage: vous permettre, à la lumière de la recherche actuelle, d'évaluer de manière critique les théories classiques sur la nature humaine.

1. Selon Rogers, comment la détresse psychologique et la pathologie apparaissent-elles, et de quels facteurs dépend le changement en thérapie ?

2. En quoi les chercheurs appartenant au courant humaniste ont-ils amélioré la description rogérienne de la personnalité humaine ?

3. Que dit le mouvement de psychologie positive actuel sur la personnalité et les potentialités humaines ?

4. Qu'est-ce que l'existentialisme, et en quoi ses idées touchent-elles la science de la personnalité et plus particulièrement la théorie de Rogers ?

5. Quelles sont les répercussions de la recherche contemporaine (notamment les études interculturelles sur le concept de soi, la motivation et la personnalité) sur la théorie phénoménologique de Rogers ?

LES APPLICATIONS CLINIQUES

Nous commencerons le présent chapitre à l'endroit même où Rogers se trouvait au début de sa carrière professionnelle : en psychologie clinique, devant les défis présentés par la psychopathologie et les changements dans la personnalité. Les applications cliniques constituent l'essentiel de la théorie de Rogers, qui y a consacré la plus grande part de sa vie professionnelle.

Le travail clinique de Rogers ne se limite pas à un ensemble de techniques. Il repose sur une vision du monde, c'est-à-dire sur une idée générale de la nature du contexte thérapeutique. On comprendra mieux la pensée de Rogers en la comparant avec celle de Freud. Médecin de formation, Freud voyait ses clients comme des patients. Le client était pour lui une personne aux prises avec des problèmes qu'il fallait diagnostiquer et traiter, et le thérapeute était la personne habilitée à diagnostiquer et à traiter. Rogers, lui, axe son approche sur la compétence et le pouvoir de guérison du client. Selon l'approche thérapeutique rogérienne, « une personne qui cherche de l'aide n'est pas traitée comme un patient dépendant, mais comme un client responsable » (Rogers, 1977, p. 5). Rogers estime que le client possède le désir inné du mieux-être psychologique et que la tâche du thérapeute se limite à aider le client à cerner les conditions qui entravent sa croissance personnelle afin de lui permettre de surmonter ces obstacles et de continuer à se réaliser.

La psychopathologie

Le désaccord entre le soi et l'expérience

Avant de décrire la méthode que Rogers utilisait pour traiter la détresse psychologique, nous devons nous poser une question qui, logiquement, a priorité : d'où vient la détresse psychologique ? Car si les gens possèdent cette capacité innée de se réaliser, alors comment se fait-il qu'ils puissent éprouver de la détresse psychologique ? Nous avons pris connaissance au chapitre 1 des principaux éléments de la réponse de Rogers à cette question : ils portent sur le soi et sur la congruence (l'adéquation) entre le soi et l'expérience.

Selon Rogers, l'individu sain est un individu capable d'incorporer ses expériences à la structure du soi. La personne saine est ouverte à l'expérience au lieu de simplement interpréter les événements de manière défensive. Chez ces personnes, il y a **congruence** entre le soi et l'expérience.

Chez l'individu névrosé, en revanche, l'image de soi s'organise d'une manière qui ne cadre pas avec l'expérience. L'individu ne permet pas aux expériences sensorielles et émotionnelles significatives d'accéder à la conscience. Les expériences qui ne sont pas en adéquation avec la structure du soi sont perçues inconsciemment comme menaçantes et elles sont par conséquent niées ou déformées.

> **Congruence**
>
> Concept rogérien exprimant l'absence de conflit entre le concept de soi et l'expérience ; c'est également l'une des trois conditions jugées essentielles pour la croissance et le progrès thérapeutique.

Il se produit alors un conflit entre la véritable expérience psychologique et la conscience que le soi en a. Ce conflit est appelé **désaccord entre le soi et l'expérience.** Le soi adopte une attitude rigide afin de se défendre contre les expériences qui menacent son unité et nuisent à son estime de soi. Rogers (1961) donne un exemple facilement reconnaissable de «la personne qui intellectualise et parle d'elle-même et de ses sentiments de manière abstraite, laissant son interlocuteur se demander ce qui se passe *réellement* en elle» (p. 64). Ce que Rogers veut dire, ici, c'est que l'observateur n'est pas la seule personne à ne pas être consciente de ce qui se passe réellement à l'intérieur de la personne : en déformant ses expériences, la personne a perdu le sentiment de son vrai soi.

Conformément au refus qu'il oppose à tout modèle médical, Rogers ne fait pas de différence entre les divers types de pathologie. Il rejette le cadre diagnostique où l'individu est classé puis traité comme un simple cas de tel ou tel trouble psychologique. Rogers distinguera toutefois les types de mécanismes de défense. Dans la *rationalisation*, par exemple, l'individu déforme la perception d'un comportement pour le rendre congruent avec le soi. Ainsi, si vous vous considérez comme une personne qui ne commet pas d'erreurs, vous attribuerez sans doute à d'autres personnes les erreurs que vous commettez. Le *fantasme* représente aussi un mécanisme de défense. L'homme qui, à travers le fantasme, se trouve irrésistible, s'imaginera qu'il est un prince et que toutes les femmes l'adorent, et il niera les expériences qui ne cadrent pas avec cette image de lui-même. La *projection* constitue le troisième type de mécanisme de défense. Dans ce cas, la personne exprimera un besoin mais le fera sous une forme qui lui interdit de prendre conscience de ce besoin, de sorte qu'elle pourra considérer que son comportement est congruent avec le soi. Par exemple, les individus dont le concept de soi exclut toute pensée sexuelle « perverse » peuvent avoir le sentiment que ce sont les autres qui leur font avoir de telles pensées.

Désaccord entre le soi et l'expérience

Source de conflit à laquelle s'intéressait Rogers entre le concept de soi et l'expérience, et qui donne naissance à la psychopathologie.

Thérapie centrée sur le client

Expression utilisée par Rogers au début de sa carrière ; elle désigne l'approche selon laquelle le thérapeute s'intéresse à l'expérience du soi et du monde telle que le client la vit.

Ces descriptions de mécanismes de défense ressemblent à celles que Freud avait formulées. Pour Rogers, toutefois, l'aspect le plus important de ces mécanismes est le fait que l'individu emploie la négation ou la déformation pour composer avec l'incongruence (l'inadéquation) entre le soi et l'expérience : «Il convient de noter que les perceptions sont écartées parce qu'elles s'opposent [à l'image du soi] et non parce qu'elles sont peu flatteuses» (Rogers, 1951, p. 506). En outre, la classification des mécanismes de défense n'occupe pas dans la théorie rogérienne la même place décisive que dans la théorie freudienne.

Le changement psychologique

Dans le chapitre précédent, nous avons vu que le principal apport de Rogers à la science de la personnalité était sa théorie elle-même. Celle-ci ne représentait toutefois pas la plus grande priorité de Rogers. C'est sur le processus thérapeutique proprement dit que les efforts de Rogers se sont concentrés, tout particulièrement sur la façon dont s'effectue le *changement* dans la personnalité. Il s'est donc consacré à l'étude du processus de changement, autrement dit à l'étude du devenir. Sa contribution la plus durable à la compréhension du changement fut sa définition des conditions nécessaires de la thérapie : il a décrit les types de circonstances et d'événements qui doivent être présents dans la relation entre le client et le thérapeute pour qu'un changement dans la personnalité ait lieu. Pour beaucoup, cette approche thérapeutique est aussi vivante et pertinente aujourd'hui qu'il y a un demi-siècle lorsque Rogers l'a élaborée (McMillan, 2004).

Les conditions thérapeutiques nécessaires au changement

Dans ses premiers travaux, Rogers accorde beaucoup d'attention à la technique thérapeutique dite de *reflet*. Dans cette approche non directive, le thérapeute ne dirige pas le courant des événements de la thérapie ; il ne fait plutôt que réagir aux propos dont le client vient de lui faire part en les résumant ou en les commentant. Bien que simple, la technique du reflet est efficace. Elle communique au client le sentiment d'être compris clairement et en profondeur par le thérapeute.

Comme certains thérapeutes non directifs sont perçus comme passifs et peu intéressés, Rogers modifie sa technique et propose une **thérapie centrée sur le client.** Dans ce type de thérapie, non seulement le thérapeute applique le procédé du reflet du sentiment, mais il joue un rôle plus

(McMillan, 2004, p. 65) seraient propices au changement thérapeutique profond.

La notion de présence, de même que ses effets thérapeutiques potentiels, a reçu peu d'attention de la part de la communauté scientifique. Cependant, l'idée de présence telle que la conçoit Rogers est reconnue dans d'autres milieux intellectuels et d'autres cultures, ce qui permet de croire qu'elle est importante et mérite d'être étudiée scientifiquement. Par exemple, les Tibétains désignent le Dalaï-lama, leur chef social et politique, par le mot *Kundun* qui, en tibétain, signifie littéralement « présence » (ou « La Présence »). Les Tibétains emploient ce mot pour faire référence aux mêmes qualités psychologiques que celles décrites par Rogers : la puissante sensation de connexion avec l'autre qui est créée par la conscience et l'ouverture émotionnelle exceptionnelles de leur chef spirituel.

APPLICATIONS ACTUELLES | Consommation d'alcool, conscience de soi et sentiments pénibles

Pourquoi consomme-t-on de l'alcool et des drogues ? Pourquoi y a-t-il autant de rechutes après le traitement ? Au chapitre 3, nous avons exposé l'hypothèse selon laquelle de nombreux alcooliques et toxicomanes recourent au déni, ce mécanisme de défense qui leur permet de faire face aux sentiments pénibles. Cependant, ce lien n'a pas été corroboré et l'expérience du soi chez les toxicomanes n'a pas non plus été évaluée. Il importerait pourtant de le faire puisque les toxicomanes déclarent la plupart du temps qu'ils consomment des drogues pour venir à bout des sentiments pénibles qu'ils éprouvent et que les alcooliques expliquent souvent qu'ils boivent pour que les aspects douloureux de leur vie s'estompent. Bien qu'elle n'aie pas été conduite selon le schéma rogérien, une étude récente vient corroborer les conceptions de Rogers. Elle se fonde sur l'hypothèse suivante : l'alcool affaiblit la conscience de soi et les alcooliques dotés d'une forte conscience de soi boivent pour ne plus ressentir aussi vivement les expériences négatives. On dira de quelqu'un qu'il a une conscience de soi élevée et qu'il ressent fortement ses expériences lorsqu'il juge que les énoncés suivants lui conviennent : je médite beaucoup sur moi-même ; je suis généralement attentif à mes sentiments intimes ; j'ai conscience de mes changements d'humeur.

Une recherche en laboratoire entreprise auprès de buveurs sociaux a permis d'établir que les personnes ayant une forte conscience de soi consomment plus d'alcool après avoir connu une expérience d'échec que les membres de trois autres groupes, soit (1) les personnes à forte conscience de soi ayant connu une expérience de réussite et les personnes à faible conscience de soi ayant connu (2) un succès ou (3) un échec. Par ailleurs, une étude portant sur la consommation d'alcool chez les adolescents révèle que cette consommation augmente chez les étudiants à forte conscience de soi qui obtiennent des résultats scolaires médiocres, ce qui n'est pas le cas chez ceux qui ont une faible conscience de soi.

Les mécanismes de défense : On recourt parfois à l'alcool pour atténuer les sentiments pénibles.

Qu'en est-il des alcooliques ? De leurs rechutes ? Cette dernière question revêt une importance toute particulière puisque la moitié des alcooliques qui ont été en traitement, sinon les trois quarts, font une rechute au cours des six mois qui suivent la fin du traitement. Une étude consacrée aux rechutes des alcooliques qui avaient bénéficié d'un traitement est arrivée à des résultats semblables : la rechute semble être liée conjointement aux événements négatifs et à une forte conscience de soi. Plusieurs types d'études, menées auprès de populations bien différentes les unes des autres, ont démontré à de nombreuses reprises qu'il existe une relation entre la consommation d'alcool, la conscience de soi élevée et l'expérience de l'échec sur le plan personnel. Selon ces recherches, nombre de gens consomment de l'alcool pour ressentir moins vivement la détresse associée aux expériences négatives.

Sources : Baumeister, 1999 ; Hull, Young et Jouriles, 1986 ; Washton et Zweben, 2006.

Mme Oak

Les sommaires statistiques de l'efficacité globale de la thérapie rogérienne, comme ceux que nous avons cités, sont indispensables à l'évaluation de l'efficacité de la thérapie rogérienne. Ces résumés ne permettent toutefois pas d'en saisir l'essence. L'expérience d'un entretien thérapeutique avec Rogers se comprend mieux à la lecture d'une étude de cas. Voici donc une étude de cas rogérienne bien connue, celle de Mme Oak. Cette étude nous est accessible parce qu'en ouvrant le champ de la psychothérapie à la recherche scientifique, Rogers (avec l'autorisation de sa cliente, évidemment) a enregistré les séances de thérapie et mis à la disposition du public les comptes rendus textuels de ces entretiens.

Comme le décrit Rogers dans un ouvrage publié en 1954, Mme Oak était femme au foyer et à la fin de la trentaine lorsqu'elle s'est présentée au centre de counseling de l'Université de Chicago. À l'époque, elle éprouvait de graves problèmes dans ses rapports avec son époux et avec sa fille adolescente. Mme Oak s'attribuait la responsabilité de la maladie psychosomatique dont souffrait sa fille. Le thérapeute la décrivait comme une personne sensible, très désireuse d'être honnête avec elle-même et de résoudre ses problèmes. Peu instruite, elle était néanmoins intelligente et lisait beaucoup. Mme Oak a participé à 40 entretiens pendant une période de 5 mois et demi, à la suite de quoi elle a décidé de mettre fin à la thérapie.

Au cours des premiers entretiens, Mme Oak a surtout parlé des problèmes qu'elle éprouvait dans ses rapports avec sa fille et avec son époux. Puis, progressivement, elle a délaissé ses problèmes pour parler de ses émotions:

> Et puis j'ai compris que, lors du dernier entretien, j'avais éprouvé une émotion que je n'avais jamais ressentie auparavant, ce qui m'a surprise et un peu bouleversée. Pourtant, ai-je pensé, je crois que c'est une sorte de... – un seul mot me vient à l'esprit pour le décrire et l'exprimer –, c'est une sorte de nettoyage. Je... je me sentais horriblement triste à propos de quelque chose, comme une perte, un deuil.
>
> Source: p. 311.

Le thérapeute a d'abord cru que Mme Oak était une personne timide et presque quelconque. Toutefois, il s'est aperçu rapidement qu'elle était sensible et intéressante. Son estime pour elle s'en est accrue; il a indiqué que la capacité de Mme Oak de faire face aux bouleversements et à la douleur suscitait chez lui le respect et l'admiration. Il n'a pas essayé de la diriger ni de l'orienter; il a éprouvé de la satisfaction à essayer de la comprendre, à tenter d'être sensible à son univers, à lui montrer qu'il l'acceptait.

> MME OAK: Et néanmoins, le... le fait que... j'aime vraiment ça, je ne sais pas, appelons ça une émotion poignante. Ce que je veux dire... j'ai ressenti des choses que je n'avais jamais éprouvées auparavant. J'aime ça, aussi. Euh... peut-être que c'est comme ça qu'il faut faire. Je... je ne sais tout simplement pas aujourd'hui.
>
> LE THÉRAPEUTE: Mmm... Vous n'êtes pas sûre, mais vous savez que vous éprouvez une vraie tendresse pour le poème que vous êtes. Quant à savoir si c'est bien comme cela qu'il faut faire, vous ne savez pas.
>
> Source: p. 314.

Dans ce climat thérapeutique favorable, Mme Oak a pris peu à peu conscience de sentiments qu'elle refusait d'admettre auparavant. Lors du vingt-quatrième entretien, elle est devenue consciente du fait qu'elle avait avec sa fille des conflits liés à sa propre adolescence. Elle a été stupéfaite de découvrir son propre esprit de compétition. Lors d'un entretien qui eut lieu par la suite, elle s'est rendu compte qu'elle ressentait une blessure intime au fond d'elle-même.

Mme Oak :	Et ensuite, bien sûr, j'ai fini par comprendre… que j'avais enfoui ça. (*Elle pleure.*) Mais… et… je l'ai dissimulé sous beaucoup d'amertume, que j'ai dû dissimuler aussi. (*Elle pleure.*) Et c'est de ça que je veux me débarrasser ! À la limite, ça m'est égal d'avoir mal.
LE THÉRAPEUTE :	(*Avec douceur*) Vous sentez que fondamentalement vous éprouvez vraiment du chagrin pour vous-même. Mais vous ne pouvez pas, vous ne devez pas le montrer, alors vous le dissimulez sous une amertume que vous n'aimez pas, dont vous aimeriez vous débarrasser. Vous préférez presque absorber la douleur plutôt que… de ressentir l'amertume. (*Une pause*) Et ce que vous semblez vouloir affirmer avec force, c'est « j'ai mal et j'essaie de le cacher ».
Mme Oak :	Je ne le savais pas.
LE THÉRAPEUTE :	Mmm… C'est comme une nouvelle découverte, vraiment.
Mme Oak :	(*Parlant en même temps que le thérapeute*) Je ne m'en suis jamais rendu compte. Mais c'est… vous savez, c'est presque physique. C'est… comme si je voyais à l'intérieur de moi toutes sortes de… terminaisons nerveuses et… des miettes de… choses qui ont été en quelque sorte broyées. (*Elle pleure.*)

Source : p. 326.

Cette prise de conscience a d'abord entraîné un sentiment de désorganisation. Mme Oak est devenue plus troublée et plus névrosée, comme si elle s'effondrait. Elle en voulait à son thérapeute parce qu'il ne l'aidait pas beaucoup et qu'il refusait de diriger les entretiens. Il lui arrivait également d'être fermement convaincue que le thérapeute n'apportait rien.

Cependant, au fil des séances, elle a fini par ressentir exactement ce que Rogers visait dans sa thérapie centrée sur le client : le sentiment qu'une relation s'était établie avec le thérapeute et que c'était la condition de son amélioration thérapeutique. Il n'y a pas eu de progrès sur tous les plans, mais au moment où s'est terminée la thérapie, Mme Oak avait fait des progrès notables dans bien des domaines. Elle avait commencé à se sentir libre d'être elle-même, d'être à l'écoute de soi et de se livrer à des évaluations indépendantes. Elle s'était mise à se regarder comme un être humain digne d'intérêt. Elle a décidé ensuite de mettre fin à son mariage et elle s'est entendue avec son mari pour divorcer. Enfin, elle s'est trouvé un emploi stimulant. Grâce aux conditions créées dans le cadre thérapeutique, elle a pu faire céder les mécanismes de défense qui avaient entretenu une grande non-congruence entre son soi et son vécu. Cette prise de conscience lui a permis d'effectuer des changements positifs dans sa vie et de devenir une personne plus épanouie.

Le Dalaï-lama, chef spirituel du Tibet. L'attitude toujours empathique du Dalaï-lama dans les relations interpersonnelles crée un climat psychologique puissant qui explique pourquoi on l'appelle *Kundun*, qui signifie « présence » en tibétain (ou « La Présence ») – exactement le terme que Rogers en est peu à peu venu à employer pour désigner les effets qu'avait une attitude empathique et qu'il était à même d'observer.

Le différenciateur sémantique : la théorie phénoménologique

Jacques a rempli le questionnaire appelé différenciateur sémantique ; il a évalué les concepts de soi, de soi idéal, de père et de mère sur une série de 104 échelles (voir le chapitre 5). Le différenciateur sémantique ne descend pas en droite ligne de la théorie rogérienne, mais nous pouvons interpréter les données recueillies en nous référant à la théorie rogérienne puisqu'elles ont un caractère phénoménologique et que nous cherchons à savoir comment sont perçus le soi et le soi idéal.

Examinons d'abord de quelle façon Jacques perçoit son soi. Selon les résultats au différenciateur sémantique, il se considère comme intelligent, amical, sincère, aimable et foncièrement bon. Les résultats indiquent qu'il voit en lui une personne sage et bienveillante, qui s'intéresse à autrui. Par ailleurs, d'autres résultats révèlent qu'il n'arrive pas à s'exprimer librement et sans inhibitions. C'est pourquoi il s'estime réservé, introverti, inhibé, tendu, moralisateur et conformiste. On note chez lui un curieux mélange, puisqu'il est d'une part engagé, intense, sensible et aimable, et d'autre part compétitif, égoïste et enclin à la désapprobation. On trouve également en lui une intéressante combinaison : il se considère comme foncièrement bon et viril, mais aussi comme faible et inquiet. En fait, l'observateur a l'impression d'être en présence de quelqu'un qui se voudrait foncièrement bon et capable de relations interpersonnelles authentiques, alors qu'il souffre de graves inhibitions et de la rigidité des normes qu'il s'impose et impose aux autres.

Cette impression se renforce lorsque nous comparons les évaluations du soi à celles du soi idéal. Dans l'ensemble, Jacques n'observe pas d'écart très prononcé entre le soi et le soi idéal. Cependant, on constate des écarts marqués sur bon nombre d'échelles importantes. Par exemple, Jacques accorde à son soi un score faible dans l'échelle faible/fort, et un score fort à son soi idéal sur la même échelle. Autrement dit, Jacques souhaiterait être beaucoup plus fort qu'il croit l'être. En soumettant au même type d'examen les résultats figurant dans d'autres échelles, nous constatons que Jacques aimerait obtenir un score plus élevé qu'aujourd'hui à propos des qualificatifs suivants : chaleureux, actif, égalitaire, souple, sensuel, approbateur, assidu, détendu, amical, intrépide. Au fond, deux thèmes apparaissent. L'un se rapporte à la chaleur humaine : Jacques aimerait être plus chaleureux, plus détendu et plus amical. L'autre a trait à la force : Jacques n'est pas aussi fort, actif et assidu qu'il voudrait l'être.

L'évaluation que Jacques fait à propos de ses parents donne une idée de la place qu'ils occupent à ses yeux et de l'importance qu'il donne à ces qualités. D'abord, si nous comparons la façon dont il perçoit son soi avec la façon dont il perçoit sa mère et son père, il pense qu'il ressemble beaucoup plus à son père qu'à sa mère. Il estime également que son père se trouve plus près de son soi idéal que ne l'est sa mère ; néanmoins, il se considère comme plus près de son soi idéal que ne le sont sa mère ou son père. Cela dit, en ce qui concerne les aspects cruciaux que sont pour lui la chaleur humaine et la force, ses parents seraient plus proches du soi idéal que ne le serait Jacques. Ainsi, il estime que sa mère est plus chaleureuse, approbatrice, détendue et amicale que lui, et son père plus fort, assidu et actif. Il considère que sa mère possède un ensemble intéressant de traits de personnalité. D'une part, il voit en elle une personne affectueuse, amicale, spontanée, sensible et bonne. D'autre part, il la considère aussi comme autoritaire, superficielle, égoïste, inintelligente, intolérante et dépourvue de créativité.

Commentaires

Grâce aux données que nous avons vues plus tôt concernant le Rorschach (voir le chapitre 4), nous commençons à discerner une autre image de Jacques. Nous savons qu'il a connu une certaine popularité à l'école secondaire et qu'il y a remporté des succès ; nous savons aussi qu'il entretient de bons rapports avec son père. Dans les tests projectifs, nous avons décelé de l'angoisse et des difficultés dans les relations avec les femmes. En effet, nous avons appris que Jacques craignait d'éjaculer trop rapidement et de ne pas être en mesure de satisfaire sexuellement les femmes. Cependant, nous découvrons à présent en lui un être qui se croit foncièrement bon et qui songe à faire le bien. Son soi et son soi idéal ne concordent pas, ce qui provoque chez lui un certain sentiment de frustration.

Quand il nous parle de lui-même et de ce qu'il voudrait être, Jacques mentionne son désir d'être plus chaleureux, plus détendu et plus fort. Il n'est pas nécessaire de dissimuler nos intentions, car ce sont les perceptions, les valeurs et les expériences de Jacques qui nous intéressent, telles qu'il les rapporte. Nous voulons savoir ce qui est vrai pour lui, de quelle façon il interprète les phénomènes en fonction de son propre cadre de référence. Nous désirons tout connaître de Jacques, tout ce qui concerne sa perception de lui-même et du monde qui l'entoure. Pour effectuer l'analyse des données recueillies par le différenciateur sémantique, il n'est pas indispensable de concentrer son attention sur les pulsions, ni de maîtriser le monde de l'irrationnel. Selon Rogers, nous avons sous les yeux un être qui s'efforce de se rapprocher de l'autoactualisation, c'est-à-dire de passer de la dépendance à l'autonomie, de la fixité et de la rigidité à la liberté et à la spontanéité. Nous apercevons chez cette personne un écart entre l'évaluation intellectuelle et l'évaluation affective. Comme dirait Rogers, on est en présence d'un individu qui n'a pas de cohérence personnelle, qui manque de congruence entre le soi et le vécu.

LES CONCEPTIONS VOISINES

Nous avons vu les principes de la théorie phénoménologique de la personnalité de Rogers. Le reste du chapitre porte sur deux sujets connexes. Tout d'abord, nous examinerons des conceptions théoriques apparentées à l'approche rogérienne. Plus précisément, nous nous attacherons aux trois théories suivantes : (1) le courant humaniste, (2) le courant de la psychologie positive et (3) l'existentialisme. Ensuite, nous examinerons la recherche contemporaine qui traite de la théorie de Rogers. Il ne s'agira pas nécessairement de travaux de recherche dont les auteurs se disent « rogériens », mais de travaux portant sur des éléments qui sont au cœur de la conception rogérienne de la nature humaine.

Le courant humaniste

Rogers n'est pas le seul théoricien à s'être penché sur la capacité d'autoactualisation de l'individu. D'autres étaient d'avis, comme lui, que le fonctionnement de la personnalité relevait davantage de la simple répétition des motivations et conflits du passé, comme l'estimait Freud. L'être humain possède plutôt des potentialités, c'est-à-dire qu'une des caractéristiques fondamentales du fonctionnement de la personnalité est la capacité d'agir pour réaliser ses potentialités. Ce sujet a été étudié au milieu du XXᵉ siècle par des chercheurs tels que Gardner Murphy (1958), pour qui l'étude des potentialités était centrale en psychologie de la personnalité, et Kurt Goldstein, qui trouvait que la théorie freudienne, malgré tous ses mérites, « ne rendait pas justice à la dimension positive de la vie… ne reconnaissait pas que le phénomène fondamental de la vie est un processus incessant d'adaptation à l'environnement » (1939, p. 333). Ces apports théoriques au **courant humaniste,** dit aussi courant du potentiel humain, ont été qualifiés de « troisième force » en psychologie (notamment par Goble, 1970) parce qu'ils proposent une vision qui se distingue à la fois de la psychanalyse (voir le chapitre 3) et du béhaviorisme (voir le chapitre 10). Nous verrons une figure importante du courant humaniste : Abraham H. Maslow.

Abraham H. Maslow (1908-1970)

À l'instar de Rogers, Abraham Maslow (1968, 1971) met de l'avant les dimensions positives de l'expérience humaine. Selon lui, l'être humain est foncièrement bon ou neutre, plutôt que mauvais, et chacun aspire à s'épanouir ou à réaliser ses potentialités. La psychopathologie peut apparaître lorsque cette nature humaine est déformée ou frustrée. Maslow estime que les structures sociales qui empêchent l'individu de réaliser son potentiel constituent une cause fondamentale de cette frustration. C'est en partie grâce à Maslow que le courant humaniste est devenu populaire chez ceux qui se sentent entravés et inhibés dans leur environnement. La conception de Maslow fait écho à ces préoccupations et soutient l'idée que les choses peuvent s'améliorer quand les gens sont libres de s'exprimer et d'être eux-mêmes.

En plus de sa vision générale de la nature humaine, Maslow s'est distingué pour deux raisons. D'abord, il a proposé une conception de la motivation humaine qui différencie les besoins biologiques, tels que la faim, le sommeil et la soif, des besoins psychologiques, tels que l'estime de soi, l'affection et l'appartenance. Personne ne peut survivre en tant qu'organisme biologique sans nourriture et sans eau ; de même, personne ne peut se développer pleinement en tant qu'organisme psychologique s'il lui est impossible de satisfaire également ses autres besoins. On peut donc classer ces besoins selon une hiérarchie s'échelonnant des besoins physiologiques fondamentaux jusqu'aux principaux besoins psychologiques (figure 6.1). Selon Maslow, les recherches et les théories des psychologues accordent trop d'importance aux besoins biologiques, particulièrement à la réaction de l'organisme à la tension

Courant humaniste

Groupe de psychologues dont faisaient partie Rogers et Maslow et qui s'intéressait à l'actualisation ou à la réalisation du potentiel individuel, notamment l'ouverture à l'expérience.

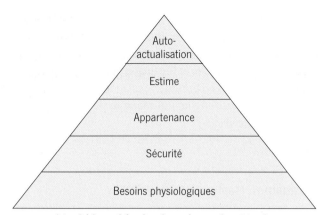

Figure 6.1 | **La hiérarchie des besoins selon Maslow**

causée par des carences biologiques. Même s'il reconnaît l'existence de ce type de motivation, Maslow fait valoir des motivations de niveau supérieur qui s'expriment lorsque l'individu fait preuve de créativité et réalise son potentiel.

La deuxième contribution notable de Maslow (1954) vient de ce qu'il s'est livré à une étude approfondie de personnes en bonne santé, qui réalisent leur potentiel et s'épanouissent. Son raisonnement était le suivant: si l'on veut en savoir davantage sur la personnalité, nul besoin de limiter l'exploration (1) au fonctionnement normal et quotidien de la personnalité ou (2) aux altérations de la personnalité qui causent la psychopathologie. Selon lui, les psychologues doivent aussi s'intéresser à l'autre extrémité du continuum, c'est-à-dire aux individus «anormalement» positifs qui fonctionnent exceptionnellement bien et qui se réalisent.

Qui sont ces personnes? Maslow citaient des personnalités historiques ainsi que des contemporains à lui (par exemple, Abraham Lincoln, Albert Einstein, Eleanor Roosevelt; un chercheur de notre époque pourrait mentionner Nelson Mandela). Le fait est que ces êtres exceptionnels possédaient des qualités importantes pour les psychologues de la personnalité parce qu'elles les renseignent sur les potentialités humaines. Maslow en concluait que les caractéristiques de ces personnes comportaient les éléments suivants: s'accepter tel qu'on est et accepter les autres tels qu'ils sont; se préoccuper de soi mais se sentir libre de reconnaître les besoins et les désirs des autres; être capable de réagir selon le caractère unique des personnes et des situations au lieu de réagir de manière machinale et stéréotypée; être capable de nouer des liens intimes avec au moins quelques personnes importantes pour soi; être spontané et créatif; et être capable de résister à la pression de conformité et de

s'affirmer tout en répondant aux exigences de la réalité. Maslow disait que chacun d'entre nous a le potentiel de tendre vers ces qualités.

La psychologie positive

L'importance accordée par Maslow aux aspects positifs de la nature humaine a ouvert la voie à un mouvement contemporain appelé psychologie positive (Gable et Haidt, 2005; Seligman et Csikszentmihalyi, 2000) ou, parfois, selon l'expression anglaise, le *human strenghts movement* (Aspinwall et Staudinger, 2002).

Les publications du mouvement de la psychologie positive du XXIᵉ siècle font écho aux thèmes abordés un demi-siècle auparavant par Rogers et d'autres chercheurs du courant humaniste. Dans ces publications, on déplore l'importance que les psychologues d'autrefois (mis à part Rogers et Maslow) accordaient à la fragilité de l'humain et aux troubles psychologiques: trop souvent, les psychologues examinaient des individus en détresse, utilisaient les expériences de ces individus pour fonder leur théorie sur les êtres humains en général et, par conséquent, offraient des théories qui s'articulaient autour d'aspects négatifs. Rappelez-vous ce que vous avez appris au sujet de Freud. Freud a tenté d'ériger un modèle de la personnalité qui se voulait représentatif de tous les individus alors même que la base de données de sa théorie (les expériences sur lesquelles il basait sa conception de l'individu) se rapportait presque entièrement à des personnes aux prises avec un seuil élevé de détresse psychologique.

Que perd-on à se concentrer sur la détresse et la maladie? Selon le mouvement de la psychologie positive, on perd la possibilité de connaître mieux les forces humaines. On finit par avoir une idée déformée de la personnalité, une idée qui ne tient pas suffisamment compte du positif. Afin de rectifier cette situation, des psychologues contemporains ont essayé de cerner la nature des forces, ou vertus, humaines. Le psychologue Martin Seligman a été une figure de proue de la psychologie positive et y a considérablement contribué (Seligman et Peterson, 2003; Seligman, Rashid et Parks, 2006).

La classification des forces humaines

Seligman et ses collaborateurs (Seligman et Peterson, 2003) ont tenté de classer les forces de l'être humain. En d'autres mots, ils ont voulu porter les aspects positifs de l'humain à l'attention des chercheurs en psychologie et favoriser la recherche systématique sur ce sujet, dans le dessein de faire faire ainsi un premier pas souvent indispensable au progrès scientifique. Ils ont donc élaboré un système de classification détaillé avec deux objectifs en tête : (1) déterminer les critères qui permettent à une caractéristique psychologique d'être appelée une force ; et (2) utiliser ces critères pour dresser une liste de forces.

Seligman et ses collaborateurs ont commencé par dégager les critères qui permettraient de savoir si telle ou telle qualité est une force humaine. D'abord, pour être considérée comme une force, une qualité doit être durable et bénéfique dans plusieurs domaines de la vie. (Par exemple, la « créativité » est classée comme une force, tandis qu'une aptitude très spécifique comme « être doué au poker » ne l'est pas.) Ce doit aussi être une qualité que les deux parents et la société dans son ensemble essaient d'encourager chez les enfants et qui est appréciée par l'entourage lorsqu'elle se développe. (Les qualités telles que la persévérance et l'honnêteté, de même que les qualités dont des institutions comme les Scouts font la promotion, illustrent ce à quoi Seligman et ses collaborateurs font référence.) Enfin, il faut aussi que la qualité soit valorisée dans toutes les cultures ou presque. Ce sont donc ces critères que Seligman et ses collaborateurs ont utilisés pour déterminer ce qui constituait, ou non, une force.

Quelles sont donc les qualités qui satisfont ces critères ? Seligman et Peterson (2003) proposent une liste préliminaire qui divise les forces (aussi appelées vertus) en six catégories : la sagesse, le courage, l'amour, la justice, la tempérance (par exemple, le pardon) et la transcendance (par exemple, l'appréciation de la beauté). Ce sont là des caractéristiques psychologiques dont nous pouvons sur-le-champ reconnaître l'effet positif sur la personnalité. Plus important encore, ces qualités sont jugées essentielles d'une culture à l'autre et d'une époque à une autre. Le but de cette liste (aussi évident que la liste elle-même en rétrospective) est de contrebalancer les théories centrées sur les dimensions négatives de l'expérience humaine. En psychanalyse, par exemple, plusieurs de ces qualités auraient été jugées secondaires dans l'expérience humaine et considérées comme de simples produits du surmoi, lequel est dans l'ensemble plus faible que le ça impulsif. La psychologie positive nous propose une conception différente de la condition humaine : elle dit que ces vertus logent au cœur même de l'expérience humaine et que les parents ainsi que les institutions peuvent les cultiver.

Les premiers travaux de recherche de Seligman portaient sur l'impuissance et la dépression. Bien que Seligman s'intéresse maintenant aux aspects positifs du fonctionnement de la personnalité, il a conservé un intérêt pour le traitement de la dépression et tente d'élaborer une approche psychothérapeutique positive qui permettrait d'atténuer la dépression et d'accroître le bien-être (Seligman, Rashid et Parks, 2006). Contrairement aux approches habituelles où le traitement de la dépression est axé sur les symptômes de la dépression, la psychothérapie positive cible les émotions positives et leur signification. Pour illustrer l'idée centrale de la psychothérapie positive, signalons des exercices comme les suivants qu'on prescrira à la personne dépressive : dresser la liste de ses forces, voir comment on peut les utiliser dans sa vie quotidienne, noter chaque jour par écrit trois bonnes choses qui sont arrivées et écrire une lettre à quelqu'un pour lui exprimer de la gratitude. Seligman constate que les résultats préliminaires de ce traitement sont positifs mais qu'il devra faire l'objet d'autres études indépendantes.

Les vertus des émotions positives

Outre la détermination des « vertus humaines », la recherche en psychologie positive a eu une autre répercussion positive : l'étude des émotions positives. Les psychologues ont souvent étudié des émotions, telles que la peur, l'anxiété et la colère, mais ils se sont beaucoup moins intéressés au rôle des émotions positives, comme la fierté, l'amour et le bonheur dans le développement et le fonctionnement de la personnalité.

La psychologue Barbara Fredrickson a considérablement contribué à la compréhension de ces émotions en proposant sa théorie des émotions positives appelée « s'épanouir et se développer » (broaden and build theory) (Fredrickson, 2001). Selon cette théorie, les émotions positives ont un effet marqué sur les pensées et les comportements. Plus précisément, elles ont un effet d'expansion sur la pensée et l'action, c'est-à-dire qu'elles augmentent le répertoire d'idées qui viennent à l'esprit ainsi que l'éventail d'actions que l'on entreprend. L'émotion positive qui a pour objet l'intérêt, par exemple, incitera l'individu qui la ressent à entreprendre de nouvelles activités. L'émotion de la fierté, elle, encouragera à poursuivre les activités créatives ou les réalisations qui font naitre en soi la fierté. C'est ainsi que les émotions positives contribuent directement aux compétences et aux réalisations chez l'humain.

Des études ont confirmé les prédictions de la théorie de Fredrickson. Par exemple, dans une de ces études (Tugade et Fredrickson, 2004), on proposait aux participants une expérience stressante : on leur disait qu'ils devaient faire une présentation qui serait enregistrée sur vidéo. (Imaginez que l'on vous annonce à brule-pourpoint que vous devez faire un discours devant des étrangers et qu'on vous filmera, et vous comprendrez que c'est là une situation stressante pour la plupart des gens.) Les chercheurs ont mesuré trois éléments ici pertinents : (1) la résilience des participants, c'est-à-dire les différences individuelles dans la capacité générale à composer avec le stress et à gérer efficacement une situation nouvelle ; (2) les signes physiologiques du stress (comme la fréquence cardiaque) pendant que les participants se préparaient pour leur présentation ; et (3) les émotions positives, c'est-à-dire jusqu'à quel point les participants avaient éprouvé des émotions positives durant l'expérience malgré la nature stressante de celle-ci.

Comme prévu, les participants qui ont obtenu une note élevée pour la résilience (ceux qui ont en général essayé de bien composer avec les événements) ont présenté moins de signes cardiovasculaires associés au stress. Cependant, le résultat qui intéressait le plus les chercheurs était la troisième mesure, à savoir les émotions positives. Les participants qui avaient éprouvé des émotions positives durant l'expérience (ceux qui avaient été capables de voir le bon côté de la situation, qui avaient conservé de l'intérêt et du plaisir durant l'expérience) ont ressenti moins de stress. Autrement dit, si certains participants étaient restés calmes, c'est parce qu'ils avaient été capables d'éprouver des émotions positives. Comme le prédit la théorie de Fredrickson, leurs émotions positives semblaient contrebalancer certains effets du stress. Ainsi, ces personnes parvenaient à mieux maîtriser leurs pensées et leurs comportements et à céder moins facilement au stress que les autres. On pourrait donc dire que les individus qui ressentent davantage d'émotions positives sont plus résilients. Les émotions positives agissent tels « des mécanismes d'adaptation qui aident à protéger (psychologiquement et physiologiquement) contre les expériences de la vie qui sont émotionnellement négatives » (Tugade et Fredrickson, 2004, p. 331).

Le *flow* (expérience optimale ou autotélique)

Les travaux de Mihaly Csikszentmihalyi (1990) portent sur un troisième domaine intéressant de la psychologie positive : le *flow*, parfois appelé expérience optimale ou autotélique. Le concept d'expérience optimale a trait aux états de conscience agréables qui présentent les caractéristiques suivantes : un sentiment d'adéquation entre ses capacités personnelles et les exigences de la tâche ; une grande concentration et un tel engagement dans l'activité

qu'on ne sent pas le temps passer et qu'on ne laisse pas sa conscience être dérangée par d'autres pensées ou préoccupations ; et une mise en veilleuse de la conscience de soi qui fait oublier temporairement le fonctionnement du soi ou la gestion de l'activité.

Les expériences optimales peuvent se produire dans toutes sortes d'activités : le travail, les loisirs, le sport, la danse ou les interactions sociales. Les gens décrivent ces expériences dans les mots suivants : « Lorsque je suis engagé dans cette activité, tout coule aisément. Je me laisse simplement aller, à la fois excité et calme, et je veux que ça continue sans jamais s'arrêter. Ce qui compte n'est pas ce que je peux en retirer mais le pur plaisir de l'activité elle-même. » Csikszentmihalyi a commencé à s'intéresser aux aspects positifs du fonctionnement humain durant la Seconde Guerre mondiale, lorsqu'il a fait le constat suivant : même si nombreux étaient ceux qui avaient perdu tout sens des valeurs, d'autres ont exprimé durant cette période ce qu'il y a de meilleur dans l'être humain. Par la suite, Csikszentmihalyi a été influencé par les travaux de Carl Rogers et d'Abraham Maslow et par l'importance d'étudier davantage la force et la vertu plutôt que la faiblesse et la maladie.

Ces trois champs d'étude (la classification des vertus humaines par Seligman, la théorie des émotions positives de Fredrickson et les travaux de Csikszentmihalyi sur l'expérience optimale) sont des réalisations prometteuses du mouvement de la psychologie positive. Il reste néanmoins des difficultés à surmonter. L'une des principales difficultés consiste non seulement à montrer que certaines personnes ont des vertus supérieures et des expériences émotionnelles relativement positives, mais aussi que tout le monde peut cultiver ces vertus. Certains observateurs croient que cette difficulté demeure une des limites de la psychologie positive. Les chercheurs devront déterminer les pratiques sociales et les organisations communautaires qui contribuent le plus à développer les forces personnelles (Gable et Haidt, 2005).

L'existentialisme

L'existentialisme n'est pas une approche nouvelle en psychologie, mais on ne peut pas affirmer qu'il occupe une place reconnue ou assurée dans le courant universitaire dominant. Bien qu'il ait marqué beaucoup de gens, l'existentialisme ne compte aucune figure représentative et on ne s'entend pas au sujet de ses concepts théoriques fondamentaux. Parmi les existentialistes, certains sont croyants, d'autres athées, et d'autres antireligieux. Il y en a qui mettent l'accent sur l'espoir et l'optimisme, et d'autres qui ne voient que désespoir et néant. Il y a ceux qui mettent de l'avant les racines philosophiques de l'existentialisme et ceux qui s'efforcent d'approfondir les cas cliniques.

À la lumière de cette grande diversité, qu'est-ce qui établit un terrain d'entente chez ceux qui se définissent comme existentialistes ? Pourquoi cette approche fascine-t-elle certaines personnes, alors que d'autres la rejettent ? Peut-être l'**existentialisme** se définit-il surtout par son intérêt pour l'*existence*, pour la personne aux prises avec la condition humaine. L'existentialiste s'occupe des phénomènes inhérents aux êtres vivants, humains et existants. On ne s'entend pas, chez les existentialistes, sur l'essence de l'existence ; cependant, tous sont d'avis que certaines inquiétudes fondamentales nous concernent en propre et que nous ne pouvons pas les passer sous silence, les écarter, leur trouver des justifications ou les considérer comme sans importance. On insiste, plus que tout peut-être, sur la nécessité de prendre au sérieux la personne et son expérience.

La définition qu'on donne de l'individu représente également un aspect majeur de cette théorie. L'existentialisme considère l'individu comme une personne singulière, unique et irremplaçable. À ce thème s'ajoute ceux de la liberté, de la conscience et de la réflexion sur soi-même. La liberté distingue l'être humain des autres animaux. Indissociable de la liberté est la responsabilité. Chacun est responsable de ses choix et de ses actes, de son authenticité ; chacun peut décider d'être authentique ou d'agir de « mauvaise foi ». Notons aussi l'inquiétude existentielle à propos de la mort, car à nul autre moment l'être humain n'est aussi seul et si absolument irremplaçable. En somme, dans l'existentialisme, on met l'accent sur la phénoménologie et on tente de comprendre l'expérience singulière de chacun. Les événements sont analysés en fonction de ce qu'ils signifient pour l'individu plutôt qu'au regard d'une définition normalisée ou d'une hypothèse à confirmer : « L'existentialisme s'intéresse au sens personnel plutôt qu'à la théorie générale » (Marino, 2004, p. xii).

À plusieurs égards, les idées de Rogers ont un angle existentiel. Prenons le cas de la solitude, un thème traité par Rogers (1980). En quoi l'expérience existentielle de la solitude consiste-t-elle ? Rogers propose de tenir compte d'un certain nombre de facteurs contributifs : le caractère impersonnel de notre culture, le fait qu'elle soit transitoire et anomique, la peur des relations intimes. Cependant, le thème de la solitude désigne surtout la situation engendrée par l'absence d'acceptation ou le rejet des pensées intimes que l'on a confiées à autrui. Par ailleurs, l'individu peut aussi éprouver le sentiment d'être compris. Il a alors l'impression qu'une autre personne peut lui témoigner de l'empathie en faisant preuve de compréhension et d'acceptation. Le sentiment d'être compris est associé à la sécurité et permet de soulager la solitude existentielle.

La quête du sens de l'existence humaine constitue également un exemple intéressant. Le psychiatre existentialiste Viktor Frankl (1955, 1958) s'est efforcé de trouver un sens à la vie lors de son internement dans un camp de concentration pendant la Seconde Guerre mondiale. Il soutient que la quête de sens représente le plus humain de tous les phénomènes, car les autres animaux ne se préoccupent jamais du sens de leur existence. Une frustration existentielle et une névrose existentielle comportent une frustration et une incapacité de la volonté à donner un sens à l'expérience. Cette névrose ne relève ni des pulsions ni des besoins biologiques ; elle prend racine dans l'expérience intellectuelle d'une fuite devant la liberté et la responsabilité. L'individu rejette alors la responsabilité de sa vie sur le destin, l'enfance, le milieu ou la malchance. On peut traiter ce trouble en recourant à la logothérapie, qui aide les patients à devenir ce qu'ils sont capables d'être, en leur permettant de comprendre et d'accepter les défis et les possibilités qui s'offrent à eux.

L'existentialisme de Sartre : conscience, néant, liberté et responsabilité

L'écrivain français Jean-Paul Sartre (1905-1980) est un philosophe existentialiste du xxe siècle qui a considérablement fait avancer le mouvement intellectuel amorcé par Kierkegaard. Bien que Sartre soit philosophe et non psychologue, la philosophie existentialiste revêt un intérêt particulier en psychologie de la personnalité parce qu'elle est issue d'analyses théoriques dont la nature fondamentale est psychologique. Sartre s'intéressait aux capacités mentales des individus et à leur implication.

Voici une anecdote historique qui illustre ce à quoi s'intéressait Sartre. Au début des années 1940, les citoyens de

Existentialisme

Approche permettant de comprendre l'individu et d'orienter la thérapie ; on l'associe au courant humaniste, qui souligne l'importance de la phénoménologie et des préoccupations inhérentes à l'existence humaine ; l'existentialisme a sa source dans un courant philosophique plus général.

la France traversaient une terrible situation de crise. Leur pays était occupé par les forces militaires de l'Allemagne nazie. Ce désastre national plaçait les individus face à un choix personnel très difficile : devaient-ils accepter que les Allemands occupent leur territoire et collaborer avec eux (au moins passivement, en ne leur désobéissant pas), sachant que la collaboration pouvait assurer leur sécurité personnelle, ou devaient-ils se joindre au mouvement de résistance clandestin et combattre les occupants nazis, sachant que cela était risqué pour eux mais pouvait aider à sauver la France ?

L'existentialisme ne se pose *pas* directement la question qui consiste à se demander quelle action l'individu doit choisir. L'existentialisme se pose une question plus subtile : quelles sont les capacités psychologiques de la personne qui fait face à ce choix et quelle est la nature de cette expérience psychologique ? La question fondamentale est celle du libre arbitre. Lorsqu'une personne doit faire un tel choix, a-t-elle un libre arbitre ? Est-il juste d'affirmer que l'individu est fondamentalement libre de choisir une ligne de conduite plutôt qu'une autre ? Ou bien est-ce que les influences environnementales (dans notre exemple, le climat puissant et menaçant de l'occupation nazie) sont tellement fortes que la personne n'a pas réellement le choix ? Peut-être le milieu détermine-t-il le comportement d'une personne.

Qu'en est-il du libre arbitre comparativement au déterminisme dans les situations qui ne comportent pas d'êtres humains ? Pensons, par exemple, au caillou lancé dans les airs : on ne se demande pas s'il choisit de retomber par terre. Le comportement du caillou est de toute évidence entièrement déterminé par des forces physiques. De la même façon, si nous examinons le comportement d'un animal, nous constatons habituellement que son comportement reflète des modes de comportement instinctifs déclenchés par l'environnement. Et donc la question est : le comportement de l'être humain est-il de cet ordre ? Autrement dit, le milieu détermine-t-il nos actions de la même façon que la gravité fait retomber par terre le caillou lancé dans les airs ?

Si Sartre faisait une étude comparative entre l'être humain et les objets ou les animaux, il se dirait peut-être : « Vive la différence ! » Pour Sartre, le cas de l'humain est totalement différent. Les êtres humains, selon lui, sont libres de choisir. Ils sont toujours libres de choisir et ne peuvent pas se soustraire à leur capacité de libre arbitre et aux responsabilités qui viennent avec cette capacité. Aux yeux de

Sartre, lorsque des gens font quelque chose dont ils ne sont pas fiers pour ensuite dire qu'ils « n'avaient pas le choix », ils ne sont pas honnêtes avec eux-mêmes. Ils renient leur responsabilité personnelle. Même dans des environnements extrêmes (pendant l'occupation par les nazis, par exemple), l'être humain conserve son libre-arbitre. C'est un des thèmes centraux de l'existentialisme : l'individu est fondamentalement libre et donc responsable de ses choix et de ses actes.

Sur quoi se fonde cette définition de l'individu ? Sur des éléments profondément psychologiques. Sartre croit que la liberté humaine réside dans les capacités psychiques distinctives de l'être humain (Lavine, 1984). Contrairement à tous les autres organismes vivants, l'être humain ne fait pas que réagir à l'environnement où il se trouve, c'est-à-dire aux choses qui se trouvent dans cet environnement. L'être humain pense également aux choses qui ne s'y trouvent *pas*, ce que Sartre désignait par le terme *néant*. Selon lui, l'être humain possède la capacité de réfléchir à différentes possibilités, aux autres façons dont les choses pourraient être, aux actes qu'ils pourront accomplir dans le futur, et ainsi de suite. Cette capacité est, selon Sartre, ce qui confère sa liberté à l'être humain. Les conditions de l'environnement ne déterminent pas les actions de l'individu de la même façon qu'il fait se déplacer les objets. L'être humain n'est pas un caillou, une plante ou un animal qui, eux, ne possèdent pas la capacité cognitive de l'humain. Du seul fait que l'être humain peut se poser des questions, douter du monde qui l'entoure et imaginer des possibilités pour son avenir, il n'est pas assujetti à la causalité déterministe qui dicte le comportement des objets dans l'environnement.

Cette capacité cognitive et la liberté qui en découle donnent naissance à une autre question : existe-t-il une nature essentiellement humaine ? L'essentialisme est une conception qui suppose que toute chose, y compris l'humain, possède une qualité intrinsèque qui en constitue l'essence, de sorte que la chose, y compris l'humain, « est » cette qualité, même si l'expérience qu'on en a n'évoque pas cette qualité à tout moment. Prenons un exemple tout simple : si vous couvrez un cheval brun avec de la peinture blanche, le cheval ne sera pas pour autant un cheval blanc ; il possèdera encore sa qualité essentielle qui est d'être un cheval brun. Et si vous ajoutez des rayures noires sur la peinture blanche, le cheval n'en sera pas pour autant un zèbre non plus. Les choses possèdent des qualités essentielles. Sartre reconnaissait cela, mais il disait que l'être humain était différent des choses. L'être humain, selon lui, ne vient pas au monde avec des qualités essentielles : « L'homme n'est rien a priori. Il devient ensuite ce qu'il choisit de se faire, et lui seul se sera fait tel qu'il sera… l'homme n'est rien d'autre que ce qu'il se fait » (Sartre, 1957/2004, p. 345). Pour comprendre un être humain, dit Sartre, il faut examiner son expérience du monde plutôt que de chercher une qualité essentielle abstraite et cachée. Selon une expression célèbre de Sartre, l'existence de l'être humain précède son essence. Au fil de leurs expériences, les gens « se font » quelque chose : *vous vous faites étudiant*, vous vous faites athlète, parent, homme d'affaires. C'est alors ce que vous devenez et ce que vous êtes pour les autres. L'existence prime. Ensuite viennent vos qualités essentielles (être un étudiant, un parent, un athlète).

Pour résumer, on peut dire que l'existentialisme de Sartre comporte deux volets. Le premier est que les gens sont libres de choisir et donc responsables de leurs actes. Le deuxième volet est que l'existence précède l'essence, c'est-à-dire que l'individu fait d'abord l'expérience du monde et ensuite, par ses choix, se fait lui-même.

Avant de nous pencher sur l'évolution contemporaine de la psychologie existentialiste, il importe que vous, étudiant ou étudiante, vous posiez une question. Nous venons de voir l'un des fondements de la conception sartrienne de la nature humaine : les gens sont libres de choisir. Pour Sartre, une des caractéristiques de l'être humain est l'ensemble de capacités qui lui confère la liberté de choisir. C'est ce que Sartre croyait. La question à vous poser est la suivante : qu'en pensent les autres ? Qu'est-ce que d'autres théoriciens pourraient trouver à redire à cette affirmation sur la liberté ? Si vous réfléchissez un instant aux chapitres antérieurs, vous vous rendrez compte que Freud ne serait pas d'accord avec Sartre. Freud dirait que Sartre sous-estime l'influence des forces psychiques inconscientes que l'on ne maîtrise pas. Au chapitre 10, nous verrons que les psychologues béhavioristes sont également en désaccord avec Sartre. Ils maintiennent que l'expérience phénoménologique du libre arbitre est une illusion issue de l'influence de l'environnement (Skinner, 1971). Certains chercheurs contemporains en psychologie abondent dans leur sens et croient que la plupart des processus mentaux sont automatiques, c'est-à-dire qu'ils échappent à notre contrôle (Wegner, 2002). L'existence de processus automatiques, concluent certains, va considérablement à l'encontre des arguments existentialistes au sujet de la liberté et de l'autodétermination (Bargh, 2004). Nous reviendrons sur le sujet au chapitre 10. Pour l'instant, gardez à l'esprit que la question de la détermination de nos pensées et de nos actes par l'environnement plutôt que par soi-même est l'une des grandes controverses qui divisent les théoriciens au sujet de la nature humaine.

L'existentialisme expérimental contemporain

Peut-on étudier les questions soulevées par les existentialistes, comme la peur de la mort, à l'aide de méthodes empiriques ? Les études sur la conscience de la mort et la peur de la mort nous donnent un exemple particulièrement intéressant de ce type de recherche. Les existentialistes ont souvent affirmé que l'idée de la mort était au cœur de l'expérience humaine. Des psychologues existentialistes ont fait des expériences qui vont plus loin que les premières analyses philosophiques : à partir de cette idée générale (la conscience de la mort, la peur de la mort), ils ont posé une hypothèse vérifiable et précise. La *théorie de la gestion de la terreur* représente une avancée importante à cet égard (Greenberg, Solomon et Arndt, 2008 ; Solomon, Greenberg et Pyszczynski, 2004). La théorie de la gestion de la peur s'intéresse aux conséquences de deux réalités combinées : le désir de vivre de l'individu (que partagent tous les autres animaux) et la conscience de l'inéluctabilité de la mort (que seul l'humain possède). Selon la théorie de la gestion de la terreur, la conscience qu'a l'être humain de la mort le prédispose à l'angoisse de la mort. La question qui surgit est alors la suivante : comment les gens font-ils pour gérer cette peur ? Comment les gens font-ils pour donner un sens à leur vie en sachant que la mort est inévitable et qu'elle peut (en principe) survenir n'importe quand ?

D'après les théoriciens de la gestion de la terreur, une partie de la réponse réside dans les institutions sociales et culturelles ou dans les conceptions du monde. Ces institutions et ces visions du monde ont une fonction psychologique bien précise : nous protéger de la peur de la mort. Selon la théorie de la gestion de la terreur, les institutions culturelles donnent un sens à la vie (même lorsqu'on songe à l'inéluctabilité de la mort). De quelle façon ? En fait, la réponse exacte dépend de l'endroit du monde où vous vivez, les systèmes sémantiques variant d'une culture à l'autre. Voici néanmoins deux exemples pour mieux comprendre la théorie de la gestion de la terreur. Dans beaucoup de cultures, les institutions religieuses enseignent qu'il y a une vie après la mort (par exemple, un paradis et un enfer). Cette croyance dans la vie après la mort nous protège contre la peur de la mort. Même si une personne se sent terrifiée à l'idée de la mort, elle peut trouver du réconfort à penser que son âme survit.

Dans d'autres cultures, on fait valoir le fait que l'être humain est une petite partie d'un tout plus grand : la famille, la communauté, etc. (voir le chapitre 14). Et lorsqu'une personne meurt, les gens ont cette idée qu'elle continue de vivre à travers ses descendants. Selon la théorie de la gestion de la terreur, donc, ces pratiques sociales sont autant de ressources qui aident les gens à composer avec la peur de la mort.

Une autre hypothèse s'ensuit dans la théorie de la gestion de la terreur : une peur accrue de la mort, appelée *prépondérance de la mort*, inciterait l'être humain à se rapprocher de ses croyances culturelles et à en rejeter d'autres qui menacent sa vision du monde. La prépondérance de l'idée de la mort porterait l'être humain à mieux s'entendre avec ceux qui partagent ses croyances et à manifester de l'hostilité et du mépris envers ceux dont les croyances sont différentes ou menaçantes. Pour étudier empiriquement cette hypothèse, on doit pouvoir manipuler la prépondérance de la mort et observer les effets sur la disposition de l'individu envers ses propres croyances culturelles et celles des autres.

Dans diverses études, on a accru de différentes manières la prépondérance de la mort chez les participants. Par exemple, on a demandé aux participants de décrire les émotions qu'ils éprouvaient à l'idée de leur propre mort ou de noter par écrit ce qui leur arrivera lorsqu'ils mourront. Les participants ont visionné un film d'un terrible accident de voiture, ils ont rempli des grilles de mesure de l'angoisse de la mort et ils ont été exposés à des stimuli subliminaux sur la mort. Comme le prédit l'hypothèse, on a constaté que la stimulation de la prépondérance de la mort produit des effets sur l'individu, dont les suivants : tendance à se rapprocher des membres du groupe auquel l'individu appartient et à s'éloigner des membres de groupes différents du sien ; anxiété accrue à l'égard des attitudes blasphématoires à l'égard des icônes culturelles (comme le drapeau national ou les symboles religieux de quelqu'un) ; attitude agressive envers les personnes qui attaquent son orientation politique ; et dons de charité plus importants aux organismes caritatifs dont les membres de son groupe bénéficient. On a aussi constaté que la prépondérance de la mort émoussait le désir sexuel lorsque la personne considère les rapports sexuels davantage comme un comportement animal, mais qu'elle augmentait le désir sexuel lorsque la personne voit la sexualité comme un acte d'amour. Enfin, on a observé qu'une estime de soi élevée contribue à protéger la personne contre l'angoisse de la mort ; autrement dit, la stimulation de la prépondérance de la mort a plus d'effet sur les individus qui ont une faible estime de soi que chez ceux qui ont une bonne estime de soi.

En résumé, l'existentialisme est un mouvement philosophique que ses principaux thèmes définissent. Comme nous l'avons vu, quatre thèmes ressortent. Premièrement, les existentialistes veulent comprendre l'existence, la personne dans la condition humaine. Deuxièmement, les existentialistes s'intéressent à l'individu. Au lieu d'essayer de comprendre l'existence humaine en cherchant des principes théoriques abstraits, en étudiant les grands systèmes politiques ou sociaux, ou en faisant des spéculations métaphysiques sur l'univers et son origine, les existentialistes se concentrent sur les expériences vécues par l'individu. Troisièmement, les existentialistes mettent de l'avant la liberté de choisir dont l'être humain dispose et qui lui vient de sa capacité de réfléchir consciemment aux différentes possibilités qui s'offrent à lui. Quatrièmement, les existentialistes accordent beaucoup d'attention aux expériences phénoménologiques de l'angoisse et du désespoir (des sentiments de « crise existentielle ») que l'être humain peut vivre lorsqu'il pense à son isolement du monde, à son incapacité de donner un sens à sa vie ou à l'inéluctabilité de la mort.

THÉORIE ET RECHERCHE : LES OBSERVATIONS RÉCENTES

Les divergences entre les éléments du soi

Selon Rogers, rappelons-nous, les troubles psychologiques sont causés par une inadéquation entre le concept de soi et l'expérience réelle. Encore aujourd'hui, une grande partie de la recherche porte sur le rôle de cette inadéquation dans la détresse psychologique, à la différence que les études contemporaines s'intéressent généralement moins à l'inadéquation entre le soi et l'expérience, comme l'a fait Rogers, qu'à une autre inadéquation psychologique : celle entre les différents éléments du soi.

Le psychologue Tory Higgins (1999 ; Higgins et Scholer, 2008) a proposé une théorie particulièrement influente sur les divergences entre les éléments du soi. Higgins s'est penché sur la relation entre les aspects du concept de soi et l'expérience émotionnelle. Il a approfondi les travaux de Rogers en établissant une distinction entre deux aspects du soi futur d'un individu. Au soi idéal dont parlait Rogers, Higgins ajoute le soi obligé que tout individu a en lui. Contrairement au soi idéal porteur des espoirs de l'individu, de ses ambitions et de ses désirs, le soi obligé est affecté aux devoirs, aux responsabilités et aux obligations.

Selon la théorie de Higgins, l'inadéquation entre le soi réel et le soi idéal génère des émotions apparentées à l'abattement. Par exemple, si le soi idéal d'une personne est un premier de classe et que cette personne obtient des *C* dans un cours, elle sera déçue, triste ou même déprimée. Par comparaison, une inadéquation entre le soi et le soi obligé produira des émotions associées à l'agitation. Par exemple, si le soi obligé d'une personne est un premier de classe et que cette personne obtient des *C* dans son cours, elle se sentira probablement insécure, menacée ou anxieuse. La distinction entre le soi idéal et le soi obligé est donc importante dans la mesure où elle aide à distinguer deux types d'émotions issues du soi: les émotions apparentées à l'abattement (par exemple, la déception, la tristesse, la dépression) et les émotions apparentées à l'agitation (par exemple, la peur, la menace, l'anxiété).

Dans les expériences portant sur la théorie de Higgins, on demande aux participants comment ils sont réellement (leur soi réel) et comment ils aimeraient être idéalement (leur soi idéal). Les chercheurs évaluent ensuite la divergence entre les descriptions des participants. (Par exemple, si vous dites « en réalité je suis paresseuse » et « idéalement j'aimerais être vaillante », l'observateur notera une divergence.) L'hypothèse prédit que les individus présentant une importante divergence sont plus vulnérables aux expériences émotionnelles négatives. Dans une étude de référence, Higgins et ses collègues (1986) ont constaté que les personnes présentant une divergence marquée entre le soi réel et le soi idéal sont plus susceptibles d'être dépressives, tandis que les personnes présentant une divergence entre le soi réel et le soi obligé sont plus enclines à l'anxiété. Comme la théorie et les méthodes de recherche de Higgins sont étroitement liées à une théorie de la personnalité que nous verrons plus loin, en l'occurrence la théorie cognitive, nous reviendrons sur Higgins au chapitre 13.

Des études plus récentes effectuées par d'autres chercheurs donnent à penser que la relation entre ces divergences et l'expérience émotionnelle n'est pas fixe et qu'elle peut, au contraire, varier. Le degré de conscience qu'a l'individu en tout temps de ses divergences est un facteur important. Si quelque chose dans l'environnement social incite une personne à réfléchir sur elle-même, alors l'effet de la non-congruence des différentes parties du soi peut se faire sentir davantage. Phillips et Silvia (2005) ont testé cette idée dans une expérience toute simple qu'on utilise souvent dans la recherche sur le soi: un miroir. Le reflet du participant dans le miroir incite le participant à se concentrer sur lui-même. Dans cette expérience, certains participants ont rempli des questionnaires sur le concept de soi et l'expérience émotionnelle alors qu'ils étaient assis à une table en face d'un miroir. Dans un cadre expérimental différent, d'autres participants ont rempli les questionnaires, mais sans miroir. (Les observateurs avaient simplement retourné le miroir face contre le mur, de sorte que les participants ne voyaient que le dos du miroir.) Les chercheurs ont constaté que les divergences étaient davantage liées à l'expérience émotionnelle lorsque les conditions incitaient les participants à être très conscients d'eux-mêmes, c'est-à-dire lorsqu'ils se voyaient dans un miroir (Phillips et Silvia, 2005). Ces résultats montrent que, pour comprendre le rôle du concept de soi dans une expérience en psychologie, on doit tenir compte de tout facteur susceptible de polariser l'attention du participant sur lui-même.

Les fluctuations de l'estime de soi et la contingence de l'estime de soi

La conception du soi qu'avait Rogers suppose que l'individu possède un sentiment de sa valeur personnelle, ou estime de soi, relativement stable. Rogers estimait que la modification de l'estime de soi requérait des efforts systématiques, par exemple une thérapie centrée sur le client. Des études indiquent que les enfants, dès l'âge de quatre ans, conçoivent le sentiment de leur valeur personnelle et qu'entre l'âge de six et neuf ans, ils acquièrent leur estime de soi globale (Robins, Tracy et Trzesniewski, 2008). Certains auteurs pensent que l'estime de soi peut fluctuer bien davantage que ne le croyait Rogers. À ce sujet, les travaux de Jennifer Crocker et ses collègues (Crocker et Knight, 2005 ; Crocker et Wolfe, 2001) sont particulièrement instructifs.

Crocker et Wolfe (2001) s'intéressent à la « contingence de l'estime de soi ». Selon elles, l'estime de soi de l'individu dépend des événements positifs et négatifs. Ainsi, l'estime de soi augmente lorsqu'on obtient un *A+* dans un cours et il diminue lorsqu'on obtient un *F*. De la même façon, on se sent bien quand une personne qu'on a dans sa mire nous donne un rendez-vous galant et on se sent mal lorsqu'à l'inverse nous l'appelons et qu'elle pouffe de rire avant de nous raccrocher au nez. Ce sont ces succès et ces échecs qui constituent la **contingence de l'estime de soi**, c'est-à-dire la dépendance de l'estime de soi. Même lorsque l'estime de soi moyenne et habituelle d'une personne est relativement stable, elle peut fluctuer considérablement selon les événements positifs ou négatifs.

Outre cette fluctuation possible de l'estime de soi, les travaux théoriques de Crocker et Wolfe font ressortir le fait suivant : d'un individu à l'autre, un événement donné n'a pas la même force d'influence sur l'estime de soi. Ainsi, une personne peut ne pas s'en faire avec ses résultats scolaires parce qu'elle est tout absorbée dans ses relations amoureuses, tandis qu'une autre personne sera plutôt insensible à l'acceptation et au rejet de ses partenaires amoureux parce que ses résultats scolaires sont sa priorité. Chez ces deux personnes, la fluctuation de l'estime de soi se manifestera donc dans des situations différentes. « L'impact des événements » sur l'estime de soi d'un individu dépend « de la perception qu'a cet individu de la pertinence de ces événements par rapport aux facteurs dont dépend sa valeur personnelle » (Crocker et Wolfe, 2001, p. 594).

Crocker et ses collègues ont vérifié ces idées en examinant une situation particulièrement intéressante pour ceux et celles parmi vous qui envisagent de faire des études de deuxième cycle : les fluctuations de l'estime de soi chez les étudiants universitaires selon que leurs demandes d'admission dans un programme de deuxième cycle étaient acceptées ou refusées (Crocker, Sommers et Luhtanen, 2002). Les participants à cette étude devaient remplir un questionnaire servant à mesurer l'estime de soi et à évaluer l'affect positif et négatif. Ils remplissaient ce questionnaire deux fois par semaine à un moment fixe, puis chaque fois qu'ils recevaient un avis leur indiquant qu'ils étaient admis (ou non) dans un des programmes d'études convoités. Ces mesures ont permis aux chercheurs d'analyser les fluctuations de l'estime de soi. Au début de l'étude, on a évalué dans quelle mesure l'estime de soi de chaque participant dépendait de la réussite scolaire ; pour effectuer cette mesure, on a demandé aux participants d'indiquer le degré de regain qu'ils ressentaient dans leur estime de soi devant certains événements, par exemple l'obtention de bons résultats scolaires. En

procédant ainsi, les chercheurs ont pu vérifier l'hypothèse selon laquelle l'estime de soi fluctuerait selon les acceptations et les refus aux programmes d'études, mais uniquement chez les étudiants pour qui la réussite scolaire était un élément dont dépendait beaucoup l'estime de soi. L'étude a permis de confirmer l'hypothèse. Chez les étudiants dont l'estime de soi dépendait du rendement scolaire, l'estime de soi a augmenté ou diminué selon qu'ils étaient admis ou refusés dans les programmes d'études. Chez les étudiants qui valorisaient moins le rendement scolaire, les mêmes événements (admissions et refus aux programmes de deuxième cycle) ont eu peu d'effet sur l'estime de soi.

Les analyses de Crocker et ses collègues approfondissent de manière utile les analyses rogériennes du concept de soi : elles font ressortir les contextes sociaux particuliers qui contribuent non seulement à la qualité moyenne et habituelle de l'estime de soi mais aussi aux fluctuations de l'estime de soi qui font partie intégrante de la vie quotidienne des gens.

Terminons cette section sur une note qui ne manque pas d'intérêt : une haute estime de soi peut sembler une bonne chose, mais, étonnamment, elle n'est pas nécessairement liée à des mesures de résultats objectifs. Par exemple, l'estime de soi telle que la perçoit l'individu ne semble pas liée à la mesure objective de résultats tels que le rendement scolaire, la popularité auprès de ses pairs et le rendement professionnel (Baumeister, Campbell, Krueger et Vohs, 2003). L'estime de soi ne serait donc pas un bloc rattaché à toutes les formes de rendement ; il comporterait plutôt plusieurs segments, chacun se rapportant à un domaine particulier.

L'authenticité et les motivations intrinsèques

Les récentes études sur le concept d'authenticité dessinent une autre tendance dans la recherche apparentée aux concepts rogériens. L'authenticité correspond à un comportement qui concorde avec le soi, par opposition à un comportement qui s'inscrit dans des rôles factices, des fausses représentations de soi (Ryan, 1993 ; Sheldon, Ryan, Rawsthorne et Ilardi, 1997). L'une des idées principales de cette approche est la suivante : l'analyse des comportements observables de l'individu ne permet pas à elle seule de comprendre l'expérience humaine. On doit aussi explorer ce que l'individu éprouve intérieurement. Plus précisément, on doit se demander si l'individu sent que ses activités sont en accord avec son véritable soi (si

---

Contingence de l'estime de soi
Ensemble des événements positifs et négatifs dont dépend l'estime de soi.

l'individu est authentique, donc) ou si ce sont des activités de façade qui n'expriment pas qui l'on est véritablement.

Certes, nous avons tous vécu des moments où nous nous sommes sentis plus « authentiques » et d'autres où nous nous sommes sentis « faux » ou « imposteurs ». Existe-t-il des rapports entre l'authenticité ressentie dans la vie quotidienne, d'une part, et la satisfaction et le bien-être, d'autre part ? C'est effectivement le cas, comme l'ont montré certaines études. Les théories élaborées par les psychologues qui appartiennent à l'école humaniste et phénoménologique ont permis d'établir que l'authenticité est associée à un développement personnel plus complet. En plus de ce lien constaté avec le bien-être psychologique en général, on a observé que plus une personne sent qu'elle est vraie et qu'elle s'exprime avec authenticité dans une situation donnée, plus elle sera extravertie, aimable, consciencieuse et ouverte dans cette situation (Sheldon et coll., 1997). Autrement dit, le comportement d'une personne peut varier d'une situation à l'autre, mais la question est de savoir si elle se sent authentique et fidèle à elle-même aussi bien de manière générale que dans les situations particulières.

La notion d'authenticité relève aussi des *types* de buts que l'on cherche à atteindre. La personne vise-t-elle des objectifs qui cadrent avec ses intérêts réels et ses valeurs profondes, ou bien poursuit-elle des objectifs dictés par des sources extérieures ou par ses conflits, son sentiment de culpabilité et son anxiété (Ryan et Deci, 2008 ; Sheldon et Elliot, 1999) ? Ces deux attitudes contraires sont mises en évidence dans la théorie de l'*autodétermination* (Ryan et Deci, 2008 ; Sheldon et Elliot, 1999). Selon la théorie de l'autodétermination, les êtres humains ressentent naturellement le besoin d'agir de manière autonome et autodéterminée, de se livrer à des activités chargées de sens au lieu d'agir sous l'effet de la contrainte et de la force, qu'elles soient d'origine interne ou externe. Cette différence tient à au moins deux éléments cruciaux : d'une part, il faut déterminer si l'action est autonome et autodéterminée, ou bien si elle s'effectue sous l'emprise d'autrui et est réglée de l'extérieur ; d'autre part, il faut établir si l'action est librement choisie ou imposée. Une action engendrée par des sentiments de culpabilité et d'angoisse émanerait de la personne elle-même, mais elle serait imposée plutôt que librement choisie, ce qui n'autoriserait pas à la considérer comme une action autodéterminée. En somme, l'action autodéterminée est une action qui a lieu en raison de l'intérêt qu'elle présente pour l'individu ; elle est librement choisie.

Le fait que l'action soit engendrée par une motivation autodéterminée influe-t-il sur le comportement ? Des études effectuées récemment révèlent justement que les buts déterminés en toute autonomie incitent davantage aux efforts et à la persévérance que les buts engendrés par des pressions venant de l'extérieur ou par des sanctions d'origine interne telles que l'angoisse ou la culpabilité (Sheldon et Elliot, 1999). De plus, les buts autodéterminés et intrinsèques sont associés à la santé physique et au bien-être psychologique, à ce qu'on a démontré, alors que les buts forcés, extrinsèques et d'évitement n'entraînent que des effets nuisibles (Dykman, 1998 ; Elliot et Sheldon, 1998 ; Elliot, Sheldon et Church, 1997 ; Kasser et Ryan, 1996). Ainsi, on soutient que « si l'image de soi liée à ces buts ne représente pas le soi véritable ni ne concorde avec lui, l'individu peut être incapable de satisfaire ses véritables besoins psychologiques » (Sheldon et Elliot, 1999, p. 485). De façon plus générale, des études confirment l'hypothèse selon laquelle les gens font des progrès particulièrement importants au regard de leurs objectifs personnels lorsque ces objectifs concordent avec leur soi, c'est-à-dire lorsqu'ils s'inscrivent dans leurs valeurs personnelles plutôt que dans des valeurs imposées par autrui (Koestner, Lekes, Powers et Chicoine, 2002).

La théorie de l'autodétermination place les *besoins psychologiques fondamentaux* à la base de la nature humaine. Le besoin d'autonomie fait partie des besoins psychologiques fondamentaux ; les deux besoins avancés par cette théorie sont le besoin de se sentir compétent et le besoin d'appartenance. Le besoin de se sentir compétent a trait au sentiment d'être efficace dans ses actions. Le besoin d'appartenance renvoie au sentiment d'être en lien avec les autres et avec son milieu. La satisfaction de ces besoins psychologiques est associée au bien-être psychologique, comme l'estimait Rogers, ainsi qu'à de meilleures relations interpersonnelles. Dans un esprit étroitement apparenté à celui de Rogers et des psychologues existentialistes, Ryan et Deci estiment que « sur le plan existentiel, ce qui définit la vie d'un individu est la façon dont il la vit. Le bien-être, la santé mentale et le bien-vivre, c'est faire l'expérience de l'amour, de la liberté, de l'efficacité ainsi que de buts et de valeurs qui sont significatifs » (2008, p. 654).

D'un point de vue humaniste, les résultats de ces études ont beaucoup de sens. Il convient cependant de faire deux mises en garde. Premièrement, souvenons-nous que ce n'est pas le but en soi qui importe, mais ce qui motive la recherche de ce but. On peut souhaiter atteindre un objectif pour des raisons intrinsèques ou extrinsèques, ce qui permet de supposer que la réussite financière et l'engagement communautaire peuvent s'expliquer par l'une ou l'autre de ces motivations. Autrement dit, c'est la motivation qui importe, et il serait présomptueux de croire que le fait de connaître la nature d'un but suffit à nous éclairer sur les motivations de celui qui veut l'atteindre.

Deuxièmement, il faut se garder de supposer que ces rapports entre le but et la motivation s'appliquent à tous. En effet, une étude récente vient ajouter une composante culturelle indispensable à notre analyse en donnant à penser que ces rapports ne reflètent peut-être pas des motivations « inhérentes » aux êtres humains. Dans cette étude, on comparait des enfants américains de culture anglo-saxonne avec des enfants américains de culture asiatique en fonction de leur motivation intrinsèque relative lorsque les choix étaient effectués (1) par eux ou (2) par des figures d'autorité ou des pairs. Les enfants américains de culture anglo-saxonne faisaient preuve d'une plus grande motivation intrinsèque lorsqu'ils effectuaient leurs propres choix, alors que les enfants américains de culture asiatique affichaient une plus grande motivation intrinsèque lorsque les choix étaient faits par des figures d'autorité ou de pairs qui leur inspiraient confiance (Iyengar et Lepper, 1999). Il reste donc à déterminer dans quelle mesure l'autodétermination représente un besoin fondamental pour l'être humain. De manière plus générale, il est peut-être plus approprié d'utiliser le concept d'autoactualisation décrit par Rogers pour comprendre les gens qui vivent dans une culture occidentale, puisque c'est dans une telle culture que Rogers a formulé sa théorie.

Études interculturelles sur le soi

L'étude sur la motivation intrinsèque dont nous venons de parler et qui a été effectuée auprès d'enfants américains de culture anglo-saxonne et de culture asiatique soulève une question d'ordre général. Le psychologue Carl Rogers était américain. Il a fondé sa théorie sur des expériences cliniques avec des Américains. La majeure partie des études psychologiques portant sur les processus du soi qui ont été menées du vivant de Rogers l'ont été auprès de citoyens des États-Unis, du Canada ou de l'Europe occidentale. La question

qui se pose est donc la suivante : les travaux de Rogers nous donnent-ils un portrait universel de la nature humaine ou un portrait qui dépeint davantage les Occidentaux de pays industrialisés ? Il s'agit d'une question profonde dont les ramifications dépassent largement la théorie de la personnalité de Rogers. Toutes les théories sur la nature humaine sont, inévitablement, élaborées par des gens qui vivent dans un certain lieu, dans une certaine culture et à une certaine époque de l'histoire. On peut donc se demander si les théoriciens sont en mesure de dépasser les limites de leur situation personnelle pour parvenir à un cadre théorique qui engloberait tous les êtres humains, quels que soient la culture et le contexte historique.

Les différences culturelles dans le soi et dans le besoin de considération positive

La structure fondamentale du soi ainsi que le besoin d'un regard positif sur soi peuvent varier selon la culture (Benet-Martinez et Oishi, 2008 ; Heine, Lehman, Markus et Kitayama, 1999 ; voir le chapitre 14). Par exemple, une des différences distinctives entre les cultures orientale et occidentale est le degré auquel l'individu se sent lié aux autres (Markus et Cross, 1990). Dans les cultures orientales, les liens avec autrui font partie intégrante du concept de soi et il est impossible de comprendre l'individu si on le sépare du « soi collectif ». La conception orientale du soi se démarque de la conception qui domine au sein de la civilisation occidentale, où le soi est singulier et distinct des autres. Un des auteurs du présent ouvrage a eu l'occasion, lorsqu'il a enseigné à un groupe multiethnique à Hawaii, de constater une différence radicale entre les conceptions du soi des étudiants dans les cultures occidentale et orientale. Le plus frappant à cet égard était l'incompréhension qu'exprimait une de ces deux cultures lorsque des membres de l'autre culture exprimaient des choses au sujet du soi.

Les études donnent à penser que les valeurs préconisées par les cultures occidentale et orientale diffèrent, la première valorisant le rehaussement de l'estime de soi et la seconde valorisant les tendances psychologiques qui poussent à s'améliorer soi-même.

La culture et le soi

Encore récemment, dans l'histoire de la psychologie, on débattait pour savoir si c'était le « cerveau » ou la « culture » qui expliquait le comportement. Certains théoriciens estimaient que le comportement était dicté par les croyances et les habiletés acquises en société, tandis que d'autres attribuaient au système nerveux les commandes du comportement.

Le débat entre ces deux camps a abouti à une conclusion heureuse : tout ce beau monde avait raison. En effet, le cerveau a évolué en partie pour permettre à l'être humain d'acquérir les croyances et les habiletés de sa culture, et l'expérience culturelle, à son tour, façonne les « connexions » du cerveau en développement. Une étude portant sur un élément central de la personnalité, en l'occurrence le soi, nous donne un bon exemple de cette réciprocité.

Les gens apprennent à se connaître (à connaître leurs rôles dans la vie, leurs droits et leurs obligations, ce que cela signifie d'être une personne) à travers leurs interactions sociales et les pratiques de leur culture. Des études neuroscientifiques montrent que le cerveau garde des empreintes de ces expériences culturelles. Une des stratégies clés utilisées pour le prouver est de comparer l'activité cérébrale d'individus vivant dans des endroits du monde où les cultures sont notablement différentes.

Zhu et ses collègues (2007) ont ainsi comparé des étudiants universitaires de cultures orientales (la Chine) et occidentales (notamment l'Angleterre et l'Amérique du Nord). Ils ont pris des images du cerveau des participants en train d'accomplir la tâche suivante : pour chaque adjectif qui apparaissait sur un écran et qui décrivait un trait de personnalité (comme « brave », « puéril »), les participants devaient indiquer si c'était un mot juste pour (1) les décrire eux-mêmes ou (2) décrire leur mère. Le plan expérimental utilisait un seul et même groupe, de sorte que chaque participant portait un certain nombre de jugements sur lui-même et un certain nombre de jugements sur sa mère.

Lorsqu'ils ont analysé les images du cerveau, les chercheurs se sont concentrés sur une région antérieure appelée cortex préfrontal médial parce que des études ont montré que cette région est très active quand une personne porte des jugements sur elle-même. À l'instar d'autres études effectuées dans des cultures occidentales, les chercheurs ont fait l'observation suivante : chez les participants occidentaux, la région préfrontale médiale était très active durant la période des jugements sur soi, mais pas durant la période des jugements sur la mère. Chez les participants orientaux, c'était différent : chez les participants chinois, la région préfrontale médiale était active durant les deux périodes. Selon la conclusion des chercheurs, « en ce qui concerne l'activité de la région préfrontale médiale, la représentation de la mère chez les Chinois ne se différencie pas de la représentation du soi » (Zhu, Ziang, Fan et Han, 2007, p. 1314). Détail fascinant, la fusion du soi et de l'autre dont rend compte cette analyse d'ordre biologique fait écho aux résultats culturels d'une autre analyse, cette fois d'ordre psychologique, qui montre que le concept de soi chez les Orientaux comporte des liens psychologiques plus étroits avec les autres que chez les Occidentaux.

Une étude ultérieure a produit des données semblables au sujet de la culture et du cerveau. Dans cette étude auprès de participants américains et japonais, les différences dans les croyances culturelles des participants (plus précisément le degré auquel ces derniers s'estimaient liés avec les autres personnes de leur culture) ont permis de prédire le niveau d'activité de la région préfrontale médiale en fonction des jugements portés sur soi (Chiao et coll., 2009). Ici encore, donc, on a pu établir un lien entre les pensées d'ordre culturel et l'activité du cerveau.

Grâce à ce type de recherche, le sempiternel débat « nature-culture » tire à sa fin, et le nouveau savoir nous révèle peu à peu les interactions culturelles et biologiques qui façonnent la personnalité.

Comme nous l'avons vu, Rogers estimait que chaque être humain avait besoin de considération positive. Pour lui, l'acceptation inconditionnelle de l'individu, quels que soient ses défauts, était garante de la santé psychologique. Cette considération inconditionnelle donne à l'individu le sentiment qu'il est valorisé et important, et son absence peut l'empêcher d'avoir une estime de soi positive et le prédisposer à la détresse psychologique.

Cela dit, est-ce qu'il s'agit d'un besoin universel ? Si les processus psychologiques du soi sont semblables aux processus biologiques, alors la réponse est oui. Mais les processus psychologiques du soi ne sont peut-être pas comme les processus biologiques. La notion même du soi (la notion d'identité de l'individu, de son rôle dans la famille et dans la société, de ses objectifs et de sa raison d'être) est socialement acquise. On acquiert le concept de soi dans nos interactions avec les êtres humains qui font partie de notre famille, du groupe social et de la société dans son ensemble. Il est donc possible que certaines cultures *enseignent* à leurs membres à avoir besoin de considération positive ; une société qui valorise l'individu et les réalisations individuelles inculque peut-être à ses membres la croyance qu'ils doivent veiller à leur propre bien-être. Et d'autres cultures enseignent peut-être une façon de vivre différente qui, elle, n'a pas pour priorité la considération positive.

L'étude des différences entre les cultures japonaise et américaine fournit des résultats probants sur le fait que la nature et le fonctionnement de l'estime de soi varient d'une culture à l'autre. Heine et ses collègues (1999) ont passé en revue les données qui vont dans ce sens. Aux États-Unis, la plupart des gens indiquent avoir une estime de soi relativement élevée. Comme Rogers aurait pu le prédire, les gens semblent aspirer au maintien d'un concept de soi positif. Au Japon, cependant, on n'observe aucun signe de cette disposition, et autant de gens disent avoir une faible estime de soi qu'une haute estime de soi. Dans des sondages effectués aux États-Unis, les gens semblent inévitablement utiliser des stratégies psychologiques pour garder une bonne estime de soi. Par exemple, ils se compareront avec d'autres personnes qui ne réussissent pas bien, ils blâmeront les autres de leurs échecs personnels et ils réduiront l'importance qu'ils accordent aux activités qu'ils ne peuvent pas bien accomplir (recension par Brown, 1998). Cependant, Heine et ses collègues (1999, p. 780) « sont incapables de trouver, dans la littérature japonaise en psychologie, des indices clairs et constants qui révèleraient l'utilisation de stratégies de maintien de l'estime de soi ».

Heine et ses collègues (1999 ; voir aussi Kitayama et Markus, 1999 ; Kitayama, Markus, Matsumoto et Norasakkunkit, 1997) affirment que la culture japonaise prédispose à l'autocritique plutôt qu'à l'amélioration de l'estime de soi. Au Japon, l'autocritique assure une fonction personnelle et sociale très valorisée. Elle incite les gens à tendre vers une amélioration de soi potentiellement bénéfique à la fois pour l'individu et la société. Au Japon, donc, l'autocritique n'est pas « mauvaise » ni un signe de dépression ou de dévalorisation de soi. Elle est, au contraire, « bonne » : l'autocritique est une façon valorisée et fonctionnelle de s'intégrer à la culture environnante. À la lumière de ces différences, on peut mieux comprendre que l'autocritique et le sentiment d'un écart entre le soi réel et le soi idéal sont prédictifs de la dépression en Amérique du Nord,

alors que cette corrélation est moins forte au Japon (Heine et coll., 1999).

En somme, il semble que les cultures américaine et japonaise enseignent aux individus des manières différentes de s'évaluer soi-même. Si vous, lecteur ou lectrice, vivez en Amérique du Nord, alors vous êtes probablement enclin à recourir à des stratégies psychologiques qui vous aident à cultiver un concept de soi positif. Si un enseignant met une mauvaise note à un de vos travaux, vous en déduirez peut-être qu'il fait fausse route. Si un partenaire amoureux rompt avec vous, vous vous direz peut-être que cette relation n'était, après tout, pas très importante. Et si vous n'avez pas été admis à l'université de votre choix, vous pourriez vous dire que vous n'avez pas soigné suffisamment votre demande d'admission. Ces raisonnements sont fonctionnels dans le système culturel nord-américain, c'est-à-dire qu'ils vous permettent de conserver une bonne estime de vous-même dans une culture qui valorise le maintien d'une bonne estime de soi. Si vous vivez au Japon, toutefois, il y a de fortes chances pour que vos raisonnements tendent davantage vers l'autocritique. Vos réactions cadreraient ainsi avec une culture qui valorise l'amélioration personnelle continuelle. Ces différences que l'on constate dans la nature et le fonctionnement de l'autoévaluation et de l'estime de soi ressortent clairement sous l'éclairage de la recherche contemporaine, et Rogers ne les avait pas bien cernées lorsqu'il a formulé sa théorie de la personnalité et du soi.

L'ÉVALUATION CRITIQUE

Nous concluons cette section sur la théorie rogérienne par une évaluation critique, que nous effectuerons de la même façon qu'au chapitre sur l'approche psychodynamique, c'est-à-dire en évaluant dans quelle mesure la théorie de Rogers répond aux cinq critères indiqués au chapitre 1. Nous résumerons ensuite les principaux apports de cette théorie.

Les observations sont-elles scientifiques ?

Le premier objectif est d'avoir une théorie qui se fonde sur des observations scientifiques solides. À plusieurs égards, les observations scientifiques sur lesquelles Rogers a basé sa théorie sont plutôt admirables. Rogers, bien davantage que Freud, a veillé à l'objectivité de ses observations scientifiques. Un chercheur doit s'assurer que sa collecte de données est exempte de tout parti pris personnel. Rogers et ses collègues ont pris un certain nombre de mesures pour arriver à cette objectivité. Ils ont utilisé des techniques d'évaluation de la personnalité qui étaient objectives, comme le Q-sort. Ils ont employé des méthodes expérimentales pour savoir si la thérapie centrée sur le client était efficace. Même lorsqu'il travaillait sur des données issues d'entretiens cliniques traditionnels, Rogers a franchi un pas que jamais Freud n'avait franchi : il a autorisé la publication (avec la permission de ses clients) des transcriptions et des enregistrements de ses séances de thérapie. Les observateurs de l'extérieur pouvaient ainsi vérifier les rapports cliniques de Rogers.

À d'autres égards, les observations scientifiques de Rogers présentent des faiblesses à la lumière de la science contemporaine. Une de ces faiblesses réside dans le type de méthode qu'il utilisait pour évaluer la personnalité. Rogers comptait exclusivement sur des mesures explicites : ses clients et les participants de ses expériences fournissaient à propos de leur personnalité des éléments d'information issus d'introspections conscientes et exprimés dans un contexte non anonyme. Le problème, avec cette méthode, est que les gens, parfois, ne peuvent pas (ou ne veulent pas) mettre en mots certains aspects de leur personnalité. Il peut exister des caractéristiques de la personnalité que la personne n'exprime pas de manière explicite. Conscients du défaut de cette méthode, beaucoup de chercheurs contemporains utilisent des méthodes implicites pour mesurer le concept de soi. Ainsi, au lieu de se fier aux dires conscients et explicites de leurs participants, ils recourent à des mesures indirectes et subtiles, comme la vitesse à laquelle ils réagissent à certains mots ou certaines idées associés au concept de soi (Asendorpf, Banse et Mücke, 2002 ; Greenwald et coll., 2002). Ces mesures implicites donnent souvent de faibles corrélations avec les mesures explicites du concept de soi, ce qui donne à penser que les gens ont au sujet d'eux-mêmes des croyances implicites que ne révèlent pas les méthodes explicites avec lesquelles Rogers a travaillé. Autrement dit, les expériences phénoménologiques de Rogers ne tiennent pas compte des processus psychologiques cruciaux qui ont lieu en dehors de la conscience. Penseur très autocritique et donc conscient de cette faiblesse, Rogers disait que l'approche phénoménologique était utile et nécessaire en psychologie mais qu'elle n'était peut-être pas la seule qui soit valable (Rogers, 1964).

La diversité culturelle relativement faible de la base de données de Rogers constitue une deuxième faiblesse. Étonnamment, Rogers a accordé peu d'attention à l'existence possible de différences culturelles dans la structure du concept de soi. Les études contemporaines dont nous avons parlé dans la section sur la culture et le concept de soi donnent à croire que cette faiblesse compromet la théorie de Rogers.

La théorie est-elle systématique ?

Il est surprenant de constater qu'une bonne partie des travaux de Rogers est peu systématique. La plupart du temps, Carl Rogers écrivait dans un style impressionniste dépourvu de la rigueur logique qui caractérise la pensée scientifique traditionnelle. Toutefois, lorsqu'il a eu fini d'écrire sur le processus thérapeutique et qu'il a commencé à rédiger une théorie en bonne et due forme sur la personnalité, il est devenu beaucoup plus systématique (Rogers, 1959). Il a présenté sa théorie de la personnalité sous la forme d'un ensemble de propositions imbriquées systématiquement les unes dans les autres, avec pour résultat que les éléments différents de sa théorie sont raisonnablement intégrés les uns aux autres. En effet, Rogers ne se contente pas de montrer qu'il existe plusieurs types d'interactions parent-enfant, plusieurs types de concepts de soi et plusieurs types de détresse psychologique et d'état de bien-être. Il prend également la peine de décrire les interactions entre ces différents phénomènes. Par exemple, sa théorie explique comment les expériences de l'enfance influent sur le développement du concept de soi qui, à son tour, influe sur le bien-être émotionnel.

Le hic, c'est qu'une petite partie seulement de la théorisation de Rogers est systématique. Rogers a investi relativement peu d'efforts dans des explications qui auraient rendu sa théorie systématique. Un biographe a déjà fait remarquer que Rogers « hésitait, dès en partant, à formuler une théorie » et que, même après avoir commencé à élaborer sa théorie, « il hésitait encore et craignait d'accorder trop d'importance à sa propre formulation » (Kirschenbaum, 1979, p. 240). Rogers lui-même reconnaissait l'insuffisance de sa théorie. Commentant les propositions qui constituaient sa théorie, Rogers (1959, 1977, p. 232) se plaint de « l'immaturité de [sa] théorie... seule la description la plus générale peut définir... les relations fonctionnelles » et, idéalement, elle devrait être formulée avec une rigueur mathématique. En somme, Rogers a élaboré une théorie qui est systématique, mais moins systématique que d'autres théories abordées dans le présent ouvrage, ne serait-ce que parce qu'il a écrit une œuvre théoriquement moins formelle que d'autres auteurs.

La théorie est-elle vérifiable ?

Peut-on vérifier la théorie rogérienne à l'aide de méthodes scientifiques standardisées ? La réponse dépend des éléments théoriques que l'on veut vérifier. Dans certaines parties de ses travaux, Rogers a exposé des construits avec beaucoup de clarté et suggéré des méthodes d'évaluation de la personnalité qui pouvaient servir à mesurer ces construits. À cet égard, l'analyse qu'il a faite du soi réel et du soi idéal est remarquable. Il a formulé ces conceptions théoriques de façon limpide. Il a indiqué que le Q-sort était une méthode valable pour évaluer les aspects du concept de soi, avec pour résultat que sa théorie globale du concept de soi est vérifiable. De plus, le travail qu'il a accompli sur les conditions nécessaires au changement thérapeutique fait encore aujourd'hui partie des meilleurs travaux de recherche sur la démarche psychothérapeutique.

D'autres aspects de la théorie de Rogers sont beaucoup moins vérifiables. Pensons à son hypothèse voulant qu'il existe chez l'humain une tendance innée à l'autoactualisation. Comment vérifier cette hypothèse ? Comme nous l'avons fait observer au chapitre 5, les textes de Rogers au sujet de l'autoactualisation tiennent davantage de la poésie que de la science. Rogers ne donne pas de ce construit une définition claire susceptible d'orienter la recherche. Il ne fournit pas non plus de méthode d'évaluation objective pour mesurer le niveau d'autoactualisation d'un individu. Enfin, il ne propose que peu d'outils conceptuels pour comparer sa croyance, selon laquelle il n'existe qu'une seule motivation de l'autoactualisation, avec d'autres croyances, notamment celle voulant qu'il existe plusieurs motivations fondamentalement différentes jouant chacune leur rôle dans l'autoactualisation (la motivation de se comprendre soi-même, la motivation de comprendre le monde spirituel, la motivation d'avoir de la compassion pour autrui, etc.). Il est difficile de savoir quel type de données aurait prouvé, pour Rogers, qu'il existe plus d'une motivation de l'autoactualisation. Cet élément de sa théorie n'est ainsi pas vérifiable.

La théorie est-elle exhaustive ?

Lorsque nous avons passé en revue les théories de la personnalité, au chapitre 1, nous avons vu l'importance pour un théoricien d'élaborer un cadre théorique exhaustif. En psychologie, les théories abondent. Quelques-unes seulement ont la portée intellectuelle qui en fait des théories sur la personne entière, c'est-à-dire une théorie de la personnalité.

La première théorie dont nous avons parlé, celle de Freud, est remarquablement exhaustive. Il est difficile de trouver des questions auxquelles la théorie de Freud ne répond pas, directement ou indirectement, au sujet de la personnalité, du développement de la personnalité et des différences individuelles. On ne peut pas en dire autant de la théorie de Rogers. Pensons aux questions suivantes. En quoi notre rapport historique à l'évolution contribue-t-il à la description de la structure et du fonctionnement de la personnalité ? De quelle façon les états émotionnels influent-ils sur les processus cognitifs ? Si les gens ont une tendance innée à l'autoactualisation, alors pourquoi les pulsions sexuelles et agressives sont-elles si importantes dans l'expérience humaine ? Comment notre bagage génétique interagit-il avec les influences sociales au cours du développement ? Que répond Rogers à toutes ces questions ? Pas grand-chose, et c'est justement une des lacunes de la théorie de Rogers. Dans ce sens, de même que dans d'autres, sa théorie n'est pas exhaustive.

Si la théorie de Rogers est relativement peu exhaustive, c'est d'abord parce que ce psychologue a consacré beaucoup plus d'énergie au développement de thérapies individuelles et de groupe qu'à la théorie et à la recherche sur la personnalité. Mais on pourrait ajouter, aussi, qu'en étudiant essentiellement la dimension sociale de l'être humain (à l'instar d'autres penseurs phénoménologiques, humanistes et herméneutiques), Rogers a négligé sa dimension biologique. Car s'il est vrai qu'à certains moments l'être humain ne se sent pas bien à cause de sa perception de lui-même, à d'autres moments ce sont des facteurs biochimiques qui sont à l'origine de son état. Autrement dit, on peut se sentir anxieux parce que les événements ne cadrent pas avec la perception qu'on a de soi-même, mais on peut aussi se sentir anxieux en raison d'une perturbation physiologique qui n'a rien à voir avec le concept de soi (voir le chapitre 9). Il est difficile d'intégrer les aspects biologiques et sociaux de la nature humaine, et c'est parce que Rogers n'a pas réussi cette intégration que sa théorie est moins exhaustive que certaines autres présentées dans le présent ouvrage.

La théorie a-t-elle des applications ?

Rogers a eu une profonde influence sur la psychologie appliquée. Au moins trois aspects de sa thérapie centrée sur le client ont eu des effets durables sur la profession. Rogers a mis en valeur l'importance de la relation interpersonnelle entre le client et le thérapeute, tout en proposant des techniques pour établir cette relation. Il a

Rogers en un coup d'œil

Structure	Processus	Croissance et développement
Soi ; soi idéal	Autoactualisation ; congruence entre le soi et l'expérience ; incongruence (inadéquation), déformation et déni défensifs	Congruence et autoactualisation, par opposition à incongruence et attitude de défense

également contribué à l'élaboration de méthodes objectives pour déterminer l'efficacité d'une approche thérapeutique donnée. Enfin, et c'est peut-être là son plus grand apport, il traitait ses clients comme des personnes et non comme des patients. Au lieu de voir ses clients comme des patients aux prises avec une maladie mentale qu'il devait diagnostiquer, il les considérait comme des personnes aptes à se prendre en main et capables d'améliorer eux-mêmes leur vie en puisant dans leur motivation à l'autoactualisation. À l'heure actuelle, rares sont les figures en psychologie qui peuvent se targuer d'avoir apporté autant à leur discipline. Une des grandes forces de Rogers est d'avoir su mettre au point non seulement une théorie abstraite mais aussi des applications cliniques concrètes.

Principaux apports et résumé

Pour bien saisir l'ampleur des contributions de Carl Rogers à l'étude de la personnalité, il faut les remettre dans leur contexte historique. De nos jours, au XXIe siècle, le rôle du soi est un concept courant. Presque tous les psychologues de la personnalité reconnaissent que la structure et le fonctionnement de la personnalité relèvent en grande partie de processus cognitifs et affectifs qui sont associés au soi. Toutefois, c'était loin d'être le cas à l'époque de

Rogers. Lorsque Carl Rogers a commencé ses recherches, au milieu du XXe siècle, aucune des deux théories phares – la psychanalyse et le béhaviorisme – n'étudiait de près le rôle des processus du soi. Rogers et ses confrères des écoles phénoménologique et humaniste ont ainsi contribué à un virage très important dans l'histoire de la psychologie, virage qui a débouché sur l'étude d'aspects humains jusque-là négligés.

Concluons ce chapitre en résumant les forces et les faiblesses de Rogers (tableau 6.1). Nous vous encourageons à considérer ces forces et ces faiblesses à la lumière des théories que nous avons vues jusqu'à maintenant. Le travail de Rogers est unique en son genre et mérite admiration. Plus que tout autre, Rogers s'est efforcé d'aborder avec objectivité un sujet qui autrement revient à l'artiste :

> Vraiment, rien au monde n'a tant occupé mes pensées que mon moi, rien, autant que cette énigme que je vis, que je suis un, séparé de tous les autres, isolé, en un mot que je suis Siddhârta. Et il n'est pas une chose au monde que je connaisse si peu que moi-même, que Siddhârta !
>
> Source : Hesse, 1951, p. 40.

Tableau 6.1 | **Les forces et les faiblesses de la théorie de Rogers et de la phénoménologie**

Forces	Faiblesses
1. Porte sur des aspects importants de l'existence humaine qui sont négligés par beaucoup d'autres théories, dont le concept de soi et le potentiel de croissance personnelle.	1. Moins exhaustive que certaines autres théories ; étude insuffisante de la dimension biologique (plutôt que sociale) de l'être humain.
2. Propose des stratégies thérapeutiques concrètes qui se sont révélées efficaces pour produire un changement psychologique en thérapie.	2. Exclut certains phénomènes inconscients de la recherche et de l'étude clinique.
3. Introduit de l'objectivité et de la rigueur scientifique dans l'étude de processus difficiles à étudier touchant à la fois les relations interpersonnelles et l'expérience phénoménologique.	3. Ne tient pas suffisamment compte des différences qui peuvent exister d'une culture à l'autre ou d'une situation à l'autre dans la structure et le fonctionnement du soi et, donc, fournit peu d'outils pour mieux expliquer ces différences.

Pathologie	Changement	Étude de cas
Maintien défensif du soi ; incongruence	Climat thérapeutique : congruence, considération positive inconditionnelle et compréhension empathique	Mme Oak

RÉSUMÉ

1. Selon Rogers, la personne névrosée est un individu qui se trouve dans un état d'incongruence entre le soi et l'expérience. Les expériences qui sont en désaccord avec la structure du soi sont perçues inconsciemment comme menaçantes et peuvent être rejetées ou déformées.

2. La recherche dans le domaine de la psychopathologie s'est penchée sur l'écart entre les notions de soi et de soi idéal; elle s'est demandé dans quelle mesure l'individu désavoue ses sentiments ou reste imprécis à leur sujet.

3. Rogers s'intéresse d'abord et avant tout au processus thérapeutique. Le climat thérapeutique est considéré comme la variable déterminante de la thérapie. On estime que la congruence (l'authenticité), la considération positive inconditionnelle et l'empathie sont des conditions essentielles au changement thérapeutique.

4. Le cas de Mme Oak, que Rogers publie au début de sa carrière, illustre l'intérêt des entretiens enregistrés à des fins d'étude.

5. Les conceptions rogériennes relèvent de la perspective humaniste, qui met en évidence l'auto-actualisation et la réalisation des potentialités de chacun. Kurt Goldstein, Abraham H. Maslow et des existentialistes tels que Viktor Frankl appartiennent également au courant humaniste.

6. La recherche contemporaine sur des thèmes existentialistes tels que l'authenticité, les motivations intrinsèques et les différences culturelles dans la perception du soi ramifient la théorie rogérienne tout en remettant en question l'universalité de certaines motivations proposées par Rogers.

CHAPITRE 7

LA THÉORIE DES TRAITS DE PERSONNALITÉ:
les conceptions d'Allport, d'Eysenck et de Cattell

Un coup d'œil sur les théoriciens des traits de personnalité

La conception de la personne et la théorie des traits de personnalité

La science de la personnalité selon les théories des traits de personnalité

Les diverses théories des traits de personnalité: les postulats
et hypothèses communs

La théorie des traits de Gordon W. Allport (1897-1967)

Les principales dimensions des traits de personnalité: l'analyse factorielle

La théorie des traits fondée sur l'analyse factorielle de Raymond B. Cattell
(1905-1998)

La théorie des trois facteurs de Hans J. Eysenck (1916-1997)

Michel vient tout juste de terminer ses études et de commencer à travailler dans une ville qui lui est inconnue. Il se sent seul et désire rencontrer des gens. Après avoir un peu hésité, il décide de publier une petite annonce. Comment doit-il la rédiger? Quels traits de personnalité doit-il employer pour se décrire? Que pensez-vous de l'énumération suivante: «*Non conformiste, sensible, aimant s'amuser, heureux, ayant le sens de l'humour, aimable, mince, diplômé, 22 ans, cherche âme sœur sensée et dotée de qualités similaires*»? La personne qui aurait tous ces traits serait certes une perle rare!

Les caractéristiques de la personnalité qui sont énumérées dans l'annonce ci-dessus sont ce qu'on appelle des traits de personnalité, c'est-à-dire les caractéristiques psychologiques qui sont *constantes quel que soit le moment ou la situation*. Ainsi, on peut supposer que la personne qui se montre sensible et aimable aujourd'hui le sera également dans un mois. Ce chapitre porte sur les traits de personnalité, que l'on définit comme des dispositions générales à se comporter de manière particulière.

Nous examinerons dans ce chapitre trois théories et trois programmes de recherche qui s'efforcent de cerner les dimensions fondamentales des traits de personnalité. Deux de ces théories, celles de Hans J. Eysenck et de Raymond B. Cattell, tentent de cerner les *dimensions* fondamentales des traits de personnalité, c'est-à-dire les caractéristiques que tous les êtres humains possèdent à des degrés divers. Les deux programmes de recherche reposent sur une méthode statistique, l'*analyse factorielle*, pour déterminer quelles sont les différences les plus fondamentales entre les individus en ce qui concerne leurs traits de personnalité. Historiquement, ce courant a connu son heure de gloire dans les milieux américains et britanniques de la psychologie, et plus récemment dans les milieux européens de la psychologie de la personnalité. Une part de cette popularité est due au raffinement des méthodes de recherche analytique et à la relative solidité des résultats de recherche qu'elles procurent. Mais cette popularité est due également à la consécration de la théorie des traits par le sens commun: les théories scientifiques des traits de personnalité ont le charme de ce qui est intuitif parce que leurs unités d'analyse – les traits de personnalité – concordent bien avec des compréhensions simples, non scientifiques ou «populaires», de la personnalité humaine.

LE CHAPITRE...
EN QUESTIONS

1. De quelles façons les individus se différencient-ils les uns des autres quant à leurs sentiments, leurs pensées et leurs comportements? Combien faut-il de traits distincts pour décrire adéquatement ces différences de personnalité?

2. Est-ce que chaque personne possède des traits de personnalité qui lui sont propres ou existe-t-il des traits de

personnalité universels qui permettent d'établir une taxonomie des différences individuelles?

3. S'il est possible de définir l'individu en fonction de ses traits de personnalité, comment pouvons-nous expliquer la variabilité du comportement selon le moment et la situation?

Nous abordons maintenant une troisième façon de concevoir la personnalité, soit les théories des traits de personnalité. Celles-ci sont fort différentes des conceptions freudienne et rogérienne abordées dans les chapitres précédents. Nous constaterons que les différences ne concernent pas uniquement les propositions théoriques, mais également les données scientifiques sur lesquelles elles s'appuient.

Les théoriciens des traits de personnalité insistent sur le fait que la capacité de mesurer est un élément essentiel à toutes les sciences. Ainsi, dans les sciences physiques, les progrès ne sont survenus qu'après que l'on eut développé des outils pour mesurer précisément les phénomènes physiques. Si Galilée et Newton n'avaient pas disposé de données relativement précises pour mesurer le temps, la masse et d'autres caractéristiques physiques, ils n'auraient pu ébaucher leurs théories sur le mouvement des objets. Et si les physiciens contemporains n'avaient pas disposé d'instruments permettant de détecter la présence de particules subatomiques, ils en seraient réduits à faire des spéculations. On le voit : le progrès scientifique repose souvent sur des instruments de mesure précis.

L'approche de Freud et de Rogers contraste avec ce grand souci pour la mesure des concepts et de leur vérification scientifique. Freud n'avait recours à pratiquement aucune mesure objective. Il conclut à la présence de structures mentales d'intensités diverses sans recourir à des instruments pour les mesurer. Freud s'appuyait simplement sur des études de cas, qui laissent place à l'interprétation et sont dès lors plus subjectives. Rogers, toutefois, était plus conscient de l'importance des outils de mesure. Mais certaines de ses principales constructions théoriques (par exemple, le besoin d'autoactualisation) n'étaient pas étayées par des mesures objectives. Pour expliquer les diverses tendances à l'autoactusalisation, Rogers n'a jamais fourni de mesure permettant de quantifier les différences entre les individus ou les variations intra-individuelles. En considérant cette situation, les spécialistes de la théorie des traits de personnalité se sont demandé si ces pionniers ont réellement fait progresser la science. Leur réponse est simple : non. Le travail de « Jung et Freud… équivaut presque à un désastre sur le plan scientifique », affirme le théoricien Raymond B. Cattell (1965, p. 16-17). Pour l'étude de la personnalité, les théoriciens prônent donc une nouvelle approche qui permet de mesurer les caractéristiques psychologiques de manière aussi objective et fiable que pour l'étude des sciences physiques. Le présent chapitre et le chapitre suivant passent en revue les progrès qui ont été accomplis sur ce plan.

UN COUP D'ŒIL SUR LES THÉORICIENS DES TRAITS DE PERSONNALITÉ

Dans les chapitres précédents, nous avons abordé les perspectives théoriques en nous intéressant à l'œuvre des tout premiers théoriciens, soit Freud au chapitre 3 et Rogers au chapitre 5. Notre façon d'approcher la théorie des traits de personnalité sera différente, en raison de la nature même de ces théories et de ceux qui les ont élaborées. Ces théories en effet ne reposent pas sur une seule figure dominante, comme ce fut le cas dans les traditions psychodynamique et phénoménologique. Au XXe siècle, les fondements de la psychologie des traits de personnalité ont été établis par trois chercheurs dont le travail a été particulièrement important : Gordon W. Allport, Raymond B. Cattell et Hans J. Eysenck. Le présent chapitre fait état de leur contribution. Au XXIe siècle, la plupart des centres de recherche sur la personnalité adoptent une perspective théorique qui tient compte des principaux enseignements d'Allport, Cattell et Eysenck. Cette approche, connue sous le nom de modèle des cinq facteurs de la personnalité, fait l'objet du chapitre 8. Plutôt que de faire dès maintenant une courte biographie des trois chercheurs, nous avons préféré effectuer une brève présentation de chacun au début de la section qui lui est consacrée.

Bien que chacun de ces trois théoriciens ait apporté sa contribution personnelle, leur travail comporte de nombreux thèmes communs. On y trouve en effet une perspective cohérente pour étudier les traits de personnalité. Cette perspective vous semblera familière, car les principaux construits scientifiques que ces théoriciens ont ébauchés s'appuient sur une terminologie et des idées que nous utilisons dans notre vie quotidienne.

LA CONCEPTION DE LA PERSONNE ET LA THÉORIE DES TRAITS DE PERSONNALITÉ

Nous aimons tous parler de la personnalité. Nous pouvons passer des heures à discuter de la personnalité des gens : notre bougon de patron, notre colocataire négligent, notre professeur drôle et spirituel (espérons qu'il n'est pas bougon ou négligent). Nous affirmons même que notre chien est d'une grande loyauté ou que notre chat est paresseux. Lorsque nous parlons de la personnalité des êtres humains, nous parlons de **traits de personnalité** permettant de décrire leur façon d'être et d'agir. On croit généralement que les traits de personnalité sont les éléments de base de la personnalité. C'est aussi ce que pensent les chercheurs qui appartiennent au courant que nous étudions. Certes, la personnalité est bien plus qu'un simple ensemble de traits, mais ceux-ci ont été déterminants dans l'histoire de la psychologie de la personnalité.

Le concept de trait de personnalité

Qu'est-ce qu'un trait de personnalité ? Les traits de personnalité décrivent les modes stables et récurrents du comportement, des affects et de la pensée. Ainsi, dire de quelqu'un qu'il est « gentil », c'est affirmer qu'il a tendance à se comporter d'une manière aimable dans le temps (au fil des semaines, des mois, et des années) et dans diverses situations (avec ses amis, sa famille, les étrangers, etc.). De plus, en employant le mot *gentil* pour décrire une personne, nous signifions que cette personne est au moins aussi gentille que la moyenne des gens. En effet, si nous estimons qu'une personne est moins gentille que la moyenne des gens, nous ne la décririons certainement pas comme « gentille ».

Les traits de personnalité doivent présenter deux caractéristiques : ils doivent être constants et distinctifs. Par constants, nous entendons que le comportement d'une personne doit être caractérisé par ce trait de façon régulière. La personne semble donc prédisposée à agir en conformité avec le trait de personnalité. D'ailleurs, on dit souvent des traits de personnalité qu'ils sont des « dispositions » ou des « construits dispositionnels » (McCrae et Costa, 1999, 2008) pour exprimer qu'une personne semble prédisposée à agir d'une certaine façon. L'idée de disposition met en lumière un aspect important des traits de personnalité. Ainsi, si un théoricien dit d'une personne

Trait de personnalité

Disposition à agir d'une manière particulière, exprimée dans le comportement de l'individu dans un grand éventail de situations.

qu'elle est « sociable », il n'entend pas nécessairement que cette personne sera *toujours* sociable dans toutes les situations de la vie. Comme l'a souligné récemment le psychologue hollandais Boele De Raad (2005), les traits de personnalité renvoient implicitement au comportement de l'individu dans un certain contexte social. Le théoricien s'attend que la personne décrite comme « sociable » le soit de façon constante en présence d'autrui et dans des situations où ce comportement est socialement admis. On ne s'attend donc pas à ce que la personne soit « sociable » en présence d'un objet inanimé ou agisse de façon sociable lorsqu'une figure d'autorité lui ordonne de se comporter autrement.

Quant au mot *distinctif*, il signifie simplement que le théoricien des traits de personnalité s'intéresse aux caractéristiques psychologiques qui font que les individus sont différents les uns des autres. Les théoriciens s'intéressent donc aux traits qui déterminent des différences notables entre les personnes.

L'élaboration d'une théorie de la personnalité fondée sur les traits implique au point de départ l'adoption d'une certaine conception de la personne. Cette conception présuppose une grande constance dans la vie des individus. Cela dit, on peut aussi arguer que la vie sociale moderne est une vie de changements fréquents : les gens changent d'école ou de travail, se font de nouveaux amis, se marient, divorcent, se remarient et déménagent pour s'installer dans une autre ville ou parfois même un autre pays. Et l'on peut remplir plusieurs rôles en même temps : étudiant, employé, fils ou fille, parent et membre actif au sein d'une communauté. Quelles que soient les situations, les théoriciens des traits de personnalité s'appuient sur un élément essentiel : nous avons tous une personnalité, c'est-à-dire des caractéristiques psychologiques qui persistent en tout temps et en toute circonstance.

LA SCIENCE DE LA PERSONNALITÉ SELON LES THÉORIES DES TRAITS DE PERSONNALITÉ

Au début de ce chapitre, nous avons vu la place importante qu'occupe la science de la personnalité dans la plupart des approches en matière de traits de personnalité et comment la capacité de mesurer les traits de personnalité est d'un intérêt primordial pour les théoriciens. Pouvoir mesurer les traits de personnalité de façon fiable et valide constitue une étape cruciale dans l'élaboration d'une science de la personnalité.

On rejoint ici la conception traditionnelle de la science. Tant Freud que Rogers, eux, se sont permis d'élaborer des théories qui allaient bien au-delà des données disponibles. Ils ne disposaient d'aucun outil direct ou indirect pour mesurer la pulsion libidinale, la motivation à l'auto-actualisation, etc. Les théoriciens des traits du milieu du XXe siècle ont rejeté cette approche trop subjective et spéculative. Ils estimaient que la mesure et les données scientifiques devraient être à la base de la théorie et l'orienter. On ne devrait présumer d'une conception d'une structure de la personnalité que si et seulement si l'analyse statistique, s'appuyant sur des données provenant de mesures soigneusement conçues, semble confirmer l'existence de cette structure.

À quoi servent les traits de personnalité comme construits scientifiques

Sur le plan scientifique, une question fondamentale est celle-ci : « Pourquoi a-t-on élaboré les construits des traits de personnalité ? » En d'autres mots : « Quel rôle jouent les traits de personnalité dans une science de la personnalité ? » Les théoriciens utilisent les construits des traits pour remplir au moins deux et parfois trois fonctions scientifiques : la description, la prédiction et l'explication.

La description

Tous les théoriciens ont recours aux traits comme construits pour décrire la personnalité. Les traits de personnalité résument le comportement habituel d'une personne et décrivent comment est cette personne de façon générale. Puisque la description constitue la première étape essentielle de toute activité scientifique, les théoriciens des traits établissent d'abord les faits fondamentaux décrivant la personnalité, lesquels pourront ensuite être expliqués par n'importe quelle théorie de la personnalité.

La plupart des théoriciens ne cherchent pas à décrire chaque personne individuellement, mais plutôt à établir une classification descriptive générale à partir de laquelle tous les individus pourraient être décrits adéquatement. En d'autres mots, ils cherchent à établir une *taxonomie* de la personnalité. Dans toute science, la taxonomie sert à classer les objets d'étude. Puisque les construits des

traits font référence à des façons typiques d'appréhender le monde et d'agir, une taxonomie fondée sur les traits permet de classer les individus selon leurs caractéristiques particulières, soit leurs façons d'appréhender le monde et d'agir de façon générale ou habituelle dans certaines situations.

La prédiction

On peut se demander si cette taxonomie des traits de la personnalité a une utilité sur le plan pratique. Que peut-on déduire des données recueillies sur les traits de personnalité des individus ?

Depuis les toutes premières théories des traits de personnalité, une réponse s'est imposée : on peut ainsi faire des prédictions. On peut donc prédire que des individus qui possèdent un même trait de personnalité, mais à des degrés divers, agiront différemment dans leur vie de tous les jours. Par exemple, si l'on connaît l'autoévaluation que fait un étudiant de ses traits de personnalité, comme l'extraversion ou le caractère consciencieux, on peut prédire certaines caractéristiques de son environnement, notamment la décoration et le niveau de propreté de son bureau ou de sa chambre (Gosling, Ko, Mannarelli et Morris, 2002). Souvent, on peut aussi faire des prédictions qui revêtent une importante valeur pratique. Supposons par exemple que l'entreprise que vous dirigez doit embaucher de nouveaux employés et que vous voulez vous assurer qu'ils seront fiables et honnêtes. Comment savoir quels candidats répondront à vos attentes ? Une des façons d'obtenir de l'information pour établir vos prédictions serait de faire passer aux candidats des tests permettant de dégager leurs traits de personnalité. Les psychologues spécialisés dans les traits de la personnalité sont d'ailleurs très sollicités par les entreprises pour prédire le rendement des futurs employés (Roberts et Hogan, 2001).

L'explication

En plus de décrire et de prédire, la science doit expliquer. C'est même là le plus important défi de toute théorie scientifique, et la psychologie de la personnalité n'y échappe pas. Il importe de souligner que prédiction et explication sont deux notions totalement différentes (Toulmin, 1961). Par exemple, dans l'Antiquité, les Babyloniens pouvaient décrire et prédire les événements astronomiques comme les éclipses lunaires, mais ils n'avaient aucune explication scientifique du phénomène. Par contre, si Darwin a émis des hypothèses d'explication sur la façon dont les organismes vivants évoluaient en vertu des principes de la sélection naturelle, il a été incapable de prévoir la nature de cette évolution (Toulmin, 1961).

Certains théoriciens des traits de personnalité estiment que les traits de personnalité permettent d'expliquer les comportements d'une personne. Par exemple, on peut prédire qu'un étudiant arrivera à temps à ses cours et prendra consciencieusement ses notes de cours *parce que* cet étudiant possède à un niveau élevé le trait appelé caractère consciencieux. Mais tous les psychologues ne se risquent pas à recourir aux construits des traits pour remplir cette troisième fonction scientifique qu'est l'explication. Certains se contentent de décrire et de prédire. Pour eux, la taxonomie des traits de personnalité est comme une carte. Une carte géographique des continents et des océans du monde n'explique en rien pourquoi ils sont situés à un endroit précis. Pour trouver l'explication (par exemple, la théorie des plaques tectoniques), il faut poursuivre le travail scientifique. Cela dit, établir la carte est une étape cruciale du progrès de la science.

Comme on le verra dans le présent chapitre et au chapitre 9, certains psychologues passent directement de la description à l'explication en dégageant les facteurs biologiques sous-jacents à un trait de personnalité. Ainsi, entre un individu qui obtient un score élevé pour un trait de personnalité et un autre individu qui obtient un score faible pour le même trait, il pourrait y avoir des différences systématiques entre les systèmes nerveux et biochimiques de l'un et de l'autre (qui peuvent ainsi être interprétés comme la cause des degrés faibles et élevés des traits ainsi que des différences entre les comportements qui y sont associés). Cette hypothèse, que de nombreux spécialistes des traits de personnalité explorent, révèle un aspect important de la conception de la personne dans cette théorie : l'aspect biologique des traits. La plupart des théoriciens croient que les facteurs biologiques héréditaires constituent un des facteurs principaux expliquant les différences de traits de caractère entre les individus.

En somme, les théoriciens des traits ne s'entendent pas tous sur la fonction explicative que permettent les construits des traits de personnalité. C'est là un point qu'il faut se rappeler : il n'y a pas qu'une seule théorie des traits de personnalité. Toutes ces théories ont des points communs, certes, mais elles ne sont pas identiques et n'adoptent pas toutes la même perspective. La section qui suit examine les caractéristiques communes à la plupart des théories.

LES DIVERSES THÉORIES DES TRAITS DE PERSONNALITÉ : LES POSTULATS ET HYPOTHÈSES COMMUNS

On peut définir l'approche des traits par un ensemble de postulats et d'hypothèses partagés par les différents théoriciens des traits. L'hypothèse de base est que les individus possèdent des prédispositions, appelées traits de personnalité, qui les amènent à se comporter d'une certaine manière. En d'autres mots, on tient pour acquis que la personnalité se caractérise par la probabilité – stable – que les individus agissent, pensent et éprouvent des sentiments d'une manière déterminée (par exemple, la probabilité qu'ils soient extravertis ou amicaux, nerveux ou inquiets ou encore qu'ils soient fiables et consciencieux). On peut dire de celui qui manifeste une grande tendance à se comporter conformément à un de ces traits qu'il est fortement pourvu de ce trait, alors que celui qui a moins tendance à le faire sera décrit comme faiblement pourvu de ce trait. On dira de la personne qui est le plus souvent joviale qu'elle présente un niveau d'extraversion élevé, alors que celle qui est peu fiable ou distraite sera décrite comme ayant un faible niveau de caractère consciencieux. Malgré leurs divergences concernant la façon de déterminer les traits qui forment la personnalité humaine, les théoriciens conviennent tous que les traits en sont les composantes de base.

Selon une autre hypothèse, il y a une correspondance directe entre le comportement d'une personne et les traits de personnalité qu'elle possède. Les théoriciens estiment que les individus agissant (ou disant agir) de façon plus extravertie ou plus consciencieuse que la plupart des autres présentent un niveau plus élevé d'extraversion ou de caractère consciencieux. Cette observation peut sembler une évidence. Elle va pourtant à l'encontre d'une théorie que nous avons étudiée plus tôt, la théorie psychanalytique. Pour les psychanalystes, la personne qui affirme être « plus calme et plus à l'aise » que la moyenne des gens peut en réalité ne pas présenter les caractéristiques psychologiques d'une personne calme. Au contraire, elle peut présenter un tel niveau d'anxiété et réprimer celle-ci à un point tel qu'elle affirmera être une personne calme. Tout comme d'autres théories de la personnalité que nous étudierons plus loin dans ce livre, la psychanalyse affirme qu'il peut y avoir des relations très indirectes entre les comportements manifestes et les caractéristiques de personnalité sous-jacentes. En revanche, les procédures de recherche de la théorie des traits de personnalité tiennent

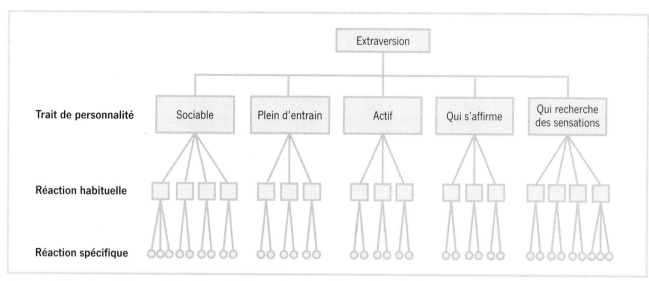

Figure 7.1 | **Représentation schématique de l'organisation hiérarchique de la personnalité : extraversion-introversion**

Remarquons que, des deux pôles de la dimension extraversion-introversion, seul le pôle *extraversion* est illustré.

Sources : Eysenck, 1970, 1990.

pour acquis qu'il existe une relation plus directe entre les comportements manifestes et les traits de personnalité sous-jacents. Ainsi, une personne qui, lors d'un test de personnalité, présente un faible degré d'un certain trait est considérée comme possédant ce trait à un faible degré.

Enfin, les théoriciens des traits sont également tous d'avis que les comportements humains et les traits de personnalité peuvent être organisés en une structure hiérarchique. Une organisation hiérarchique célèbre est celle de Hans J. Eysenck (figure 7.1), dont les travaux sont étudiés plus loin dans ce chapitre. Eysenck soutient qu'à son niveau le plus simple, le comportement se ramène à des réactions spécifiques. Cependant, certaines de ces réactions sont liées et forment des habitudes, lesquelles constituent une notion plus générale. Souvent, ces habitudes se présentent de manière concomitante et constituent ainsi des traits. Par exemple, les personnes qui préfèrent les rencontres à la lecture sont généralement les mêmes que celles qui s'amusent lors des fêtes animées ; on peut donc rattacher ces deux habitudes au trait de la sociabilité. Enfin, au plus haut niveau de la hiérarchie, on peut relier divers traits pour former ce que Eysenck appelle des facteurs de deuxième niveau, d'ordre supérieur, ou encore des **superfacteurs**. En somme, selon la théorie des traits de personnalité, l'individu possède des dispositions à réagir en général d'une certaine manière, la personnalité se caractérise par une organisation hiérarchique et le concept de trait peut servir de fondement à l'élaboration d'une théorie scientifique de la personnalité.

LA THÉORIE DES TRAITS DE GORDON W. ALLPORT (1897-1967)

Gordon W. Allport, psychologue de l'Université Harvard, est l'un des pionniers de la théorie des traits de personnalité et, de façon générale, de la psychologie de la personnalité. On se souviendra d'Allport en raison des questions qu'il a soulevées et des principes qu'il a mis de l'avant bien plus qu'à cause d'une conception en particulier. Au cours de sa longue et influente carrière, il a mis en évidence les éléments sains et le caractère organisé de la personnalité et du comportement humain. Il se démarque en cela d'autres courants qui mettent en évidence son aspect animal, névrosé, réducteur de tension et mécanique. À cet égard, Allport critiquait la psychanalyse et se plaisait à raconter l'histoire suivante. En voyage en Europe alors qu'il était âgé de 22 ans, il décide de rendre visite à Freud. Quand il pénètre dans le cabinet du fondateur de la psychanalyse, celui-ci reste silencieux en attendant de connaître le but de sa visite. Désarçonné par ce silence, Allport choisit de lancer la conversation en décrivant tout simplement le garçonnet de quatre ans qu'il a rencontré dans le train et qui semblait aux prises avec une phobie

Superfacteur

Facteur d'ordre supérieur ou de deuxième niveau, représentant un niveau d'organisation des traits plus élevé que les facteurs issus de l'analyse factorielle.

de la saleté. Lorsque Allport eut terminé sa description du petit garçon et de sa mère compulsive, Freud lui demande : « Et ce petit garçon, c'était vous ? » Voici comment Allport décrit sa réaction :

> Bien que sidéré et me sentant un peu coupable, j'ai trouvé le moyen de changer de sujet. Même si je trouvais amusante la méprise de Freud au sujet de ma motivation, j'ai commencé à réfléchir davantage. Je me suis rendu compte qu'il avait l'habitude de se trouver devant des mécanismes de défense névrotiques et que ce qui, à l'évidence, me motivait (une sorte de curiosité impolie mêlée d'ambition juvénile) lui avait échappé. Pour faire des progrès sur le plan thérapeutique, il lui aurait fallu venir à bout de mes mécanismes de défense, mais cela n'avait rien à voir avec la situation. Cette expérience m'a enseigné que la psychologie qui explore les profondeurs, malgré tous ses mérites, peut s'enfoncer trop profondément et qu'il vaudrait mieux que les psychologues considèrent sérieusement les motivations manifestes avant de sonder l'inconscient.
>
> Source : Allport, 1967, p. 8.

Un des aspects amusants de cette anecdote, c'est qu'Allport était en fait un homme méticuleux, ponctuel, soigné et ordonné ; il présentait donc de nombreuses caractéristiques associées, selon Freud, à la personnalité compulsive. En fait, la question que Freud avait posée n'était peut-être pas si hors de propos que le prétendait Allport !

Le premier texte d'Allport, rédigé en collaboration avec son frère aîné Floyd, porte sur le concept de trait en tant qu'aspect important de la théorie de la personnalité (Allport et Allport, 1921). Allport croit que les traits constituent les éléments fondamentaux de la personnalité. Selon lui, les traits prennent leur origine dans le système nerveux et leur existence ne fait aucun doute. Ils représentent des dispositions générales de la personnalité qui rendent compte de la régularité du fonctionnement, sans égard au moment ou au contexte. Les traits peuvent être définis par le biais de trois propriétés : la fréquence, l'intensité et l'éventail des situations. Une personne très soumise, par exemple, se comportera souvent avec une grande soumission dans toute une gamme de situations.

Trait cardinal

Concept élaboré par Allport et désignant une disposition si marquée et si envahissante dans la vie d'un individu qu'elle imprègne presque tous ses actes.

Les traits de personnalité : la structure de la personnalité selon Allport

Tableau 7.1 | **Des exemples de traits, d'états et d'activités**

Traits	État	Activités
Gentil	Passionné	Faire la fête
Autoritaire	Satisfait	Tempêter
Confiant	En colère	Fureter
Timide	Plein de vivacité	Lorgner
Astucieux	Excité	S'amuser

Source : Chaplin, W.F., John, O.P., & Goldberg, L.R. (1988). Conceptions of states and traits : Dimensional attributes with ideals as prototypes. *Journal of Personality and Social Psychology*, 54, 541-557. © American Psychological Association, reproduction autorisée.

Dans une analyse des caractéristiques de la personnalité aujourd'hui considérée comme classique, Allport et Odbert (1936) ont fait la distinction entre les traits de personnalité et d'autres éléments importants qui servent à étudier la personnalité. Ils ont défini les traits de personnalité comme « des tendances déterminantes, générales et personnalisées, des modes cohérents et stables d'adaptation à l'environnement » (1936, p. 26). Les traits de personnalité diffèrent donc d'une part de l'état et d'autre part des activités ; tous deux décrivent des aspects de la personnalité qui sont transitoires et provoqués par des circonstances externes. Chaplin et ses collègues (1988) ont repris des classifications d'Allport et d'Odbert et les ont réparties en trois catégories : les traits, les états et les activités. On trouvera au tableau 7.1 des exemples représentatifs pour chacune des trois catégories : ainsi, on peut être *gentil* toute sa vie, mais on n'est *excité* (état interne) habituellement que durant une période limitée et on sait que la plus agréable des *fêtes* à laquelle on participe aura une fin.

Après avoir établi une distinction entre l'état et les activités, voyons maintenant s'il existe différents types de traits de personnalité. Allport distingue les traits cardinaux, les traits centraux et les traits secondaires. Le **trait cardinal** exprime une disposition si marquée et si envahissante dans la vie d'un individu qu'elle influe sur presque tous ses actes. C'est pourquoi nous parlons d'une personnalité machiavélique en souvenir du prince si bien décrit par Machiavel à l'époque de la Renaissance, d'un individu sadique en souvenir du marquis de Sade et que nous qualifions d'autoritaire la personne qui a des opinions tranchées ou stéréotypées. La plupart des gens ne se différencient pas par des traits cardinaux. Quant aux

traits centraux (par exemple, l'honnêteté, la gentillesse, l'assurance), ils expriment des dispositions qui s'appliquent à un éventail plus restreint de situations que les traits cardinaux. Les **traits secondaires** représentent les dispositions les moins manifestes, les moins généralisées et qui s'expriment de façon moins consistante. Autrement dit, les personnes possèdent des traits de personnalité dont le degré d'importance et de généralité peut varier.

Allport n'a pas affirmé qu'un trait de personnalité se manifeste dans toutes les situations, quelles qu'elles soient. En fait, il reconnaît que « certains traits apparaissent souvent dans une situation et non dans une autre » (Allport, 1937, p. 331). Ainsi, même l'individu le plus agressif modifie son comportement si la situation exige qu'il se conduise d'une manière dénuée d'agressivité ; et même la personne la plus introvertie peut adopter un comportement extraverti dans certaines circonstances. Le trait s'applique au comportement *habituel* de l'individu dans la plupart des situations, et non à ce qu'il fera dans toutes les situations. Selon Allport, il faut tenir compte à la fois du trait et de la situation pour comprendre le comportement. Le concept de trait est indispensable pour rendre compte de la constance du comportement, tandis qu'il faut se référer à la situation pour expliquer la variabilité du comportement.

L'autonomie fonctionnelle : Il arrive parfois que l'on choisisse un type de travail pour une certaine raison, par exemple la sécurité d'emploi qu'il offre, et qu'ensuite on le conserve pour d'autres raisons, comme le plaisir que procure l'activité proprement dite.

L'autonomie fonctionnelle

Allport s'est non seulement intéressé à étudier les traits de personnalité stables, mais aussi les processus motivationnels. Il est ainsi connu pour avoir élaboré la notion d'**autonomie fonctionnelle** caractérisant les motivations humaines. Selon lui, même si les motivations d'un adulte peuvent provenir à l'origine du besoin de réduire la tension ressentie durant l'enfance, comme l'avait suggéré Freud, l'adulte dépasse cette motivation et s'en affranchit. Ce qui était à l'origine une tentative destinée à atténuer la faim ou l'angoisse peut se transformer en une source de plaisir et de motivation nouvelle indépendante de ce qu'elle était au début. L'activité conçue au départ comme un gagne-pain peut devenir agréable et constituer une fin en soi. Le travail acharné et la quête d'excellence, nés du désir de recevoir l'approbation des parents et d'autres adultes, peuvent devenir des objectifs prisés indépendamment de la valeur que leur accorde autrui. Ainsi, « ce qui était à l'origine extrinsèque et déterminant devient intrinsèque

et incitateur. L'activité était auparavant au service d'une pulsion ou d'un besoin quelconque ; elle est maintenant à son propre service ou, pour s'exprimer d'une manière plus large, elle est au service de l'image de soi (le soi idéal) de l'individu. Ce n'est plus l'enfance qui tient les rênes, c'est la maturité » (Allport, 1961, p. 229). Bien sûr, ceci distingue Allport de Freud, pour qui le comportement de l'adulte était déterminé par les pulsions de la petite enfance, dont les forces perdurent tout au long de l'âge adulte.

La recherche idiographique

Enfin, Allport est bien connu pour avoir mis l'accent sur la singularité individuelle. Contrairement à d'autres théoriciens des traits que nous verrons plus loin, Allport a adopté principalement une approche idiographique dans ses recherches. Comme nous l'avons expliqué au

Trait central

Concept élaboré par Allport pour désigner une disposition à se comporter d'une manière donnée dans un éventail de situations.

Trait secondaire

Concept élaboré par Allport pour désigner une disposition à se comporter d'une manière donnée dans un nombre restreint de situations.

Autonomie fonctionnelle

Concept élaboré par Allport, selon lequel la motivation peut se détacher de ses origines infantiles ; chez les adultes, notamment, la motivation peut s'affranchir de son premier objectif, qui était de réduire la tension.

chapitre 2, la stratégie idiographique met l'accent sur ce qui est potentiellement unique chez chaque personne. L'étude approfondie d'individus particuliers permet d'accroître les connaissances dont nous disposons au sujet de l'être humain en général. Cette approche contraste avec celle d'autres théoriciens des traits, qui ont généralement adopté une approche nomothétique en vertu de laquelle un très grand nombre d'individus sont étudiés et décrits selon un ensemble de traits universels et communs à tous les individus.

La procédure idiographique analyse du matériel provenant de cas particuliers. Par exemple, Allport a publié 172 lettres rédigées par une femme, correspondance dont il s'est servi pour se livrer à une interprétation clinique de sa personnalité ainsi qu'à une analyse quantitative. Ce type de recherche idiographique permet de dégager les thèmes récurrents et l'organisation des multiples traits chez un individu singulier plutôt que le positionnement de ce dernier, relativement aux autres, en ce qui concerne des traits communs à tous.

Commentaire sur Allport

Allport est vénéré par plusieurs spécialistes de la psychologie de la personnalité. Dans la biographie qu'il lui a consacrée, Nicholson (2002) souligne sa contribution à la psychologie des traits de personnalité, et met aussi en évidence son rôle dans l'émergence de la psychologie de la personnalité comme discipline scientifique. Cela dit, sa contribution sur le plan empirique fut limitée. Allport a clarifié le concept de trait de personnalité, mais a peu fait de recherches pour en établir l'utilité. Il croyait que de nombreux traits étaient héréditaires, mais n'a pas tenté de corroborer cette hypothèse. Il a documenté le fait que les individus adoptent des modèles de comportement en fonction de leurs traits de personnalité distinctifs et que ces traits se manifestent selon le contexte situationnel, mais il n'a pas exploré en détail les processus susceptibles d'expliquer ses observations (Zuroff, 1986).

De plus, l'approche idiographique qu'a adoptée Allport s'est en quelque sorte retournée contre lui. Certains estimaient en effet qu'elle était peu scientifique et que l'étude des idiosyncrasies individuelles allait à l'encontre de l'approche scientifique qui cherche à établir des lois générales. A posteriori, c'est là une mauvaise lecture de la recherche idiographique à laquelle s'est consacré Allport. Pour élaborer une véritable science de l'être humain, il peut être nécessaire d'étudier certains individus particuliers de façon détaillée. Les stratégies idiographiques peuvent contribuer, et non pas nuire, à la connaissance globale des êtres humains. Tout comme Freud, Allport a reconnu que l'étude détaillée des individus peut aider à dégager les principes généraux opérant à travers l'ensemble des cas individuels. Les spécialistes des autres sciences humaines le reconnaissent, d'ailleurs. Par exemple, le célèbre anthropologue Clifford Geertz, qui a étudié en profondeur les systèmes de représentation des cultures, est arrivé à la conclusion que «la route vers le général, vers les simplicités révélatrices de la science passe par le particulier, le circonstanciel, le concret» (Geertz, 1973, p. 53).

L'approche idiographique n'est toutefois *pas* celle qu'ont adoptée la plupart des autres théoriciens des traits de personnalité. Ceux qui ont suivi Allport y ont accordé peu d'attention. Au contraire d'Allport, ils ont plutôt étudié des grands groupes d'individus et tenté de dégager les principales différences entre eux.

Avant d'aborder ces autres théories, nous examinerons d'abord le principal problème auquel doivent faire face les théoriciens des traits de personnalité et auquel nous prêterons attention dans le présent chapitre et au chapitre 8, puis nous nous familiariserons avec l'outil statistique que ces théoriciens ont mis au point pour résoudre ce problème, soit l'analyse factorielle. Nous nous tournerons ensuite vers les théories de Raymond B. Cattell et Hans J. Eysenck.

LES PRINCIPALES DIMENSIONS DES TRAITS DE PERSONNALITÉ : L'ANALYSE FACTORIELLE

À l'exception d'Allport, les théoriciens de la personnalité ont cherché à dégager un ensemble de traits de personnalité communs à chacun d'entre nous à divers degrés. Sur le plan physique, nous sommes plus ou moins grands, plus ou moins gros, plus ou moins jeunes, etc. La taille, le poids et l'âge sont donc des dimensions universelles qui servent à décrire chacun de nous. De la même manière, pourrait-on dégager, sur le plan psychologique, des dimensions universelles permettant de décrire les caractéristiques de la personnalité de tous les êtres humains ? C'est là une quête scientifique qui a profondément marqué l'histoire des théories des traits de personnalité.

Le défi est de taille parce qu'il semble exister une infinité de traits de personnalité. Certaines personnes sont distraites, d'autres sont de commerce agréable, d'autres sont agressives et d'autres encore sont antagoniques ou raisonneuses. Il y a tant de traits de personnalité ! Comment est-il possible de dégager un ensemble de traits de base qui soit à la fois simple et complet ?

La clé de la solution à ce problème consiste à regrouper les traits qui se manifestent habituellement ensemble. Sur le plan physique, par exemple, on relève également une infinité de caractéristiques : la longueur du bras droit, la longueur du bras gauche, la longueur de la jambe droite et la longueur de la jambe gauche, la longueur des doigts, etc. Nous savons que toutes ces caractéristiques sont liées et dès lors, nous les réunissons toutes dans une catégorie générale : la taille (ou la longueur). En effet, la longueur de chaque partie du corps n'est qu'une manifestation d'un même phénomène : la taille générale d'une personne.

Le même raisonnement s'applique aux traits de personnalité. Reprenons l'énumération des traits de personnalité que nous avons faite quelques paragraphes plus haut. Il est fort peu probable que l'individu extrêmement raisonneur et extrêmement agressif soit également une personne extrêmement altruiste ou de commerce extrêmement agréable. Intuitivement, nous savons que certains traits se manifestent ensemble, ce qui laisse supposer qu'ils seraient en fait la manifestation d'un trait plus fondamental qui en englobe plusieurs. Dès lors, la question se pose : Comment dégager ces traits fondamentaux ? On ne peut évidemment se fier à la seule intuition. Il nous faut trouver un outil qui permette d'établir la structure de base de la personnalité.

Les théoriciens se sont donc tournés vers les méthodes statistiques et ont conçu l'**analyse factorielle**. Il s'agit d'un outil statistique qui permet de regrouper les nombreux traits qui sont en corrélation. Comme nous l'avons vu au chapitre 2, une corrélation est un indice qui mesure le degré de liaison entre *deux* variables. S'il n'y avait que deux variables à analyser pour établir un modèle des traits de personnalité, il suffirait d'appliquer la technique des corrélations. Mais les théoriciens doivent étudier un *grand nombre* de variables et donc établir des milliers de corrélations entre des paires de variables. L'analyse factorielle est une méthode statistique qui permet d'établir des modèles à partir d'une quantité énorme de corrélations. Idéalement, l'analyse factorielle permettra de dégager un petit nombre de facteurs qui résument les corrélations entre un grand nombre de variables.

Dans une analyse factorielle typique, un grand nombre d'énoncés d'un test sont administrés à un grand nombre de participants. Il est inévitable que des corrélations positives s'observent entre certains de ces énoncés. Dès lors, les sujets qui répondent d'une certaine manière à un énoncé (par exemple, « J'assiste fréquemment à des fêtes bruyantes »), répondront de la même manière à un autre énoncé (par exemple, « J'aime passer du temps dans un endroit où se trouvent un grand nombre de personnes »). Il existe aussi des corrélations négatives. Ainsi, à l'énoncé « Si j'ai le choix, je préfère rester à la maison plutôt que sortir le soir », on peut penser que celui qui a répondu oui aux deux énoncés précédents répondra non à celui-ci. En principe, on peut ainsi établir une corrélation entre de grands groupes d'énoncés, et ces groupes sont liés au facteur sous-jacent, c'est-à-dire l'élément fondamental qui assure la corrélation entre tous les énoncés du groupe (de la même façon que, dans l'exemple précédent, il y a corrélation entre la longueur des jambes, des bras et des autres parties du corps). L'analyse factorielle établit ces modèles, groupes ou corrélations. L'analyse factorielle, donc, permet de synthétiser l'information contenue dans un vaste tableau de corrélations et de déterminer un petit groupe de facteurs où chaque facteur constitue un ensemble de corrélations.

Techniquement, ces facteurs constituent un résultat mathématique. L'analyse factorielle est en effet une méthode statistique et elle n'a rien à voir avec la psychologie. Mais les psychologues utilisent leurs connaissances de la personnalité humaine pour attribuer à ces facteurs une signification qui exprime le contenu psychologique de base des éléments faisant l'objet de l'analyse et qui sont en corrélation. Dans l'exemple précédent portant sur les fêtes bruyantes, les grands groupes, etc., l'analyse factorielle permettrait de faire ressortir un facteur mathématique qui représente la corrélation entre les divers énoncés et que le psychologue désignera comme étant la « sociabilité ».

L'analyse factorielle est un élément essentiel de la théorie des traits de personnalité. C'est l'outil qui permet d'établir les structures de la personnalité. Pour la plupart des théoriciens des traits, les facteurs qui résultent de

Analyse factorielle

Méthode statistique utilisée pour déterminer les variables ou les réponses aux questionnaires qui sont en corrélation. Servant à élaborer les tests de personnalité, elle est employée dans la théorie des traits (p. ex., chez Cattell, Eysenck).

l'analyse factorielle constituent les structures de la personnalité. Lorsqu'une analyse factorielle distingue six facteurs mathématiques qui résument les corrélations entre les traits de personnalité étudiés, le psychologue désignera ces six éléments comme formant la « structure de la personnalité ».

Le recours à l'analyse factorielle pour établir la structure de la personnalité offre des avantages importants comparativement aux méthodes utilisées par les théoriciens d'autrefois. Des spécialistes comme Freud, Jung ou Rogers s'appuyaient fortement sur leur intuition. À partir de leurs observations cliniques, ils élaboraient des structures de la personnalité susceptibles d'expliquer les comportements de leurs patients. Mais l'intuition humaine n'est pas infaillible (Nisbett et Ross, 1980). Et plutôt que de se fier à leur intuition pour établir les structures de la personnalité, les théoriciens des traits comptent sur un outil statistique objectif, l'analyse factorielle.

Cette méthode statistique permet de découvrir les patrons de covariation des réponses aux énoncés faisant l'objet de l'analyse. Elle n'explique toutefois pas pourquoi les réponses covarient. C'est le chercheur qui, grâce à ses connaissances de la psychologie et en accord avec ses croyances théoriques, infère l'existence d'une entité commune (le facteur) et l'interprète. Cette interprétation peut varier d'un psychologue à l'autre. Ainsi, certains chercheurs contemporains arrivent à la conclusion que l'extraversion s'explique par une sensibilité à la récompense, c'est-à-dire que l'extraverti est essentiellement motivé par la recherche d'une récompense positive associée à des buts poursuivis (Lucas, Diener, Grob, Suh et Shao, 2000). D'autres, qui utilisent des méthodes corrélationnelles et d'analyse factorielle semblables, arrivent plutôt à la conclusion que l'extraversion est essentiellement motivée par le besoin de recevoir de l'attention sociale ; les extravertis désireraient en fait être l'objet de l'attention d'autrui (Ashton, Lee et Paunonen, 2002).

Trait de surface
Dans la théorie de Cattell, comportement qui semble aller de pair avec d'autres sans toutefois se trouver en corrélation avec eux.

Trait de source
Dans la théorie de Cattell, comportement qui varie de façon concomitante, qui forme une dimension indépendante de la personnalité et que l'analyse factorielle permet de découvrir.

Le nombre et la nature exacte des facteurs qu'un chercheur dégage sont en partie le fruit de décisions subjectives sur la conduite de l'analyse. L'analyse factorielle comprend un ensemble complexe de techniques. Elle ne constitue pas que l'application d'un simple algorithme mathématique et le chercheur doit donc faire des choix sur les procédures à suivre. Voilà pourquoi, comme nous le verrons maintenant, des chercheurs qui ont recours à l'analyse factorielle dégageront un nombre différent de facteurs dans leurs théories de personnalité.

LA THÉORIE DES TRAITS FONDÉE SUR L'ANALYSE FACTORIELLE DE RAYMOND B. CATTELL (1905-1998)

Raymond B. Cattell est né dans le Devonshire, en Angleterre. Il obtient un baccalauréat en chimie de l'Université de Londres en 1924, puis se tourne vers la psychologie et obtient un doctorat de la même université en 1929. Avant de s'établir aux États-Unis en 1937, Cattell a mené plusieurs études portant sur la personnalité et il a acquis une expérience clinique en Grande-Bretagne. Il a passé l'essentiel de sa carrière à l'Université de l'Illinois, où il fut professeur et directeur du Laboratoire d'évaluation de la personnalité. Auteur prolifique, il a publié plus de 200 articles et 15 livres. Cattell s'impose comme l'un des psychologues scientifiques les plus influents du XXe siècle (Haggbloom et coll., 2002).

Au début de sa carrière, Cattell s'est intéressé à la technique, ce qui était une nouveauté à l'époque, de l'analyse factorielle. Il en a tout de suite exploité le potentiel. Grâce à sa formation de chimiste, Cattell connaissait l'importance d'avoir une taxonomie des éléments de base, un peu comme le tableau périodique des éléments que l'on trouve dans les sciences physiques. Cattell était d'avis que l'analyse factorielle permettait de dégager un ensemble d'éléments psychologiques de base qui constituerait le fondement de la psychologie de la personnalité.

Les traits de surface et les traits de source : la structure de la personnalité selon Cattell

Cattell a établi une distinction conceptuelle entre deux types de traits parmi la multitude de traits existante. Cette distinction, qui a trait aux comportements, permet de dégager les **traits de surface** et les **traits de source**.

À cet égard, Cattell s'appuie sur l'idée qu'il existe des relations hiérarchiques entre les divers construits de traits. Les traits de surface représentent des tendances comportementales qui se manifestent à un niveau superficiel. Ils existent « en surface » et peuvent donc être observés. En analysant les modèles de corrélations entre un grand nombre de traits de personnalité, Cattell a réussi à distinguer environ 40 groupes de traits qui présentent un niveau élevé de corrélations. Pour Cattell, chaque groupe représente un trait de surface.

Cela dit, le psychologue ne se contente évidemment pas de décrire les comportements de surface des gens. Il cherche aussi à cerner les structures sous-jacentes aux comportements observables. À cette fin, Cattell a aussi tenté de faire ressortir les traits de source, c'est-à-dire les structures psychologiques internes qui constituent la source, ou la cause sous-jacente des corrélations observées entre les traits de surface.

Dans le but de comprendre comment fonctionne cette cooccurrence de traits, Cattell a eu recours à l'analyse factorielle. Il a mis au point des instruments pour mesurer de façon systématique les traits de surface et a utilisé ces outils sur un grand nombre de personnes, puis, par analyse factorielle, il a pu déterminer les corrélations entre les traits de surface. Dans le système établi par Cattell, les facteurs (c'est-à-dire les dimensions mathématiques révélées par l'analyse factorielle) qui résument les corrélations entre les traits de surface sont les traits de source. Selon la théorie de la personnalité de Cattell, ces traits de source constituent les structures de base de la personnalité humaine.

Alors comment peut-on définir ce qu'est un trait de source ? Cattell a répertorié 16 traits de source et les a groupés en trois catégories : les traits d'aptitude, les traits de tempérament et les traits dynamiques. Les **traits d'aptitude** désignent les capacités et les aptitudes qui permettent à l'individu d'agir avec efficacité. L'intelligence constitue un exemple de trait d'aptitude. Les **traits de tempérament** renvoient à la vie affective et au style de comportement habituel. La tendance à travailler rapidement ou lentement, à se montrer en général calme ou émotif, à agir après avoir réfléchi ou impulsivement est liée aux traits de tempérament. Enfin, les **traits dynamiques** se rapportent aux types de motivation qui poussent les gens à agir. Les gens qui sont plus ou moins motivés selon les contextes diffèrent quant à leurs traits dynamiques. On considère que les traits d'aptitude, les traits de tempérament et les traits dynamiques captent les éléments stables les plus importants de la personnalité.

La source de confirmation empirique : données-L, données-Q et données-T

Comment Cattell s'y est-il pris pour dégager ces traits de source ? Sur quelles données scientifiques s'est-il appuyé ? L'une des grandes qualités du travail de Cattell est d'avoir utilisé *plus d'une source* de données. Il s'est appuyé sur trois types ou sources de données sur la personnalité, et la science de la personnalité a abondamment profité de ces trois sources bien distinctes.

Les trois types de données utilisées par Cattell vous sembleront familiers, car ils se rapprochent de la classification que nous avons étudiée au chapitre 2. Cattell fait une distinction entre (1) les **données biographiques (données-L)**, (2) les **données provenant de questionnaires** autorapportés (données-Q) et (3) les **données fournies par les tests objectifs** (données-T).

Le premier type de données, les données-L (biographiques), se rapportent au comportement tel qu'il s'exprime par exemple dans le rendement scolaire ou les contacts avec les pairs. Il peut s'agir de la compilation de la fréquence des comportements manifestés ou d'évaluations de ces comportements par un observateur externe. Le deuxième type, les données-Q provenant de

Trait d'aptitude, trait de tempérament et trait dynamique

Dans la théorie des traits de Cattell, chacune de trois catégories de traits qui englobent les principaux aspects de la personnalité.

Donnée biographique

Dans la théorie de Cattell, données se rapportant au comportement dans la vie quotidienne ou à l'évaluation d'un tel comportement.

Donnée provenant de questionnaires

Dans la théorie de Cattell, données au sujet de la personnalité qu'on tire des questionnaires.

Donnée fournie par les tests objectifs

Dans la théorie de Cattell, donnée provenant des tests objectifs ou renseignement au sujet de la personnalité fourni par l'observation du comportement dans des situations en miniature.

questionnaires, comprennent les données autorapportées sur soi-même et la réponse à des questionnaires comme le questionnaire de personnalité d'Eysenck mentionné plus loin dans le présent chapitre. Le troisième type, les données-T, fournies par les tests objectifs, a trait à des situations comportementales en miniature dans lesquelles le participant n'est pas au fait de l'association postulée entre la réponse qu'il fournit et le trait de personnalité étudié. Cattell lui-même a imaginé plusieurs de ces situations en miniature; par exemple, la propension à s'affirmer peut s'exprimer par un comportement comme la longue distance réservée à l'exploration dans les épreuves de labyrinthe sur papier, un tempo rapide dans le mouvement bras-épaule et une grande vitesse dans les tests de comparaison de lettres. Idéalement, on devrait obtenir les mêmes facteurs ou traits avec les trois types de données.

Cattell a d'abord procédé à une analyse factorielle des données-L (biographiques) et a ainsi pu en extraire 15 facteurs qui semblaient résumer en bonne partie la personnalité d'un individu. Il a ensuite tenté de voir s'il était possible d'extraire des facteurs comparables des données-Q, provenant de questionnaires. Il a donc conçu un questionnaire composé de milliers d'énoncés et a soumis ce questionnaire à un grand nombre de personnes. Il a ensuite procédé à une analyse factorielle pour déterminer quels énoncés étaient associés les uns aux autres. Cette méthode lui a permis d'élaborer le questionnaire 16 PF (*Sixteen Personality Factor*). Au départ, Cattell a inventé des néologismes, tels que *surgence*, pour désigner ces facteurs de personnalité, en espérant toutefois éviter les interprétations erronées de ces nouveaux termes. Les termes apparaissant au tableau 7.2 permettent de saisir approximativement la signification de ces facteurs de personnalité. Comme nous pouvons le constater, ils s'appliquent à des aspects très divers de la personnalité, notamment au tempérament (par exemple, l'émotivité) et aux attitudes (par exemple, le conservatisme). Dans l'ensemble, les facteurs observés grâce aux données-Q paraissaient similaires à ceux que fournissent les données-L (biographiques), mais certains n'étaient liés qu'à un seul type de données. La figure 7.2 offre des exemples d'évaluations comportementales associées aux données-L et d'énoncés de questionnaire associés aux données-Q pour un même trait.

Cattell tenait aux questionnaires, notamment à ceux que l'on construit et valide au moyen de l'analyse factorielle, comme le questionnaire 16 PF. Il s'inquiétait par ailleurs

Tableau 7.2 | Les 16 facteurs de personnalité de Cattell extraits des données fournies par les questionnaires

Réservé	Chaleureux
D'intelligence plutôt faible	D'intelligence plutôt vive
Émotionnellement stable, doté d'un moi fort	Émotivité et tendance au névrosisme
Modeste	Dominateur
Réfléchi	Insouciant
Expéditif	Consciencieux
Timide	Audacieux
Dur	Sensible
Confiant	Méfiant
D'esprit pratique	Imaginatif
Direct	Rusé
Calme	Craintif
Conservateur	Innovateur
Grégaire	Indépendant
Indiscipliné	Discipliné
Décontracté	Tendu

des erreurs de mesure provoquées par les participants désirant donner une image positive d'eux-mêmes en déformant leurs réponses aux questionnaires. De plus, il croyait que les questionnaires étaient d'une utilité particulièrement discutable dans le cas de patients atteints de troubles mentaux. En raison des difficultés que soulèvent les données biographiques et les données provenant des questionnaires, et parce que la méthode de recherche choisie au départ exige qu'on s'appuie sur les données fournies par les tests objectifs, Cattell en viendra par la suite à s'intéresser davantage à la structure de la personnalité qui correspond aux données-T, fournies par les tests objectifs. Les traits de source tels qu'ils sont captés par les tests objectifs représenteront en fin de compte le véritable « étalon » pour l'étude de la personnalité.

Les données biographiques et les données provenant des questionnaires ont aidé à mettre en place des tests en miniature; autrement dit, il s'agissait de concevoir des tests objectifs qui mesureraient les traits de source repérés précédemment. On a élaboré plus de 500 tests s'appliquant aux dimensions hypothétiques de la personnalité. On a fait passer ces tests à des groupes importants et, en soumettant à des analyses factorielles répétées les données provenant de différentes situations expérimentales, on a obtenu 21 traits de source.

Comme nous l'avons indiqué plus haut, les traits de source ou les facteurs décelés dans les données biographiques et

TRAIT DE SOURCE « FORCE DU MOI/ÉMOTIVITÉ-NÉVROSISME »
(DONNÉES BIOGRAPHIQUES ET DONNÉES PROVENANT DES QUESTIONNAIRES)

Évaluation du comportement par l'observateur

Force du moi		Émotivité-névrosisme
Maturité émotionnelle	ou bien	Supporte mal la frustration
Stable, persévérant	ou bien	Changeant
Calme, flegmatique	ou bien	Primesautier et émotif
Réaliste face aux problèmes de la vie	ou bien	Fuyant, évite de prendre des décisions
Absence de fatigue d'origine nerveuse	ou bien	Fatigue d'origine nerveuse (sans véritable dépense d'énergie)

Réponses au questionnaire*

Vous est-il difficile d'accepter une réponse négative, même si ce que vous désirez faire est manifestement impossible ?
(a) Oui   (b) Non

Si vous pouviez recommencer votre vie, que feriez-vous ?
(a) *Je referais essentiellement la même chose.*   (b) Je planifierais les choses très différemment.

Faites-vous souvent des rêves très troublants ?
(a) Oui   (a) *Non*

Vos états d'âme vous semblent-ils parfois trop intenses ?
(a) Oui   (b) *Non*

Vous sentez-vous parfois fatigué sans raison ?
(a) *Rarement*   (a) Souvent

Pouvez-vous changer des habitudes acquises de longue date lorsque vous le souhaitez, et cela, sans faire de rechute ?
(a) *Oui*   (b) Non

*Les réponses en italique dénotent une force du moi élevée.

Figure 7.2 | **Correspondances entre des données de sources différentes :**
les données biographiques et les réponses à un questionnaire

Source : Cattell, R.B. (1965). *The Scientific Analysis of Personality*. Baltimore : Penguin.

les données provenant des questionnaires pourraient bien être en grande partie les mêmes. Les facteurs révélés dans les données des tests objectifs correspondent-ils à ceux qui proviennent des données biographiques et des questionnaires ? Bien qu'on ait consacré de nombreuses années à ces recherches, les résultats sont décevants ; bien qu'on ait établi l'existence de liens entre les trois types de données, il n'a pas été possible de détecter des correspondances directes de facteur à facteur.

En résumé, la démarche de Cattell que nous avons décrite dans cette section peut se résumer ainsi. (1) Cattell cherche à définir la structure de la personnalité en recourant à trois types d'observation : les données biographiques, les données provenant de questionnaires et les données fournies par les tests objectifs. (2) Au départ, il se sert des données biographiques et, en soumettant les évaluations à une analyse factorielle, il détermine 15 traits de source. (3) Guidé par les résultats des données biographiques, Cattell élabore le questionnaire 16 PF, comportant 12 traits qui correspondent aux traits repérés grâce à l'analyse des données biographiques et 4 traits que seul le questionnaire permet de déceler. (4) S'inspirant de ces résultats pour s'orienter dans l'élaboration des tests objectifs, Cattell discerne 21 traits de source dans les données issues des tests objectifs qui semblent avoir des rapports complexes

et peu corrélés avec les traits découverts au moyen de l'analyse des autres types de données.

Les traits de source décelés dans les trois types de données n'éclairent pas toute la structure de la personnalité telle que Cattell l'a élaborée. Cependant, les traits énumérés dans la présente section décrivent ce qu'est la structure de la personnalité selon Cattell. Autrement dit, nous disposons tout de même de ce qui constitue la base du tableau des éléments en psychologie, de son système classificatoire. Sur quoi se fonde-t-on pour affirmer l'existence de ces traits ? Cattell (1979) cite les arguments suivants : (1) les résultats des analyses factorielles effectuées sur les différents types de données ; (2) les résultats similaires obtenus dans plusieurs cultures ; (3) les résultats similaires trouvés dans différents groupes d'âge ; (4) leur utilité quand il s'agit de prédire le comportement dans le milieu naturel ; (5) l'importante composante héréditaire présente dans de nombreux traits.

La stabilité et la variabilité du comportement

Cattell ne considère pas la personne comme une entité statique qui se comporterait de la même manière dans toutes les situations. La façon d'agir de quelqu'un dans ses activités sociales ne dépend pas uniquement de ses traits de personnalité, mais aussi d'autres facteurs. Cattell a souligné l'influence de deux autres facteurs : l'état de la personne et le rôle. L'**état** de la personne concerne la vie émotionnelle et l'humeur à un moment précis. L'état psychologique d'une personne est en partie déterminé par la situation du moment. L'angoisse, la dépression, l'épuisement, l'excitation et la curiosité constituent des exemples d'états psychologiques. Cattell fait valoir que, pour décrire *exactement* un individu à un moment donné, il faut évaluer ses traits de personnalité et son état d'esprit : « Tout psychologue praticien – et d'ailleurs tout observateur intelligent de la nature et de l'histoire des êtres humains – se rend compte que l'état psychologique d'un individu à un moment donné détermine tout autant son comportement que le feraient ses traits de personnalité » (1979, p. 169).

Quant au concept de **rôle**, Cattell note que certains comportements sont plus étroitement liés aux rôles ou situations sociales qu'à la tendance générale induite par les facteurs de personnalité. Ainsi, les coutumes et les rôles sociaux peuvent influer sur les comportements, si bien qu'un individu peut s'exprimer bruyamment à un match de football, parler moins fort à table et ne rien dire du tout à l'église (Cattell, 1979). Deux personnes peuvent également interagir différemment dans des contextes différents, en raison de la différence entre les rôles joués dans ces contextes. Par exemple, un enseignant peut réagir différemment au comportement de l'enfant selon qu'il se manifeste en classe ou dans un autre contexte.

En somme, même si Cattell croit que les facteurs de personnalité favorisent la stabilité du comportement dans différentes situations, il pense également que l'humeur (l'état psychologique) de l'individu et la façon dont cette humeur se présente dans une situation donnée (rôle) influent sur son comportement : « La vigueur avec laquelle Smith attaque son repas dépend non seulement de son appétit, mais aussi de son tempérament et du fait qu'il mange avec son patron ou seul à la maison » (Nesselroade et Delhees, 1966, p. 583).

Commentaire sur Cattell

On ne peut être qu'impressionné par l'ampleur des travaux de Cattell. Ses recherches théoriques touchent presque toutes les dimensions de la théorie de la personnalité et son travail systématique a établi les fondements de la recherche pour des générations de chercheurs de la personnalité. Selon un de ses admirateurs : « La théorie de Cattell s'est avérée beaucoup plus impressionnante qu'on le reconnaît généralement… Il semble juste d'affirmer que le projet envisagé au départ par Cattell pour l'étude de la personnalité a abouti à une structure théorique extraordinairement riche » (Wiggins, 1984, p. 177, 190). Le principal outil d'évaluation qu'il a créé, le questionnaire 16 PF, est toujours largement utilisé dans la pratique pour l'évaluation des différences individuelles.

Cela dit, Cattell serait probablement fort déçu de constater le peu d'impact qu'ont eu ses travaux sur la science de la personnalité contemporaine. Cela tient, en partie, à des raisons d'ordre pratique autant que scientifique. Le système théorique de Cattell comporte un grand nombre de facteurs de la personnalité, soit 16. Dans la pratique, il est difficile tant pour le psychologue théoricien que pour le psychologue praticien de se souvenir de tous ces facteurs lorsqu'il évalue la personnalité d'une personne. Cattell prétendrait certainement qu'il est nécessaire de tenir compte de tous ces facteurs. Mais comparée à d'autres théories, celle de Cattell n'est pas très parcimonieuse. Comme on le verra dans la suite de ce chapitre et dans le chapitre suivant, les autres théoriciens ont cherché à établir une structure plus simple des traits de personnalité.

D'autres problèmes plus profonds pourraient toutefois être soulevés au-delà des considérations d'ordre pratique. Cattell s'intéressait fondamentalement à la question des outils de mesure, ce qui est en soi très bien, puisque des mesures imprécises compromettent la valeur de toute démarche scientifique. Toutefois, pour Cattell, les mesures ne servaient pas qu'à recueillir des données : il s'en est servi pour élaborer sa théorie. En d'autres mots, sa théorie (le nombre de traits, leurs caractéristiques, les traits de source) reposait entièrement sur le résultat du processus de mesure (analyse factorielle des données sur les traits

État

Changement émotionnel et changement d'humeur (p. ex., angoisse, dépression, épuisement) qui, selon Cattell, peuvent influer sur le comportement d'un individu à un moment donné. On suggère d'évaluer les traits de personnalité et l'état pour prévoir le comportement.

Rôle

Comportement de l'individu considéré comme approprié selon la place ou la position qu'il occupe dans la société. Selon Cattell, l'une des variables qui réduisent l'influence exercée sur le comportement par les variables de la personnalité au bénéfice de l'influence des situations.

| **« Avoir ce qu'il faut » : les caractéristiques des dirigeants d'entreprise qui ont du succès**

Il y a quelque temps, Tom Wolfe a écrit un livre au sujet de la première équipe d'astronautes américains. Formant un groupe entièrement masculin, ces hommes croyaient qu'ils avaient «ce qu'il fallait», c'est-à-dire le courage viril requis pour devenir pilotes d'essai ou astronautes. D'autres qu'eux possédaient les habiletés techniques nécessaires, mais pour réussir, ils devaient avoir «ce qu'il fallait».

Les postes les plus difficiles exigent également qu'on soit doté de «ce qu'il faut», c'est-à-dire des caractéristiques ou des traits de personnalité qui, s'ajoutant aux habiletés, assurent la réussite. Quelles sont, par exemple, les caractéristiques d'un grand dirigeant d'entreprise ? Les études démontrent que les cadres supérieurs qui deviennent PDG et ceux qui n'y parviennent pas ne diffèrent que d'une manière ténue. Dans les deux groupes, on possède un talent considérable et des forces remarquables, de même qu'un certain nombre de faiblesses. Même si les membres des deux groupes ne se distinguent pas par un trait de personnalité en particulier, on observe que ceux qui ne réussissent pas à atteindre le plus haut niveau ont souvent les caractéristiques suivantes : insensibles envers les autres, méfiants, froids (distants), arrogants, trop ambitieux, maussades, peu stables en situation de stress et sur la défensive. Par contre, les cadres qui réussissent se distinguent par certains traits, notamment ils font preuve d'une grande intégrité personnelle et d'une grande capacité à comprendre autrui.

À vrai dire, les études visant à déterminer les habiletés et les qualités personnelles des chefs de file ne se comptent plus. À un certain moment, les chercheurs se sont mis à désespérer de trouver des qualités susceptibles de s'appliquer à tous les types de dirigeants. On pensait alors que le leadership se définissait par rapport au contexte où il s'exerçait, que les exigences quant aux qualités

Meg Whitman, ex-présidente et chef de la direction de eBay

personnelles et aux aptitudes variaient en fonction des situations. Cependant, selon une analyse de la documentation disponible effectuée récemment, il semble qu'on ait abandonné trop tôt l'idée d'utiliser l'approche par les traits pour étudier le leadership. En effet, certaines qualités, telles que le courage, la force de conviction et la persuasion, se retrouvent en général chez les chefs de file. De plus, ceux-ci présentent généralement les traits de personnalité suivants : ils sont énergiques, décisifs, ils savent s'adapter et s'affirmer, ils se démarquent par leur sociabilité, leur désir d'accomplissement et leur capacité de gérer le stress.

Les tenants de l'approche des traits de personnalité, notamment ceux qui travaillent dans le domaine de la psychologie du travail, s'efforcent encore aujourd'hui de déterminer les traits de personnalité qui sont essentiels à la réussite dans divers domaines. Plusieurs tests de personnalité, dont le questionnaire 16 PF, servent à évaluer de nombreux aspects importants dans la sélection du personnel.

Sources : *Psychology Today*, février 1983 ; Holland, 1985.

de surface). Fonder une théorie sur des mesures est une stratégie risquée, notamment parce que des éléments importants qui «devraient» être objets d'étude pourraient échapper au système de mesure, empêchant ainsi l'élaboration d'une théorie exhaustive. Par exemple, comme l'a montré McAdams (2006), nous avons tous un «parcours de vie» et si l'on demande à une personne de nous parler d'elle-même, elle nous racontera fort probablement des récits ou des histoires autobiographiques. Il est loin d'être acquis que les instruments de mesure élaborés par Cattell puissent tenir compte de ce type de données. Si, dans

un cours de littérature, on vous demande de dégager la signification de telle œuvre littéraire, vous n'aurez certainement *pas* recours à une méthode purement statistique comme l'analyse factorielle ! On ne peut donc réduire des éléments d'ordre psychologique comme le parcours de vie d'une personne à une série de chiffres et dès lors, Cattell a négligé de considérer ces éléments dans son système de mesure, ainsi que dans sa théorie. Si Carl Rogers était encore de ce monde, il serait sûrement d'avis que cette lacune constitue un inconvénient fondamental pour une théorie de la personnalité.

LA THÉORIE DES TROIS FACTEURS DE HANS J. EYSENCK (1916-1997)

Dans nos commentaires sur la théorie des 16 facteurs de Cattell, nous avons souligné la limite pratique de cette théorie, à savoir qu'il peut être fastidieux de tenir compte d'un aussi grand nombre de facteurs. Le même inconvénient se manifeste aussi sur le plan purement scientifique. En effet, derrière cette structure des 16 facteurs pourrait se cacher une autre structure plus simple et plus fondamentale des traits de personnalité. Si l'on pouvait dégager cette structure plus simple, elle pourrait devenir le fondement d'un modèle scientifique à la fois parcimonieux et plus facile à mettre en application dans la pratique. C'est ce qu'a tenté d'accomplir avec une énergie et une créativité uniques l'un des géants de la psychologie du XXe siècle, Hans J. Eysenck.

Né en Allemagne en 1916, Hans J. Eysenck s'est établi en Angleterre afin d'échapper à la persécution nazie. Tout comme Cattell, il a profité des progrès effectués dans les techniques statistiques, notamment l'analyse factorielle. Il fut également influencé par la pensée des psychologues européens qui ont étudié les types de personnalité (notamment Jung et Kretschmer), par la recherche sur le caractère héréditaire des traits de personnalité et par la recherche expérimentale menée sur le conditionnement classique par le physiologiste russe Ivan Pavlov (voir le chapitre 10).

Sa vie témoigne d'une énergie et d'une productivité considérables. Ses travaux ont porté sur de vastes échantillons de populations d'individus sains et de populations d'individus atteints de diverses pathologies. Il fut également un auteur exceptionnellement prolifique et s'impose comme l'un des psychologues les plus influents et les plus souvent cités du XXe siècle (Haggbloom et coll., 2002). Dans les années 1980, il a fondé la revue *Personality and Individual Differences*, qu'il a ensuite dirigée ; il s'agit d'une revue internationale consacrée principalement à la recherche sur les traits de personnalité, le tempérament et les fondements biologiques de la personnalité, sujets qui préoccupaient grandement Eysenck. Il est décédé en 1997, non sans avoir veillé à la réédition de trois de ses premiers ouvrages et peu après avoir terminé la rédaction de son dernier livre, *Intelligence : A New Look* (Eysenck, 1998).

Il a joué un rôle à la fois constructif et critique dans le champ de la psychologie de la personnalité. S'il a élaboré une théorie des traits de personnalité, il a aussi remis en question d'autres théories qu'il trouvait déficientes, notamment la psychanalyse. Comme Cattell, Eysenck croyait que l'incapacité de la psychanalyse à fournir des mesures précises et fiables des construits psychologiques qu'elle ébauchait constituait une lacune importante. En élaborant sa théorie des traits de personnalité, il a cherché à combler cette lacune en ayant recours à des instruments de mesure fiables pour évaluer les différences individuelles. Il estimait que ces mesures étaient aussi nécessaires à la découverte des fondements biologiques de chaque trait.

On doit particulièrement souligner l'importance qu'accorde Eysenck aux fondements biologiques des traits de personnalité. Selon lui, sans une compréhension de la dimension biologique des traits de personnalité, on risque de s'engager dans des raisonnements circulaires, une sorte de piège conceptuel où le trait sert à expliquer le comportement, qui lui-même a servi à établir l'existence du trait. Par exemple, pensons à un ami qui se comporte généralement de manière amicale et affable en présence d'autrui. Pour décrire son comportement, on dira de cet ami qu'il est « sociable ». Mais comment peut-on « expliquer » ce comportement ? On pourrait dire qu'il agit d'une façon sociable parce que la sociabilité constitue un trait de sa personnalité. L'explication est un peu faible et va à l'encontre des principes de base de l'explication scientifique (Nozick, 1981). En effet, le seul élément sur lequel on peut s'appuyer pour affirmer que la sociabilité est un trait de la personnalité de cet ami est qu'il a un comportement sociable. Voilà un raisonnement qui tourne en rond : on utilise un mot (*sociable*) pour décrire un modèle de comportement, puis le même mot (*sociabilité*) est utilisé pour expliquer l'existence de ce modèle de comportement. Eysenck estimait que la théorie des traits de personnalité permettait d'éviter ce piège conceptuel en allant au-delà des mots et en dégageant les éléments biologiques qui sont à la base des traits de la personnalité. Nous évaluerons dans les pages qui suivent dans quelle mesure il a réussi.

Les « superfacteurs » : la structure de la personnalité selon Eysenck

Tout comme Cattell, Eysenck a élaboré sa théorie en ayant recours à l'analyse factorielle des réponses des participants aux tests. Mais Eysenck est allé plus loin en utilisant une application secondaire de la méthode de l'analyse factorielle. Il a ainsi mené des analyses factorielles dites de deuxième niveau, qui consistent à analyser statistiquement un ensemble de facteurs qui présentent une corrélation. En d'autres mots, l'analyse factorielle initiale d'un vaste éventail de traits de personnalité pourrait révéler l'existence d'un nombre de facteurs qui demeure encore assez grand. Dans le cas de Cattell, l'analyse des données d'autoévaluation a révélé 16 facteurs, qui ne sont toutefois pas indépendants les uns des autres. Ainsi, l'individu qui présente un faible niveau d'un certain trait présentera un haut niveau d'un autre trait. Si l'on se reporte au tableau 7.2, on pourrait penser spontanément que c'est le cas pour certains facteurs révélés par Cattell, par exemple les facteurs «réservé» et « timide ». Puisqu'il y a corrélation entre les facteurs et que l'analyse factorielle a pour but de révéler les modèles qui se dégagent d'un ensemble de corrélation, on peut donc procéder à l'analyse factorielle de ces nouvelles corrélations. C'est ce qu'on appelle une analyse factorielle de deuxième niveau.

C'est ce qu'a fait Eysenck. Il a eu recours à l'analyse factorielle de deuxième niveau pour révéler un petit groupe de facteurs indépendants les uns des autres. Évidemment, ces facteurs de deuxième niveau sont également des traits de personnalité: ce sont des styles émotionnels ou comportementaux stables qui distinguent les individus les uns des autres. Il s'agit de dimensions se distribuant sur un continuum comportant une extrémité où le trait est faible et une extrémité où le trait est marqué, la plupart des

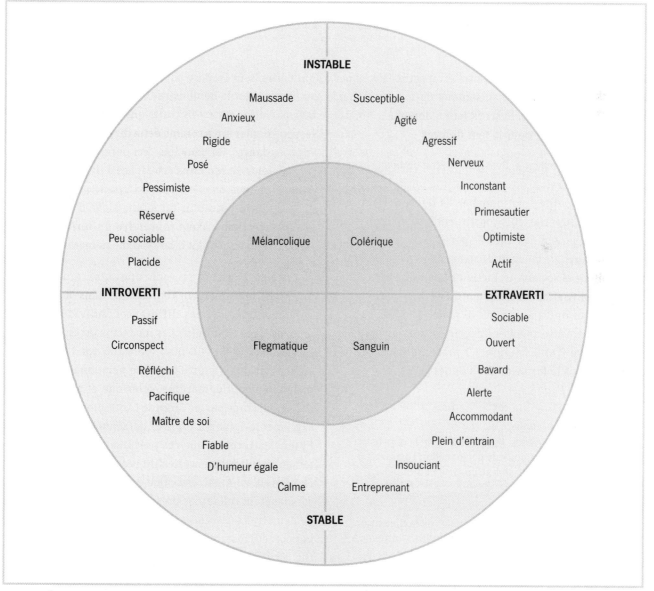

Figure 7.3 | **Rapports entre les deux dimensions de la personnalité dégagés au moyen de l'analyse factorielle et les quatre tempéraments fondamentaux définis par Hippocrate et Galien**

Source: Eysenck, H.J. (1970). *The Structure of Personality*, (3rd edition). London: Methuen. Reproduction autorisée par Routledge et Kegan Paul.

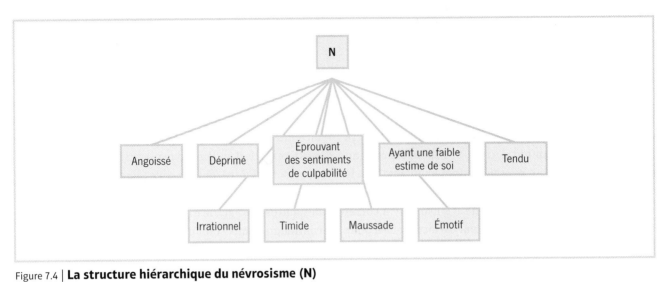

Figure 7.4 | La structure hiérarchique du névrosisme (N)

Source : Eysenck, H.J. (1990). Biological dimensions of personality. Dans L.A. Pervin (dir.), *Handbook of Personality : Theory and Research* (p. 244-276). New York : Guilford Press. Reproduction autorisée par Guilford Press.

individus se situant près du centre du spectre. Parce que ces dimensions se situent au sommet de l'organisation hiérarchique des traits, Eysenck leur a donné le nom de superfacteurs (super dans le sens d'élevé).

Au début de ses travaux, Eysenck a cerné deux superfacteurs, l'**extraversion-introversion** et le **névrosisme** (ou stabilité-instabilité émotionnelle). La figure 7.3 montre comment les superfacteurs constituent le schéma organisationnel supérieur des traits de personnalités de niveau inférieur. Ainsi, le concept d'extraversion regroupe des traits comme la sociabilité, l'activité, la vitalité et l'excitabilité. L'organisation hiérarchique du névrosisme montre que ceux qui ont un score élevé pour cette dimension ont tendance à être angoissés, déprimés, timides et maussades (figure 7.4). La figure 7.3 présente la structure d'Eysenck sous la forme de deux lignes perpendiculaires

qui définissent l'espace psychologique des traits de personnalité ; c'est la démonstration statistique de l'absence de corrélation entre les traits qui permet à Eysenck de les représenter ainsi comme deux dimensions séparées et indépendantes. En principe, ceci permet de situer n'importe quel individu dans cet espace à deux dimensions, étant donné que, dans le système d'Eysenck, toute personne possède un niveau plus ou moins élevé d'extraversion et de névrosisme. Pour reprendre un terme employé précédemment, il s'agit d'un système nomothétique.

Le système d'Eysenck présente une autre caractéristique intéressante (également représentée dans la figure 7.3) en ce qu'il dégage des différences individuelles déjà établies dans l'Antiquité. Les médecins grecs Hippocrate (vers 400 av. J.-C.) et Galien (vers 200 apr. J.-C.) avaient en effet proposé quatre types de personnalité de base : mélancolique, flegmatique, colérique et sanguin. Si la théorie élaborée par les Grecs de l'Antiquité sur ce qui peut expliquer l'origine des types de personnalités a été rejetée, Eysenck a reconnu que ces précurseurs avaient correctement établi l'existence de différences importantes entre les individus. Ainsi, ceux que les Grecs avaient classés comme étant colériques présentaient des niveaux élevés de deux traits associés à ce type de personnalité, l'extraversion et l'instabilité émotionnelle. Le fait que tant les théoriciens de l'Antiquité que les théoriciens modernes aient reconnu ces variations de personnalité permet de penser que ces dimensions constituent des caractéristiques fondamentales de la nature humaine et qu'elles ont une assise biologique qui transcende les lieux et les époques.

Extraversion

Dans la théorie d'Eysenck, l'un des pôles de la dimension extraversion-introversion de la personnalité ; l'extraverti a tendance à être sociable, amical, impulsif et intrépide.

Introversion

Dans la théorie d'Eysenck, l'un des pôles de la dimension extraversion-introversion de la personnalité ; l'introverti tend à être placide, réservé, réfléchi et prudent.

Névrosisme

Dans la théorie d'Eysenck, dimension de la personnalité qui se définit par deux pôles : stabilité et faible angoisse d'une part, instabilité et grande anxiété d'autre part.

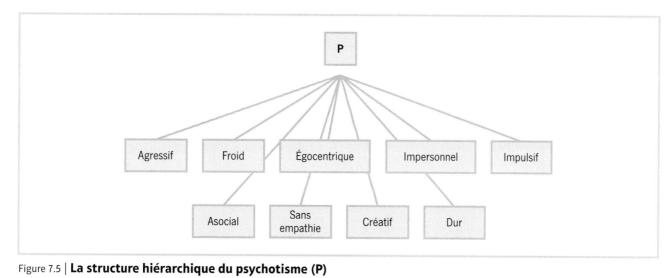

Figure 7.5 | **La structure hiérarchique du psychotisme (P)**

Source: Eysenck, H.J. (1990). Biological dimensions of personality. Dans L.A. Pervin (dir.), *Handbook of Personality: Theory and Research* (p. 244-276). New York: Guilford Press. Reproduction autorisée par Guilford Press.

Au début, Eysenck n'a employé que deux dimensions pour désigner les caractéristiques normales de la personnalité, telles qu'elles se présentent aisément chez les gens que nous côtoyons tous les jours. Nous constatons que nos amis ou nos parents ne présentent pas tous le même niveau de quiétude et d'anxiété, de timidité et de sociabilité, et le modèle d'Eysenck propose une organisation scientifique de ces intuitions. À ces deux dimensions, toutefois, Eysenck en a ajouté une troisième, qui concerne celle-là des comportements que l'on pourrait désigner comme « anormaux », soit l'agressivité, le manque d'empathie, la froideur et le comportement antisocial. Ce superfacteur est le **psychotisme**. La figure 7.5 illustre l'organisation hiérarchique des caractéristiques qui y sont associées. Ces trois facteurs (psychotisme, extraversion et névrosisme) forment le modèle de la structure de la personnalité d'Eysenck. Ces facteurs, universellement reconnus en psychologie de la personnalité, sont simplement désignés par leur première lettre: P, E et N.

Mesurer les facteurs

Une fois ce modèle établi, il a fallu mettre au point un instrument pour mesurer les différences individuelles pour les trois superfacteurs P, E et N. Eysenck a créé cet instrument. Il a donc conçu un questionnaire d'évaluation (le questionnaire de personnalité d'Eysenck) composé de questions d'autoévaluation simples destinées à évaluer chacun des facteurs (figure 7.6). L'extraverti type répondra par l'affirmative à des questions telles que: Les autres pensent-ils que vous êtes vraiment plein d'entrain? Seriez-vous malheureux si vous n'étiez pas fréquemment

en contact avec un grand nombre de gens? Recherchez-vous souvent les émotions fortes? En revanche, l'introverti type répondra par l'affirmative aux questions suivantes: En général, préférez-vous lire plutôt que rencontrer des gens? Êtes-vous plutôt silencieux lorsque vous êtes avec d'autres? Prenez-vous le temps de vous arrêter et de réfléchir avant d'agir? Eysenck a également intégré à son questionnaire des questions qui permettent de mesurer l'échelle du mensonge et de déceler les participants qui n'auraient pas répondu honnêtement afin de mieux paraître (figure 7.6).

Une caractéristique importante du travail d'Eysenck, comme du travail de Cattell d'ailleurs, est le fait qu'il a aussi élaboré des instruments de mesure objectifs, c'est-à-dire qui ne s'appuient pas sur l'évaluation subjective des questionnaires. Un de ces tests, le test de la goutte de jus de citron, permet de différencier les introvertis des extravertis. On place ainsi une quantité déterminée de jus de citron sur la langue du participant, et la quantité de salive produite diffère selon qu'il s'agit d'un introverti ou d'un extraverti.

Qu'est-ce qui explique ces différences de réactions? Fort probablement des facteurs d'ordre biologique.

Psychotisme

Dans la théorie d'Eysenck, dimension de la personnalité qui se définit, à un pôle, par une propension à être solitaire et insensible et, à l'autre pôle, par l'acceptation des normes sociales et à une attitude empathique.

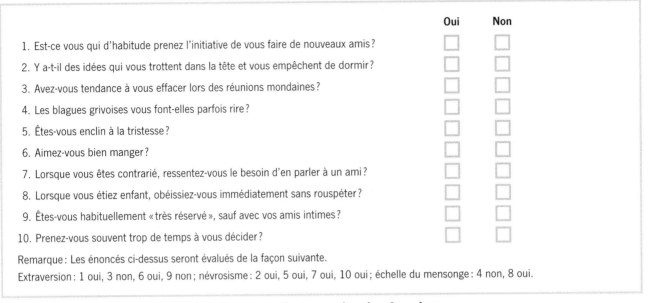

	Oui	Non
1. Est-ce vous qui d'habitude prenez l'initiative de vous faire de nouveaux amis ?	☐	☐
2. Y a-t-il des idées qui vous trottent dans la tête et vous empêchent de dormir ?	☐	☐
3. Avez-vous tendance à vous effacer lors des réunions mondaines ?	☐	☐
4. Les blagues grivoises vous font-elles parfois rire ?	☐	☐
5. Êtes-vous enclin à la tristesse ?	☐	☐
6. Aimez-vous bien manger ?	☐	☐
7. Lorsque vous êtes contrarié, ressentez-vous le besoin d'en parler à un ami ?	☐	☐
8. Lorsque vous étiez enfant, obéissiez-vous immédiatement sans rouspéter ?	☐	☐
9. Êtes-vous habituellement «très réservé», sauf avec vos amis intimes ?	☐	☐
10. Prenez-vous souvent trop de temps à vous décider ?	☐	☐

Remarque : Les énoncés ci-dessus seront évalués de la façon suivante.
Extraversion : 1 oui, 3 non, 6 oui, 9 non ; névrosisme : 2 oui, 5 oui, 7 oui, 10 oui ; échelle du mensonge : 4 non, 8 oui.

Figure 7.6 | **Exemples d'énoncés destinés à mesurer l'extraversion, le névrosisme et l'échelle du mensonge**

Ils ont été empruntés au questionnaire de personnalité de Maudsley et au questionnaire de personnalité d'Eysenck.

Le fondement biologique des traits de personnalité

Eysenck a créé des modèles scientifiques précis pour expliquer le fondement biologique des différences dans les traits de personnalité des individus. Il lui a fallu non pas un seul modèle, mais plusieurs, car sur le plan statistique, les traits P, E et N sont indépendants les uns des autres. Il faut donc un modèle biologique pour chacun des traits. Soulignons ici que le trait pour lequel les efforts d'Eysenck pour établir l'origine biologique ont connu le plus de succès au plan empirique est l'extraversion.

Eysenck soutient que les variations que l'on peut observer entre les individus dans la dimension extraversion-introversion reflètent des différences dans le fonctionnement neurophysiologique du cortex cérébral. En fait, le cortex des introvertis est plus facilement stimulé par les événements. Dès lors, les stimuli sociaux intenses (par exemple, une fête bruyante) provoquent chez eux une *sur-stimulation*, un état qu'ils cherchent à éviter. Parce qu'ils sont surstimulés dans de telles situations, le comportement des introvertis est caractérisé par davantage d'inhibitions sur le plan social. À l'inverse, le cortex des extravertis étant moins sensible aux stimulations, ceux-ci rechercheront les expériences sociales plus intenses. Des études qui ont permis de mesurer directement l'activité cérébrale des introvertis et des extravertis viennent appuyer la théorie d'Eysenck (Geen, 1997 ; voir également la rubrique

«La personnalité et le cerveau» dans le présent chapitre, page 207, de même que celle du chapitre 8, page 216). Eysenck lui-même a également contribué à confirmer l'existence du fondement biologique de la dimension extraversion-introversion, notamment en démontrant que l'apprentissage des introvertis est davantage influencé par les punitions, alors que les extravertis sont davantage influencés par les récompenses.

Puisqu'il existe un fondement biologique à la dimension extraversion-introversion, l'hérédité devrait représenter, du moins en partie, un facteur susceptible d'expliquer les différences entre les individus. Mais l'hérédité n'explique pas tout, puisqu'on sait que l'expérience vécue par l'individu dans son enfance modifie sa constitution biologique. Selon plusieurs études portant sur les vrais et faux jumeaux, l'hérédité représente toutefois un facteur très important quand il s'agit d'expliquer les différences de résultats lors de l'évaluation de la dimension extraversion-introversion (Kruger et Johnson, 2008 ; Loehlin, 1992 ; Plomin et Caspi, 1999). D'autres constatations viennent appuyer la théorie du fondement biologique d'Eysenck, notamment le fait que la dimension extraversion-introversion ressort invariablement dans les études interculturelles, que les différences entre les individus se maintiennent au fil du temps et que divers indices du fonctionnement biologique (par exemple, l'activité cérébrale, le rythme cardiaque, le taux hormonal, l'activité sudoripare) sont corrélés avec les scores d'extraversion-introversion (Eysenck, 1990).

Sur le névrosisme, Eysenck a formulé l'hypothèse que les principaux systèmes neuronaux mis en œuvre sont (1) le système limbique – situé dans la partie inférieure du cerveau et associée à l'activation émotionnelle, et (2) le système nerveux autonome, une partie du système nerveux qui contrôle certaines fonctions d'activation corporelle (par exemple, le rythme cardiaque, l'activité sudoripare) et qui est régulé par le système limbique. Eysenck a notamment prédit que les individus qui ont un score élevé de névrosisme réagiraient rapidement au stress et que cette réaction, une fois la menace disparue, s'atténuerait lentement. L'individu semble alors agité et stressé. Malheureusement, les études ultérieures n'ont pas permis de soutenir avec constance la théorie des facteurs physiologiques du névrosisme, ce qu'a reconnu Eysenck lui-même (Eysenck, 1990). Toutefois, des travaux récents, recourant à l'imagerie

LA PERSONNALITÉ ET LE CERVEAU

Extraversion et névrosisme

Il y a plus de 50 ans, Hans J. Eysenck avait prédit que deux individus qui obtiennent des scores différents aux questionnaires extraversion-introversion (E) et névrosisme (N) présenteraient des différences sur le plan neuronal. Plus particulièrement, il a prévu que le cerveau des deux individus réagirait différemment en présence d'un même stimulus émotionnel. On pourrait croire que, depuis tout ce temps, cette hypothèse a été abondamment vérifiée et que les systèmes cérébraux en cause ont été étudiés. Or, les auteurs contemporains (Kehoe, Toomey, Balsters et Bokde, 2012) affirment encore aujourd'hui que « la relation entre l'extraversion et les substrats neuronaux en cause dans la stimulation émotionnelle nous est inconnue » (p. 859) et que, jusqu'à récemment, les prédictions d'Eysenck sur les liens entre le névrotisme et le cerveau « n'ont encore jamais été étudiées à l'aide de l'imagerie par résonance magnétique fonctionnelle » (p. 858), qui est l'outil préféré des neuroscientifiques contemporains.

Mais tout cela évolue. Kehoe et ses collègues (2012) ont utilisé l'imagerie par résonance magnétique fonctionnelle pour explorer l'activité cérébrale chez un groupe de 23 femmes présentant des niveaux d'extraversion-introversion et de névrosisme différents. Après avoir répondu au questionnaire d'Eysenck pour déterminer leurs scores E et N, les femmes ont participé en laboratoire à une expérience qui consistait à leur présenter une série de photos représentant divers contenus émotionnels. En analysant les résultats de la scintigraphie cérébrale effectuée pendant que les femmes regardaient les photos, on a pu déterminer si les dimensions E et N étaient associées à l'activité cérébrale, comme l'avait prédit Eysenck.

Alors la théorie d'Eysenck a-t-elle fait bonne figure ? Étudions les deux dimensions l'une après l'autre. Eysenck avait prédit qu'un niveau élevé d'extraversion était associé à un faible niveau d'activation corticale, c'est-à-dire l'activation dans le cortex cérébral, en réponse à des stimuli environnementaux. L'imagerie par résonance magnétique fonctionnelle (Kehoe et coll., 2012) ne confirmait que partiellement la prédiction d'Eysenck. Lorsqu'ils ont examiné l'activation dans le cervelet (région du cerveau associée à la motricité, mais aussi des réactions émotionnelles), les chercheurs ont constaté que les extravertis présentaient des niveaux d'activation plus faibles, ce qui était tout à fait conforme à ce qu'avait imaginé Eysenck. Toutefois, en examinant une autre région du cerveau, l'insula (qui joue un rôle dans l'expérience subjective consciente des émotions), ils ont constaté que les extravertis présentaient des niveaux plus élevés d'activation cérébrale, ce qui contredisait la théorie d'Eysenck.

L'imagerie par résonance magnétique fonctionnelle a donné des résultats plus compatibles avec la théorie d'Eysenck dans le cas du névrosisme. Soumis à des stimuli émotionnels, les individus qui avaient un score élevé pour la dimension névrosisme présentaient un niveau d'activité cérébrale élevé au cortex préfrontal (Kehoe et coll., 2012). Cette région du cerveau n'est pas exactement celle qu'Eysenck avait associée au névrosisme. Il avait plutôt imaginé que le névrosisme était associé à des variations dans la partie inférieure du cerveau, plus précisément le système limbique. Toutefois, comme le cortex préfrontal et le système limbique sont intimement liés, ces résultats sont conformes à l'affirmation générale d'Eysenck voulant que la réponse cérébrale soit plus forte chez les personnes ayant un score élevé pour la dimension névrosisme.

Le recours à l'imagerie par résonance magnétique fonctionnelle pour tenter de comprendre les mécanismes en jeu dans l'extraversion-introversion et le névrosisme est tout récent. On peut espérer que les résultats obtenus jusqu'à maintenant soient confirmés par des études sur des échantillons plus importants et plus diversifiés et en ayant recours à un éventail plus large de stimuli. Il reste encore tant à découvrir sur les fondements neuronaux de l'extraversion-introversion.

cérébrale qui n'existait pas du temps d'Eysenck, semblent plus favorables à sa théorie (voir la rubrique « La personnalité et le cerveau », page 207).

On en sait moins sur le fondement biologique de la dimension psychotisme (P). Mais on estime qu'il existerait un lien génétique et notamment un rapport avec la masculinité. Ainsi le niveau d'agressivité, une composante de la dimension P, est plus élevé chez les hommes et pourrait s'expliquer par le taux de testostérone (Eysenck, 1990). Plus récemment, on a laissé entendre qu'un neurotransmetteur, la dopamine, pourrait également jouer un rôle. Des recherches semblent en effet indiquer que les personnes qui ont un score élevé de psychotisme présentent un niveau élevé d'activité neuronale induite par la dopamine (Colzato, Slagter, van den Wildenberg et Hommel, 2009). C'est là un résultat intrigant, puisqu'on a déjà établi un lien entre le taux de dopamine et un trouble mental grave, la schizophrénie.

Extraversion et comportement social

Les individus qui présentent des différences en matière d'extraversion-introversion ont-ils des comportements sociaux différents ? De nombreuses études se sont penchées sur cette question. L'extraversion est sans doute le plus étudié de tous les traits, ce qui vient du fait que les comportements qui en relèvent sont relativement faciles à observer (Gosling, John, Craik et Robins, 1998). Quand on dresse le bilan des résultats, on obtient un tableau impressionnant (Watson et Clark, 1997). Par exemple, les introvertis sont plus sensibles à la douleur que les extravertis ; ils se lassent plus facilement ; l'excitation perturbe leur rendement, alors qu'elle améliore celui des extravertis ; les introvertis ont tendance à être plus appliqués à la tâche que les extravertis, mais moins rapides qu'eux. On a aussi constaté les différences suivantes :

(1) Les introvertis obtiennent de meilleurs résultats scolaires que les extravertis, notamment lorsqu'il s'agit d'études poussées. De plus, les étudiants qui quittent l'université pour des raisons qui tiennent aux résultats sont le plus souvent des extravertis, alors que ceux qui abandonnent pour des raisons psychiatriques seront plutôt des introvertis.

(2) Les extravertis préfèrent les professions qui les mettent en contact avec autrui, tandis que les introvertis préfèrent souvent les métiers solitaires. Les extravertis cherchent à se distraire de la routine du travail, alors que les introvertis ont moins besoin de changement.

(3) Les extravertis aiment bien les blagues à contenu explicitement sexuel ou agressif, tandis que les introvertis préfèrent un humour plus subtil ou plus intellectuel, les jeux de mots par exemple.

(4) Les extravertis ont davantage d'activités sexuelles que les introvertis, tant sur le plan de la fréquence que du nombre de partenaires.

(5) Les extravertis sont plus influençables que les introvertis.

Une étude consacrée à une épidémie d'hyperventilation qui s'est déclenchée en Angleterre illustre parfaitement ce dernier point (Moss et McEvedy, 1966). Un rapport faisant état de cas d'évanouissement et d'étourdissement chez les jeunes filles fut suivi par une flambée de plaintes du même genre ; on dut transporter à l'hôpital en ambulance 85 jeunes filles qui « tombaient comme des mouches ». On compara les jeunes filles affectées avec celles qui ne l'étaient pas et, comme prévu, celles qui étaient affectées présentaient un niveau plus élevé de névrosisme et d'extraversion. Autrement dit, on démontra ainsi que celles dont la personnalité était prédisposée à la suggestion furent plus susceptibles de se laisser influencer quand une épidémie se profila vraiment à l'horizon.

Enfin, les résultats d'une enquête concernant les habitudes d'étude chez les introvertis et les extravertis peuvent intéresser particulièrement les étudiants. On s'est demandé si, comme la théorie d'Eysenck le donnait à penser, les préférences des uns et des autres à propos du lieu où on étudie et de la manière d'étudier pouvaient être liées à la dimension extraversion-introversion. Conformément à la théorie d'Eysenck concernant les différences entre les individus, on a abouti aux résultats suivants : (1) les extravertis choisissent plus souvent que les introvertis d'étudier dans des lieux publics, comme la bibliothèque, qui offrent une stimulation externe ; (2) ils s'octroient plus de pauses que les introvertis ; (3) plus que les introvertis, ils disent préférer étudier dans des contextes présentant un niveau de bruit plus élevé et dans des lieux offrant plus d'occasions de bavarder (Campbell et Hawley, 1982). Les extravertis et les introvertis diffèrent aussi dans leurs réactions physiologiques à un niveau de bruit donné (les introvertis réagissent davantage) ; dans les deux groupes, on travaille mieux lorsque le niveau de bruit est celui qu'on préfère (Geen, 1984). D'après les résultats de cette étude, il vaudrait peut-être mieux personnaliser la conception des bibliothèques et des résidences étudiantes pour les adapter aux besoins différents des introvertis et des extravertis.

Psychopathologie et changement de comportement

Eysenck a également élaboré une théorie de la psychologie de la personnalité anormale et de la modification du comportement. Une des idées centrales d'Eysenck était que le type de symptômes ou de problèmes psychologiques que l'individu est susceptible de connaître est lié aux traits fondamentaux de la personnalité et au fonctionnement du système nerveux en relation avec les traits. Les symptômes névrotiques sont dus à l'action conjointe du système biologique et des expériences qui contribuent à l'apprentissage de fortes réactions émotionnelles aux stimuli engendrant la crainte. Conformément à cette proposition d'Eysenck, la majorité des patients névrosés ont tendance à présenter un score élevé de névrosisme et un faible score d'extraversion (Eysenck, 1982, p. 25). En revanche, les criminels et les personnes antisociales ont souvent des scores élevés de névrosisme, d'extraversion et de psychotisme; ils se conforment peu aux normes sociales.

Bien que convaincu de l'importance des facteurs génétiques dans les traits de personnalité et les troubles de la personnalité, Eysenck était plutôt optimiste quant aux possibilités de traitement: «Le fait que pour une bonne part les troubles névrotiques, ainsi que les activités criminelles, s'amorcent et se maintiennent en raison de facteurs génétiques est très mal accueilli par de nombreuses personnes qui croient que cette situation doit inévitablement aboutir au pessimisme en matière de traitement. Si l'hérédité revêt une telle importance, disent-ils, il va de soi que toute modification du comportement est impossible. Cette interprétation des faits est totalement fausse. Ce qui est génétiquement déterminé, ce sont les prédispositions à agir et à se comporter d'une certaine manière, dans une situation donnée» (1982, p. 29). L'individu peut éviter de se trouver dans des situations potentiellement traumatisantes, il peut désapprendre les réactions de crainte et apprendre à se conduire en société et dès lors développer une personnalité indépendante des dispositions initiales. Eysenck était donc un grand défenseur de la thérapie comportementale, c'est-à-dire de l'application systématique au contexte thérapeutique des principes de l'apprentissage et de la modification du comportement (voir le chapitre 10).

Commentaire sur Eysenck

La contribution d'Eysenck à la science de la personnalité est remarquable sur plusieurs plans. Il a maintenu les plus hauts standards scientifiques tout en effectuant un travail théorique novateur. Il a apporté des éléments probants en faveur de l'existence des différences individuelles. Ses nombreux écrits sur la personnalité ont non seulement éclairé ses collègues, ils ont également rejoint un vaste public. Si la psychologie de la personnalité avait pu compter sur un plus grand nombre de chercheurs de la trempe d'Eysenck, elle serait aujourd'hui une science bien plus avancée.

Eysenck était toujours prêt à nager à contre-courant: «Je prenais parti habituellement contre l'*establishment* et en faveur des rebelles. Ceux qui désirent voir dans cela l'expression d'une tendance oppositionnelle héréditaire, d'une haine de type freudien envers les substituts paternels ou qui voudraient l'interpréter de toute autre façon sont bien sûr parfaitement libres de le faire» (Eysenck, 1982, p. 298). Évidemment, c'est là le regard que pose Eysenck sur son propre travail. De nombreux spécialistes pourraient affirmer que le fait d'exprimer les différences individuelles en attribuant un score à un petit nombre de dimensions universelles de la personnalité constitue une démarche caractéristique de l'*establishment* contre laquelle les humanistes pourraient se rebeller.

On peut se demander pourquoi l'influence d'Eysenck n'a pas été plus grande (voir Loehlin, 1982). Plusieurs psychologues se sont éloignés de la pensée d'Eysenck. Il y a à cela au moins quatre raisons. D'abord, on a proposé d'autres modèles évaluant deux ou trois dimensions qui rendent mieux compte des données disponibles; par exemple, un de ces modèles, qui mesure les dimensions de l'impulsivité et de l'angoisse, semble décrire de façon plus exacte les fondements biologiques des différences individuelles que si l'on évalue les dimensions E et N (Gray, 1990). Puis, comme l'a lui-même reconnu Eysenck (1990), ses théories sur les fondements biologiques des traits de personnalité, particulièrement le névrosisme et le psychotisme, ne s'appuient pas sur des éléments probants constants. Cela dit, Eysenck est tout de même considéré comme un pionnier dans la tentative de révéler les liens entre les variables biologiques et les traits de personnalité. Troisièmement, la décision d'Eysenck de fonder une nouvelle revue s'est peut-être retournée contre lui. En effet, si ses partisans en furent des lecteurs assidus, ce ne fut pas le cas du reste de la confrérie. Dès lors, la revue s'est un peu éloignée des courants dominants de l'époque et le fait que sa revue était essentiellement consacrée à la propre vision d'Eysenck a fort probablement contribué à réduire son influence à l'extérieur du Royaume-Uni, où il travaillait. Enfin, il est possible qu'il faille étudier plus de deux ou trois dimensions pour décrire adéquatement la personnalité, et l'on peut facilement imaginer des dimensions de la personnalité (par exemple, l'honnêteté, la fiabilité, la créativité) qu'il est difficile, voire impossible, d'intégrer dans le modèle élaboré par Eysenck. Peut-être que les théoriciens des traits n'ont pas besoin d'autant que 16 traits primaires pour décrire la personnalité. Par contre, on peut certainement penser que plus de deux ou trois traits soient nécessaires pour rendre bien compte de la personnalité. Cette question constitue le thème central du prochain chapitre.

RÉSUMÉ

1. Le concept de trait représente une disposition générale à se comporter d'une certaine manière ou à vivre certains types d'expériences émotionnelles. Allport, l'un des premiers théoriciens des traits de personnalité, a établi une distinction entre les traits cardinaux, centraux et secondaires. Il a également avancé l'idée que certains traits de personnalité ne peuvent être établis que par la recherche idiographique, c'est-à-dire des recherches qui permettent de cerner les caractéristiques idiosyncrasiques des individus.

2. Bien des adeptes de la théorie des traits recourent à l'analyse factorielle pour élaborer une classification des traits. Grâce à cette technique, on forme des groupes d'énoncés ou de réponses (facteurs) en se fondant sur le fait que les énoncés d'un groupe (facteur) sont étroitement liés les uns aux autres et éloignés de ceux d'un autre groupe (facteur).

3. Cattell a établi une distinction entre les traits d'aptitude, les traits de tempérament et les traits dynamiques, et une distinction entre les traits de surface et les traits de source.

4. Selon Eysenck, les dimensions fondamentales de la personnalité sont l'extraversion-introversion, le névrosisme et le psychotisme. On a conçu des questionnaires pour évaluer les individus selon ces dimensions. La recherche s'est particulièrement penchée sur la dimension extraversion-introversion, dans laquelle on a constaté des différences quant au niveau et aux types d'activations. Eysenck soutient que les différences de traits entre les individus ont un fondement biologique et génétique (hérité).

CHAPITRE 8

LA THÉORIE DES TRAITS DE PERSONNALITÉ :
le modèle à cinq facteurs, les applications
et l'évaluation de la théorie

Le modèle à cinq facteurs : ce qu'en dit la recherche

Un modèle théorique des « Cinq Grands »

La croissance et le développement

Et s'il en manquait un ? Le modèle à six facteurs

Les applications du modèle à cinq facteurs

L'histoire de Jacques

Le débat personne-situation

L'évaluation critique

Vous souhaitez poursuivre des études supérieures et joignez à votre formulaire d'inscription des lettres de recommandation d'Allport, d'Eysenck et de Cattell. Qu'écriraient-ils à votre sujet? Sûrement pas la même chose. Eysenck commenterait votre comportement et vos réalisations à la lumière de ses trois superfacteurs; Cattell examinerait au moins une vingtaine de traits précis; Allport proposerait peut-être une riche interprétation idiographique émaillée de nombreuses configurations de traits qui vous sont propres. Malgré la présence de thèmes communs dans les trois lettres, aucun des théoriciens ne renoncerait à sa position théorique. Ce constat nous place devant la question suivante: comment pouvons-nous nous entendre sur la question des traits fondamentaux si nous ne parvenons pas à sortir de cette impasse?

Voici une proposition. Demandons à mille personnes de décrire par écrit la personnalité de mille autres personnes. Tirons ensuite de ces descriptions tous les adjectifs désignant un trait. Nous obtiendrons alors une liste de descripteurs de la personnalité dénuée de toute influence théorique. Nous pourrions sans doute réduire la liste en supprimant les termes redondants (*parfait* et *impeccable*, par exemple, signifient à peu près la même chose). Si nous recourons ensuite à l'analyse factorielle pour évaluer la personnalité selon ces traits, nous devrions en arriver à une description des principales dimensions de la personnalité. Le résultat, bien qu'il risque de ne pas plaire à tout le monde, aura au moins le mérite de découler d'une démarche objective non biaisée; son côté pratique et son utilité détermineront s'il est adopté au sein de la discipline.

Nous poursuivons dans ce chapitre notre exposé sur la théorie des traits de personnalité et examinons les démarches des chercheurs pour trouver un consensus sur les méthodes décrites ci-dessus. Celui qui prend actuellement forme autour de l'importance des cinq dimensions fondamentales nous intéresse particulièrement, de même que le raisonnement à l'appui du modèle à cinq facteurs et son application à l'individu. Nous terminons le chapitre sur une évaluation globale de la théorie des traits de personnalité.

LE CHAPITRE...
EN QUESTIONS

1. Les chercheurs peuvent-ils s'entendre sur un modèle d'organisation des traits de personnalité?

2. Combien de dimensions une description fondamentale de la personnalité requiert-elle? Quelles sont-elles?

3. Est-il possible d'envisager un modèle tiré de l'analyse factorielle et s'inspirant de termes de personnalité que nous utilisons couramment? Ce modèle pourrait-il être universel à toutes les cultures? Tiendrait-il compte du patrimoine de notre évolution comme espèce humaine?

4. Quelle est l'incidence des différences individuelles dans les traits de personnalité sur l'orientation professionnelle, la santé physique et le bien-être psychologique?

5. Dans quelle mesure les traits sont-ils variables ou stables dans le temps et selon la situation? Autrement dit, dans quelle mesure la personnalité change-t-elle avec le temps et selon le contexte?

Tout champ d'études nécessite l'utilisation de taxonomies. Les chercheurs doivent disposer d'une façon reconnue de classifier les objets à l'étude. S'agit-il d'une plante ou d'un animal ? D'un composé vivant ou minéral ? D'une économie planifiée ou de libre marché ? D'un tableau impressionniste ou expressionniste ? Les systèmes de classification (ou taxonomies) guident la recherche et permettent aux chercheurs de faire part de leurs découvertes.

La psychologie de la personnalité ne fait pas exception. Le recours à une taxonomie reconnue des différences individuelles en matière de dispositions de la personnalité, ou de traits, ne peut qu'être profitable à ses praticiens. Outillés d'une taxonomie des traits, les chercheurs peuvent se concentrer sur des groupes de traits renvoyant à des domaines communs de la personnalité plutôt que d'étudier séparément les milliers de traits grâce auxquels chaque être humain est unique. L'organisation de la multitude de traits de personnalité en une taxonomie simple et cohérente a mobilisé de nombreux efforts au cours des 25 dernières années. Le principal fruit de ces efforts est le modèle à cinq facteurs, qui forme le cœur du présent chapitre. Selon de nombreux chercheurs, il est possible d'organiser les différences individuelles en cinq grandes dimensions bipolaires (John, Naumann et Soto, 2008 ; McCrae et Costa, 2008). Celles-ci sont connues au sein de la communauté professionnelle sous le nom des « **Cinq Grands** ».

Le modèle à cinq facteurs s'inspire directement des notions présentées au chapitre 7. Ce modèle s'inscrit dans l'approche des traits de personnalité, comme toutes les théories dont nous avons discuté au chapitre précédent, qui s'appuie sur l'analyse factorielle, notamment celles d'Eysenck et de Cattell. (Ses conceptions de la personne et de la science de la personnalité sont donc les mêmes que celles examinées au début du chapitre 7.) Qu'est-ce que la théorie des cinq facteurs a de nouveau à offrir ? En un mot : des preuves. De très nombreuses données de recherche indiquent que 5 facteurs – soit plus que les 3 d'Eysenck et moins que les 16 de Cattell – sont nécessaires et généralement suffisants pour définir une taxonomie des différences individuelles. Nous consacrons ce chapitre à l'examen de ces résultats de recherche.

LE MODÈLE À CINQ FACTEURS : CE QU'EN DIT LA RECHERCHE

Alors quelles sont ces preuves ? La notion voulant que cinq traits de personnalité servent de fondements aux différences individuelles repose sur l'analyse factorielle de trois types de données : (1) la terminologie des traits dans le langage courant, (2) les données de recherche interculturelles validant l'universalité des dimensions et (3) la comparaison d'inventaires de personnalité à d'autres questionnaires et évaluations. Nous nous penchons, dans ce chapitre, sur les trois types de données, de même que sur les diverses applications du modèle.

L'analyse de la terminologie employée pour désigner les traits dans le langage courant et dans les questionnaires

Comme vous l'ont appris les chapitres précédents, les psychologues formulent des théories de la personnalité à partir de divers types de variables, ou unités d'analyse (voir le chapitre 1). La plupart des théories scientifiques, ainsi que la plupart des théories de la personnalité, décrivent leurs principales variables à l'aide d'un langage scientifique spécialisé ; des termes comme *surmoi, inconscient collectif, tendance à l'autoactualisation* et ainsi de suite sont proposés pour décrire une caractéristique de la psychologie humaine. Le modèle à cinq facteurs n'emprunte pas cette voie. Au lieu de créer un langage scientifique, les théoriciens du modèle à cinq facteurs misent sur le langage courant, c'est-à-dire les termes que les gens utilisent au quotidien pour décrire la personnalité. Plus précisément, ils misent sur un aspect du langage courant : les mots (surtout des qualificatifs) qui décrivent les personnes.

Selon la méthode de la recherche fondamentale, les chercheurs invitent des personnes à s'autoévaluer ou à évaluer des tiers selon une grande variété de traits de personnalité puisés dans le dictionnaire. Les évaluations sont ensuite soumises à l'analyse factorielle (cette dernière est présentée en détail au chapitre 7) pour déterminer les traits

> **« Cinq Grands »**
> Dans la théorie des traits de personnalité, les cinq grandes catégories de traits, qui comprend des facteurs d'affectivité, d'activité et de sociabilité.

Tableau 8.1 | Les Cinq Grands facteurs et leurs définitions à partir d'exemples de traits caractéristiques

Caractéristiques des personnes qui obtiennent un score élevé	Grands facteurs	Caractéristiques des personnes qui obtiennent un score peu élevé
NÉVROSISME (N) Soucieux, nerveux, émotif, inquiet, inadapté, hypocondriaque	Évalue la tendance à l'adaptation par opposition à l'instabilité émotionnelle. Détermine les personnes sujettes à la détresse psychologique, aux idées irréalistes, aux pulsions ou aux besoins excessifs et aux mécanismes d'adaptation (*coping*) mésadaptés.	Calme, détendu, flegmatique, confiant, tranquille, content de soi
EXTRAVERSION (E) Sociable, actif, volubile, axé sur les personnes, optimiste, qui aime s'amuser, affectueux	Évalue la quantité et l'intensité des rapports interpersonnels, le niveau d'activité, le besoin de stimulation et la capacité de s'amuser.	Timide, pondéré, peu démonstratif, distant, centré sur la tâche, réservé, discret
OUVERTURE (O) Curieux, qui s'intéresse à tout, créatif, original, imaginatif, non conformiste	Évalue la recherche proactive d'expériences variées et la tendance à apprécier les expériences pour elles-mêmes, de même que la tolérance et la curiosité à l'égard de l'inconnu.	Conventionnel, terre-à-terre, étendue d'intérêts restreinte, sens artistique et esprit analytique peu développés
AGRÉABILITÉ (A) Compatissant, facile à vivre, confiant, serviable, clément, crédule, franc	Évalue la qualité de l'orientation interpersonnelle sur le plan des pensées, des sentiments et des actions, selon un spectre allant de la compassion à l'antagonisme.	Cynique, impoli, méfiant, peu coopératif, rancunier, impitoyable, irritable, manipulateur
CONSCIENCE (C) Organisé, fiable, travailleur, autodiscipliné, ponctuel, méticuleux, soigné, ambitieux, persévérant	Évalue le degré personnel d'organisation, de persévérance et de motivation dans les comportements orientés vers l'atteinte de buts ; oppose les personnes industrieuses et fiables aux personnes nonchalantes et peu rigoureuses.	Désœuvré, peu fiable, paresseux, insouciant, négligé, nonchalant, velléitaire, hédoniste

Source : Reproduit avec l'autorisation spéciale de l'éditeur, Psychological Assessment Resources, Inc., 16204 North Florida Avenue, Lutz, Florida 33549, du *Neo Personality Inventory-Revised* de Paul T. Costa Jr., PhD et Robert R. McCræ, PhD, Copyright 1978, 1985, 1989, 1991, 1992 détenu par Psychological Assessment Resources, Inc. (PAR). Reproduction interdite sans la permission de PAR.

qui vont ensemble. L'exercice vise à répondre à deux questions : combien faut-il de facteurs pour comprendre les modèles de corrélation entre les traits selon les données ? Quels sont exactement ces facteurs ?

Les premiers travaux de Norman (1963), qui s'appuyaient sur les recherches d'Allport, Cattell et d'autres, ont montré que cinq facteurs sont nécessaires pour décrire adéquatement la personnalité. Des propositions à cinq facteurs similaires ont émergé à maintes reprises d'études menées à partir de diverses sources de données, d'échantillons et d'instruments d'évaluation (John, 1990). Ces cinq facteurs ont montré une fidélité et une validité considérables, en plus de demeurer relativement stables à l'âge adulte (McCrae et Costa, 2008). En 1981, après avoir analysé la recherche existante, Lewis Goldberg, impressionné par

OCEAN
Acronyme répandu pour mémoriser les cinq traits fondamentaux : Ouverture, Conscience, Extraversion, Agréabilité et Névrosisme.

la constance des résultats, avança que tout modèle visant à structurer les différences individuelles devrait comprendre – au moins dans une certaine mesure – quelque chose ressemblant à ces cinq grandes dimensions. Par « grandes », Goldberg faisait référence au fait que chaque dimension (ou facteur) comprenait un grand nombre de traits particuliers ; ces facteurs sont presque aussi généraux et abstraits, dans la hiérarchie de la personnalité, que les superfacteurs d'Eysenck.

Et que sont, au juste, ces facteurs ? Les termes les plus couramment utilisés pour les désigner sont le névrosisme (N), l'extraversion (E), l'ouverture (O), l'agréabilité (A) et la conscience (C) (tableau 8.1). (L'agencement des premières lettres de chaque facteur pour former le mot **OCEAN** en facilite la mémorisation [John, 1990].) Pour comprendre la signification de chacun, examinez, dans le tableau 8.1, les adjectifs qualificatifs qui décrivent les caractéristiques des personnes selon qu'elles obtiennent un score élevé ou faible pour l'un ou l'autre des facteurs. Le névrosisme oppose la stabilité émotionnelle à une large gamme de sentiments négatifs, dont l'anxiété, la tristesse, l'irritabilité et la tension nerveuse. L'ouverture (à l'expérience) évoque l'étendue, la profondeur et la complexité de la vie psychique et de l'expérience de vie d'une personne. L'extraversion et l'agréabilité regroupent des traits interpersonnels, c'est-à-dire qui évoquent la façon dont les personnes interagissent. La conscience, enfin, décrit surtout les comportements associés à des tâches et dirigés vers l'atteinte de buts précis ainsi qu'à la maîtrise des pulsions commandée par la société.

Les définitions fournies dans le tableau 8.1 reposent sur les travaux de Costa et McCrae (1992). D'autres chercheurs en proposent des versions très semblables. Par exemple, Goldberg (1992) a proposé un inventaire de traits bipolaires (silencieux-volubile, par exemple) permettant d'évaluer son score personnel en ce qui a trait aux Cinq Grands. On trouvera ci-dessous une version abrégée de cet inventaire. Veuillez lire les consignes suivantes avant de remplir le questionnaire.

Essayez de vous décrire le plus exactement possible. Décrivez-vous tel que vous êtes maintenant et non tel que vous souhaiteriez devenir. Décrivez-vous tel que vous êtes habituellement, en vous comparant avec des gens de votre entourage, du même sexe et à peu près du même âge que vous. Pour chacun des traits énumérés, encerclez le chiffre qui vous décrit le mieux.

Pour connaître votre score d'extraversion (E), additionnez simplement les cinq chiffres encerclés pour l'échelle introversion-extraversion, puis divisez la somme par 5. Faites la même chose pour les autres facteurs. Quel est votre score? Obtenez-vous une note plus élevée pour un facteur que pour les autres? Vos résultats correspondent-ils à vos prévisions? Selon vous, dans quelle mesure reflètent-ils votre personnalité? Selon vous, vos scores fournissent-ils une description approfondie ou superficielle de votre personnalité? Gardez à l'esprit que cet inventaire ne constitue pas un inventaire officiel et complet des différences

INTROVERSION OU EXTRAVERSION

	Beaucoup		Modérément		Ni l'un ni l'autre		Modérément		Beaucoup	
Silencieux	1	2	3	4	5	6	7	8	9	Volubile
Réservé	1	2	3	4	5	6	7	8	9	Affirmé
Prudent	1	2	3	4	5	6	7	8	9	Audacieux
Apathique	1	2	3	4	5	6	7	8	9	Énergique
Craintif	1	2	3	4	5	6	7	8	9	Intrépide

ANTAGONISME OU AGRÉABILITÉ

Désagréable	1	2	3	4	5	6	7	8	9	Aimable
Peu coopératif	1	2	3	4	5	6	7	8	9	Coopératif
Égoïste	1	2	3	4	5	6	7	8	9	Désintéressé
Méfiant	1	2	3	4	5	6	7	8	9	Confiant
Mesquin	1	2	3	4	5	6	7	8	9	Généreux

DÉSORGANISATION OU CONSCIENCE

Désorganisé	1	2	3	4	5	6	7	8	9	Organisé
Irresponsable	1	2	3	4	5	6	7	8	9	Responsable
Dépourvu d'esprit pratique	1	2	3	4	5	6	7	8	9	Doté d'esprit pratique
Négligent	1	2	3	4	5	6	7	8	9	Soigneux
Paresseux	1	2	3	4	5	6	7	8	9	Travailleur

STABILITÉ ÉMOTIONNELLE OU NÉVROSISME

Décontracté	1	2	3	4	5	6	7	8	9	Tendu
Détendu	1	2	3	4	5	6	7	8	9	Nerveux
Stable	1	2	3	4	5	6	7	8	9	Instable
Satisfait	1	2	3	4	5	6	7	8	9	Insatisfait
Détaché	1	2	3	4	5	6	7	8	9	Émotif

FERMETURE OU OUVERTURE AUX EXPÉRIENCES NOUVELLES

Peu imaginatif	1	2	3	4	5	6	7	8	9	Imaginatif
Peu créatif	1	2	3	4	5	6	7	8	9	Créatif
Peu curieux	1	2	3	4	5	6	7	8	9	Curieux
Peu réfléchi	1	2	3	4	5	6	7	8	9	Réfléchi
Peu sophistiqué	1	2	3	4	5	6	7	8	9	Sophistiqué

Beaucoup	Modérément	Ni l'un ni l'autre	Modérément	Beaucoup

LA PERSONNALITÉ ET LE CERVEAU

Les « Cinq Grands »

Les psychologues de la personnalité ont découvert les « Cinq Grands » facteurs associés aux dimensions de la personnalité en analysant d'abord des résultats de questionnaires. Pourraient-ils les trouver en analysant le cerveau ?

Il est difficile d'associer des régions du cerveau aux scores obtenus pour les « Cinq Grands ». La multitude des sous-systèmes nerveux reliés les uns aux autres de toutes sortes de façons rend difficile toute tentative de recherche. Une analyse théorique des processus psychologiques essentiels à chacune des cinq grandes dimensions pourrait fournir un guide utile pour découvrir comment ces dimensions sont associées au fonctionnement du cerveau, comme le montrent les travaux récents de DeYoung et ses collègues.

Ces chercheurs (DeYoung et coll., 2010) ont compilé les résultats de 116 participants adultes au questionnaire des « Cinq Grands ». Ils ont ensuite comparé ces résultats avec l'image cérébrale des participants (une image obtenue par résonance magnétique, ou IRM) afin de vérifier si des variations de volume du cerveau sont liées à des variations des scores obtenus sur le questionnaire des « Cinq Grands ». Selon le raisonnement à l'origine de cette démarche, le volume supérieur d'une région du cerveau pourrait indiquer une capacité psychologique accrue à accomplir des activités relevant de cette région. Les chercheurs ont fait les observations suivantes :

- Chez les personnes ayant obtenu un score élevé pour l'extraversion, on a observé un volume supérieur du cortex frontal, associé au traitement de l'information relative aux récompenses extérieures. Cette observation vient à l'appui de l'idée voulant que la quête d'expériences gratifiantes (récompenses) soit une caractéristique centrale de l'extraversion.

- Un score élevé pour le névrosisme était associé à un volume supérieur des régions cérébrales liées au traitement des menaces extérieures.

- L'agréabilité était associée à un volume supérieur des régions cérébrales contribuant à la capacité de comprendre l'état d'esprit d'autrui.

- La conscience était associée à un volume supérieur d'une partie du cortex frontal qui s'active lorsque les gens planifient des événements et observent des règles.

- L'ouverture à l'expérience n'a pas présenté de corrélation notable avec quelque région cérébrale que ce soit.

Pouvons-nous conclure que ces chercheurs ont découvert l'origine neurologique des « Cinq Grands » facteurs ? Les auteurs de la recherche reconnaissent qu'il n'en est rien. Leurs découvertes constituent tout au plus un premier pas dans un tout nouveau champ d'études et doivent être interprétées avec prudence, et ce, pour au moins trois raisons. (1) Outre les résultats qui correspondaient aux concepts théoriques des chercheurs, l'étude a également fourni un certain nombre de résultats nuls (où les scores de l'inventaire de personnalité ne correspondaient pas aux variations volumétriques cérébrales attendues) et de résultats inattendus (où les scores correspondaient à des variations volumétriques cérébrales, mais pas dans les régions auxquelles s'attendaient les chercheurs). (2) Les chercheurs n'ont pas pu établir de relation causale. Des différences génétiques du volume cérébral expliquent peut-être que des gens présentent une disposition plutôt qu'une autre. On peut penser, à l'inverse, que certaines dispositions de la personnalité sont la cause expliquant que le volume du cerveau varie entre les personnes. On sait à cet égard que la répétition de certains comportements par les personnes accroît leur volume de la région cérébrale qui y est associée (Draganski et coll., 2004). (3) Les régions du cerveau sont liées par d'innombrables connexions nerveuses, et l'accomplissement de toute tâche complexe active un vaste réseau de régions interconnectées (Bullmore et Sporns, 2009). Inévitablement, une trop grande attention au volume d'une région du cerveau risque d'occulter les réseaux cérébraux complexes qui contribuent aux multiples facettes de la personnalité que décrivent les « Cinq Grands ».

individuelles relatives aux Cinq Grands. Néanmoins, il présente la même structure de base que les instruments de mesure « officiels » des « Cinq Grands ». Les inventaires de personnalité qu'utilisent les professionnels sont généralement plus longs. Cela dit, plusieurs spécialistes des « Cinq Grands » ont montré au cours des dernières années qu'il est possible de mesurer correctement les cinq facteurs au moyen de tests pas plus longs, voire, dans certains cas, plus courts (Gosling, Rentfrow et Swann, 2003 ; Rammstedt et John, 2007) que celui auquel vous avez répondu.

L'hypothèse lexicale fondamentale

La conception des « Cinq Grands » visait à dégager les traits de personnalité que les gens considéraient comme les plus déterminants. Goldberg a bien expliqué le raisonnement derrière cette approche au moyen de l'**hypothèse lexicale fondamentale,** selon laquelle les différences individuelles les plus importantes qui marquent les rapports humains finissent par être encodées au moyen de mots uniques dans différentes langues du monde, voire dans toutes (Goldberg, 1990). L'hypothèse lexicale fondamentale pose donc qu'avec le temps, les êtres humains ont observé des différences individuelles particulièrement importantes dans leurs interactions et qu'ils ont formé des termes pour les désigner plus facilement. Ces termes nous renseignent sur des différences individuelles importantes pour notre bien-être personnel et celui de notre groupe ou de notre clan. Ils s'avèrent donc utiles sur le plan social parce qu'ils nous permettent d'appréhender les actions d'autrui et ainsi de garder la maîtrise de notre vie (Chaplin, John et Goldberg, 1988). Ils permettent de comprendre le comportement probable d'une personne dans un large éventail de situations. L'insistance sur des termes universels pour décrire des différences individuelles importantes établit un lien entre la théorie des traits de personnalité et un modèle évolutionniste : l'existence de termes universels serait compatible avec une perspective sur l'évolution des espèces. Si les actions essentielles à la survie de l'être humain sont universelles, les différences individuelles les plus importantes et les termes qu'emploient les gens pour les désigner devraient l'être aussi (John, Naumann et Soto, 2008). En revanche, des dimensions culturelles permettent de croire qu'il existe des différences individuelles dont l'importance est singulière à une culture donnée. Les deux scénarios pourraient – et devraient peut-être – coexister en faisant ressortir ce qui est fondamental à la nature humaine et ce qui est distinct sur le plan culturel.

L'hypothèse lexicale n'est cependant pas à l'abri de contre-exemples. Ainsi certains auteurs relèvent que les personnes se distinguent selon qu'elles ont besoin de plus ou moins de variété dans leur vie, ou selon qu'elles tolèrent plus ou moins l'ambiguïté lorsqu'elles prennent des décisions ; contrairement à ce que pose l'hypothèse lexicale, il n'existe pas, en anglais ou en français, de terme unique (adjectif) pour désigner ces qualités humaines (McCrae et Costa, 1997). L'hypothèse lexicale a néanmoins constitué un important stimulant pour la recherche et continue de guider une importante réflexion dans le domaine.

La recherche interculturelle : les « Cinq Grands » sont-ils universels ?

Si les différences individuelles et les rapports humains suscitent des questions universelles, on pourrait s'attendre à ce que les mêmes « Cinq Grands » facteurs soient universels et se retrouvent encodés dans plusieurs langues du monde. Les efforts de chercheurs ayant mené des études multinationales ont heureusement commencé à porter des fruits et à fournir des éléments de réponse au sujet du caractère universel des « Cinq Grands ».

Avant de nous pencher sur les résultats de leurs recherches, examinons d'abord les méthodes qu'ils ont employées. Lorsqu'on cherche à déterminer si les « Cinq Grands » existent dans toutes les langues et toutes les cultures, les questions de méthodologie peuvent faire une grande différence. La question de la traduction constitue un premier défi. De nombreux chercheurs étudient le caractère universel des traits de personnalité en traduisant dans leur langue (que ce soit l'allemand, le japonais ou le français) un inventaire de personnalité formulé dans une autre langue (par exemple, l'anglais). Or ces traductions peuvent s'avérer difficiles. Toutes les langues n'offrent pas une correspondance directe pour chaque mot, et même les mots de graphie analogue (par exemple, les mots *aggressive* en anglais et *agressif* en français) ne signifient pas forcément la même chose (en français, il signifie « hostile » alors qu'en anglais, il signifie plutôt « énergique, dynamique »). Ainsi un terme comme *outgoing* (un trait associé à l'extraversion), mais mal traduit en français par *affectueux* (un trait associé à l'agréabilité), peut amener des chercheurs à se demander s'ils ont trouvé le même facteur dans les deux langues.

Pour illustrer ce type de problèmes, Hofstee et ses collègues (1997) ont donc répertorié dans des études lexicales effectuées en anglais, en néerlandais et en allemand, 126 mots qu'ils pouvaient traduire à peu près directement et s'en sont servis pour comparer la signification des facteurs dans les 3 langues. Leurs constatations révèlent une congruence considérable entre ces trois langues parentes,

> **Hypothèse lexicale fondamentale**
> Hypothèse selon laquelle les différences individuelles les plus importantes dans les interactions humaines ont été, avec le temps, encodées dans la langue sous la forme de termes uniques.

DÉBATS ACTUELS
Les émotions et les traits : qu'en est-il chez les animaux ?

Dans l'*Origine des espèces*, Darwin supposait une continuité entre l'être humain et les autres espèces. Les émotions et les traits de personnalité s'observent-ils chez d'autres animaux ?

Dans *L'expression des émotions chez l'homme et les animaux*, Charles Darwin avançait l'existence d'une continuité dans l'expression des émotions par les animaux et les êtres humains, dans la mesure où l'on observe chez les uns et les autres les mêmes émotions fondamentales et les expressions faciales qui vont de pair. On a relevé une ressemblance dans l'expression de ce que nous appelons les émotions fondamentales (par exemple, la colère, la tristesse, la peur, la joie) chez les êtres humains et les autres primates, de la petite enfance à l'âge adulte et dans toutes les cultures (Ekman, 1993, 1998). Selon les psychologues évolutionnistes, les traits des personnes et des autres espèces présenteraient une continuité. Le fait que les êtres humains et les grands singes partagent presque le même bagage génétique (98 %) contribue à soutenir ce point de vue. Les chercheurs ont-ils pu documenter pareille continuité en ce qui concerne les traits ?

Gosling et John (1998, 1999) ont entrepris de déterminer s'il existait des dimensions de la personnalité communes à une grande variété d'espèces en tentant de répondre à la question suivante : quelles sont les principales dimensions de la personnalité animale ? Une revue de la documentation relative à la description de 12 espèces – dont les pieuvres, les guppys, les rats, les gorilles et les chimpanzés – leur a permis de constater que trois des « Cinq Grands » facteurs (l'extraversion, le névrosisme et l'agréabilité) se retrouvaient de façon générale chez toutes les espèces : les études indiquent que le chimpanzé et divers autres primates, le chien, le chat, l'âne, le cochon et même le guppy et la pieuvre présentent avec leurs semblables des différences individuelles que l'on peut organiser autour de dimensions similaires à l'extraversion, au névrosisme et (à l'exception du guppy et de la pieuvre) à l'agréabilité (Gosling et John, 1999). Par ailleurs, seul le chimpanzé, notre plus proche parent, présente un facteur semblable à la conscience (King et Figueredo, 1997). C'est peut-être parce que des traits de personnalité relatifs à ce facteur – respecter les règles et la norme, réfléchir avant d'agir, maîtriser consciemment ses impulsions – seraient des manifestations relativement récentes de l'évolution.

Les animaux sont-ils vraiment doués de tels traits ou ces ressemblances ne sont-elles que des projections anthropomorphiques de notre part ? Dans une étude visant à évaluer certains traits chez les êtres humains, les chiens et les chats, Gosling et John ont trouvé d'autres preuves de l'existence de trois des « Cinq Grands » chez les chiens et les chats, soit l'extraversion, le névrosisme et l'agréabilité, mais pas de facteur de conscience. Dans une étude qu'ils ont menée par la suite, les chercheurs ont produit une liste de « descripteurs de la personnalité » canine, inspirée d'attributs que les gens utilisent le plus fréquemment pour décrire des chiens (affectueux, câlin, énergique, joyeux, intelligent, nerveux, paresseux, loyal, etc.). Les chercheurs ont ensuite demandé à des participants d'évaluer une personne de leur entourage à partir de l'« inventaire de personnalité canine », alors que les participants d'un autre groupe devaient évaluer un chien qu'ils connaissent à partir de la même liste de descripteurs. Les deux groupes relèveraient-ils les mêmes facteurs, suggérant ainsi l'existence de dimensions de la personnalité semblables chez les êtres humains et les chiens ? L'évaluation de personnes à partir de l'inventaire de personnalité canine a de nouveau confirmé la présence des « Cinq Grands ». En appliquant les mêmes items d'évaluation à des chiens, les chercheurs ont relevé trois facteurs semblables à la conscience, au névrosisme et à l'agréabilité, mais rien qui ressemble à la conscience.

Dans l'ensemble, les études sur la personnalité animale proposent les conclusions suivantes : (1) Il est possible de mesurer la personnalité animale avec fidélité. (2) La structure des traits de la personnalité humaine ressemble à celle des chimpanzés. (3) Les mammifères autres que les primates, comme les chats et les chiens, semblent présenter une structure de personnalité moins différenciée comportant trois dimensions s'observant de façon assez généralisable, mais de manière imparfaite, chez de nombreuses espèces. (4) Les descriptions de la personnalité d'autres espèces ne sont pas des projections anthropomorphiques ; elles reflètent des caractéristiques réelles des animaux évalués et non la perception qu'en ont les êtres humains.

Sources : Ekman, 1998 ; Gosling et John, 1998, 1999 ; Weinstein, Capitanio et Gosling, 2008.

à une exception de taille : le facteur d'ouverture. Les termes allemands et anglais étaient très semblables, mais en néerlandais, ce facteur comprenait non seulement les traits associés à l'intellect et à l'imagination (par exemple, imaginatif, original et créatif), comme on s'y attendait, mais aussi des traits liés au non-conformisme et à l'esprit de rébellion. Des études de traits effectuées en italien et en hongrois ont également révélé une variante similaire pour l'ouverture (Caprara et Perugini, 1994).

De façon générale, les recensions de la littérature scientifique montrent l'existence de facteurs similaires aux « Cinq Grands » dans la plupart des langues (Benet-Martinez et Oishi, 2008 ; John, Naumann et Soto, 2008 ; McCrae et Costa, 2008). McCrae et Costa (1997) avancent avec beaucoup de conviction que la structure de la personnalité selon les « Cinq Grands » est universelle chez les êtres humains. Leurs conclusions s'appuient sur la traduction en plusieurs langues de l'inventaire de personnalité qu'ils ont créé (le NEO-PI-R, nous y reviendrons). Les chercheurs qui utilisent ces traductions constatent que les cinq mêmes facteurs émergent avec régularité.

Nous ne devons cependant pas ignorer les limites potentielles de l'instrument. Il se peut que la traduction de l'inventaire original anglais dans une autre langue contribue au fait de retrouver avec régularité la structure postulée. Le passage à une autre langue peut imposer aux répondants d'une autre culture certains facteurs psychologiques auxquels ils ne sont habituellement pas confrontés. Par exemple, il se peut que les gens d'une culture donnée n'accordent pas d'attention particulière aux différences individuelles en matière d'ouverture, à moins qu'un psychologue les invite à réfléchir à cet aspect de la personnalité.

Cette mise en garde montre l'importance de disposer d'une stratégie de rechange pour mener à bien la recherche. Au lieu d'imposer une échelle d'origine anglophone à des membres issus d'un autre groupe linguistique, les chercheurs peuvent examiner les termes de personnalité propres à ce groupe linguistique, c'est-à-dire les descripteurs de personnalité tirés de la langue d'usage à l'étude. Les résultats qu'ils obtiennent, lorsqu'ils le font, sont plus complexes (Saucier et Goldberg, 1996). Les résultats varient souvent selon que les termes sont imposés aux membres d'une culture au lieu d'être remplacés par des termes tirés de la leur. Une recherche de Di Blas et Forzi (1999), qui ont étudié la structure des termes de personnalité en italien, constitue un bon exemple.

Pour ce faire, ils n'ont pas traduit une échelle de l'anglais vers l'italien ; ils ont plutôt choisi des termes tirés directement de l'italien. Ils ont ensuite invité les gens à s'évaluer selon ces termes puis ont soumis les résultats à l'analyse factorielle pour voir si la structure des « Cinq Grands » ressortirait en italien autant qu'en anglais. Ce ne fut pas le cas : les cinq facteurs n'apparaissaient pas de façon cohérente en italien. Di Blas et Forzi ont plutôt constaté qu'une solution à trois facteurs était plus stable tant auprès des participants que des observateurs : l'extraversion, l'agréabilité et la conscience, qui se reproduisent mieux que les deux autres facteurs du modèle (Saucier, 1997), émergeaient de façon constante en italien. Le névrosisme n'y a cependant pas été relevé (Di Blas et Forzi, 1999), ce que corroborent d'autres chercheurs (Caprara et Perugini, 1994). Selon les auteurs, des variations culturelles dans les perceptions relatives aux émotions négatives dans divers contextes interpersonnels pourraient expliquer les différences entre les résultats des tests menés en italien et ceux des tests menés en anglais (Di Blas et Forzi, 1999). Quelques années plus tard, De Raad et Peabody (2005) se sont penchés sur les termes désignant les traits dans onze langues et ont conclu que les « Trois Grands » – extraversion, agréabilité et conscience – sont récurrents d'une langue à l'autre, alors que la capacité de reproduire le modèle complet à cinq facteurs est discutable (De Raad et Peabody, 2005).

L'existence de variations dans les résultats selon le pays et la langue d'usage amène certains chercheurs à soupçonner l'existence de facteurs de personnalité propres à certaines cultures. Un facteur de personnalité associé à la « tradition chinoise », qui évoque les valeurs et attitudes considérées comme importantes au sein de la société chinoise traditionnelle, peut nous en fournir un exemple (Cheung et coll., 1996). L'existence de tels facteurs propres à une culture est certainement possible, mais d'autres études devront le confirmer avant qu'on puisse les considérer comme des données empiriques. Par exemple, il est possible que des facteurs de cet ordre ne reflètent pas des traits de personnalité à proprement parler, mais d'autres différences individuelles, comme des attitudes et des croyances (par exemple, le fait d'être conservateur ou progressiste).

En somme, la recherche indique de plus en plus que les gens issus de diverses cultures et de divers groupes linguistiques interprètent les différences individuelles en matière de personnalité d'une façon très semblable aux « Cinq Grands ». Au moins trois des cinq facteurs s'observent fréquemment d'une culture et d'une langue à l'autre, et les deux autres sont couramment observés, bien qu'il existe aussi des facteurs propres à certaines cultures ou à certaines langues. De plus, certains traits de personnalité semblent uniques à une culture, et l'importance de certains, de même que la façon dont ils s'expriment, peut varier selon la culture et l'époque. Le caractère universel de certains traits permet de penser qu'une composante génétique ou évolutionniste en fait des éléments de ce que nous appelons la nature humaine. Les différences relatives à la façon dont les gens expriment les traits et l'existence de traits uniques à certaines cultures permettent de penser que la culture joue un rôle important dans l'adaptation à des environnements particuliers.

Les « Cinq Grands » dans les inventaires de personnalité

Une variété de questionnaires ont été mis au point pour mesurer les « Cinq Grands », dont la version abrégée de l'inventaire bipolaire de Goldberg (1992), élaborée à partir d'adjectifs qualificatifs, présentée plus tôt dans ce chapitre. L'inventaire de personnalité NEO-PI-R est un questionnaire particulièrement bien conçu.

L'inventaire de personnalité NEO-PI-R et sa structure hiérarchique : les facettes

Costa et McCrae (1985, 1989, 1992) ont conçu un inventaire de personnalité, le **NEO-PI-R**, pour mesurer les « Cinq Grands » facteurs de personnalité. La première version qu'ils ont proposée ne ciblait que trois facteurs, soit le névrosisme, l'extraversion et l'ouverture (à l'origine du nom *NEO-Personality Inventory*, ou NEO-PI). Ils ont par la suite enrichi l'inventaire afin qu'il mesure aussi les facteurs d'agréabilité et de conscience, et se conforme ainsi au modèle à cinq facteurs. En plus de mesurer ces cinq

NEO-PI-R

Inventaire de personnalité conçu pour mesurer le classement des gens selon le modèle à cinq facteurs, tant pour ces derniers que pour chacune des facettes qu'ils comportent.

Facette

Chacun des traits spécifiques (ou composantes) inhérents à chacun des cinq grands facteurs fondamentaux. Par exemple, les facettes de l'extraversion sont le degré d'activité, l'affirmation de soi, la quête de sensations fortes, les émotions positives, la grégarité et la chaleur.

Tableau 8.2 | **Chacun des cinq grands facteurs se décline en six facettes et peut être évoqué par une personnalité fictive ou réelle**

Facteur	Facettes	Personnalité
Extraversion	Sociabilité Activité Affirmation de soi Recherche de sensations fortes Émotions positives Chaleur humaine	Bill Clinton, président des États-Unis de 1993 à 2001
Agréabilité	Droiture Confiance Altruisme Modestie Sensibilité Soumission	Radar, personnage du film et de la série *M.A.S.H.*
Conscience	Autodiscipline Sens du devoir Compétence Ordre Délibération Recherche de réussite	Spock, personnage de *Star Trek*
Névrosisme	Anxiété Timidité sociale Dépression Vulnérabilité Impulsivité Colère-hostilité	Woody Allen, réalisateur
Ouverture aux expériences	Rêveries Sens esthétique Sentiments Idées Actions Valeurs	Lewis Carroll, auteur d'*Alice au pays des merveilles*

facteurs, les chercheurs les ont différenciés en six **facettes** plus spécifiques, qui sont des composantes plus précises constituant chacun des « Cinq Grands » facteurs.

Les six facettes définissant chaque facteur sont énumérées au tableau 8.2 ainsi que cinq personnages célèbres, fictifs ou réels, qui représentent bien le profil prototypique d'une personne ayant obtenu un score élevé pour l'un ou l'autre des cinq facteurs. Ainsi, dans le NEO-PI-R, les six facettes qui définissent l'extraversion sont l'activité, l'affirmation de soi, la recherche de sensations fortes, les émotions positives, la sociabilité et la chaleur humaine. Ces six facettes n'expriment-elles pas des traits qui décriraient l'ex-président des États-Unis Bill Clinton ? Le NEO-PI-R mesure chaque facette au moyen de 8 énoncés, si bien que la plus récente version de l'inventaire compte 240 énoncés (c'est-à-dire 5 facteurs × 6 facettes × 8 énoncés). Par exemple, la facette « Activité » comporte les deux énoncés suivants : « J'ai un rythme de vie trépidant » et « Quand je fais quelque chose, je ne le fais pas à moitié » (Costa et McCrae, 1992). La plupart des observateurs conviendraient en effet que le mode de vie trépidant que la Maison-Blanche imposait à Bill Clinton semblait lui convenir parfaitement, et qu'il ne faisait certainement pas les choses à moitié, comme le laisse entendre l'article de journal suivant :

CLINTON S'AMUSE FERME

Entre les réceptions, le golf et la lecture, le président n'a pas le temps de se reposer. Moins d'une semaine s'est écoulée depuis le début de ses vacances à Martha's Vineyard, or le président n'est jamais rentré avant 23 h ; il a joué du saxophone dans un groupe de jazz, il a débattu énergiquement avec un coursier à vélo de façon impromptue et il a assisté à au moins quatre soirées-bénéfice et autres réceptions, sans compter deux rondes de golf et la douzaine de briques qu'il compte lire durant ses vacances.

Les vacances présidentielles en disent parfois plus sur la personnalité et les penchants du président qu'une multitude de discours politiques. Ronald Reagan pratiquait l'équitation et le plein air, et ne lisait pas beaucoup pendant l'été. George Bush conduisait de bruyants hors-bord. Richard Nixon arpentait la plage sans quitter ses chaussures de ville. Bill Clinton, amateur notoire de bonne chère, de conversations et d'idées, semble trouver que les vacances doivent servir à des choses plus sérieuses que dormir, comme faire le plein de rencontres, de golf et de lectures.

Source : *San Francisco Chronicle*, 25 août 1999, p. A4.

Les personnes qui remplissent le NEO-PI-R dans un contexte expérimental ou clinique indiquent dans quelle mesure elles sont d'accord ou non avec chaque énoncé sur une échelle de cinq points. Les mesures de traits qui en découlent présentent tous une bonne fidélité et une validité constante avec diverses sources, comme les évaluations par les pairs ou par le conjoint. McCrae et Costa (1990, 2003) croient fermement en l'importance d'évaluer la personnalité à l'aide d'inventaires structurés plutôt qu'au moyen de tests projectifs et d'entrevues cliniques, dont ils déplorent le manque de rigueur et la sensibilité aux préconceptions personnelles des évaluateurs. Les données recueillies indiquent que les scores du NEO-PI-R

concordent avec ceux d'autres instruments inspirés du modèle à cinq facteurs, dont l'inventaire d'adjectifs de Goldberg (Benet-Martinez et John, 1998 ; John et Srivastava, 1999). Quoi qu'il en soit, il est également important de signaler l'existence de différences dans la façon dont chaque instrument positionne les facettes. Par exemple, selon Costa et McCrae, la chaleur humaine figure sous l'extraversion alors que d'autres spécialistes des « Cinq Grands » jugent que cette facette est plus étroitement liée à l'agréabilité (John et Srivastava, 1999). La conceptualisation du cinquième facteur, l'ouverture, suscite sa part de désaccord ; Goldberg met l'accent sur la cognition intellectuelle et créative, et désigne ce facteur par les termes « intellect ou imagination ». McCrae (1996) juge trop étroite cette définition et tente d'y inclure davantage de facettes pour représenter l'ouverture (tableau 8.2). Les chercheurs n'ont donc pas encore résolu toutes leurs divergences de vues.

L'intégration des facteurs d'Eysenck et de Cattell aux « Cinq Grands »

En supposant que l'inventaire de personnalité NEO-PI-R constitue un bon instrument de mesure du modèle à cinq facteurs, peut-on y intégrer les facteurs de personnalité de Cattell et d'Eysenck ? Un grand nombre de données de recherche permettent de le penser. Les scores du NEO-PI-R présentent les corrélations prévues avec ceux d'autres inventaires de personnalité, dont ceux d'Eysenck et les 16 facteurs de personnalité de Cattell (Costa et McCrae, 1992, 1994).

Ces corrélations sont importantes sur le plan théorique. Elles permettent d'intégrer les modèles antérieurs d'analyse factorielle au modèle à cinq facteurs aussi bien qu'entre eux. Chez Eysenck en particulier, les superfacteurs d'extraversion et de névrosisme se retrouvent directement dans les « Cinq Grands », alors qu'une combinaison de scores faibles d'agréabilité et de conscience permet en bonne partie de reconstituer le superfacteur de psychotisme (Clark et Watson, 1999 ; Costa et McCrae, 1995 ; Goldberg et Rosolack, 1994). Les 16 facteurs de personnalité de Cattell (tableau 7.2) se retrouvent également dans les dimensions du modèle à 5 facteurs (McCrae et Costa, 2003). Par exemple, les facteurs « chaleureux », « affirmé » et « audacieux » peuvent être associés au facteur d'extraversion du NEO-PI-R. Ce type de constatations amène les tenants du modèle à cinq facteurs à dire que ce dernier procure une structure détaillée à laquelle il est possible d'intégrer les construits de Eysenck et de Cattell.

De plus, le NEO-PI-R présente des liens significatifs avec d'autres types d'instruments de mesure (avec les résultats du Q-sort, par exemple) et avec des questionnaires issus d'autres approches théoriques. Les différences individuelles que révèle le modèle des motivations de Murray peuvent être comprises dans le contexte du modèle à cinq facteurs, ce qui permet de supposer l'existence d'un lien entre les traits et les motivations (Pervin, 1999). Nous pouvons par ailleurs décrire les différences individuelles mises au jour par la recherche en biologie sur le tempérament (voir le chapitre 9) au moyen du modèle à cinq facteurs (De Fruyt, Wiele et van Heeringen, 2000); nous pouvons donc penser que les facteurs peuvent être réduits aux systèmes biologiques qui les sous-tendent (voir la rubrique « La personnalité et le cerveau », page 216).

L'autoévaluation et l'évaluation par un tiers

Le NEO-PI-R présente aussi l'avantage de se prêter à l'autoévaluation comme à l'évaluation par un tiers. De nombreuses études ont permis de comparer les résultats d'autoévaluations et d'évaluations effectuées par un pair ou un conjoint. Selon McCrae et Costa (1990), les résultats des deux formes d'évaluation correspondent en grande partie pour chacun des cinq facteurs. La correspondance est particulièrement grande entre l'autoévaluation et l'évaluation par le conjoint, peut-être parce que les conjoints se connaissent généralement mieux que les amis, ou alors parce qu'ils ont souvent l'occasion d'échanger sur leurs personnalités respectives (voir Kenny, 1994).

La recherche menée à partir des données d'autoévaluation et des données d'observation par un tiers a donné lieu à trois découvertes :

(1) Comme nous l'avons vu ci-dessus, les deux types d'observation révèlent la présence des mêmes cinq facteurs (McCrae et Costa, 1990).

(2) Les observateurs s'entendent relativement bien quant au positionnement du sujet évalué sur chacun des cinq facteurs. Si vous vous considérez comme étant consciencieux, introverti et névrosé, il y a de fortes chances pour que vos amis partagent votre avis (Connelly et Ones, 2010; McCrae et Costa, 1997).

(3) Les données d'évaluation par des tiers constituent parfois de meilleures variables explicatives du rendement que les données d'autoévaluation. Une méta-analyse (une analyse statistique de résultats d'un grand nombre d'études) portant sur le rapport entre les résultats d'inventaires de personnalité et des indices de rendement au travail a montré que les prédictions de rendement provenant d'évaluations de personnalité par des tiers dépassaient les prédictions provenant d'autoévaluations (Oh, Wang et Mount, 2011).

À quels égards les résultats d'autoévaluation et d'évaluation par des tiers diffèrent-ils? Selon certaines recherches, les différences concernent les traits de personnalité qui ne sont pas très observables. Par exemple, les données d'autoévaluation mesurent avec plus de justesse le névrosisme (qui se caractérise par un sentiment d'anxiété que ne perçoivent pas nécessairement les autres) que les données d'évaluation par des tiers (Vazire, 2010). En revanche, le désir de se voir sous un jour plus positif peut amener les sujets à s'évaluer d'une façon plus flatteuse que ne le feront des tiers. Selon une étude multinationale, bien que les données d'autoévaluation et d'évaluation par des tiers concordent souvent étroitement, le patron de résultats sur les écarts de perceptions s'avère plus complexe que ne le suggèrent les hypothèses précédentes. En effet, cette étude indique que les gens se perçoivent généralement comme étant plus névrosés (caractéristique peu visible) et moins consciencieux (caractéristique socialement désirable) que ce qu'en croient leurs pairs (Allik et coll., 2010). Ainsi, le rapport entre les autoévaluations et les évaluations de tiers subit vraisemblablement l'influence d'autres facteurs tels que la familiarité-amitié entre le sujet et l'observateur ainsi que le contexte dans lequel ces évaluations sont recueillies.

UN MODÈLE THÉORIQUE DES « CINQ GRANDS »

Nous avons peu parlé jusqu'ici du modèle à cinq facteurs et de l'approche des traits en général d'un point de vue conceptuel critique. À quel stade conceptuel les construits relatifs aux traits de personnalité se trouvent-ils? À cet égard, notez que les construits qui servent à caractériser les personnes peuvent prendre plusieurs formes. Certains termes ne servent qu'à décrire la façon dont une personne agit généralement. D'autres termes renvoient à des propriétés psychologiques qu'une personne pourrait posséder; ils font référence aux structures ou processus psychiques à l'origine du comportement de la personne. Une image n'ayant rien à voir avec des caractéristiques psychologiques permet de bien montrer la distinction entre un construit descriptif et un construit causal. Prenons les caractéristiques physiques et le mot *beau/belle*. Nous disons souvent qu'une personne « est belle » ou qu'elle est « plus belle qu'une autre ». Ce faisant, nous employons

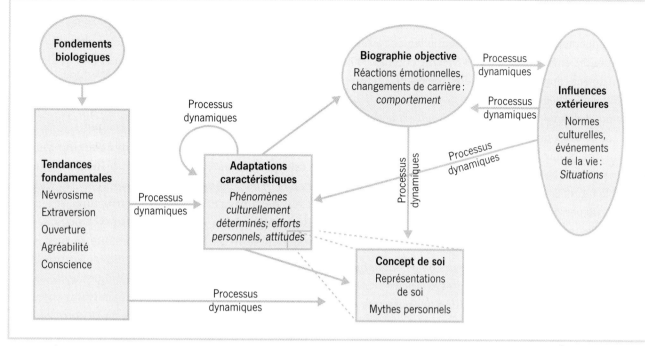

Figure 8.1 | **Une représentation de la théorie des cinq facteurs**
Les rectangles rassemblent les composantes essentielles ; les ellipses rassemblent les composantes servant de liaison.

Source : McCrae, R.R., & Costa, P.T., Jr., (1999). A five-factor theory of personality. Dans L.A. Pervin & O.P. John (dir.)., *Handbook of Personality : Theory and Research* (p. 139-153). New York: Guilford Press. Reproduction autorisée par Guilford Press.

le terme *belle* pour décrire la personne. C'est une façon de résumer les caractéristiques attrayantes des attributs physiques ou faciaux : un sourire craquant, de beaux cheveux et ainsi de suite. Nous n'utilisons pas le mot *beauté* pour faire référence au système biologique distinct responsable du physique attirant ou du sourire craquant d'une personne. Une personne ne doit pas à sa beauté d'avoir de beaux cheveux. La beauté est une étiquette descriptive et non une structure biologique exerçant une quelconque influence causale.

Que dire, alors, des concepts décrivant les traits de personnalité, comme les « Cinq Grands » ? Sont-ils autre chose que des descriptions de caractéristiques psychologiques ? Ou se pourrait-il qu'ils correspondent aussi à de véritables « entités » psychologiques que possèdent les personnes et qui expliquent leur comportement ? De nombreux psychologues de la personnalité ne considèrent les « Cinq Grands » facteurs que comme des éléments descriptifs. Ils conçoivent les construits comme une taxonomie des différences individuelles. Or, dans les années 1990, McCrae et Costa (1999, 2008) ont proposé une perspective théorique plus audacieuse. Ils ont intitulé leur proposition la **théorie des cinq facteurs** (figure 8.1). Cette théorie pose que les cinq principaux facteurs de personnalité sont plus que de simples descriptions de ce qui distingue les personnes.

Elle considère les facteurs de personnalité comme des entités qui existent vraiment ; chacune est considérée comme une structure psychologique présente à divers degrés chez toute personne (de la même façon que toute personne est de taille plus ou moins grande). Les facteurs de personnalité sont présumés influer sur le développement psychologique de chacun. De façon plus technique, la théorie des cinq facteurs considère ces derniers comme des dispositions fondamentales et universelles, présentes chez tous les personnes, qui orientent le développement.

Selon McCrae et Costa, ces facteurs ont des fondements biologiques. Les différences comportementales associées aux « Cinq Grands » seraient attribuables aux influences génétiques que subissent les structures neurologiques, la chimie du cerveau, etc. En proposant ce modèle, McCrae et Costa sentaient en effet que les fondements biologiques des facteurs étaient tels qu'ils ne subissaient pas directement l'influence de l'environnement ; ils affirmaient que

Théorie des cinq facteurs
Consensus émergeant parmi les théoriciens des traits au sujet des cinq facteurs fondamentaux de la personnalité humaine : le névrosisme, l'extraversion, l'ouverture, l'agréabilité et la conscience.

les facteurs de personnalité, comme les tempéraments, sont des dispositions endogènes qui empruntent des voies de développement endogènes et essentiellement à l'abri des influences environnementales (McCrae et coll., 2000). Ce point de vue rappelle le vieux débat opposant la nature et la culture. La théorie de McCrae et Costa constitue peut-être le point de vue le plus affirmé qui soit en faveur de la nature, à savoir que l'hérédité (la nature) détermine la personnalité et que les expériences sociales (la culture) n'ont pas grand-chose à y voir. Comme le montre explicitement la figure 8.1, la théorie des cinq facteurs pose que les traits de personnalité sont l'expression de la biologie humaine. Les influences extérieures n'auraient pas d'effets sur les traits (le schéma ne comporte pas de flèches reliant les influences extérieures aux facteurs de personnalité). L'affirmation voulant que les influences extérieures soient sans effet sur les traits de personnalité d'une personne est à peu près exclusive à la théorie des cinq facteurs.

Cette théorie comporte une autre caractéristique unique, soit celle dont nous avons discuté plus haut, selon laquelle les traits ne sont pas que de simples descriptions de ce qui distingue une personne d'une autre (comme, dans notre exemple, la *beauté*), mais constituent une structure causale. La théorie des cinq facteurs considère les traits de personnalité comme des facteurs causals qui influent sur la trajectoire de vie de chaque personne. Les cinq traits y sont décrits comme la matière brute universelle de la personnalité (McCrae et Costa, 1996). Dans la théorie des cinq facteurs, un construit comme l'agréabilité remplit deux fonctions. En plus d'être une dimension des différences individuelles s'appliquant à des populations plutôt qu'à un cas particulier, il constitue aussi la cause commune de modèles typiques de pensées et de sentiments qui est directement opérante chez chacun des individus de la population (McCrae et Costa, 2003).

Que penser de la théorie des cinq facteurs ? Le modèle présente indéniablement un potentiel d'intégration exceptionnel. Si ses fondements sont justes, il relie une perspective biologique des traits de personnalité et des influences environnementales à des variables de personnalité observables que d'autres orientations théoriques présentées dans ce manuel considèrent comme de la plus haute importance. Néanmoins, malgré l'éclairage formidable qu'il propose, le modèle laisse beaucoup de questions en suspens. Trois enjeux posent particulièrement problème. Leur importance et leur implications pour les théories de la personnalité nous obligent à les examiner individuellement. Le premier problème concerne le rapport

entre les structures et les processus. Remarquez, dans le schéma de la figure 8.1, les flèches indiquant les processus dynamiques. La théorie des cinq facteurs s'étend peu sur ces processus. Selon McCrae et Costa (1999), il s'agit de détails auxquels d'autres approches de la personnalité devront suppléer. C'est ce qu'on appelle une limitation théorique importante.

Au flou entourant ces processus dynamiques s'ajoute le fait qu'on ne sait trop, même en principe, comment combler ce manque de connaissances. En général, les théoriciens de la personnalité lient les structures et les processus en précisant les mécanismes psychologiques qui composent la structure de la personnalité, puis en expliquant comment ces mécanismes guident les processus motivationnels ou les aspects dynamiques associés à la personnalité. Par exemple, les psychanalystes postulent que les mécanismes fondamentaux du ça consistent en pulsions biologiques inconscientes, puis expliquent comment ces forces inconscientes influent sur le comportement observable. La théorie des cinq facteurs, elle, ne précise pas la nature des mécanismes biologiques et psychologiques associés aux traits de personnalité. Ceux-ci sont considérés tout au plus comme des tendances. Dans la mesure où les mécanismes associés aux traits demeurent inconnus, comment peut-on même commencer à construire un modèle qui les relierait aux processus dynamiques ?

Les deux autres problèmes ont trait aux deux caractéristiques uniques précitées de la théorie des cinq facteurs. L'idée voulant que les facteurs sociaux n'exercent pas d'influence sur les traits de personnalité pose problème puisque les recherches menées à ce jour contredisent cette notion théorique. L'analyse des variations des résultats de tests de personnalité administrés à différentes époques procure des données particulièrement intéressantes. Selon Twenge (2002), les changements culturels survenus à diverses époques du XXe siècle pourraient avoir entraîné des modifications de la personnalité. Pensons, par exemple, aux changements survenus aux États-Unis durant les décennies du milieu du siècle et celles de la fin du siècle. Comparés à leurs parents des années 1950, les gens des années 1990 ont grandi dans une culture marquée par des taux de divorce et de criminalité supérieurs, par la dénatalité et par l'affaiblissement des contacts avec la famille élargie (causée par la mobilité professionnelle et scolaire de la population). Twenge a constaté que ces changements socioculturels sont associés à une hausse de l'anxiété. En examinant, dans les comptes rendus de recherche publiés depuis les années 1950, la moyenne des scores obtenus pour les échelles de l'anxiété et du névrosisme, Twenge a pu démontrer que l'anxiété avait augmenté considérablement durant cette période. La chercheuse a également observé une hausse de l'extraversion au cours des décennies du XXᵉ siècle; cette hausse reflète peut-être le penchant grandissant de la société américaine pour l'individualisme et l'affirmation personnelle (Twenge, 2002). Comme le note Twenge, ces changements historiques, dont l'ampleur s'est avérée considérable, contredisent directement l'hypothèse voulant que les facteurs sociaux n'exercent pas d'influence sur les traits de personnalité.

La troisième préoccupation que suscite la théorie des cinq facteurs est subtile sur le plan conceptuel mais n'en est pas moins d'une extrême importance. La théorie des cinq facteurs pose que ceux-ci sont présents chez toutes les personnes. Autrement dit, nous présenterions tous des structures psychologiques correspondant à chacun des facteurs, mais chaque individu serait caractérisé par des degrés différents sur ces traits. Selon les théoriciens des cinq facteurs, ceux-ci sont comme des organes (Costa et McCrae, 1998) dont la taille varie d'une personne à l'autre. Or cette prétention théorique ne découle par conclusion directe ou logique d'aucune donnée de recherche existante. Les preuves à l'appui du modèle à cinq facteurs reposent sur des analyses statistiques de populations humaines. Les chercheurs constatent que ce modèle permet de résumer efficacement les différences individuelles pour une population. Cependant, cette constatation n'indique pas que chacun des individus qui composent la population présente chacun des cinq facteurs. Les questions relatives aux populations et aux individus relèvent de niveaux d'analyse différents. Un énoncé applicable à une population (par exemple, constater que «la population autochtone des États-Unis a rapetissé ») ne l'est pas nécessairement pour des individus (aucun Autochtone des États-Unis n'a «rapetissé»; Rorer, 1990).

La question consiste donc à déterminer si l'observation des facteurs au sein d'une population permet de confirmer l'existence de structures psychologiques chez tous les individus. Borsboom et ses collègues (2003) se sont récemment penchés longuement sur la question. Ces auteurs ont rappelé avec insistance que l'analyse de populations et l'analyse d'individus sont deux démarches complètement différentes. La seule façon d'affirmer de façon légitime que les cinq facteurs expliquent le fonctionnement de la personnalité sur le plan individuel serait d'effectuer des analyses factorielles individuelles et de constater que

le modèle à cinq facteurs s'applique à chacune des personnes évaluées. Les auteurs rappellent que pour déterminer ce qui se produit chez une personne, il faut l'étudier. Il faut, pour ce faire, représenter les processus individuels là où ils se trouvent, en l'occurrence à l'échelle individuelle. Les analyses entre sujets ne fourniront pas comme par miracle de données à l'échelle individuelle (Borsboom, Mellenbergh et van Heerden, 2003).

Pour l'instant, les chercheurs qui ont tenté d'observer la structure à cinq facteurs à l'échelle individuelle sont relativement peu nombreux. Les données existantes laissent penser que les tendances comportementales des personnes diffèrent généralement des tendances que décrit le modèle à cinq facteurs (Borkenau et Ostendorf, 1998). C'est pourquoi il existe diverses théories de la personnalité, même si le modèle à cinq facteurs parvient fort bien à décrire les différences individuelles. Pour la plupart des autres théoriciens de la personnalité, les cinq facteurs ne résolvent pas le problème auquel se sont attaqués Freud, Rogers et d'autres que nous traiterons dans les prochains chapitres: relever, *dans la tête du sujet*, les structures de sa personnalité qui expliquent ses expériences et comportements types.

LA CROISSANCE ET LE DÉVELOPPEMENT

Les différences attribuables à l'âge chez les adultes

Les résultats des tests mesurant les cinq facteurs changent-ils systématiquement avec l'âge ou les traits de personnalité demeurent-ils stables durant la vie adulte? La façon la plus simple de répondre à ces questions est d'étudier des personnes sur de longues périodes en leur administrant les mêmes tests de personnalité à différents moments durant ces périodes. La recherche qui recourt à cette stratégie montre des résultats constants et une stabilité considérable (Caspi et Roberts, 1999; McCrae et Costa, 2008; Roberts et Del Vecchio, 2000). Même sur de longues périodes, les corrélations entre les résultats obtenus à différentes périodes demeurent significatives (Fraley et Roberts, 2005). Cela ne signifie pas que la personnalité ne connaît pas de changements notables chez les gens en général ni que les individus (qui peuvent se distinguer de la moyenne d'un groupe) ne changent pas. Cela signifie néanmoins que les psychologues de la personnalité peuvent conclure avec confiance que les variables de traits sur lesquelles s'appuient leurs théories cernent des caractéristiques personnelles qui restent assez stables, sur d'assez longues périodes, pour un nombre considérable de personnes.

Cette stabilité n'exclut pas l'observation de changements : un trentenaire extraverti a de bonnes chances de l'être encore lorsqu'il aura 70 ans, bien qu'il ne sera pas aussi actif ou amateur de sensations fortes (McCrae et Costa, 2008). Les adultes âgés obtiennent généralement des scores plus faibles au névrosisme, à l'extraversion et à l'ouverture, et des scores plus élevés pour l'agréabilité et la conscience que les adolescents et les jeunes adultes (Costa et McCrae, 1994). En moyenne, les adolescents semblent vivre plus d'anxiété et se préoccuper davantage de l'approbation d'autrui et de leur estime de soi (névrosisme) ; ils passent plus de temps à parler au téléphone et à participer à des activités sociales avec leurs amis (extraversion) et semblent plus ouverts à des expériences de toutes sortes et à l'expérimentation (ouverture). En revanche, ils se montrent plus critiques et exigeants à l'égard de certaines personnes et de la société en général (agréabilité plus faible), et moins consciencieux et responsables que ce que les autres (leurs parents, leurs enseignants, la police) attendent d'eux (conscience plus faible). Nul ne s'étonne d'entendre parler davantage des « jeunes en colère » que

des « hommes d'âge mûr en colère » ou des « grands-pères en colère ». L'adolescence et le début de la vingtaine sont les périodes de la vie les plus marquées par le mécontentement, l'agitation et la révolte.

Ces constatations demeurent néanmoins ambiguës puisque les différences observées ne sont peut-être pas attribuables au vieillissement, mais à la cohorte, c'est-à-dire au fait de grandir à une époque plutôt qu'à une autre. Autrement dit, les différences pourraient être attribuables à des facteurs historiques (le fait de grandir à l'époque de la Crise, plutôt que durant la Seconde Guerre mondiale ou pendant les tumultueuses années 1960) plutôt qu'au vieillissement. Par exemple, les étudiants d'aujourd'hui sont peut-être moins consciencieux que ne l'étaient ceux de la génération de leurs parents. McCrae et Costa et leurs collaborateurs ont tenté de corriger cette lacune dans des recherches ultérieures en étudiant les différences d'âge dans une grande variété de cultures (McCrae et coll., 2000 ; McCrae et Costa, 2003). En guise d'illustration des résultats obtenus, la figure 8.2 indique les valeurs moyennes obtenues pour la conscience dans cinq cultures. Le graphique présente cinq groupes d'âge, soit les 14-17 ans, les 18-21 ans, les 22-29 ans, les 30-49 ans et les 50 ans et plus. L'absence de résultat pour un groupe d'âge indique que le nombre

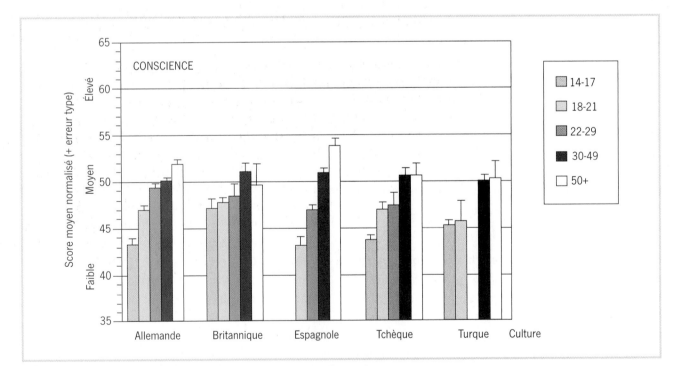

Figure 8.2 | **Degré moyen du facteur de conscience dans cinq cultures**

Les scores normalisés (scores t) reposent sur la moyenne et l'erreur type de tous les répondants de plus de 21 ans dans chaque culture. Pour chaque groupe d'âge, l'intervalle d'erreur représente l'erreur type de la moyenne.

Source : McCrae, R.R., Costa, P.T., Ostendorf, F., Angleitner, A., Hrebickova, M., Avia, M.D., *et al.* (2000). Nature over nurture : Temperament, personality, and lifespan development. *Journal of Personality and Social Psychology, 78*, 173-186.
© American Psychological Association, reproduction autorisée.

de participants de cet âge était insuffisant. Les tendances selon l'âge étaient généralement semblables pour les deux sexes, et l'augmentation escomptée du facteur « conscience » s'observe dans toutes les cultures : les gens deviennent plus consciencieux avec l'âge.

De façon plus générale, McCrae et ses collègues (2000) ont pu reproduire les résultats obtenus plus tôt aux États-Unis, mais ils ont dû nuancer leur position très arrêtée selon laquelle la personnalité ne change pas après 30 ans : les nouvelles données interculturelles laissent penser que certaines tendances associées à l'âge perdurent après 30 ans, bien qu'à un degré moindre. Les résultats de l'étude sont proprement stupéfiants : on observe la même tendance de changement dans toutes les cultures, malgré leurs grandes différences de conditions politiques, culturelles et économiques. Devant ces résultats, McCrae et ses collègues ont affirmé que les changements dans le degré d'expression des traits de personnalité ne sont pas étroitement liés aux expériences de la vie. Ils attribuent plutôt ces différences à la maturation intrinsèque des facteurs de personnalité, comme celle que connaissent d'autres systèmes biologiques (McCrae, 2002). D'autres recherches soutiennent effectivement l'idée voulant que même une accumulation importante d'expériences environnementales n'élimine pas les différences observées dans les scores obtenus pour les cinq grandes dimensions de la personnalité (Fraley et Roberts, 2005).

Or les données d'autres chercheurs semblent montrer des degrés de changement plus élevés et une influence plus importante des facteurs sociaux. Ravenna Helson et ses collègues (Helson et Kwan, 2000 ; Helson, Kwan, John et Jones, 2002) ont étudié pendant plusieurs années un groupe de femmes vivant dans le nord de la Californie. Les participantes ont fait l'objet d'une première évaluation autour de 1960, alors qu'elles terminaient leurs études de premier cycle. Les chercheurs les ont évaluées à quelques reprises par la suite, jusqu'à 40 ans plus tard, alors que les participantes étaient âgées de 61 ans. Ils ont relevé des preuves manifestes de *changements* de la personnalité au cours de l'âge adulte. Par exemple, les réponses dans les autoévaluations ont changé sur le plan de la conformité aux normes (la mesure dans laquelle la participante maîtrise ses élans affectifs en fonction des normes sociales, caractéristique corrélée avec les facteurs d'agréabilité et de conscience ; Helson et Kwan, 2000). Selon la plupart des instruments qui mesurent l'attitude à l'égard de la norme, le score des femmes augmente de façon constante avec l'âge. À l'inverse, selon les instruments qui mesurent la vitalité sociale (caractéristique corrélée avec l'extraversion), le score des femmes diminue avec l'âge. Cette étude comporte un aspect particulièrement intéressant dans la mesure où elle montre que les changements dans la personnalité des participantes n'étaient pas étrangers à un facteur socioculturel, en l'occurrence le mouvement féministe, dont les idées nouvelles sur les sexes et la place des femmes dans la société ont marqué les années 1960 et 1970. Les résultats semblent indiquer que les femmes qui accordaient de l'importance au mouvement féministe ont donné un score plus élevé aux échelles de l'acceptation de soi, du besoin de diriger et de l'empathie ; elles ont donc accru leur sentiment de pouvoir et sont devenues plus sûres d'elles, plus affirmées et plus investies dans la compréhension des sentiments d'autrui (Helson et Kwan, 2000). Dans une revue récente de la documentation scientifique (Helson et coll., 2002), les chercheurs indiquent que de tels changements s'observent de façon constante dans diverses études et d'autres échantillons de participantes.

Des travaux de Srivastava et ses collègues (2003) fournissent des preuves supplémentaires de changements dans les scores de traits de personnalité. Les chercheurs

APPLICATIONS ACTUELLES | L'agréabilité s'accroît avec l'âge

À 35 ans, Nicolas Cage ne se faisait pas prier pour rappeler qu'il avait des responsabilités. « Il y a des personnes qui ont besoin de moi », disait-il alors dans une entrevue. « [Plus jeune,] je réalisais mes fantasmes… Je voulais être imprévisible et intimidant, et je présume que je l'étais. Je ne me vois pas faire de telles colères aujourd'hui. Mon dernier coup de poing dans un mur remonte à des années. »

Source : *Rolling Stone*, 1999.

À 35 ans, Nicolas Cage n'était plus un homme en colère.

ont mené une enquête en ligne en soumettant un inventaire mesurant le modèle à cinq facteurs à un vaste échantillon d'adultes d'âges variés provenant du Canada et des États-Unis. L'analyse des réponses a révélé d'importants changements liés à l'âge pour la plupart des « Cinq Grands » facteurs, tant chez les hommes que chez les femmes. Par exemple, les autoévaluations relatives au facteur d'agréabilité ont augmenté de façon significative chez les hommes et les femmes âgés de 31 à 50 ans ; comme le notent les auteurs, de nombreux adultes élèvent leurs enfants durant ces deux décennies, et les expériences que leur procure la parentalité modifient peut-être leurs attitudes associées à l'agréabilité. Les auteurs soulignent que ces résultats contredisent l'origine biologique de la théorie des cinq facteurs (Srivastava, John, Gosling et Potter, 2003). Autrement dit, ils contredisent la notion voulant que les traits de personnalité et leur degré d'expression relèvent entièrement de l'hérédité et aucunement des expériences sociales (figure 8.1). Même si les théories sur les traits de personnalité consacrent moins d'attention aux influences sociales que ne le font la plupart des autres cadres théoriques, la recherche sur les traits démontre de plus en plus que la personnalité se développe durant toute la vie sous l'effet des interactions de l'individu avec l'environnement social.

D'autres travaux combinant audacieusement deux approches théoriques ont aussi montré récemment que la personnalité n'est pas immuable. Cramer (2003) s'est demandé si les différences individuelles dans la tendance à recourir à des mécanismes de défense (voir le chapitre 3) permettaient d'anticiper des changements dans les scores des « Cinq Grands ». Les résultats de son étude indiquent que l'utilisation de mécanismes de défense au début de l'âge adulte était un prédicteur de changements ultérieurs dans les traits de personnalité. Par exemple, les personnes qui avaient tendance à recourir aux mécanismes rudimentaires du déni et de la projection présentaient un degré plus élevé de névrosisme quelques années plus tard. Bref, si les scores des traits sont plutôt stables dans le temps, de nombreux indices montrent qu'ils peuvent changer de façon appréciable et systématique.

Les premiers résultats de recherche sur l'enfance et l'adolescence

Les études décrites ci-dessus concernent la personnalité à l'âge adulte. Qu'en est-il des périodes antérieures de développement ? La recherche s'est intéressée aux liens entre le tempérament du nourrisson, la personnalité de l'enfant et les cinq grands facteurs à l'âge adulte (Halverson, Kohnstamm et Martin, 1994). On peut avancer, sans risque important de se tromper, que les premières caractéristiques du tempérament, comme la sociabilité, l'activité et l'émotivité (Buss et Plomin, 1984), se développent et deviennent à l'âge adulte l'extraversion et le névrosisme. Cependant, il reste encore beaucoup à faire pour comprendre les liens exacts et les processus qui soustendent ce développement.

Au chapitre des curiosités, les chercheurs ont découvert que la structure de la personnalité semble plus complexe et moins intégrée durant l'enfance qu'à l'âge adulte. Une étude américaine a révélé que la personnalité de l'enfant présente sept facteurs plutôt que les cinq habituels (John, Caspi, Robins, Moffitt et Stouthamer-Loeber, 1994). Une étude menée aux Pays-Bas a produit les mêmes résultats (van Lieshout et Haselager, 1994). Essentiellement, au lieu d'un seul facteur général d'extraversion, les chercheurs ont observé des facteurs distincts de sociabilité et d'activité, et le facteur du névrosisme s'exprimait plutôt par des facteurs d'appréhension et d'irritabilité. Ces découvertes laissent penser que l'expression de la personnalité peut changer au cours du développement : pendant l'adolescence, les facteurs distincts fusionnent pour former les dimensions plus intégrées que révèle la personnalité adulte. L'idée voulant que deux facteurs observables durant l'enfance – la sociabilité et l'activité – annoncent le facteur d'extraversion à l'âge adulte alimente le point de vue voulant que ces deux attributs soient distincts, qu'ils apparaissent tôt et qu'ils soient en grande partie héréditaires (Buss et Plomin, 1984) (le chapitre 9 présente un exposé sur le tempérament et l'héritabilité).

La stabilité et le changement de la personnalité

Que peut-on dire de la stabilité des tendances fondamentales de la personnalité ? Les scores obtenus pour les cinq grands facteurs (indiquant le rang relatif d'un individu par rapport à la population) demeurent-ils stables toute la vie nonobstant de légères variations des moyennes ? Nous y reviendrons plus en détail dans le prochain chapitre, mais notons dès maintenant l'existence de plusieurs points de vue sur la question. Selon l'un d'eux, par exemple, le développement de la personnalité est continu et relève en grande partie de la biologie, à telle enseigne que « l'enfant est le père de l'homme » (Caspi, 2000). De même, selon McCrae et Costa, les données indiquant que les traits comportent une importante composante héréditaire et le manque de données confirmant l'existence d'un impact environnemental clair permettent de penser que les traits de personnalité ont un fondement biologique : comment, sinon, expliquer que des années d'expérience, des mariages, des divorces, des changements de carrière, des maladies chroniques ou graves, des guerres, des dépressions et un nombre incalculable d'heures de télévision aient pu avoir si peu d'effet sur les traits de personnalité (McCrae et Costa, 2008) ?

Selon un autre point de vue, même si des données indiquent que les traits demeurent consistants durant toute la vie, elles ne sont pas suffisantes pour conclure qu'il n'y a pas de changement (Roberts et Del Vecchio, 2000). D'autres auteurs rappellent en outre que si la structure générale et le degré d'expression des traits demeurent relativement stables, des données indiquent que le degré d'expression de certains traits change parfois (Asendorpf et van Aken, 1999). Soulignons notamment que les pratiques parentales peuvent exercer une influence sur le développement de la personnalité, de même que les expériences de travail sur le développement de la personnalité du jeune adulte (Roberts, 1997 ; Suomi, 1999). Voici ce que les données dont nous disposons laissent entrevoir : (1) La personnalité est plus stable sur les courtes périodes que sur les longues. (2) La personnalité est plus stable à l'âge adulte qu'au cours de l'enfance. (3) Malgré l'existence de données confirmant une stabilité générale des traits, celle-ci varie d'une personne à l'autre au cours du développement. (4) À nouveau, malgré l'existence de données confirmant une stabilité générale des traits, les limites de l'influence environnementale sur les traits durant l'enfance et à l'âge adulte restent à déterminer. (5) La stabilité tient en partie à des facteurs génétiques, en partie à des facteurs environnementaux, au sens d'environnements qui confirment des traits de personnalité existants. De plus, les changements peuvent découler de circonstances de vie changeantes et de démarches de changement actives, comme la psychothérapie.

ET S'IL EN MANQUAIT UN ? LE MODÈLE À SIX FACTEURS

Depuis les années 1980 et jusqu'aux premières années du second millénaire, le modèle à cinq facteurs faisait consensus parmi les psychologues de la personnalité. Les facteurs semblaient non seulement nécessaires, mais aussi raisonnablement suffisants pour décrire les différences moyennes entre les personnes. Puis la donne a changé. À la lumière de nombreux ensembles de données compilés par une équipe internationale de chercheurs travaillant auprès de participants provenant de divers pays, un sixième facteur semble avoir « échappé » aux psychologues de la personnalité.

Pour avoir une idée de la nature de ce facteur, prenons les deux cas hypothétiques suivants : (1) un homme intelligent, chaleureux, travailleur, agréable dans ses rapports avec autrui, doué d'aptitudes sociales et chef de la direction d'une société ; (2) un homme intelligent, chaleureux, travailleur, agréable dans ses rapports avec autrui, doué d'aptitudes sociales et chef de la direction d'une société qui se livre à des pratiques commerciales déloyales et ment sur l'état de ses finances. Il s'agit manifestement de deux personnes différentes. Or le modèle à cinq facteurs ne semble pas apte à révéler ce qui les distingue. Les deux hommes semblent se ressembler sur le plan des facteurs O, C, E, A et N, mais un autre élément les distingue : l'honnêteté, ou l'honnêteté-humilité (Ashton et coll., 2004).

La question à se poser est donc la suivante : cette intuition élémentaire – selon laquelle des gens similaires au chapitre des cinq grands facteurs peuvent se distinguer de façon systématique par un sixième trait de personnalité, soit l'honnêteté-humilité – tient-elle la route, non seulement sur le plan intuitif, mais aussi sur le plan scientifique ? Si quelqu'un analyse des autoévaluations

Mère Teresa, Prix Nobel de la paix, qui a consacré sa vie au service des pauvres, incarne pour des millions de personnes dans le monde l'honnêteté et l'humilité, le sixième trait de personnalité du modèle à six facteurs.

basées sur des adjectifs de traits de personnalité, non sans avoir pris soin d'inclure dans la liste d'adjectifs une grande variété d'attributs (afin qu'aucun trait général important ne soit occulté), trouvera-t-il ce sixième facteur ? Selon les constatations faites dans sept langues, la réponse est oui (Ashton et coll., 2004). En plus des cinq facteurs initiaux (dont certains ont vu leur signification changer subtilement après l'ajout du sixième facteur), il existe effectivement un sixième facteur d'honnêteté-humilité. Les différences individuelles concernant la tendance, chez les gens, à dire la vérité et à faire preuve de sincérité, par opposition à ceux qui sont rusés et déloyaux, constituent un sixième facteur pouvant être mesuré de façon fiable (tableau 8.3).

Le modèle à six facteurs (soit le modèle à cinq facteurs plus un facteur d'honnêteté) est une découverte récente en psychologie de la personnalité. La théorie fondamentale et la recherche appliquée ne l'ont pas encore intégré complètement, si bien que nous revenons au modèle à cinq facteurs pour traiter des applications. Gardez cependant à l'esprit, lorsque vous lirez le contenu des prochaines pages, que le modèle à cinq facteurs, en dépit de sa grande popularité auprès des psychologues de la personnalité, n'offre pas une représentation précise des différences individuelles sur le plan de l'honnêteté et de l'humilité par opposition à la malhonnêteté et à l'égoïsme. Il se peut également que d'autres facteurs soient sous-représentés. Dans une étude récente, De Raad et Barelds (2008) signalent que presque toute la recherche sur le modèle à cinq facteurs a porté sur des adjectifs, mais que l'étude de noms et de verbes pourrait fournir plus d'information sur les

gens. Les analyses factorielles d'une base de données comprenant les trois classes de mots ont révélé huit facteurs ; c'est donc dire que certains facteurs (comme la « compétence ») n'étaient pas clairement nommés dans les modèles à cinq ou à six facteurs (De Raad et Barelds, 2008).

LES APPLICATIONS DU MODÈLE À CINQ FACTEURS

Le modèle à cinq facteurs procure aux psychologues un outil complet et reconnu pour résoudre des problèmes appliqués, c'est l'une de ses grandes forces. Les employeurs, les éducateurs, les psychologues cliniciens et de nombreux autres praticiens ont besoin de moyens fiables d'évaluer les différences individuelles stables. Les évaluations tirées du modèle à cinq facteurs constituent un tel moyen et ont trouvé plusieurs applications, que nous examinons ci-dessous.

Les étudiants qui se destinent à une carrière en orientation professionnelle seront heureux d'apprendre que les variations de traits de personnalité permettent d'entrevoir le type de carrière que choisissent les gens et leur mode de fonctionnement au sein d'une profession ou d'un métier (De Fruyt et Salgado, 2003 ; Hogan et Ones, 1997 ; Roberts et Hogan, 2001). Selon le modèle à cinq facteurs, les personnes qui obtiennent un score élevé à l'extraversion devraient préférer les carrières qui les mettent en contact avec les gens ou qui les amènent à faire preuve d'initiative ou d'entreprenariat. Elles y excelleront davantage que les personnes introverties. Les carrières artistiques et celles qui comportent un travail d'enquête (comme le journalisme, l'écriture à la pige) et qui exigent de la curiosité, de la créativité et une liberté de pensée – des caractéristiques centrales du facteur d'ouverture – devraient attirer les personnes qui obtiennent un score élevé pour ce facteur. De nombreuses recherches indiquent en fait que le modèle à cinq facteurs est utile pour prédire le rendement professionnel (Hogan et Ones, 1997). Selon une méta-analyse d'un grand nombre d'études, le facteur de conscience est associé de façon particulièrement constante au rendement dans une variété d'emplois et selon différents indicateurs de performance au travail (Barrick et Mount, 1991). Néanmoins, certains auteurs rappellent que d'autres caractéristiques de la personnalité que ne mentionne pas le modèle à cinq facteurs sont importantes pour prédire le rendement au travail (Hough et Oswald, 2000 ; Matthews, 1997). D'autres encore ont obtenu des résultats étonnamment faibles et signalé que différentes

Tableau 8.3 | **Les adjectifs qui définissent les deux pôles d'un sixième facteur de différences individuelles, selon diverses langues**

Langue	Pôle « inférieur » du facteur	Pôle « supérieur » du facteur
Néerlandais	Sincère, loyal-fidèle	Rusé, suffisant
Français	Vrai-authentique, sincère	Insensible, mesquin
Allemand	Honnête, sincère	Vantard, arrogant
Hongrois	Véridique, juste	Baratineur, hautain
Italien	Honnête, sincère	Déloyal, mégalomane
Coréen	Véridique, franc	Flatteur, prétentieux
Polonais	Obligeant, désintéressé	Égoïste, envieux

Source : Ashton, M.C., Lee, K., Perugini, M., Szarota, P., DeVries, R.E., DiBlas, L., Boies, K., & DeRaaad, B. (2004). A six-factor structure of personality descriptive adjectives: Solutions from psycholexical studies in seven languages. *Journal of Personality and Social Psychology, 86,* 356-366. © American Psychological Association, reproduction autorisée.

La recherche sur les traits de personnalité indique que les gens qui obtiennent un score élevé pour la conscience prennent davantage soin d'eux et vivent plus vieux.

mesures des mêmes cinq grands traits de personnalité donnent parfois des résultats différents (Anderson et Ones, 2003).

Le *bien-être subjectif,* ou la mesure selon laquelle les gens sentent et croient qu'ils ont une belle vie, constitue un autre domaine d'application. Il existe en général une association entre un score élevé pour le bien-être subjectif et les traits d'émotions positives élevées et d'émotions négatives faibles (Lucas et Diener, 2008). Bien que ces associations soient généralement stables et prédictives dans le temps, un changement demeure possible en matière de satisfaction face à sa vie et de bien-être subjectif. Les changements sur le plan de la personnalité et des circonstances de la vie peuvent faire une différence.

La santé constitue un autre domaine d'application. Une étude longitudinale a révélé que les personnes consciencieuses amélioraient leurs chances de vivre longtemps (Friedman et coll., 1995a, 1995b). Pendant 70 ans, plusieurs générations de chercheurs ont suivi un vaste échantillon d'enfants pour étudier ceux qui mouraient et les causes de leur décès. Les sujets qui étaient consciencieux à 11 ans (selon les évaluations de leurs parents et de leurs enseignants de l'époque) ont vécu plus longtemps que les autres ; leur probabilité de décès au cours d'une année donnée était inférieure d'environ 30 %. Pourquoi les personnes consciencieuses vivent-elles plus longtemps ? Quels mécanismes permettent d'expliquer de tels écarts de longévité ? Dans un premier temps, les chercheurs ont exclu la possibilité que des variables environnementales, comme le divorce des parents, expliquent les effets du facteur conscience. Ensuite, les participants consciencieux ont été, toute leur vie, moins susceptibles de décéder de mort violente, alors que les personnes moins consciencieuses prenaient des risques qui provoquaient des accidents ou des bagarres. Enfin, les personnes consciencieuses étaient moins susceptibles de fumer et de consommer de l'alcool à l'excès. Selon les chercheurs, le fait d'être consciencieux est susceptible de favoriser tout un système de comportements propices au maintien d'une bonne santé. Ainsi, en plus d'être moins portées à boire et à fumer à l'excès, ces personnes étaient plus susceptibles de faire de l'exercice régulièrement, d'adopter un régime alimentaire équilibré, de consulter leur médecin régulièrement, de respecter la posologie de leurs médicaments et d'éviter de s'exposer à des contaminants environnementaux.

Hampson et ses collègues ont récemment présenté des découvertes connexes (Hampson et Friedman, 2008). Plusieurs des études qui ont montré ces liens sont de type longitudinal, ce qui laisse penser que l'influence de la personnalité sur la santé est souvent cumulative. Les enfants qui, selon l'évaluation de leurs enseignants, présentaient des différences relatives aux 5 grands facteurs présentaient aussi, 40 ans plus tard, des différences dans leur autoévaluation des comportements liés à la santé (Hampson, Goldberg, Vogt et Dubanoski, 2006). La relation entre les traits et la santé s'explique en partie par leur incidence sur les activités quotidiennes et les habitudes. Par exemple, les enfants qualifiés d'extravertis sont, à l'âge adulte, plus susceptibles de faire de l'activité physique, mais aussi plus susceptible de fumer ; l'état de santé à l'âge adulte est un prédicteur de l'activité physique (positif) et du tabagisme (négatif) (Hampson, Godlberg, Vogt et Dubanoski, 2007).

Les théoriciens des cinq facteurs croient également que leur modèle peut orienter des diagnostics cliniques et des traitements. Ils voient dans plusieurs types de comportements anormaux une version exagérée de traits de personnalité normaux (Costa et Widiger, 2001 ; Widiger et Smith, 2008). Autrement dit, diverses formes de psychopathologies sont considérées comme figurant dans un continuum de la personnalité normale plutôt que comme des manifestations d'une déviation non typique de la normalité. Par exemple, la personnalité compulsive peut être vue comme une personne qui obtient un score extrêmement élevé aux échelles de la conscience et du névrosisme, alors que la personnalité antisociale peut être incarnée par une personne ayant obtenu un score extrêmement faible sur les échelles de l'agréabilité et de la conscience. La clé pourrait donc résider dans l'agencement des scores obtenus pour les cinq facteurs. Tout ceci donne à penser que le modèle à cinq facteurs pourrait s'avérer utile non seulement en tant que taxonomie des différences individuelles dans le fonctionnement quotidien de la personnalité, mais aussi en tant qu'instrument de diagnostic clinique.

Le modèle à cinq facteurs suscite également l'intérêt en tant qu'outil pour choisir et planifier des traitements psychologiques (Harkness et Lilienfeld, 1997). Le thérapeute qui a une bonne compréhension de la personnalité de son patient est plus à même de prévoir les problèmes et de planifier la façon d'y répondre. Le modèle à cinq facteurs peut aussi orienter le thérapeute au moment de choisir la meilleure forme de thérapie pour son patient (Widiger et Smith, 2008). Tout comme des personnes de personnalité différente s'épanouiront plus ou moins dans certains types de travail, on peut penser qu'elles tireront plus ou moins profit de certains types de traitement psychologique. Par exemple, une thérapie qui encourage l'exploration et la rêverie profitera davantage aux personnes très ouvertes à l'expérience qu'à celles qui ont obtenu un score d'ouverture peu élevé. Ces dernières préfèreront peut-être une forme de traitement plus directif, incluant le recours à une médication, et en profiteront

davantage. Un clinicien a bien résumé la question en relatant des propos maintes fois entendus d'un patient qui avait un faible score sur l'échelle de l'ouverture : « Certaines personnes ont besoin de s'étendre sur un divan et de parler de leur mère. Ma thérapie à moi, c'est une bonne séance au gym » (Miller, 1991). À l'opposé, une personne très ouverte aux expériences peut préférer l'exploration des rêves qu'offre la psychanalyse ou l'accent sur l'actualisation de soi que propose l'approche humaniste-existentialiste.

En somme, le modèle à cinq facteurs trouve de nombreuses applications, utiles dans divers domaines de la psychologie. Ses plus grandes forces résident dans les contextes où les intervenants souhaitent prédire les différences individuelles à l'intérieur des sphères psychologiques ou sociales. Dans ces domaines, de nombreuses découvertes positives confirment la valeur du modèle. Dans d'autres domaines, le modèle comporte plus de limites. Ainsi il ne procure pas d'éclairage particulier sur les dynamiques à l'origine des psychopathologies. Le clinicien l'utilise donc tout au plus comme un moyen de décrire des troubles et non pour les expliquer. De façon plus générale, contrairement aux autres théories présentées dans ce manuel, le modèle à cinq facteurs n'a pas généré de méthodes thérapeutiques uniques pour aider les gens à modifier des caractéristiques psychologiques à l'origine d'une mésadaptation.

L'histoire de **Jacques**

L'évaluation basée sur l'analyse factorielle des traits

Revenons à l'histoire de Jacques et voyons comment les questionnaires axés sur les traits dépeignent sa personnalité. Commençons par les 16 facteurs de Cattell. Un psychologue a rédigé la courte description qui suit après avoir évalué les résultats de Jacques au test des 16 facteurs de personnalité (16 PF). Le psychologue ne disposait d'aucune autre donnée sur Jacques.

Jacques se présente comme un jeune homme très intelligent et extraverti, bien qu'il soit inquiet, facilement troublé et quelque peu dépendant. Moins affirmé, consciencieux et entreprenant qu'il peut sembler l'être à première vue, Jacques est troublé et vit des conflits relatifs à ce qu'il est et ce qu'il veut faire. Il est porté à l'introspection et est plutôt anxieux. D'après son profil, il pourrait connaître des sautes d'humeur périodiques et présenter des antécédents de maladies psychosomatiques. Puisque le questionnaire 16 PF a été administré

à des étudiants de tout le pays, nous pouvons aussi comparer le profil de Jacques avec la moyenne des étudiants. Comparé aux autres étudiants, Jacques est plus extraverti, intelligent et influencé par ses sentiments : il est facilement troublé, hypersensible et souvent déprimé et anxieux.

Selon l'évaluation des traits de personnalité, Jacques a obtenu un score très élevé pour l'anxiété. On peut y voir un lien avec son insatisfaction devant son inaptitude à réagir aux exigences de la vie et à obtenir ce qu'il veut. Le degré élevé d'anxiété laisse également entrevoir la possibilité de troubles et de symptômes physiques. Jacques a en outre obtenu un score élevé sur le plan de la sensibilité émotive, ce qui laisse penser qu'au lieu d'être entreprenant et décisif, il se laisse envahir par l'émotion et devient souvent découragé et frustré. Bien que cette sensibilité l'amène à réagir aux subtilités de la vie, elle est également source de préoccupation et l'amène à trop réfléchir avant d'agir. Par ailleurs, les résultats de Jacques à l'égard des autres traits de personnalité le placent plus près de la moyenne.

Le questionnaire 16 PF a révélé de façon particulièrement limpide deux caractéristiques de la personnalité de Jacques. La première concerne la fréquence de ses sautes d'humeur. En lisant les résultats du questionnaire, Jacques a déclaré qu'il avait fréquemment des sautes d'humeur importantes, allant de la bonne humeur totale à la profonde dépression. Récemment, il a eu tendance à passer sa mauvaise humeur sur les autres et à se montrer sarcastique, mordant et incisif avec ses proches. Deuxièmement, Jacques a souffert de nombreux troubles psychosomatiques. Un ulcère à l'estomac lui empoisonne la vie et l'amène à boire beaucoup de lait, comme on le lui a recommandé. Remarquez que Jacques n'a pas fait mention de ce problème de santé dans son autobiographie, malgré sa gravité et les ennuis qu'il lui procure.

Il y a lieu de se demander si les 16 dimensions, aussi instructives soient-elles, constituent un outil adéquat pour décrire la personnalité. Le clinicien s'est aussi demandé si un score moyen sur les échelles d'un trait signifie que celui-ci n'est pas important pour comprendre Jacques ou simplement que Jacques n'exprime pas cette caractéristique à l'excès; la deuxième hypothèse est la bonne. Pourtant, lorsqu'on rédige la description d'une personnalité à la lumière des résultats du questionnaire 16 PF, on a tendance à insister davantage sur les échelles qui présentent des scores très élevés ou très faibles.

Le plus préoccupant, cependant, est que les résultats du 16 PF servent à décrire la personnalité plutôt qu'à l'interpréter ou à en comprendre les processus dynamiques. Le test ne produit qu'un ensemble de scores plutôt que le portrait d'une personne. Bien que la théorie de Cattell tienne compte du jeu des motivations, les résultats du questionnaire 16 PF ne semblent présenter aucun lien avec cette partie de la théorie. Jacques est décrit comme un homme anxieux et frustré, mais quelles sont les causes de cette anxiété et de cette frustration? Pourquoi a-t-il tant de mal à prendre des décisions et à se montrer entreprenant? Les résultats du questionnaire 16 PF ne nous renseignent pas sur la nature des conflits que vit Jacques ni sur les moyens qu'il prend pour les résoudre. Remarquez qu'une évaluation selon le modèle à cinq facteurs aurait donné lieu au même problème: une collection de scores mais peu d'indices sur les mécanismes et les causes qui les relient.

La stabilité de la personnalité: Jacques, 5 ans et 20 ans plus tard

Les renseignements présentés sur Jacques jusqu'ici datent approximativement de l'époque où il a terminé ses études de premier cycle universitaire. Puisque de nombreuses années se sont écoulées, Jacques a accepté d'être réévalué. Cinq ans après la première évaluation, les chercheurs reprirent contact avec Jacques pour lui demander s'il avait vécu des expériences importantes depuis la fin de ses études et, le cas échéant, de décrire les conséquences qu'elles avaient eues sur lui. Ils lui demandèrent aussi de décrire sa personnalité et d'expliquer de quelle façon elle pouvait avoir changé depuis l'obtention de son diplôme. Voici ce qu'il a répondu:

Après mes études de premier cycle, je me suis inscrit dans une école de gestion. J'ai été admis dans un seul programme de deuxième cycle en psychologie, et ce n'était pas dans un établissement particulièrement prestigieux, alors que plusieurs excellentes écoles de gestion m'avaient accepté, si bien que j'ai choisi de faire des études en gestion. Je n'ai pas vraiment aimé mon expérience, quoique ce ne fût pas horrible non plus, mais la psychologie était vraiment ce qui m'intéressait. J'ai donc présenté des demandes d'admission dans quelques écoles au cours de l'année scolaire, mais sans succès. J'ai trouvé un emploi d'été dans une entreprise d'import-export et j'ai suffisamment détesté l'expérience pour faire d'autres demandes d'admission pendant l'été. Deux établissements m'ont accepté, et j'ai eu beaucoup de mal à prendre une décision. Mes parents m'ont clairement dit qu'ils préféraient que je poursuive mes études à l'école de gestion, mais j'ai finalement opté pour les études de deuxième cycle en psychologie. Le fait d'avoir réussi à prendre cette décision malgré l'opposition de mes parents a constitué un grand pas pour moi: j'ai alors fait preuve de fermeté et d'indépendance comme je n'avais jamais eu l'occasion de le faire auparavant. Mes études de deuxième cycle en psychologie clinique dans le Midwest ont revêtu une grande importance pour moi. Sur le plan professionnel, je me perçois parfaitement comme un clinicien, ce qui est au cœur de mon concept de soi. Mon système de pensée est solidement ancré et déterminant dans ma façon de composer avec mon environnement. Je suis profondément satisfait de la décision que j'ai prise, et ce, même si je jongle toujours avec l'idée de retourner à l'école de gestion. Si je le faisais, ce serait pour obtenir un diplôme complémentaire; cela ne changerait rien au fait que je m'identifie d'abord et avant tout à la psychologie. Au cours de ma première année d'études en psychologie, je suis devenu amoureux, pour la première et seule fois dans ma vie. La relation n'a pas duré, et j'en ai été anéanti. Je ne m'en suis pas encore remis. Malgré la souffrance, ce fut une expérience grisante.

L'an dernier, j'ai vécu dans une commune, et ce fut un tournant dans ma vie. Nous avons fait beaucoup de travail sur nous-mêmes et auprès des autres, tant dans nos réunions hebdomadaires régulières que de façon spontanée au jour le jour ; c'était une expérience souvent douloureuse, souvent joyeuse, mais toujours enrichissante. Vers la fin de l'année dernière, j'ai commencé une relation qui est devenue très importante aujourd'hui. Je vis avec une femme, Cathy, qui poursuit des études de deuxième cycle en travail social. Elle a été mariée deux fois. C'est une relation sans fard qui comporte son lot de problèmes ; en un mot, quelque chose chez elle me met mal à l'aise. Je ne me sens pas « amoureux » à ce stade-ci de la relation, mais il y a une foule de petites choses chez elle qui me plaisent et que j'apprécie, si bien que je poursuis la relation pour voir ce qu'il en sortira et ce que mon cœur me dit pour la suite. Je ne pense pas au mariage, pas plus que je n'ai très envie de le faire. Je ne trouve pas dans cette relation la passion que j'ai connue la première fois, et j'essaie pour l'instant de démêler ce qui, à l'époque, relevait de l'idéalisation de ce qui était réel, et de déterminer si mes sentiments pondérés pour Cathy indiquent qu'elle n'est pas faite pour moi ou si je dois accepter le fait que la compagne idéale n'existe pas. Quoi qu'il en soit, ma relation avec Cathy constitue pour moi une expérience magnifiquement enrichissante, et la plus importante pour moi actuellement.

Je ne crois pas avoir changé de façon fondamentale depuis la fin de mes études de premier cycle. Mes études en psychologie m'ont amené à accroître ma conscience de soi, ce qui m'apparaît utile. Selon ce que j'ai retenu de votre interprétation des tests que j'ai faits à l'époque, vous me voyiez alors comme étant principalement dépressif. Aujourd'hui, cependant, je me considère comme étant surtout obsessif. Je dirais que je suis sujet à la dépression, mais dans l'ensemble, je me perçois comme étant plus heureux aujourd'hui, moins souvent déprimé. Je vois dans mon côté obsessionnel un comportement caractérologique profondément ancré et je songe depuis quelque temps à entreprendre une analyse pour y réfléchir (ainsi qu'à d'autres choses, bien sûr)... Selon moi, les similitudes dépassent les différences par rapport à ce que j'étais il y a cinq ans. Je me perçois comme quelqu'un de spirituel, éveillé, intéressant et qui aime s'amuser. J'ai toujours des sautes d'humeur, si bien que ces caractéristiques ne sont pas toujours en évidence, loin de là. Ma relation sexuelle avec ma compagne a fait taire mes inquiétudes concernant mes aptitudes sexuelles (particulièrement au chapitre de l'éjaculation précoce). Je considère que j'ai toujours un problème avec l'autorité (dans la mesure où je suis très sensible et vulnérable à la façon dont me traitent les personnes en situation d'autorité sur moi). Je suis extrêmement compulsif, je veille avec beaucoup de diligence à ce que les choses soient faites, et je deviens très anxieux quand je ne maîtrise pas la situation.

À l'aube de la quarantaine, Jacques avait une pratique de psychologue-conseil dans une ville de taille moyenne de la côte ouest américaine. Son mariage, la naissance d'un enfant et la stabilisation de son identité professionnelle constituent les événements les plus marquants de sa vie depuis quelques années. Il décrit sa femme comme une personne calme, paisible et capable de recul face à la vie. Il considère qu'il a changé et qu'il peut maintenant vivre une relation durable : « Je suis devenu plus tolérant à l'égard d'autrui et j'arrive mieux à définir ce qui m'appartient et ce qui ne m'appartient pas : elle est ce qu'elle est et je suis ce que je suis. Et elle m'accepte comme tel. »

Jacques estime avoir progressé dans ce qu'il appelle sa capacité à « aller au-delà de qui il est », mais sent que son narcissisme demeure un problème de taille : « Je pratique un perfectionnisme sélectif, et je suis impitoyable avec moi-même. Je me punis si je perds de l'argent. Lorsque j'ai perdu 20 $, à l'adolescence, je me suis privé de dîner tout l'été. Je n'avais pas besoin de cet argent – ma famille est riche – mais ce que j'avais fait était impardonnable. Est-ce du perfectionnisme ou de la compulsion ? Je me pousse tout le temps. Je dois lire le journal d'un couvert à l'autre tous les jours. Je me sens souvent prisonnier de ces manies. Pourrai-je abandonner ces rituels et ces manies lorsque je deviendrai père ? Il le faut. »

L'autoévaluation et l'évaluation par la conjointe à l'aide du NEO-PI

Le NEO-PI n'existait pas au moment de la première évaluation de Jacques, mais on le lui a fait passer quelques années plus tard, en plus de le soumettre à sa femme afin qu'elle évalue son mari. L'un des points saillants de l'autoévaluation de Jacques est son faible score à l'échelle de l'agréabilité. Les résultats du test le classifient comme hostile et susceptible d'être brusque, voire grossier avec autrui. Jacques a également obtenu un score très élevé pour l'extraversion et le névrosisme. Plus précisément, les scores indiquent que Jacques se perçoit comme étant énergique et dominant et qu'il préfère mener plutôt que suivre. Sur le plan du névrosisme, le score de Jacques est caractéristique des personnes sujettes à d'importantes émotions négatives et à de fréquents épisodes de détresse psychologique.

Quant aux deux autres facteurs, Jacques a obtenu un score élevé pour la dimension de la conscience et un score moyen pour l'ouverture. D'autres correspondances de personnalité laissent penser que Jacques utilise probablement des mécanismes d'adaptation inefficaces pour gérer le stress quotidien et qu'il accorde une attention démesurée aux symptômes de problèmes physiques ou de maladies.

Le portrait que brosse sa femme ressemble-t-il à l'autoévaluation de Jacques ? Les scores correspondent étroitement pour trois des cinq facteurs. Sa femme lui accorde aussi un score très élevé pour l'extraversion, un score moyen pour l'ouverture, et un score très faible pour l'agréabilité. Sur le plan de la conscience, Jacques s'est attribué un score légèrement plus élevé que ne l'a fait sa femme. La grande différence au chapitre des scores concerne le névrosisme, pour lequel Jacques s'est attribué un score très élevé alors que le score que lui accorde sa femme est faible. Jacques se perçoit comme étant beaucoup plus anxieux, hostile et déprimé que ce qu'en juge sa femme. De plus, alors que les réponses de Jacques laissent entrevoir une personne qui compose mal avec le stress et qui est hypersensible aux problèmes physiques, l'évaluation de sa femme le dépeint comme une personne disposant de mécanismes d'adaptation efficaces et ayant tendance à ne pas tenir compte de ses problèmes physiques ou médicaux.

Comment faut-il évaluer un tel degré de concordance? À certains égards, c'est comme se demander si le verre est à moitié vide ou à moitié plein. La concordance élevée pour certains facteurs permet de penser que l'autoévaluation est généralement juste. Quant aux scores qui ne concordent pas, il est difficile de savoir si la femme de Jacques a vu plus juste ou si Jacques a réussi à cacher – même à elle – certains aspects de sa personnalité. Selon les résultats qu'il a obtenus au test de Rorschach, il y a une vingtaine d'années, Jacques cache certaines émotions négatives derrière une façade de tranquille assurance. Le portrait plus positif qu'en brosse sa femme s'explique-t-il par les critiques excessives qu'il s'adresse ou par le fait qu'il lui cache ses émotions plus négatives?

LE DÉBAT PERSONNE-SITUATION

Au début de notre exposé sur l'approche des traits de personnalité, au chapitre 7, nous avons expliqué que les traits font référence aux modes stables du comportement, à la constance dans le comportement d'une personne. Or nous avons omis de qualifier cette constance. Songez à vos propres expériences. Êtes-vous constamment extraverti ou consciencieux? Êtes-vous toujours agréable? Ou êtes-vous tantôt extraverti, tantôt réservé et inhibé? Consciencieux à certains égards, mais peu fiable à d'autres? Agréable avec certaines personnes en certaines occasions, mais parfois d'humeur désagréable?

Depuis les années 1960, divers auteurs se sont demandé si le comportement social était suffisamment stable pour soutenir la notion de traits en tant que pièce maîtresse d'une théorie de la personnalité. Le plus influent de ces auteurs est Walter Mischel, dont l'ouvrage *Personality and Assessment* (1968) a exercé une profonde influence sur la discipline. Sa recension de la recherche l'a amené à conclure que le comportement varie souvent d'une situation à l'autre. Cette instabilité, écrivait-il, témoigne d'une aptitude humaine fondamentale: l'aptitude à discriminer les situations et à moduler ses actions selon les possibilités, les contraintes, les règles et les normes en vigueur dans différentes circonstances. Mischel n'était pas le seul critique; d'autres ont aussi signalé l'importance des facteurs situationnels dans le fonctionnement de la personnalité et ont expliqué que les influences situationnelles pouvaient contribuer à la faiblesse relative des traits de personnalité globaux pour prévoir le comportement (Bandura, 1999; Pervin, 1994). Dans les années 1970 et au début des années 1980, le débat entourant ces questions

– ce que nous appelons le **débat personne-situation** – a dominé la discipline.

Pour évaluer la stabilité des traits, il faut distinguer deux aspects, soit la stabilité longitudinale et la stabilité inter-situationnelle. La stabilité longitudinale permet de déterminer si un trait fort à un moment de la vie le demeure à d'autres moments. La stabilité intersituationnelle permet de déterminer si un trait fort dans certaines situations le demeure dans d'autres situations. Selon les théoriciens des traits de personnalité, les deux hypothèses se vérifient, et les traits de personnalité demeurent stables dans le temps et d'une situation à l'autre. Les critiques de la théorie des traits, pour leur part, s'interrogent sur *le degré* de stabilité intersituationnelle.

Comme nous l'avons vu, la stabilité longitudinale des traits a été démontrée, bien qu'il existe des différences individuelles modulant cette stabilité. La question de la stabilité intersituationnelle est cependant beaucoup plus complexe. La compréhension des résultats empiriques à ce sujet commande la prise en compte d'une variété d'enjeux, dont le premier consiste à déterminer qu'une personne s'est conduite d'une situation à l'autre d'une façon que nous devrions qualifier de «stable» ou d'«instable». Il serait insensé qu'une personne se comporte de la même façon dans toutes les situations, ce dont conviendront tous les

Débat personne-situation

Controverse opposant, d'une part, les psychologues, selon qui le comportement reste stable dans toutes les situations, et, d'autre part, ceux qui soulignent l'importance de la variabilité du comportement selon la situation.

théoriciens des traits. Nul ne s'attend à observer des manifestations d'agressivité durant une cérémonie religieuse ou d'agréabilité durant un match de football. L'évaluation empirique de la théorie des traits doit porter sur la stabilité dans diverses situations où différents comportements expriment le même trait.

Quant à la variété des situations, les psychologues des traits croient qu'il est erroné de mesurer le comportement dans une situation et d'y voir le classement d'une personne à l'égard d'un trait. Une seule situation peut s'avérer non pertinente pour le trait à l'étude, et une erreur de mesure est toujours possible. En revanche, l'échantillonnage d'une grande diversité de situations garantit que les mesures obtenues seront pertinentes et fidèles (Epstein, 1983). Les tenants de la théorie des traits aiment utiliser les questionnaires parce qu'ils permettent d'évaluer le comportement dans une vaste gamme de situations qu'il serait impossible de mesurer par d'autres moyens.

Que se produit-il donc lorsque les psychologues tiennent compte de toutes ces considérations et qu'ils mesurent la stabilité d'un comportement associé à un trait ? Une étude de Mischel et Peake (1983) sur la stabilité des comportements associés à la dimension de conscience chez des étudiants fournit un élément de réponse. Ces chercheurs ont résolu la question de ce qui relève d'un comportement consciencieux en demandant à des étudiants de nommer des comportements correspondant à ce trait dans un environnement universitaire (par exemple, prendre des notes). Ils ont résolu la question des erreurs de mesure en mesurant les comportements en de multiples occasions et en en faisant le total. Leurs résultats ont démontré de façon indéniable la stabilité longitudinale des comportements associés aux traits ; les gens qui avaient obtenu un score relativement élevé pour le facteur de conscience à un moment de la session continuaient d'agir de façon consciencieuse plus tard durant la même session. Le degré de stabilité intersituationnelle était cependant relativement faible. De façon généralisée, les étudiants étaient consciencieux dans certains contextes (ils prenaient des notes pendant les cours), mais pas dans d'autres (leur chambre était en désordre). Il est important de noter que la stabilité intersituationnelle n'était pas nulle ; les comportements associés à la conscience présentaient une certaine stabilité. Elle augmentait en outre si l'on ne tenait compte que d'un sous-ensemble de comportements consciencieux, particulièrement ceux ayant trait au même type de contexte (scolaire, familial, professionnel, etc.) (Jackson et Paunonen, 1985). Néanmoins,

Mischel et Peake (1983) soulignent que la vie en société fait que les gens peuvent changer leur comportement selon la situation. Ce faisant, ils expriment souvent des comportements qui ne correspondent pas à un grand facteur de leur personnalité. Ce résultat rejoint ceux qu'ont obtenus bien avant eux d'autres chercheurs du domaine ; une étude célèbre de Hartshorne et May (1928) indiquait dans cet esprit que la stabilité longitudinale des comportements associés à un grand trait de personnalité pouvait être assez élevée alors que leur stabilité intersituationnelle pouvait s'avérer faible.

Remarquez que les questionnaires portant sur les traits cherchent à déterminer si des tendances générales expriment un trait de personnalité donné ; ils ne cherchent pas à déterminer la stabilité ou la variabilité du comportement. Même en supposant que les gens se distinguent au chapitre de l'expression moyenne d'un comportement – et ils le font visiblement, comme l'indiquent les résultats mentionnés plus haut –, rien ne dit qu'il n'y a pas de variabilité considérable *autour* de la moyenne. La psychologie de la personnalité a récemment fait une percée excitante lorsque des chercheurs ont mis au point des méthodes pour décrire ces variations autour de la moyenne. Ce faisant, ils ont élargi considérablement le champ des connaissances relatives à la personnalité et au comportement social (Moskowitz et Herschberger, 2002 ; Moskowitz et Zuroff, 2005).

Fleeson a exploré une avenue de recherche particulièrement importante (Fleeson 2001 ; Fleeson et Leicht, 2006) en demandant aux participants de consigner leurs réflexions et leurs sentiments à différents moments de la journée et de répéter l'exercice durant un certain nombre de jours. Ce type d'exercice se fait généralement au moyen d'un ordinateur de poche. Au lieu de demander aux participants d'indiquer simplement leur degré d'expression typique d'un trait, Flesson leur a demandé de dire dans quelle mesure ils avaient exprimé un comportement associé à un trait *au cours de l'heure précédente*. Par exemple, un item classique portant sur l'extraversion demande aux gens s'ils sont volubiles en général (« Êtes-vous une personne volubile ? »). Fleeson a plutôt demandé : « Dans quelle mesure le terme volubile vous décrit-il pour la dernière heure ? » (Fleeson, 2001). En posant cette question à plusieurs reprises plusieurs jours durant, on obtient une grande quantité d'information sur la personne. Cette information permet de déterminer non seulement les degrés moyens de comportement, mais aussi la variation des comportements autour de la moyenne.

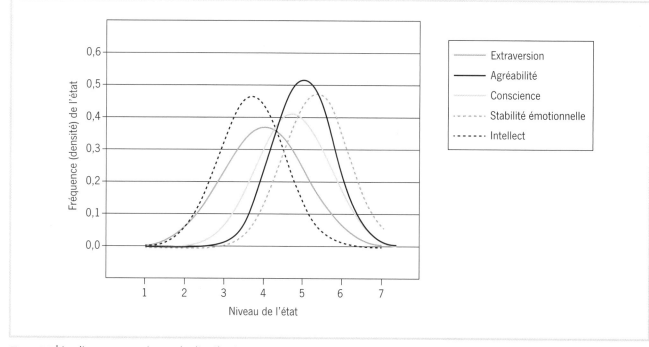

Figure 8.3 | Le diagramme présente la distribution moyenne pour une personne des états psychologiques que l'on interprète généralement comme des manifestations de chacun des cinq grands facteurs. Comme le montre le diagramme, les comportements présentent une variabilité substantielle chez une même personne ; l'individu moyen présente des degrés élevés et faibles des traits de personnalité.

Source : Fleeson, W. (2001). Toward a structure – and process – integrated view of personality : Traits as density distributions of states. *Journal of Personality and Social Psychology, 80*, 1011-1027. © American Psychological Association, reproduction autorisée.

La variabilité des comportements associée aux traits est-elle importante ? En fait, elle l'est énormément ! Les résultats (figure 8.3) indiquent que les gens présentent des degrés de variabilité avoisinant les plus grands écarts possible (Fleeson, 2001). Les participants ont évalué leur comportement sur une échelle de 7 points, 1 étant le plus faible et 7 étant le plus élevé. Comme le montre la figure 8.3, la distribution des caractéristiques de la personnalité des participants pour les traits d'extraversion, de conscience et d'ouverture (« Intellect » dans la figure) couvre toute l'échelle. Autrement dit, l'individu moyen manifeste couramment et régulièrement ces traits à tous les degrés et les traits d'agréabilité et de stabilité émotionnelle à presque tous les degrés (Fleeson, 2001). Le degré moyen d'expression de comportement des gens varie donc bel et bien, mais il y a plus. En s'adaptant aux divers défis et possibilités du quotidien, les gens modulent leur comportement de façon substantielle, et les construits des traits de personnalité ne décrivent pas ces variations, pas plus qu'ils ne les expliquent.

Quel apport ces découvertes procurent-elles au débat personne-situation ? Permettent-elles de tirer une conclusion ? Les gens sont prêts à répondre aux questionnaires sur les traits, mais ils déclarent aussi que leur comportement varie selon le contexte. Savent-ils quelque chose que les psychologues de la personnalité n'ont pas encore

« Désolé pour le retard, mais c'est notre genre. »

constaté ? Pour l'heure, nous pouvons dire sans risque de nous tromper que la stabilité des traits a été démontrée, mais qu'elle semble plus marquée à l'intérieur de domaines contextuels (familial, scolaire, professionnel, amical, récréatif, etc.) plutôt qu'observable de façon générale pour tous les domaines. Puisque les gens sont généralement observés dans une gamme limitée de situations, il se peut que la stabilité des traits ne soit pas aussi grande que ce que les évaluations laissent penser. Au-delà de ces constats, les conclusions varient selon le point de vue du psychologue (Funder, 2008). La stabilité intersituationnelle a pu être démontrée, tout comme la variabilité intersituationnelle, comme nous l'ont montré des participants. Dans une certaine mesure, les gens restent les mêmes quel que soit le contexte – ce que retiennent les théoriciens des traits – et ils sont également différents selon le contexte, ce que retiennent les théoriciens situationnistes, qui utilisent ce type de données pour documenter leur position. Nous traitons, aux chapitres 12 et 13, les théories portant sur la façon dont les gens perçoivent diverses situations et s'y adaptent.

L'ÉVALUATION CRITIQUE

Évaluons à nouveau une perspective théorique en considérant sa capacité de remplir les cinq buts d'une théorie de la personnalité dont il a été question au chapitre 1. L'évaluation de la théorie des traits de personnalité selon ces cinq critères est un peu plus difficile que ne l'a été celle des théories psychodynamiques et phénoménologiques (voir les chapitres 4 et 6). C'est qu'il n'existe pas une, mais plusieurs théories des traits de personnalité. Les évaluations critiques varient selon qu'elles visent la théorie d'Allport, celle d'Eysenck ou de Cattell, le modèle lexical des « Cinq Grands » ou le modèle à cinq facteurs de McCrae et Costa. Nous tenterons de faire porter nos évaluations sur les principaux thèmes qui sont observables dans tous les travaux de ces théoriciens.

Sur quelle base de données repose l'observation scientifique ?

Le premier de ces cinq critères, on s'en souviendra, est la présence d'un solide fonds d'observations scientifiques recueillies avec minutie. Les théoriciens des traits excellent sur ce point. En particulier grâce aux efforts d'un pionnier tel que Cattell, l'édifice théorique de la théorie des traits

s'est construit dès le début sur de solides fondations de données scientifiques objectives. Au lieu de recourir à l'interprétation subjective d'entrevues cliniques, les théoriciens des traits ont recouru à l'analyse statistique de tests de personnalité notés de façon objective. Cette objectivité constitue un avantage important.

En plus d'être objectives, les données qu'utilisent les théoriciens des traits sont diversifiées. Un grand nombre de personnes – d'âges, d'origines ethniques et d'horizons socioculturels différents – ont participé à l'entreprise multinationale que constitue l'évaluation des traits de personnalité. Le nombre d'articles de recherche portant sur les « Cinq Grands » et, de façon plus générale, sur la théorie des traits de personnalité a augmenté de façon prodigieuse entre 1990 et 2008 (John, Naumann et Soto, 2008).

La base de données sur laquelle repose la théorie des traits a pour troisième avantage de comprendre plus que des autoévaluations. Bien que celles-ci aient constitué un élément central des travaux des théoriciens, de nombreux chercheurs ont reconnu que d'autres types de données devaient les compléter : des comptes rendus d'observation, des mesures objectives d'événements biographiques marquants, des index physiologiques des systèmes neurologiques ou biochimiques dont relèvent un trait donné (voir le chapitre 9). À plusieurs égards, la qualité de la base de données scientifiques de la théorie des traits est donc nettement supérieure à celle des théories psychodynamique ou phénoménologique. La seule limite importante de la base de données est qu'elle recourt trop rarement aux méthodes permettant l'approfondissement des cas qu'utilisent les théoriciens cliniques comme Rogers et Freud. Les évaluations reposant sur la théorie des traits fournissent des renseignements sur quelques qualités assez générales d'une personne – le degré de ses traits en général –, mais rien sur les mécanismes psychodynamiques internes de cette personne. Devant cette limite, un chercheur a conclu qu'en soi, une analyse des traits aboutit à une « psychologie de l'étranger » (McAdams, 1994), c'est-à-dire une analyse superficielle semblable à l'information que l'on pourrait tirer de la rencontre fortuite d'un étranger, et non une information plus approfondie, de celle que procure une étude de cas détaillée. En d'autres mots, certains diraient que les « Cinq Grands » ne permettent pas de saisir le caractère unique de chacun (Grice, Jackson et McDaniel, 2006).

La théorie est-elle organisée de façon systématique ?

Les divers éléments de la théorie des traits sont-ils systématiquement liés entre eux ? Le théoricien présente-t-il un compte rendu cohérent et intégré de la structure, des processus et du développement de la personnalité ?

Pour certains théoriciens, la réponse est oui. En analysant non seulement les traits, mais aussi les états, les rôles et les processus de motivation, Cattell a proposé un énoncé très systématique de la personnalité. Cependant, son analyse des processus de motivation a eu très peu d'influence. En liant les traits à des mécanismes biologiques, Eysenck a proposé une façon de lier les structures (les traits fondamentaux) à des processus (du système nerveux). Or, à l'exception de travaux sur la neurophysiologie de l'extraversion, les démarches d'Eysenck pour lier les traits à la biologie n'ont pas été couronnées de succès.

En examinant les théories plus contemporaines sur les traits, on constate qu'elles ont perdu une part de leur caractère systématique. Comme nous l'avons vu plus tôt dans ce chapitre, McCrae et Costa admettent eux-mêmes volontiers que leur théorie des cinq facteurs ne précise pas les processus dynamiques par lesquels les traits influent sur l'expérience et le comportement. Manifestement, toute théorie qui ne parvient pas à préciser ces processus ne parvient pas non plus à fournir un portrait intégré des structures de la personnalité, d'une part, et de la dynamique de la personnalité, d'autre part. S'il fallait accorder une note aux théories de la personnalité, la théorie contemporaine des traits obtiendrait une note relativement mauvaise pour sa capacité de décrire de façon systématique les divers aspects de la personnalité.

La théorie est-elle vérifiable ?

La théorie des traits mérite de bien meilleures notes à un autre égard : la possibilité de la vérifier au moyen de données objectives. Il est effectivement possible de tester de façon objective de nombreux aspects de la théorie des traits. Les tenants de l'approche des « Cinq Grands » prévoient sans l'ombre d'un doute que l'analyse factorielle permettra de dégager les cinq grandes dimensions de la personnalité. Tout autre résultat – une solution à six facteurs, à trois facteurs, et ainsi de suite – constitue visiblement un contre-exemple des prévisions théoriques. Le fait qu'il puisse, en principe, exister des contre-exemples aussi nets signifie que les théories des traits ont énoncé leurs idées avec une clarté admirable.

Les théoriciens des traits formulent de nombreuses autres prévisions qui sont ensuite soumises à des tests empiriques sans équivoque. Ils posent, par exemple, que les différences individuelles observées dans les autoévaluations sur les traits de personnalité permettront de prédire le comportement, que des jumeaux monozygotes (dont le bagage génétique est identique) obtiendront des scores semblables à de tels tests et que les scores obtenus demeureront relativement stables dans le temps. Dans chacun de ces cas, les théoriciens pourraient, en principe, voir leurs hypothèses infirmées. Leurs idées se prêtent à une vérification empirique objective.

La théorie est-elle exhaustive ?

À certains égards, les théories sur les traits sont remarquablement exhaustives. Leurs auteurs sont tout à fait conscients que leurs démarches pour formuler une taxonomie de la personnalité seraient vaines s'ils laissaient de côté des traits de personnalité importants. Ils ont donc multiplié les efforts pour s'assurer d'intégrer à leurs études de la structure de la personnalité toute différence individuelle importante. Pour ce faire, ils ont fait appel à des lexicographes et épluché le dictionnaire pour en tirer tous les mots susceptibles de décrire les personnes. Sur ce plan, leurs démarches ont été exhaustives.

Il n'en va cependant pas autant à d'autres égards. Il suffit, pour le constater, de penser aux sujets traités dans certains des chapitres précédents : l'interaction des processus conscients et inconscients, le rôle de la sexualité dans le développement de la personnalité, l'importance des rêves, la relation entre le thérapeute et son patient, le rôle des parents dans l'émergence du sentiment de valeur personnelle de leurs enfants. La théorie des traits ne dit virtuellement rien sur ces sujets. Les principaux théoriciens des

Les théories des traits en un coup d'œil

Structure	Processus	Croissance et développement
Traits	Processus neurologiques et biochimiques associés aux traits	Les influences génétiques sont les principaux déterminants de l'expression des traits à différents degrés.

traits ne s'y sont tout simplement pas intéressés, pas plus qu'à d'autres sujets qui intéressent pourtant d'autres théoriciens de la personnalité. En fait, ils ont consacré presque toutes leurs énergies à la formulation d'une taxonomie exhaustive des traits de personnalité et à se demander si les différences individuelles à cet égard permettaient de prédire des différences individuelles dans les comportements sociaux. Ce sont des objectifs importants, mais une analyse exhaustive de la personnalité en comporte de nombreux autres.

Les théories sur les traits de personnalité manquent d'exhaustivité de deux façons importantes. La première a trait à l'absence d'analyse des processus de la personnalité (Mischel et Shoda, 2008). Les théories nous en apprennent beaucoup plus sur les fondements stables de la personnalité – les structures des traits de personnalité – que sur ses processus dynamiques. La seconde lacune réside dans le manque d'attention qu'accordent ces théories à l'individu (Barenbaum et Winter, 2008). À l'exception d'Allport, les théoriciens des traits s'intéressent avant tout aux différences individuelles observées au sein de populations plutôt qu'à la vie psychique de la personne. C'est une limite importante. Pour en avoir une idée, imaginons qu'une personne ne connaissant rien au fonctionnement du corps humain souhaite créer une science de la biologie humaine; elle échafaude d'abord une stratégie pour définir les différences individuelles par l'analyse factorielle de questionnaires portant sur les tendances et caractéristiques physiques au sein d'une population. En principe, cette personne dégagerait des facteurs comme la beauté (dimension beau par opposition à laid), la constitution athlétique (peu athlétique par opposition à athlétique) et la santé (maladif chronique par opposition en bonne santé). Ces facteurs procureraient indéniablement des descriptions valables des différences individuelles; certaines personnes sont vraiment plus belles, plus athlétiques et en meilleure santé que d'autres. Or, selon une science de la biologie humaine, il faudrait aussi dégager des facteurs comme l'« appareil circulatoire » et le « système nerveux ». La stratégie des différences individuelles ne permettra pas de faire ressortir ces systèmes biologiques; puisqu'ils sont présents chez tout le monde, les différences individuelles risquent d'être trop subtiles pour produire un facteur statistique. L'idée à retenir est qu'on ne peut pré-

sumer que les traits dégagés au moyen des analyses factorielles sont des attributs universels de la psyché. Les chercheurs qui se consacrent aux « Cinq Grands » le reconnaissent volontiers. Selon Saucier et ses collègues (2000), l'étude de différents lexiques (de descripteurs de la personnalité) permet de créer un système de classification utile et d'une grande validité externe, mais ce dernier ne devrait pas avoir de valeur explicative des traits de personnalité. Ces auteurs affirment en outre qu'un modèle de descriptions ne procure pas un modèle de causes, et que l'étude des lexiques de la personnalité ne devrait pas être assimilée à une étude de la personnalité. Certains chercheurs avancent que les « Cinq Grands » n'ont jamais été formulés en tant que théorie exhaustive de la personnalité alors que d'autres, comme McCrae et Costa, semblent beaucoup plus enclins à voir dans la théorie des cinq facteurs une théorie de la personnalité.

Les applications

Il est plus facile de décrire les applications de la théorie des traits que d'estimer leurs valeurs respectives. C'est que toute évaluation de cet ordre s'appuie sur des jugements subjectifs portés sur les applications possibles d'une théorie de la personnalité.

Les théories sur les traits de personnalité procurent néanmoins des outils de prédiction. Les théoriciens des traits ont dégagé un ensemble de traits reconnus et conçu des échelles fidèles en guise d'instruments de mesure. Ce faisant, ils nous ont procuré une technique simple et précieuse pour prédire les différences individuelles dans une grande variété de contextes psychologiques (Barenbaum et Winter, 2008; John, Naumann et Soto, 2008; McCrae et Costa, 2008). L'utilisation répandue de ces instruments de mesure témoigne de leur utilité pratique. Les psychopédagogues, les psychologues cliniciens, les psychologues du travail et de nombreux autres spécialistes en recherche appliquée utilisent depuis longtemps des instruments de mesure des différences individuelles sur le plan des traits de personnalité généraux. Si les outils de prédiction des différences individuelles constituent le principal produit que l'on attend d'une théorie de la personnalité, nous pouvons dire que les applications de la théorie des traits sont une réussite.

Pathologie	Changement	Étude de cas
Des scores extrêmes à l'égard d'un trait (comme le névrosisme) prédisposent à des pathologies.	(Aucun modèle formel)	Jacques

D'autres théoriciens de la personnalité attendent cependant plus d'une théorie de la personnalité, notamment qu'elle soit utile sur le plan clinique, condition que ne remplit pas, selon eux, la théorie des traits (Westen, Gabbard et Ortigo, 2008). Toutes les autres théories de la personnalité présentées dans ce manuel proposent aussi une démarche thérapeutique. Freud et Rogers – et, comme vous le verrez dans les prochains chapitres, les béhavioristes, les théoriciens de l'approche des construits personnels et les sociocognitivistes – proposent des techniques thérapeutiques originales fondées sur leurs théories. Ces thérapies en constituent les principales applications. Il n'existe cependant pas de « thérapie fondée sur la théorie des traits ». Celle-ci (à l'exception de certaines démarches d'Eysenck) constitue le seul corpus théorique à n'avoir pas généré de thérapie visant à provoquer un changement psychologique.

Les théoriciens des traits peuvent rétorquer que leur travail ne consiste pas à élaborer des thérapies. Les théories des traits portent sur les différences individuelles stables et leurs fondements. Elles ne constituent pas des moyens de transformation psychologique. Il peut donc s'avérer injuste d'en faire une évaluation négative sous le prétexte qu'elles ne produisent pas de formes originales de thérapies.

Principales contributions et résumé

Les psychologues qui se consacrent à la tradition des traits de personnalité peuvent prétendre à juste titre qu'ils ont fait des gains substantiels (tableau 8.4). On le voit bien devant les réponses qu'ils apportent à diverses questions relatives à la personnalité : combien de traits faut-il pour décrire les principales différences individuelles au sein de la population ? (Cinq ou six.) Le classement des gens à l'égard de ces dimensions est-il stable dans le temps ? (Oui.) Existe-t-il un quelconque rapport entre ces différences individuelles et les différences dans le comportement

Tableau 8.4 | Un résumé des forces et des limites de la théorie des traits

Forces	Limites
1. Le dynamisme de la recherche	1. La méthode : l'analyse factorielle
2. Des hypothèses intéressantes	2. Ce qui peut constituer ou non un trait n'est pas précisé
3. La possibilité d'établir des liens avec la biologie	3. Les aspects laissés de côté ou négligés

social ? (Oui.) Les psychologues des traits peuvent répondre avec assurance en s'appuyant sur de nombreuses données de recherche.

La capacité de fournir ces réponses est un progrès important. Les gens qui ne fréquentent pas le monde universitaire cherchent souvent une façon simple, mais éprouvée scientifiquement, d'évaluer les différences individuelles selon des tendances psychologiques moyennes. Les différences individuelles potentielles sont à ce point nombreuses qu'il est difficile de savoir par où commencer. Cattell et Eysenck, eux, ont trouvé, et les chercheurs contemporains des « Cinq Grands » proposent une solution pertinente et largement reconnue.

La capacité de l'approche des traits de passer d'un niveau d'analyse psychologique à un niveau d'analyse biologique est une autre force importante. Les recherches en génétique et en neurophysiologie ont commencé à révéler des fondements biologiques des différences individuelles, comme nous le verrons dans le prochain chapitre. Bien que tous les psychologues de la personnalité reconnaissent que les personnes sont des êtres biologiques, le modèle des traits se prête particulièrement bien à l'intégration des découvertes en biologie dans un modèle approfondi de la personnalité. Nous poursuivons au chapitre suivant l'étude de cette union de la biologie et de la psychologie.

RÉSUMÉ

1. Vers la fin du xxᵉ siècle, un consensus a pris forme entre les théoriciens des traits au sujet des « Cinq Grands », ou modèle à cinq facteurs. L'analyse factorielle des termes de la langue courante et celle des données provenant des évaluations et des questionnaires ont permis de corroborer le modèle.

2. L'étude de la langue par les théoriciens des « Cinq Grands » s'appuie sur l'hypothèse lexicale fondamentale, selon laquelle les différences individuelles fondamentales entre les gens ont été encodées dans la langue de tous les jours.

3. McCrae et Costa ont proposé un modèle théorique, le modèle à cinq facteurs, qui met l'accent sur l'origine biologique des traits, que le modèle interprète comme des tendances fondamentales. Plusieurs études ont démontré la stabilité de la structure générale des traits et des différences individuelles dans leur degré d'expression. Cependant, des données indiquant des variations dans le degré d'expression remettent le modèle en question, de même que l'incertitude concernant les limites de l'influence environnementale sur le développement de la personnalité. De plus, des découvertes récentes indiquent qu'au moins un facteur supplémentaire serait nécessaire pour saisir toutes les grandes différences individuelles.

4. Les recherches indiquent que les différences individuelles dans les scores obtenus sur les « Cinq Grands » constituent des prédicteurs valides dans des domaines clés de la psychologie appliquée, comme l'orientation professionnelle, le diagnostic de personnalité, le comportement au travail et la thérapie. Le modèle à cinq facteurs n'offre cependant pas de recommandations particulières concernant le processus de modification de la personnalité, ce qui constitue une limite dans son application.

5. Malgré l'existence de données confirmant la stabilité longitudinale des traits de personnalité, de nombreuses recherches indiquent également que les gens présentent d'importantes variations dans l'expression des traits selon le contexte social. Selon certains, cette variabilité du comportement permet de penser que les construits de traits ne peuvent servir de fondement à une théorie de la personnalité. D'autres encore jugent que la stabilité longitudinale et intersituationnelle observée est suffisante pour soutenir l'utilité des théories des traits (selon le débat personne-situation).

6. L'évaluation d'ensemble de la théorie des traits montre qu'elle comporte des forces sur les plans de la recherche, de la formulation d'hypothèses et des liens potentiels qu'elle permet de faire avec la biologie. En même temps, le modèle soulève des questions concernant l'analyse factorielle et le peu d'attention accordée à des aspects importants du fonctionnement psychologique, comme le soi, et à une théorie de la modification de la personnalité.

CHAPITRE 9

LES FONDEMENTS BIOLOGIQUES DE LA PERSONNALITÉ

Le tempérament

Évolution, psychologie évolutionniste et personnalité

Les gènes et la personnalité

L'humeur, les émotions et le cerveau

La plasticité des processus biologiques: la cause et les effets

Les recherches neuroscientifiques sur les fonctions psychologiques de haut niveau

Pourquoi certaines personnes sont-elles généralement heureuses et d'autres tristes, certaines énergiques et d'autres léthargiques, certaines impulsives et d'autres réfléchies ? Pourquoi les comportements des hommes et des femmes sont-ils différents ? Pourquoi les femmes se maquillent-elles et pourquoi les hommes sont-ils plus portés à payer l'addition au restaurant lors d'un premier rendez-vous ? Pourquoi y a-t-il unanimité sur le fait que certains actes sont immoraux (par exemple, l'inceste) et que certains comportements sont tabous même s'ils n'entraînent aucun dommage physique pour les personnes concernées ? Ces sentiments et ces comportements sont-ils appris ou sont-ils plutôt le fait de notre constitution biologique ?

Les spécialistes tentent de répondre à ces questions depuis des siècles. Depuis que le scientifique britannique sir Francis Galton a lancé dans les années 1880 le débat « nature/culture » (hérédité/environnement), débat qui s'est poursuivi pendant des décennies, la question de déterminer l'importance relative de l'une et de l'autre a profondément marqué tant la théorie que la recherche. Plus récemment, des avancées scientifiques ont donné un nouvel éclairage à ces questions. Le présent chapitre rend compte de certaines de ces avancées. Nous explorerons six thèmes : les différences individuelles d'origine biologique qui apparaissent tôt et qui forment le *tempérament* de l'individu ; la formation de la personnalité par les processus issus de notre passé ancestral, ou *évolution* ; l'influence des *gènes* sur la personnalité ; la neuroscience des *humeurs et des émotions* ; l'influence de l'environnement sur les structures biologiques, ou *plasticité*, et les bases neurologiques des fonctions cognitives supérieures, notamment celles qui comprennent le *soi* et le *jugement* moral.

LE CHAPITRE...
EN QUESTIONS

1. Comment et pourquoi existe-t-il des différences de tempérament entre les enfants en bas âge ?

2. Comment l'étude de l'évolution des êtres humains peut-elle nous aider à comprendre les diverses personnalités des êtres humains contemporains ?

3. Quel est le rôle des gènes dans la formation de la personnalité ?

Comment les gènes interagissent-ils avec l'environnement dans le développement de la personnalité ?

4. Quelle est la relation entre les processus cérébraux et le fonctionnement de la personnalité relativement à l'humeur, au concept de soi et au jugement moral ?

C'est parfois le hasard qui inspire les scientifiques, et l'histoire de la pomme tombée de l'arbre sur la tête d'Isaac Newton, même si on peut douter de sa véracité, illustre bien le fait que c'est parfois un accident qui permet de faire avancer la science.

C'est un accident survenu en 1848 qui est à l'origine de l'intérêt des scientifiques pour l'exploration des rapports entre biologie et personnalité. La victime de cet accident, un contremaître en construction ferroviaire nommé Phineas Gage, devait faire exploser un rocher pour tracer la voie. Il fora un trou, le remplit de poudre explosive et y inséra une tige de métal pour bien tasser la poudre avant d'allumer la mèche. Gage eut un moment de distraction et la charge lui explosa au visage, la tige de métal pénétra dans sa joue gauche, transperça la base de son crâne, puis la partie avant de son cerveau, détruisant une bonne partie du cortex frontal avant de ressortir par le sommet de la tête.

Bien sûr, Gage fut sonné, mais il survécut miraculeusement. Il pouvait marcher et parler, pouvait même décrire dans le détail l'accident qui venait de se produire et en parler de façon tout à fait rationnelle. Mais Gage n'était

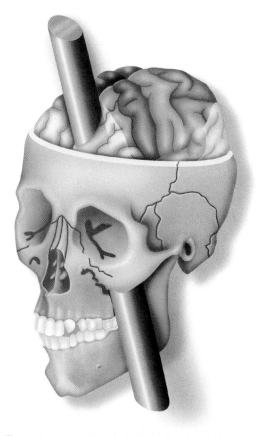

Cette illustration montre l'endroit où la tige de métal transperça le cortex frontal de Phineas Gage – qui survécut, mais expérimenta des changements de personnalité importants.

plus le même homme. « Le caractère de Gage, ses goûts et ses dégoûts, ses rêves et ses aspirations ont changé du tout au tout. Son corps vit et se porte bien, mais c'est un autre esprit qui l'anime. Gage n'est plus Gage » (Damasio, 1994, p. 7). Jusque-là sérieux, travailleur responsable et énergique, Gage était devenu irresponsable, indifférent aux autres et aussi peu soucieux de son avenir que des conséquences de ses actes.

L'histoire de Phineas Gage donne à penser qu'il existe des interconnexions profondes entre le fonctionnement cérébral et le fonctionnement de la personnalité. Si la tige avait transpercé la jambe plutôt que le cerveau, Gage aurait toujours été victime d'un grave accident, mais il serait essentiellement demeuré le même. Mais la simultanéité (1) de la perte du tissu cérébral du lobe frontal et (2) du changement de personnalité, elle, n'était vraisemblablement pas un « accident ».

L'accident de Gage a incité les spécialistes de la science psychologique à explorer les liens entre le corps et la personnalité. Le présent chapitre s'intéresse aux travaux de ces scientifiques et, à ce titre, il diffère des autres chapitres en ce sens qu'au lieu de simplement exposer des théories, il met l'accent sur les *résultats* de recherches. Cela est vrai également pour le chapitre 14, qui s'intéresse aux résultats des recherches sur les rapports entre la personnalité et le contexte social. Ces travaux ont permis de constituer un ensemble de connaissances dont tous les théoriciens de la personnalité doivent tenir compte. Plusieurs résultats issus de ces recherches touchent directement les théories des traits de personnalité qui font l'objet des chapitres 7 et 8. D'autres, toutefois, portent sur d'autres perspectives théoriques, notamment la psychologie évolutionniste, dont il sera question dans ce chapitre.

LE TEMPÉRAMENT

Dès notre naissance, nous sommes des êtres uniques. Les enfants, même en très bas âge, diffèrent les uns des autres par leurs émotions et leurs comportements. Puisque leur expérience du monde est limitée, ces différences ne peuvent s'expliquer par l'expérience sociale de chacun ; elles doivent donc avoir une origine biologique. Le « tempérament » est l'ensemble des caractéristiques individuelles qui déterminent les tendances sur les plans affectif et motivationnel qui apparaissent tôt dans la vie de l'enfant et qui ont une base biologique (Kagan, 1994 ; Rothbart, 2011). Les différences qui apparaissent très tôt dans les tendances de l'enfant à expérimenter des émotions positives ou négatives, à devenir excité en réponse aux stimuli ou à retrouver son calme après avoir été troublé par un événement constituent des exemples de caractéristiques du tempérament.

La constitution et le tempérament : de l'Antiquité au milieu du XXᵉ siècle

Les spécialistes s'intéressent depuis longtemps à la possibilité que les différences psychologiques entre les individus aient un fondement biologique (revu dans Kagan, 1994 ; Rothbart, 2011 ; Strelau, 1998). Dans la Grèce antique, Hippocrate avançait l'idée que les différences dans les caractéristiques psychologiques des individus reflètent des variations individuelles dans les fluides corporels (voir le chapitre 7, figure 7.3). Cette conception était conforme aux croyances des Grecs de l'époque, pour qui tout ce qui existe dans la nature est constitué de quatre éléments : la terre, l'air, le feu et l'eau. Hippocrate, comme d'autres savants de l'Antiquité, analysait le tempérament de l'être humain en utilisant un modèle semblable formé de quatre éléments. Pour eux, les quatre éléments de la nature étaient représentés dans le corps humain par quatre humeurs, soit le sang, la bile noire, la bile jaune et le phlegme (la lymphe), chacune correspondant à un tempérament : le sanguin, le mélancolique, le colérique et le flegmatique. Les différences de tempérament individuelles s'expliquaient par la prédominance de l'une ou l'autre des humeurs biologiques. Ainsi, les Grecs ont proposé une classification des caractéristiques de chaque tempérament et une théorie des causes biologiques du tempérament.

Cette conception a tenu la route fort longtemps. Plus de deux mille ans après Hippocrate, le grand philosophe allemand Emmanuel Kant distinguait à son tour quatre types de tempérament dont il situait l'origine dans les liquides biologiques, une conception tout à fait semblable à celle des Grecs de l'Antiquité. Évidemment, aucun des psychologues scientifiques contemporains n'accepte plus cette théorie des liquides biologiques.

Phrénologie

Fondée par Gall au début du XIXᵉ siècle, discipline qui avait pour objet la localisation des zones du cerveau auxquelles on attribuait divers aspects du fonctionnement émotionnel et comportemental. Bientôt considérée comme de la superstition et du charlatanisme, la phrénologie tomba rapidement dans le discrédit.

Une autre perspective digne de mention est celle du biologiste allemand du XIXᵉ siècle Franz Joseph Gall. Gall est le fondateur de la **phrénologie**, une discipline qui soutenait que certaines zones du cerveau sont responsables de fonctions émotionnelles et comportementales spécifiques (figure 9.1). En analysant le cerveau de personnes décédées, Gall tenta d'associer les différences de capacités, de dispositions et de traits aux différences dans le tissu cérébral. Les bosses sur le crane étaient examinées en raison de leur prétendu pouvoir de révéler le développement particulier du tissu cérébral sous-jacent. La phrénologie devint extrêmement populaire au XIXᵉ siècle, mais tomba par la suite dans le discrédit. La recherche contemporaine démontre que le cerveau ne fonctionne pas comme Gall l'avait imaginé, soit que des régions précises du cerveau sont responsables de types particuliers de pensée et de comportement. Plutôt, la plupart des activités complexes de l'être humain sont le fait de l'action synchronisée de plusieurs régions interconnectées du cerveau (Bressler, 2002 ; Edelman et Tononi, 2000 ; Sporns, 2011).

Le milieu du XIXᵉ siècle a donné lieu à des travaux d'une plus grande valeur scientifique. Trois publications ont été particulièrement importantes : *De l'origine des espèces au moyen de la sélection naturelle* (1859) et *L'expression des émotions chez l'homme et les animaux* (1872), tous deux de

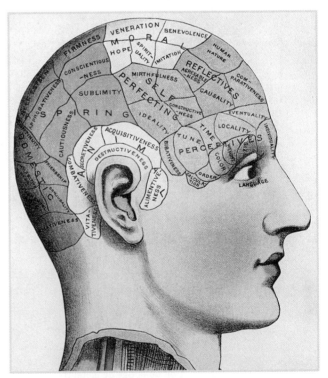

Figure 9.1 | **La localisation des fonctions de la personnalité selon Gall**

Charles Darwin, et *Recherches sur les hybrides végétaux*, de Gregor Mendel (1865). Le premier livre de Darwin, bien sûr, constitue le fondement de la science biologique moderne, et le second a mis en lumière la similarité des expressions émotionnelles chez les êtres humains et les autres mammifères évolués. Ce dernier ouvrage a contribué indirectement à l'étude du tempérament et présageait la naissance de la psychologie évolutionniste, dont nous discuterons plus loin dans ce chapitre. La publication de Mendel décrit huit ans d'expériences sur le croisement des pois et la transmission de leurs caractères, et posait les fondements de la génétique moderne.

Au XXe siècle, deux chercheurs, le psychiatre allemand Ernst Kretschmer (1925) et le psychologue américain William Sheldon (1940, 1942), ont tenté d'établir un lien entre le type physique des individus et leur tempérament. Ils ont travaillé de façon très systématique pour mesurer les types physiques et les associer à certaines caractéristiques psychologiques. Dans les deux cas toutefois, des problèmes méthodologiques ont empêché les spécialistes de tirer des conclusions valables de ces travaux, et les recherches ultérieures indiquent que le lien entre le type physique et la personnalité est faible (Strelau, 1998).

Au début du XXe siècle, les travaux de Pavlov ont mené à des conclusions plus durables. En plus de sa recherche sur la façon dont l'expérience modifie les réflexes (voir le chapitre 10), Pavlov a échafaudé une théorie sur la stabilité des différences individuelles dans le fonctionnement du système nerveux qui misait sur la possibilité de variation dans la force du système nerveux, c'est-à-dire le degré de fonctionnement du système nerveux en présence de forts stimuli ou de stress (Strelau, 1998).

La constitution et le tempérament : études longitudinales

Il manquait aux recherches que nous venons d'évoquer un élément essentiel à la recherche contemporaine : les méthodes *longitudinales*, c'est-à-dire les méthodes de recherche qui permettent d'étudier un même groupe de personnes sur une longue période. Les études longitudinales permettent aux chercheurs de déterminer si des caractéristiques psychologiques précises sont présentes très tôt dans la vie de l'individu et si celles-ci persistent tout au long de la vie, comme on pourrait le supposer dans l'éventualité où ces caractéristiques auraient un fondement biologique.

Une des toutes premières études du genre fut la New York Longitudinal Study (NYLS) d'Alexander Thomas et Stella Chess (1977). Ils ont suivi plus d'une centaine d'enfants de leur naissance jusqu'à l'adolescence à partir de comptes rendus parentaux des réactions de leur enfant dans diverses situations afin de déceler d'éventuelles variations dans son comportement. En évaluant les bébés en fonction de caractéristiques comme le niveau d'activité, l'humeur générale, la durée d'attention et la persévérance, ils ont distingué trois types de tempérament infantile : le bébé facile, enjoué et qui s'adapte facilement, le bébé difficile, négatif et qui s'adapte difficilement, et le bébé lent à démarrer, qui a un faible degré de réactivité et qui réagit lentement. Cette étude et d'autres effectuées par la suite ont permis d'établir un lien entre ces différences précoces dans le tempérament des participants et certaines caractéristiques de leur personnalité ultérieure (Rothbart et Bates, 1998 ; Shiner, 1998). Par exemple, les bébés difficiles éprouvaient les plus grandes difficultés d'adaptation par la suite, alors que les bébés faciles étaient moins à risque sur ce plan. De plus, Thomas et Chess avancèrent que l'environnement parental qui convenait le mieux aux bébés ayant tel type de tempérament pouvait ne pas être le meilleur pour les bébés ayant tel autre type de tempérament, autrement dit l'adéquation entre le tempérament infantile et l'environnement parental pouvait être plus ou moins bonne.

Plus tard, Buss et Plomin (1975, 1984) ont utilisé les évaluations parentales du comportement de leur enfant pour dégager les dimensions du comportement qui englobent l'émotivité (excitabilité et détresse dans des situations perturbatrices), l'activité (vigueur et rythme des mouvements moteurs, dynamisme et nervosité), la sociabilité (ouverture vers les autres, facilité à se faire des amis par opposition à la timidité). Les différences individuelles entre ces diverses caractéristiques du tempérament se sont révélées relativement constantes au fil du temps et confirmaient leur base génétique, les jumeaux monozygotes présentant des tempéraments particulièrement semblables. La décision de se fier aux évaluations parentales a toutefois ses limites, le jugement des parents étant vraisemblablement déformé par le fait qu'ils devaient évaluer la personnalité de leur propre enfant. Par exemple, on a constaté une tendance à exagérer les similitudes entre des vrais jumeaux (Saudino, 1997). Néanmoins, les travaux de Buss et Plomin ont eu une influence qui s'est poursuivie. En effet, plusieurs chercheurs ont adopté leur approche et tenté de cerner un ensemble de quelques dimensions liées aux différences individuelles et qui pourraient expliquer les différences de tempérament dans la population en général (notamment, Goldsmith et Campos, 1982 ; Gray, 1991 ; Strelau, 1998). Ces travaux ont en partie nourri la réflexion sur le modèle des « Cinq Grands » facteurs dont nous avons discuté plus tôt dans cet ouvrage (voir le chapitre 8).

Ces premières études longitudinales présentaient certaines limites, principalement parce qu'elles ne permettaient pas d'établir quels étaient les systèmes biologiques sous-jacents aux caractéristiques du tempérament observées. Pour ce faire, il aurait fallu délaisser les mesures rapportées par les parents et trouver des outils de mesure des comportements plus directs ainsi que des indices d'une origine biologique. Voyons donc ce que dit ce genre d'études.

La biologie, le tempérament et le développement de la personnalité : la recherche contemporaine

Les enfants inhibés et non inhibés : la recherche de Kagan et de ses collègues

Le psychologue de Harvard Jerome Kagan fut un pionnier de la recherche sur les fondements biologiques du tempérament (Kagan, 1994, 2003, 2011). L'un des éléments clés de son travail fut son utilisation d'outils de mesure directe et objective du comportement. Plutôt que de demander aux parents de décrire les caractéristiques du tempérament de leur enfant, Kagan a observé les enfants directement dans l'environnement d'un laboratoire.

À partir de ses observations, Kagan a établi deux profils comportementaux bien définis en matière de tempérament : le type inhibé et le type non inhibé. L'enfant inhibé réagit aux personnes ou aux événements qui ne lui sont pas familiers en manifestant de la réserve, de l'évitement et de la détresse ; il met plus de temps à se détendre dans des situations nouvelles, et présente plus de peurs et de phobies inhabituelles. Il se montre timide et extrêmement prudent ; sa première réaction à la nouveauté consiste soit à se taire et à chercher du réconfort auprès de ses parents, soit à s'enfuir et à se cacher. L'enfant non inhibé, au contraire, prend plaisir à ces mêmes situations qui semblent si stressantes pour l'enfant inhibé. Loin d'être timide et craintif, il réagit avec spontanéité à la nouveauté et se montre facilement souriant et enjoué.

Intrigué par des différences aussi frappantes, Kagan formula plusieurs questions. À quel moment ces différences de tempérament apparaissent-elles ? Jusqu'à quel point sont-elles stables dans le temps ? Peut-on penser qu'elles ont des bases biologiques et si oui, lesquelles ? Kagan fondait son raisonnement sur l'hypothèse voulant que les nouveau-nés présentent des différences biologiques innées qui les rendent plus ou moins réactifs à la nouveauté, et que ces différences innées ont tendance à rester stables au cours du développement de l'enfant. Selon cette hypothèse, les nouveau-nés très réactifs à la nouveauté deviendraient des enfants inhibés et les nouveau-nés peu réactifs à la nouveauté deviendraient des enfants non inhibés.

Pour vérifier cette hypothèse, Kagan amena des bébés de quatre mois en laboratoire et filma sur bande vidéo leur comportement en présence de stimuli tantôt familiers, tantôt nouveaux (visage de leur mère, voix d'une étrangère, mobiles colorés et en mouvement, éclatement d'un ballon gonflable). Ces bandes vidéo furent ensuite évaluées à l'aide de mesures de réactivité comme la courbure du dos, le fléchissement vigoureux des membres et les pleurs. Environ 20 % des bébés furent jugés hautement réactifs, car en présence de stimuli nouveaux, ils arquaient le dos, pleuraient très fort et leur visage trahissait leur mécontentement. Ce profil comportemental donnait à penser que les bébés avaient été surexcités par les nouveaux stimuli puisque, ceux-ci retirés, les bébés retrouvaient leur calme. Les bébés faiblement réactifs, au contraire, soit environ 40 % du groupe, restaient calmes et décontractés en présence des nouveaux stimuli. Les autres bébés, soit 40 % également, présentaient diverses combinaisons de réactions.

Pour déterminer si, comme il le pensait, les bébés hautement réactifs devenaient des enfants inhibés et les bébés faiblement réactifs des enfants non inhibés, Kagan étudia les mêmes enfants à l'âge de 14 mois, de 21 mois et de 4 ans et demi. Il ramena ces enfants au laboratoire et les soumit à des situations nouvelles pour eux (lumières clignotantes, clown jouet frappant sur un tambour, étranger vêtu d'un costume insolite, bruit de balles de plastique tournant dans une roue pour les moins de deux ans et rencontres avec des enfants ou des adultes inconnus pour les plus âgés). En plus des observations comportementales, Kagan a effectué des mesures physiologiques (fréquence cardiaque et pression artérielle) des réactions à la nouveauté. Encore une fois, l'étude a confirmé la continuité du tempérament. À l'âge de 14 et 21 mois, les bébés hautement réactifs manifestaient davantage de crainte, une plus grande accélération des battements

La recherche sur le tempérament révèle que certains enfants héritent d'une prédisposition à devenir hautement réactifs en présence de situations et de personnes nouvelles, même lorsque ces personnes sourient et se montrent amicales !

cardiaques et une plus grande élévation de la pression artérielle que les bébés faiblement réactifs et, à l'âge de 4 ans et demi, ils souriaient moins et parlaient moins que les enfants faiblement réactifs dans des situations d'interactions sociales. Testés de nouveau à l'âge de huit ans, ils manifestaient toujours une constance du tempérament, la majorité des enfants continuant à appartenir au groupe dans lequel on les avait classés à l'âge de quatre mois. Comme on le verra plus loin dans ce chapitre, l'étude a confirmé aussi l'existence de différences dans le fonctionnement biologique.

Bien qu'il y ait une persistance dans le tempérament au fil du temps, on sait également que le tempérament peut changer (Fox, Henderson, Marshall, Nichols et Ghera, 2005). Ainsi, plusieurs enfants hautement réactifs ne sont pas devenus craintifs de manière régulière. Ce changement du comportement semble lié à une mère qui n'était pas surprotectrice et qui avait envers l'enfant des exigences raisonnables (Kagan, Arcus et Snidman, 1993). De plus, certains enfants faiblement réactifs perdirent leur attitude détendue. Dès lors, malgré un penchant tempéramental, l'environnement avait joué un rôle dans le développement de la personnalité. Selon Kagan, « une prédisposition conférée par notre bagage génétique est loin d'être une sentence à vie ; le tempérament d'un bébé ne signifie rien d'inévitable pour l'adulte qu'il deviendra » (1999, p. 32). Cela dit, souligne Kagan, aucun des bébés hautement réactifs n'était devenu un enfant complètement non inhibé et seuls quelques rares bébés faiblement réactifs étaient devenus des enfants inhibés de manière constante. Le

changement était possible, mais le penchant tempéramental n'avait pas disparu et semblait infléchir le développement. Toujours selon Kagan, « il est difficile de changer complètement une prédisposition innée » (1999, p. 41).

Une autre question se pose, à savoir si les caractéristiques tempéramentales varient sur un plan dimensionnel (comme la taille entre les individus) ou si elles peuvent plutôt se décrire en termes catégoriels (comme la couleur des yeux ou le sexe des individus). Woodward et ses collègues (2000) ont utilisé des méthodes statistiques conçues pour répondre à ce type de questions. Ces méthodes permettent de faire ressortir des catégories ou « classes » susceptibles d'expliquer les patrons de variation dans les données recueillies sur un grand groupe de personnes. Supposons par exemple que vous ignorez que l'être humain comprend deux sexes, le sexe masculin et le sexe féminin. Si vous posez à un groupe de personnes plusieurs questions sur leurs habitudes personnelles, les différences dans leurs réponses feront en sorte que vous pourrez classer les gens en sous-groupes. Une analyse statistique indiquera que les réponses à un certain nombre de questions ont un lien si évident (par exemple, les personnes qui disent porter une jupe sont également celles qui disent mettre du rouge à lèvres et porter des talons hauts) qu'ils indiqueront la présence d'un groupe de personnes formant ainsi une catégorie distincte (les femmes). Woodward et ses collègues (2000) ont ainsi démontré que les bébés hautement réactifs (qui ont des mouvements involontaires et qui pleurent) lorsqu'ils sont placés dans une situation nouvelle forment un groupe distinct. Ainsi, on a démontré qu'environ 10 % d'un vaste échantillon d'enfants étaient plus réactifs de manière régulière que l'ensemble de la population du même âge. Cette donnée est importante parce qu'elle remet en question l'hypothèse voulant que les différences individuelles dans la personnalité impliquent inévitablement des variations sur un plan dimensionnel.

La recherche a également permis de déterminer quelles régions du cerveau sont responsables des tendances à l'inhibition et à la non-inhibition (Schmidt et Fox, 2002). Il semble que plus d'une région soit mise en œuvre dans ces tempéraments, les tendances comportementales reflétant les interactions entre les différents systèmes neuronaux. Une région importante est l'amygdale, qui, comme nous le verrons plus loin, joue un rôle central dans la réponse de peur. Une autre région est le cortex frontal, qui est mis en œuvre dans la régulation de la réponse émotionnelle, en partie parce qu'il agit sur le fonctionnement de l'amygdale. Il est intéressant de souligner que le fonctionnement de ces régions du cerveau n'est pas totalement soumis à des facteurs innés: les expériences sociales semblent en effet modifier le fonctionnement du cerveau et, dès lors, influer sur les tendances émotionnelles chez l'enfant (Schmidt et Fox, 2002).

Les méthodes de neuro-imagerie ont permis de confirmer de façon particulièrement claire le rôle de l'amygdale chez l'enfant présentant un **tempérament inhibé**, en comparaison du **tempérament non inhibé** (Schwartz, Wright, Shin, Kagan et Rauch, 2003). Les chercheurs ont étudié un groupe de jeunes adultes qui, à l'âge de deux ans, avaient été classés comme très inhibés ou pas du tout inhibés. En laboratoire, pendant qu'ils étaient soumis à un balayage d'IRMf, on leur a présenté des photos de visages humains de deux types: (1) des visages familiers (soit des visages de personnes qu'on leur avait déjà montrés au tout début de l'expérience et (2) des visages nouveaux (qu'on ne leur avait jamais montrés). L'imagerie cérébrale a confirmé l'hypothèse voulant que l'amygdale fonctionne différemment selon que l'individu est inhibé ou non inhibé (figure 9.2). En présence des visages nouveaux, les adultes qui avaient été classés comme inhibés durant leur enfance montraient un degré de réactivité plus élevé de l'amygdale que les adultes classés non inhibés dans l'enfance. Cette constatation indique que les mécanismes biologiques sous-jacents au comportement inhibé sont stables tout au long de la vie.

Des recherches plus récentes semblent confirmer le fondement moléculaire de la peur, du moins chez les animaux dont les systèmes neuronaux en jeu dans le mécanisme de la peur sont suffisamment semblables aux nôtres pour qu'on puisse appliquer ces résultats à l'être humain. Dans leurs recherches, Shumyatsky et ses collègues (2005) ont

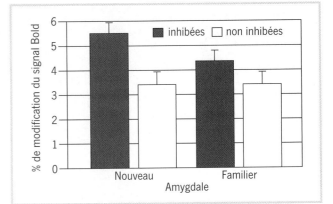

Figure 9.2 | **Mesures d'IRMf de la réactivité du cerveau à des visages nouveaux et familiers de jeunes adultes classés à l'âge de deux ans comme inhibés et non inhibés**

Source: Schwartz, C.E., Wright, C.I., Shin, L.M., Kagan, J., & Rauch, S.L. (2003). Inhibited and uninhibited children "grown up": Amygdalar response to novelty. *Science, 300*, 1952-1953.

décelé un gène qui joue un rôle dans les niveaux d'une protéine, la stathmine, qui contribue au fonctionnement de l'amygdale. Des souris qui avaient le gène de la stathmine et d'autres qui ne l'avaient pas montraient des différences comportementales dans leur réponse de peur, figeant littéralement ou non lorsque soumises à un stimulus susceptible de provoquer une réaction de peur ou encore explorant ou non un espace jusque-là inconnu (Shumyatsky et coll., 2005). Un élément particulièrement fascinant de cette recherche est le fait qu'elle n'était pas uniquement basée sur l'observation, mais sur l'expérimentation (voir le chapitre 2). Cette recherche utilisait des méthodes d'inactivation de gène et de manipulation génétique (Benson, 2004).

Interprétation des données sur les fondements biologiques de la personnalité

En résumé, de nombreux éléments probants confirment la part des processus biologiques déterminés de façon génétique dans les différences individuelles liées à l'inhibition et à la peur en réponse à un stimulus nouveau, tout comme de nombreux éléments probants confirment le rôle de l'amygdale dans les réponses de peur. Il faut toutefois interpréter ces éléments probants avec prudence. Certaines interprétations, à première vue attirantes, peuvent mener à des conclusions qui vont au-delà des données objectives. Il est important d'en être conscient et de garder son sens critique sur cette question des fondements biologiques de la personnalité.

On pourrait conclure que l'amygdale est une sorte de « machine » à produire de la peur, qu'elle est la cause

Tempéraments inhibé et non inhibé

Comparativement à l'enfant non inhibé, l'enfant inhibé réagit aux personnes ou aux événements qui ne lui sont pas familiers par la réserve, l'évitement et la détresse; il met plus de temps à se détendre dans des situations nouvelles et il connaît plus de peurs et de phobies inhabituelles. L'enfant non inhibé, lui, semble prendre plaisir à ces mêmes situations qui paraissent si stressantes à l'enfant inhibé; il réagit avec spontanéité aux situations nouvelles, et se montre facilement souriant et enjoué.

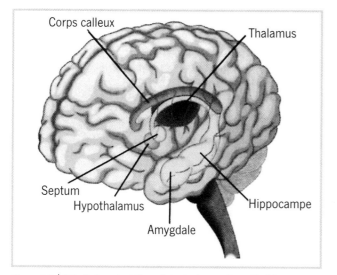

Figure 9.3 | Situé dans le télencéphale, le système limbique est constitué notamment du septum, de l'amygdale et de l'hippocampe.

nécessaire et suffisante de ce sentiment. Ce serait là une affirmation imprudente, et pour plusieurs raisons. Premièrement, l'amygdale participe à plusieurs fonctions psychologiques *autres* que la peur ; l'amygdale n'est pas réservée à l'émotion de peur. Deuxièmement, l'amygdale n'est pas *le seul* mécanisme biologique mis en œuvre dans les réponses de peur. Certaines données semblent montrer que la participation de l'amygdale n'est pas essentielle pour éprouver des émotions comme la peur, même si habituellement elle y a une part. Anderson et Phelps (2002) ont comparé les expériences émotionnelles quotidiennes de personnes dont l'amygdale est intacte et d'autres présentant des lésions à l'amygdale ou dont on a amputé des portions d'amygdale dans le but de contrôler les crises d'épilepsie. Si l'amygdale était essentielle à l'expression des émotions, la vie émotive de ces personnes aurait présenté des différences importantes. Or on n'en a décelé aucune. Les personnes atteintes de lésions ou ayant subi une ablation partielle de l'amygdale avaient une expérience émotionnelle aussi complète et diversifiée que les personnes dont l'amygdale était intacte. Les auteurs de l'étude arrivaient à la conclusion que « la complexité et la richesse de la vie affective des êtres humains ne semblent pas dépendre exclusivement de l'amygdale » (Anderson et Phelps, 2002, p. 717).

De plus, l'amygdale peut principalement prendre une part dans le traitement non pas de la peur, mais de la nouveauté. Ainsi, Kagan (2002) a passé en revue les données de recherches qui semblaient indiquer que « l'état de surprise est un incitatif plus fiable pour l'activation de l'amygdale que l'état de peur » (p. 13).

Enfin, le fait que les caractéristiques héréditaires liées à un système biologique, l'amygdale, contribuent au comportement de crainte peut laisser croire que l'environnement n'a aucune incidence sur la peur et que les réactions de peur d'une personne sont immuables tout au long de sa vie. Ce serait là une interprétation erronée. La recherche (Fox et coll., 2005) indique que les facteurs génétiques et les facteurs environnementaux interagissent et jouent un rôle dans le comportement d'inhibition dans l'enfance. Les chercheurs ont exploré l'influence du soutien social, plus particulièrement le degré de nurturance de la mère envers son enfant lorsque celui-ci est âgé de quatre ans. Ils ont également mesuré les facteurs génétiques moléculaires déjà connus pour être associés à la tendance au comportement inhibé (études d'association génétique). Ils ont ensuite utilisé les facteurs génétiques et environnementaux pour prédire le comportement inhibé devant les pairs chez ces mêmes enfants à l'âge de sept ans. Essentiellement, ils ont découvert que la force du lien entre le facteur génétique et le comportement inhibé dépendait du facteur environnemental. L'influence génétique sur le comportement était moins forte chez les enfants qui avaient reçu un degré élevé de nurturance (Fox et coll., 2005) ; autrement dit, un haut degré de soutien social réduit l'influence génétique comparativement aux enfants qui vivent dans un environnement où le soutien est moindre.

En résumé, « le fait qu'une personne naisse avec un tempérament bien défini... ne signifie pas qu'il y a un simple plan génétique pour ce type de tempérament... ni que [cette personne] est "prise" avec sa personnalité toute sa vie durant. Au contraire, l'une des merveilleuses particularités du tempérament est sa flexibilité qui nous permet de nous adapter aux obstacles et aux défis que nous impose la vie. Chacun de nous a la capacité de grandir et de changer à chaque étape de notre vie » (Hamer et Copeland, 1998, p. 7).

Le contrôle volontaire et le développement de la conscience

L'inhibition n'est pas la seule caractéristique psychologique qui doit intéresser celui qui étudie le tempérament humain. La science psychologique a également fait d'énormes progrès dans la compréhension du rôle que joue le tempérament dans la capacités des individus à réguler leurs émotions et leurs actions. Ainsi, la psychologue Mary Rothbart et ses collègues affirment que la régulation des émotions et des actions de l'être humain exige une caractéristique psychologique particulière, le contrôle volontaire (notamment Rothbart, Ellis, Rueda et Posner, 2003). Il arrive souvent que nous devons interrompre une action pour en entreprendre une autre. C'est le cas de l'étudiant qui doit fermer son téléviseur pour étudier, de celui qui doit cesser de discuter avec son voisin de classe pour écouter ce que dit le professeur, ou de l'individu qui doit cesser de manger des sucreries pour perdre du poids. C'est ce qu'on appelle le **contrôle volontaire,** c'est-à-dire «la capacité d'inhiber une réponse dominante pour exécuter une réponse sous-dominante» (Rothbart et coll., 2003, p. 1114).

Le contrôle volontaire intéresse celui qui étudie les théories de la personnalité en raison de son lien possible avec le développement d'une caractéristique psychologique qui a fortement retenu l'attention des théoriciens de la personnalité, la conscience morale, ou ce que Freud aurait appelé le fonctionnement du surmoi (voir le chapitre 3). Il s'agit de la capacité de se conformer à la norme sociale en intériorisant les standards moraux et éthiques en matière de comportement.

Les questions fondamentales pour la recherche contemporaine sont les mêmes que celles que posait Freud : Qu'est-ce qui détermine le développement de la notion de conscience ? Pourquoi les gens adhèrent-ils à divers degrés aux normes et contraintes sociales ? Pour répondre à ces questions, Freud a mis l'accent sur l'expérience de l'enfant avec ses parents. On pourrait aussi examiner les facteurs biologiques héréditaires, mais une troisième voie, plus intéressante, est de considérer que les facteurs biologiques héréditaires et l'influence parentale contribuent tous deux au degré de conscience de l'enfant. C'est cette voie qu'ont explorée Grazyna Kochanska et ses collègues.

Kochanska et Knaack (2003) ont étudié les relations entre (1) le contrôle volontaire, (2) le développement de la conscience et (3) un aspect particulier de la parentalité, soit le degré auquel la mère affirme son autorité dans ses interactions avec son enfant. L'affirmation de l'autorité parentale peut être bénéfique dans de nombreuses situations, mais elle peut aussi avoir des conséquences moins heureuses. En effet, si les parents exercent un contrôle serré sur tout ce que fait l'enfant, ce dernier pourrait être

incapable de développer ses propres contrôles internes et sera dès lors incapable d'intérioriser les règles régissant les comportements acceptables en société. Kochanska et Knaack ont soumis l'hypothèse que cette incapacité prendrait son origine dans le contrôle volontaire. En effet, les enfants qui ont des parents autoritaires pourraient s'avérer incapables de développer pleinement les habiletés nécessaires à la maîtrise de soi et ainsi réguler leurs comportements de façon autonome.

Il est difficile de vérifier la justesse de ces hypothèses et il faut saluer les efforts de Kochanska et Knaack en ce sens. Leurs recherches comportent deux caractéristiques fondamentales qui ont également marqué le travail de Kagan : (1) une recherche longitudinale permettant de suivre les mêmes individus sur une longue période, et (2) la *mesure* des comportements des personnes étudiées plutôt qu'une simple évaluation établie par l'analyse des réponses des participants à des questionnaires. On a soumis les enfants de deux ou trois ans à des tests de comportement pour évaluer leur degré de contrôle volontaire. Les tests comprenaient des consignes comme de ralentir leur pas de marche, parler à voix basse et retarder la prise d'un bonbon. Pour évaluer le comportement de la mère, les examinateurs ont procédé par observation directe, c'est-à-dire en observant les mères pendant qu'elles donnaient des directives à leur enfant. Les chercheurs ont classé les mères en fonction du degré d'affirmation de leur autorité. Enfin, lorsque les enfants ont eu cinq ans, on les a soumis à des activités en laboratoire destinées à mesurer leur sens de la conscience. Par exemple, les enfants devaient participer à un jeu dans lequel ils avaient la possibilité de tricher. Les examinateurs observaient les enfants pour déterminer s'ils trichaient effectivement. On a également présenté aux enfants une petite pièce de théâtre de marionnettes dans laquelle certains personnages faisaient toujours ce qu'on leur demandait alors que d'autres personnages ne faisaient jamais ce qu'on leur demandait. Les enfants devaient alors indiquer quel personnage leur ressemblait le plus.

Les résultats de cette expérience ont confirmé l'hypothèse selon laquelle des parents autoritaires et le contrôle volontaire contribuent au développement de la conscience (Kochanska et Knaack, 2003). Les résultats de cette recherche doivent être évalués par étapes. Premièrement, le degré d'affirmation de l'autorité parentale de la mère déterminait de façon très nette le degré de contrôle volontaire associé au tempérament de l'enfant. Ainsi, les enfants des mères qui étaient très autoritaires obtenaient un score

Contrôle volontaire
Caractéristique du tempérament qui donne à l'individu la capacité d'interrompre une action (réponse dominante) pour entreprendre une autre action.

Une enfant participant au programme de recherche sur le contrôle volontaire de Kochanska et Knaack. Cette enfant participe à une expérience qui consistait à retarder le moment d'une collation. L'enfant devait attendre en plaçant ses mains sur une table jusqu'à ce que l'examinateur actionne une cloche annonçant la collation. Cette recherche donne une mesure comportementale de la capacité de l'enfant à exercer un contrôle sur ses comportements.

« originelles ». Les **causes immédiates** ont trait aux processus biologiques qui ont cours dans l'organisme au moment où l'on observe le comportement. Supposons que vous décidez de faire une pause dans la lecture de ce livre pour aller profiter du soleil. On pourrait expliquer les causes immédiates du processus du bronzage par des mécanismes biologiques au niveau de la peau qui, réagissant à l'action du soleil, lui donnent cette jolie couleur bronzée. Bien sûr, si, en lisant le passage qui précède, l'idée vous prenait de passer réellement à l'action, notez que vous pouvez très bien vous faire bronzer en poursuivant la lecture de ce livre. Les causes originelles, elles, sont d'un autre ordre et posent la question « Pourquoi un mécanisme biologique donné fait-il partie d'un organisme et pourquoi réagit-il à l'environnement d'une façon particulière ? » On pourrait expliquer les causes originelles du processus de bronzage en se demandant pourquoi l'être humain possède une peau qui bronze en réaction à l'exposition prolongée aux rayons du soleil.

Depuis Darwin, on évoque les principes de la sélection naturelle pour expliquer les causes originelles de phénomènes de ce type. Les scientifiques tentent de comprendre comment et pourquoi un mécanisme biologique évolue en s'appuyant sur le principe fondamental que certaines caractéristiques biologiques sont plus adaptées que d'autres, du moins dans les organismes vivant dans un

moins élevé aux mesures du contrôle volontaire. Deuxièmement, le degré de contrôle volontaire a une influence sur le niveau de conscience. Et, là aussi, cette influence est très nette, les enfants qui montraient un degré élevé de contrôle volontaire ayant, des années plus tard, un niveau de conscience plus élevé. Enfin, les variations dans le degré de contrôle volontaire expliquaient la relation entre l'autorité parentale et le développement de la conscience (figure 9.4). Les analyses statistiques ont démontré que le contrôle volontaire médiatise les effets de l'autorité parentale dans cette relation.

ÉVOLUTION, PSYCHOLOGIE ÉVOLUTIONNISTE ET PERSONNALITÉ

Il existe deux types de causes biologiques aux comportements, soit les causes « immédiates » et les causes

Cause immédiate
Explication relative aux comportements associés aux processus biologiques prenant place de manière actuelle dans l'organisme.

Figure 9.4 | **Représentation conceptuelle des relations entre l'affirmation de l'autorité de la mère, le contrôle volontaire par l'enfant et le développement de la conscience chez l'enfant**

Les symboles « + » et « – » indiquent qu'un degré élevé d'affirmation de l'autorité de la mère se soldait par un degré de contrôle volontaire moindre chez l'enfant et qu'un degré élevé de contrôle volontaire chez l'enfant entraînait un degré plus élevé de conscience chez l'enfant.

Source : Schéma élaboré à partir des données recueillies par Kochanska et Knaack (2003).

environnement donné. Les organismes qui possèdent ces caractéristiques sont plus susceptibles que les autres de survivre, de se reproduire et dès lors d'être les ancêtres des générations futures. Les organismes qui ne possèdent pas ces caractéristiques favorisant l'adaptation biologique sont moins susceptibles de transmettre leurs gènes aux générations suivantes. Au fil des générations, le pourcentage de la population qui possède ce mécanisme biologique adaptatif augmente sans cesse. Dès lors, le mécanisme biologique évolue. Cette conception, qui s'appuie sur une perspective historique et sur les principes darwiniens de l'évolution et de la sélection naturelle, constitue la base des causes originelles des phénomènes.

Dans cette section, nous traiterons des causes originelles et des interprétations évolutionnistes de la personnalité. Nous verrons d'abord les progrès survenus dans le domaine de la psychologie évolutionniste (Buss, 2005) et leurs applications aux divers aspects de la personnalité et aux différences individuelles. Les prochaines sections de ce chapitre s'intéresseront aux causes immédiates du fonctionnement de la personnalité qui engagent les gènes et les systèmes neuronaux.

La psychologie évolutionniste

De nombreux psychologues ont tenté d'expliquer le fonctionnement psychologique par les principes de l'évolution. Comme le souligne Linnda Caporael (2001) dans une recension des écrits sur la question, ces tentatives ont été de divers ordres. Si tous les psychologues contemporains s'entendent pour reconnaître l'importance des théories évolutionnistes, ils diffèrent dans leurs analyses de la question. Il y a donc plusieurs écoles de psychologie évolutionniste (Caporael, 2001). Les principales différences entre ces écoles concernent le degré avec lequel la tendance psychologique est conçue comme étant programmée (nature humaine immuable et fixée biologiquement) par opposition à conçue comme résultant des interactions entre les facteurs biologiques et les facteurs culturels. Cette dernière perspective ouvre la possibilité que différentes cultures produisent différentes tendances psychologiques (notamment Nisbett, 2003).

Au cours des dernières décennies, les auteurs qui ont privilégié la conception évolutionniste programmée biologiquement de la nature humaine (Buss, 2005 ; Buss et Hawley, 2011) ont connu une grande notoriété dans le milieu de la psychologie de la personnalité. Leurs travaux ont complètement bouleversé les idées admises jusqu'alors. Avec cette approche, le fonctionnement contemporain de l'être humain est vu à la lumière des solutions évoluées apportées aux problèmes d'adaptation que connaissent les espèces depuis des millions d'années (Buss, 1991, 1995, 1999). Ainsi, les mécanismes psychologiques fondamentaux sont le résultat de l'évolution et de la sélection naturelle, c'est-à-dire qu'ils existent et perdurent parce qu'ils ont favorisé la survie et la reproduction. Dès lors, on peut envisager les composantes fondamentales de la nature humaine comme des **mécanismes psychologiques évolués** qui ont une valeur adaptative pour la survie et la reproduction. Certains aspects de la nature humaine, comme les émotions et les motivations fondamentales, peuvent donc s'expliquer par leur valeur adaptative.

Cette approche de la psychologie évolutionniste touche quatre aspects du fonctionnement humain (Pinker, 1997 ; Tooby et Cosmides, 1992). Premièrement, les caractéristiques de l'esprit humain qui ont évolué et perdurent sont celles qui parviennent à résoudre les problèmes faisant obstacle à la reproduction. L'élément clé de l'évolution est la transmission des gènes. On ne parle pas ici de problèmes liés à des actes de type sexuel, mais plutôt d'une variété de problèmes liés à la survie et à la reproduction. Par exemple, la capacité de voir les objets et d'évaluer à quelle distance ils sont est essentielle à la survie (par exemple, pour chasser une proie ou se protéger d'un prédateur). Dès lors, notre système nerveux a su évoluer et a trouvé une solution à ce problème : nous doter d'une vision binoculaire pour voir et percevoir la profondeur. La perception de la profondeur est donc une caractéristique psychologique utile mise au point par un système neuronal spécifique qui a su évoluer et résoudre un problème récurrent qui s'est manifesté au cours de l'évolution. Ce qu'il y a de fascinant dans la psychologie évolutionniste contemporaine, c'est le fait que ce type d'analyse vaut également pour des patrons de comportements sociaux qui résolvent des problèmes sociaux importants auxquels on fait face depuis le tout début de notre histoire évolutive.

Deuxièmement, ces mécanismes mentaux évolués ont une valeur adaptative aux modes de vie qui ont eu cours

---

Mécanisme psychologique évolué

Chacun des mécanismes psychologiques fondamentaux qui, selon la perspective évolutionniste, résultent d'une évolution sélective, c'est-à-dire qu'ils existent et perdurent parce qu'ils se sont révélés favorables à la survie et à la reproduction.

pendant des siècles et des millénaires lorsque nos ancêtres étaient essentiellement des chasseurs et des cueilleurs (Tooby et Cosmides, 1992). Il en résulte peut-être que nous possédons aujourd'hui des tendances psychologiques évoluées qui n'ont plus aucune utilité pour nous. Par exemple, le goût que l'être humain a acquis pour le gras était «clairement adaptatif dans l'histoire de notre évolution puisque cette excellente source de calories était jadis très rare. Aujourd'hui, on trouve des hamburgers et des pizzas à tous les coins de rue, et cette rareté a disparu. Notre goût prononcé pour les matières grasses nous amène maintenant à les surconsommer, ce qui bouche nos artères, endommage notre cœur et menace notre survie » (Buss, 1999, p. 38).

Troisièmement, les mécanismes psychologiques évolués sont spécifiques à un domaine. Selon les psychologues évolutionnistes, l'évolution ne concerne pas une disposition générale à la survie. Plutôt, le corps et l'esprit regroupent une série de mécanismes évolués qui trouvent des solutions à des problèmes particuliers se manifestant dans des domaines et des contextes précis. Certains aspects fondamentaux de la nature humaine, comme certaines motivations et certaines émotions, s'appliquent à des problèmes et des contextes précis. Par exemple, l'évolution n'a pas fait de l'être humain un être craintif en permanence, mais lui a permis d'acquérir certains mécanismes psychologiques qui l'ont amené à répondre par la peur à certains stimuli qui l'ont menacé au cours de l'évolution. De la même manière, l'évolution a fait naître en nous certaines émotions précises comme la jalousie, parce que les réactions émotionnelles de ce type avaient une valeur adaptative et nous permettaient de résoudre des problèmes précis dans nos relations humaines. Ces motivations et émotions spécifiques à un domaine ont perduré dans la nature humaine parce que jadis, compte tenu des problèmes que posait notre environnement ancestral, elles ont facilité la survie et la reproduction. Ces constatations font de la psychologie évolutionniste une approche très différente des approches fondées sur les traits de personnalité dont il a été question dans les deux chapitres précédents. Selon la théorie des traits, une caractéristique non liée à un contexte, comme le caractère agréabilité, peut expliquer que l'individu se montre agréable avec la personne qu'il a invitée à dîner ou encore avec un jeune neveu ou une jeune nièce. Selon la psychologie évolutionniste, de telles manifestations ne sont semblables qu'en apparence. En effet, bien que ces deux manifestations comportementales puissent être qualifiées d'agréables, deux mécanismes psychologiques bien distincts sont en

cause, puisque, au cours de l'évolution de l'espèce humaine, la capacité d'attirer une personne dont on est amoureux et la capacité d'aimer les enfants se sont développées en réponse à des problèmes fort différents de notre vie sociale.

Le quatrième point concerne les composantes et la structure générale de l'esprit, ou son «architecture». Certains voient le cerveau humain comme un ordinateur doté d'un mécanisme central de traitement de l'information. Toute information – les mots, les images fixes ou animées, les jeux, peu importe le contenu – serait dès lors traitée par ce mécanisme central. Les psychologues évolutionnistes rejettent cette conception de l'architecture de l'esprit humain. Ils soutiennent plutôt que l'esprit humain comprend de multiples dispositifs de traitement de l'information, chaque dispositif ayant la charge de traiter un domaine précis de la vie (Pinker, 1997). Le concept de «domaine» est ici fondamental. Les différents enjeux qui se sont présentés au fil de l'évolution – attirer des partenaires, trouver de la nourriture propre à la consommation, prendre soin des enfants, etc. – constituent chacun le domaine d'un problème distinct. Certains psychologues évolutionnistes soutiennent qu'un mécanisme mental distinct a évolué en réponse à chaque problème à résoudre. On parle de ces mécanismes comme de «modules» (Fodor, 1983), terme qui exprime l'idée que chaque mécanisme a une fonction précise et touche une fonction mentale propre à un domaine.

L'échange social et la détection de la tricherie

Quels mécanismes psychologiques ont évolué par sélection, et quels problèmes adaptatifs ces mécanismes ont-ils permis de solutionner en évoluant? La psychologue évolutionniste Leda Cosmides (1989) a accompli un travail de pionnière sur cette question. Elle a exploré un type particulier de milieu social et les problèmes qui y sont associés et qui, estimait-elle, ont eu une importance constante tout au long de l'évolution : l'échange social, ou échange de biens et de services entre les individus. Tout au long de l'histoire de l'humanité, les êtres humains ont échangé des biens au bénéfice des intéressés. Par exemple, une personne en aidera une autre à prendre soin de ses enfants une journée donnée si l'autre accepte de lui rendre la pareille une autre journée. Ou encore, un agriculteur qui a une production bien précise pourra remettre une partie de sa récolte à une autre personne qui produit un bien manufacturé dont il a besoin. Dans ce type d'échange, il est essentiel de ne pas être trompé par l'autre et, dès lors, la capacité de détecter la tricherie permet d'assurer la survie de l'individu. Ainsi, si vous êtes incapable de déceler la tricherie chez celui qui vous demande de lui remettre « deux billets de 10 dollars en échange d'un billet de 5 dollars », plutôt que « deux billets de 5 dollars en échange d'un billet de 10 dollars », et que cette situation se produit à répétition, alors vous ne disposez pas des ressources suffisantes pour assurer votre vie et votre survie sociales. Pour Cosmides, savoir détecter la tromperie a été, au cours de l'histoire humaine, d'une telle importance que l'être humain a développé un mécanisme distinct pour ce faire et que ce mécanisme a évolué. Elle a vérifié cette hypothèse d'une façon qui illustre bien l'approche générale des psychologues évolutionnistes en matière d'architecture mentale. Elle a eu recours à une tâche particulière de raisonnement logique. Elle a ainsi demandé aux participants de résoudre un problème de logique du type prémisse-conclusion (si…, alors…), c'est-à-dire de déterminer si un énoncé de type « si P, alors Q » est juste (figure 9.5). Bien sûr, ce genre de raisonnement logique abstrait n'est pas simple à résoudre, et les participants à des expériences en psychologie échouent le plus souvent. Mais Cosmides estimait que les participants y parviendraient si le problème concernait la détection de la tricherie. Pour elle, même si les gens arrivent difficilement à résoudre le problème « si P, alors Q », ils pourraient y parvenir avec un énoncé du genre « si une personne a gagné beaucoup d'argent, a-t-elle payé ses impôts ? ». Cosmides était d'avis que si le problème réside dans la tricherie, alors l'individu utiliserait son module de détection de la tricherie et pourrait ainsi trouver la solution au problème qui lui est posé. C'est exactement ce qui s'est produit dans l'expérience de Cosmides (1989). Alors

que peu de gens sont capables de résoudre des problèmes de raisonnement abstraits « si P, alors Q », une forte majorité de gens y parvient si le problème consiste à détecter une tricherie.

Les résultats donnent à penser que la capacité de déceler la tricherie est généralisée chez l'être humain, exactement comme l'imaginent les psychologues évolutionnistes. Tant des étudiants de collèges américains que des participants illettrés issus de cultures étrangères au monde industrialisé ont été en mesure de résoudre des problèmes de ce type (Sugiyama, Tooby et Cosmides, 2002).

Grâce à d'autres recherches, on a commencé à déterminer quelles régions du cerveau sont engagées dans le raisonnement sur les échanges sociaux. En examinant un patient présentant des troubles neuropsychologiques consécutifs à un accident de vélo qui avait causé des atteintes à une partie du lobe frontal et de l'amygdale, les chercheurs ont constaté que le patient obtenait les mêmes résultats que les gens n'ayant subi aucun traumatisme au cerveau dans des tâches de raisonnement logique autres que celle portant sur l'échange social, mais que sa performance était affectée lorsque le problème à résoudre concernait l'échange social (Stone, Cosmides, Tooby, Kroll et Knight, 2002).

Les différences entre les sexes : une question d'évolution ?

Les psychologues évolutionnistes se sont aussi intéressés aux différences entre les sexes. Ils font le raisonnement qu'au fil de l'évolution de l'être humain, les mâles et les

Figure 9.5 | **Illustration schématique des problèmes de raisonnement logique soumis dans le cadre d'une recherche sur la détection de la tricherie**

Une proposition est inscrite sur chaque côté de la carte (dans l'illustration ci-dessus, chaque cellule du tableau représente la surface d'une carte). On montre un côté de la carte au participant, qui doit alors décider s'il doit la retourner pour vérifier la règle logique inscrite de l'autre côté. Dans le premier problème, la règle est « Si P, alors Q », c'est-à-dire « Si un côté de la carte affiche un P, alors l'autre côté doit afficher un Q ». Dans le deuxième problème (conçu aux fins de la présente illustration), la règle est « Si $, alors impôt », c'est-à-dire « Si une personne a gagné de l'argent, alors elle a payé de l'impôt ». Lorsqu'on a soumis aux participants la proposition « Si P, alors Q », les participants ne retournaient généralement pas la carte « non Q ». Toutefois, dans une proposition du genre « Si une personne a gagné de l'argent, a-t-elle payé ses impôts ? », les participants ont généralement retourné la carte « n'a pas payé ses impôts » pour vérifier si la personne avait triché (en ne payant pas ses impôts sur l'argent gagné).

femelles de l'espèce humaine ont joué des rôles différents et que cela résulte des différences biologiques entre les sexes. Ces différences, bien sûr, concernent la stature, mais aussi le lien avec l'enfant (la grossesse, l'allaitement). Puisque ces différences ont été constantes au fil de l'évolution de l'humanité, l'esprit humain aurait acquis des prédispositions évoluées différentes selon le sexe. En d'autres mots, puisque les hommes et les femmes ont dû surmonter des problèmes différents au cours de l'évolution humaine, leurs cerveaux seraient différents et, dès lors, chaque sexe aurait une prédisposition à penser, ressentir et agir différemment de l'autre sexe.

Avant de parler de ces recherches, il faut souligner qu'il est toujours délicat de tirer des conclusions sur les différences psychologiques entre hommes et femmes. Même si de telles différences existent, il n'est pas facile de les interpréter. Il est vrai qu'il y a des différences biologiques entre les hommes et les femmes. On pourrait donc dire que des facteurs biologiques expliquent les différences entre les sexes. Mais il existe aussi des différences sur le plan social, et les sociétés ne traitent pas également les hommes et les femmes. Généralement, les hommes gagnent plus d'argent que les femmes et détiennent les postes de pouvoir. Ainsi, peu importe les différences dues à des facteurs biologiques, on peut penser qu'un groupe dont les membres gagnent plus d'argent et détiennent les postes de pouvoir agira différemment, sur le plan psychologique, d'un groupe dont les membres gagnent moins d'argent et sont peu représentés dans les postes de pouvoir. Dès lors, les différences entre les sexes pourraient aussi être le fait de facteurs sociaux plutôt que biologiques. Cela dit, un des concepts centraux de la psychologie évolutionniste veut que les facteurs biologiques déterminent les différences entre les sexes. Les différences psychologiques évoluées entre les hommes et les femmes expliqueraient les différences entre les sexes que l'on observe dans la société. Cette idée a particulièrement été défendue par le psychologue évolutionniste David Buss (1989, 1999), qui a étudié deux aspects des relations hommes-femmes : le choix d'un partenaire et les causes de la jalousie.

Le choix d'un partenaire chez les hommes et chez les femmes

Si vous êtes une femme, préférez-vous les hommes qui sont riches et qui ont réussi sur le plan professionnel ? Et si vous êtes un homme, aimez-vous les femmes qui ont une apparence jeune et de jolies courbes ? Si c'est le cas,

les psychologues évolutionnistes croient savoir pourquoi. Selon la théorie de l'évolution échafaudée par Darwin, en effet, les exigences de la sélection naturelle au fil de l'évolution de l'espèce humaine ont fait en sorte qu'hommes et femmes ont évolué de manière différente quant au choix du partenaire. Dès lors, les caractéristiques qui incitent les femmes à trouver un homme attirant et inversement les hommes à trouver une femme attirante sont le résultat de l'évolution de l'espèce.

Les psychologues évolutionnistes étudient les différences entre les sexes à la lumière de deux éléments sous-jacents. Le premier est la **théorie de l'investissement parental** (Trivers, 1972). Selon cette théorie, hommes et femmes ont investi de manière différente dans leur progéniture au cours de l'histoire humaine, et les différences biologiques entre les sexes ont fait en sorte que les femmes ont investi davantage que les hommes dans leur progéniture. Il en serait ainsi parce que les femmes peuvent transmettre leurs gènes à un moins grand nombre de descendants que les hommes en raison du nombre limité de leurs périodes de fertilité et parce qu'elles cessent plus tôt d'être fertiles. Autrement dit, l'investissement parental des femmes est plus grand parce que les « coûts de remplacement » sont plus élevés. De plus, les femmes subissent pendant neuf mois les conséquences biologiques de la grossesse. Les hommes, eux, n'ont pas à vivre ces inconvénients biologiques, et ils peuvent être également engagés dans plusieurs grossesses à la fois. Dès lors, les femmes seraient plus sélectives que les hommes dans le choix d'un partenaire, mais aussi les deux sexes auraient des critères de sélection différents (Trivers, 1972). Les femmes ont besoin d'un partenaire qui les soutiendra pendant la grossesse et dans les soins à donner à l'enfant, et donc elles recherchent un homme qui pourra leur fournir ressources et protection. Les hommes, eux, ne recherchent pas la protection, ils s'intéressent plutôt au potentiel reproducteur de leur partenaire et recherchent donc la jeunesse et d'autres indicateurs biologiques de la capacité de reproduction. Bien que ces dispositions soient le résultat d'une évolution qui s'est manifestée il y des millénaires, elles sont toujours bien présentes chez l'être humain. Elles devraient donc se

Théorie de l'investissement parental

Théorie selon laquelle les femmes investissent davantage que les hommes dans leur progéniture parce qu'elles ne peuvent transmettre leurs gènes qu'à un moins grand nombre de descendants qu'eux.

répercuter dans les comportements actuels. Par exemple, puisque les femmes recherchent un partenaire qui pourra leur fournir les ressources matérielles dont elles ont besoin, les psychologues évolutionnistes considèrent que lorsqu'un homme invite une femme à dîner, il est plus susceptible que la femme de payer la note. Ils voient là une stratégie évoluée de l'homme qui démontre de cette façon qu'il possède des ressources suffisantes, devenant ainsi plus attirant pour les femmes.

Le deuxième élément qui a intéressé les psychologues évolutionnistes concerne la parentalité. Comme ce sont les femmes qui portent l'ovule fécondé, elles ont toujours la certitude que les enfants sont les leurs. Les hommes, eux, ne sont jamais certains de leur paternité et doivent dès lors prendre des mesures pour s'assurer que leur investissement va à leur enfant, et non à celui d'un autre homme (Buss, 1989, p. 3). Voilà qui appuie la croyance selon laquelle les hommes se préoccupent davantage des rivaux sexuels et accordent une plus grande valeur à la chasteté de leur partenaire.

Voici quelques-unes des hypothèses de recherche puisées dans la théorie de l'investissement parental et dans celle de la probabilité de parentalité (Buss, 1989 ; Buss, Larsen, Westen et Semmelroth, 1992) :

(1) Pour l'homme, la « valeur de la femme en tant que partenaire » devrait être fonction du potentiel reproductif que dénotent sa jeunesse et sa beauté physique. Il devrait également valoriser chez elle la chasteté pour augmenter la probabilité de sa paternité.

(2) Pour la femme, la « valeur de l'homme en tant que partenaire » devrait être fonction moins de sa valeur reproductive que des ressources qu'il pourra fournir, évaluées selon sa capacité de gagner de l'argent, son ambition et son ardeur au travail.

(3) Les hommes et les femmes devraient différer en ce qui a trait aux événements qui provoquent leur jalousie. Les hommes devraient être plus touchés par l'infidélité sexuelle et par ce qui nuit à la probabilité de paternité ; les femmes, par l'infidélité émotionnelle et par la menace de perdre des ressources.

Pour vérifier ces prédictions, Buss (1989) a soumis un questionnaire à 37 échantillons de population, soit au total 10 000 individus vivant dans 33 pays, répartis entre 6 continents et 5 îles, représentant une formidable diversité géographique, culturelle, ethnique et religieuse. Qu'a-t-il découvert ? D'abord, dans chacun des 37 échantillons, les hommes ont accordé une plus grande importance que les femmes à la beauté physique et à la jeunesse relative des partenaires éventuels, ce qui confirmait l'hypothèse voulant que les hommes valorisent davantage que les femmes le potentiel reproductif des partenaires éventuels. La prévision selon laquelle les hommes devraient valoriser davantage que les femmes la chasteté des partenaires éventuels s'est réalisée dans 23 des 37 échantillons, confirmant jusqu'à un certain point cette hypothèse. Deuxièmement, les femmes ont accordé une plus grande valeur que les hommes à la capacité financière des partenaires éventuels (dans 36 échantillons sur 37), ainsi qu'à des traits comme l'ambition et l'ardeur au travail (dans 29 des 37 échantillons), ce qui confirmait l'hypothèse voulant que les femmes valorisent davantage que les hommes la capacité de fournir des ressources.

Les causes de la jalousie

Par la suite, Buss et ses collègues (1992) mena trois études afin de vérifier l'hypothèse selon laquelle il existe des différences entre les sexes en matière de jalousie. Dans la première, il demanda à des étudiants et étudiantes de premier cycle ce qui les ferait le plus souffrir chez leur partenaire : l'infidélité sexuelle ou l'infidélité émotionnelle. Résultats : 60 % des hommes interrogés ont répondu que ce serait l'infidélité sexuelle, et 83 % des femmes l'infidélité émotionnelle.

Dans la deuxième étude, on a relevé des mesures physiologiques de la douleur émotionnelle qu'éprouvaient des étudiants et étudiantes de premier cycle pendant qu'ils imaginaient deux scénarios. Dans le premier, leur partenaire s'engageait dans une relation sexuelle avec quelqu'un d'autre ; dans le deuxième, leur partenaire s'engageait dans une relation émotionnelle avec quelqu'un d'autre. Là encore, les résultats des hommes et des femmes différèrent, les hommes souffrant davantage en imaginant l'infidélité sexuelle de leur partenaire, et les femmes souffrant davantage en imaginant son infidélité émotionnelle.

Dans la troisième étude, on explora l'hypothèse suivante : les hommes et les femmes qui avaient connu des relations sexuelles comportant un engagement réagiraient comme les hommes et les femmes de l'étude précédente, mais avec plus d'intensité que les hommes et les femmes qui n'avaient pas vécu ce type de relations. Autrement dit, on prévoyait que le fait de s'être engagé augmenterait l'effet différentiel. Ce fut le cas pour les hommes, dont la jalousie sexuelle était considérablement accrue lorsqu'ils avaient vécu une relation sexuelle accompagnée d'un engagement.

Par contre, on n'observa aucune différence significative entre les femmes en réaction à l'infidélité émotionnelle, qu'elles se soient ou non engagées.

Selon les auteurs de ces recherches, ces résultats confirment l'hypothèse qu'il existe des différences entre les sexes quant aux déclencheurs de la jalousie. Bien qu'ils admettent qu'on puisse trouver d'autres explications à ces différences entre les résultats, ils affirment que seule la grille d'analyse de la psychologie évolutionniste a pu permettre de faire ces prévisions.

Évolutionnisme et différences entre les sexes: des données probantes?

Selon ce que nous avons vu jusqu'à maintenant, la psychologie évolutionniste fournit une explication plutôt convaincante des différences entre les sexes, et de nombreux psychologues contemporains acceptent la théorie évolutionniste. Toutefois, des recherches récentes remettent en question l'évolutionnisme en ce qui concerne les différences entre les sexes dans les comportements sociaux. Lorsqu'on examine la psychologie évolutionniste, on peut se poser une question: est-ce que les grands types de comportements des hommes et des femmes sont universels et s'appliquent à toutes les cultures? La psychologie évolutionniste soutient que les différences entre les sexes sont universelles, parce que tous les êtres humains ont un cerveau et une anatomie semblables. Ils ont subi les mêmes pressions évolutionnistes et, pour la plus grande partie de l'histoire de l'humanité, tous les êtres humains ont vécu dans la même région du monde, l'Afrique. Dès lors, si l'évolution explique les différences entre les sexes, alors ces différences devraient être les mêmes dans toutes les régions du monde et dans toutes les cultures.

On peut toutefois penser que les différences entre les sexes s'expliquent plutôt par les caractéristiques particulières des sociétés dans lesquelles les êtres humains vivent. Ainsi, les différences entre les sexes sont-elles plus grandes dans les sociétés qui traitent les hommes et les femmes différemment, où l'on trouve de grandes différences dans les perspectives d'emploi et les revenus de l'un et l'autre sexe, que dans les sociétés plus égalitaires? Si elle se vérifiait, une telle hypothèse remettrait sérieusement en question la théorie de la psychologie évolutionniste.

Eagly et Wood (1999) ont trouvé réponse à cette question lorsqu'ils ont revu les données d'une étude multinationale portant sur les préférences des hommes et des femmes quant au choix d'un partenaire. Selon la théorie de la psychologie évolutionniste, les différences entre hommes et femmes sont les mêmes dans toutes les cultures, les femmes recherchant les hommes qui sont de bons pourvoyeurs et les hommes recherchant les femmes jeunes capables de voir aux tâches ménagères. Dans une certaine mesure, l'étude de Eagly et Wood a confirmé la théorie évolutionniste. Ainsi, dans le choix d'une partenaire, les hommes de toutes les cultures accordent une plus grande importance que les femmes à la compétence culinaire de leur partenaire. D'autres données toutefois contredisent la thèse évolutionniste et confirment l'existence de variations dans les différences entre les sexes. Plus particulièrement, les différences entre les sexes se sont avérées moins grandes dans les sociétés où il y a peu de différences dans les rôles respectifs des hommes et des femmes. Dans ces sociétés plus égalitaires, les femmes accordent une moins grande importance à la capacité de l'homme de gagner de l'argent et les hommes se préoccupent moins de la capacité de la femme d'entretenir une maison, et les différences entre les sexes sur ce plan sont moins grandes (Eagly et Wood, 1999). De la même manière, une recension ultérieure des recherches anthropologiques sur les différences entre les sexes « n'était pas très favorable à la théorie évolutionniste » (Wood et Eagly, 2002, p. 718). Loin de soutenir la thèse selon laquelle les différences entre les sexes sont universelles et s'expliqueraient par des facteurs uniquement biologiques, les données analysées penchaient plutôt vers l'origine biosociale des différences entre les sexes. Dans la perspective biosociale, les différences entre les sexes sont le résultat des interactions entre les caractéristiques biologiques particulières des hommes et des femmes ainsi que des facteurs sociaux, particulièrement les facteurs liés à la condition économique et à la division du travail (Wood et Eagly, 2002).

D'autres données remettent en question les prétentions de la théorie évolutionniste sur les différences entre les sexes. Miller et ses collègues (2002) ont constaté que les premières études menées par Buss et ses collègues sur les différences entre les sexes dans le choix d'un partenaire ne tenaient pas toujours compte de toutes les variables psychologiques pertinentes. En réexaminant les données de ces études sur le choix d'un partenaire, le groupe de Miller (2002) a constaté que « l'ensemble des données indiquent que ce que les hommes recherchent le plus chez une partenaire est aussi ce que les femmes recherchent le plus chez un partenaire. [Il y a] une très forte corrélation entre les hommes et les femmes dans l'évaluation d'un partenaire sexuel tant à court terme qu'à long terme » (p. 90).

Les différences entre les sexes quant au choix d'un partenaire sont moindres dans les sociétés où les perspectives de revenus des hommes et des femmes sont semblables.

L'affirmation des psychologues évolutionnistes selon laquelle hommes et femmes diffèrent dans leurs réactions de jalousie (Buss et coll., 1992) est également contredite par des recherches récentes (DeSteno, Bartlett, Braveman et Salovey, 2002). Ces recherches récentes donnent à penser que les résultats des premières études sur cette question résultent d'un artefact méthodologique, c'est-à-dire de choix arbitraires dans la procédure de recherche qui ont pu altérer les résultats. En effet, la plupart des premières études des psychologues évolutionnistes sur le sujet utilisaient la méthode des choix multiples, ou « choix forcés ». On demandait aux participants à ces recherches si leur douleur serait plus grande s'ils découvraient que leur partenaire (1) avait eu des relations sexuelles avec une autre personne ou (2) s'était engagé dans une relation émotionnelle avec une autre personne. Soulignons d'abord qu'il s'agit là d'une question plutôt étonnante dans la perspective de la psychologie évolutionniste. L'être humain se retrouve très rarement en situation d'apprendre simultanément que son partenaire a eu une relation sexuelle et une relation émotionnelle, et de devoir décider quel scénario est le plus douloureux. Pour remédier à cette procédure de choix forcé, DeSteno et ses collègues (2002) ont demandé aux participants d'envisager chaque scénario un à la fois et d'indiquer pour chacun leur degré de douleur. Avec cette nouvelle procédure, les différences entre les sexes qu'avaient trouvées les psychologues évolutionnistes dans les réactions de jalousie n'étaient plus perceptibles, les réactions des hommes et des femmes étant très semblables : les deux sexes jugeaient plus difficile à supporter l'infidélité sexuelle que l'infidélité émotionnelle.

On arrive à des résultats semblables en examinant les réactions physiologiques des hommes et des femmes lorsqu'ils imaginent un scénario d'infidélité sexuelle et un scénario d'infidélité émotionnelle (Harris, 2000). Si, conformément à la théorie de l'investissement parental, hommes et femmes ont des modules évolués différents, dès lors ils réagiront différemment à ces deux scénarios. Les hommes auront une réaction de jalousie plus forte lorsqu'ils imagineront l'infidélité sexuelle de leur partenaire, alors que les femmes réagiront plus fortement à l'infidélité émotionnelle. Au terme d'une recherche fort minutieuse, Harris a démontré que les femmes ne réagissaient pas plus fortement à l'infidélité émotionnelle qu'à l'infidélité sexuelle. Toutefois, les hommes, eux, réagissaient avec plus d'intensité à l'infidélité sexuelle qu'à l'infidélité émotionnelle, mais, comme l'a souligné Harris, cela s'explique peut-être non pas par l'infidélité comme telle, mais par la constatation qu'il y a eu acte sexuel ; en effet, il est possible que les hommes aient une forte réaction à tout scénario ayant un contenu sexuel. Dans ses mesures des réactions physiologiques, Harris a en effet constaté que les hommes réagissent fortement à la perspective d'une rencontre sexuelle, qu'il y ait ou non infidélité. De plus, dans des recherches ultérieures, les chercheurs n'ont pas trouvé les différences qu'avaient prévues les psychologues évolutionnistes lorsqu'ils ont demandé aux participants de se remémorer des situations d'infidélité qu'ils avaient réellement vécues plutôt que d'imaginer des situations d'infidélité formulées dans les recherches antérieures (Harris, 2002). De façon générale, donc, ces résultats contredisent l'explication de la psychologie évolutionniste sur les différences dans les réactions de jalousie entre les hommes et les femmes, explication qui était vue, comme l'a souligné Harris (2000), comme « un bel exemple de la théorie évolutionniste » (p. 1082).

En résumé, la recherche ne permet pas de confirmer de façon constante les hypothèses que pose la théorie de la psychologie évolutionniste quant aux différences entre les sexes dans le choix d'un partenaire et les réactions de jalousie. La nature exacte des différences entre les sexes de même que le rôle de l'évolution déterminée biologiquement par opposition au rôle des facteurs sociaux pour expliquer ces différences restent à définir.

LES GÈNES ET LA PERSONNALITÉ

Notre héritage comme êtres humains tient à l'action des gènes. Nous possédons 23 paires de chromosomes, chacun des 2 éléments d'une paire venant de l'un de nos parents biologiques. Les chromosomes contiennent des milliers de gènes. Constitués d'une molécule appelée ADN, les gènes régissent la synthèse des protéines. On peut concevoir les gènes comme des sources d'information qui orientent la synthèse des molécules protéiniques dans des directions précises. C'est donc l'information contenue dans les gènes qui régit le développement biologique de l'organisme.

Lorsqu'on rend compte des relations entre les gènes et le comportement, il importe de comprendre que les gènes ne gouvernent pas directement le comportement. Il n'y a pas de gène de l'extraversion ou de l'introversion, pas plus qu'il n'y a de gène du névrosisme. Dans la mesure où ils influent sur le développement des caractéristiques de la personnalité, comme les cinq facteurs décrits au chapitre 8, les gènes agissent sur le fonctionnement biologique du corps.

La génétique comportementale

La **génétique comportementale** tente de déterminer la part génétique dans les comportements. Les généticiens du comportement utilisent diverses techniques pour déterminer dans quelle mesure les caractéristiques psychologiques de l'individu sont dues à des facteurs génétiques. Comme nous le verrons plus loin, les méthodes de la génétique comportementale peuvent être et sont aussi réellement utilisées pour étudier les effets de l'environnement sur la personnalité. Les généticiens comportementaux recourent principalement à trois méthodes de recherche : les croisements sélectifs, les études de jumeaux et les études d'adoption.

Les études de croisements sélectifs

Les **études de croisements sélectifs** se mènent sur des animaux qui présentent un trait donné et que l'on accouple. On poursuit le processus de sélection par accouplement sur plusieurs générations jusqu'à ce qu'on obtienne une lignée d'animaux stables quant à la caractéristique désirée. Le croisement sélectif n'est pas uniquement utilisé en recherche ; il est également utilisé pour croiser des chevaux de course ou des chiens afin d'obtenir des animaux possédant les caractéristiques souhaitées.

Après avoir créé différentes lignées d'animaux par croisement sélectif, on peut donc observer leurs comportements caractéristiques. On peut également soumettre les animaux à diverses expériences développementales dans un environnement contrôlé. Les chercheurs peuvent alors étudier

les effets des facteurs génétiques et des facteurs environnementaux sur le comportement. Par exemple, on peut étudier le rôle joué par les facteurs génétiques et les facteurs environnementaux dans le comportement d'aboiement ou de crainte en soumettant des lignées de chiens génétiquement différentes à des conditions d'élevage différentes (Scott et Fuller, 1965).

La méthode des croisements sélectifs a grandement contribué à améliorer notre compréhension du rôle des gènes dans les troubles comportementaux dont on attribue souvent la responsabilité à l'individu. La recherche menée par Ponomarev et Crabbe (1999) en fournit un bel exemple. Ils ont croisé diverses lignées de souris qui présentaient des réactions qualitativement différentes à l'alcool. Leur recherche a montré que les gènes jouent un rôle dans la réceptivité à l'alcool, l'accoutumance et le sevrage. Cette recherche a permis de mieux comprendre le rôle des facteurs génétiques dans la grande vulnérabilité à l'alcool qui peut marquer toute la vie d'un individu.

Les études de jumeaux

Il est bien sûr impensable d'utiliser la méthode des croisements sélectifs avec des êtres humains. Les principes éthiques les plus élémentaires obligent les chercheurs à trouver des solutions de rechange. Cette solution de rechange existe et sert admirablement la science : les **études de jumeaux**, qui nous permettent de mener des expériences dans les conditions naturelles. Ce que les scientifiques recherchent, c'est une situation pour laquelle

---

Génétique comportementale
Discipline qui tente de déterminer la part génétique dans les comportements qui intéressent les psychologues, principalement en comparant le degré de similarité entre des individus présentant divers degrés de similarité biologique-génétique.

Étude de croisements sélectifs
Méthode de recherche servant à établir des relations entre les déterminants génétiques et le comportement par le croisement de générations successives d'animaux possédant une caractéristique particulière.

Étude de jumeaux
Modèle de recherche utilisé pour établir des relations entre les déterminants génétiques et le comportements en comparant le degré de similarité que présentent de vrais jumeaux, de faux jumeaux et des frères et sœurs qui ne sont pas jumeaux.

Ces vraies jumelles ont été élevées séparément et ne se sont connues qu'une fois rendues au niveau des études collégiales. Les études ont démontré que les jumeaux identiques ont des personnalités étonnamment semblables même s'ils n'ont pas été élevés ensemble.

dans les similarités entre jumeaux MZ et jumeaux DZ pour évaluer les effets de la génétique. Nous savons que les jumeaux MZ partagent plus de caractéristiques que les jumeaux DZ. Dès lors, si les facteurs génétiques ont une influence sur les caractéristiques de la personnalité de l'individu, les jumeaux MZ devraient donc partager un plus grand nombre de ces caractéristiques que les jumeaux DZ. Si ce n'est pas le cas, alors les facteurs génétiques n'ont aucune influence sur la personnalité. En étudiant à la fois les jumeaux MZ et les jumeaux DZ, le chercheur peut comparer le degré de similarité dans chaque couple de jumeaux et mesurer ainsi l'ampleur de l'influence des facteurs génétiques. Cette influence est exprimée par un coefficient d'héritabilité (voir la définition plus loin).

nous connaissons les variations dans le degré de similarité génétique ou de similarité environnementale ou les deux. Ainsi, si deux organismes sont génétiquement identiques, toute différence observable peut être attribuée à des différences dans l'environnement. Par ailleurs, si deux organismes sont génétiquement différents, mais soumis au même environnement, toute différence observable peut être attribuée aux facteurs génétiques. Le fait qu'il y a de vrais jumeaux (monozygotes, ou MZ) et de faux jumeaux (dizygotes ou DZ) permet de s'approcher de cet idéal de recherche. Les jumeaux monozygotes (MZ) se développent à partir d'un seul ovule fécondé et sont génétiquement identiques. Les jumeaux dizygotes (DZ) se développent à partir de deux ovules fécondés et leur similarité génétique est celle des frères et sœurs, c'est-à-dire qu'ils ont en commun environ 50 % de leurs gènes.

Les chercheurs misent sur ces différences systématiques entre vrais et faux jumeaux pour déterminer dans quelle mesure les facteurs génétiques peuvent expliquer les différences dans les caractéristiques psychologiques entre couples d'individus.

Deux éléments sont à considérer dans les études de jumeaux. Premièrement, comme les jumeaux MZ ont un bagage génétique identique, toute différence systématique entre eux devrait s'expliquer par des différences environnementales. Ainsi, l'étude de personnes génétiquement identiques est particulièrement utile pour révéler les effets de l'expérience environnementale sur l'individu. Deuxièmement, il est essentiel de dégager les différences

Les études de jumeaux sont menées auprès de jumeaux élevés sous un même toit. Cela dit, il arrive que des parents soient forcés de donner leurs enfants en adoption et, dans ce cas, il est possible que des jumeaux MZ et des jumeaux DZ soient élevés séparément. Cette situation est d'un grand intérêt pour les scientifiques de la psychologie, qui peuvent ainsi étudier des êtres biologiquement identiques, mais ayant grandi dans des environnements différents. Qu'arrive-t-il dans une telle situation? Est-ce que deux personnes qui partagent un même bagage génétique présenteront les mêmes caractéristiques psychologiques même si elles ont vécu une expérience différente? Ou l'expérience sociale n'est-elle pas plus forte, faisant de deux personnes ayant les mêmes gènes des êtres très différents? Plusieurs études internationales menées sur un grand nombre de jumeaux élevés séparément dont on a évalué plusieurs caractéristiques psychologiques nous fournissent les réponses à ces questions (Bouchard, Lykken, McGue, Segal et Tellegen, 1990). Les résultats de ces études sont clairs: l'influence des facteurs biologiques se fait sentir même lorsque les jumeaux ont grandi dans des environnements différents. Ainsi, les jumeaux MZ élevés séparément avaient de nombreux traits de personnalité très semblables, la corrélation de similitude se situant souvent dans la fourchette de 0,45 à 0,50. Il est particulièrement intéressant de souligner que le degré de similarité entre les jumeaux MZ élevés séparément était très semblable au degré de similarité entre jumeaux MZ élevés ensemble (Bouchard et coll., 1990). C'est dire que le fait de grandir dans la même maison n'augmentait pas le degré de similarité des traits de personnalité entre jumeaux. Nous y reviendrons, mais voyons d'abord d'autres types de recherches.

Les études d'adoption

Les **études d'adoption** portent sur des enfants élevés par des personnes autres que leurs parents biologiques. Ce type d'études porte parfois sur des vrais jumeaux comme dans la recherche dont il est fait mention dans le paragraphe précédent, mais il arrive aussi qu'elles soient menées auprès d'enfants qui ont les mêmes parents biologiques sans être jumeaux. Les études d'adoption représentent une autre méthode servant à étudier les effets respectifs des facteurs génétiques et environnementaux. Lorsqu'on tient les dossiers de façon adéquate, il est possible de déterminer quelles sont les similarités entre les enfants adoptés et leurs parents biologiques, qui n'ont eu aucune influence environnementale sur eux, et de les comparer avec les similarités qu'on peut établir entre eux et leurs parents adoptifs, avec qui ils n'ont aucun gène en commun. Les ressemblances qu'ils présentent avec leurs parents biologiques dénotent l'influence des facteurs génétiques, tandis que les ressemblances qu'ils présentent avec leurs parents adoptifs dénotent l'influence des facteurs environnementaux.

Enfin, des comparaisons de ce genre peuvent s'étendre à des familles composées à la fois d'enfants biologiques et d'enfants adoptifs. Prenons par exemple une famille de quatre enfants, dont deux sont les enfants biologiques des parents et les deux autres des enfants adoptifs. Les deux enfants biologiques ont une similarité génétique l'un avec l'autre ainsi qu'avec leurs parents, ce qui n'est pas le cas des deux enfants adoptifs. Si les deux enfants adoptifs ne sont pas biologiquement apparentés, ils n'ont aucun gène en commun, mais chacun a une similarité génétique avec ses parents biologiques et, le cas échéant, avec ses frères et sœurs vivant dans d'autres milieux. Il devient ainsi possible de comparer diverses combinaisons parents-enfants, frères-frères ou sœurs-sœurs, biologiques ou génétiques, en regard des caractéristiques de leur personnalité. Par exemple, on peut chercher à savoir si les enfants biologiques ont une plus grande ressemblance l'un avec l'autre, comparativement à la ressemblance entre les enfants adoptifs, si les enfants biologiques ressemblent davantage à leurs parents que les enfants adoptifs, et si ces derniers ressemblent davantage à leurs parents biologiques qu'à leurs parents adoptifs. Répondre posi-

Tableau 9.1 | **Les corrélations du QI familial moyen (R)**

Plus la similarité génétique est grande, plus les corrélations relatives au QI augmentent, ce qui indique l'importance du facteur génétique dans l'intelligence.

Relation	Moyenne R	Nombre de paires
Lien de parenté biologique, personnes élevées ensemble		
Jumeaux monozygotes	0,86	4 672
Jumeaux dizygotes	0,60	5 533
Frères et sœurs	0,47	26 473
Parents-enfants	0,42	8 433
Demi-frères/demi-sœurs	0,35	200
Cousins	0,15	1 176
Lien de parenté biologique, personnes élevées séparément		
Jumeaux monozygotes	0,72	65
Frères et sœurs	0,24	203
Parents-enfants	0,24	720
Sans parenté biologique, personnes élevées ensemble		
Frères et sœurs	0,32	714
Parents-enfants	0,24	720

Source: Bouchard, T. J., Jr., & McGue, M. (1981). Familial studies of intelligence: A review. *Science*, *212*, p. 1056. © American Association for the Advancement of Science, reproduction autorisée.

tivement à ces questions indiquerait que les facteurs génétiques jouent un rôle important dans le développement de telle ou telle caractéristique de la personnalité.

Tant dans les études de jumeaux que dans les études d'adoption, nous avons des individus qui présentent divers degrés de similarité génétique et divers degrés de similarité environnementale. En mesurant telle ou telle caractéristique chez ces individus, on peut déterminer dans quelle mesure leur similarité génétique rend compte de résultats semblables pour la caractéristique étudiée. Par exemple, on peut comparer les QI de jumeaux MZ et de jumeaux DZ élevés ensemble et élevés séparément, les QI d'enfants biologiques élevés ensemble et élevés séparément, les QI d'enfants biologiques et d'enfants adoptés avec leurs parents (biologiques ou adoptifs respectivement), et les QI d'enfants adoptés avec ceux de leurs

Étude d'adoption

Méthode de recherche utilisée pour établir des relations entre les déterminants génétiques et le comportement en comparant des frères et sœurs biologiques élevés ensemble avec des frères et sœurs élevés séparément (adoptés). Ce type d'études est généralement combiné à des études de jumeaux.

parents biologiques et ceux de leurs parents adoptifs. Le tableau 9.1 présente certaines corrélations révélatrices à cet égard. Les données indiquent clairement que, plus la similarité génétique est grande, plus la similarité du QI augmente.

Le coefficient d'héritabilité

Comment le généticien comportemental peut-il déterminer précisément dans quelle mesure les différences dans les caractéristiques de la personnalité sont attribuables à des facteurs génétiques ? Il y parvient en calculant le **coefficient d'héritabilité**, représenté par le symbole H^2 (élevé au carré parce que les nombres ont été élevés au carré lors du calcul des variations par rapport à une moyenne). Le coefficient d'héritabilité est la part de variance des résultats observés susceptible d'être attribuée à des facteurs génétiques. Dans une étude menée auprès de jumeaux MZ et de jumeaux DZ, le coefficient H^2 se base sur la différence entre la corrélation des jumeaux MZ et celle des jumeaux DZ. Si les jumeaux MZ (dont les gènes sont identiques) ne présentent pas plus de similarités que les jumeaux DZ (qui n'ont que 50 % de gènes en commun), dès lors l'effet des facteurs génétiques est nul et le coefficient H^2 est à zéro. S'il y a une grande différence dans les similarités des deux couples de jumeaux, alors le coefficient d'héritabilité est élevé et peut atteindre 1,0, soit 100 % de la variance totale. Un coefficient H^2 inférieur à 1,0 indique l'existence d'une variance qui ne peut être attribuée à des facteurs génétiques, la portion restante s'expliquant par des facteurs environnementaux.

Le coefficient d'héritabilité est une estimation de la variance dans la population faisant l'objet de l'étude. Il s'ensuit deux choses. D'abord, que deux populations données peuvent présenter des coefficients d'héritabilité différents pour un même trait de personnalité. Par exemple, si l'on étudie une population dont plusieurs sujets ont subi les effets d'un facteur environnemental qui les a fortement influencés (comme le stress causé par la maladie ou la guerre), on constatera que l'importance des facteurs environnementaux est relativement grande au sein de cette population et que dès lors le coefficient H^2 sera

Coefficient d'héritabilité

Estimation de la part de variance qu'on peut attribuer aux déterminants génétiques pour une caractéristique donnée, mesurée d'une façon particulière, dans une population déterminée.

relativement peu élevé (Grigorenko, 2002). Il s'ensuit en outre que le coefficient d'héritabilité n'indique pas le degré auquel les facteurs génétiques expliquent une caractéristique donnée chez un individu particulier. Il mesure plutôt la variance de cette caractéristique dans une population. Pour certaines caractéristiques (par exemple, une caractéristique biologique ou psychologique que possèdent tous les êtres humains), il pourrait ne pas y avoir de variance entre les personnes qui composent un groupe. Le coefficient H^2 serait à zéro même si des facteurs génétiques expliquaient les raisons pour lesquelles tous les individus du groupe ont une caractéristique donnée. D'autres caractéristiques (la compétence en lecture, par exemple) s'expliqueraient par l'interaction de facteurs génétiques et sociaux et on ne pourrait déterminer le pourcentage d'influence des uns et des autres sur ces caractéristiques. Le coefficient est associé à une population déterminée et ne constitue pas une mesure marquant de façon définitive l'action des gènes.

L'héritabilité de la personnalité : les résultats de recherche

Penchons-nous maintenant sur d'autres résultats de recherche auxquels sont arrivés les généticiens comportementaux et sur les conclusions qu'ils en ont tirées à propos de la personnalité. On constate que les résultats sont relativement constants d'une étude à l'autre, ce qui permet aux généticiens comportementaux de tirer des conclusions formelles. Deux constatations sont possibles. D'abord, qu'« il est difficile de trouver des traits psychologiques dont on puisse prouver de manière irréfutable qu'ils ne subissent aucune influence génétique » (Plomin et Neiderhiser, 1992), puis que « pour presque tous les traits étudiés, du temps de réaction à la religiosité, une part importante des variations entre les individus est liée aux variations génétiques ; ce fait n'a plus à être démontré » (Bouchard et coll., 1990). Ces deux citations résument bien les résultats de nombreuses études de jumeaux et études d'adoption. Ces études ont évalué un vaste éventail de variables de la personnalité, comprenaient un échantillon important et portaient sur de longues périodes. L'existence des facteurs génétiques était évidente : en effet, l'observation de vrais jumeaux élevés séparément et réunis à l'âge adulte démontrait non seulement qu'ils se ressemblaient dans leur apparence et leur façon de parler, mais aussi qu'ils affichaient les mêmes attitudes et les mêmes préférences en matière de passe-temps et d'animaux domestiques (Lykken, Bouchard, McGue et Tellegen, 1993). Au-delà de ces bizarreries, les résultats des études donnent à penser, assez fortement, que l'hérédité joue un rôle important dans presque tous les aspects du fonctionnement de la personnalité (Plomin et Caspi, 1999). Des évaluations de l'héritabilité globale des traits de personnalité effectuées récemment permettent de l'estimer grossièrement à 40 %. Le tableau 9.2 présente les coefficients d'héritabilité d'un vaste éventail de caractéristiques de la personnalité. À des fins de comparaison, on y a inclus les coefficients d'héritabilité de la taille, du poids, ainsi que d'autres variables dignes d'intérêt.

La plupart des études sur la part des gènes dans le comportement reposent – et c'est là une des critiques formulées à leur encontre – sur des questionnaires d'autoévaluation.

Tableau 9.2 | **Le coefficient d'héritabilité**

Les recherches confirment que les gènes contribuent à la personnalité de façon importante (coefficient général d'héritabilité d'environ 40 %), dans une mesure moindre cependant que pour la taille, le poids ou le QI, mais plus élevée que pour les attitudes et des comportements comme l'écoute de la télévision.

Trait	Coefficient H^2
Taille	0,80
Poids	0,60
QI	0,50
Habiletés cognitives particulières	0,40
Rendement scolaire	0,40
Les « Cinq Grands »	
Extraversion	0,36
Névrosisme	0,31
Conscience	0,28
Agréabilité	0,28
Ouverture	0,46
EASI*	
Émotivité	0,40
Activité	0,25
Sociabilité	0,25
Impulsivité	0,45
Attitudes	
Conservatisme	0,30
Religiosité	0,16
Intégration raciale	0,00
Écoute de la télévision	0,20

* Les quatre dimensions du tempérament de Buss et Plomin (1984) : E = émotivité ; A = activité ; S = sociabilité ; I = impulsivité.

Sources : Bouchard et coll., 1990 ; Dunn et Plomin, 1990 ; Loehlin, 1992 ; McGue, Boucharad, Iacono et Lykken, 1993 ; Pedersen, Plomin, Mcclearn et Friberg, 1998 ; Pedersen et coll., 1992 ; Plomin, 1990 ; Plomin, Chipuer et Loehlin, 1990 ; Plomin et Rende, 1991 ; Tellegen et coll., 1988 ; Tesser, 1993 ; Zuckerman, 1991.

Une étude récente est importance à cet égard, puisqu'elle repose sur deux évaluations indépendantes effectuées par des pairs de même que sur l'évaluation autorapportée sur l'inventaire de personnalité NEO à 5 facteurs, auprès d'un échantillon de 660 jumeaux MZ et 304 jumeaux DZ (200 paires étaient du même sexe et 304 de sexes opposés). Les auteurs sont arrivés à la conclusion qu'il existe une bonne fidélité des mesures en matière d'accord entre les évaluations des deux pairs sur une tierce personne, entre les évaluations des pairs et l'autoévaluation de la personne, ce qui montre l'exactitude des autoévaluations, et que les résultats de l'étude corroborent les données antérieures qui attestent l'influence des gènes sur les cinq grands facteurs de la personnalité, comme le montre le tableau 9.3 (Riemann, Angleitner et Strelau, 1997).

Mises en garde

Avant de poursuivre cet exposé, arrêtons-nous sur deux conclusions erronées auxquelles pourraient nous amener les données de recherche en génétique comportementale. D'abord, on pourrait conclure à tort que le coefficient d'héritabilité indique dans quelle mesure l'hérédité détermine telle ou telle caractéristique chez un individu particulier. Ainsi, un coefficient d'héritabilité de 40 % d'un trait de personnalité ne signifie pas que 40 % de votre propre trait de personnalité en question est de nature héréditaire. Le coefficient d'héritabilité est une estimation statistique qui touche une population déterminée et décrit la variance *entre* les individus qui composent la population. Appliqué à l'individu, les traits de personnalité s'expliquent par une combinaison de facteurs biologiques et d'expériences, et il est totalement inutile de déterminer qu'un certain pourcentage du trait de personnalité de cet individu tient à un facteur plutôt qu'à un autre (voir l'exposé sur l'interaction entre les gènes et l'environnement dans la section intitulée « La plasticité des processus biologiques : les causes et les effets », page 275).

Deuxièmement, on aurait tort de conclure qu'une caractéristique ayant une composante héréditaire ne peut être modifiée. En réalité, l'expérience de l'environnement peut entraîner des changements même dans des caractéristiques qui sont fortement déterminées par l'hérédité. Ainsi, la taille d'un individu est, bien sûr, fortement déterminée par la génétique, mais elle peut également être influencée par son alimentation durant l'enfance. Même chose pour le poids, déterminé par les gènes, mais qui peut varier considérablement selon les habitudes alimentaires de la personne.

Tableau 9.3 | Les corrélations pour l'inventaire NEO à cinq facteurs :
pair-pair, autoévaluation et les pairs, MZ et DZ (autoévaluation)
et MZ et DZ (évaluation moyenne des deux pairs)

	Pair-Pair	Autoévaluation et les pairs	Autoévaluation		Évaluation moyenne par les pairs	
			MZ	DZ	MZ	DZ
N	0,63	0,55	0,53	0,13	0,40	0,01
E	0,65	0,60	0,56	0,28	0,38	0,22
O	0,59	0,57	0,54	0,34	0,49	0,30
A	0,59	0,49	0,42	0,19	0,32	0,21
ES	0,61	0,54	0,54	0,18	0,41	0,17
Moyenne	0,61	0,55	0,52	0,23	0,40	0,18

Note : MZ = jumeaux monozygotes ; DZ = jumeaux dizygotes.

Source : Riemann, R., Angleitner, A., & Strelau, J. (1997). Genetic and environmental infuences on personality : A study of twins reared together using the self and peer report NEO-FFI scales. *Journal of Personality, 65*, p. 462.

Le paradigme de la génétique moléculaire

Les chercheurs ont voulu voir au-delà du traditionnel paradigme de la génétique comportementale et, plutôt que de simplement comparer divers types de jumeaux, ils ont examiné directement les éléments biologiques sous-jacents. Ils ont utilisé les techniques de la génétique moléculaire pour déterminer quels gènes sont associés aux traits de personnalité des êtres humains (Plomin et Caspi, 1999). En examinant le bagage génétique de diverses personnes, les chercheurs espèrent montrer comment les variations génétiques, ou allèles, sont liées aux différences dans le fonctionnement de la personnalité. Idéalement, la génétique moléculaire vise à montrer comment des variations sur le code génétique modifient une substance ou un système biologique pour produire à son tour des effets psychologiques.

Les premières recherches ont mené à la découverte d'un gène lié au trait de la recherche de la nouveauté similaire au facteur P d'Eysenck et à un facteur C peu élevé dans le modèle à cinq facteurs (Benjamin et coll., 1996 ; Ebstein et coll., 1996). Toutefois, ce résultat n'a pas été confirmé par les études ultérieures (Grigorenko, 2002). Une étude récente a toutefois permis d'établir un lien entre un mécanisme génétique bien précis et l'environnement social dans lequel évolue l'individu. Cette étude consistait à étudier les effets de la maltraitance dans l'enfance sur le développement ultérieur d'un comportement antisocial (Caspi et coll., 2002). Elle a révélé que malgré les mauvais traitements subis, certains enfants arrivent à se développer normalement, se montrant ainsi résilients vis-à-vis du stress éprouvé dans l'enfance. La question se pose alors : y a-t-il un fondement génétique à cette résilience ?

Afin de répondre à cette question, les chercheurs ont examiné un sous-groupe de l'échantillon, soit des participants qui possédaient la forme d'un gène ayant une caractéristique importante : le code pour la production d'une enzyme qui diminue l'activité de certains neurotransmetteurs liés au comportement agressif. Parmi les participants qui avaient subi de la maltraitance durant l'enfance, ceux qui présentaient cette variation génétique avaient un comportement différent des autres (figure 9.6). Plus particulièrement, les participants qui avaient vécu des épisodes de maltraitance sévère, mais qui avait la forme du gène produisant une grande quantité d'enzyme étaient moins susceptibles d'avoir des comportements antisociaux à l'âge adulte. Autrement dit, la variation génétique semblait réduire l'impact de la maltraitance. Ces résultats prometteurs, qui doivent toutefois être confirmés, laissent entrevoir les énormes possibilités de l'étude de la personnalité au moyen des techniques de génétique moléculaire.

La même équipe de chercheurs a découvert des facteurs de la génétique moléculaire qui font en sorte que les individus sont plus ou moins vulnérables à la dépression (Caspi et coll., 2003). Le facteur génétique étudié agit sur la production de sérotonine dans le cerveau. Les chercheurs ont plus particulièrement étudié une variation génétique naturelle qui touche deux variantes d'un même gène affectant l'activité sérotoninergique. L'objectif des chercheurs n'était pas de confirmer que le fait pour un individu de posséder un bagage génétique précis le mènerait nécessairement à la dépression. Ils étaient plutôt à la recherche d'une interaction selon laquelle le bagage génétique prédirait la survenue de la dépression uniquement chez les gens qui auraient vécu certaines expériences

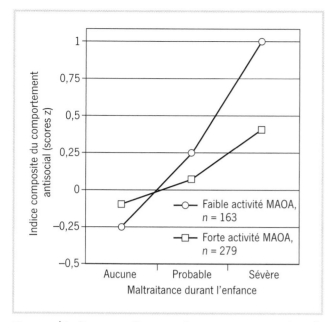

Figure 9.6 | Le lien entre, d'une part, le comportement antisocial et, d'autre part, la sévérité de la maltraitance en fonction du niveau d'activité de l'enzyme Monoamine oxydase A (MAOA) variant selon la forme d'un gène donné.

particulières, c'est-à-dire des expériences environnementales qui génèrent de forts niveaux de stress. Ils ont d'abord déterminé le degré de stress vécu par les participants sur le plan de leurs finances, de leur santé, de leur travail et de leurs relations interpersonnelles, et confirmé la présence d'une interaction entre le gène étudié et l'environnement. Les participants qui avaient une prédisposition génétique à une fable activité sérotoninergique et qui avaient vécu un grand nombre d'événements générateurs de stress étaient beaucoup plus susceptibles de vivre une dépression que les autres (Caspi et coll., 2003). Encore une fois, la recherche en génétique moléculaire a confirmé que le bagage génétique influe sur les caractéristiques psychologiques en interaction avec les expériences environnementales.

Les facteurs environnementaux et les interactions gènes-environnement

Les généticiens ont compris très tôt que les facteurs génétiques et environnementaux sont inextricablement liés et que les effets qu'ils peuvent exercer sur la personnalité et le comportement de l'adulte résultent de leur interaction. Une étude des croisements sélectifs menée par Cooper et Zubek (1958), et désormais classique, illustre avec éloquence ces interactions gènes-environnement. Dans une recherche antérieure, les chercheurs avaient croisé des lignées de super-rats capables de s'orienter dans

un labyrinthe et des lignées qui en étaient incapables. Par accouplements successifs de la souche des super-rats, ils ont obtenu des rats qui étaient plus susceptibles d'apprendre à trouver la sortie d'un labyrinthe que les descendants des rats moins compétents. Les chercheurs voulaient étudier l'influence des premières expériences de la vie sur la capacité des rats à bagage génétique modifié à résoudre les problèmes à l'âge adulte. Ils ont donc élevé un groupe de rats de chaque lignée dans un environnement enrichi et stimulant, puis un autre groupe de rats de chaque lignée dans un environnement appauvri et moins stimulant. Qu'est-il arrivé ? Par rapport à l'environnement de laboratoire normal, l'environnement enrichi a amélioré les habiletés d'apprentissage des rats peu doués, mais pas celles des rats doués. Inversement, l'environnement appauvri a considérablement handicapé les rats doués, mais pas les rats peu doués. Ainsi, même ces rats n'étaient pas captifs de leurs prédispositions génétiques ; l'interaction gènes-environnement avait eu un effet décisif en modifiant la façon dont ces dispositions allaient s'exprimer.

Pour ce qui est de l'être humain, les données de recherche en génétique comportementale indiquent qu'en gros, les facteurs génétiques déterminent de 40 % à 50 % de la variance tant des caractéristiques de la personnalité prises isolément que de la personnalité dans son ensemble, ce qui reste de la variance dans la population pouvant être attribuée à une combinaison de facteurs environnementaux et d'erreurs de mesure. En effet, l'un des aspects les plus intéressants des progrès récents en génétique comportementale réside dans l'utilisation des résultats d'études de jumeaux et d'études d'adoption pour déterminer les effets des facteurs environnementaux sur les variables de la personnalité. Ainsi, Plomin (1990) affirme-t-il que « l'influence des gènes sur le comportement est si omniprésente et envahissante qu'un changement de perspective s'impose : ne vous demandez plus ce qui est héréditaire, mais ce qui ne l'est pas » (p. 112). Il ajoute toutefois, trois pages plus loin : « L'autre message est que les mêmes données de recherche en génétique comportementale constituent la meilleure preuve qui soit de l'importance qu'il faut accorder à l'influence de l'environnement » (p. 115).

Les environnements partagés et les environnements non partagés

La génétique comportementale est porteuse de deux messages : la nature et la culture (Plomin, 1990). Les recherches dans ce domaine mettent en lumière aussi bien l'importance des gènes que celle de l'environnement. Les généticiens comportementaux ne se contentent pas d'estimer la variance attribuable aux facteurs génétiques dans la population étudiée ; ils estiment aussi celle qui est attribuable à divers types d'environnement.

Les généticiens comportementaux ont déterminé deux types d'environnement qui influencent la personnalité : les **environnements partagés** et les **environnements non partagés**. Les environnements partagés comprennent les expériences qu'ont en commun les frères et les sœurs qui grandissent dans la même famille et qui font qu'ils présentent des similitudes. Les environnements non partagés comprennent les expériences uniques à chacun et qui font que des frères et sœurs grandissant dans la même famille présentent des différences (par exemple, des enfants qui sont traités différemment l'un de l'autre ou qui peuvent nouer des amitiés différentes influant sur leur développement social).

Les généticiens comportementaux font des calculs permettant d'estimer les effets respectifs de la génétique, des environnements partagés et des environnements non partagés sur les différences des individus. Ils le font généralement en étudiant les similarités entre des vrais jumeaux et des faux jumeaux. Ils sont arrivés à des conclusions surprenantes : les effets des environnements partagés sur la personnalité sont négligeables, alors que les effets des environnements non partagés sont importants. Autrement dit, les expériences particulières que chacun des membres d'une fratrie vit à l'intérieur et à l'extérieur de la famille semblent avoir beaucoup plus d'importance pour le développement de la personnalité que les expériences communes vécues dans la famille. Une recension de la littérature montre qu'environ 40 % de la variance dans les traits de la personnalité sont attribuables à des facteurs environnementaux responsables des différences entre les individus, et ce, même lorsque ceux-ci ont

Pourquoi les enfants appartenant à la même famille sont-ils si différents? Chaque membre de la fratrie vit dans un environnement familial qui lui est propre.

grandi dans la même famille (Dunn et Plomin, 1990 ; Plomin et Daniels, 1987).

Loehlin et ses collègues (1998) ont examiné les effets respectifs des facteurs génétiques et environnementaux sur trois mesures différentes du modèle des « Cinq Grands » et sont arrivés à des résultats qui, de manière générale, confirmaient les conclusions précédentes. Trois constats se sont imposés. Premièrement, dans les cinq dimensions des « Cinq Grands », ils ont trouvé des influences génétiques importantes et de même amplitude ; autrement dit, les différences entre les individus relevées pour A, C et O étaient tout aussi héréditaires que les différences entre les individus relevées pour E et N, deux facteurs qui avaient été largement étudiés dans le cadre du modèle à deux facteurs d'Eysenck (voir le chapitre 7). Deuxièmement, ces résultats étaient indépendants des effets de la capacité intellectuelle, qui avaient été eux aussi mesurés et contrôlés dans les analyses de la génétique comportementale ; ainsi, la dimension O (ouverture) s'est révélée être une dimension de la personnalité indépendante de l'intelligence, ayant ses bases génétiques propres. Troisièmement, du point de vue méthodologique, le fait de disposer de trois mesures pour chacun des cinq facteurs du modèle des « Cinq Grands » permettait de vérifier si les résultats obtenus à partir de ces trois mesures étaient généralisables à tous les instruments, et d'estimer la proportion de la variance non expliquée (marge d'erreur) séparément plutôt que de l'inclure dans l'estimation statistique de la part de l'environnement non partagé, comme on l'avait fait dans les études précédentes.

Dans une analyse des résultats de l'inventaire NEO (Riemann, Angleitner et Strelau, 1997) provenant tant des

Étude d'environnements partagés et non partagés

En génétique comportementale, comparaison à des fins de recherche des répercussions observées sur des frères et sœurs qui ont grandi dans le même environnement ou dans des environnements différents. Les chercheurs tentent plus particulièrement d'établir si les frères et sœurs élevés dans la même famille partagent ou non les mêmes expériences dans l'environnement familial.

autoévaluations de jumeaux MZ et DZ que des évaluations effectuées par les pairs, Plomin a calculé pour les «Cinq Grands» facteurs le pourcentage de variance attribuable aux facteurs génétiques, aux environnements partagés et aux environnements non partagés, y compris la marge d'erreur (figure 9.7). Les pourcentages obtenus s'approchaient de ceux décrits précédemment, à ceci près que les pourcentages relatifs aux facteurs génétiques tendaient à être plus bas dans les évaluations effectuées par les pairs que dans les autoévaluations (Plomin et Caspi, 1999, p. 253).

Les effets des environnements non partagés

Ces résultats donnent à penser que les différences entre les familles comptent moins dans le développement des enfants que les différences à l'intérieur des familles. Des chercheurs se sont penchés sur les processus particuliers qui relient les influences génétiques, familiales et sociales s'exerçant sur le développement de la personnalité durant l'adolescence (Reiss, 1997; Reiss, Neiderhiser, Hetherington et Plomin, 1999). Ce travail se concentre sur la relation singulière que tisse le parent avec chacun de ses enfants à l'adolescence : conflit et négativité, chaleur et soutien, etc. Autrement dit, la recherche tente de distinguer les effets du traitement parental commun à tous les enfants d'une famille d'avec ceux du traitement parental particulier à chacun. Jusqu'ici, les résultats révèlent des différences substantielles dans la façon dont les parents traitent chacun de leurs enfants. Mais le plus frappant, c'est que le traitement parental particulier à chaque enfant semble lié pour une bonne part aux caractéristiques géné-

tiques propres à cet enfant. Les différences dans la façon dont les parents traitent tel ou tel de leurs enfants semblent attribuables aux comportements que cet enfant suscite chez eux. Ce phénomène s'accorde avec les thèses voulant que les enfants appartenant à la même famille deviennent différents en vieillissant, en partie à cause des particularités génétiques qui amènent leurs parents à les traiter de manière différente. La plupart des gens qui ont des frères et sœurs peuvent témoigner de ces différences dans le traitement parental.

Suggérer que les différences entre les enfants d'une même famille tiennent aux effets des environnements non partagés revient-il à dire que les expériences familiales sont sans importance? Pas nécessairement. Les influences familiales peuvent être importantes, mais elles peuvent s'exprimer différemment pour chacun des enfants. Ainsi, plutôt que de cibler uniquement la famille vue comme un tout, les chercheurs doivent s'intéresser aux expériences uniques que peut vivre chacun des enfants.

Les trois types d'interactions nature-culture

Jusqu'ici, nous avons étudié séparément les effets que les gènes et l'environnement peuvent avoir sur la personnalité. Toutefois, la nature et la culture sont en interaction constante : «Dans tout cela, il faut retenir un élément essentiel, à savoir que dans la danse de la vie les gènes et l'environnement sont des partenaires absolument indissociables» (Hyman, 1999, p. 27). En parallèle aux découvertes continuelles portant sur les effets des gènes

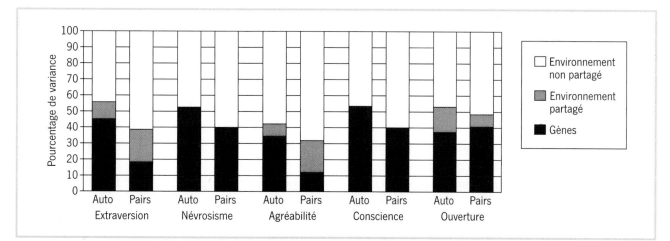

Figure 9.7 | Pourcentage de variance des facteurs génétiques (en noir), de l'environnement partagé (en gris foncé) et de l'environnement non partagé (en blanc) dans les autoévaluations et dans les évaluations par les pairs pour les traits de personnalité du modèle des «Cinq Grands». Les effets de l'environnement non partagé comprennent l'erreur de mesure.

Source : Plomin, R., & Caspi, A. (1999). Behavioral genetics and personality. Dans L.A. Pervin et O.P John (dir), *Handbook of Personality : Theory and Research* (p. 251-276). New York : Guilford Press, p. 253. © Guilford Press, reproduction autorisée.

et de l'expérience, il a été possible de distinguer trois formes d'interactions gènes-environnement (Plomin, 1990; Plomin et Neiderhiser, 1992). D'abord, les mêmes expériences environnementales peuvent avoir des effets différents sur des individus au bagage génétique différent. Ainsi, un certain comportement de la part d'un parent anxieux pourra avoir des effets différents sur un enfant irritable et peu réceptif et sur un enfant calme et réceptif. On observe ici non pas un effet direct de l'anxiété parentale qui serait le même pour tous les enfants, mais une interaction entre le comportement parental et les caractéristiques propres de l'enfant. Dans ce premier type d'interaction, l'individu subit passivement les événements environnementaux. Les facteurs génétiques interagissent avec les facteurs environnementaux, mais seulement d'une manière passive, réactive.

Le deuxième type d'interaction nature-culture tient au fait que des individus au bagage génétique différent peuvent susciter des réactions différentes dans un même environnement. Ainsi, un enfant irritable et renfermé n'appellera probablement pas la même réaction parentale qu'un enfant calme et réceptif. Au sein d'une même famille, ces deux enfants pourraient susciter des comportements parentaux différents, ce qui instaurerait deux modes distincts d'interaction parent-enfant. Ce sont de telles différences que mettait en lumière la recherche décrite précédemment consacrée à l'association entre les différences de traitement parental et les particularités génétiques de l'enfant. Mais, au-delà de la famille, les caractéristiques héréditaires suscitent aussi des réactions différentes chez les pairs et chez d'autres personnes. Les enfants séduisants et ceux qui sont moins choyés par la nature ne suscitent pas les mêmes réactions chez les pairs; les gens ne traitent pas les enfants athlétiques de la même manière que les enfants malingres. Dans tous ces cas, les caractéristiques déterminées par les gènes entraînent des réactions différentes dans l'entourage.

Dans le troisième type d'interaction gènes-environnement, les individus aux constitutions génétiques différentes choisissent et créent des environnements différents. Dès que l'individu est capable d'interagir activement avec son milieu, ce qui se produit assez tôt dans sa vie, les facteurs génétiques influent sur la sélection et la création des environnements. L'extraverti et l'introverti ne recherchent pas les mêmes environnements et il en va ainsi de l'individu athlétique par rapport à l'individu malingre, de l'individu doué pour le langage musical par rapport à l'individu doué pour le langage visuel, etc.

Ces effets s'amplifient avec l'âge, l'individu étant de plus en plus à même de choisir ses propres environnements. À un moment donné, il devient impossible de déterminer dans quelle mesure un individu a été « soumis » à tel effet environnemental et dans quelle mesure il l'a « créé ».

En résumé, les individus peuvent accueillir leur milieu de manière relativement passive; ils peuvent, par les réactions que suscitent leurs caractéristiques héréditaires, influer sur ce milieu; enfin, ils peuvent choisir leur milieu et en quelque sorte le créer. Dans chacun de ces cas, il y a interaction entre la nature et la culture, entre les gènes et l'environnement. Lorsqu'on cherche à savoir quelles sont la part d'inné et la part d'acquis dans la personnalité, on ne doit jamais oublier que le développement de la personnalité dépend toujours de l'interaction des facteurs génétiques et des facteurs environnementaux, qu'il n'y a pas d'inné sans acquis et pas d'acquis sans inné. On peut distinguer la nature et la culture à des fins d'analyse et de discussion, mais la nature et la culture n'agissent jamais indépendamment l'une de l'autre. En réalité, les facteurs génétiques et les expériences environnementales sont si inextricablement liés que l'opposition « nature contre culture » n'est peut-être plus pertinente. Il serait plus juste d'utiliser la formulation « par l'entremise de la culture » (Ridley, 2003). Autrement dit, la fonction première du bagage génétique de l'individu est de « créer de nouvelles possibilités pour l'organisme » (Ridley, 2003, p. 250), possibilités qui ne s'accomplissent que si l'organisme remplit des conditions environnementales particulières contribuant à leur accomplissement.

L'HUMEUR, LES ÉMOTIONS ET LE CERVEAU

Tous les théoriciens de la personnalité s'intéressent à l'humeur et aux émotions. Pour ceux qui sont de tendance freudienne, la vie émotionnelle est l'expression des pulsions fondamentales. Pour les théoriciens des traits de personnalité, l'humeur des individus est au cœur de nombreux traits de leur personnalité. Au chapitre 10, nous verrons que selon les béhavioristes, il est possible de modifier la réponse émotionnelle par l'apprentissage et, au chapitre 11, que les théoriciens de la cognition et de la cognition sociale, tout comme les adeptes de la théorie humaniste, affirment que notre façon de nous percevoir et de percevoir le monde détermine notre vie émotionnelle.

Dans ce chapitre sur les fondements biologiques de la personnalité, nous posons la question: Quels sont les fondements neuronaux et biochimiques de l'expérience émotionnelle particulière des individus?

La dominance hémisphérique cérébrale

Lorsqu'on examine un cerveau, on constate tout de suite qu'il est formé de deux parties, ou hémisphères. Pionnier de la recherche sur ces questions, le psychologue Richard Davidson (1994, 1995, 1998) a démontré que la prédominance hémisphérique joue un rôle dans l'émotion. Les hémisphères gauche et droit s'activent à divers degrés selon les états émotionnels de l'individu, l'hémisphère gauche étant prédominant dans l'affect positif et l'hémisphère droit prédominant dans l'affect négatif.

Cette prédominance a pu être démontrée par le recours à l'électroencéphalogramme (EEG; voir le chapitre 2). Dans une de ces études, on a mesuré l'activité hémisphérique avant et pendant la projection d'extraits de films conçus pour susciter des émotions positives et négatives. Les participants devaient évaluer leur humeur pendant la projection. Les mesures EEG de la prédominance hémisphérique étaient associées étroitement à l'expérience psychologique de l'humeur.

Les individus qui présentaient une plus grande activation préfrontale gauche avant la projection ont déclaré ressentir un affect plus positif en réaction aux extraits de films positifs et ceux qui présentaient une plus grande activation préfrontale droite avant la projection ont déclaré éprouver un affect plus négatif en réaction aux extraits de films négatifs. Ces résultats confirment l'hypothèse selon laquelle les différences entre les individus dans les mesures électrophysiologiques de l'asymétrie de l'activation préfrontale révèlent une certaine vulnérabilité aux déclencheurs d'émotions positives et négatives (Davidson, 1998, p. 316).

Qu'en est-il maintenant des différences individuelles stables en matière d'émotions positives et négatives? Les recherches révèlent que les gens qui souffrent ou qui ont déjà souffert de dépression ont une activité corticale antérieure gauche moindre que ceux qui n'ont jamais souffert de dépression (Allen, Iacono, Depue et Arbisi, 1993). De plus, les gens ayant une atteinte cérébrale dans la région antérieure gauche sont plus sujets à la dépression, tandis que ceux dont l'atteinte cérébrale touche la région antérieure droite sont plus sujets à la manie (Robinson et Downhill, 1995). Par ailleurs, les recherches portant sur les bébés indiquent qu'il existe une relation entre les différences des mesures de l'activation préfrontale entre les individus et la réactivité de l'affect, les bébés qui semblent souffrir davantage d'être séparés de leur mère présentant une plus grande activation préfrontale droite et une activation préfrontale gauche moindre que ceux qui semblent souffrir peu de cette même situation (Davidson et Fox, 1989).

Les mesures EEG permettent de dégager les différences entre deux aspects de l'expérience émotionnelle négative: l'état anxieux durant l'exécution d'une tâche et l'état d'inquiétude qui précède l'exécution de cette tâche (Heller, Schmidtke, Nitschke, Koven et Miller, 2002). L'état d'inquiétude est associé à une activation frontale gauche plus forte que dans l'état d'anxiété (notamment Hofmann et coll., 2005). Dès lors, l'inquiétude est un «état émotionnel unique» (Hofmann et coll., 2005, p. 472) et non pas une simple variation de l'anxiété provoquée par l'exécution d'une tâche. Cette donnée neuroscientifique a des conséquences importantes pour les théories des traits de la personnalité. En effet, les divers aspects de l'anxiété sont regroupés dans un des cinq grands facteurs, le névrosisme, alors que les données neuroscientifiques semblent indiquer plutôt l'existence de divers types bien distincts d'émotions négatives.

Les recherches portant sur les émotions de colère ont incité les psychologues à modifier leur opinion relativement à la prédominance hémisphérique associée à la valence positive ou à la valence négative de l'humeur. La colère est une émotion négative qui surgit en réponse à des événements négatifs et elle est ressentie comme un état aversif (comparé, par exemple, à l'état de calme ou de bonheur). Mais une forte émotion de colère est associée à l'activation de l'hémisphère gauche (Harmon-Jones, 2003), qui était pourtant auparavant l'hémisphère associé aux émotions positives. Ces résultats donnent à penser que la prédominance hémisphérique est plus directement liée à la motivation d'approche et d'évitement, c'est-à-dire à la motivation qui incite à s'approcher ou à s'éloigner d'un stimulus. Autant des émotions positives comme le bonheur que des émotions négatives comme la colère entraînent un comportement d'approche: dans l'état de bonheur, l'individu cherche à s'approcher pour le plaisir que procure l'interaction avec le partenaire, alors que dans l'état de colère, il cherche à s'approcher dans un but d'affrontement.

Les causes des différences individuelles: les gènes, l'expérience sociale… ou autre chose?

La question la plus célèbre de toute la psychologie – inné ou acquis? – présuppose qu'il y a deux causes possibles aux comportements humains: (1) l'information encodée dans les gènes au moment de la conception et (2) l'information acquise lors des expériences sociales après la naissance. La recherche en psychologie sur ce qui détermine les différences de comportement entre les individus s'appuie sur cette dichotomie facteurs biologiques-génétiques-inné/facteurs sociaux-appris-acquis.

Un autre élément doit pourtant être considéré, soit l'environnement prénatal, ou environnement dans lequel évoluent l'embryon et le fœtus entre le moment de la conception et celui de la naissance. Des recherches ont permis de confirmer le rôle des facteurs prénataux dans la détermination de caractéristiques psychologiques importantes, notamment l'orientation sexuelle.

En effet, l'un des corrélats de l'orientation sexuelle des hommes est d'avoir un nombre élevé de frères plus âgés. Chez les hommes qui ont plusieurs frères plus âgés qu'eux, il y aurait plus d'homosexuels que d'hétérosexuels. Il convient toutefois de souligner que cette affirmation n'est valide que par rapport à une moyenne, c'est-à-dire qu'il s'agit d'une probabilité statistique décrivant un patron de résultats qui ne s'applique qu'à l'étude des grands groupes. Qu'est-ce qui peut expliquer ce phénomène? Quel lien peut-on établir entre l'orientation sexuelle et le nombre de frères plus âgés? On pourrait penser que l'expérience sociale explique cette prédisposition. Ainsi, les interactions avec plusieurs mâles plus âgés pourraient influer sur l'orientation sexuelle. Ce n'est toutefois pas ce que donnent à penser les récentes recherches.

Dans une recherche importante, on a comparé l'orientation sexuelle d'un groupe d'hommes qui ont grandi avec des nombres variables de frères plus âgés et d'un groupe contrôle formé d'hommes qui avaient des nombres équivalents de frères plus âgés qui n'habitaient *pas* dans la même maison (par exemple, des gens qui avaient été adoptés ou qui avaient des frères adoptés par d'autres familles). L'étude a révélé que le nombre de frères plus âgés contribuait à prédire l'orientation sexuelle, que les frères *aient grandi ou non* dans la même maison! Les hommes qui avaient un grand nombre de frères plus âgés avaient plus de chances que les autres d'être homosexuels, du point de vue des probabilités, mêmes lorsque leurs frères n'avaient pas grandi dans la même maison qu'eux.

Comment peut-on expliquer cette situation? Selon le chercheur qui a mené cette étude, l'environnement prénatal pourrait avoir une influence déterminante dans l'orientation sexuelle. Puisque les femmes donnent naissance à un plus grand nombre de garçons que de filles, elles pourraient avoir acquis une réaction immune aux fœtus mâles. Cette réaction peut modifier le milieu biochimique dans lequel évoluent les fœtus mâles et agir particulièrement sur le développement du cerveau d'une façon telle que l'enfant aurait moins de chances de devenir hétérosexuel. Bien que ce ne soit là que des hypothèses qui demandent à être confirmées, les données actuelles semblent indiquer l'influence importante des facteurs prénataux sur l'orientation sexuelle. Ces observations ouvrent un nouveau champ d'études du développement de la personnalité.

Source: Bogaert, A.F. (2006). Biological versus nonbiological older brothers and men's sexual orientation. *Proceedings of the National Academy of Sciences, 103*, 10771-10774.

Les neurotransmetteurs et le tempérament: la dopamine et la sérotonine

Les neurones communiquent entre eux grâce aux **neurotransmetteurs**. De nombreuses recherches établissent un lien entre les variations dans l'activité des neurotransmetteurs et l'humeur. Les deux neurotransmetteurs qui ont le plus retenu l'attention de ceux qui ont étudié l'humeur et la personnalité sont la dopamine et la sérotonine.

L'excès de dopamine est lié à la schizophrénie et l'insuffisance de dopamine à la maladie de Parkinson. La dopamine est également associée au plaisir et on en parle comme de la substance du bien-être (Hamer, 1997). Les animaux donneront des réponses qui sont contingentes à l'administration de dopamine (Wise, 1996). Cette substance semble donc jouer un rôle crucial dans le système de récompense: «On peut caractériser le travail de ce circuit dopaminergique en le décrivant comme un système de récompense. Il nous dit: C'était agréable. Fais-le de nouveau et souviens-toi comment tu l'as fait» (Hyman,

Neurotransmetteur

Toute substance chimique qui transmet l'information d'un neurone à l'autre en traversant l'espace synaptique (comme la dopamine et la sérotonine).

1999, p. 25). Les drogues qui entraînent une dépendance comme la cocaïne font illusion, car elles augmentent le niveau de dopamine, produisant alors une sensation de plaisir lorsqu'on les consomme, mais aussi une sensation de dépression lorsqu'on cesse de les consommer et que le niveau de dopamine retombe.

Le neurotransmetteur sérotonine joue également un rôle dans la régulation de l'humeur. De nouveaux médicaments appelés ISRS (inhibiteurs sélectifs de la recapture de la sérotonine) semblent soulager la dépression en prolongeant l'action de la sérotonine dans les synapses des neurones. Administrées à des individus normaux, les ISRS réduisent les expériences affectives négatives et augmentent le comportement social d'affiliation (Knutson et coll., 1998). Finalement, nous savons que l'hormone cortisol est associée à la réaction au stress. Si nous revenons encore une fois à la recherche de Kagan (1994), à l'âge de cinq ans les enfants inhibés présentaient une forte réactivité à la menace, comme on pouvait le constater en mesurant le taux de cortisol; ce phénomène s'était cependant atténué à l'âge de sept ans.

Parce que les neurotransmetteurs jouent un rôle dans la régulation de l'humeur, l'analyse de la biochimie du cerveau pourrait nous éclairer sur un sujet que nous avons abordé en tout début de ce chapitre: les différences individuelles en matière de tempérament. De nombreux chercheurs ont exploré la question des fondements biochimiques du tempérament (Cloninger, Svrakic et Przybeck, 1993; Depue, 1995, 1996; Depue et Collins, 1999; Eysenck, 1990; Gray, 1987; Pickering et Gray, 1999; Tellegen, 1985; Zuckerman, 1991, 1996). Bien que presque tous ces modèles présentent des similarités et que nombre d'entre eux ressemblent au modèle à cinq facteurs décrit au chapitre précédent, ils ne se chevauchent pas toujours parfaitement. Plutôt que d'explorer plusieurs de ces modèles, nous allons nous concentrer sur le modèle d'analyse du tempérament mis au point par Lee Anna Clark et David Watson (1999; Watson, 2000).

Les trois grandes dimensions du tempérament: AN, AP et DoI

Selon le **modèle de tempérament à trois facteurs** de Clark et Watson (1999), les différences de tempérament entre les individus peuvent se ramener à trois superfacteurs similaires à ceux qu'avait proposés Eysenck et qui correspondent en gros à trois des cinq dimensions du modèle des « Cinq Grands »: AN (affect négatif), AP (affect positif) et DoI (désinhibition ou inhibition). Les individus qui

ont un indice AN élevé éprouvent beaucoup d'émotions négatives, ils perçoivent le monde comme menaçant, problématique et pénible, tandis que ceux dont l'indice AN est faible sont calmes, émotionnellement stables et contents d'eux-mêmes. La dimension AP est liée à la tendance de l'individu à interagir avec l'environnement. Ainsi, les gens qui ont un indice AP élevé (comme les extravertis) apprécient la compagnie d'autrui, sont actifs et abordent la vie avec énergie, gaieté et enthousiasme, tandis que ceux qui ont un indice AP faible (comme les introvertis) sont réservés, socialement distants et ils manquent d'énergie et de confiance. Il importe de noter que, même si elles peuvent sembler en opposition en ce qui a trait aux qualités mesurées, les dimensions AN et AP sont indépendantes l'une de l'autre. Autrement dit, un individu donné peut avoir un indice élevé ou faible pour chacune d'entre elles (Watson et Tellegen, 1999; Watson, Wiese, Vaidya et Tellegen, 1999), et ce parce que ces deux superfacteurs subissent l'influence de systèmes biologiques internes qui sont différents. Contrairement aux deux premières dimensions, la troisième, DoI, ne comporte pas de composante affective, mais se réfère plutôt au mode de régulation des émotions. Ainsi, les individus qui ont un indice DoI élevé sont impulsifs, téméraires, axés sur les émotions et les sensations du moment, tandis que ceux qui ont un indice DoI faible sont prudents, mesurent les répercussions à long terme de leur comportement et fuient les risques et le danger.

Peut-on déterminer des corrélats biologiques des trois facteurs? S'inspirant des travaux de Depue (1996; Depue et Collins, 1999), Clark et Watson ont avancé que AP est associé à l'action de la dopamine, qui est la substance du bien-être. Dans la recherche portant sur les animaux, le taux élevé de dopamine a été associé au comportement d'approche à l'égard d'un stimulus d'incitation positive dit récompense, et le déficit en dopamine, au manque de motivation d'incitation à obtenir une récompense. En somme, Clark et Watson posent que « les différences entre les individus en ce qui concerne la sensibilité de ce système biologique aux signaux de récompense, qui déclenchent aussi bien la motivation d'incitation qu'un affect positif

Modèle de tempérament à trois facteurs

Modèle selon lequel les différences de tempérament entre les individus peuvent se ramener à trois superfacteurs: AN (affectivité négative), AP (affectivité positive) et DoI (désinhibition ou inhibition).

et des processus cognitifs qui entrent en jeu dans cette motivation, sont à la base de la dimension AP du tempérament » (1999, p. 414). Des différences quant à la latéralisation hémisphérique peuvent également y contribuer, un indice AP élevé ayant été associé à la prédominance de l'hémisphère cérébral gauche (Davidson, 1992, 1994, 1998).

Pour ce qui est de la dimension DoI, Clark et Watson soutiennent que sa base biologique est la sérotonine. Selon eux, les êtres humains qui ont un faible taux de sérotonine sont enclins à l'agressivité et consomment davantage des substances qui activent la dopamine, comme l'alcool. L'alcoolisme est également associé à une diminution du fonctionnement de la sérotonine. Hamer (1997) a aussi associé le neurotransmetteur dopamine à la recherche d'émotions fortes, à l'impulsivité et à la désinhibition. Enfin, un taux élevé de testostérone est associé à la compétitivité et à l'agressivité, deux traits liés à un indice DoI élevé.

Selon Clark et Watson, la neurobiologie de AN est la moins connue. On sait toutefois qu'il existe des rapports entre un faible taux de sérotonine dans les synapses et la dépression, l'anxiété et les symptômes obsessifs-compulsifs. Hamer et Copeland (1998) établissent un lien entre un faible taux de sérotonine et une sombre vision du monde, rappelant le tempérament mélancolique de Galien. Depue (1995) affirme que les animaux qui ont un faible taux de sérotonine sont excessivement irritables, et Hamer (1997) décrit la sérotonine comme la « substance du mal-être ». De plus, comme on l'a mentionné, il y a une relation entre la dominance de l'hémisphère droit du cerveau et la tendance à ressentir des émotions négatives. Finalement, certaines données indiquent qu'une sensibilité excessive de l'amygdale joue probablement un rôle dans la tendance à éprouver beaucoup d'anxiété et de détresse (LeDoux, 1995, 1999).

Il faut se rappeler qu'on ne peut établir de correspondance directe une-à-une entre tel ou tel processus biologique et tel ou tel trait. Chaque composante biologique semble plutôt associée à l'expression de plus d'un trait, tout comme l'expression de chaque trait est influencée par plus d'un facteur biologique : « Il apparaît clairement que les modèles de personnalité basés sur un seul neurotransmetteur sont simplistes et qu'on devra prendre en considération d'autres facteurs » (Depue et Collins, 1999, p. 513). Il est donc difficile d'intégrer toutes ces découvertes neurobiologiques dans le modèle de tempérament à trois facteurs sans simplifier à outrance par rapport à l'état actuel des connaissances en neurobiologie. En ce sens, les liens possibles entre la biologie et le tempérament présentés au tableau 9.4 constituent en réalité des hypothèses de travail visant à éclairer la façon dont les rapports pourraient être établis ; il faudra tester ces hypothèses et les revoir au fur et à mesure qu'on disposera de nouvelles données.

De plus, même si la localisation des fonctions cérébrales a beaucoup progressé, il importe de considérer le cerveau comme un système global. Selon Damasio (1994), Gall avait

Tableau 9.4 | Les liens possibles entre la biologie et la personnalité

Amygdale	Centre de la réaction émotionnelle du cerveau, cette partie du système limbique primitif joue un rôle particulièrement important dans l'apprentissage émotionnel aversif.
Latéralisation hémisphérique	La dominance de l'hémisphère frontal droit est associée à l'activation d'émotions négatives ainsi qu'à la timidité et à l'inhibition, alors que la dominance de l'hémisphère frontal gauche est associée à l'activation d'émotions positives, ainsi qu'à la hardiesse et à la désinhibition.
Dopamine	Ce neurotransmetteur est associé à la récompense, au renforcement et au plaisir. Un taux élevé de dopamine est associé aux émotions positives, à l'énergie, à la désinhibition et à l'impulsivité, alors qu'un faible taux de dopamine est associé à la léthargie, à l'anxiété et à l'inhibition. Les animaux tout autant que les êtres humains s'administrent des drogues qui déclenchent la libération de dopamine.
Sérotonine	Ce neurotransmetteur influe sur l'humeur, l'irritabilité et l'impulsivité. Un faible taux de sérotonine est associé à la dépression, mais aussi à la violence et à l'impulsivité. Bien qu'on ne comprenne pas encore parfaitement le mécanisme d'action des médicaments ISRS (inhibiteurs sélectifs de la recapture de la sérotonine) vendus sous les marques de commerce comme Prozac, Zoloft ou Paxil, on sait qu'ils peuvent traiter la dépression, les phobies et les troubles obsessifs-compulsifs.
Cortisol	Cette hormone sécrétée par la corticosurrénale (zone périphérique de la glande surrénale) est reliée au stress ; elle facilite les réactions en présence d'une menace ; ce sont des réactions adaptatives lorsqu'il s'agit de stress à court terme, mais elles peuvent être associées à la dépression et aux troubles de mémoire en cas de stress prolongé ou chronique.
Testostérone	Cette hormone importante pour le développement des caractères sexuels secondaires est aussi associée au désir de domination, à la compétitivité et à l'agressivité.

Sources : Hamer et Copeland, 1998 ; Sapolsky, 1994 ; Zuckerman, 1995.

raison de penser que le cerveau n'est pas une grosse masse indifférenciée, mais qu'il se constitue plutôt de divers sous-systèmes aux fonctions spécialisées. Cependant, non seulement Gall fut incapable de repérer correctement ces parties et leurs fonctions, mais il ignorait comment fonctionne le cerveau en tant que système : « Je ne tombe pas dans le piège de la phrénologie, poursuit Damasio. En clair, l'esprit résulte de l'action distincte de chacune des composantes séparées et de l'action concertée des multiples systèmes constitués par ces composantes » (1994, p. 15). Il y a donc à la fois localisation différenciée et système organisé. En somme, les traits de personnalité sont liés au fonctionnement d'une configuration d'éléments du système biologique plutôt qu'aux éléments pris isolément : « La psychobiologie n'est pas destinée aux amateurs de simplicité » (Zuckerman, 1996, p. 128).

LA PLASTICITÉ DES PROCESSUS BIOLOGIQUES : LA CAUSE ET LES EFFETS

Lorsqu'on pense à la biologie et à la personnalité, deux idées nous viennent spontanément à l'esprit : (1) les facteurs biologiques sont immuables – c'est-à-dire qu'ils sont déterminés par les gènes et ne peuvent être modifiés au fil du temps – et (2) dans la relation de cause à effet qui existe entre la biologie et l'environnement, la première s'impose comme la cause et l'expérience psychologique comme l'effet qui en découle.

Ces deux idées ne sont que partiellement exactes. Les facteurs biologiques peuvent subir (et subissent réellement) des modifications sous l'effet de l'expérience comportementale. Cette capacité de changer des systèmes biologiques en réponse à l'expérience s'appelle la plasticité. Tout comme le plastique en effet, la biologie a un côté malléable.

De l'expérience à la biologie

Les systèmes neuronaux et les systèmes de neurotransmission sont tous deux dotés de **plasticité** (Gould, Reeves, Graziano et Gross, 1999 ; Raleigh et McGuire, 1991). Par exemple, dans la hiérarchie observée chez les singes, le leadership est associé à un taux élevé de sérotonine ; cependant, si une réorganisation du groupe renverse l'échelle hiérarchique, le taux de sérotonine des nouveaux leaders s'élève par rapport au taux qu'ils avaient lorsqu'ils étaient au bas de la hiérarchie (Raleigh et McGuire, 1991). De la même façon, la relation entre la testostérone et l'agressivité ou la compétitivité est réciproque, étant donné qu'un taux élevé de testostérone favorise l'agressivité et la compétition et qu'inversement la compétitivité et l'agressivité font à leur tour augmenter le taux de testostérone (Dabbs, 2000). Non seulement le fait d'échouer à un événement sportif a pour effet de réduire le niveau de testostérone, mais aussi celui de soutenir un participant qui échoue (McCaul, Gladue et Joppe, 1992). En fait, l'acte même de gagner à pile ou face peut faire grimper le taux de testostérone (Gladue, Boechler et McCaul, 1989). Hamer et Copeland (1998) se sont autorisés à conclure que « des oiseaux chanteurs aux écureuils et des souris aux singes […] les gagnants reçoivent une décharge de testostérone, alors que celle-ci chute chez les perdants. Il en va de même des êtres humains » (p. 112).

Une recherche dans laquelle les participants devaient exécuter une tâche simple comme jongler a permis de démontrer l'influence de l'expérience sur le fonctionnement cérébral (Draganski et coll., 2004). Après avoir obtenu la représentation anatomique du cerveau d'un groupe de participants, Draganski et ses collègues ont ensuite demandé à la moitié des membres du groupe, choisis au hasard, d'apprendre à jongler. Pendant trois mois, ils ont appris à maîtriser une routine simple avec trois balles. Au bout de cette période, les participants des deux groupes, soit les jongleurs et les non-jongleurs, revenaient au laboratoire pour une seconde tomodensitométrie cérébrale. Celle-ci révéla que l'apprentissage de la jonglerie avait entraîné une modification de l'anatomie du cerveau. Les jongleurs présentaient une expansion importante de la matière grise du cerveau, notamment dans une région du cerveau engagée dans la perception des mouvements. Selon les auteurs, ces résultats « contredisent la vision classique selon laquelle l'anatomie du cerveau de l'être humain adulte ne change pas, sauf pour les changements morphologiques causés par le vieillissement ou la pathologie » (Draganski et coll., 2004, p. 311).

En résumé, les développements dans le domaine des neurosciences fournissent une démonstration éclatante de l'existence des actions bidirectionnelles entre les

Plasticité

Capacité que possède le système neurobiologique de changer au fil des expériences, temporairement et pour de longues périodes, tout en restant à l'intérieur des paramètres génétiques, et cela, afin de répondre aux exigences adaptatives.

La plasticité cérébrale : L'expérience modifie les structures cérébrales. Chez les chichlidés, une espèce de poisson, la forme des cellules de l'hypothalamus est plus large chez les mâles dominants que chez les mâles non dominants. Mais lorsqu'ils sont vaincus par un rival, la forme de ces cellules se rétrécit et le comportement reproducteur du vaincu change.

facteurs biologiques et l'expérience. Les prochaines années nous permettront certainement de mieux comprendre les fondements biologiques de la personnalité, tout comme la contribution de l'expérience sociale à la biologie.

Le statut socioéconomique et la sérotonine

La recherche sur la plasticité biologique revêt une grande importance pour la société. Les résultats qui en découlent démontrent que les caractéristiques biologiques des êtres humains ou des groupes d'êtres humains ne sont pas figées. Les caractéristiques biologiques communes à un groupe de personnes vivant dans un même environnement reflètent non seulement ce qui distingue ce groupe sur le plan biologique, mais également l'influence de l'environnement dans lequel ce groupe évolue. Le statut socioéconomique exerce une telle influence.

Comme nous l'avons souligné, la sérotonine est un neurotransmetteur qui joue un rôle important dans la vie émotionnelle. Les taux de sérotonine varient d'un individu à l'autre et ces différences sont liées à l'expérience émotionnelle, notamment la dépression. La question se pose alors : d'où viennent ces différences ?

Nous savons que des facteurs génétiques sont responsables des différences individuelles dans la production de séro-

tonine. Mais une équipe de chercheurs (Manuck et coll., 2005) s'est récemment penchée sur un autre facteur totalement étranger à la neurobiologie, en posant l'hypothèse que les différences individuelles dans les taux de sérotonine pourraient s'expliquer par le statut socioéconomique des individus. Les gens économiquement favorisés et ceux qui sont dans une situation économique difficile vivent quotidiennement des expériences totalement différentes (Gallo et Matthews, 2003). Dans les milieux moins favorisés, les gens font face à des niveaux de stress quotidiens plus élevés et sont plus susceptibles d'avoir des problèmes de nutrition. Or, la nutrition et le stress sont deux facteurs environnementaux qui peuvent avoir un effet sur le fonctionnement biologique de l'être humain, y compris sur la production de sérotonine.

Pour vérifier cette hypothèse, les chercheurs (Manuck et coll., 2005) ont mené une étude en laboratoire avec un vaste échantillon d'adultes. Ils ont d'abord demandé aux participants d'ingérer un agoniste de la sérotonine, c'est-à-dire une substance qui active les mêmes récepteurs que ceux du neurotransmetteur naturel. Après avoir administré la substance aux participants, les chercheurs ont prélevé un échantillon de leur sang et ont mesuré le taux d'une hormone, la prolactine. Il s'agit d'une hormone dont la production est stimulée par la sérotonine. Cette recherche a permis d'examiner, de façon très directe, la possibilité que des gens vivant dans des conditions économiques différentes fonctionnent différemment sur le plan biologique, notamment en produisant des pics différents dans les divers niveaux de prolactine, laquelle est un indicateur direct de la réactivité à la sérotonine.

Ces résultats confirment l'importance des différences sociocommunautaires dans le fonctionnement d'un système biologique important sur le plan psychologique. Les gens vivant dans des milieux socioéconomiques peu favorisés présentaient une réactivité moindre à la sérotonine, et cette constatation valait tant pour les hommes que pour les femmes (figure 9.8).

On pourrait penser que des différences dans certains traits de personnalité entre les personnes de milieu socioéconomique défavorisé et les personnes de milieu socioéconomique favorisé pourraient expliquer ces résultats, et les chercheurs ont examiné cette possibilité

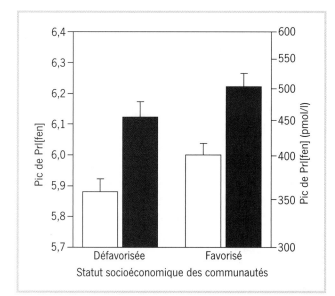

Figure 9.8 | Les différences dans le fonctionnement biologique, particulièrement en ce qui concerne les pics de production de prolactine chez les hommes (en blanc) et les femmes (en noir) vivant dans les communautés économiquement favorisées et défavorisées.

Source: Manuck, S.B., Bleil, M.E., Petersen, K.L., Flory, J.D., Mann, J.J., Ferrell, R.E., & Muldoon, M.F. (2005). The socio-economic status of communities predicts varation in brain serotonergic responsivity. *Psychological Medicine, 35*, 519-528.

en analysant les données relatives aux traits de personnalité des cinq facteurs et au QI des participants. Les différences entre les groupes selon le statut socio-économique ne pouvaient *pas* s'expliquer par les différences relatives à l'intelligence ou celles relatives aux cinq grands facteurs; ainsi, même en contrôlant de manière statistique pour déterminer l'effet de ces facteurs, on a observé des diffé-

rences entre les deux groupes sur le plan biologique (Manuck et coll., 2005). Ainsi, après avoir écarté ces diverses possibilités, les auteurs concluent que « les différences de statut socioéconomique peuvent, même si c'est de façon modeste, avoir un effet sur la neurobiologie des personnes ». Cette conclusion pourrait expliquer en partie la prévalence de troubles psychiques liés au dérèglement de la fonction sérotoninergique centrale comme la dépression, l'impulsivité agressive et le suicide chez les gens vivant en milieu socioéconomique défavorisé (Manuck et coll., 2005, p. 526).

LES RECHERCHES NEUROSCIENTIFIQUES SUR LES FONCTIONS PSYCHOLOGIQUES DE HAUT NIVEAU

La plupart des travaux dont nous avons rendu compte concernent principalement les processus émotionnels et motivationnels. Les chercheurs ont associé les systèmes biologiques aux phénomènes psychologiques touchant les humeurs, les motivations fondamentales et des émotions comme la peur. Mais qu'en est-il des autres éléments de la personnalité, et notamment les fonctions psychologiques supérieures comme l'image de soi, le jugement moral, etc.? Ces fonctions psychologiques exigent aussi la participation des systèmes biologiques du cerveau. En principe, les neurosciences peuvent nous éclairer sur ces fonctions psychologiques complexes. Voyons ce que disent les recherches récentes sur cette question.

DÉBATS ACTUELS   Stress et vieillissement : qu'en est-il ?

ntuitivement, on peut penser que l'un des plus importants facteurs biologiques qui sont associés à la personnalité a trait à l'expérience du stress. Les personnes calmes et qui n'éprouvent pas de stress important semblent plus jeunes alors que celles qui éprouvent un stress psychologique chronique semblent vieillir prématurément. Est-ce réellement le cas? Et, si oui, comment le stress psychologique est-il lié au vieillissement biologique?

Une étude remarquable portant sur des femmes d'âge moyen qui éprouvaient du stress à divers degrés nous fournit des réponses à ces questions (Epel et coll., 2004). L'un des éléments clés de cette étude est le fait qu'elle permettait de mesurer un mécanisme biologique fonda-

mental dans le vieillissement des cellules. En effet, dans le noyau cellulaire, on trouve les télomères, qui sont des brins d'ADN formant un capuchon à l'extrémité de chaque chromosome. Comme les télomères raccourcissent à chaque réplication cellulaire, ils deviennent plus petits avec l'âge, jusqu'à empêcher la division cellulaire. Ainsi, la longueur des télomères est un « marqueur du vieillissement biologique des cellules » (Epel et coll., 2004, p. 17312).

Mais quel est le lien entre la longueur des télomères d'une part, et le stress et la personnalité d'autre part? En fait, le stress a un effet sur la chimie interne du corps, et notamment l'environnement cellulaire qui héberge les télomères. Ainsi, chez des gens qui ont le même âge, mais qui éprouvent des niveaux de stress différents, la longueur des télomères pourrait donc varier. Epel et ses collègues (2004) ont posé l'hypothèse que le stress pouvait avoir un effet négatif sur la longueur des télomères. Plus précisément, il était prédit que les gens présentant un niveau de stress élevé auraient des télomères plus courts que les autres et seraient donc, biologiquement, plus âgés.

Mais comment peut-on vérifier cette hypothèse ? Il faut d'abord pouvoir mesurer le niveau de stress des personnes. Les chercheurs y sont parvenus de deux façons. D'abord, ils ont mesuré le niveau de stress perçu par l'individu en demandant à des participants de faire une autoévaluation de leur niveau de stress. Puis, ils ont étudié des groupes de participants qui différaient par rapport à un événement objectif générateur de stress. Ainsi, un des groupes étudiés était composé de mères dont l'enfant était atteint d'une maladie chronique. Pour ces femmes, les soins quotidiens qu'exigeait la condition de l'enfant étaient générateurs de stress. Le groupe de contrôle était composé de femmes dont l'enfant est en bonne santé.

Il fallait également pouvoir mesurer la longueur des télomères des participants et on a eu recours pour ce faire à des procédures biologiques standards. On a prélevé des échantillons de sang qu'on a analysés pour établir la longueur moyenne des télomères de chaque participant.

Les résultats ont confirmé un lien extrêmement fort entre le stress vécu par les participants et la longueur de leurs télomères (figure 9.9). Cette figure illustre le lien entre la longueur des télomères et le niveau de stress perçu pour deux groupes, soit les mères exposées à un faible niveau de stress (en gris) et celles exposées à un fort niveau de stress (en noir). Dans les deux groupes, le niveau de stress était associé à la longueur des télomères. Les femmes qui éprouvaient un fort niveau de stress, et plusieurs des femmes dont les télomères étaient les plus courts, provenaient du groupe de mères dont l'enfant avait une maladie chronique. En transposant la longueur des télomères en années de vie (c'est-à-dire en comparant les données des participantes avec les données recueillies auprès de l'ensemble de la population), on a constaté que l'effet du stress sur le vieillissement était énorme ! L'âge cellulaire des personnes exposées à un stress important était de 9 à 17 ans plus élevé que l'âge des autres personnes. Un conseil, donc : lorsqu'un ami vous dit de cesser de vous énerver, pensez aux résultats de cette étude,... et écoutez-le !

En résumé, la recherche sur le lien entre le stress et les télomères nous permet de mieux comprendre la plasticité des systèmes biologiques en réponse aux expériences vécues par l'individu.

Ces deux photos montrent l'ex-président Richard M. Nixon lors de son entrée en fonction (photo de gauche) et lors de sa démission à la suite du scandale du Watergate (photo de droite). Le jour de sa démission, il semblait avoir des dizaines d'années de plus que lorsqu'il fut élu, bien que seulement six ans se soient écoulés entre les deux événements. La recherche donne à penser que le stress vécu par Nixon durant sa présidence explique son vieillissement biologique accéléré.

Le cerveau et le concept de soi

L'être humain a cette faculté unique de pouvoir réfléchir sur lui-même, sur ce qui le distingue, sur son potentiel et sur l'image qu'il donne de lui-même. Mais quelle est la nature exacte de cette faculté ? Reflète-t-elle simplement les capacités cognitives générales de l'individu ; autrement dit, le soi n'est-il qu'un concept parmi d'autres auquel on pense de temps à autre ? Et si le soi reflétait un système unique ? S'il y avait un système fonctionnel cérébral distinct qui entre en action chaque fois que nous pensons à

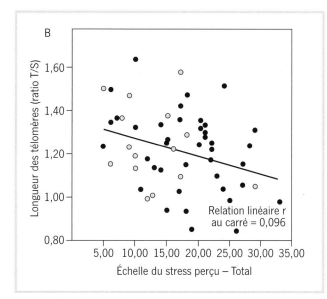

Figure 9.9 | Ce graphique montre le lien entre la longueur des télomères et le niveau de stress perçu pour deux groupes, soit les mères exposées à un faible niveau de stress (en gris) et celles exposées à un fort niveau de stress (en noir).

nous-mêmes par opposition à lorsque nous pensons aux autres ou aux objets?

Des travaux récents (Kelley et coll., 2002) ont exploré cette question en utilisant une technique d'imagerie cérébrale, l'**IRMf**. Cette technique, l'imagerie par résonance magnétique fonctionnelle, permet de déterminer quelles régions précises du cerveau sont sollicitées lorsqu'une personne exécute une tâche donnée. Elle consiste à analyser les modifications du flux sanguin pendant l'exécution de la tâche. Une fluctuation importante du flux sanguin dans une région donnée du cerveau pendant que l'individu exécute une tâche confirme que cette région prend, d'une manière ou d'une autre, une part dans l'accomplissement de cette tâche.

Dans l'étude de Kelley et ses collègues (2002), les participants devaient évaluer certains qualificatifs de la personnalité (fiabilité, politesse, etc.). Ils devaient évaluer (1) si le qualificatif était écrit en lettre majuscules, (2) s'il s'appliquait à George W. Bush ou (3) s'il s'appliquait à eux-mêmes. L'objectif était de déterminer si certaines régions du cerveau n'étaient actives que lorsque le participant pensait à lui-même (« suis-je une personne fiable ? ») plutôt qu'à une autre personne (« George W. Bush est-il une personne fiable ? ») ou à un élément qui n'est pas lié à une personne (« le mot *fiable* est-il écrit en lettres majuscules » ?). Il était possible, bien sûr, que le fait de penser à soi ne sollicite pas d'autres régions que lorsqu'on pense à une autre personne.

Kelley et ses collègues (2002) ont découvert qu'il y a effectivement certaines régions du cerveau qui ne s'activent que lorsque nous portons un jugement sur nous-mêmes. Une région antérieure du cerveau, plus précisément le cortex préfrontal médian, était « actif de façon sélective lorsque l'individu portait un jugement sur lui-même » (p. 790). Par rapport aux enregistrements effectués avant l'exécution de la tâche, ceux effectués pendant cette exécution indiquaient une activité plus intense du cortex préfrontal médian lorsque l'individu posait un jugement sur lui-même que lorsqu'il posait un jugement sur George Bush ou qu'il devait décider si le qualificatif était écrit en lettres majuscules.

Ces résultats, bien sûr, ne démontrent d'aucune façon que le cortex préfrontal médian serait le « siège du soi ». Se juger soi-même sur des qualités n'est qu'un élément du concept de soi et il est clair que plusieurs régions du cerveau sont activées lorsqu'une personne est engagée dans une activité mentale complexe qui comprend une réflexion sur soi. Cela dit, ces résultats fournissent un indice assez clair que les neurosciences peuvent nous éclairer sur les enjeux complexes du fonctionnement de la personnalité. Nous verrons au cours des prochaines années un intérêt grandissant pour les questions relatives aux fondements neuronaux du concept de soi, et des percées scientifiques seront accomplies dans ce domaine.

Le cerveau et le jugement moral

Les théoriciens de la personnalité s'intéressent depuis longtemps au jugement moral que porte l'être humain. Comme nous l'avons vu, Freud a élaboré un concept bien précis, le surmoi, qui nous sert à évaluer nos actions et celles des autres en fonction de standards moraux et éthiques. Le jugement moral intéresse non seulement le théoricien de la personnalité, mais le commun des mortels, qui a une conception plutôt intuitive de ces questions. Supposons que quelqu'un fait les deux affirmations suivantes : « 5 + 5 = 11 », et « les gens qui ont besoin de soins médicaux d'urgence ne devraient y avoir accès que s'ils ont les

IRMf (Imagerie par résonance magnétique fonctionnelle)
Technique d'imagerie cérébrale qui permet de déterminer quelles régions précises du cerveau sont sollicitées lorsqu'une personne répond à un stimulus ou exécute une tâche. Cette technique permet d'enregistrer les modifications du flux sanguin dans le cerveau.

moyens de les payer ». Ces deux affirmations semblent « fausses », mais d'une manière tout à fait différente. La deuxième affirmation fait appel à des émotions profondes, car il s'agit d'une opinion qui est moralement douteuse et qui déclenche des processus émotionnels que ne déclenche pas une affirmation comme « 5 + 5 = 11 ».

Si, en réalité, les jugements moraux sont différents de toute autre forme de jugement, il devrait dès lors être possible de déterminer quelles régions du cerveau sont activées lorsqu'on s'engage dans un raisonnement qui suppose un tel jugement moral. Une étude de Greene et ses collègues (2001) s'est penchée sur cette question. Comme Kelley et ses collègues (2002), ils ont eu recours à la l'IRMf pour tenter d'établir un lien entre le fonctionnement cérébral et le fonctionnement de l'un ou l'autre aspect de la personnalité. Greene et ses collègues ont demandé aux participants de résoudre un dilemme, autrement dit, de faire un choix difficile entre deux possibilités. Dans certains cas, il s'agissait de dilemmes moraux, comme de garder ou non une somme d'argent trouvée par terre ou d'accepter ou non de faire du mal à une personne si cela pouvait profiter à un grand nombre de gens. Les participants devaient faire d'autres choix qui n'avaient aucune connotation morale, comme de choisir entre l'autobus et le train pour se rendre à destination. Dans tous les cas, les participants devaient décider du geste à poser. Les chercheurs tentaient ainsi de voir si certaines régions précises du cerveau étaient activées dans l'une et l'autre situation.

L'étude a confirmé l'activation de régions différentes du cerveau selon que le choix avait ou non une dimension morale. Il est intéressant de souligner que les régions mises à contribution lorsque le participant devait porter un jugement moral étaient les mêmes qui avaient été, dans d'autres recherches, associées à l'expérience émotionnelle (Greene, Somerville, Nystrom, Darley et Cohen, 2001). Autrement dit, les données de l'IRMf ont confirmé ce que l'on avait présumé, à savoir que la différence entre le raisonnement de nature morale et le raisonnement de nature non morale réside dans le fait que le jugement moral n'est pas que factuel, le fruit d'une pensée rationnelle,

mais qu'il appelle une réponse émotionnelle influant directement sur la capacité des individus à prendre des décisions. Ces résultats s'ajoutent à de nombreux autres résultats de recherches récentes qui confirment le rôle des systèmes émotionnels du cerveau dans des fonctions psychologiques que l'on considérait jusqu'à ce jour comme uniquement de nature cognitive (Bechara, Damasio et Damasio, 2000 ; Sanfrey, Rilling, Aronson, Nystrom et Cohen, 2003). Plus globalement, ces recherches confirment l'importance de la recherche neuroscientifique pour nourrir la réflexion sur les processus de la cognition sociale et la personnalité, qui sont le principal objet d'étude des théories que nous examinerons dans les chapitres 11, 12 et 13.

En résumé, nous avons examiné dans ce chapitre une imposante série de résultats de recherche et une telle masse d'information peut donner le vertige. Toute cette matière suppose une réflexion profonde sur la personnalité et sur les techniques complexes des sciences biologiques. En même temps, il s'en dégage des constatations relativement simples. D'une part, la recherche contemporaine sur la psychologie de la personnalité a réussi à mettre au jour des systèmes neuronaux et biochimiques spécifiques qui participent au fonctionnement de la personnalité et expliquent les différences entre les personnes. D'autre part, la recherche en biologie et sur la personnalité a mis en évidence, de manière parfois surprenante, l'influence de l'environnement. Les vrais jumeaux n'ont pas des personnalités identiques. Des gens qui présentent des similitudes, mais qui vivent dans des environnements sociaux différents et connaissent des expériences différentes, sont différents sur le plan biologique. Dans le contexte général des diverses théories de la personnalité, les résultats de recherche que nous avons explorés confirment les intuitions qu'avaient les théoriciens des traits de personnalité selon lesquelles des facteurs biologiques participent à la personnalité et aux différences entre les individus. Ils confirment également, comme nous le verrons dans les prochains chapitres, les intuitions des théoriciens qui explorent non seulement la biologie, mais aussi l'environnement, la société et la culture pour arriver à mieux comprendre la personne.

RÉSUMÉ

1. Les psychologues s'intéressent depuis longtemps aux différences individuelles dans le tempérament et cherchent à associer ces différences à des facteurs biologiques. Les progrès de la recherche sur le tempérament reposent essentiellement sur les études longitudinales et sur des mesures plus objectives du comportement, ainsi que sur des variables biologiques. La recherche de Kagan sur les enfants inhibés et non inhibés en est un bon exemple.

2. Les théories évolutionnistes se penchent sur les causes originelles du comportement, c'est-à-dire les raisons qui rendent compte de l'évolution des comportements étudiés et de leurs fonctions adaptatives. Les travaux portant sur les différences hommes-femmes dans le choix du partenaire et dans les causes de la jalousie – différences qui renvoient à des différences concernant l'investissement parental et la probabilité de parentalité – sont de bons exemples de recherches associées aux interprétations évolutionnistes des caractéristiques comportementales de l'être humain.

3. Les trois méthodes auxquelles on a recours pour établir des rapports entre le comportement et les déterminants génétiques sont les études de croisements sélectifs, les études de jumeaux et les études d'adoption. Les études de jumeaux et les études d'adoption ont révélé des coefficients d'héritabilité probants pour le QI et pour la plupart des caractéristiques de la personnalité. On estime que le coefficient d'héritabilité de l'ensemble de la personnalité est compris entre 0,4 et 0,5, ce qui signifie qu'environ 40 % à 50 % de la variance des caractéristiques de la personnalité s'explique par des facteurs génétiques. Cependant, les recherches indiquent que les coefficients d'héritabilité varient selon la population, la caractéristique de la personnalité étudiée et les mesures utilisées.

4. Les découvertes des neurosciences ont permis d'établir des liens entre (1) la personnalité et le fonctionnement de neurotransmetteurs comme la dopamine et la sérotonine ; (2) les différences entre les individus dans la latéralisation hémisphérique et le style émotionnel (travaux de Davidson) ; et (3) le fonctionnement de certaines régions du cerveau comme l'amygdale et le traitement des stimuli et des souvenirs émotionnels. Le modèle de tempérament à trois facteurs proposé par Clark et Watson représente une tentative visant à systématiser les relations entre les découvertes des neurosciences et la personnalité. Plusieurs liens ont été évoqués, mais il n'existe encore à ce jour aucun modèle global des processus biologiques liés aux traits de personnalité.

5. Au cours des dernières années, les chercheurs dans le domaine des neurosciences ont commencé à cerner certaines régions du cerveau qui participent à des aspects complexes de la personnalité, comme le jugement sur soi et le jugement moral sur certains comportements. Pour ces recherches, on a généralement recours aux techniques d'imagerie cérébrale, et notamment l'IRMf.

6. Si l'on croit généralement que les processus biologiques auxquels est soumis l'individu sont immuables, on reconnaît de plus en plus la plasticité ou le potentiel de modification des systèmes neurobiologiques. Dès lors, la recherche sur les fondements biologiques de la personnalité nous informe non seulement sur l'effet des facteurs génétiques sur la personnalité, mais également sur celui des facteurs environnementaux.

CHAPITRE 10

LE BÉHAVIORISME ET LES APPROCHES FONDÉES SUR L'APPRENTISSAGE

La conception béhavioriste de la personne

La conception béhavioriste de la science de la personnalité

Watson, Pavlov et le conditionnement classique

La théorie du conditionnement opérant de Skinner

L'évaluation critique

Vous est-il arrivé de fréquenter quelqu'un qui se comportait parfois d'une façon qui vous agaçait vraiment? Ce fut le cas de cette jeune femme dont l'amoureux se plaignait constamment d'avoir trop de travail à l'école. Lasse de lui prodiguer sympathie et réconfort – après tout, elle avait autant de travail que lui –, elle décida un jour de ne plus tenir compte de ses jérémiades. Or, à partir du moment où elle cessa de le dorloter quand il se plaignait, les lamentations cessèrent graduellement. En accordant constamment de l'attention aux plaintes de son copain, la jeune femme lui donnait, pour utiliser le langage des béhavioristes, un renforcement positif qui incitait le jeune homme à se plaindre constamment.

Sans le savoir, la jeune femme avait pu modifier le comportement de son ami en appliquant certains principes fondamentaux de la théorie de l'apprentissage. Ce chapitre traite des diverses approches de la personnalité fondées sur l'apprentissage et, de façon générale, de l'approche connue sous le nom de béhaviorisme. Selon la théorie béhavioriste, la personnalité de l'individu se forme au fil de ses expériences. Les diverses théories fondées sur l'apprentissage expliquent les processus par lesquels les comportements de l'individu sont déterminés par les expériences qu'il vit.

Dans ce chapitre, nous allons nous concentrer sur des théories qui sont d'une importance considérable dans l'histoire de la psychologie: le conditionnement classique de Pavlov et le conditionnement opérant de Skinner. Ces deux théories reposent sur la vérification expérimentale d'hypothèses clairement définies. Nous nous intéresserons ensuite à l'évaluation et à la modification du comportement, puis nous conclurons notre exposé par une évaluation critique de ces diverses approches de la personnalité.

LE CHAPITRE...
EN QUESTIONS

1. Dans quelle mesure les principes de l'apprentissage qui découlent de l'étude des comportements des animaux peuvent-ils fournir les fondements d'une théorie de la personnalité?

2. Nos comportements sont-ils déterminés par les événements (stimuli)?

3. Si les comportements anormaux, comme tous les autres comportements, sont appris, peut-on élaborer des thérapies fondées sur les principes de l'apprentissage?

4. Si, comme le prétendent les béhavioristes, les comportements sont déterminés par l'environnement, qu'en est-il du libre arbitre?

Le présent chapitre présente deux théories de l'apprentissage qui ne s'opposent pas, mais qui sont plutôt complémentaires et montrent comment les individus apprennent de leurs expériences. Ces deux théories, celle du conditionnement classique de Pavlov et celle du conditionnement opérant de Skinner, constituent le fondement d'un courant que l'on appelle le **béhaviorisme**.

Au milieu du XXᵉ siècle, le béhaviorisme fut le courant dominant de la psychologie scientifique. Il a par la suite connu un déclin rapide, bien que l'étude tant du conditionnement classique que du conditionnement opérant continue d'intéresser certains chercheurs (Domjan, 2005 ; Staddon et Cerutti, 2003). Alors, pourquoi étudier un courant de pensée dont l'influence a fortement décliné ?

L'étude du béhaviorisme est importante pour trois raisons. Premièrement, il y a l'aspect de la construction théorique. Élaborer une théorie scientifique globale de la personnalité est une tâche colossale et riche d'enseignements pour celui qui étudie les qualités et limites des courants et approches élaborées au fil des années. Deuxièmement, on doit considérer les applications auxquelles ont donné lieu les théories. Malgré ses limites, le béhaviorisme a permis l'établissement de méthodes thérapeutiques d'une valeur indiscutable, comme nous le verrons dans ce chapitre. Troisièmement, le béhaviorisme est à l'origine de certaines tendances actuelles de la psychologie, puisque certains chercheurs contemporains, même si on ne peut les considérer comme des béhavioristes, explorent des thèmes caractéristiques de ce mouvement. Par exemple, des psychosociologues étudient aujourd'hui comment les stimuli de notre environnement déterminent nos actions (Bargh et Ferguson, 2000 ; Bargh et Gollwitzer, 1994) et comment notre conviction d'avoir une emprise consciente sur nos comportements peut n'être qu'une illusion (Wegner, 2003), deux thèmes chers aux béhavioristes. Des auteurs (Skinner, 1948) estiment que le béhaviorisme, bien qu'il s'appuie sur des recherches menées en laboratoire sur des animaux, a inauguré la tendance de la psychologie actuelle de s'intéresser aux qualités, au potentiel et aux caractéristiques psychologiques « positives » des individus (Adams, 2012).

LA CONCEPTION BÉHAVIORISTE DE LA PERSONNE

Commençons par voir quelle est la conception béhavioriste de la personne. Nous aborderons plus loin dans ce chapitre la vision des principaux théoriciens, particulièrement B.F. Skinner. Procédons d'abord par analogie. Du point de vue de leur anatomie et de leur physiologie, il est raisonnable de considérer les êtres humains comme des machines. Et comme toute machine complexe, le corps est formé d'une série de mécanismes (le cœur, les poumons, les glandes sudoripares, etc.) ayant chacune leur fonction (la respiration, la régulation de la température du corps, etc.). Il peut sembler étonnant de parler ainsi de la personnalité comme d'une machine. Être spontané et insouciant ; être en conflit et angoissé ; être courageux et avoir de l'imagination, voilà autant de caractéristiques qui ne sont pas celles d'une machine. Comment alors peut-on associer les personnes à des machines ?

Pourtant, c'est bien ce qu'ont fait les béhavioristes et, pour eux, l'être humain est comme une machine. Pour Skinner, le plus connu des béhavioristes et le théoricien le plus influent de ce mouvement, l'être humain a créé la machine *à sa propre image* (Skinner, 1953, p. 46). S'appuyant sur les avancées de la science au cours des deux derniers siècles, Skinner écrit : « Nous en savons beaucoup plus sur les organismes vivants et sommes maintenant en mesure de constater qu'il a les mêmes caractéristiques qu'une machine » (1953, p. 47). Ainsi, dans leur quête pour développer une véritable science de l'être humain, les béhavioristes voient la personne comme une série de mécanismes qui forment une machine, et ils cherchent à découvrir comment cette machine apprend, c'est-à-dire comment elle modifie son fonctionnement en réaction aux stimuli de l'environnement.

Cette conception des béhavioristes a des implications importantes sur le plan philosophique et mène à la seconde notion fondamentale dans l'approche béhavioriste, soit le **déterminisme**. Le déterminisme est la croyance qu'un événement est causé, ou déterminé, par un événement qui est antérieur et dont la cause peut être expliquée par les principes de base de la science. Appliqué au comportement humain, le déterminisme est la conviction que le

Béhaviorisme
Approche de la psychologie élaborée par Watson dans laquelle on se contente d'étudier le comportement manifeste, observable.

Déterminisme
Croyance qu'un événement est provoqué par un événement dont la cause peut être expliquée par les principes de base de la science ; le déterminisme s'oppose au libre arbitre.

comportement humain obéit à des lois scientifiques. Ainsi, le déterminisme s'oppose au « libre arbitre ». Comme nous le verrons plus loin, les béhavioristes ne croient pas au libre arbitre. Pour eux, l'individu ne choisit pas d'agir d'une façon plutôt que d'une autre. Il fait simplement partie d'un monde dans lequel les événements, y compris les comportements des individus, sont causalement déterminés.

LA CONCEPTION BÉHAVIORISTE DE LA SCIENCE DE LA PERSONNALITÉ

Dans sa quête d'une science de la personnalité, le béhaviorisme diffère grandement des autres théories dont il est question dans le présent ouvrage. Ces différences se manifestent dans les postulats fondamentaux de l'approche béhavioriste. Le premier de ces postulats affirme que le comportement humain doit être expliqué par l'influence causale de l'environnement. Comparons cette approche aux autres théories présentées dans cet ouvrage, qui s'intéressent principalement à ce qui est « à l'intérieur » de la personne (structures psychodynamiques, traits de personnalité, etc.). Ces théories ont ceci en commun qu'elles cherchent à expliquer comment les facteurs internes de la personnalité de l'individu influent sur les expériences subjectives et les actions de celui-ci. La démarche béhavioriste, au contraire, tente d'établir des liens de causalité entre les facteurs de l'environnement et le comportement de l'individu.

Le deuxième postulat met de l'avant que la compréhension des individus doit s'appuyer sur de la recherche contrôlée en laboratoire, que cette recherche soit menée sur des êtres humains ou sur des animaux. Comparons avec les autres théories de la personnalité. Il y a consensus parmi les autres théoriciens de la personnalité pour que l'objet d'étude soit des êtres humains. Les béhavioristes, eux, construisent leur théorie sur la personnalité humaine à partir de données recueillies sur des animaux. Cela peut sembler étrange, certes, mais c'est tout à fait conforme à une façon de faire largement admise dans le domaine des sciences, à savoir l'étude des « systèmes simples ».

Le déterminisme environnemental et le concept de personnalité

Le fondement de la conception béhavioriste de la personnalité est le fait que la science doit étudier comment les facteurs environnementaux déterminent les comportements humains. Les raisons sont les suivantes. L'être humain est un objet matériel qui évolue dans un univers matériel. Il est donc soumis aux lois de la physique, qui ne peuvent être comprises que par l'analyse scientifique. Dès les tout débuts de la physique moderne, il y a quelques centaines d'années, les scientifiques ont reconnu que, pour expliquer les comportements de tout objet matériel, il faut déterminer les forces environnementales en jeu qui agissent sur ces comportements et en sont la cause. Supposons qu'on lance une pierre en l'air et qu'on observe comment elle se comporte. Elle suivra une trajectoire parabolique et retombera vers le sol. Comment expliquer ce comportement ? On ne dira évidemment pas que la pierre agit ainsi parce qu'elle prend plaisir aux trajectoires paraboliques, ou qu'elle a comme trait de personnalité la capacité de retomber. Nous savons, bien sûr, que le comportement de la pierre est déterminé uniquement par les lois de la physique, soit la force et la direction du lancer, la gravité et, peut-être, la pression de l'air. Pour les béhavioristes, le comportement des personnes devrait être expliqué exactement de la même manière. Tout comme les forces environnementales déterminent la trajectoire de la pierre, celles qui se succèdent dans nos vies déterminent nos trajectoires lorsque nous sommes mis en contact avec elles et influencés par elles. Pour les béhavioristes donc, il n'est pas plus nécessaire d'expliquer le comportement d'une personne par ses attitudes, ses sentiments et ses traits de personnalité qu'il ne l'est d'expliquer le comportement d'une pierre par ses attitudes, ses sentiments ou ses traits de personnalité. La pierre ne retombe pas au sol parce qu'elle en a décidé ainsi, mais simplement sous l'effet de la gravité. De la même manière, les êtres humains ne se comportent pas comme ils le font parce qu'ils en ont décidé ainsi, mais parce que des forces de l'environnement les y contraignent.

Les béhavioristes reconnaissent bien sûr que les personnes pensent et éprouvent des sentiments. Mais ces pensées et ces sentiments sont, selon eux, des comportements causés par des facteurs externes. Dire « Je me suis inscrit à ce cours de psychologie de la personnalité parce que j'ai pensé qu'il serait intéressant », ou encore « J'ai quitté mon copain parce que j'avais le sentiment que ça ne pouvait pas fonctionner », voilà qui va à l'encontre de la pensée béhavioriste. Pour le béhavioriste, ce sont des facteurs externes, environnementaux, qui vous ont amené à vous inscrire au cours de psychologie de la personnalité et même à croire que ce cours serait intéressant ! Des facteurs externes vous ont également amené à éprouver le sentiment que votre relation avec votre copain n'allait nulle part et à y mettre fin.

La principale caractéristique du béhaviorisme est le fait que les comportements d'une personne ne peuvent s'expliquer par les pensées qui l'habitent et les sentiments qu'elle éprouve. Les comportements, les pensées et les sentiments s'expliquent plutôt par des forces environnementales qui façonnent l'individu. Pour les béhavioristes, c'est là la seule façon d'étudier avec toute la rigueur scientifique requise le comportement de l'être humain. Procédons par analogie. Supposons que nous étudions l'évolution de l'être humain et que nous tentons d'expliquer les raisons qui ont poussé des primates qui se déplaçaient sur quatre pattes à se redresser et à adopter graduellement la position debout. On n'invoquerait jamais la possibilité que ces quadrupèdes se soient un jour lassés d'utiliser leurs quatre pattes et aient tout à coup décidé de devenir bipèdes. Ce serait absurde, et il n'y aurait aucun fondement scientifique à un tel changement. Ce changement de posture est, bien sûr, dû entièrement au besoin de s'adapter à un environnement soumis à l'évolution. Pour les béhavioristes, dire que les individus décident d'agir d'une certaine façon parce « qu'ils en ont décidé ainsi » n'a pas plus de valeur sur le plan scientifique que de dire que les primates ont évolué vers la position debout parce qu'ils en ont décidé ainsi. Refusant de telles explications non scientifiques, les béhavioristes tentent de déterminer les facteurs environnementaux qui constituent les causes réelles des sentiments, des pensées et des comportements des individus. Le béhavioriste B.F. Skinner résume ainsi clairement sa pensée :

Nous pouvons suivre l'évolution de la physique et de la biologie en nous intéressant à la relation entre le comportement et l'environnement, et sans qu'il soit nécessaire de nous intéresser aux états d'esprit intermédiaires. Nous n'avons pas fait évoluer la physique en nous penchant sur la jubilation d'un corps en chute libre, ni la biologie en analysant la nature des esprits vitaux ; il n'est pas nécessaire de percer la personnalité, les états d'esprit, les sentiments, les traits de caractère, les projets, les buts ou les intentions des individus pour analyser de façon scientifique leurs comportements.

Source : Skinner, 1971, *Beyond Freedom and Dignity*, p. 15.

Qu'est-ce que tout cela a à voir avec l'étude de la personnalité ? Supposons que les béhavioristes puissent effectivement expliquer tous les comportements humains par les lois générales de l'apprentissage. Ils pourraient alors *remettre en question la pertinence* d'une théorie de la personnalité ou même d'une psychologie de la personnalité.

Les différentes variables de toutes les autres théories de la personnalité, que ce soit les conflits psychanalytiques, les traits de personnalité, etc., ne correspondraient à aucune réalité psychologique chez les individus. Ces éléments seraient tout au plus des schémas d'expériences psychologiques causés en fait par l'environnement. Ainsi, si l'environnement fait en sorte qu'un individu ressent de l'agressivité envers son parent du même sexe que lui et une attirance envers son parent du sexe opposé, les psychanalystes nomment ce processus le complexe d'Œdipe. Et si l'environnement amène une personne à avoir un comportement énergique, affable, sociable, alors le théoricien de la personnalité dira de cette personne qu'elle est extravertie. Dans les deux cas et dans une infinité de cas semblables, les termes employés ne désignent pas la cause du comportement de la personne. Pour les béhavioristes, ces termes ne sont que des étiquettes qui décrivent des comportements qui en réalité sont causés par l'environnement.

Selon les béhavioristes, la connaissance des lois de l'apprentissage permet de remplacer toutes les théories de la personnalité. Si ces lois permettent d'expliquer les comportements humains, et si la « personnalité » n'est qu'une étiquette pour décrire le type de comportement qu'un individu a appris, alors il est inutile d'élaborer des théories scientifiques de la personnalité qui soient distinctes de la théorie de l'apprentissage. Les béhavioristes sont très clairs sur cette question, et ils estiment même qu'un jour, les théories de la personnalité ne seront plus « qu'une curiosité historique » (Farber, 1964, p. 37).

Ce déterminisme environnemental comporte des conséquences. Cette croyance met en évidence l'importance de la **spécificité situationnelle** dans le comportement. En effet, puisque des facteurs environnementaux causent nos comportements, ces comportements varieront de façon significative si l'environnement change. Comparons cette approche avec la théorie des traits de personnalité (voir les chapitres 7 et 8). Dans cette théorie, les variables correspondent à des types de comportements stables et elles expliquent pourquoi un individu agit d'une certaine

Spécificité situationnelle

Dans la perspective béhavioriste, terme signifiant que le comportement varie en fonction de la situation, contrairement à la conception préconisée par les théoriciens des traits de personnalité, qui insistent sur la constance du comportement dans diverses situations.

manière quelle que soit la situation. Les béhavioristes, au contraire, affirment que le comportement d'une personne variera considérablement, s'adaptant aux situations en fonction des récompenses ou des punitions associées à chaque comportement.

Une autre différence concerne les causes et le traitement des psychopathologies, qui ne sont pas considérés comme un problème interne, ou une maladie qui prendrait son origine dans l'esprit de l'individu. Pour les béhavioristes, le comportement « anormal », ou mésadapté, s'explique par un environnement mésadapté auquel l'individu a été exposé. Ces idées comportent des répercussions importantes sur le traitement des pathologies. En effet, le traitement ne consiste pas à révéler les conflits sous-jacents ou à réorganiser la personnalité de l'individu. L'objectif du traitement est de changer l'environnement du client afin de lui offrir de nouvelles expériences d'apprentissage. Comme nous le verrons plus loin dans ce chapitre, ce nouvel environnement devrait permettre à l'individu d'apprendre de nouveaux comportements mieux adaptés.

Bien que l'influence des premières approches fondées sur l'apprentissage ait été relativement modeste, nous les examinons ici en raison de l'importance historique qu'elles présentent, mais aussi parce qu'elles annoncent des avancées ultérieures et qu'elles offrent un contraste intéressant avec les approches cognitives qui sont abordées dans les autres chapitres.

Expérimentation, variables observables et systèmes simples

Une autre caractéristique importante de la position béhavioriste de la personnalité est son approche en matière de recherche, qui est tout à fait conforme à la conception du déterminisme environnemental. Ainsi, si le comportement de l'individu est déterminé par son environnement, dès lors, la recherche doit chercher à modifier les variables de cet environnement pour découvrir comment ces variables influent sur le comportement. Les béhavioristes basent entièrement leur étude de la nature humaine sur l'expérimentation soigneusement contrôlée en laboratoire.

Dans leurs recherches, les béhavioristes mettent l'accent sur l'étude des phénomènes observables. Le chercheur doit être capable d'isoler les variables environnementales et comportementales afin d'en mesurer exactement les effets et de les relier systématiquement les unes aux autres. Cela peut sembler aller de soi, mais toutes les théories que nous

étudions dans ce livre ne font *pas* de l'observation systématique des variables psychologiques un élément essentiel de la construction théorique. On ne peut en effet observer directement le ça, ni un complexe d'Œdipe, ni une tendance à l'extraversion, ni la motivation à l'autoactualisation. Les béhavioristes soutiennent que les autres théories sont trop spéculatives, et pas assez scientifiques, car on ne peut observer les variables contenues dans leur modèle. Pour cette raison, ils sont extrêmement critiques à l'égard de toutes les autres théories en psychologie.

L'étude de la personnalité par le recours aux méthodes expérimentales pose d'énormes défis. Il peut être impossible, et contraire à l'éthique, de modifier des variables environnementales susceptibles d'influer sur les comportements quotidiens d'une personne. De plus, les conduites humaines peuvent subir l'influence d'un si grand nombre de variables liées par un réseau de liens complexe qu'il est difficile d'établir une relation scientifiquement valide entre certains facteurs environnementaux et un comportement. Dès lors, les béhavioristes ont adopté une stratégie de recherche qui consiste à étudier les réponses simples des organismes plutôt que les comportements sociaux complexes. Et plutôt que d'étudier des êtres humains complexes, ils s'intéressent à des organismes simples comme le rat et le pigeon. La base de données qui a servi à établir les principes mêmes du béhaviorisme provient presque exclusivement des recherches menées en laboratoire sur des animaux.

Ce constat peut sembler étonnant : qu'est-ce que l'étude des animaux peut nous apprendre sur la personnalité humaine ? Il est important de souligner que cette approche en matière de recherche n'est pas exclusive aux béhavioristes. L'étude des systèmes simples est une approche relativement courante en science.

Supposons que vous travailliez à la conception d'un avion et que vous vouliez savoir comment il se comportera par grands vents. Vous pourriez décider de construire l'avion, y faire monter des gens, le faire décoller et voir s'il résistera aux grands vents ou s'il s'écrasera au sol. Ce n'est certainement pas la bonne façon de procéder. Parce que c'est une stratégie très coûteuse, et que, c'est le moins qu'on puisse dire, contraire à l'éthique. Il serait préférable de construire un modèle réduit et de voir comment il se comporte dans une soufflerie, ou encore de procéder à des simulations par ordinateur. Bien sûr, le chercheur a toujours en mémoire que ces systèmes plus simples ne reproduisent pas exactement le comportement de l'avion en vol. Néanmoins, elle vous permettrait de dégager certaines caractéristiques importantes qui s'appliqueraient au système plus complexe que représente l'avion grandeur nature. Les biologistes qui étudient les effets secondaires d'un nouveau médicament procèdent de la même façon. Bien sûr, ce qui les intéresse, ce sont les effets secondaires du médicament sur les êtres humains, mais ils en étudieront d'abord les effets en laboratoire sur des animaux, tenant pour acquis qu'il y a suffisamment de points communs entre humains et animaux pour nous fournir une information utile sur les effets secondaires du médicament sur les humains. Dès lors, nous devons reconnaître la pertinence d'étudier les systèmes simples.

L'étude des systèmes simples permet donc, pour des raisons d'ordre pratique autant qu'éthique, d'étudier des systèmes plus simples que celui que nous cherchons à connaître. C'est la stratégie qu'ont adoptée les béhavioristes.

Le tableau 10.1 résume les principales idées de l'approche béhavioriste. Après cette mise en contexte, nous pouvons maintenant examiner les diverses théories élaborées par le courant béhavioriste. Nous verrons d'abord la toute première théorie béhavioriste, soit celle de John Watson, qui s'est appuyé sur les recherches d'Ivan Pavlov.

Tableau 10.1 | **Les idées clés des approches fondées sur l'apprentissage**

1.	La recherche empirique est la pierre angulaire de la théorie et de la pratique.
2.	La théorie de la personnalité et ses applications devraient s'appuyer sur les principes de l'apprentissage.
3.	Le comportement répond aux renforçateurs de l'environnement et dépend davantage de la situation que ne le suggèrent les autres théories de la personnalité (théorie des traits de personnalité, théorie psychanalytique, etc.).
4.	On rejette la conception médicale selon laquelle les troubles mentaux sont considérés comme des symptômes de maladies et on insiste sur les principes fondamentaux de l'apprentissage et de la modification du comportement.

WATSON, PAVLOV ET LE CONDITIONNEMENT CLASSIQUE

Le béhaviorisme de Watson

C'est John B. Watson (1878-1958) qui a fondé ce courant de la psychologie qu'on appelle le *béhaviorisme*. Après avoir entrepris des études universitaires en philosophie à l'Université de Chicago, Watson s'est orienté vers la psychologie. Il a pris des cours de neurologie et de physiologie et a fait de la recherche en biologie sur des animaux. Au cours de l'année précédant l'obtention de son doctorat, il a souffert de dépression et passé des nuits blanches pendant plusieurs semaines. Pendant cette période, il s'est intéressé aux travaux de Freud (Watson, 1936, p. 274). Il a terminé par la suite sa thèse de doctorat, ce qui l'a amené à adopter une position très claire sur l'utilisation de sujets humains dans la recherche.

À Chicago, j'ai tenté pour la première fois de formuler ce qui allait devenir ma position. Je n'ai jamais voulu utiliser de sujets humains. Je détestais servir de sujet. Je n'ai jamais aimé les instructions rigides et artificielles qu'on donne aux sujets. Je me sentais toujours mal à l'aise et je n'agissais pas naturellement. Avec les animaux, au contraire, j'étais sur mon terrain. Je restais près de la biologie, les deux pieds sur terre. De plus en plus, cette pensée s'imposait : ne pouvais-je pas trouver en observant le comportement des animaux tout ce que les autres étudiants découvraient en utilisant des sujets humains ?

Source : Watson, 1936, p. 276.

Watson quitta Chicago en 1908 pour occuper un poste de professeur à l'Université Johns Hopkins, où il demeura jusqu'en 1919. Au cours de cette période, interrompue par le service militaire durant la Première Guerre mondiale, Watson élabora ses idées sur le béhaviorisme en tant qu'approche de la psychologie. Il exposa d'abord ses vues dans un article marquant publié en 1913 dans la principale revue de psychologie de l'époque, *Psychological Review*. Ses conférences, puis un livre publié en 1914, intitulé *Behavior*, suscitèrent l'intérêt pour cette vision de la psychologie qui met l'accent sur l'étude des comportements observables et rejette l'introspection (c'est-à-dire l'observation des états mentaux de l'individu) comme objet de recherche. La vision de Watson fut accueillie avec enthousiasme par les psychologues américains, et Watson fut élu président de l'American Psychological Association en 1915. Rapidement, il étoffa sa théorie en y intégrant les travaux du physiologiste russe Ivan Pavlov (voir plus loin), et publia en 1919 son livre le plus important, *Psychology from the Standpoint of a Behaviorist* (*Point de vue d'un béhavioriste sur la psychologie*). En 1920, il publia, en collaboration avec son étudiante Rosalie Rayner, un ouvrage révolutionnaire sur l'apprentissage des réactions émotionnelles (Watson et Rayner, 1920). À l'époque, on voyait en lui le plus important psychologue américain du XXᵉ siècle.

Sa carrière prit toutefois une autre direction. En 1919, il divorça et épousa son étudiante Rosalie Rayner. L'événement fit scandale. Watson fut contraint de démissionner de Johns Hopkins et d'abandonner complètement sa carrière de chercheur. Il se tourna alors vers le milieu des affaires, réalisant des études de marché pour divers clients. Watson fit contre mauvaise fortune bon cœur et affirma plus tard qu'il peut « être tout aussi palpitant d'observer la croissance d'une courbe de vente que la courbe d'apprentissage des animaux ou des êtres humains » (Watson, 1936, p. 280). Après 1920, Watson publia quelques articles destinés au grand public, puis un livre intitulé *Behaviorism* (1924), mais sa carrière de théoricien et d'expérimentateur avait pris fin au moment où il avait quitté Johns Hopkins.

La théorie du conditionnement classique de Pavlov

C'est dans le cadre de ses recherches sur les fonctions digestives que le physiologiste russe Ivan Petrovich Pavlov (1849-1936) a élaboré un procédé servant à étudier le comportement et un principe d'apprentissage qui, tous deux, eurent de profondes répercussions sur la psychologie. Au tournant du XXᵉ siècle, alors qu'il étudiait les sécrétions gastriques chez les chiens, Pavlov plaça de la nourriture en poudre dans la bouche d'un chien et mesura la quantité de salive produite. Après quelques essais, il remarqua que le chien commençait à saliver avant même que la nourriture ne soit mise dans sa bouche, en réponse à certains stimuli comme la simple vue du plat contenant la nourriture ou l'arrivée de la personne qui l'apportait d'habitude. Autrement dit, des stimuli qui jusque-là ne déclenchaient pas cette réponse (des stimuli neutres) pouvaient maintenant déclencher la salivation à cause de leur association avec la nourriture en poudre, stimulus naturel qui faisait automatiquement saliver le chien. Bien qu'elle puisse paraître banale aux gens qui ont des animaux, cette observation amena Pavlov à effectuer d'importantes recherches sur ce processus que l'on connaît sous le nom de **conditionnement classique**.

Conditionnement classique

Processus mis en lumière par Pavlov dans lequel un stimulus jusque-là neutre acquiert la capacité de déclencher une réponse à cause de son association à un stimulus qui déclenche automatiquement la même réponse ou une réponse similaire.

Pavlov a exploré un vaste champ de recherches. Outre ses travaux sur les processus de base du conditionnement, il étudia les différences entre les chiens, ouvrant ainsi un nouveau champ de recherche portant sur le tempérament (Strelau, 1997). Il contribua de façon notable à la compréhension du comportement anormal, menant des expériences en laboratoire sur les chiens afin d'étudier la désorganisation du comportement et sur les êtres humains afin d'étudier les névroses et les psychoses, jetant ainsi les bases de certaines formes de thérapies axées sur les principes du conditionnement classique. Pavlov reçut le prix Nobel en 1904 pour ses travaux sur le processus de la digestion. Encore aujourd'hui, ses concepts comme ses méthodes demeurent bien vivants et sont considérés comme parmi les importants de l'histoire de la psychologie (Dewsbury, 1997).

Les principes du conditionnement classique

Le conditionnement classique est un processus par lequel un stimulus qui était jusque-là neutre (c'est-à-dire auquel l'organisme ne répond pas d'une manière évidente) peut déclencher une réponse forte une fois qu'il a été associé à un autre stimulus qui, lui, produit une réponse. Ce processus par lequel un organisme apprend à répondre à un stimulus jusque-là neutre est appelé conditionnement.

Dans l'expérience classique menée en laboratoire par Pavlov, un chien salive dès qu'on lui présente la nourriture. La salivation n'est pas un comportement appris ou conditionné ; il s'agit d'une réponse automatique inscrite dans l'organisme même. Selon la terminologie du conditionnement classique, la nourriture est un stimulus inconditionné (SI) et la salivation qui se produit en réponse à ce stimulus est une réponse inconditionnée (RI). Le terme « inconditionné » signifie ici que le lien entre le stimulus et la réponse n'est pas le résultat d'un apprentissage ou d'un conditionnement. Après cette réponse inconditionnée, Pavlov a présenté au chien un nouveau stimulus, tel le son d'une cloche. Ce stimulus est au départ neutre, puisqu'il ne provoque aucune réponse de la part du chien. À plusieurs reprises, la cloche sonne juste avant que la nourriture soit présentée au chien. Puis, les chercheurs mettent à l'épreuve leur modèle. À plusieurs reprises, on fait tinter la cloche sans pour autant présenter la nourriture. Que se passe-t-il ? Le chien salive dès qu'il entend ce tintement. C'est le conditionnement qui opère. Le stimulus, jusqu'alors neutre, déclenche maintenant une réponse forte. La cloche devient ainsi un stimulus conditionné (SC) et la salivation est la réponse conditionnée (RC).

« Le docteur Pavlov y est allé trop fort. Maintenant, lui aussi se met à saliver quand la cloche sonne. »

En jeu ici, il y a beaucoup plus qu'un chien, une cloche et de la nourriture. Il faut généraliser. En théorie, toute émotion peut être associée à un stimulus, c'est-à-dire que toute réponse émotionnelle du chien – ou d'un être humain ! – à un événement pourrait être déterminée en grande partie par le conditionnement classique.

Par conditionnement classique, on peut également conditionner une réponse de retrait en utilisant un stimulus neutre. C'est ce qu'on appelle le retrait conditionné. Dans les premières recherches sur le retrait conditionné, on attachait un harnais à un chien et on lui fixait des électrodes à la patte. L'administration d'une décharge électrique (SI) déclenchait chez le chien le réflexe de retirer sa patte (RI). Si on faisait ensuite sonner une cloche à répétition juste avant d'administrer le choc, le seul tintement de la cloche suffisait bientôt à déclencher le réflexe de retrait (RC).

Le protocole expérimental conçu par Pavlov afin d'étudier le conditionnement classique lui a permis d'explorer bon nombre de phénomènes importants. Par exemple, la réponse conditionnée était-elle associée au seul stimulus neutre utilisé ou s'étendait-elle à d'autres stimuli similaires ? Pavlov a découvert que la réponse conditionnée à un stimulus jusque-là neutre valait aussi pour les stimuli similaires, processus qu'on appelle **généralisation**. Autrement dit, la réponse de salivation déclenchée par la cloche s'applique également à d'autres sons. De même, le réflexe de retrait déclenché par la cloche s'applique aussi aux sons similaires.

Quelles sont les limites de cette généralisation ? Si des essais répétés lui indiquent que seuls certains stimuli sont suivis du stimulus inconditionné, l'animal en vient à différencier ces stimuli, processus qu'on appelle **discrimination**. Par exemple, si certains sons sont suivis de la décharge électrique et du retrait réflexe de la patte, alors qu'il n'en est pas ainsi pour d'autres sons, le chien apprendra à distinguer ces sons. Donc, alors que le processus de généralisation débouche sur une certaine constance dans les réponses à des stimuli similaires, le processus de discrimination conduit à des réponses spécifiques. Finalement, si le stimulus qui était neutre avant le conditionnement est présenté à répétition sans être suivi au moins de temps à autre du stimulus inconditionné, on observe un affaiblissement progressif du conditionnement ou de l'association, processus qu'on appelle **extinction**. Alors que l'association du stimulus neutre avec le stimulus inconditionné entraîne une réponse conditionnée, la présentation répétée du stimulus conditionné sans le stimulus inconditionné entraîne l'extinction du conditionnement. Ainsi, pour que le chien de Pavlov continue à saliver lorsqu'il entendait la cloche, Pavlov devait lui donner au moins de temps en temps de la nourriture en poudre après avoir fait sonner la cloche.

Même si ces exemples ont trait aux animaux, on peut considérer que les principes qu'ils mettent en lumière s'appliquent également aux êtres humains. Pensons par exemple à un enfant qui a été mordu ou agressé par un chien. Il se peut que la peur qu'il éprouve à l'égard de ce

Généralisation

Dans le conditionnement, association d'une réponse avec des stimuli similaires au stimulus par lequel cette réponse a d'abord été conditionnée ou à laquelle elle a été rattachée.

Discrimination

Dans le conditionnement, la réponse différentielle des stimuli selon qu'ils ont été associés à du plaisir, à de la douleur, ou à des événements neutres.

Extinction

Dans le conditionnement, affaiblissement progressif de l'association entre un stimulus et une réponse, parce que le stimulus conditionné, dans le conditionnement classique, n'est plus suivi du stimulus inconditionné, ou parce que la réponse, dans le conditionnement opérant, n'est plus suivie d'un renforcement.

| **Décès attribuable à une surdose d'héroïne : l'explication se fonde sur le conditionnement classique**

Le 23 août 1995, Dwayne Goettel, claviériste et programmateur du groupe industriel Skinny Puppy, a été trouvé sans vie dans la salle de bain de ses parents, victime d'une surdose d'héroïne. Comment cela a-t-il pu arriver ? Un des membres du groupe a révélé au magazine *Rolling Stone* que Goettel venait tout juste de s'installer chez ses parents pour « décrocher de l'héroïne ».

Comme Goettel, des centaines d'héroïnomanes succombent chaque année à ce qu'on a l'habitude d'appeler une « surdose ». Pourtant, la raison exacte de ces décès reste obscure. Pourquoi des héroïnomanes de longue date meurent-ils après s'être injecté une dose qu'on n'aurait pas crue fatale pour eux ? Une recherche menée par Sheppard Siegel et ses collègues semble indiquer que, dans certains cas, la surdose d'héroïne pourrait résulter d'une défaillance de la tolérance à la drogue. Comment des héroïnomanes qui ont mis des années pour en venir à tolérer de fortes doses de la drogue peuvent-ils être victimes d'une telle défaillance ? La théorie pavlovienne du conditionnement classique fournit un début de réponse à cette question.

Selon Pavlov, la consommation de drogue constitue une expérience de conditionnement. Le stimulus inconditionné (SI) représente l'effet de la drogue sur le corps et la réponse inconditionnée (RI) la façon dont le corps compense ces effets. Le conditionnement survient quand le SI (l'effet de la drogue) se trouve associé à un stimulus conditionné (SC), comme cela se produit dans la consommation de drogue. Autrement dit, au fur et à mesure que l'addiction s'installe chez les consommateurs d'héroïne, ils apprennent à associer les effets de la drogue à l'environnement où ils la consomment habituellement. Bientôt, les signaux environnementaux peuvent suffire à déclencher des effets compensateurs avant même la prise de la drogue, avertissant le corps que les effets de la drogue sont sur le point de se manifester. En réponse à ces signaux, le corps se prépare en réagissant de manière à compenser les effets de la drogue. Cette réponse conditionnée (RC) construit la tolérance à la drogue en en atténuant ses effets.

Le modèle pavlovien de la tolérance à la drogue comporte d'importantes conséquences : les héroïnomanes sont sujets à une surdose lorsqu'ils consomment la drogue dans un environnement qui n'y a pas encore été associé. En l'absence des signaux environnementaux habituellement associés à la drogue, la réponse conditionnée ne peut pas se manifester, ce qui entraîne une défaillance de la tolérance. L'héroïnomane prend comme d'habitude une forte dose de drogue, mais le corps n'est pas préparé à ses effets.

Cette explication s'appuie-t-elle sur des preuves ? Dans une étude portant sur les animaux, on a injecté quotidiennement à des rats des doses de plus en plus fortes d'héroïne, dans un environnement donné. Au cours de la dernière phase de l'expérience, on a administré une dose d'héroïne à tous les rats, mais la moitié d'entre eux ont reçu l'injection en restant dans le même environnement que d'habitude (groupe du « même environnement »), tandis que l'autre moitié l'ont reçue dans un environnement où on ne leur avait jamais administré d'héroïne auparavant (groupe de « l'environnement différent »). Résultat : les rats du groupe de « l'environnement différent » étaient beaucoup plus enclins à succomber à l'injection que ceux du groupe du « même environnement ». Pourquoi ? La tolérance à l'héroïne des rats appartenant au groupe de « l'environnement différent » était plus faible parce qu'ils se trouvaient dans un environnement qui jusque-là n'avait pas été associé à la drogue. Contrairement aux rats appartenant au groupe du « même environnement », ils ne bénéficiaient pas de la réponse conditionnée stimulée par les signaux environnementaux destinés à les préparer à ressentir les effets de la drogue.

L'expérience menée auprès des rats confirme la validité du modèle, mais retrouve-t-on le même phénomène chez les êtres humains ? Pour des raisons évidentes, il est hors de question de reproduire cette expérience avec des êtres humains, de sorte que nous devons nous fier à ce que nous racontent des héroïnomanes qui survivent à une surdose. Pour ajouter aux résultats de l'expérience sur les rats, Siegel a donc interviewé d'anciens héroïnomanes qui avaient été hospitalisés à la suite d'une surdose de drogue. La majorité d'entre eux ont déclaré que la surdose s'était produite dans un contexte atypique. Ainsi, une des personnes interrogées a raconté qu'exceptionnellement, elle s'était injectée la drogue dans les toilettes d'un lave-auto. Ces déclarations confirment la pertinence du modèle pavlovien de la tolérance à la drogue, grâce auquel on peut comprendre des morts tragiques comme celle du musicien Dwayne Goettell survenue dans la salle de bain de ses parents.

Sources : *Rolling Stone*, octobre 1995, p. 25 ; Siegel, 1984 ; Siegel, Hinson, Krank et McCully, 1982.

chien en particulier s'étende à tous les chiens (processus de généralisation). Mais supposons qu'avec de l'aide l'enfant commence à différencier les chiens et à ne plus avoir peur que de certains d'entre eux (processus de discrimination). Avec le temps, il pourrait vivre des expériences positives avec tous les chiens, ce qui entraînerait l'extinction complète de la réponse de peur. Le modèle du conditionnement classique peut donc être d'un grand secours pour rendre compte de l'apparition, de la persistance et de l'extinction de bon nombre de nos réactions émotionnelles.

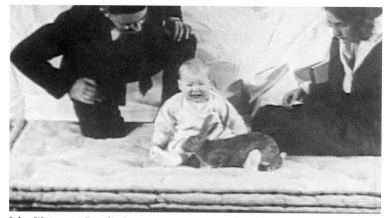

John Watson et Rosalie Rayner menant une recherche sur le conditionnement classique des réactions émotionnelles avec le petit Albert, âgé de 11 mois.

La psychopathologie et le changement

Pavlov a étendu son analyse du conditionnement à l'étude d'autres phénomènes qui présentent un intérêt clinique, notamment le conflit psychologique et le développement des névroses. Un exemple classique de ces travaux est ce qu'on allait appeler plus tard la névrose expérimentale chez l'animal. On a donc conditionné un chien à saliver lorsqu'il voyait un cercle, puis on a amené l'animal à faire la différence entre le cercle et une ellipse en ne renforçant pas la réponse à l'ellipse tout en continuant de renforcer la réponse au cercle. On modifia ensuite progressivement la forme de l'ellipse de manière qu'elle ressemble de plus en plus à un cercle. Au début, le chien réussissait à distinguer les deux formes, mais lorsqu'il lui devint impossible de distinguer le cercle de l'ellipse, son comportement se désorganisa. Voici la description qu'en donne Pavlov :

Après trois semaines de travail sur cette discrimination, non seulement celle-ci ne s'était pas accrue, mais elle s'était considérablement détériorée et avait fini par disparaître complètement. Le chien, calme jusque-là, commença à gémir, à s'agiter sans arrêt, à essayer d'arracher avec ses dents l'appareil destiné à la stimulation mécanique de la peau et à mordre les tubes qui reliaient la pièce dans laquelle il était à la pièce où se trouvait l'observateur, alors qu'il n'avait jamais eu ces comportements auparavant. Lorsqu'on l'emmenait à la salle d'expérience, il jappait constamment, ce qui était également contraire à ses habitudes. Bref, il présentait tous les symptômes d'une névrose aigüe.

Source : Pavlov, 1927, p. 291.

Les réactions émotionnelles conditionnées

Les travaux de Pavlov ont eu une grande influence sur la pensée de John Watson et l'ont amené à reproduire avec des humains les recherches que Pavlov avait menées sur des chiens. En 1920, Watson publia les résultats d'une des recherches les plus controversées et les plus célèbres de toute l'histoire de la psychologie. Cette recherche portait sur le conditionnement des réactions émotionnelles d'Albert, un enfant âgé de 11 mois.

Les examinateurs Watson et Rayner (1920) présentèrent à Albert un stimulus dont l'enfant n'avait pas peur – en l'occurrence un petit rat blanc de laboratoire – et y jumelèrent un autre stimulus inconditionné qui déclenchait un sentiment de peur – cette fois le bruit d'un marteau frappant une barre d'acier. Ils constatèrent qu'à force de frapper la barre d'acier tout juste derrière sa tête au moment même où il tendait la main vers le rat, l'enfant commençait à avoir peur du rat. Après avoir répété l'expérience un certain nombre de fois, les chercheurs constatèrent qu'Albert se mettait à pleurer à la seule vue du rat (sans émission du bruit du marteau). Il avait acquis ce qu'on appelle une **réaction émotionnelle conditionnée**. De plus, la peur du rat s'était maintenant généralisée, exactement comme la réaction du chien de Pavlov, à tel point qu'Albert exprimait de la peur non seulement lorsqu'il voyait le rat, mais dès qu'on lui présentait des objets

> **Réaction émotionnelle conditionnée**
> Terme de Watson et Rayner désignant l'apparition d'une réaction émotionnelle en réponse à un stimulus jusque-là neutre (comme la peur des rats manifestée par le petit Albert).

blancs et ayant l'apparence de la fourrure, et notamment la barbe blanche d'un masque de père Noël! Bien que certains indices donnent à penser que la réaction émotionnelle d'Albert n'avait pas été aussi forte ni aussi généralisée que prévu (Harris, 1979), Watson et Rayner conclurent que de nombreuses peurs étaient des réactions émotionnelles conditionnées, ce qui les amena à critiquer les interprétations beaucoup plus complexes que propose la psychanalyse.

À moins qu'ils ne révisent leurs hypothèses, les freudiens qui, dans 20 ans, essayeront d'analyser la peur d'Albert à la vue d'un manteau de phoque lui extirperont probablement le récit d'un rêve qui, selon leur analyse, révélera qu'à l'âge de 3 ans il avait essayé de jouer avec le poil pubien de sa mère et qu'il avait été violemment réprimandé pour ce geste. Si l'analyste a bien préparé Albert à accepter qu'un rêve de ce genre puisse expliquer ses tendances à l'évitement, et si l'analyste a assez de personnalité et d'autorité pour lui imposer cette explication, Albert finira peut-être par être persuadé que ce rêve a vraiment permis de découvrir d'où vient sa peur.

Source: Watson et Rayner, 1920, p. 14.

La peur « inconditionnée » à l'égard d'un lapin

Pour de nombreux psychologues, le conditionnement classique des réactions émotionnelles joue un rôle crucial dans l'apparition des troubles mentaux et, potentiellement, dans le changement de comportement. La thérapie comportementale fondée sur le conditionnement classique est axée sur l'extinction des réponses qui font problème, comme les peurs conditionnées, ou sur la mise en place de nouvelles réponses conditionnées aux stimuli qui déclenchent des réponses indésirables.

Après l'expérience menée par Watson et Rayner (1920) sur le conditionnement d'une réponse émotionnelle de peur chez Albert, Jones (1924) fut l'une des premières à appliquer cette technique en essayant de faire disparaître une réaction de peur en laboratoire. Dans cette expérience – qui représente l'une des premières utilisations systématiques connues de la thérapie comportementale, sinon la première –, Jones tenta de traiter une réaction de peur exagérée chez Peter, un petit garçon âgé de 2 ans et 10 mois. Par ailleurs en bonne santé et bien adapté, Peter était terrifié par les rats blancs et cette peur s'étendait aux lapins blancs, à la fourrure blanche, aux plumes blanches

et à la ouate. Après avoir soigneusement rassemblé suffisamment d'information sur la nature de la réaction de peur que manifestait l'enfant ainsi que sur les conditions qui déclenchaient la peur la plus vive, Jones voulut vérifier s'il lui serait possible de « déconditionner » la réponse de peur à l'égard d'un seul stimulus et, le cas échéant, si ce déconditionnement s'étendrait ensuite aux autres stimuli. Jones choisit de se concentrer sur la peur que Peter ressentait à l'égard du lapin, car cette peur semblait être plus vive que celle qu'il ressentait à l'égard du rat. Elle mit Peter en présence du lapin et l'amena à jouer avec trois enfants qui n'avaient aucunement peur du lapin. Graduellement, Peter passa de la terreur la plus complète en présence du lapin à une réaction entièrement positive.

Les progrès de Peter pour arriver au déconditionnement complet étaient réels et constants, jusqu'au jour où il dut être hospitalisé pour une scarlatine. Lorsqu'il retourna au laboratoire pour poursuivre le traitement de déconditionnement, sa réponse de peur était revenue au même niveau qu'au début, situation qui n'est pas inhabituelle. À cette époque, Jones travaillait sur une nouvelle méthode, le conditionnement direct. Tandis que Peter était assis dans une chaise haute devant des aliments qu'il aimait, l'expérimentatrice approchait graduellement de lui le lapin enfermé dans une cage de métal: « Grâce à la présence d'un stimulus plaisant (la nourriture), chaque fois qu'on lui montrait le lapin, la peur disparut progressivement et céda la place à la réponse positive. » Autrement dit, les sentiments positifs associés à la nourriture servirent de contre-conditionnement à la peur du lapin éprouvée jusque-là. Cependant, même dans les dernières séances, il semble que l'influence des autres enfants qui n'avaient pas peur du lapin eut de l'importance.

Qu'arriva-t-il des autres craintes que ressentait Peter? Jones constate que, après avoir été déconditionné de sa peur du lapin, l'enfant perdit du même coup sa peur des manteaux de fourrure, des plumes et de la ouate. Même si on ne disposait pas de la moindre information concernant les origines des peurs de Peter, le déconditionnement avait réussi et s'était appliqué aux autres stimuli.

La désensibilisation systématique

L'élaboration d'une nouvelle méthode thérapeutique pour traiter les psychopathologies, la « désensibilisation systématique », a représenté une avancée importante dans le domaine du conditionnement classique. Cette méthode fut mise au point par Joseph Wolpe, psychiatre d'origine sud-africaine, qui s'intéressait aux écrits de Pavlov.

Wolpe voyait les réactions d'anxiété persistante comme une réponse apprise que l'on pouvait « désapprendre ». En termes scientifiques, on pourrait dire que cette méthode thérapeutique a pour but de freiner l'anxiété par le **contre-conditionnement**. Par cette méthode, l'individu apprend à fournir une nouvelle réponse qui est physiologiquement incompatible avec la réponse précédemment apprise. Si la réponse apprise est l'anxiété, alors l'objectif de la **désensibilisation systématique** est d'amener l'individu à réagir par une nouvelle réponse, comme la relaxation. Une fois cette réponse acquise, les techniques classiques de conditionnement doivent permettre d'expérimenter la relaxation comme nouvelle réponse au stimulus précédemment anxiogène et dès lors de mettre fin à cette anxiété.

Dans la pratique, la désensibilisation systématique comporte plusieurs étapes (Wolpe, 1961). Après avoir établi que les problèmes du patient peuvent être traités par la désensibilisation, le thérapeute entraîne le patient à la relaxation progressive des diverses parties du corps. Il faut alors procéder à une relaxation profonde des muscles et de chaque partie du corps. L'étape suivante consiste à établir une hiérarchie des stimuli anxiogènes. Le thérapeute tente alors d'obtenir du patient la liste des stimuli déclenchant l'anxiété chez lui. Ces stimuli anxiogènes sont ensuite groupés par thèmes, comme la peur des hauteurs ou la peur du rejet, puis, à l'intérieur de chaque thème, classés du plus alarmant au moins alarmant. Par exemple, si le thème est la claustrophobie (ou peur des espaces clos), on pourra placer en haut de la liste la peur de rester coincé dans un ascenseur, au milieu de la liste la crainte de prendre le train et tout au bas de la liste l'anxiété à la lecture d'un article sur des mineurs prisonniers sous terre. Si le thème est la mort, assister à un enterrement pourra être le stimulus le plus anxiogène, le mot *mort* étant assez anxiogène et le fait de passer devant un cimetière, légèrement anxiogène. Selon le cas, le patient aura de nombreux sujets d'anxiété ou quelques-uns seulement, chacun comportant plusieurs stimuli ou seulement quelques-uns dans les diverses hiérarchies de stimuli.

Une fois établie la hiérarchie des anxiétés, le patient est prêt à entreprendre le traitement proprement dit. Il a appris à se calmer en maîtrisant les techniques de relaxation. Le thérapeute encourage alors le patient à se mettre en état de relaxation profonde, puis à se représenter le moins anxiogène des stimuli. Lorsque le patient parvient à imaginer ce stimulus sans ressentir d'anxiété, le thérapeute l'incite à se représenter le stimulus suivant dans la liste, tout en maintenant l'état de relaxation. Les périodes

« Laissez-nous tranquilles ! Je suis un thérapeute béhavioriste et je suis en train d'aider mon patient à surmonter sa peur des hauteurs ! »

La thérapie comportementale vise, entre autres, à faire disparaître les peurs ou les phobies apprises.

de relaxation et de représentation de stimuli sont entre-coupées de périodes de relaxation pure. Si le patient ressent de l'anxiété en s'imaginant un stimulus donné, le thérapeute l'encourage à se détendre, puis à revenir à un stimulus moins anxiogène. Finalement, le patient parvient à rester détendu pendant qu'il se représente tous les stimuli des diverses hiérarchies. La relaxation ainsi obtenue en rapport avec les stimuli imaginés s'étend à ces mêmes stimuli lorsqu'ils se présentent dans la vie quotidienne. « Selon des données probantes, quelle que soit l'étape, le stimulus qui n'est pas anxiogène lorsqu'on l'imagine en état de relaxation ne le sera pas non plus dans la réalité » (Wolpe, 1961, p. 191).

De nombreuses recherches cliniques et de nombreuses recherches en laboratoire ont confirmé l'efficacité thérapeutique de la désensibilisation systématique. Ces résultats encourageants amenèrent Wolpe et d'autres chercheurs à

Contre-conditionnement
Apprentissage (ou conditionnement) d'une nouvelle réponse qui est incompatible avec une réponse existante à un stimulus.

Désensibilisation systématique
Dans la thérapie comportementale, technique qui consiste à inhiber l'anxiété par le conditionnement d'une réponse qui fait concurrence (la relaxation, par exemple) aux stimuli anxiogènes.

| # Pourquoi certains aliments sont-ils considérés comme délicieux et d'autres dégoûtants ?

En matière de nourriture, la plupart des gens aiment certaines senteurs et certaines saveurs, alors que d'autres leur répugnent. Souvent, ces réponses remontent à l'enfance et semblent presque impossibles à modifier. Le conditionnement classique peut-il nous aider à comprendre ces goûts et dégoûts, à savoir pourquoi ils ont une telle force ?

Examinons les données de recherche portant sur les goûts et dégoûts alimentaires. Qu'est-ce qui rend certains aliments si déplaisants, et même si dégoûtants, que la seule idée de les consommer – de manger des vers ou de boire du lait où flotte une mouche ou une coquerelle morte, par exemple –, déclenche des réactions émotionnelles ? Fait intéressant, un aliment qui provoque le dégoût dans une culture peut être considéré comme un délice raffiné dans une autre ; une mouche ou une coquerelle morte flottant dans du lait peut dégoûter les gens même si on leur assure que l'insecte a été stérilisé ; après avoir vu un insecte mort flottant dans leur lait, bien des gens n'auront même plus envie de boire du lait dans un autre verre, la réaction de dégoût s'appliquant aussi au lait.

Selon les chercheurs qui s'y intéressent, pareils phénomènes pourraient s'expliquer par une forte réaction émotionnelle qui devient associée à un objet jusque-là neutre. Pour reprendre la terminologie du conditionnement classique, la réponse de dégoût devient associée à – ou conditionnée par – un stimulus auparavant neutre, comme le lait ou un autre aliment.

« Nous pensons que le conditionnement pavlovien est encore et toujours à l'œuvre dans les associations mettant en cause les saveurs des milliards d'aliments consommés tous les jours, dans l'expression des affects de milliards de mangeurs chaque fois qu'ils mangent, dans l'association des aliments avec des choses dangereuses et dans l'association des aliments avec certaines de leurs conséquences. »

Si cela est juste, le fait que nous aimions certaines choses et que nous nous en sentions même dépendants résulterait du conditionnement classique. Le cas échéant, il pourrait être possible de modifier nos réactions émotionnelles envers certaines choses en recourant au conditionnement classique.

Source : *Psychology Today*, juillet 1985 ; Rozin et Zellner, 1985.

Les réponses conditionnées aux aliments : De nombreuses réactions fortes et persistantes aux aliments, comme le dégoût à l'égard des vers, s'acquièrent par un processus de conditionnement classique.

mettre en doute le concept psychanalytique de la substitution de symptômes, selon lequel le symptôme qu'on élimine risque d'être remplacé par un nouveau symptôme si les conflits sous-jacents n'ont pas été résolus (Lazarus, 1965). Du point de vue béhavioriste, on estime que les symptômes ne sont pas causés par des conflits inconscients ; seules existent les réponses inadaptées apprises et, une fois celles-ci éliminées, rien ne permet de croire que d'autres réponses inadaptées s'y substitueront.

Une réinterprétation du cas du petit Hans

Dans cette section, nous nous pencherons sur une application de la théorie de l'apprentissage présentée par Wolpe et Rachman (1960) qui nous fournit une excellente occasion de comparer l'approche béhavioriste avec l'approche psychanalytique. En fait, il ne s'agit pas d'une étude de cas comme celles que nous avons examinées jusqu'ici, mais bien d'une critique et d'une reformulation du cas du petit Hans dont Freud avait fait état.

Comme nous l'avons vu au chapitre 4, le cas du petit Hans est un classique de la psychanalyse ; Freud souligne le rôle de la sexualité infantile et des conflits œdipiens dans l'acquisition de la peur ou de la phobie des chevaux. Wolpe et Rachman ont critiqué sévèrement tant la manière dont les données furent obtenues que les conclusions que Freud en a tirées, en soulevant notamment les points suivants :

(1) rien ne prouve que Hans souhaitait faire l'amour avec sa mère; (2) Hans n'a jamais exprimé de peur ou de haine à l'égard de son père; (3) Hans a toujours nié qu'il y ait eu un quelconque rapport entre le cheval et son père; (4) les phobies des enfants peuvent résulter d'un simple processus de conditionnement et il n'est pas nécessaire de les lier à une théorie portant sur les conflits, l'anxiété et les mécanismes de défense. La thèse selon laquelle les névroses ont une fonction symbolique est très discutable; (5) rien n'indique que la phobie de Hans ait disparu parce qu'il avait résolu son conflit œdipien, ni que les explications ou la prise de conscience aient eu une valeur thérapeutique.

Bien qu'ils se disent mal outillés pour proposer leur propre interprétation de la phobie du petit Hans, du fait que les données ont été recueillies en fonction d'une grille psychanalytique, Wolpe et Rachman avancent tout de même une explication. Selon eux, la phobie est une réaction d'anxiété conditionnée. Enfant, Hans avait vu et entendu le père d'une camarade de jeu l'avertir de s'éloigner d'un cheval blanc: « Ne donne pas tes doigts au cheval, sinon il va te mordre! » Cet incident l'avait sensibilisé à la peur des chevaux. De plus, un des amis de Hans s'était blessé au sang en jouant avec un cheval. Enfin, Hans était un enfant sensible et le fait de voir les chevaux du carrousel se faire battre le mettait mal à l'aise. Ces facteurs avaient préparé le terrain de sa phobie. La phobie elle-même était apparue à la suite de la peur qu'avait ressentie Hans en voyant un cheval faire une chute. Alors que pour Freud cet incident fut le déclencheur qui avait permis aux conflits sous-jacents de se manifester sous forme de phobie, Wolpe et Rachman y voient *la* cause de la phobie.

Wolpe et Rachman soulignent la similarité avec le conditionnement à la peur des lapins chez Albert. Hans fut effrayé par l'incident du cheval et sa peur s'étendit ensuite à tout ce qui était similaire aux chevaux ou avait un rapport avec les chevaux. La guérison de sa phobie ne résultait pas d'une prise de conscience, mais probablement de l'extinction du conditionnement ou de la mise en place d'un contre-conditionnement. En grandissant, Hans avait fait l'expérience d'autres réponses émotionnelles, lesquelles avaient inhibé la réaction de peur. Il était également possible que les références au cheval que faisait constamment le père dans des contextes non menaçants aient contribué à l'extinction de la réaction de peur. Quelles que soient les circonstances, il semble que la phobie de Hans ait disparu progressivement, ce qui s'accorde avec cette interprétation liée à l'apprentissage, plutôt que soudainement, comme le laisserait supposer l'interprétation psychanalytique. Les preuves à l'appui de la théorie de Freud sont loin d'être claires et, si on compare les interprétations, celle qui découle de la thérapie de l'apprentissage rend compte plus simplement des données.

Les recherches ultérieures

Après s'en être désintéressés pendant un certain temps, les psychologues de la personnalité reviennent maintenant aux concepts et aux méthodes du conditionnement classique, et ils reconnaissent de plus en plus largement leur utilité potentielle. L'un des champs de recherche qui en témoignent est celui du recours aux techniques du conditionnement classique en vue de démontrer que l'on peut inconsciemment acquérir certaines peurs et certaines attitudes à l'égard des autres (Krosnick, Betz, Jussim, Lynn et Kirschenbaum, 1992; Ohman et Soares, 1993). Lorsqu'on présente de façon subliminale (c'est-à-dire en deçà du seuil de la conscience) un stimulus, par exemple une image ayant une valeur affective positive ou négative en l'associant à un autre stimulus, qui pourrait être une autre image, la personne en vient à éprouver de l'aversion pour une photo associée inconsciemment à une émotion négative et à aimer une photo associée inconsciemment à une émotion positive. On peut donc se demander jusqu'à quel point nos attitudes et nos préférences résultent d'un conditionnement classique subliminal ou inconscient. Comme l'explique l'éminent spécialiste de la psychologie sociale Cacioppo: « Une fois créé, le préjugé aversif peut être difficile à éliminer consciemment. » Les gens peuvent avoir des croyances égalitaires et agir quand même en fonction de préjugés dans certaines situations – leur réaction spontanée, impulsive, à l'égard d'un membre d'un groupe minoritaire, peut être négative. Cela ne signifie pas que ces gens mentent sur leurs convictions et leurs attitudes égalitaires, mais plutôt que celles-ci coexistent avec une réaction aversive conditionnée, qui fut apprise tôt dans la petite enfance (Cacioppo, 1999, p. 10).

Dans un surprenant revirement, des chercheurs ont récemment établi un lien entre les principes du conditionnement classique et une thématique que nous avons précédemment associée à la théorie phénoménologique de Carl Rogers, l'estime de soi. Baccus et ses collègues (2004) ont affirmé que la haute estime de soi est une réponse que l'on peut modifier par conditionnement classique. Les chercheurs ont présenté aux participants des mots et des images sur écran d'ordinateur. Dans la condition expérimentale, des mots ayant trait à chaque participant (c'est-à-dire des mots qui, selon le participant lui-même, le décrivent adéquatement) étaient présentés en même temps que des images de personnes souriantes. Il s'agit d'une expérience courante de conditionnement classique qui consiste à jumeler des émotions positives à des caractéristiques liées à l'image de soi. Puis, à un groupe de contrôle, on a présenté les mêmes mots avec des images diverses : une personne souriant, une personne fronçant les sourcils et une personne ayant une attitude neutre. On a ensuite demandé aux participants de remplir un questionnaire mesurant l'estime de soi. Les chercheurs ont alors comparé les résultats de deux sous-groupes : les participants qui, avant l'expérience, avaient été évalués comme ayant une faible estime de soi et ceux qui avaient

été évalués comme ayant une bonne estime de soi. Les résultats démontraient que le conditionnement classique permettait d'accroître l'estime de soi. En effet, les participants à qui on avait présenté des personnes souriant en même temps que des mots qui décrivaient adéquatement le participant manifestaient une meilleure estime de soi que les participants du groupe de contrôle.

LA THÉORIE DU CONDITIONNEMENT OPÉRANT DE SKINNER

Si John Watson a délaissé la psychologie assez tôt dans sa carrière, d'autres ont repris le flambeau de l'approche béhavioriste à partir du milieu du XXe siècle, notamment

LA PERSONNALITÉ ET LE CERVEAU

Le conditionnement classique

Pavlov était biologiste. Pourtant, il était incapable d'étudier le conditionnement classique du point de vue biologique, c'est-à-dire de voir par quels mécanismes le système nerveux parvient à modifier les réponses de l'organisme à un conditionnement. À l'époque de Pavlov, en effet, les technologies disponibles n'étaient pas suffisamment avancées pour permettre de comprendre ce type de fonctionnement du système nerveux.

Aujourd'hui, on comprend parfaitement bien quels sont les processus biochimiques et neuronaux en cause dans le conditionnement classique des organismes simples, notamment grâce à Eric Kandel, de l'Université Columbia à New York, qui a reçu le prix Nobel de médecine en 2000 pour ses travaux sur la question.

Les travaux de Kandel offrent un exemple typique des réponses des organismes simples que nous avons vues précédemment. Dans le but de comprendre ce qui se passe dans le cerveau d'un organisme soumis à un nouvel apprentissage, Kandel a étudié un organisme beaucoup plus simple que le chien de Pavlov, soit l'aplysie, un mollusque de mer. L'aplysie possède un nombre relativement faible de cellules nerveuses, ce qui facilite la reconnaissance des changements cellulaires qui se produisent lorsque l'organisme est soumis à un conditionnement.

Chez l'aplysie, on peut modifier par conditionnement classique une réponse simple comme le réflexe de rétraction de la branchie. Lorsqu'on stimule une autre partie de son corps, l'aplysie rétracte sa branchie (l'organe qui lui permet de respirer). Kandel et ses collègues ont pu modifier ce

réflexe de rétraction par conditionnement classique, puis ils ont recherché les fondements biologiques de cette modification (Kandel, 2000). Comme stimulus inconditionné pour cette expérience, les chercheurs ont soumis l'aplysie à une décharge électrique sur la queue. Ils ont jumelé ce stimulus inconditionné au stimulus appliqué à la partie du corps qui, normalement, active le réflexe de rétraction de la branchie.

Ils ont obtenu exactement le même type de conditionnement que celui que Pavlov avait obtenu avec son chien. Après les tentatives de conditionnement, en effet, le comportement de l'aplysie a changé, le réflexe de rétraction étant beaucoup plus fort après l'administration des décharges électriques.

Sur le plan biologique, les résultats obtenus par Kandel auraient enchanté Pavlov. Pour les comprendre, il faut savoir qu'il existe deux types de neurones : les neurones moteurs (reliés à la branchie de l'aplysie et qui provoquent la rétraction) et les interneurones (qui reçoivent le signal provenant de la partie du corps stimulée et qui relaient ce signal aux neurones moteurs). Kandel et ses collègues ont découvert que, après le conditionnement classique induit par le stimulus inconditionné (la décharge électrique), les interneurones deviennent réactifs, c'est-à-dire qu'ils relâchent une plus grande quantité de neurotransmetteurs. Ces neurotransmetteurs atteignent les neurones moteurs, qui à leur tour augmentent l'activité neuronale motrice et renforcent ainsi le réflexe de rétraction de la branchie (Kandel, 2000).

Clark Hull, qui a élaboré une théorie très systématisée des pulsions centrée sur les phénomènes d'apprentissage, ainsi que John Dollard et Neal Miller, qui ont tenté de montrer comment la théorie de Hull pouvait s'appliquer à des phénomènes liés aux pulsions et aux conflits intrapsychiques étudiés par les psychanalystes. Bien que la contribution de ces chercheurs ait été importante, c'est un autre chercheur du courant béhavioriste qui s'est imposé comme une des personnalités les plus influentes de la psychologie au XXᵉ siècle.

Le chercheur, théoricien et intervenant le plus influent du dernier siècle fut le psychologue de l'Université de Harvard B.F. Skinner (1904-1990). Skinner a probablement été le psychologue le plus connu du siècle dernier. Une récente analyse quantitative sur l'impact des psychologues a établi que Skinner était considéré comme le plus éminent psychologue du XXᵉ siècle (Haggbloom et coll., 2002). Cette notoriété tient notamment à l'exceptionnelle capacité de Skinner d'exprimer avec cohérence les principes du béhaviorisme. Pour Skinner, le béhaviorisme est bien plus qu'une simple approche de la psychologie de l'apprentissage. Il s'agit d'une philosophie globale offrant une explication exhaustive du comportement humain et des technologies susceptibles d'améliorer l'expérience humaine.

Une vision du théoricien

Comme tout organisme, le scientifique est le produit d'une histoire qui lui est propre. Les pratiques qu'il juge les plus appropriées dépendent en partie de son histoire.

Source: Skinner, 1959, p. 379.

Dans ce passage, Skinner reprend le point de vue défendu par la plupart des théoriciens dont il est question dans le présent ouvrage sur les théories, à savoir que les orientations et les stratégies des psychologues sont en partie la conséquence de leurs antécédents et l'expression de leur personnalité.

Né en Pennsylvanie, fils d'un avocat qu'il décrivait comme désespérément assoiffé d'éloges et d'une femme aux idées très arrêtées concernant le bien et le mal, Skinner (1967) dit avoir grandi dans un foyer chaleureux et stable. Il raconte qu'il aimait l'école et qu'il a commencé très tôt à fabriquer des objets. Ce dernier point est particulièrement intéressant à cause de l'importance qu'accordent

les béhavioristes à l'équipement de laboratoire destiné à la recherche expérimentale, mais aussi parce que cet intérêt est singulièrement absent de la vie et des recherches des théoriciens cliniciens de la personnalité.

À peu près au moment où Skinner entra au collège, son plus jeune frère mourut. Skinner se souviendra ne pas avoir été très ému par cette perte et dira en avoir probablement ressenti de la culpabilité. Il fit ses études de premier cycle en lettres anglaises au Collège Hamilton. Comme il voulait devenir écrivain, il fit parvenir trois nouvelles à Robert Frost, qui lui envoya une réponse encourageante. À sa sortie du collège, Skinner passa donc un an à essayer d'écrire et en arriva à la conclusion qu'il n'avait rien à dire. Il s'installa ensuite à Greenwich Village, à New York, et c'est à cette époque qu'il lut *Les réflexes conditionnés* de Pavlov ainsi qu'une série d'articles de Bertrand Russell consacrés au béhaviorisme de Watson. Ironiquement, alors que Russell pensait avoir démoli la théorie de Watson, ce sont ces articles qui ont éveillé l'intérêt de Skinner pour le béhaviorisme.

Skinner n'avait pas suivi de cours de psychologie au collège, mais il s'y intéressait de plus en plus et fut accepté au doctorat à Harvard. Il expliquera ce changement d'orientation de la façon suivante: «Un écrivain peut décrire avec justesse le comportement humain, mais il ne le comprend pas pour autant. J'allais continuer à m'intéresser au comportement humain, mais la méthode littéraire ne m'ayant pas réussi, je me tournerais vers la méthode scientifique» (Skinner, 1967, p. 395). La psychologie lui semblait tout indiquée. Il s'intéressait déjà au comportement animal – il racontera sa fascination devant la complexité des comportements d'un groupe de pigeons dressés – et il aurait amplement l'occasion de mettre à profit son gout pour la fabrication de gadgets.

Tandis qu'il préparait son doctorat à Harvard, Skinner redoubla d'intérêt pour le comportement animal, tâchant de l'expliquer indépendamment du fonctionnement du système nerveux. En désaccord avec Pavlov pour qui l'explication du comportement pouvait aller «des réflexes salivaires à l'important travail quotidien de l'organisme», Skinner n'en était pas moins convaincu que le physiologiste russe lui avait fourni la clé permettant de comprendre le comportement: «Maitrisez vos conditions (l'environnement) et vous verrez l'ordre s'instaurer!» Durant ces années et les suivantes, Skinner (1959) mit au point les principes de sa méthodologie scientifique: (1) quand vous découvrez quelque chose d'intéressant, laissez tomber tout le reste pour l'étudier; (2) certaines manières de faire de la recherche sont plus aisées que d'autres: les pièces d'équipement mécaniques rendent souvent la recherche plus facile; (3) certaines personnes ont de la chance; (4) une pièce d'équipement qui se brise, cela crée des problèmes, mais cela peut aussi mener à un heureux hasard; (5) l'art de trouver une chose alors qu'on en cherchait une autre.

Après avoir quitté Harvard, Skinner s'installa au Minnesota, puis en Indiana pour revenir à Harvard en 1948. Durant cette période, il devint en un sens un extraordinaire dresseur d'animaux, capable d'obtenir d'eux tel ou tel comportement à tel ou tel moment. Il cessa de travailler avec les rats pour travailler avec les pigeons. Constatant que le comportement d'un seul animal ne reflétait pas nécessairement le tableau général de l'apprentissage basé sur le comportement d'un grand nombre d'animaux, il se passionna pour l'étude du comportement de chacun des animaux en particulier. Si l'on pouvait modifier les variables de l'environnement de manière à produire un changement méthodique chez un animal en particulier, les théories de l'apprentissage tarabiscotées et les explications tautologiques du comportement se révéleraient inutiles. Par ailleurs, nota Skinner, son propre comportement était conditionné par les résultats positifs qu'il obtenait des animaux qui se trouvaient «sous son emprise» (figure 10.1).

Le **conditionnement opérant** de Skinner repose sur la maîtrise du comportement par le jeu des récompenses et des punitions, surtout en laboratoire. Cependant, les idées qu'entretenait Skinner concernant les lois du comportement et sa passion pour la fabrication de gadgets l'ont amené à pousser sa réflexion et ses recherches bien au-delà du laboratoire. Ainsi, il fabriqua une «boîte à bébé» afin de mécaniser et d'améliorer les soins qu'on donne aux bébés, ainsi que des machines à enseigner qui utilisaient les récompenses pour encourager les élèves à apprendre, et il mit au point un procédé utilisant des pigeons dressés pour guider les missiles vers leur cible. Il publia un roman, *Walden Two* (1948), dans lequel il décrit une société utopique idéale fondée sur la maîtrise du comportement humain grâce au renforcement positif (la récompense)

Figure 10.1 | «Oh! J'ai réussi à conditionner ce type… Chaque fois que j'appuie sur le levier, il me donne de la nourriture!»

plutôt que par la punition. Il insista sur la nécessité de mettre au service de l'humanité la science du comportement et les technologies qui en découlent. Dans la notice nécrologique annonçant sa mort publiée dans le *New York Times* le 20 août 1990, il affirmait que «tous les êtres humains sont soumis au contrôle de leur environnement», c'est-à-dire que leurs comportements sont déterminés par leur expérience de vie, «mais que le béhaviorisme a comme objectif d'éliminer toute coercition et de modifier le comportement de façon à renforcer les comportements qui profitent à tous» (p. A1, A12).

Pour beaucoup de ses contemporains, Skinner était le plus grand psychologue américain de son temps. Il reçut de nombreux prix, dont le Distinguished Scientific Contribution Award de l'American Psychological Association, en 1958, et la National Medal of Science, en 1968. En 1990, peu de temps avant sa mort, il devint le premier récipiendaire du prix pour une Outstanding Lifetime Contribution to Psychology de l'American Psychological Association.

Conditionnement opérant

Dans la théorie de Skinner, processus par lequel les caractéristiques d'une réponse sont déterminées par ses conséquences.

La théorie skinnérienne de la personnalité

Avant d'examiner la théorie de la personnalité de Skinner, il peut être utile d'en comparer les caractéristiques générales avec celles des théories étudiées dans les chapitres précédents. Chacune des théories que nous avons examinées jusqu'ici mettait l'accent sur des concepts structurels. Freud se servait de concepts structurels comme le ça, le moi et le surmoi; Rogers utilisait des concepts comme le soi et le soi idéal, et Allport, Eysenck et Cattell recouraient au concept de trait de personnalité. Chacun de ces théoriciens faisait l'inférence de l'existence, chez tout individu, d'une structure psychique qui régit ses émotions et ses comportements. L'approche béhavioriste de Skinner, au contraire, accorde peu d'importance aux structures. Il y a à cela deux raisons. Premièrement, les béhavioristes considèrent que le comportement est une adaptation aux forces situationnelles. Ils insistent donc sur la spécificité des situations: si les forces situationnelles changent, alors le comportement changera en conséquence. Et si le comportement change au gré des situations, alors il n'y a aucune utilité à élaborer des concepts structurels pour expliquer la constance des traits de personnalité. La deuxième raison tient à l'approche générale en matière de construction d'une théorie. Comme nous l'avons expliqué précédemment, les béhavioristes voulaient élaborer une théorie qui s'appuie sur les variables observables. Ils étaient convaincus que seules ces variables observables pouvaient être validées par la recherche fondamentale. Reconnaître l'existence de structures invisibles de la personnalité aurait constitué pour Skinner une démarche non scientifique.

Le fait que Skinner ne propose aucune structure de la personnalité le distingue de tous les autres théoriciens de la personnalité. En réalité, Skinner rejetait l'idée même d'une théorie de la personnalité, affirmant simplement que son travail constituait une nouvelle façon d'aborder les comportements.

La structure

De manière générale et dans la théorie de Skinner en particulier, l'unité structurelle clé de la perspective béhavioriste est la réponse. Cette réponse peut aller du simple réflexe, comme la salivation à la vue de nourriture ou un sursaut provoqué par un bruit soudain, à un élément de comportement complexe, comme la résolution d'un problème de mathématique ou des formes subtiles d'agression. Ce qui est crucial dans la définition de la réponse, c'est qu'elle constitue un élément de comportement externe et observable, qu'on peut lier à des facteurs environnementaux. Le processus d'apprentissage suppose essentiellement qu'on associe des réponses à des événements environnementaux.

Dans sa conception de l'apprentissage, Skinner établit une distinction entre les réponses déclenchées par des stimuli connus, par exemple, le clignement des paupières en réaction à une bouffée d'air, et les réponses qu'on ne peut associer à aucun stimulus. Émises par l'organisme, ces dernières sont qualifiées de **comportements opérants**. Selon Skinner, les stimuli de l'environnement n'incitent pas l'organisme à agir, pas plus qu'ils ne le forcent à le faire; la première cause du comportement réside dans l'organisme lui-même: «Le comportement opérant ne dépend pas d'un stimulus environnemental déclencheur; il survient, tout simplement. Dans la terminologie du conditionnement opérant, les comportements opérants sont émis par l'organisme. Le chien marche, court, s'ébat; l'oiseau vole; le singe saute d'un arbre à l'autre; le petit de l'homme babille. Chacun de ces comportements a lieu sans qu'il y ait de stimulus spécifique. Il est dans la nature biologique des organismes de produire des comportements opérants» (Reynolds, 1968, p. 8).

Le processus: le conditionnement opérant

Le plus important concept de l'analyse skinnérienne des processus psychologiques est le concept du **renforçateur**. Le renforçateur est un événement qui suit une réponse et qui augmente la probabilité qu'elle survienne à nouveau.

Supposons qu'un pigeon picore un disque. Si ses coups de bec sont suivis de l'obtention d'une nourriture, alors la nourriture agit comme renforçateur. Prenons maintenant un bébé qui pleure dans un berceau. Si les pleurs de l'enfant retiennent l'attention d'un adulte qui se précipite pour le consoler et que l'enfant se met alors à pleurer plus fréquemment à l'avenir, ce dernier comportement renforce

---

Comportement opérant

Dans la théorie du conditionnement de Skinner, comportement qui apparaît (est émis) sans être spécifiquement associé à un stimulus antérieur (déclencheur) et qu'on étudie en le mettant en rapport avec les événements renforçateurs qui le suivent.

Renforçateur

Événement (stimulus) qui suit une réponse et augmente la probabilité qu'elle survienne.

la réponse d'attention de l'adulte. L'apprentissage par renforcement est un processus qui change la probabilité qu'une réponse donnée soit modifiée par un renforçateur.

La nature du renforçateur dans une situation donnée est déterminée par les effets sur le comportement de ce renforçateur potentiel. Il est souvent difficile de prévoir ce qui va constituer un renforçateur. Le renforçateur peut varier d'une personne à l'autre. Pour le trouver, il faut parfois procéder par essai et erreur. Des stimuli qui, jusqu'alors, n'agissaient pas comme renforçateurs peuvent le devenir s'ils sont associés à d'autres renforçateurs. Ainsi, des rectangles de papier vert (de l'argent) peuvent devenir des **renforçateurs généralisés** parce qu'ils sont associés à plusieurs autres stimuli renforçateurs.

Skinner a mis au point un dispositif expérimental pour étudier en laboratoire les effets des renforçateurs sur le comportement. Ce dispositif, connu sous le nom de boîte de Skinner, diffère selon l'objet de l'étude. Une boîte conçue pour observer un rat sera munie d'un levier sur lequel le rat pourra appuyer et d'un mécanisme permettant au rat d'accéder à un renforçateur, par exemple de la nourriture. L'observateur pourra déterminer si le renforçateur a des effets sur la fréquence avec laquelle le rat appuie sur le levier. Selon Skinner, c'est dans cet environnement simple que l'on peut le mieux observer les lois élémentaires du comportement.

On découvre ces lois au moyen de la boîte de Skinner en changeant la nature du renforçateur et en observant les effets de chacun sur le comportement de l'organisme étudié. Ces variations sont déterminées en fonction de divers **programmes de renforcement**. Un *programme de renforcement* sert à étudier la relation entre un comportement et le moment où le renforcement se manifeste. L'idée générale est que le renforçateur ne doit pas être présenté après chaque réponse, mais uniquement à certaines occasions. Chaque programme de renforcement a son propre schéma basé soit sur l'intervalle de temps, soit sur l'intervalle de réponse. Dans un programme basé sur l'intervalle de temps, le renforcement apparaît au bout d'un certain temps (par exemple, une minute), quel que soit le nombre de réponses fournies par le sujet. Dans un programme basé sur l'intervalle de réponse, le renforcement n'apparaît qu'après un certain nombre de réponses du sujet (par exemple, pressions sur un levier ou coups de bec sur une clé), peu importe le laps de temps écoulé entre la réponse et l'apparition du renforcement.

Les programmes de renforcement peuvent également être **fixes** ou **variables**. Dans un programme fixe, la relation entre la réponse et le renforcement est toujours la même alors que dans un programme variable, cette relation change constamment, de façon fortuite. Par exemple, imaginez que vous êtes devant un distributeur automatique dans lequel vous devez mettre de la monnaie pour obtenir un renforcement. S'il s'agit d'un distributeur de boissons gazeuses, le fonctionnement est routinier et sans intérêt. Et si vous n'obtenez pas de boisson gazeuse (le renforcement) après avoir mis la monnaie une première fois, vous n'en mettrez plus. Mais si le distributeur est une machine à sous dans un casino, les mêmes gestes – mettre de la monnaie dans un distributeur et appuyer sur un bouton – peuvent être grisants! Même si le distributeur ne vous retourne pas d'argent (le renforçateur), vous continuez de mettre de la monnaie. La machine à sous fait apparaître le programme de renforcement aléatoire alors que le distributeur de boissons gazeuses fait apparaître le programme de renforcement fixe. Tant pour le rat dans le laboratoire de Skinner que pour la personne devant un distributeur, la fréquence de la réponse est supérieure dans un programme de renforcement variable.

Les béhavioristes ont été remarquablement efficaces pour établir les relations systématiques entre le programme de renforcement d'un comportement donné et la fréquence du comportement. Les expériences avec les animaux et la boîte de Skinner donnaient des résultats si prévisibles qu'il était possible de les reproduire avec pratiquement tout animal (Ferster et Skinner, 1957). Les programmes

---

Renforçateur généralisé

Dans la théorie du conditionnement opérant de Skinner, renforçateur qui permet d'obtenir d'autres avantages (de l'argent, par exemple).

Programme de renforcement

Dans la théorie du conditionnement opérant de Skinner, fréquence et intervalles des renforcements qui reçoivent les réponses (p. ex., intervalles de temps ou intervalles entre les réponses).

Programme de renforcement fixe

Programme de renforcement par lequel la relation entre les comportements et les renforçateurs est constante.

Programme de renforcement variable

Programme de renforcement par lequel la relation entre les comportements et les renforçateurs change de façon imprévisible.

Pourquoi rejouons-nous même après avoir perdu de grosses sommes ? Les béhavioristes expliquent ce comportement par les programmes de renforcement. Les appareils de jeu procurent divers programmes de renforcement qui induisent des comportements hautement persistants.

basés sur la fréquence des réponses plutôt que sur les intervalles donnaient un niveau de réponse supérieur. Les programmes variables (comme dans le cas des machines à sous ou d'autres appareils de jeu) donnaient les plus hauts taux de réponse. La grande constance de ces conditionnements opérants, combinée aux résultats tout aussi constants obtenus par Pavlov et ses collègues lorsqu'ils étudiaient le conditionnement classique, a fourni aux béhavioristes une base exceptionnellement solide sur laquelle ébaucher leur théorie, et a largement contribué à l'intérêt qu'elle a suscité au milieu du xxe siècle.

Comment les animaux parviennent-ils à apprendre des comportements beaucoup plus complexes que le simple fait d'appuyer sur un levier ? Selon Skinner, les comportements complexes résultent d'un processus de **façonnement** ou d'**approximations successives**. Grâce à un processus par étapes, on renforce graduellement des comportements complexes qui ressemblent de plus en plus au comportement que l'on cherche à obtenir. On *façonne* ainsi le comportement de l'organisme jusqu'à ce qu'on obtienne la réponse désirée. Supposons par exemple que vous désirez amener un rat dans une boite de Skinner à courir en cercle. Vous ne pouvez pas simplement attendre que le rat se mette à courir en cercle par lui-même, puis renforcer ce comportement : vous risqueriez d'attendre bien longtemps. Vous devez d'abord renforcer un comportement simple, comme courir (pas nécessairement en décrivant des cercles). Vous attendrez ensuite que l'animal commence à décrire un arc de cercle en courant, et alors appliquerez le renforcement uniquement dans ce cas. Puis, vous attendrez qu'il décrive un demi-cercle et

renforcerez alors uniquement ce comportement. En poursuivant ce processus, vous parviendrez à entraîner l'animal à courir en cercle. C'est ainsi qu'on procède généralement pour entraîner les animaux dans les cirques, les zoos, etc. Skinner a reconnu que l'être humain pouvait adopter des comportements complexes en étant soumis à un tel processus d'approximations successives.

En plus de constater l'effet sur les sujets de stimuli agréables, Skinner a remarqué que le retrait d'un stimulus désagréable pouvait également agir comme renforçateur. Par exemple, supposons que vous êtes angoissé à la perspective d'assister à un événement social et que vous décidez alors de ne pas vous y rendre. Une fois que la décision est prise, votre anxiété disparaîtra, et cela pourra renforcer encore votre décision. La disparition du stimulus désagréable qu'est l'anxiété constitue donc un renforçateur.

Les tenants de l'approche skinnérienne reconnaissent également que la présentation de stimuli aversifs peut agir sur le comportement. En langage béhavioriste, ces stimuli sont des **punitions** et ils suivent une réponse donnée, ce qui réduit la probabilité que cette réponse se manifeste de nouveau. Les skinnériens sont généralement contre le recours à la punition, car ses effets sont le plus souvent temporaires et elle peut inciter les sujets à qui on l'administre à se rebeller contre son utilisation. Tout au long de sa carrière, Skinner a insisté sur l'importance du renforcement positif pour modifier le comportement.

Façonnement

Dans la théorie du conditionnement opérant de Skinner, processus par lequel un organisme apprend un comportement complexe qui, graduellement, ressemble de plus en plus au comportement que l'on désire obtenir.

Approximations successives

Dans la théorie du conditionnement opérant de Skinner, façonnement de comportements complexes par le renforcement des éléments comportementaux qui ressemblent de plus en plus à la forme définitive du comportement qu'on veut produire.

Punition

Stimulus aversif qui suit une réponse.

La croissance et le développement

Skinner n'a pas élaboré d'autres principes du développement que les principes du conditionnement opérant que nous venons de décrire. Pour lui, à mesure que l'enfant grandit, il apprend des réponses qui restent soumises aux renforcements disponibles dans son environnement. Le processus ne diffère en rien dans ses principes généraux du cas du rat placé dans une boîte de Skinner qui apprend graduellement à donner une réponse donnée par façonnement systématique.

Cette approche mécaniste du développement a des conséquences qui peuvent être positives pour les parents attentifs à la façon de renforcer le comportement souhaité pour leur enfant et au moment où ils doivent présenter ce renforcement. Pour Skinner, la meilleure façon d'amener un enfant à se comporter d'une certaine manière n'est pas de lui expliquer ce qu'il doit faire ni de le punir lorsqu'il ne se comporte pas de la façon désirée, mais de renforcer les comportements positifs immédiatement après qu'ils se sont manifestés.

Les béhavioristes appréhendent le développement de la personne différemment des autres théoriciens. Pour Skinner, le développement ne répond pas à une séquence précise d'étapes et les individus ne passent pas nécessairement par une même séquence de conflits. Aucune structure mentale ne s'impose aux diverses étapes du développement. Plutôt, l'individu acquiert graduellement une série de comportements à mesure qu'il expérimente diverses formes de renforcement.

La psychopathologie

La position des théoriciens de l'apprentissage à propos de la psychopathologie peut s'énoncer ainsi: les principes de base de l'apprentissage fournissent une interprétation complètement satisfaisante des troubles mentaux et les explications selon lesquelles les symptômes auraient des causes sous-jacentes sont inutiles. Du point de vue béhavioriste, les troubles du comportement ne constituent

Le comportement superstitieux: Skinner soutient que le comportement superstitieux résulte des rapports établis fortuitement entre une réponse et un renforcement.

pas des maladies, mais bien des modèles de réponses apprises qui se conforment aux mêmes principes de comportement que tous les modèles de réponses.

Les skinnériens rejettent toute idée d'inconscient ou de « personnalité pathologique ». Les individus ne sont pas malades, ils ne répondent tout simplement pas de manière appropriée aux stimuli. Ou bien ils n'ont pas pu apprendre des réponses adaptées, ou bien les réponses apprises sont inadaptées. Dans le premier cas, il y a un déficit comportemental. Par exemple, les individus qui ne se comportent pas de manière adaptée en société peuvent avoir eu des antécédents de renforcements erronés qui ne leur ont pas permis d'acquérir certaines habiletés sociales. Comme on n'a pas renforcé ces habiletés sociales durant leur socialisation, une fois adultes, ils ne disposent que d'un répertoire inadéquat de réponses aux situations sociales.

Le renforcement joue un rôle crucial non seulement dans l'apprentissage de réponses adaptées, mais aussi dans le maintien du comportement. Par conséquent, l'un des résultats possibles de l'absence de renforcements dans l'environnement est la dépression. De ce point de vue, la dépression représente une diminution du taux de réponses émises par la personne. La personne déprimée ne répond plus parce qu'elle est privée de renforcement positif (Ferster, 1973).

Lorsqu'une personne apprend une **réponse inadaptée**, le problème vient de ce que son milieu ou la société en général n'accepte pas cette réponse apprise, soit parce qu'elle est inacceptable en soi (un comportement hostile, par exemple) ou parce qu'elle survient dans des circonstances

---

Réponse inadaptée

Dans l'approche skinnérienne des troubles mentaux, apprentissage d'une réponse qui n'est pas adaptée ou que le milieu considère comme inacceptable.

inappropriées (faire des plaisanteries de mauvais goût dans une réunion officielle, par exemple). L'apparition du comportement superstitieux s'apparente à ce genre de situation (Skinner, 1948) ; celui-ci résulte des rapports établis fortuitement entre une réponse et un renforcement. Ainsi, Skinner a constaté que s'il donnait à des pigeons de petites quantités de nourriture à intervalles réguliers, indépendamment de ce qu'ils faisaient, nombre d'oiseaux en venaient à considérer le comportement récompensé par hasard comme un renforcement systématique. Par exemple, si un pigeon recevait par hasard de la nourriture pendant qu'il tournait en rond dans le sens des aiguilles d'une montre, cette réponse pouvait se transformer en réponse conditionnée, même si elle n'avait en fait aucun rapport causal avec le renforcement. Ce comportement que l'oiseau reproduisait constamment finissait par être renforcé de nouveau, tout aussi fortuitement, et pouvait ainsi se maintenir sur de longues périodes.

En somme, les gens acquièrent des répertoires de comportements inadéquats, qualifiés de « maladifs » ou de pathologiques, pour les raisons suivantes : leurs comportements adaptés n'ont pas été renforcés ; ils ont été punis pour des comportements qu'on jugerait maintenant adaptés ; leurs comportements inadaptés ont été renforcés ; ou bien on a renforcé dans des circonstances inappropriées certains comportements qui sont adaptés dans d'autres circonstances. Quoi qu'il en soit, on insiste sur les réponses observables et les programmes de renforcement plutôt que sur des concepts comme la motivation, le conflit, l'inconscient ou l'estime de soi.

L'évaluation du comportement

Comment peut-on évaluer la personnalité par l'approche béhavioriste ? Bien que la théorie béhavioriste s'intéresse à la relation entre le comportement de l'individu et l'environnement dans lequel il évolue, l'évaluation des comportements ne se fait pas en vase clos. Il faut évaluer les réponses que donne l'individu dans divers environnements. L'approche béhavioriste repose sur trois éléments : (1) la détermination de comportements précis, souvent appelés **comportements cibles** ou **réponses cibles** ; (2) la détermination de facteurs environnementaux précis qui suscitent ou renforcent les comportements cibles ; et (3) la détermination des facteurs environnementaux précis sur lesquels on peut jouer pour modifier le comportement. Par exemple, l'évaluation du comportement d'un enfant qui fait des crises de colère doit comprendre une description des crises de colère, une description complète de la situa-

tion qui déclenche les colères, une description complète des réactions des parents et de l'entourage susceptibles de renforcer le comportement et une analyse des facteurs susceptibles de déclencher ou de renforcer les comportements non colériques (Kanfer et Saslow, 1965 ; O'Leary, 1972). Cette **analyse fonctionnelle** du comportement, qui exige que l'on déploie des efforts pour repérer les conditions environnementales déterminant le comportement, suppose donc que le comportement s'établit par rapport à des événements précis dans l'environnement. On appelle souvent cette approche l'**évaluation ABC**, car on évalue les antécédents (A) du comportement, le comportement lui-même (B pour *behavior*) et ses conséquences (C).

L'**évaluation du comportement** est généralement étroitement liée aux objectifs thérapeutiques. Prenons l'exemple de cette mère venue en consultation parce qu'elle n'arrivait pas à gérer les crises de colère et la désobéissance généralisées de son petit garçon de quatre ans (Hawkins, Peterson, Schweid et Bijou, 1966). Les psychologues qui ont travaillé sur ce cas ont suivi une démarche d'évaluation et de traitement béhavioriste typique. Ils ont d'abord observé la mère et l'enfant à la maison. Premièrement, ils ont observé la mère et l'enfant à la maison pour déterminer la nature des comportements indésirables, les moments où ils se manifestaient et les renforçateurs qui semblaient les alimenter. Ils ont déterminé neuf manifestations qui

Comportement cible (réponse cible)

Dans l'évaluation du comportement, détermination d'un comportement précis à observer et à mesurer en fonction des changements environnementaux.

Analyse fonctionnelle

Dans les approches béhavioristes, et en particulier dans l'approche skinnérienne, détermination des stimuli environnementaux qui régulent le comportement.

Évaluation ABC

Évaluation du comportement où l'on examine les antécédents (A) du comportement, le comportement lui-même (B pour behavior) et ses conséquences (C) ; analyse fonctionnelle du comportement qui exige qu'on détermine les conditions environnementales régulatrices de comportements donnés.

Évaluation du comportement

Évaluation fondée sur l'importance de comportements précis associés à des caractéristiques situationnelles données (l'évaluation ABC, par exemple).

constituaient l'essentiel des comportements indésirables de l'enfant: (1) mordre sa chemise ou son bras; (2) tirer la langue; (3) donner des coups de pied à des gens ou à des objets, ou se mordre lui-même, mordre les autres ou des objets; (4) crier des injures à quelqu'un ou à des objets; (5) se déshabiller ou menacer de le faire; (6) dire «non»» avec force; (7) menacer de briser quelque chose ou de faire mal à quelqu'un; (8) lancer des objets; (9) bousculer sa sœur. L'observation de l'interaction mère-enfant indiquait que le comportement indésirable était entretenu par l'attention que lui portait la mère, qui essayait souvent de lui changer les idées en lui proposant des jouets ou de la nourriture.

Le programme thérapeutique commença par une analyse du comportement, notamment en calculant combien de fois par heure le bambin se livrait à un comportement inacceptable durant les séances à la maison, d'une durée d'une heure chacune à raison de deux ou trois fois par semaine. Deux psychologues agissaient comme observateurs afin de garantir la fiabilité de l'observation et s'entendre sur l'enregistrement des comportements indésirables. Cette première étape, appelée *période de référence*, a comporté 16 séances, pendant lesquelles la mère et l'enfant continuaient à interagir comme d'habitude. Après

avoir évalué rigoureusement le comportement indésirable pendant la période de référence, les psychologues ont commencé leur intervention ou programme de traitement. Ils demandèrent à la mère de dire à son enfant de cesser de se livrer à des comportements indésirables ou de l'isoler dans sa chambre sans jouets chaque fois que cela se produisait. Autrement dit, ils retiraient le renforcement positif chaque fois que l'enfant avait un comportement indésirable. En parallèle, ils demandèrent à la mère de donner son attention et son approbation à son fils quand il agissait de manière désirable. Autrement dit, ils associaient un renforcement positif au comportement désirable. Pendant cette période, dite première période expérimentale, ils évaluèrent de nouveau la fréquence des comportements indésirables. Comme le montre la figure 10.2, on observa un déclin marqué de la fréquence du comportement indésirable. Durant la période de référence préexpérimentale, les comportements indésirables ont été observés des douzaines de fois au cours des séances d'une heure alors qu'à la première période expérimentale, ces mêmes comportements n'ont été observés que de une à huit fois.

Après la première période expérimentale, on demanda à la mère de revenir à son comportement initial afin de

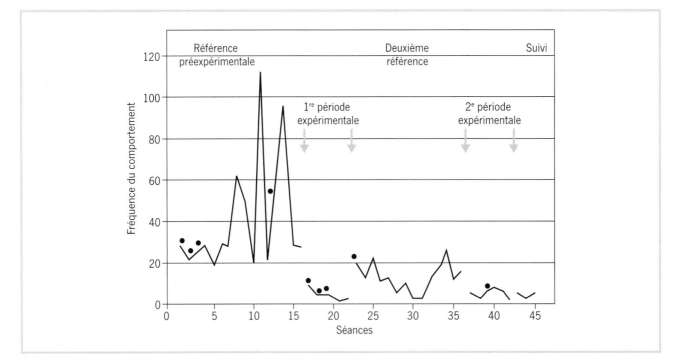

Figure 10.2 | **Nombre d'épisodes de comportement inacceptable (intervalles de 10 s) par séance d'une heure**

Les points indiquent les séances où la fiabilité de l'évaluation a été testée.

Source: Hawkins, R.P., Peterson, R.F., Schweid, E., & Bijou, S.W. (1966). Behavior therapy in the home: Amelioration of problem parent-child relations with the parent in a therapeutic role. *Journal of Experimental Child Psychology*, 4, 99-107. Reproduction autorisée par Elsevier.

vérifier si la modification de comportement de son fils était attribuable au changement de renforcement. Durant cette deuxième période de référence, le comportement inacceptable retrouva le rythme de 2 à 24 par séance (figure 10.2). La fréquence du comportement augmenta, sans toutefois revenir à la fréquence de référence. La mère expliqua qu'elle avait du mal à réagir comme elle le faisait auparavant parce qu'elle se sentait maintenant « plus sûre d'elle ». Par conséquent, même durant cette période, elle donna à son fils des ordres plus fermes que pendant la première période de référence, lui céda moins souvent après lui avoir dit non et lui donna plus d'affection en réaction à ses comportements positifs. Après cette deuxième période de référence, on reprit le programme thérapeutique et on observa de nouveau un déclin du comportement inacceptable (deuxième période expérimentale). La fréquence du comportement inacceptable resta faible après une période de 24 jours (période de suivi) et la mère constata que ses rapports avec son enfant s'étaient améliorés.

La recherche que nous venons de présenter illustre bien ce qu'est la méthode expérimentale nommée le **modèle de recherche ABA** (Krasner, 1971). Dans ce type de recherche, on mesure d'abord le comportement à un moment précis (phase A), puis à une deuxième phase (phase B), on fait suivre le comportement d'un renforçateur, et l'on revient à la phase A en retirant le renforçateur. Au lieu de comparer des individus que l'on soumet à des conditions expérimentales différentes, l'approche skinnérienne étudie un individu à différentes périodes pendant lesquelles on présente ou retire un renforçateur donné. Skinner soutenait que cette méthode de recherche était plus efficace que les méthodes expérimentales habituellement utilisées en psychologie.

Enfin, l'évaluation béhavioriste illustre bien la distinction qui existe entre la **méthode fondée sur les signes** et la **méthode fondée sur les échantillons** (Mischel, 1968, 1971). Dans la méthode fondée sur les signes, la réponse à un élément du test est vue comme l'indicateur (le « signe ») d'une caractéristique interne de la personnalité de l'individu. Par exemple, le théoricien des traits de personnalité qui applique la méthode fondée sur les signes dira de l'individu qui dit « aimer faire la fête » que cette réponse indique que l'individu présente le trait de l'extraversion. Avec la méthode fondée sur les signes, on poserait la question : « La réponse est le signe de quelle caractéristique interne ? » Les béhavioristes ne fonctionnent *pas* ainsi. Ils adoptent plutôt une méthode fondée sur les échantillons.

Lorsqu'ils évaluent les réponses que donne l'individu (ce qu'il fait, ou ce qu'il dit), les béhavioristes considèrent la réponse de l'individu comme un échantillon, un exemple du type de comportement qu'il adopte lorsqu'il est soumis à un stimulus donné. Si l'individu dit : « J'aime faire la fête », le béhavioriste conclura que ce comportement a fait l'objet de renforcements dans le passé. Il n'en tirera aucune autre conclusion, par exemple sur l'existence d'une structure psychique invisible particulière. L'approche béhavioriste peut sembler assez rudimentaire. Elle présente toutefois de nombreux avantages. Elle ne permet pas au psychologue de faire des inférences sur la vie psychique de l'individu, conclusions qui sont à peine plus que de simples suppositions. Cette méthode permet également de déterminer, dans l'environnement, quels sont les renforçateurs qu'il est possible de modifier afin d'aider une personne.

La modification du comportement

Les béhavioristes ont élaboré une technique pour appliquer les principes du renforcement à la vie de tous les jours. Cette technique est connue sous le nom d'**économie de jetons** (Ayllon et Azrin, 1965). Le technicien récompense les comportements considérés comme désirables par des jetons pouvant être échangés contre des produits

Modèle de recherche ABA

Variante skinnérienne du modèle expérimental consistant à soumettre un individu à trois phases expérimentales : période de référence (A) ; introduction de renforçateurs pour modifier la fréquence d'un comportement précis (B) ; retrait du renforcement et observation du comportement pour voir s'il revient à sa fréquence du départ (période de référence) (A).

Méthode fondée sur les signes

Terme utilisé par Mischel pour décrire les approches de l'évaluation qui font l'inférence de l'existence de traits de la personnalité à partir des questionnaires, par opposition à la méthode fondée sur les échantillons.

Méthode fondée sur les échantillons

Terme utilisé par Mischel pour décrire les approches de l'évaluation où l'on s'intéresse au comportement lui-même en relation avec les conditions environnementales, par opposition à la méthode fondée sur les signes.

Économie de jetons

Environnement thérapeutique conçu selon les principes du conditionnement opérant de Skinner : les comportements considérés comme désirables chez les individus sont récompensés par des jetons.

convoités comme des bonbons et des cigarettes. Par exemple, les patients d'un établissement de soins psychiatriques pourraient recevoir des jetons renforçateurs lorsqu'ils aident à servir les repas ou à nettoyer les planchers. Dans un tel milieu étroitement surveillé, on peut faire en sorte que pratiquement tout ce que peut désirer un patient dépende des comportements attendus.

Des recherches ont confirmé l'efficacité du système de jetons pour améliorer les comportements liés aux interactions avec les autres, à l'hygiène personnelle et à l'accomplissement de menus travaux chez les patients gravement perturbés et chez les déficients. On s'en est aussi servi pour atténuer le comportement agressif chez les enfants ainsi que pour diminuer les querelles conjugales (Kazdin, 1977).

Les économies de jetons constituent une application directe des principes du conditionnement opérant en vue de modifier le comportement. On choisit les comportements cibles et on fait dépendre les renforçateurs de l'obtention des réponses désirées. Cette façon de faire est tout à fait conforme à la perspective béhavioriste selon laquelle l'environnement agit sur les gens plutôt que l'inverse. En travaillant sur les façons de changer le comportement humain, le béhavioriste est en réalité un ingénieur social. Les techniques que les béhavioristes ont mises au point dans leurs laboratoires leur servent directement à aider les humains à régler des problèmes de comportement bien concrets. Watson prétendait qu'en maîtrisant l'environnement il pourrait faire d'un bébé n'importe quel type de spécialiste. Les ingénieurs sociaux skinnériens poussent ce principe encore plus loin : en instaurant des systèmes de jetons et en créant des communautés thérapeutiques fondées sur les principes skinnériens, ils cherchent à concevoir des environnements capables de maîtriser de grands répertoires du comportement humain.

Libre arbitre ?

Les principes du conditionnement opérant de Skinner ont eu de nombreuses répercussions positives. En étudiant l'influence de l'environnement sur le comportement, les béhavioristes ont permis l'élaboration d'une véritable technique du changement des comportements servant à résoudre des problèmes relatifs à l'être humain.

Cela dit, les travaux des skinnériens ont aussi une implication quelque peu troublante, dont Skinner lui-même était bien conscient et qu'il a expliquée abondamment dans un livre intitulé *Par-delà la liberté et la dignité*

(Skinner, 1971) : le libre arbitre n'existe pas. En effet, si l'environnement détermine nos moindres gestes, alors nous ne pouvons nous-mêmes choisir nos comportements. Nous n'avons aucune liberté d'action, n'exerçons aucun choix. Bref, nous n'avons aucun libre arbitre.

Skinner constatait que les gens croient au libre arbitre, mais il était convaincu que ce libre arbitre est une illusion. Voyons ce qu'il en est. Supposons que vous roulez à pleine vitesse sur l'autoroute au volant de votre rutilante voiture sport rouge, mais que vous apercevez une voiture de police à l'avant et que vous ralentissez afin d'éviter une contravention. L'ami qui vous accompagne vous demande alors : « Pourquoi ralentis-tu ? » Vous n'invoquerez certainement pas votre libre arbitre en affirmant que vous en avez simplement décidé ainsi. Vous savez bien que c'est votre environnement qui vous a incité à ralentir. Vous reconnaîtrez que la présence d'un policier dans l'environnement a été la cause de votre ralentissement. Supposons maintenant que votre ami vous demande : « Pourquoi as-tu acheté une voiture sport rouge ? » Cette fois, vous répondrez probablement que vous l'avez décidé ainsi ou que vous aimez simplement les voitures de sport rouges. Vous aurez le sentiment d'avoir exercé votre libre arbitre en achetant cette auto. Ce n'est pas ce que Skinner aurait pensé. Dans les deux cas, selon le modèle théorique de Skinner, votre comportement est dicté par l'environnement. Dans le premier cas, l'environnement est simple, évident, il appelle une réponse immédiate et vous ne pouvez nier le fait que la présence du policier est la cause de votre ralentissement. Dans le deuxième cas, les causes environnementales sont beaucoup plus complexes et se sont manifestées sur une longue période. Des dizaines d'expériences antérieures (sous forme de renforcements et de punitions) ont pu modeler votre comportement et vous inciter à acheter une voiture sport rouge. Il est bien sûr impossible de se rappeler toutes et chacune de ces expériences et d'en évaluer la portée sur votre décision, mais cela ne signifie pas pour autant qu'elles n'ont eu aucun effet. Ainsi, lorsque les causes d'un comportement sont complexes et diverses, nous en perdons la trace et concluons que nous sommes le seul responsable de notre comportement. Skinner, lui, croyait que le libre arbitre n'était qu'une illusion, une conclusion partagée par certains psychologues actuels (Wegner, 2003).

Skinner n'a pas remis en question la notion de libre arbitre simplement par esprit de contradiction. Il était réellement convaincu que la résolution des problèmes tant personnels que sociaux passait par le recours systématique aux techniques béhavioristes. De plus, il avait le sentiment que les gens ne pourraient accepter sa théorie si elle remettait en question le libre arbitre. Il avait compris que les gens n'aiment pas l'idée que leurs comportements sont déterminés et que dès lors ils ne pourraient que rejeter l'approche et les techniques béhavioristes. Skinner déjoua cet argument en prétendant que le comportement est toujours déterminé par l'environnement. En reconnaissant ce fait et en rejetant la notion traditionnelle de libre arbitre, Skinner ouvrait la porte à une interprétation « humaine » de l'approche béhavioriste.

En terminant, il convient de souligner que de nombreux théoriciens ont rejeté les arguments de Skinner à propos du libre arbitre. Les théoriciens phénoménologistes étaient d'avis que Skinner avait sous-estimé les capacités internes de l'être humain ; ainsi, Rogers (1956) a remis en question la position de Skinner sur cette question. Plus récemment, les théoriciens de la personnalité (voir les chapitres 12 et 13) étaient d'avis que, en ignorant la capacité des personnes à appréhender leur environnement d'une manière créatrice et à le modifier, Skinner a sous-estimé la capacité des personnes à exercer leur libre arbitre.

L'ÉVALUATION CRITIQUE

La perspective béhavioriste que nous venons d'examiner contraste grandement avec les théories de la personnalité que nous avons vues dans les chapitres précédents. Ce contraste est particulièrement apparent lorsqu'on regarde ce que les béhavioristes pourraient dire de ces autres théories. De la démarche psychanalyste, ils diraient qu'elle n'est pas scientifique, car elle interprète des variables internes à l'individu qui sont invisibles et qui ne peuvent être ni observées, ni mesurées. La théorie phénoménologique, elle, serait considérée comme irrationnelle, car elle soutient que les comportements sont déterminés par les gens eux-mêmes plutôt que par l'environnement. La théorie des traits de personnalité ne trouverait pas grâce à leurs yeux non plus, puisqu'elle n'est qu'une longue suite de descriptions superficielles des comportements plutôt que de s'intéresser à leurs causes. Si le béhaviorisme s'était imposé comme la théorie dominante, toutes les autres théories seraient tombées dans l'oubli.

L'approche béhavioriste ne s'est toutefois pas imposée et les théories que nous avons étudiées dans les chapitres précédents demeurent aujourd'hui totalement pertinentes. Elles constituent toujours le fondement de la

science de la personnalité contemporaine. Le béhaviorisme, au contraire, compte beaucoup moins d'adeptes que dans les décennies précédentes même si, il faut le reconnaître, la contribution scientifique de Pavlov, Skinner et leurs collègues fut importante et que leurs recherches fondamentales ont donné lieu à de nombreuses applications fort utiles. Tout cela nous incite à évaluer les forces et les limites de l'approche béhavioriste.

L'observation scientifique : la base de données

Le fait de fonder la théorie sur la recherche systématique constitue l'un des points forts de la démarche béhavioriste. Son respect de la méthode scientifique fut bénéfique tant sur le plan scientifique que sur le plan de l'acceptabilité. Sur le plan scientifique, cela a permis de concevoir une approche qui, contrairement aux théories précédentes, rejette les interprétations trop spéculatives quant aux caractéristiques de la personnalité. Sur le plan de l'acceptabilité, la solide base de données scientifiques constituée par les béhavioristes leur a donné de la crédibilité aux yeux des autres scientifiques et a dès lors contribué à la diffusion de l'approche dans les milieux universitaires au XXᵉ siècle.

Cela dit, les observations scientifiques qui constituent le fondement même du béhaviorisme ont une portée limitée, et ce, pour des raisons évidentes. En effet, la base de données a été constituée d'abord et avant tout par l'étude d'animaux (chiens, rats et pigeons). L'être humain a des caractéristiques que n'ont pas les animaux : il parle, il est capable d'avoir une réflexion sur les événements passés et d'évaluer les conséquences possibles des événements. La base de données constituée à partir des recherches sur des animaux ne tient pas compte de ces caractéristiques, qui sont dès lors absentes de la théorie béhavioriste. C'est là une des principales causes de la perte de popularité du béhaviorisme dans le dernier tiers du XXᵉ siècle.

La perte d'influence de l'approche béhavioriste dans le champ de la psychologie tient principalement au fait qu'elle a négligé des phénomènes qui sont pourtant essentiels à la vie humaine. Le plus important de ces phénomènes est pourtant un élément central des approches phénoménologiques, le sens, c'est-à-dire comment les personnes interprètent de façon subjective les événements et leur donnent un sens. Dans leurs recherches, les béhavioristes ont complètement évité cette question. Les rats et les pigeons de la boîte de Skinner ne cherchent pas à donner un sens aux événements. Ils ne se demandent pas pour quelles raisons un être humain vêtu d'un sarrau lui jette de la nourriture chaque fois qu'il appuie sur un levier. Mais les êtres humains, eux, cherchent constamment à dégager un sens aux événements qu'ils vivent. La théorie et la recherche béhavioristes ne fournissent aucun élément d'information sur les processus psychiques en jeu dans la construction subjective de sens. À partir des années 1960, toutefois, les chercheurs qui utilisaient des approches *autres* que béhavioristes ont commencé à faire des progrès dans l'étude de la mémoire, du langage, des émotions et des croyances, sujets qui permettent de dégager les processus cognitifs internes qui prennent part à la construction de sens. Cette démarche a mené rapidement à ce qu'on a appelé la révolution cognitive, que nous étudierons dans les trois prochains chapitres.

Une théorie systématique ?

Quelles que soient les limites du béhaviorisme, ceux qui ont élaboré cette théorie ont travaillé de façon très systématique. Pavlov et Skinner ont fait des comptes rendus minutieux, logiques et cohérents du conditionnement classique et du conditionnement opérant. Les divers phénomènes en jeu, que ce soit la fréquence avec laquelle un organisme réagit à un renforcement, l'apprentissage initial d'une réponse, la persistance de la réponse après le retrait du renforcement, sont expliqués par un système conceptuel simple et cohérent.

D'une certaine façon, il était relativement facile pour les béhavioristes d'élaborer une théorie dont tous les éléments sont liés. Cette facilité tient au fait que leur approche accorde une importance théorique moins grande aux structures et processus mentaux internes que les autres théories. Les béhavioristes n'ont donc pas à établir des liens entre de nombreux éléments de la construction théorique.

Une théorie vérifiable ?

La théorie béhavioriste est-elle vérifiable ? Pour ce qui concerne le comportement des animaux en laboratoire, elle l'est certainement. On peut vérifier, dans l'environnement contrôlé qu'est un laboratoire, les hypothèses sur l'influence du conditionnement classique et du conditionnement opérant sur les réponses affectives et comportementales des organismes. Dans un tel milieu, les idées des béhavioristes sont tout aussi vérifiables que n'importe quelle hypothèse posée dans le domaine des sciences biologiques ou physiques.

Mais qu'en est-il à l'extérieur du laboratoire, dans le monde complexe de la vie quotidienne des êtres humains ? Sur cette question, la position béhavioriste est parfois ambiguë. Voyons l'exemple que propose Chomsky (1959) dans sa critique célèbre du béhaviorisme de Skinner. Supposons que vous êtes dans un musée en train d'observer attentivement une œuvre d'art complexe. Selon Skinner, vos réactions sont dictées par votre passé, c'est-à-dire les conditionnements classiques et les conditionnements opérants qui ont joué alors que vous étiez soumis à des stimuli semblables. Si vous aimez cette œuvre, c'est parce que vous avez été exposé dans le passé à des stimuli semblables qui ont été renforcés positivement, ce qui a provoqué chez vous un sentiment qui vous incite à *aimer* et ce qui a également renforcé le comportement qui vous amène à dire « J'aime ça ». Mais comment vérifier la véracité de cette hypothèse ? Voilà qui n'est pas simple, car comment déterminer quel stimulus vous a incité à dire « J'aime ça ? ». La composition de l'œuvre ? Ses couleurs ? Son originalité ? Son cadre ? Dans une boîte de Skinner, où les stimuli sont peu nombreux, il est facile de déterminer lequel des stimuli est à l'origine de la réponse du sujet. Mais dans la vie réelle, il est impossible de savoir précisément à quel stimulus vous avez répondu. On pourrait y parvenir en vous interrogeant après l'événement pour savoir ce qui vous a incité à dire que vous aimiez cette œuvre. Mais s'il faut attendre que l'événement ait eu lieu, alors il est impossible de *prévoir* votre comportement. Et s'il faut se rabattre sur des renseignements obtenus après l'événement, alors c'est que la théorie n'est pas vérifiable.

Une théorie globale ?

Le béhaviorisme est une démarche globale et les brillants écrits de Skinner ont largement contribué à le démontrer. Dans un livre publié en 1953, il applique les principes du béhaviorisme non seulement aux comportements de l'individu, mais aussi aux comportements des groupes, au fonctionnement des gouvernements, des lois, des religions, de la psychothérapie, de l'économie, de l'éducation et de la culture. Dans un autre livre (Skinner, 1974), il procède à une analyse des perceptions, du langage, des émotions, des motivations et du concept de soi. Skinner et les autres béhavioristes se sont intéressés à toute la gamme des phénomènes sociaux et psychologiques inhérents à une théorie de la personnalité. Malgré ses limites, la démarche béhavioriste englobe une grande variété de phénomènes individuels et sociaux.

Structure	Processus	Croissance et développement
Réponse	Conditionnement classique ; conditionnement opérant	Programme de renforcement et approximations successives

Les applications

Les béhavioristes ont insufflé à la psychologie un vent de pragmatisme. Ils ont su rapidement transposer aux problématiques humaines les résultats de leurs recherches en laboratoire avec des animaux afin d'aider les individus. Toutefois, ils ont peut-être agi trop précipitamment et n'ont pas pris soin d'étudier en quoi le comportement de l'être humain diffère du comportement de l'animal placé dans une boîte de Skinner et soumis au conditionnement classique. Néanmoins, les béhavioristes ont réussi à mettre au point des applications pratiques qui sont toujours d'une grande utilité en psychologie. En fait, ils ont découvert plus d'applications utiles que la plupart des autres théoriciens dont les travaux ont pourtant eu une plus profonde influence sur la psychologie de la personnalité. Plus particulièrement, les thérapies comportementales constituent, dans la pratique, une application d'une inestimable valeur.

Principales contributions et résumé

La contribution des béhavioristes à la psychologie fut exceptionnelle (tableau 10.2). Ils ont su construire une théorie globale qui s'appuie sur des données hautement objectives provenant de recherches que l'on peut reproduire. Ils ont conçu un grand nombre d'applications qui ont toujours leur utilité, et ils ont attiré l'attention des psychologues sur l'influence des facteurs situationnels sur le comportement. En étudiant leurs patients dans leurs bureaux ou en leur faisant remplir des questionnaires dans leurs laboratoires, les autres théoriciens dont nous avons parlé précédemment ne tenaient aucun compte de

Tableau 10.2 | **Les points forts et les limites des approches fondées sur l'apprentissage**

Points forts	Limites
1. Attachement envers la recherche systématique et l'avancement théorique importants	1. Simplification excessive de la personnalité et tendance à négliger certains phénomènes
2. Reconnaissance du rôle et de l'influence des variables situationnelles et environnementales sur le comportement	2. Absence de théorie unique, globale
3. Approche thérapeutique pragmatique, ouvrant la voie à de nouvelles avenues	3. Peu de données probantes quant à l'efficacité thérapeutique proclamée

l'environnement quotidien dans lequel évoluent normalement ces patients. Les béhavioristes, eux, soutenaient que, pour comprendre véritablement les comportements de l'individu, on doit comprendre les facteurs environnementaux qui déterminent ses comportements.

Enfin, les béhavioristes ont apporté une autre contribution, indirecte celle-là. Ils ont en effet mis en évidence, et avec force, certains aspects de la nature humaine que les autres théoriciens ont contestés vigoureusement. Ce faisant, les béhavioristes ont forcé les théoriciens dont nous parlerons dans les prochains chapitres de ce livre à approfondir leur réflexion. Chacun de ces théoriciens connaissait les prétentions des béhavioristes et les remettait en question. Ce scepticisme les a incités à élaborer de nouvelles approches pour l'étude de la personnalité, comme nous le verrons dans les prochains chapitres.

Pathologie	Changement	Étude de cas
Réponses apprises et inadaptées	Extinction ; apprentissage de la discrimination ; contre-conditionnement ; renforcement positif ; désensibilisation systématique ; modification du comportement	Réinterprétation du cas du petit Hans

RÉSUMÉ

1. L'école de pensée connue sous le nom de béhaviorisme favorisait une approche de la personnalité fondée sur l'apprentissage. Cette approche soutient que les comportements sociaux que nous considérons comme des indicateurs de la personnalité de l'individu sont appris et découlent de nos apprentissages dans notre environnement.

2. Les travaux de Pavlov sur le conditionnement classique, puis ceux de Watson qui a notamment étudié le cas du petit Albert, ont établi les bases de l'approche béhavioriste pour l'étude des comportements humains.

3. B.F. Skinner a poussé plus loin les fondements du béhaviorisme par ses travaux sur le conditionnement opérant. Avec ses collègues, Skinner a constitué une base de données rigoureuse qui montre comment les renforcements modifient le comportement d'animaux placés dans les boîtes de Skinner.

4. Skinner a montré la pertinence des principes de l'apprentissage et leur rôle dans des questions fondamentales pour l'être humain, notamment celle du libre arbitre.

5. Les béhavioristes ont fait beaucoup plus que d'étudier le comportement des animaux en laboratoire. Ils ont mis au point de nombreuses applications fort utiles dérivées des principes de l'apprentissage. Ils ont notamment conçu des applications cliniques par lesquelles l'objectif du clinicien est de placer l'individu dans un nouvel environnement grâce auquel il pourra adopter des comportements mieux adaptés. La désensibilisation systématique et les économies de jetons sont deux exemples d'application des principes béhavioristes.

6. Le béhaviorisme a été l'approche dominante en psychologie au milieu du XXᵉ siècle, mais son influence a diminué. Cette désaffection est due au fait que les béhavioristes n'ont pu fournir des éléments probants issus de la recherche pour expliquer des phénomènes proprement humains, comme la capacité de donner un sens aux événements. Le développement de la psychologie cognitive, qui constitue le fondement des théories étudiées plus loin dans ce livre, a entraîné la baisse de popularité du béhaviorisme.

CHAPITRE 11

UNE THÉORIE COGNITIVE :
la théorie des construits personnels
de George A. Kelly

George A. Kelly (1905-1966) : un coup d'œil sur le théoricien

La science de la personnalité selon Kelly

La conception de la personne

La théorie de la personnalité de George A. Kelly

Les applications cliniques

L'histoire de Jacques

Les visions connexes et l'évolution de la théorie

L'évaluation critique

Vous venez tout juste de terminer un roman que vous avez adoré. Dans votre enthousiasme, vous appelez un ami pour lui recommander ce livre en lui vantant plus particulièrement les descriptions magnifiquement détaillées des lieux et des personnages. À votre grand étonnement, votre ami vous répond qu'il a lu ce livre et l'a détesté. L'intrigue lui a paru insignifiante et d'une insupportable lenteur. Comment cela est-il possible ? Tous deux avez lu le même livre (vous avez expérimenté le même « environnement »), mais de façon fort différente. Bref, vous avez réagi différemment à un même stimulus.

La façon singulière et personnelle dont chacun perçoit, interprète et conceptualise le monde, voilà précisément ce qui fait l'objet de la théorie des construits personnels conçue par George A. Kelly. De même que vous avez, vous et votre ami, fait deux lectures différentes de ce livre, de même chacun a sa propre interprétation des gens et des événements. Pour Kelly, ces différences sont au cœur même du fonctionnement de la personnalité. Nos pensées, nos réactions émotives, nos états d'âme, nos comportements – en fait, tout ce qui intéresse le psychologue de la personnalité – sont, pour Kelly, l'expression de notre interprétation du monde. Les différences individuelles, tant sur le plan des émotions que sur le plan des actions, témoignent des différences d'interprétation. Ces idées ont constitué le fondement d'une théorie cognitive de la personnalité, d'une méthode d'évaluation de la personnalité et d'une approche thérapeutique élaborées par l'un des théoriciens les plus innovateurs et les plus influents de toute l'histoire de la psychologie de la personnalité, George A. Kelly.

LE CHAPITRE...
EN QUESTIONS

1. Quel est l'objectif du spécialiste de la personnalité lorsqu'il élabore une théorie ?

2. En quoi les pensées que nous avons dans notre vie de tous les jours ressemblent-elles à l'activité mentale du psychologue scientifique ? Que voulait dire Kelly lorsqu'il affirmait que l'individu est un scientifique ?

3. Comment les croyances des gens et les différences individuelles peuvent-elles être révélées par leurs systèmes de croyances ?

4. Comment l'analyse des construits personnels peut-elle expliquer la détresse psychologique et servir dans la pratique psychothérapique ?

Dans les chapitres précédents, nous avons étudié deux théories de la personnalité issues du travail clinique : la théorie psychanalytique de Freud et la théorie phénoménologique de Rogers. Le présent chapitre présente une troisième théorie élaborée principalement à partir du travail effectué auprès de patients en thérapie. Le travail du thérapeute nous amène naturellement à considérer le patient comme une entité globale. En d'autres mots, plutôt que de se concentrer sur l'une ou l'autre caractéristique psychique du patient, le thérapeute doit appréhender dans son intégralité et sa complexité un individu aux objectifs et aux émotions multiples et cohérents. Tout comme les théoriciens et cliniciens Freud et Rogers, George Kelly a cherché à comprendre l'individu dans sa globalité.

Même si elle partage cette dernière conception avec les théories de Freud et Rogers, la théorie générale de Kelly diffère à de nombreux égards. Freud mettait l'accent sur les forces animales de l'inconscient. Kelly, lui, privilégiait la capacité unique de l'être humain à réfléchir sur lui-même, le monde qui l'entoure et l'avenir. Quant à Rogers, si Kelly a partagé avec lui certaines conceptions (voir Epting et Eliot, 2006), notamment le fait de considérer la personne comme un tout cohérent, Kelly, dans sa théorie des construits personnels, a exploré beaucoup plus en profondeur les processus cognitifs précis par lesquels les individus catégorisent les gens et les objets et donnent un sens aux événements de leur vie.

Pour quelles raisons désigne-t-on la théorie de Kelly sous l'appellation de « construits personnels » ? Par le mot *construit*, Kelly entendait une façon d'imaginer, de catégoriser et d'interpréter les événements de la vie. Certaines de ces catégories sont universelles. Par exemple, si vous et votre voisin de classe, profitant d'un rare moment où le professeur cesse d'être intéressant, jetez un coup d'œil par la fenêtre, vous conclurez fort probablement tous les deux que les immenses objets au tronc brun et au feuillage vert que vous voyez au loin sont des « arbres ». Nous avons tous dans notre esprit une « catégorie » arbre et y associons les objets ayant un tronc brun et un feuillage vert. Cela dit, certaines catégories varient d'une personne à l'autre, certaines existent chez une personne et pas chez une autre et chacun interprète les catégories à sa façon.

Supposons que le professeur remarque que vous et votre voisin regardez par la fenêtre et qu'il vous interpelle. Vous penserez peut-être de votre professeur qu'il est un « enseignant vigilant », alors que votre voisin dira plutôt qu'il est un « intellectuel condescendant ». Pour Kelly, vous et votre voisin puisez à des construits personnels différents (enseignant vigilant et intellectuel condescendant) pour interpréter le comportement du professeur. Le recours à ces construits influera grandement sur vos pensées et vos émotions ultérieures. Vous serez peut-être admiratif de la vigilance du professeur alors que votre voisin, lui, sera froissé par sa condescendance. Pour Kelly, la personnalité de l'individu peut être vue comme un ensemble de construits personnels ou un système de construits personnels par lequel il interprète le monde.

Dans cet ouvrage, nous parlons de la théorie de Kelly comme d'une théorie *cognitive*, du latin *cognosco*, qui signifie « connaître » et qui, en psychologie contemporaine, a trait aux processus de pensée. Dès lors, une théorie cognitive de la personnalité fait de l'analyse des processus de pensée l'élément central de l'analyse de la personnalité et des différences individuelles. Kelly n'a pas lui-même employé le terme *cognitif* pour décrire sa théorie, estimant qu'il était trop restrictif et qu'il suggérait une distinction artificielle entre la cognition (la pensée) et l'affect (l'état émotionnel). Toutefois, le terme *cognitif* s'est imposé pour désigner le mode de classification utilisé dans la théorie de Kelly, et ce, pour d'excellentes raisons (Neimeyer, 1992 ; Winter, 1992). Les construits des gens englobent la connaissance qu'ils ont du monde et ils servent à l'acquisition de nouvelles connaissances. L'individu s'en sert pour interpréter les événements de la vie quotidienne en suivant des processus mentaux que l'on désigne généralement sous l'appellation de *processus cognitifs*. Ces processus cognitifs consistent à catégoriser les personnes et les choses, à donner un sens aux événements et à les prévoir.

Kelly a publié le principal ouvrage expliquant sa théorie en 1955. Le livre a d'abord eu peu d'impact, et ce, pour plusieurs raisons. En mettant l'accent sur les processus cognitifs complexes de l'être humain, Kelly était en avant de son temps. Le béhaviorisme, qui rejetait l'étude des événements mentaux subjectifs, était alors le courant dominant. La psychologie cognitive contemporaine, qui porte directement sur la pensée humaine, n'existait pas encore. De plus, Kelly lui-même était peut-être en partie responsable du peu d'intérêt qu'a suscité sa théorie. Il utilisait en effet une terminologie scientifique à la fois nouvelle et complexe. Comme l'a récemment fait observer un critique, « en adoptant une terminologie nouvelle, il semble a posteriori que Kelly s'est lui-même mis en retrait des courants dominants en psychologie » (Butler, 2009, p. 3).

Les travaux de Kelly, par la suite, ont été précurseurs des innovations qui allaient survenir en psychologie. Pendant le dernier quart du XXᵉ siècle, soit des années après la mort de Kelly, les psychologues ont commencé à interpréter les comportements humains sous l'angle des processus cognitifs par lesquels l'individu interprète et appréhende le monde. Comme l'a fait remarquer un partisan de la théorie des construits personnels, «ironiquement, la théorie de Kelly devient de plus en plus actuelle avec le temps» (Neimeyer, 1992, p. 995). Plus récemment, d'autres ont souligné qu'en plus d'être en avance sur son temps, Kelly, avec sa théorie, a ouvert de nouvelles perspectives de recherche qu'il aurait lui-même bien accueillies (Walker et Winter, 2007).

La théorie de Kelly est non seulement une entreprise académique, mais également une réelle conception de la vie. Kelly proposait aux gens – tant ses patients que ses collègues psychologues – le défi de penser en des termes nouveaux, d'appréhender le monde différemment et de tenter d'utiliser de nouveaux construits. S'il était avec nous aujourd'hui, il nous interpellerait tous, nous exhortant à faire l'essai des idées nouvelles de la théorie des construits personnels.

GEORGE A. KELLY (1905-1966): UN COUP D'ŒIL SUR LE THÉORICIEN

Les écrits de George Kelly révèlent sa véritable nature. Il était dans la vie totalement fidèle à ce qu'il encourageait les autres à être: un esprit aventureux qui n'avait pas peur d'exprimer des idées non orthodoxes et qui aimait explorer l'inconnu.

Les positions philosophiques et théoriques de Kelly tiennent en partie à la diversité de ses expériences (Sechrest, 1963). Il a grandi en Arkansas et a obtenu son diplôme de premier cycle à l'Université Friends, puis au Collège Park, au Missouri. Il a poursuivi ses études supérieures à l'Université du Kansas, à l'Université du Minnesota et à l'Université d'Édimbourg, puis il a obtenu son doctorat de l'Université de l'Iowa en 1931. Il a ensuite mis sur pied une clinique psychologique itinérante au Kansas, fut psychologue dans l'armée de l'air durant la Seconde Guerre mondiale, puis professeur de psychologie à l'Université d'État de l'Ohio et à l'Université Brandeis.

Kelly a connu ses premières expériences cliniques dans les écoles publiques du Kansas. Il constata alors que les problèmes que les enseignants attribuaient aux élèves qu'ils lui envoyaient à sa clinique itinérante en disaient long non seulement sur les élèves, mais aussi sur les enseignants eux-mêmes. Il se mit donc à considérer les plaintes des enseignants comme l'expression de leur propre construction ou interprétation personnelle des événements. Par exemple, si un enseignant se plaignait qu'un élève était paresseux, au lieu d'évaluer l'élève pour vérifier la justesse du diagnostic de l'enseignant, Kelly tentait de comprendre les comportements de l'enfant, mais aussi la perception qu'en avait l'enseignant, c'est-à-dire la construction mentale que l'enseignant avait ébauchée à partir de ces comportements et qui l'avait incité à se plaindre de la paresse de l'enfant.

En pratique, cette importante reformulation du problème, qui supposait qu'on s'intéresse aux enseignants aussi bien qu'aux élèves, élargissait considérablement l'éventail des solutions. Qui plus est, elle amena Kelly à penser qu'il n'existe pas de vérité objective et absolue, que les phénomènes n'ont de sens qu'en relation avec les interprétations qu'en donne l'individu.

Kelly en vint peu à peu à rejeter les solutions tranchées de type noir ou blanc aux problèmes psychologiques complexes. Il préférait les approches plus subtiles et plus nuancées. Il cherchait à vérifier les interprétations que les individus se faisaient des événements, pour reconstruire ou réinterpréter les phénomènes, et ainsi mettre en question les conceptions classiques de la «réalité objective». Il se donnait toute liberté pour s'ébattre dans le monde de l'imaginaire, encourageant les gens à imaginer d'autres réalités. Il remettait en question les théories des autres, tout en considérant sa propre théorie comme un échafaudage temporaire destiné à être à son tour remplacé. Kelly acceptait les défis et les frustrations, tout comme les menaces et les joies, inhérents à l'exploration de l'inconnu.

Comme nous tous, Kelly peut être considéré comme le produit de son époque et de sa culture. Il a vécu au début et au milieu du XXᵉ siècle dans ce Midwest américain qui privilégiait les solutions d'ordre pratique à des problèmes d'ordre pratique plutôt que les théories obscures en réponse à des préoccupations métaphysiques abstraites. Dans cette Amérique, la vie intellectuelle était guidée par le pragmatisme, une approche philosophique qui veut que les idées soient évaluées sous l'angle pratique de leur influence durable sur les gens et sur la société (Menand, 2002). Kelly considérait sa propre théorie comme une construction, ou encore un outil qui est efficace dans la mesure où il permet aux individus d'améliorer leur vie en portant une nouvelle réflexion sur leurs problèmes et sur eux-mêmes.

LA SCIENCE DE LA PERSONNALITÉ SELON KELLY

Dans les chapitres précédents, nous avons, pour chaque théoricien, étudié en premier lieu sa conception de la personne, puis sa conception de la science de la personnalité. Nous ferons l'inverse avec Kelly, qui s'est d'abord et avant tout intéressé aux questions d'ordre scientifique, et ce, pour deux raisons : (1) plus que les autres théoriciens, Kelly a fondé sa théorie sur une conception explicite de la science et de la nature du questionnement scientifique ; (2) contrairement aux autres théoriciens, Kelly s'est servi de la notion contemporaine du questionnement scientifique comme d'une métaphore pour expliquer les activités psychologiques de l'individu, ainsi que nous le verrons dans la section qui suit. Dès lors, pour bien comprendre la théorie de Kelly, il est préférable d'examiner d'abord sa conception de la science, avant de passer à sa conception de la personne.

Dans sa réflexion sur la science, Kelly s'est posé une question fondamentale : « Que fait le scientifique lorsqu'il échafaude ou construit une théorie ? » Pour certains, le scientifique est à la recherche de la vérité. Tenant pour acquis qu'il existe une vérité en ce monde, le scientifique consciencieux utilise les méthodes scientifiques à sa disposition pour découvrir cette vérité. Selon cette conception, une théorie, quelle qu'elle soit, peut être jugée comme étant vraie ou fausse. Kelly avait une vision différente, comme de nombreux scientifiques et philosophes scientifiques contemporains, dont Proctor et Capaldi (2001), et considérait que la véritable question n'est pas tant de savoir si une théorie est « vraie ou fausse ». En fait, toute théorie complexe et bien formulée comporte des éléments qui sont vrais et d'autres qui sont faux à certains égards. La question qu'il faut dès lors se poser est de savoir si et comment une théorie est utile. Permet-elle d'atteindre des objectifs qu'il serait impossible d'atteindre sans y avoir recours ? Cette question en soulève une autre : comment évaluer l'utilité d'une théorie ? Pour Kelly, le scientifique tente de prédire les événements parce qu'il comprend l'utilité d'être capable de prévoir la façon dont les événements se dérouleront. Voilà qui nous amène à une autre question : quels événements importants peut-on prévoir en utilisant une théorie donnée ?

La simple idée d'évaluer une théorie en fonction de sa capacité de prédire les événements a des implications importantes. En effet, les différentes théories permettent de faire différents types de prédictions et, dès lors, chaque théorie peut avoir son utilité. Il n'est donc pas nécessaire de rechercher la théorie qui se révélera vraie alors que toutes les autres se révéleront fausses. Au contraire, il peut être fort utile d'appréhender le monde à la lumière de plusieurs théories, chacune permettant de découvrir des phénomènes qui présentent un intérêt. Kelly a donné à ce concept le nom de **constructivisme (*constructive alternativism*)**. Ainsi, des constructions scientifiques alternatives peuvent chacune mener à une vision du monde qui a son utilité. Selon cette approche, les scientifiques ne cherchent pas à découvrir la seule et unique théorie qui soit objectivement « juste ». Plutôt, ils tentent d'élaborer une construction ou représentation des événements, c'est-à-dire d'interpréter les phénomènes afin de leur donner un sens. Il n'y a donc pas une seule théorie qui soit vraie, mais plutôt diverses constructions scientifiques parmi lesquelles on peut choisir en fonction de leur utilité respective et selon les objectifs que l'on poursuit. Cette vision de Kelly rappelle la métaphore du coffre à outils dont il a été question au chapitre 1.

Pour Kelly, la science de la personnalité ne cherche pas à découvrir la vérité absolue ni, comme l'aurait suggéré Freud, à dévoiler des choses présentes dans l'esprit, mais jusque-là occultées. Plutôt, elle tente d'élaborer des systèmes de construits scientifiques servant à prévoir les événements. Chaque théorie de la personnalité pourrait ainsi servir à effectuer des prédictions valides sur des aspects singuliers de la vie des individus.

Kelly s'intéressait à ces idées parce qu'il s'inquiétait de la tendance au dogmatisme en psychologie. Il reprochait aux psychologues de croire que les construits portant sur les traits de personnalité et les états intérieurs existent comme entités objectives, plutôt que de les envisager comme des « choses » provenant de la tête des théoriciens. Une fois qu'une personne a été qualifiée d'introvertie, nous avons tendance à l'examiner pour savoir si elle l'est vraiment alors que nous pourrions étudier celui ou celle qui a fait une telle affirmation. Ce refus d'une « vérité absolue »

Constructivisme (*constructive alternativism*)

Position de Kelly selon laquelle il n'existe pas de réalité objective ou de vérité absolue à découvrir, mais seulement plusieurs manières d'interpréter les événements.

et des dogmes revêt une importance considérable, car il ouvre la possibilité de créer cette « disposition accueillante » où l'individu peut étudier librement plus d'une interprétation des phénomènes et retenir des propositions qui a priori auraient pu lui sembler absurdes. Pour le scientifique professionnel comme pour la personne qui suit une thérapie, cette « disposition à l'accueil » représente un aspect essentiel de l'exploration du monde.

Selon Kelly, c'est la liberté d'utiliser son imagination et d'instaurer une disposition à l'accueil qui permet d'élaborer des hypothèses créatives. On ne devrait jamais traiter les hypothèses comme des faits, mais plutôt les considérer comme des éléments permettant au scientifique d'en explorer les conséquences, comme si elles étaient exactes. Pour Kelly, les théories représentent des formulations provisoires de ce qui a été observé et de ce à quoi on s'attend. Toute théorie comporte un **champ d'application**, qui délimite l'étendue des phénomènes qu'elle couvre, et des **domaines d'application**, qui indiquent dans quels secteurs la théorie fonctionne avec le plus de pertinence. Chaque théorie de la personnalité a ainsi ses champs et ses domaines d'application.

Pour Kelly, les théories sont susceptibles d'être modifiées et, tôt ou tard, leur portée peut être étendue. Une théorie sera modifiée ou abandonnée lorsqu'elle ne suggère plus de nouvelles prévisions ou lorsqu'elle mène à des prévisions erronées. Chez les scientifiques comme chez la plupart des gens, la durée pendant laquelle on continue à se fier à une théorie même si on dispose d'informations qui la contredisent est en partie une affaire de goût et de style personnels.

Sa conception de la science n'a rien de singulier, mais la clarté de sa formulation et les éléments qu'elle met en évidence (figure 11.1) demeurent importants. En plus de s'intéresser à l'utilité d'une théorie plutôt que de tenter de démontrer si celle-ci est vraie ou fausse, Kelly a remis

1. Les diverses théories proposent diverses constructions (interprétations) des phénomènes et ont différents champs et domaines d'application.

2. Le fait d'insister de manière excessive sur les mesures peut devenir limitatif et faire oublier que les concepts constituent des représentations et non des réalités.

3. La recherche clinique est utile parce qu'elle favorise l'élaboration d'idées nouvelles et qu'elle se concentre sur les questions importantes.

4. Une bonne théorie de la personnalité est une théorie qui nous aide à résoudre les problèmes des gens et de la société. On devrait évaluer les théories d'une manière pragmatique, en tentant de dégager en quoi elles contribuent à prévoir et à résoudre des problèmes psychologiques.

5. Les théories sont conçues pour être modifiées et abandonnées.

Figure 11.1 | **Quelques éléments de la conception de la science énoncée par Kelly**

en question certains postulats courants, notamment la tendance des psychologues à vouloir tout mesurer. À l'époque de Kelly, comme aujourd'hui d'ailleurs, on met beaucoup d'accent en psychologie de la personnalité sur le développement de mesures précises des différences entre les individus plutôt que de considérer les différences dans leurs construits psychologiques respectifs. Kelly était d'avis que l'importance accordée aux mesures peut amener les théoriciens de la personnalité à considérer faussement les concepts théoriques comme des réalités objectives. Ainsi, sans s'en rendre compte, le psychologue devient une sorte de technicien spécialiste des statistiques plutôt qu'un scientifique qui a comme champ d'expertise premier l'étude de l'esprit humain. Une troisième caractéristique de la conception de la science de Kelly est la place qu'il accorde à la recherche clinique par rapport à la recherche purement expérimentale. En effet, il considère que la recherche clinique est utile parce qu'elle parle le langage de l'hypothèse, qu'elle fait émerger de nouvelles variables et qu'elle reste centrée sur les questions importantes. Cela nous amène à la quatrième caractéristique importante de la conception que Kelly se fait de la science, à savoir que celle-ci devrait se concentrer sur des questions importantes. Pour Kelly, trop de psychologues craignent de faire quoi que ce soit qui puisse ne pas être considéré comme scientifique. Ils renoncent ainsi à étudier d'importants aspects de l'expérience humaine parce qu'il est trop difficile de les vérifier scientifiquement. Il les pressa de cesser d'essayer de paraître scientifique et les invita à s'atteler à la tâche de comprendre les gens.

Champ d'application

Dans la théorie des construits personnels de Kelly, événements ou phénomènes auxquels s'appliquent un construit ou un système de construits.

Domaine d'application

Dans la théorie des construits personnels de Kelly, événement ou phénomène auquel la théorie s'applique avec le plus de pertinence.

Il croyait qu'une théorie scientifique est valable si elle permet d'inventer de nouvelles approches afin de résoudre les problèmes des gens et de la société.

LA CONCEPTION DE LA PERSONNE

La conception qu'a Kelly de la science rejoint directement sa conception de la personne. Kelly estimait que tous, autant le commun des mortels que le scientifique, poursuivent la même quête : élaborer des construits afin de prédire les événements. Les construits des scientifiques peuvent être différents des construits qu'échafaudent le commun des mortels. Selon le domaine scientifique en cause, ils sont probablement formulés de façon plus précise et parfois à l'aide de concepts mathématiques plutôt que de mots. Il reste que la démarche du scientifique et du commun des mortels est fondamentalement la même. L'un et l'autre ébauchent des idées (des construits) qui leur permettent de prévoir les événements. Le scientifique de la personnalité peut avoir élaboré une théorie formelle qui lui permet de faire certaines prédictions (par exemple, un spécialiste des traits de personnalité pourra prédire votre score à un test de personnalité dans cinq ans à partir des résultats de votre score actuel). De son côté, votre grand-mère, avec toute sa sagesse, pourra prévoir les mots qui parviendront à vous réconforter si vous semblez déprimé. Tant le scientifique que votre grand-mère font appel aux connaissances qu'ils ont accumulées pour prédire les événements.

Cette conception s'appuie sur une métaphore qui est au cœur de la vision de Kelly : tout être humain raisonne comme un scientifique. Pour Kelly, l'activité principale dans nos vies quotidiennes consiste à élaborer des idées qui nous permettront de prévoir les événements. Par exemple, nous tentons de prévoir si nous réussirons le prochain examen, si la personne aimée acceptera notre invitation ou si nous surmonterons notre état dépressif. Nous voulons également être en mesure de prédire ce que nous devons faire pour atteindre nos objectifs. En tentant ainsi de prévoir ce qui arrivera, nous adoptons la même démarche que le scientifique. Comme lui, nous élaborons des théories (« peut-être suis-je le genre de personne qui doit étudier en groupe pour être en mesure de réussir mon examen »), nous testons les diverses hypothèses (« cette fois, je vais m'y prendre autrement pour l'inviter à ce rendez-vous ») et nous évaluons les données probantes (« la dernière fois, j'ai essayé de me sortir de mon état dépressif en bouffant plein de sucreries, mais ça n'a pas fonctionné »).

Cette conception de la personne qui voit tout individu comme un scientifique a deux conséquences. Premièrement, elle met en lumière le fait que tout être humain est essentiellement préoccupé par le futur. « C'est l'avenir qui tourmente l'homme, et non le passé. L'homme regarde toujours vers l'avenir par la fenêtre du présent » (Kelly, 1955, p. 49). La plupart des pensées de l'être humain, en effet, concernent les événements futurs. De toutes les théories de la personnalité que nous avons vues jusqu'à maintenant, celle de Kelly est celle qui touche le plus directement à cette réalité de base de l'esprit humain.

Deuxièmement, si les scientifiques peuvent se servir de diverses théories pour prédire divers événements, alors chacun de nous peut faire de même. Le constructivisme que nous avons décrit plus tôt (c.-à-d. développer des construits alternatifs) peut s'appliquer autant aux constructions personnelles de chaque individu qu'au construit scientifique. Les êtres humains ont la capacité d'interpréter et réinterpréter, de construire et reconstruire de façon active leur environnement. L'individu peut ainsi élaborer des formulations théoriques diverses, vérifier la justesse des diverses constructions et, ce faisant, élaborer de nouvelles stratégies afin de relever les défis et régler les problèmes de la vie.

Cette vision constructiviste appliquée au commun des mortels jette un nouvel éclairage sur une question que nous avons abordée au chapitre précédent : le libre arbitre et le déterminisme. Pour les béhavioristes comme Skinner, l'individu agit en réponse à son environnement et dès lors, puisque tout ce qu'il fait est régi par ces forces environnementales, le libre arbitre n'existe pas. Selon Kelly, toutefois, l'individu n'est pas passif devant son environnement. Au contraire, il réfléchit activement à son environnement. Plus : il réfléchit activement aux processus mentaux qu'il utilise. L'individu a le pouvoir de décider si sa réflexion sur une situation donnée est juste et il peut modifier sa réflexion en conséquence. Cette capacité mentale fait de lui un être à la fois libre et soumis aux déterminismes. « Ce système de construits personnels lui donne [au genre humain] la liberté de choix et lui fournit en même temps les limites de son champ d'action : liberté parce que l'homme peut négocier la signification des événements plutôt que de les subir dans l'impuissance ; limites parce que ses choix sont toujours restreints au monde des possibles qu'il s'est construit » (Kelly, 1955, p. 58). Nous nous « enfermons » dans ces constructions, mais nous pouvons élargir sans cesse notre espace de liberté en réinterprétant constamment notre vie et notre environnement. Nous ne sommes pas victimes de notre passé ou des circonstances du moment, sinon dans la mesure où nous choisissons de nous considérer ainsi[1].

Ces éléments constituent les principes généraux sur lesquels Kelly a échafaudé ses structures et ses processus de la personnalité. Voyons maintenant sa théorie plus en profondeur.

LA THÉORIE DE LA PERSONNALITÉ DE GEORGE A. KELLY

La structure

La principale variable structurale dans la théorie de Kelly est celle du construit personnel. Un **construit** est un élément de connaissance. C'est un concept qui sert à interpréter ou appréhender le monde. Ces construits nous servent à classer les événements en catégories. On ne le fait pas nécessairement consciemment, en se disant «tiens, je vais utiliser un construit». Il s'agit plutôt d'un processus automatique. Lorsque les événements se déroulent, nous tentons de leur donner un sens et, pour ce faire, nous devons puiser à certains éléments de connaissance qui sont en nous. Pour utiliser le langage de Kelly, nous puisons alors à un construit personnel.

L'idée centrale de la théorie de Kelly est que la personne tente de prévoir les événements en cernant des modèles et des constantes. Les gens constatent que certains événements ont des caractéristiques qui les différencient des autres événements. Ils dégagent entre eux des similitudes et des différences. Ils remarquent que certaines personnes sont de grande taille et d'autres de petite taille, qu'il y a des hommes et des femmes, que certains objets sont durs et d'autres mous. C'est cette interprétation des similitudes et des différences qui finit par former un construit. Sans construits, notre vie serait un chaos; nous serions incapables d'organiser notre monde, de décrire et de classer les événements, les objets et les gens.

Selon Kelly, il faut disposer d'au moins trois éléments pour former un construit: deux de ces éléments doivent être perçus comme semblables, et le troisième comme différent. La façon dont deux éléments sont perçus comme similaires représente le **pôle de similarité** du construit; la façon dont ils diffèrent du troisième élément, son **pôle de différence**. Par exemple, le fait d'observer deux personnes qui aident leur prochain et une troisième personne qui nuit à son prochain pourrait mener à la formation du construit bon-cruel, la bonté étant le pôle de similarité et la cruauté le pôle de différence. Kelly insiste sur la nécessité de reconnaître qu'un construit se compose d'une comparaison similarité-différence, sous-entendant par là qu'il est impossible de comprendre la nature d'un construit en utilisant seulement son pôle de similarité ou seulement son pôle de différence. Ainsi, nous ne pouvons pas savoir ce que le construit «respect» signifie pour une personne donnée si nous ignorons quels sont pour elle les événements compris dans ce construit et quels sont les événements qui lui semblent exclus.

Les construits ne sont pas dimensionnels, au sens où ils ne comportent pas de progression ou de niveaux entre les pôles de similarité et de différence. On ajoute davantage de subtilité ou de complexité à l'interprétation des événements en recourant à d'autres construits, par exemple à des construits de quantité et de qualité. Ainsi, le construit noir-blanc combiné à un construit de quantité pourra fournir l'échelle de référence suivante: noir, légèrement noir, légèrement blanc et blanc (Sechrest, 1963).

Comme nous l'avons déjà noté, Kelly soutient que la pensée humaine est orientée vers l'avenir; nous passons la plus grande partie de nos vies à penser aux événements futurs et à les planifier. Cette attitude suppose le recours à des construits personnels, non seulement pour interpréter les événements du présent, mais également pour planifier

---

Construit

Dans la théorie de Kelly, façon de percevoir ou d'interpréter les événements.

Pôle de similarité

Dans la théorie des construits personnels de Kelly, pôle d'un construit déterminé par la façon dont deux éléments sont perçus comme similaires.

Pôle de différence

Dans la théorie des construits personnels de Kelly, pôle du construit déterminé par la façon dont un troisième élément du construit est perçu comme différent des deux éléments qui constituent le pôle de similarité.

---

1. Le fait que Kelly utilise le mot *homme* pour décrire l'être humain comme scientifique ou l'être humain comme organisme biologique peut sembler sexiste. Il faut toutefois se rappeler que ces propos datent de 1950, soit bien avant la prise de conscience du côté sexiste du langage.

les événements à venir. Comme nous l'avons expliqué lorsque nous avons parlé des processus en jeu dans la conception de Kelly (nous y reviendrons plus loin), le postulat fondamental de la théorie de Kelly est le fait que nous utilisons nos construits personnels pour prévoir les événements.

Les construits et leurs répercussions sur les rapports interpersonnels

Observer les construits que les gens utilisent représente un exercice fascinant. Si vous regardez une émission de télévision à contenu religieux, on y jugera peut-être les gens en fonction de leur moralité ou de leur immoralité. Si vous écoutez une émission à contenu politique, on parlera peut-être de leur tendance libérale ou conservatrice, et si vous écoutez une émission de sport, on parlera d'un athlète qui flanche sous la pression ou, au contraire, qui hausse son jeu. Ces dichotomies (moral-immoral, libéral-conservateur, flancher-hausser son jeu) constituent des exemples de ce que Kelly appelle des construits.

Sur qui en apprenons-nous lorsque nous constatons qu'une personne utilise de tels construits? Sur la personne qui fait l'objet du jugement ou du construit, ou sur la personne qui s'appuie sur un construit personnel pour porter un jugement et catégoriser les gens? Kelly soutient que les gens révèlent des aspects de leur propre personnalité dans les construits qu'ils utilisent pour parler des autres: « On ne peut qualifier une autre personne de malveillante sans faire de la malveillance une dimension pour juger sa propre vie » (Kelly, 1955, p. 133).

Les différences entre les systèmes de construits ont des répercussions importantes sur le plan interpersonnel. En effet, ces différences sont souvent la cause de problèmes de communication. Il peut arriver que vous soyez en contact avec une personne dont les construits personnels sont en conflit avec vos propres construits personnels. Il a déjà été entendu d'un ami l'opinion suivante: « N'y a-t-il pas, dans toute relation, un gagnant et un perdant? » En réalité, pas nécessairement. Le construit « gagnant-perdant » n'est pas le seul possible. Une autre personne que votre interlocuteur pourrait invoquer le construit « personne accommodante-non accommodante » ou encore le construit « personne compatissante-non compatissante » pour décrire la situation.

Les problèmes de communication peuvent également survenir lorsque des personnes ou des groupes qui se voient au départ comme des adversaires refusent de reconnaître qu'en réalité, ils ont plusieurs construits en commun. Le fait d'être conscient des construits communs peut contribuer à améliorer la communication. Simpson et ses collègues (2004) ont eu recours à la théorie de Kelly pour montrer comment il est possible d'améliorer la communication entre deux groupes ou deux personnes qui se perçoivent de façon antagoniste. Ils ont travaillé avec deux groupes de professionnels d'un hôpital entre qui existaient des tensions et qui éprouvaient des difficultés de communication. Les deux groupes étaient formés de professionnels de la santé, soit dans le premier cas des dispensateurs de soins cliniques et dans le deuxième cas des gestionnaires responsables de l'administration et qui n'avaient ni formation ni expertise dans la prestation de soins. Lors d'un atelier qui avait pour but d'améliorer la communication entre les deux groupes, Simpson et ses collègues ont demandé aux cliniciens et aux gestionnaires d'énumérer les qualités qu'ils jugent idéales d'une part chez les cliniciens, d'autre part chez les gestionnaires. L'objectif était de révéler au grand jour les construits personnels des gens à propos du professionnel idéal, tant clinicien que gestionnaire. Les deux groupes ont ensuite été invités à consulter la liste dressée par l'autre groupe. « Ce qui a surpris tout le monde, expliquent Simpson et ses collègues (2004, p. 55), c'est de constater les nombreuses ressemblances entre les deux groupes. » Jusque-là en opposition, les deux groupes ont appris qu'ils partageaient de nombreux construits en commun. Cette expérience a contribué à améliorer les communications entre les deux groupes.

Les types de construits et le système de construits

C'est souvent avec les mots que les individus expriment leurs construits personnels. C'est ce que Kelly appelle les construits verbaux. Mais il établit deux types de construits, les **construits verbaux** et **préverbaux**. Un construit verbal peut s'exprimer en mots, tandis qu'un construit préverbal

Construit verbal

Dans la théorie des construits personnels de Kelly, construit qui peut se traduire en mots.

Construit préverbal

Dans la théorie des construits personnels de Kelly, construit qu'on utilise sans pouvoir le traduire en mots parce qu'il s'est formé avant l'acquisition du langage.

s'utilise sans que l'individu puisse l'exprimer en mots. Le construit préverbal se forme avant l'acquisition du langage. Kelly a avancé l'idée que la distinction entre construit verbal et construit préverbal est l'équivalent de ce que Freud appelait le conscient et l'inconscient.

Parfois, un des pôles du construit ne permet pas la verbalisation ; on le considère alors comme **submergé**. Si quelqu'un affirme avec insistance que les gens agissent toujours bien, on peut présumer que l'autre pôle a été submergé ; en effet, pour avoir formé le pôle « positif » du construit, l'individu a forcément déjà eu conscience de l'existence de comportements opposés. Les construits peuvent ne pas permettre la verbalisation et l'individu peut être incapable de rendre compte de tous les éléments d'un construit. Bien qu'on reconnaisse l'importance des construits préverbaux et des construits submergés, les psychologues qui s'intéressent aux construits personnels n'ont pas encore mis au point des méthodes pour les étudier.

En plus de dégager les divers types de construits (verbaux et préverbaux), la théorie de Kelly touche l'ensemble des construits personnels de l'individu. Ces construits sont organisés en système et servent au gré des situations. Chaque construit a son champ et ses domaines d'application au sein du système. Le champ d'application d'un construit comprend tous les événements auxquels l'individu pourrait trouver utile d'appliquer ce construit. Les domaines d'application d'un construit comprennent les événements particuliers pour lesquels l'application du construit serait le plus utile. Par exemple, le construit compatissant-non compatissant pourrait s'appliquer dans toutes les situations où on requiert de l'aide (champ d'application), mais il serait encore plus utile dans les situations qui nécessitent une sensibilité et un effort particulier (domaine d'application) pour porter assistance à autrui.

De plus, certains construits sont plus fondamentaux que d'autres dans ce système. Ce sont les **construits centraux,** qui sont essentiels au fonctionnement de l'individu et qu'on ne peut modifier sans que cela ait d'importantes répercussions sur les autres éléments du système de construits. Par contraste, les **construits périphériques** sont moins essentiels et on peut les modifier sans entraîner des répercussions majeures sur la structure de base. Ainsi, si vous avez de solides convictions religieuses et un intérêt mitigé pour les arts, votre construit « créatif-non créatif » sera peut-être périphérique alors que votre conception de ce qui est « péché-saint » sera un construit central qui serait pratiquement impossible à modifier.

Le système de construits d'une personne s'organise de manière hiérarchique. Dans le monde animal, un exemple de construit hiérarchique serait la séquence ANIMAL-chien-golden retriever. Au sommet de la hiérarchie, on trouve les construits les plus vastes et les plus inclusifs, qu'on appelle les **construits d'ordre supérieur** (par exemple, ANIMAL). Ces construits d'ordre supérieur comprennent des construits intermédiaires plus étroits et plus précis (par exemple, chien, chat ou girafe), qui à leur tour comprennent de nombreux **construits subordonnés** encore plus spécifiques (par exemple, golden retriever, berger allemand, caniche, etc.). Bref, les construits diffèrent par leur portée et leur extension.

Il importe de comprendre que tous les construits d'un système sont liés entre eux. Dès lors, le comportement d'un individu se rapporte à son système de construits plutôt qu'à un construit isolé. En modifiant un construit, on se trouve à modifier d'autres aspects du système dont il fait partie. Et bien que les construits sont généralement compatibles les uns avec les autres, il arrive que certains

Construit submergé

Dans la théorie des construits personnels de Kelly, construit qui a pu s'exprimer en mots, mais dont l'un des pôles, ou l'un des deux, ne peut se verbaliser.

Construit central

Dans la théorie des construits personnels de Kelly, construit qui est fondamental dans le système de construits d'un individu et dont la modification entraîne nécessairement des répercussions majeures sur le reste du système.

Construit périphérique

Dans la théorie des construits personnels de Kelly, construit qui n'est pas fondamental dans le système des construits d'un individu et dont la modification n'a pas de répercussions importantes sur le reste du système.

Construit d'ordre supérieur

Dans la théorie des construits personnels de Kelly, construit qui se situe plus haut dans la hiérarchie du système de construits et qui comprend donc des construits plus restreints et plus précis (les construits subordonnés).

Construit subordonné

Dans la théorie des construits personnels de Kelly, construit qui se situe plus bas dans la hiérarchie du système de construits et qui est donc compris dans un construit plus large (le construit d'ordre supérieur).

Les mots pour exprimer ce que vous voyez, ce que vous goûtez et ce que vous sentez

« Pourquoi sommes-nous si mal outillés pour les exprimer ? », se demandait un étudiant en parlant des saveurs, des odeurs et des sensations tactiles. Qu'est-ce que cela changerait si nous disposions d'un vocabulaire plus étendu, c'est-à-dire d'un plus grand nombre de construits, pour exprimer verbalement ces phénomènes ? A-t-on un odorat plus aiguisé si on dispose d'un plus grand nombre de construits olfactifs ? Goûte-t-on de mieux en mieux au fur et à mesure qu'on échafaude des construits gustatifs ? Serait-ce là le secret des fins gourmets ?

On a cru un temps que le langage déterminait notre façon de percevoir et d'organiser le monde, mais, à la lumière des données dont nous disposons aujourd'hui, des nuances s'imposent. Nous pouvons percevoir et reconnaître de nombreux phénomènes pour lesquels nous n'avons ni mot, ni concept. Cependant, disposer d'un concept (construit) peut nous aider à expérimenter certains phénomènes et à nous en souvenir. Ainsi la recherche concernant l'identification des odeurs indique que celle-ci est facilitée par le fait de disposer de mots appropriés pour les décrire : « Les gens peuvent améliorer leur capacité à reconnaître les odeurs par la pratique, et plus précisément grâce à diverses interventions cognitives où les mots confèrent aux odeurs une identité perceptuelle ou olfactive. » Nommer une odeur contribue à transformer ce qui était flou en quelque chose de plus clair. On ne peut pas choisir n'importe quel nom, cependant, car certains mots semblent plus aptes que d'autres à rendre l'expérience sensorielle. L'essentiel, c'est que la cognition joue un rôle important dans presque tous les aspects de l'expérience sensorielle.

En somme, si à lui seul l'élargissement de nos construits sensoriels ne suffit pas à améliorer notre acuité sensorielle, il peut y contribuer largement lorsqu'il est associé à la pratique. Vous voulez devenir un fin palais ? Exercez vos papilles et n'oubliez pas d'étendre votre système de construits !

Source : *Psychology Today*, juillet 1981.

L'unité des construits : Disposer de construits pertinents peut améliorer la perception des goûts et des odeurs.

construits entrent en conflit avec d'autres, créant tensions et difficultés quand vient le moment d'effectuer des choix (Landfield, 1982).

En résumé, selon la théorie des construits personnels de Kelly, la personnalité d'un individu est constituée par son système de construits. L'individu utilise ses construits pour interpréter le monde et prévoir les événements. Les construits d'un individu définissent donc son univers. Les gens diffèrent les uns des autres tant par le contenu de leurs construits que par l'organisation globale de leurs systèmes de construits respectifs. Pour connaître une personne, il faut connaître les construits qu'elle utilise, les événements subsumés sous ces

Les construits centraux : Les problèmes de couple tournent souvent autour de construits centraux, comme le construit coupable-innocent.

construits, leurs modes de fonctionnement et la manière dont ils s'organisent les uns par rapport aux autres pour former un système (Adams-Webber, 1998).

Évaluation: le répertoire des construits de rôles (test de Kelly)

Comment le psychologue peut-il connaître le système de construits d'une personne? En d'autres mots, comment, dans la théorie des construits personnels, peut-on évaluer la personnalité d'un individu?

Pour Kelly, il faut d'abord et avant tout faire confiance à l'individu que l'on doit évaluer: «Si vous ne savez pas ce qui se passe dans l'esprit d'une personne, demandez-le-lui; il se peut qu'elle vous le dise» (1958, p. 330). Kelly, en effet, avait une grande confiance en la capacité de l'individu de connaître sa propre personnalité; sur ce plan, il était totalement à l'opposé de Freud.

Il a donc élaboré son propre instrument d'évaluation, le **répertoire des construits de rôles** (appelé *Rep test* ou *test de Kelly*), qui découle directement de la théorie. De tous les tests de personnalité, le test de Kelly est probablement celui qui est le plus directement lié aux éléments fondamentaux de la théorie.

Le test de Kelly s'effectue en deux étapes: (1) on établit d'abord une liste des personnes de l'entourage de l'individu qui serviront à l'évaluer (la liste de rôles) et (2) on met au jour les construits en demandant à la personne soumise au test d'effectuer une tâche qui permettra de révéler ses construits personnels. À la première étape, on demande aux participants de nommer les personnes qui jouent un rôle précis dans leur vie: la mère, le père, un professeur particulièrement apprécié, un voisin avec qui ils ont des relations difficiles, etc. Habituellement, les personnes désignées sur la liste permettent d'embrasser de vingt à trente rôles. À l'étape suivante, et c'est là que Kelly innove, l'examinateur choisit trois personnes dans la liste de rôles et demande à l'individu d'indiquer en quoi deux d'entre elles se ressemblent et diffèrent de la troisième. Supposons, par exemple, qu'on soumet à l'individu les noms de trois personnes figurant dans la liste de rôles, soit la mère, le père et le professeur apprécié. Il pourra décider que le père

> **Répertoire des construits de rôles (test de Kelly)**
> Test conçu par Kelly pour déterminer les construits qu'utilise une personne, les relations entre ces construits et la façon dont ils s'appliquent à des personnes précises.

et le professeur se ressemblent par leur assurance et diffèrent de la mère, qui est timide. L'objectif ici n'est pas d'en apprendre sur le père, la mère et le professeur, mais plutôt sur l'*individu qui passe le test*. On dégagera ainsi chez cet individu le pôle «assurance-timidité». Ainsi, à chaque groupe de trois personnes figurant dans la liste, on dégagera un construit, qui pourra être un construit déjà connu ou un nouveau construit. Le tableau 11.1 présente des exemples de construits échafaudés par un participant au test.

Cet exemple montre à quel point le test mis au point par Kelly est conséquent avec la théorie qu'il a conçue et qui affirme que les construits permettent d'évaluer en quoi deux éléments sont similaires et différent d'un troisième élément. C'est exactement ce que tente de faire le test. La théorie soutient que l'on ne peut réduire la personnalité à une simple taxonomie de traits ou de types de personnalité. Le test est d'une extraordinaire souplesse en ce qu'il permet aux participants de révéler leur interprétation du monde et qu'il ne tente pas de classer les individus en fonction d'une taxonomie préétablie des types de personnalité.

Ce que révèle l'évaluation des construits personnels

Comme vous pouvez l'imaginer, faire passer le test de Kelly est passablement compliqué, beaucoup plus en tout cas qu'un test comme l'inventaire des cinq grands facteurs de personnalité (voir le chapitre 8), et il exige beaucoup de temps. On peut donc se demander si l'effort en vaut la peine. Le test permet-il d'apprendre des choses sur l'individu qui ne pourraient être révélées par des tests plus simples s'appuyant sur la théorie des traits de personnalité?

Grice (2004) a étudié cette question de façon systématique. Il a administré deux types de tests à un groupe de participants à une recherche: (1) une grille idiographique construite sur le modèle du test de Kelly qui vise à évaluer les construits personnels et (2) une grille nomothétique d'évaluation de la personnalité comprenant une série fixe d'énoncés génériques associés aux cinq grands facteurs plutôt que des descripteurs idiosyncratiques pouvant être révélés par une procédure telle que le test de Kelly. On a ainsi tenté de déterminer dans quelle mesure la grille idiographique des construits personnels permet de mettre au jour des éléments que ne peut révéler la grille nomologique construite sur le modèle des cinq grands facteurs.

Tableau 11.1 | Des exemples de construits engendrés par le test de Kelly

Personnages similaires	Pôle de similarité du construit	Personnage différent	Pôle de différence du construit
Moi, père	Axés sur le bonheur	Mère	Dotée d'esprit pratique
Professeur, personne heureuse	Calmes	Sœur	Anxieuse
Ami, amie	Savent écouter	Ancien ami	A de la difficulté à exprimer ses sentiments
Personne antipathique, employeur	Se servent des autres à leurs propres fins	Personne appréciée	Prévenante
Père, personne qui réussit	Actifs dans la communauté	Employeur	Absent dans la communauté
Personne antipathique, employeur	Méprisants	Sœur	Respectueuse des autres
Mère, ami de sexe masculin	Introvertis	Ancien ami	Extraverti
Moi, professeur	Indépendants	Personne aisée	Dépendante
Moi, amie	Créatifs	Ami de sexe masculin	Peu créatif
Employeur, amie	Raffinés	Frère	Peu raffiné

On a ensuite procédé à une analyse statistique des deux formes d'évaluation de la personnalité. L'analyse a montré que les deux tests ne se chevauchent que partiellement. Plus précisément, environ la moitié de la variance de la personnalité résultant du test des construits personnels était explicable à partir du test des cinq grands facteurs, l'autre moitié étant unique au test des construits personnels (Grice, 2004). Le test de Kelly a donc son utilité puisque la moitié de l'information ainsi recueillie sur l'individu resterait inconnue si l'on ne disposait que du test des cinq grands facteurs. Comme le souligne Grice (2004, p. 227), lorsqu'ils doivent produire eux-mêmes le contenu d'investigation, comme c'est le cas dans la procédure de Kelly, les individus vont généralement « au-delà du simple énoncé des traits de personnalité (du test des cinq grands facteurs) pour se décrire eux-mêmes et décrire les autres ».

La complexité-simplicité cognitive

Nous l'avons dit, les gens diffèrent non seulement par le contenu de leurs construits, mais également par la structure générale et l'organisation de leur système de construits. Mais en quoi les systèmes de chacun sont-ils différents ? C'est ici qu'entre en jeu le continuum de **complexité-simplicité cognitive** des systèmes de construits.

Un système de construits complexe comporte de multiples construits qui ne se chevauchent pas. Un exemple de construits qui se chevauchent serait le construit intelligent-non intelligent et le construit futé-niais. C'est la complexité cognitive du système de construits qui donne à l'individu son expertise et lui permet d'établir un grand nombre de distinctions entre les gens et les événements, distinctions qui échappent à l'individu doté d'un système plus simple.

Ainsi, si votre système comprend un nombre important de construits liés à la musique symphonique, vous serez en mesure de faire de nombreuses distinctions entre les diverses œuvres du répertoire alors que l'individu doté d'un système comportant peu de construits liés à la musique symphonique trouvera que toutes les œuvres se ressemblent.

La recherche sur la complexité cognitive a commencé peu après que Kelly eut échafaudé sa théorie. James Bieri (1955) a formulé l'hypothèse voulant que les individus dotés d'un système complexe sont mieux en mesure que les autres de prédire le comportement d'autrui. En effet, la complexité du système de construits permettrait d'établir des distinctions fines entre les personnes et donc de faire des prévisions plus exactes sur leurs comportements.

Bieri a voulu vérifier cette hypothèse auprès d'un groupe d'étudiants de niveau collégial. Il leur a demandé de décrire la personnalité de compagnons de classe en leur faisant passer un test de Kelly par lequel ils devaient faire appel à un construit pour indiquer en quoi deux membres de la classe se ressemblent et en quoi un troisième diffère d'eux. On mena le test en prenant une série de groupes

> **Complexité-simplicité cognitive**
>
> Dimension du fonctionnement cognitif d'une personne, qui se définit à un extrême par l'utilisation d'un très grand nombre de construits ayant entre eux de multiples relations (degré élevé de complexité cognitive) ou, à l'autre extrême, par l'utilisation d'un nombre restreint de construits ayant peu de relations entre eux (faible degré de complexité cognitive).

LA PERSONNALITÉ ET LE CERVEAU

Construits et expertise

La théorie de Kelly répond à des préoccupations d'ordre psychologique et non pas biologique. Kelly cherchait à savoir comment les gens donnent un sens aux événements qui ponctuent leur vie et il s'intéressait peu aux éléments biologiques sous-jacents à cette construction de sens. Cela dit, les travaux de Kelly ont permis de formuler deux hypothèses sur le fonctionnement du cerveau.

Selon la première hypothèse, le cerveau des gens disposant d'un système de construits complexe est différent du cerveau des gens dotés d'un système plus simple. Puisque le cerveau est le siège de la pensée, il doit exister des différences entre le cerveau des gens qui ont des aptitudes cérébrales différentes, par exemple, entre les gens que l'on reconnaît comme des «experts» d'un domaine et ceux que l'on considère comme des «débutants».

La deuxième hypothèse est plus complexe et pose la question suivante: en quoi, exactement, les cerveaux de l'expert et du débutant sont-ils différents? Selon la théorie de Kelly, les individus ne possèdent qu'un seul système de construits. Lorsqu'ils acquièrent de nouvelles compétences cognitives, ils conservent le même système, qui évolue et se complexifie. Sur le plan biologique, on peut donc penser que le cerveau des experts et celui des novices présentent des différences, même si les deux individus interprètent le monde en utilisant des systèmes neuronaux identiques et en sollicitant la même région du cerveau. Mais dans le cas des experts, la région du cerveau (quelle qu'elle soit) sollicitée dans l'interprétation du monde serait, selon l'hypothèse formulée, plus développée sur le plan biologique, c'est-à-dire que la densité de cellules cérébrales y serait plus forte que chez les débutants.

On peut mesurer la densité des cellules cérébrales par scintigraphie du cerveau. Il s'agit (1) de repérer les gens qui présentent des différences de complexité cognitive dans un domaine donné, (2) de demander à chacun de penser successivement à un sujet faisant partie du domaine étudié puis à un sujet qui n'y est pas lié et qui servira de condition témoin, et (3) enfin d'obtenir et d'analyser les images du cerveau des participants. Une des études portait sur le hockey (Beilock, Lyons, Mattarella-Micke, Nusbaum et Small, 2008). Les participants recrutés provenaient de deux groupes: des joueurs de hockey de niveau collégial et des gens qui n'avaient aucune expérience de ce sport. On pouvait ainsi présumer que les joueurs de hockey feraient montre d'un système de construits lié au hockey plus complexe que les autres participants à l'étude. Les expéri-

mentateurs ont donc présenté aux deux groupes une série de phrases liées au hockey (par exemple, «Le joueur de hockey a effectué son lancer») et une autre série de phrases non liées à ce sport (par exemple, «L'individu a repoussé la carte»). La scintigraphie permettait de voir les régions du cerveau qui étaient les plus actives au moment où les participants réfléchissaient à chaque série de phrases.

Lorsqu'on leur a soumis la série de phrases qui n'avait aucun lien avec le hockey, tous les participants montraient une activation d'une région du cerveau associée au traitement des mots. Selon la théorie de Kelly, on pouvait croire que, lorsqu'on a soumis la série de phrases ayant un lien avec le hockey, les joueurs de hockey manifestaient une activation plus forte de cette même région du cerveau, qui serait le siège du système de construits, mais ce ne fut pas le cas. Les joueurs de hockey ont plutôt montré une activation dans une autre région du cerveau, le cortex prémoteur (Beilock et coll., 2008). Cette région du cerveau est mise à contribution par chacun de nous lorsque nous planifions et exécutons des mouvements. Il se trouve que les experts, dotés d'un système de construits complexe, font appel à ce système pour interpréter les mouvements d'autrui. Ce résultat fut confirmé par une autre étude (Lyons et coll., 2010) et est tout à fait compatible avec de nombreuses recherches sur la cognition corporellement ancrée (Shapiro, 2011), qui démontrent que les individus utilisent plusieurs régions distinctes du cerveau (par exemple, le cortex moteur, l'aire visuelle) lorsqu'ils tentent de donner un sens aux événements.

Ces résultats remettent-ils en question la justesse de la théorie de Kelly? Certainement pas, puisque Kelly n'a fait aucune prédiction quant aux bases neuronales du système de construits. Cela dit, ces résultats font ressortir certaines faiblesses de la théorie des construits personnels, et c'est Kelly lui-même qui en fournit l'explication. Sa théorie ne comporte aucune hypothèse sur le plan des neurosciences. Dans la théorie des construits personnels, il n'existe aucun élément scientifique permettant de prédire que certaines personnes seulement sont en mesure d'utiliser leur cortex prémoteur pour interpréter les événements. C'est là une affirmation qui dépasse le *champ d'application* de la théorie de Kelly. Grâce au développement rapide de la recherche sur la personnalité et le cerveau, on trouve de plus en plus de découvertes scientifiques qui s'inscrivent à l'extérieur du champ d'application de la théorie de Kelly. En ce XXIe siècle, voilà peut-être la plus grande lacune de la théorie des construits personnels.

de trois membres de la classe. Bieri a alors analysé les réponses de chaque participant et évalué le degré de complexité de leur système de construits. Le participant qui faisait appel à un éventail restreint de construits se voyait attribuer un score peu élevé sur l'échelle complexité-simplicité, alors que celui qui utilisait un large éventail de construits qui ne se chevauchent pas obtenait un score élevé. Ensuite, chaque participant devait répondre, seul, à un questionnaire à choix multiples dans lequel il tentait de prévoir le comportement d'autres étudiants dans diverses situations sociales hypothétiques. Le participant devait également prédire son propre comportement dans ces situations, et ce comportement était alors désigné comme étant la « bonne » réponse. Ainsi qu'on l'avait prévu, les différences de complexité du système de construits avaient une incidence sur les prédictions du comportement d'autrui, les prédictions des étudiants dont le système était plus complexe étant plus justes. En particulier, ces étudiants avaient une plus grande capacité de déterminer les différences de comportement entre eux-mêmes et les autres. Ils avaient moins tendance à conclure de façon erronée que les autres auraient le même comportement qu'eux-mêmes dans une situation sociale donnée. Exactement comme l'avait prédit Kelly, le fait d'avoir un système de construits complexe donne donc à l'individu une meilleure souplesse de pensée et lui permet de mieux prédire le comportement d'autrui.

Des travaux ultérieurs nous en ont appris davantage sur le continuum complexité-simplicité cognitive. Les gens ayant un système plus complexe se distinguent par leur capacité de gérer les informations discordantes ayant trait à une personne. Ils utilisent cette information pour se former une impression de la personne, alors que les gens ayant un système peu complexe ne retiennent habituellement que l'information compatible avec la personne et rejettent toute autre information (Mayo et Crockett, 1964). Les individus dotés d'un système plus complexe sont mieux en mesure de comprendre et d'assumer le rôle d'autres personnes (Adams-Webber, 1979, 1982 ; Crockett, 1982). Par rapport aux cinq grandes dimensions de la personnalité décrites au chapitre 8, c'est à la cinquième, le goût des expériences nouvelles, avec laquelle la complexité cognitive se trouve le plus étroitement liée (Tetlock, Peterson et Berry, 1993).

Aujourd'hui, les chercheurs continuent d'étudier le continuum complexité-simplicité des systèmes de construits. Ils s'intéressent particulièrement à la complexité des croyances à propos du soi, ou complexité du soi (self-complexity). C'est une recherche marquante de Patricia Linville (1985) qui a suscité cet intérêt. Elle a posé l'hypothèse selon laquelle le niveau de complexité du soi varie considérablement d'une personne à l'autre. Certaines personnes possèderaient donc un petit nombre de croyances fondamentales à propos de leur soi qui leur servent constamment de repères dans quelques circonstances très précises de leur vie. D'autres sont engagées dans de nombreux rôles sociaux et possèdent un large éventail de compétences et de croyances personnelles qu'elles mettent à contribution dans diverses situations. Par exemple, supposons deux amis, un étudiant en médecine qui consacre une soixantaine d'heures par semaine à ses études et qui se décrit comme « intelligent » et « minutieux », et un étudiant qui est aussi parent d'un enfant, bénévole à l'église paroissiale, travailleur à temps partiel et sportif accompli, et qui se décrit comme une personne ayant un style personnel bien distinct dans chacune de ses activités. C'est ce dernier qui devrait être considéré comme ayant un degré de complexité du soi plus élevé.

La recherche menée par Linville (1985, 1987) indique qu'un degré élevé de complexité protège contre les effets du stress. Les gens ayant un degré de complexité du soi élevé semblent mieux réagir sur le plan émotif dans les situations particulièrement stressantes. Ainsi, dans le cas d'un étudiant qui possède un haut degré de complexité du soi, le fait de remplir plusieurs rôles (parent, travailleur, etc.) lui fournira des distractions cognitives qui lui permettront d'éviter de sombrer dans un état dépressif prolongé lorsqu'il rate un examen. Une récente étude montre toutefois que le degré de complexité du soi ne protège pas systématiquement du stress et laisse entendre qu'il faudrait améliorer les outils de mesure de la complexité du soi (Rafaeli-Mor et Steinberg, 2002).

Enfin, un champ d'études prometteur est la « complexité de l'identité sociale » (Roccas et Brewer, 2002). La complexité de l'identité sociale a trait à la complexité des représentations mentales que se font les gens des groupes sociaux auxquels ils appartiennent. Ainsi, les gens qui vivent dans une société multiculturelle peuvent être en mesure de reconnaître les interrelations complexes qui se tissent au sein des groupes caractérisés par des identités multiples.

En résumé, le continuum complexité-simplicité cognitive constitue l'un des éléments les plus étudiés des différences individuelles dans les systèmes de construits personnels.

| **Un test de Kelly destiné aux enfants : comment interprètent-ils la personnalité ?**

Quelles sortes de construits utilisez-vous pour différencier les gens que vous connaissez ? Par exemple, en quoi votre mère et votre père sont-ils semblables entre eux et différents de vous ? Votre analyse des similitudes et des différences entre vous et vos parents a-t-elle changé depuis votre enfance ? D'après une étude menée par Donahue (1994), votre système de construits aurait effectivement changé, tant dans son contenu que dans sa forme. Donahue s'est servi d'une version simplifiée du test de Kelly pour dégager les construits qu'utilisaient des enfants de 11 ans pour décrire la personnalité. Il leur a fourni une liste de rôles comportant neuf personnages : moi, mon (ma) meilleur(e) ami(e), un pair de l'autre sexe « qui s'assoit près de moi à l'école », un pair antipathique, ma mère (ou une personne qui joue le rôle de la mère), le père (ou une personne qui joue le rôle du père), un professeur aimé, mon moi idéal et un adulte antipathique. On a écrit sur des fiches les noms des diverses personnes associées à ces personnages et on les a présentés par groupes de trois à chaque enfant. Par exemple, pour cerner le premier construit, on a demandé à chaque enfant de penser à lui-même ou à elle-même (moi), à son meilleur ami ou à sa meilleure amie et au professeur aimé pour trouver un mot ou une phrase décrivant en quoi deux de ces personnes se ressemblaient, puis un mot contraire décrivant en quoi la troisième personne était différente des deux autres. En procédant ainsi, chaque enfant a produit neuf construits.

Quelles sortes de construits ces enfants ont-ils produits ? Pour ce qui est du contenu, Donahue a catégorisé les construits selon le modèle de personnalité à cinq facteurs (les « Cinq Grands ») : extraversion, agréabilité, esprit consciencieux, stabilité émotionnelle et ouverture aux expériences (voir le chapitre 8). Les enfants utilisèrent des construits des cinq dimensions, mais la très grande majorité des construits concernaient l'agréabilité (par exemple,

« il est gentil » ou « il se querelle souvent ») et l'extraversion (par exemple, « il veut être le chef » ou « il aime jouer calmement »). Par rapport aux descriptions de personnalité fournies par les adultes, celles des enfants recouraient beaucoup moins aux trois autres dimensions du modèle à cinq facteurs. La plupart de leurs construits étaient donc de nature interpersonnelle, ce qui dénotait l'importance qu'ils accordaient à la bonne entente avec leurs pairs, leurs parents et leurs professeurs.

Pour ce qui est de la forme, Donahue a distingué six façons de structurer ou d'exprimer les construits personnels : les faits (« il vient de l'Oklahoma »), les habitudes (« il mange beaucoup de bonbons »), les habiletés (« il est le champion aux billes »), les préférences (« il aime les BD »), les tendances comportementales (« il a toujours des ennuis avec le professeur ») et les traits de personnalité (« il est timide »). Comme on pouvait s'y attendre, les enfants utilisèrent moins les traits et beaucoup plus les faits que les adultes. Ces résultats indiquent que les systèmes de construits, plus concrets chez l'enfant, deviennent de plus en plus abstraits et psychologiques avec l'âge.

Comme l'illustrent ces résultats, le test de Kelly permet de comprendre comment notre système de construits personnels se transforme avec l'âge, tant sur le plan du contenu que de la forme. Évidemment, on pourrait se livrer à d'autres comparaisons intéressantes : par exemple, on pourrait chercher à savoir quelles sont les différences entre les systèmes de construits énoncés par les hommes et par les femmes, ou encore entre les systèmes des gens appartenant à deux groupes ethniques ou culturels. Le test de Kelly nous permet d'explorer à la fois ce qu'il y a de singulier et ce qu'il y a de commun dans la façon dont divers individus ou divers groupes interprètent le monde.

Source : Donahue, 1994.

Les processus

Les processus en jeu dans la théorie des construits personnels se démarquent radicalement des autres théories de la motivation échafaudées à l'époque de Kelly. Comme nous l'avons déjà signalé, la psychologie des construits personnels n'interprète pas les comportements humains sous l'angle de la motivation, des pulsions et des besoins de l'individu. En fait, dans la théorie des construits personnels, le terme *motivation* est superflu, car il suppose que l'être humain est inerte et qu'il a besoin de quelque chose

pour l'animer. Mais si nous tenons plutôt pour acquis que l'être humain est fondamentalement actif, alors la controverse sur ce qui pousse un organisme inerte à entrer en action perd toute pertinence, puisque « l'organisme entre de plain-pied dans le monde psychologique, bien en vie et se battant déjà » (Kelly, 1955, p. 37). Kelly explique ainsi la différence entre sa perspective et les autres théories de la motivation :

> Kelly avait sa propre opinion sur les autres théories de la motivation. Pour lui, ces théories motivationnelles se

divisaient en théories du «pousser» (*push*) et théories du «tirer» (*pull*), les premières s'appuyant sur les pulsions ou les motivations qui propulsent ou poussent l'organisme, les secondes mettant l'accent sur les objectifs et les valeurs qui attirent ou tirent l'organisme. Kelly estimait que sa théorie diffère des autres et il préférait en parler comme de la «théorie de l'âne», puisqu'elle se penche sur la nature de l'animal lui-même.

Prévoir les événements

L'une des tâches de la psychologie scientifique est d'expliquer pourquoi l'être humain est un organisme actif et pourquoi son activité est dirigée vers tel ou tel but. À l'époque de Kelly, on expliquait l'activité d'une personne par le concept de motivation, différents éléments de motivation étant la cause de différents comportements. Si, comme nous l'avons déjà souligné, Kelly rejetait le concept de motivation, comment pouvait-il alors expliquer l'orientation que prenait toute activité humaine?

Kelly régla cette question en posant ce qu'il a appelé le **postulat fondamental** de la théorie des construits personnels. Selon ce postulat, les processus à l'œuvre chez l'individu sont canalisés psychologiquement par la façon dont il prévoit les événements. Kelly estimait que tous les phénomènes psychologiques susceptibles d'intéresser le psychologue de la personnalité sont façonnés par des anticipations du futur. C'est en se référant à son système de construits personnels que l'individu présage ce que lui réserve le futur. Dès lors, le postulat fondamental de Kelly lie les aspects structuraux de la théorie (le système de construits personnels) aux processus dynamiques qui opèrent de façon continuelle chez l'individu.

Lorsqu'il expérimente des événements, l'individu reconnaît entre eux des similarités et des différences et échafaude alors ses construits personnels. En s'appuyant sur ces construits, l'individu, tout comme le fait un scientifique, envisage le futur. À mesure que des événements se produisent à répétition, nous modifions nos construits afin qu'ils nous permettent de prévoir les événements de façon plus juste. La valeur des construits est fonction de l'exactitude des prévisions qu'ils permettent d'énoncer. Mais qu'est-ce qui détermine l'orientation du comportement? Là encore, comme le scientifique, l'individu choisit les comportements qu'il juge les plus prometteurs pour prévoir les événements. Tout comme le scientifique essaie d'améliorer sa théorie pour qu'elle mène à des prévisions plus justes, l'individu tente constamment d'améliorer l'efficacité de son système de construits. Dès lors, selon

Kelly, l'individu choisit l'option qu'il juge la plus prometteuse pour le développement optimal de son système de construits.

Lorsqu'il choisit un construit particulier, l'individu fait, d'une certaine manière, un pari en prévoyant que tel ou tel événement ou enchaînement d'événements se produira. S'il y a des incohérences dans le système de construits, les paris s'annulent plutôt que de s'additionner. Par contre, s'il est cohérent, le système mène à une prévision susceptible d'être testée. Si l'événement survient, la prévision se réalise et le construit est validé, du moins pour un certain temps. Si la prévision ne se réalise pas, le construit est invalidé. Dans ce cas, l'individu doit soit élaborer un nouveau construit, soit restreindre le construit existant ou l'élargir afin qu'il englobe la prévision de l'événement qui s'est produit.

Essentiellement, l'individu continue à faire des prévisions et à modifier son système de construits selon que les modifications précédentes mènent ou non à des prévisions exactes. Notons que l'individu ne cherche ni à obtenir des renforcements, ni à éviter la douleur, mais plutôt à valider ses construits et à parfaire son système de construits. Si une personne s'attend à ce qu'il se produise quelque chose de déplaisant et que cet événement survient, sa prévision se trouve validée même si l'événement se révèle négatif ou déplaisant. Cette personne pourrait même préférer vivre un événement douloureux confirmant la validité de son système de prévision plutôt qu'un événement neutre ou plaisant qui l'infirmerait (Pervin, 1964).

Selon Kelly, les gens ne cherchent pas à obtenir le type de certitude qu'offre, par exemple, le tic-tac répétitif d'une horloge; au contraire, ils fuient habituellement l'ennui engendré par les événements répétitifs et le fatalisme qui résulte de l'inévitable. Ils cherchent plutôt à prévoir les événements et à élargir le champ d'application de leur système de construits en repoussant ses limites. Ce constat nous amène à faire une distinction entre les idées de Kelly et celles de Rogers. Selon Kelly, les individus ne cherchent

**Postulat fondamental
(de la théorie des construits personnels de Kelly)**
Postulat voulant que tous les processus psychologiques qui sont à l'œuvre chez l'individu et qui sont susceptibles d'intéresser le psychologue de la personnalité sont modelés, ou canalisés, par la façon dont il prévoit les événements.

| **Complexité cognitive, leadership et crises internationales**

Des études dans le domaine de la psychologie politique établissent un lien entre le continuum de complexité-simplicité (un aspect important de la personnalité dans la théorie des construits personnels) et le comportement des leaders politiques. Les résultats de ces études ont des répercussions considérables sur la vie politique ainsi qu'en matière de leadership et de relations internationales.

Par exemple, auriez-vous soupçonné que la complexité cognitive, quel que soit son degré, peut représenter un avantage pour un leader révolutionnaire ? Une étude portant sur la réussite ou l'échec de quatre révolutions (la révolution américaine, la révolution russe, la révolution chinoise et la révolution cubaine) indique qu'une faible complexité cognitive est associée au succès pendant la lutte révolutionnaire, tandis qu'une grande complexité cognitive est associée au succès pendant la phase de consolidation. Ainsi, adopter une approche résolue et catégorique constitue un atout durant la première phase, mais se rabattre sur une façon d'agir plus nuancée et plus souple est plus appropriée à la deuxième phase. Cela pourrait expliquer pourquoi les leaders révolutionnaires font parfois de mauvais chefs de gouvernements démocratiques une fois la révolution terminée.

Des études dans le domaine des relations internationales suggèrent que la complexité des communications entre les parties a une incidence sur les probabilités qu'une guerre soit déclarée. Ainsi, le risque de guerre est moindre lorsque les communications entre les parties se caractérisent par un degré élevé de complexité. Le degré de complexité des discours israéliens et palestiniens prononcés devant l'Assemblée générale des Nations Unies était beaucoup moins élevé qu'à l'habitude juste avant le déclenchement des quatre conflits qui ont embrasé le Moyen-Orient (en 1948, 1956, 1967 et 1973). De même, les communications entre les États-Unis et l'Union soviétique avaient un degré de complexité bien moindre pendant la période qui a précédé la guerre de Corée que pendant la période qui a précédé des conflits qui ont été résolus pacifiquement, comme le blocus de Berlin et la crise des missiles cubains. En réalité, si l'on examine les transcriptions (May et Zelikow, 1997) des communications entre le gouvernement américain et les leaders soviétiques, on constate que la capacité du président Kennedy à éviter la catastrophe nucléaire a reposé sur une analyse cognitive exceptionnellement complexe et fine des diverses manœuvres militaires et diplomatiques.

Un grand nombre d'Américains voyaient en George W. Bush un leader solide capable de gérer efficacement les crises. Les chercheurs ont évalué que son approche des problèmes était caractérisée par un faible degré de complexité cognitive.

D'autres études ont établi un lien entre la complexité cognitive, d'une part, et le conservatisme et le libéralisme, d'autre part. Ainsi, les gens ayant des idées libérales manifestent souvent une grande « complexité intégrative ». Le terme *complexité intégrative* a été créé par le psychologue Philip Tetlock pour décrire le degré de différenciation puis d'intégration cognitive que manifestent les individus relativement aux multiples perspectives par lesquelles on peut aborder un enjeu donné. L'individu qui a une pensée unidimensionnelle et qui ne s'intéresse qu'à une ou deux grandes questions aura un degré peu élevé de complexité intégrative. Une revue de nombreuses études menées dans plusieurs pays indique que les personnes qui ont un degré peu élevé de complexité ont généralement des idées conservatrices sur le plan politique (Jost, Glaser, Kruglanski et Sulloway, 2003, p. 353). La phrase suivante prononcée par le président George W. Bush, de tendance conservatrice, est révélatrice : « Écoutez, mon travail n'est pas de faire dans la nuance. »

Sources : Jost, Glaser, Kruglanski et Sulloway, 2003 ; Suedfeld et Tetlock, 1991.

pas la congruence pour la congruence, ni même la simple cohérence interne ; ils cherchent à prévoir les événements, ce qu'un système cohérent leur permet de faire.

L'anxiété, la peur et la menace

Jusqu'ici, le système de Kelly peut sembler assez simple et direct, mais les choses se compliquent quand on introduit les concepts d'anxiété, de peur et de menace. Pour Kelly, l'**anxiété** surgit lorsque l'individu constate que les événements auxquels il est amené à faire face se situent hors du champ d'application de son système de construits. Il devient anxieux lorsqu'il se retrouve sans construits, qu'il « a perdu son emprise structurelle sur les événements » et que « ses construits sont mis en échec ». Les gens se protègent contre l'anxiété de diverses manières. Lorsqu'ils vivent des événements qu'ils n'arrivent pas à interpréter – qui se situent hors du champ d'application de leur système de construits –, ils peuvent soit élargir les construits pour les appliquer à une plus vaste gamme d'événements, soit restreindre leurs construits pour se concentrer sur les détails. Supposons par exemple qu'une femme qui utilise le construit généreux-égoïste et se considère comme une personne généreuse constate qu'elle est en train d'agir de manière égoïste. Comment interprète-t-elle ce qui se passe ? Elle pourra soit élargir le construit « personne généreuse » de manière à y faire entrer ce comportement égoïste, soit – ce qui serait plus facile dans ce cas précis – l'appliquer de façon plus ciblée aux personnes importantes dans sa vie, de sorte qu'il viserait dorénavant moins de gens et d'événements.

La **peur** diffère de l'anxiété en ce qu'elle survient quand l'individu prend conscience qu'un nouveau construit est sur le point de s'intégrer à son système de construits. Plus grave encore, il sera question de **menace** quand la personne a le sentiment qu'un changement dans la structure d'un construit central est sur le point de se produire. L'individu se sent menacé quand son système de construits est sur le point d'être fortement ébranlé. Par exemple, il se sentira menacé par la mort s'il la perçoit comme imminente et si cela suppose un changement draconien dans ses construits centraux. La mort n'est pas menaçante lorsqu'elle ne semble pas imminente ou si l'individu ne l'interprète pas comme quelque chose qui modifiera fondamentalement le sens de sa vie.

Être en contact avec des gens de différentes cultures constitue une expérience qui permet d'élargir notre système de construits.

La menace, en particulier, a de multiples ramifications. Chaque fois qu'ils entreprennent une nouvelle activité, les gens s'exposent à éprouver de la confusion et à se sentir menacés. Il en est ainsi quand ils se rendent compte que leur système de construits est sur le point d'être radicalement bouleversé par ce qu'ils ont découvert. « C'est ce moment qu'on ressent comme menaçant, le moment de franchir le seuil entre la certitude et la confusion, entre l'ennui et l'anxiété. C'est à ce moment précis que la tentation de revenir en arrière est la plus grande » (Kelly, 1964, p. 141). La réponse à la menace peut être de renoncer à l'aventure, de régresser et de retourner aux anciens

Anxiété

Émotion suscitée par la perception de l'imminence d'une menace ou d'un danger ; dans la théorie des construits personnels de Kelly, celle-ci surgit lorsque l'individu prend conscience que les événements qu'il perçoit se situent hors du champ d'application de son système de construits.

Peur

Dans la théorie des construits personnels de Kelly, émotion qui survient lorsque l'individu prend conscience qu'un nouveau construit est sur le point d'être intégré à son système de construits.

Menace

Dans la théorie des construits personnels de Kelly, perception de l'individu qui prend conscience de l'imminence d'un changement majeur susceptible d'ébranler son système de construits.

construits pour éviter la panique. La menace plane quand nous progressons dans la compréhension de l'être humain et quand nous sentons qu'un profond changement est sur le point de se produire en nous.

La menace, c'est-à-dire la prise de conscience qu'un changement dans la structure d'un construit central est sur le point de se produire, peut être liée à bien des expériences. Pensons par exemple à ce qu'éprouvent des étudiants en musique qui s'apprêtent à jouer devant le jury chargé de déterminer s'ils réussissent leur examen semestriel. Dans quelle mesure peuvent-ils s'attendre à se sentir menacés par la possibilité d'un échec? Pourquoi certains d'entre eux devraient-ils ressentir une plus grande anxiété que les autres? S'appuyant sur Kelly, deux psychologues ont testé l'hypothèse suivante: les étudiants se sentiront menacés par la possibilité d'un échec devant le jury dans la mesure où cet échec suppose la réorganisation de la composante «construits sur soi» de leur système de construits. Pour vérifier cette hypothèse, au début du semestre, les chercheurs ont administré à des étudiants en musique un test de menace constitué de 40 construits centraux (compétent-incompétent, productif-improductif, mauvais-bon, etc.) par rapport auxquels les étudiants ont évalué d'abord leur soi, puis leur soi en cas de piètre performance devant le jury. Un indice de menace a été attribué à chaque étudiant selon le nombre de construits centraux pour lesquels le soi et le soi en cas de piètre performance devant le jury recevaient des évaluations diamétralement opposées. On a mesuré l'anxiété des étudiants à l'aide d'un questionnaire administré en début de semestre, puis trois jours avant le début des prestations devant jury. Conformément à la théorie des construits personnels, les étudiants pour qui, de leur propre aveu, un échec devant jury entraînerait les changements les plus importants dans les construits sur soi furent aussi ceux qui se disaient les plus anxieux à la veille de leur prestation devant jury (Tobacyk et Downs, 1986).

Malheureusement, les auteurs de l'étude ont utilisé le concept d'anxiété d'une manière qui n'est pas nécessairement conforme aux idées de Kelly. Plus: ils ne se sont pas penchés sur ce que suscitait chez les étudiants l'anticipation de la possibilité que leur performance devant jury soit très supérieure à ce qu'ils pouvaient escompter, compte tenu de leurs construits sur soi. Autrement dit, un changement majeur qui résulterait d'une prestation exceptionnelle et inattendue serait-il également perçu comme une menace? La question est importante, car, selon la théorie de Kelly, c'est le sentiment de l'imminence d'un changement majeur dans le système de construits qui devrait être menaçant, et non l'échec en soi.

Des psychologues de la théorie des construits personnels ont concentré leurs efforts de recherche sur les attitudes envers la mort, à la fois par rapport aux interprétations qu'elle inspire et à la menace qu'elle représente (Moore et Neimeyer, 1991; Neimeyer, 1994). Pour ce qui est des interprétations qu'inspire la mort, la recherche indique que les gens utilisent des construits comme sens-absence de sens, positive-négative, acceptée-refusée, prévue-imprévue, et définitive-vie après la mort. Pour ce qui est de l'intensité de la menace associée à la mort, la recherche a supposé qu'on pouvait mesurer l'écart entre les construits sur soi de l'individu et ses construits sur la mort. En effet, selon la théorie des construits personnels, la menace est lourde de conséquences si la personne est incapable d'imaginer que la mort a un rapport avec soi. Le test de la menace a révélé que les individus s'analysent et analysent leur propre mort en fonction de construits comme en bonne santé-malade, fort-faible, prévisible-imprévisible et utile-inutile. L'indice de menace pour un individu représente la différence entre ces deux séries d'évaluations. On suppose que si l'écart est grand, l'interprétation de construits relatif à la mort s'appliquant à soi indiquerait un changement radical dans le système de construits. Ainsi définie, l'influence de la menace de mort s'est révélée moindre pour les individus hospitalisés aux soins palliatifs que pour les individus hospitalisés dans d'autres services, pour les individus en phase avec leurs émotions que pour ceux qui répriment leurs émotions, et pour les individus axés sur l'épanouissement et l'autoactualisation que pour ceux qui ne le sont pas ou le sont moins.

Les concepts d'anxiété, de peur et de menace revêtent une grande importance parce qu'ils ajoutent une nouvelle dimension aux idées de Kelly concernant le fonctionnement humain. On constate à présent que la dynamique de ce fonctionnement suppose qu'il existe une interaction entre le désir qui anime l'individu d'étendre son système de construits et sa volonté d'échapper à la menace d'un bouleversement de ce système. Les gens cherchent constamment à conserver et à améliorer leur système de prévision, mais devant l'anxiété et la menace, il peut arriver que certains adhèrent de façon rigide à un système étriqué plutôt que de se risquer à élargir leur système de construits.

Partant du postulat que l'organisme est actif, Kelly s'abstient donc d'avancer des hypothèses sur les forces motivationnelles. Pour lui, les êtres humains se comportent comme

L'élaboration du système de construits : Le fait d'être mis en contact avec des stimuli nombreux et variés facilite le développement du système de construits. Conscients de ce fait, certains parents tentent de créer des « superbébés ».

des scientifiques : ils interprètent les événements, font des prévisions et cherchent à étendre leur système de construits. Parfois – et en cela aussi ils ressemblent aux scientifiques –, l'inconnu provoque chez eux une telle anxiété et le changement leur semble si menaçant qu'ils s'accrochent à des vérités absolues et deviennent dogmatiques. Par contre, quand ils procèdent en scientifiques compétents, ils réussissent à adopter une disposition à l'accueil et à exposer leur système de construits à toute la diversité des événements que leur offre la vie.

La croissance et le développement

Aucune théorie de la personnalité ne couvre le champ de la personnalité de façon exhaustive. Toutes ont des zones d'ombre et des éléments qui n'ont pas été explorés en profondeur. Dans la théorie des construits personnels de Kelly, cette zone d'ombre est celle de la croissance et du développement.

Kelly n'a jamais été très explicite sur l'origine du système de construits. Il a affirmé que les construits proviennent de l'observation d'événements ou d'enchaînements d'événements qui se répètent, mais il n'a pas expliqué pourquoi les divers événements mènent à des différences comme celles que l'on constate entre les systèmes de construits simples et les systèmes complexes. Les propos de Kelly demeurent donc très limités sur la question du développement. Il axe la croissance et le développement sur la mise en place des construits préverbaux dans la petite enfance et considère la culture comme un processus d'apprentissage des attentes. Les gens appartiennent à

un même groupe culturel parce qu'ils ont en commun certaines façons d'interpréter les événements et le même type d'attentes en ce qui concerne le comportement.

De manière générale, la recherche développementale associée à la théorie des construits personnels s'est intéressée à deux types de changements. Premièrement, on a voulu savoir pourquoi le système de construits se complexifie avec l'âge (Crockett, 1982 ; Hayden, 1982 ; Loevinger, 1993). Deuxièmement, on a étudié les changements qualitatifs dans les construits et dans la capacité manifestée par les enfants de devenir plus empathiques, ou plus conscients des systèmes de construits d'autrui (Adams-Webber, 1982 ; Donahue, 1994 ; Morrison et Cometa, 1982 ; Sigel, 1981). Pour ce qui est de la complexité du système de construits, la recherche indique qu'au fur et à mesure qu'ils se développent, les enfants disposent d'un plus grand nombre de construits, qu'ils acquièrent la capacité de déceler des différences plus subtiles et que leurs construits présentent une organisation plus hiérarchisée, mieux intégrée. Pour ce qui est de l'empathie, la recherche indique qu'en se développant, les enfants deviennent de plus en plus conscients que de nombreux événements ne sont pas liés au soi ; ils apprécient davantage les construits d'autrui (Sigel, 1981).

Deux études peuvent nous éclairer quant à ce qui détermine les structures cognitives complexes. L'une a révélé que le degré de complexité cognitive des participants était lié à la diversité des contextes culturels qu'ils avaient connus dans l'enfance (Sechrest et Jackson, 1961). L'autre étude indique que les enfants présentant un degré élevé de complexité cognitive avaient des parents plus enclins à leur accorder une certaine autonomie et moins portés à l'autoritarisme que les enfants qui présentent un faible degré de complexité cognitive (Cross, 1966). Le fait de pouvoir observer un plus grand nombre d'événements différents et de connaître des expériences plus variées favorise sans doute le développement d'une structure complexe. On peut aussi s'attendre à ce que les enfants soumis à des menaces lourdes et persistantes de la part de parents autoritaires élaborent un système de construits rigide et étriqué.

La question des facteurs qui déterminent le contenu des construits et la complexité du système de construits est d'une importance capitale. Cela est particulièrement vrai dans le domaine de l'éducation, puisque celle-ci vise en bonne partie à mettre en place un système de construits complexe, souple et adaptatif. Malheureusement, Kelly lui-même ne s'est pas beaucoup avancé sur ce terrain. Il n'a pas exploré la question du développement autant qu'il aurait été souhaitable. Relativement peu de recherches contemporaines sur le développement de la personnalité ont porté directement sur les postulats de la théorie des construits personnels.

LES APPLICATIONS CLINIQUES

La psychopathologie

Si Kelly n'a pas analysé en profondeur les questions relatives au développement, il s'est beaucoup intéressé au traitement des psychopathologies, consacrant tout le deuxième volume de son ouvrage monumental, publié en 1955, aux applications cliniques de la théorie des construits personnels.

Selon Kelly, toute souffrance psychique est une réponse chaotique à l'anxiété et témoigne du fonctionnement désordonné du système de construits. Dans ce contexte, la **métaphore de la personne perçue comme scientifique** est pertinente. Seul le scientifique incompétent continue de défendre une théorie et à en tirer des conclusions même lorsque la recherche contredit les prétentions de sa théorie. De la même manière, seul l'individu qui éprouve des problèmes de fonctionnement maintient son système de construits même si ce système l'amène constamment à faire des prévisions qui ne se réalisent pas.

Cet entêtement à maintenir un système de construits défaillant s'explique par des sentiments d'anxiété, de peur et de menace. Kelly a soutenu que l'on peut considérer le comportement humain comme étant une tentative de fuir l'anxiété extrême. L'anxiété est donc à la base des troubles psychologiques, qui constituent autant d'efforts futiles pour rétablir la capacité de prévoir les événements:

Métaphore de la personne perçue comme scientifique
Métaphore utilisée par Kelly pour conceptualiser la personne; cette métaphore met en évidence le fait que les caractéristiques fondamentales du fonctionnement usuel de la personnalité sont semblables à la démarche du scientifique, qui utilise des construits pour comprendre et prévoir les événements.

L'individu névrosé cherche désespérément de nouvelles façons d'interpréter les événements… L'individu psychotique, au mieux, semble avoir trouvé une solution temporaire à son anxiété. Mais il s'agit une solution éphémère, puisqu'elle devra éventuellement subir l'épreuve des faits.

Source: Kelly, 1955, p. 895-896.

Les tentatives de l'individu pour éviter l'anxiété (qui surgit lorsqu'il constate que son système de construits ne lui permet pas de prévoir les événements) et la menace (qui surgit, elle, lorsqu'il constate qu'un changement à un construit central du système de construits est imminent) sont au cœur même de la vision des psychopathologies par Kelly. Pour se protéger contre l'anxiété et la menace, l'individu utilise des mécanismes de protection. Cette conception est semblable à la conception de Freud. En effet, Kelly avance qu'en réponse à l'anxiété, l'individu pourra être amené à réagir d'une façon telle qu'il sera incapable de verbaliser les construits auxquels il se réfère, qui se situeront dès lors hors du champ de la conscience. Ainsi, l'individu pourra faire abstraction d'un pôle d'un construit (qui deviendra alors «submergé») ou encore de certains éléments d'un construit qui sont incompatibles. Ce type de réponse à l'anxiété est très semblable au concept de refoulement. Dans certains cas, l'individu fera les mêmes prévisions, peu importe si les conditions changent, et, dans d'autres cas, il tentera d'amener les autres à adopter un comportement qui sera conforme à son propre système de construits. Dans tous les cas, la psychopathologie est le signe d'un recours à des construits déficients ou d'un système mésadapté.

Le changement et la thérapie d'assignation de rôle

Selon la théorie des construits personnels, le traitement des troubles psychiques vise à changer le système de construits personnels de l'individu. La tâche du thérapeute est donc de favoriser le développement d'un système de construits plus efficace. Si le recours répété à des construits non valides devient pathologique, alors la psychothérapie consiste à aider le patient à mieux prévoir les événements en élaborant des construits plus efficaces et, pourrait-on dire, à en faire un scientifique plus compétent. La thérapie vise donc à reconstruire le système de construits, en remplaçant certains construits, en en ajoutant de nouveaux et en dénouant certaines connexions ou en ajoutant de nouvelles. Quel que soit le processus retenu, l'objectif de la thérapie est de reconstruire la vie psychique de l'individu.

Comment y parvient-on ? Kelly a mis au point sa propre technique : la **thérapie d'assignation de rôle**. Elle a pour objectif d'amener le patient à adopter de nouvelles façons de se percevoir. Le thérapeute cherche à amener le patient à adopter de nouveaux comportements, à se percevoir différemment, bref, à devenir une nouvelle personne. Une des techniques pour y parvenir est le jeu de rôle. Après avoir dégagé une compréhension de base du patient, les membres d'une équipe de psychologues ébauchent la description d'une nouvelle personne, rôle que devra endosser le patient en vue d'élargir son système de construits. Une fois terminée la description de la personne fictive, le thérapeute présente cette description au patient, qui doit alors décider s'il s'agit du type de personne qu'il aimerait côtoyer et avec qui il se sentirait à l'aise. Cette étape vise à s'assurer que la nouvelle personne qu'on présente au patient ne sera pas trop menaçante pour lui.

À l'étape suivante, le thérapeute invite le patient à se comporter comme s'il était cette personne. Il lui demande donc d'oublier complètement qui il est et de se comporter comme s'il était la nouvelle personne pendant une période d'environ deux semaines. Par exemple, si la nouvelle personne s'appelle Daniel Lavoie, le thérapeute dira au client : « Pour les deux prochaines semaines, tentez d'oublier complètement qui vous êtes et qui vous avez été. Vous êtes maintenant Daniel Lavoie. Vous agissez comme lui, vous pensez comme lui. Vous parlez à vos amis comme vous imaginez qu'il leur parlerait. Vous faites ce que vous pensez que lui ferait. Vous avez les mêmes intérêts que lui et aimez les choses que lui-même aimerait. » Le patient résistera peut-être, aura peut-être l'impression de jouer la comédie et d'être hypocrite, mais le thérapeute l'encouragera, par son attitude bienveillante, à jouer le jeu pour voir ce qui en résultera. Le patient n'est pas informé qu'il devra finalement devenir la personne dont on lui demande de jouer le rôle. On lui demande en réalité de renoncer à être lui-même afin qu'il puisse se découvrir.

De nombreux éléments du jeu de rôle trancheront radicalement avec le fonctionnement habituel du patient, et Kelly a avancé qu'il serait plus facile pour celui-ci de

La thérapie d'assignation de rôle : Dans la thérapie d'assignation de rôle de Kelly, on encourage le patient à essayer de nouvelles manières de se comporter et de se concevoir.

jouer un rôle se situant à l'opposé de leur comportement habituel plutôt qu'un rôle juste légèrement différent. Se comporter conformément au rôle proposé aurait comme effet de déclencher des processus qui auraient des répercussions sur l'ensemble du système de construits personnels. Dès lors, la thérapie d'assignation de rôle n'a pas pour but de simplement modifier certains éléments mineurs de la personnalité. Elle vise la reconstruction complète de la personnalité. Elle offre en fait au patient la possibilité de jouer un nouveau rôle, d'adopter une nouvelle personnalité dans la totale sécurité que permet l'environnement thérapeutique.

> Le thérapeute doit être bien préparé et se tenir prêt à incarner plusieurs rôles. À tout moment, il doit « jouer en soutenant du mieux qu'il le peut un acteur (le patient) qui oublie constamment ses répliques et contamine son rôle ».
>
> Source : Kelly, 1955, p. 399.

La thérapie d'assignation de rôle n'est pas la seule technique thérapeutique élaborée par Kelly (Bieri, 1986). Cette thérapie est toutefois particulièrement associée à la théorie des construits personnels et met en évidence certains des principes du changement de la théorie des

Thérapie d'assignation de rôle

Technique thérapeutique fondée sur le jeu de rôle que Kelly a mise au point pour encourager le patient à se comporter et à se percevoir d'une nouvelle façon.

construits personnels. L'objectif thérapeutique est de reconstruire le soi. L'individu abandonne certains construits, en crée de nouveaux, procède à des ajustements et se donne ainsi un nouveau système de construits qui permet de mieux prévoir les événements. Le thérapeute encourage le patient à jouer le jeu, à expérimenter, à chercher des solutions de rechange et à réinterpréter son passé à la lumière des nouveaux construits. Il s'agit d'un processus thérapeutique complexe. Le traitement diffère d'un patient à l'autre, et le thérapeute doit vaincre la résistance de certains d'entre eux. Toutefois, le thérapeute peut contribuer à faire des changements réels et positifs chez l'individu, tout comme le bon metteur en scène aide l'acteur à se révéler dans son rôle ou comme le bon professeur contribue à la formation du scientifique compétent. Les données actuelles donnent à penser qu'une thérapie menée conformément aux principes de la théorie des construits personnels traite efficacement une grande variété de troubles psychiques (Winter et Viney, 2005).

L'histoire de **Jacques**

Le test de Kelly : la théorie des construits personnels

Jacques a passé séparément des autres tests la formulation du test de Kelly destinée aux groupes (figure 11.2). Dans ce test, on attribue au participant des rôles et celui-ci doit alors formuler un construit articulé en termes de similarités et de différences. Le participant a toutefois pleine liberté quant au contenu du construit qu'il utilise. Comme nous l'avons fait observer précédemment dans ce chapitre, ce test a été élaboré conformément à la théorie des construits personnels de Kelly. Deux thèmes principaux sont ressortis dans les construits de Jacques. Le premier décrit les relations

Construit	Pôle opposé
Content de soi	Doute de soi
Non intéressé par la communication avec les étudiants en tant que personnes	Intéressé par la communication avec les étudiants en tant que personnes
Sympathique	Antipathique
Sensible aux messages des autres	Insensible aux messages des autres
Affable-sociable	Introverti-en retrait
Replié sur soi-même, complexé	Content de soi
Intellectuellement vif	Terre à terre et prévisible
Remarquable, ayant réussi	Médiocre
Antipathique	Très aimable
Satisfait de sa vie	Malheureux
Timide, peu sûr de soi	Sûr de soi
Ouvert sur le monde, ouvert d'esprit	Replié sur soi, esprit fermé
Accessible, transparent	Complexe, difficile à saisir
Pourvu d'une grande capacité d'aimer	Replié sur soi
Suffisant	A besoin d'autrui
Intéressé par les autres	Intéressé uniquement par lui-même
Si complexé que l'on peut douter de sa santé psychologique	Fondamentalement sain et stable
Capable de heurter les gens s'il le faut	Refusant de heurter les gens s'il peut l'éviter
Étroit d'esprit, conservateur	Esprit ouvert, libéral
Manquant de confiance en soi	Confiant en soi
Sensible	Insensible, centré sur lui-même
Manquant d'assurance avec les autres	Sûr de lui et à l'aise avec les autres
Brillant, déluré	Moyennement intelligent

Figure 11.2 | **Données du test de Kelly – Le cas de Jacques**

interpersonnelles de l'individu, essentiellement en fonction du pôle chaleureux et généreux-froid et narcissique. Ce thème s'exprime dans des construits comme aimant-tourné vers soi, sensible-insensible et sait communiquer avec autrui-peu intéressé par autrui. Le deuxième thème touche au sentiment de sécurité et s'exprime dans des construits comme complexé-sain, inquiet-confiant et satisfait de sa vie-insatisfait de sa vie. La fréquence d'apparition des construits faisant référence à ces deux thèmes laissait supposer que Jacques avait une conception relativement étroite du monde, c'est-à-dire qu'il percevait les événements en fonction des pôles chaleur-froideur et assuré-peu assuré.

Comment un construit donné se rattache-t-il à une personne? Pour se décrire lui-même, Jacques utilisait des construits exprimant un sentiment d'insécurité. Ainsi, il s'identifiait à sa sœur, si complexée que l'on pouvait douter de sa santé psychologique, alors qu'il voyait son frère comme essentiellement sain et stable. Pour deux autres construits, il se percevait comme manquant de confiance en lui et comme manquant d'assurance avec les autres. Cette perception de lui-même contrastait avec la perception qu'il avait de son père, qu'il voyait comme une personne introvertie et en retrait, certes, mais également autonome, ouverte d'esprit, remarquable et ayant réussi.

Il est intéressant d'analyser les construits que Jacques a utilisés en relation avec sa mère, car, encore ici, ces construits laissent entrevoir la présence de conflits. Il perçoit sa mère d'une part comme une personne extravertie, sociable et aimante, d'autre part comme une personne terre à terre, prévisible, étroite d'esprit et conservatrice. Le construit étroite d'esprit et conservatrice est particulièrement intéressant à analyser, puisque, ce faisant, il associe sa mère à la personne avec laquelle il a le moins d'affinités. La mère et la personne avec laquelle Jacques a le moins d'affinités s'opposent au père, qui est perçu comme ouvert d'esprit et libéral. Les perceptions pour l'ensemble des personnes donnent à penser que, pour Jacques, la personne idéale est chaleureuse, sensible, sûre d'elle-même, intelligente, ouverte d'esprit et ayant réussi. Les femmes qu'il côtoie dans sa vie – sa mère, sa sœur, sa copine et ses copines précédentes – sont perçues comme ayant certaines de ces qualités, mais n'en ayant pas certaines autres.

Commentaires sur ces données

Le test de Kelly nous donne des informations utiles sur Jacques et son interprétation du milieu dans lequel il évolue. Cette interprétation puise à deux construits principaux: le construit relations avec autrui chaleureuses-froides et le construit sûr de soi et confiant-peu sûr de soi et malheureux. Le test révèle les raisons pour lesquelles Jacques a de la difficulté à entrer en relation avec les autres et à faire preuve de créativité. Le fait qu'il n'utilise que deux construits restreint sa capacité à voir les autres comme des personnes uniques et l'oblige à avoir des gens et des événements une vision stéréotypée et conventionnelle. Un monde aussi unidimensionnel ne peut pas être stimulant et la menace constante de l'insensibilité de ce monde, de même que la crainte du rejet, expliquent la mélancolie qui habite Jacques.

Les résultats du test de Kelly, tout comme les enseignements de sa théorie, sont fort instructifs. Pourtant, aussi révélateurs et utiles que soient ces résultats, de nombreuses questions demeurent sans réponse. Si Kelly a fourni le squelette de la structure de la personnalité, il n'a pas mis beaucoup de chair autour de l'os. La perception que Jacques a de lui-même et de son environnement constitue un élément important de sa personnalité. Certes, il est utile d'évaluer ses construits et son système de construits pour comprendre comment il interprète les événements et tente de les prévoir. Mais qu'en est-il de cet individu qui ne parvient pas à vivre en accord avec ce qu'il ressent, qui cherche désespérément à être aimable malgré les sentiments d'agressivité qui le rongent et à entretenir des relations saines avec les femmes malgré les sentiments ambigus qu'elles lui inspirent?

LES VISIONS CONNEXES ET L'ÉVOLUTION DE LA THÉORIE

La psychologie a évolué depuis l'époque de Kelly. Si son approche axée sur les processus cognitifs était alors considérée comme radicale, elle fait aujourd'hui partie des courants dominants en psychologie de la personnalité. Kelly a donc anticipé sur les innovations qui allaient survenir dans le domaine. Comme nous le verrons dans le prochain chapitre, les approches sociocognitives contemporaines de la personnalité ont retenu plusieurs des hypothèses de la théorie des construits personnels sur la nature humaine.

Bien que la théorie de Kelly ait fortement retenu l'attention lorsqu'elle fut présentée en 1955, elle tranchait tellement avec la tradition qu'elle suscita peu de recherches durant la décennie qui suivit. Ce n'est que beaucoup plus tard que les chercheurs explorèrent certaines pistes dégagées par la théorie des construits personnels (Neimeyer et Neimeyer, 1992). L'un des éléments qui ont suscité le plus d'intérêt fut le test de Kelly et la structure des systèmes de construits. Les études portant sur la fiabilité du test de Kelly indiquent que les réponses des individus à la liste de rôles et aux construits utilisés sont relativement stables au fil du temps (Landfield, 1971). De plus, le test de Kelly fut utilisé pour étudier la dynamique d'individus atteints de divers troubles psychologiques, les systèmes de construits de couples mariés et les relations interpersonnelles (Duck, 1982). Des modifications au test de Kelly ont permis d'étudier la complexité structurelle des systèmes de construits, la perception de diverses situations et, comme nous l'avons déjà mentionné, l'utilisation de construits non verbaux. Pratiquement tous les aspects de la théorie de Kelly ont fait l'objet d'études (Mancuso et Adams-Webber, 1982). L'organisation du système de construits, de même que les modifications qui y ont été apportées consécutivement au développement de la personnalité ont particulièrement retenu l'attention (Crockett, 1982). Les principes du développement qui ont été mis de l'avant par Kelly présentent de nombreuses similitudes avec la théorie de Piaget, notamment (1) l'évolution d'un système global et indifférencié vers un système différencié et intégré, (2) le recours de plus en plus fréquent à des structures abstraites pour traiter plus efficacement une plus grande quantité d'information, (3) le développement vu comme une réponse aux tentatives d'intégrer les nouveaux éléments du système cognitif et (4) l'organisation des éléments cognitifs en véritable système par opposition à la simple addition des éléments.

D'autres recherches pertinentes puisent à la théorie des construits personnels de Kelly, bien qu'elles aient été menées sous l'angle d'approches de la personnalité plus contemporaines (voir les chapitres 12 et 13). Ainsi, le psychologue Tory Higgins (1999) a élaboré une approche des construits cognitifs et du fonctionnement de la personnalité qui est parfaitement compatible avec la théorie de Kelly. Dans ses recherches, Higgins (Higgins et Scholer, 2008) s'est intéressé à l'importance des *construits accessibles en tout temps*, soit un construit facilement activé par la moindre information. Ces construits, qui peuvent se situer dans le champ de la conscience ou hors de celui-ci, influent sur notre perception et notre souvenir des événements. Dans le même esprit, le théoricien sociocognitiviste Walter Mischel, qui fut l'élève de Kelly, a directement poursuivi la réflexion de son professeur sur le fait que les construits constituent un élément clé de la personnalité (voir le chapitre 12). Plus récemment, d'autres chercheurs se sont penchés sur des questions auxquelles Kelly a accordé relativement peu d'attention, soit la part des différences culturelles dans les construits des individus et le mode de formation des construits (voir le chapitre 14). Ces diverses et récentes innovations sont liées, bien que de façon indirecte, à la théorie des construits personnels.

Aujourd'hui, le psychologue de la personnalité dispose, pour l'étude de la cognition humaine, de tout un corpus de résultats de recherches, de concepts théoriques et de méthodes de recherche auxquels Kelly n'avait bien sûr pas accès. Il utilise ces outils pour analyser exactement les mêmes phénomènes que ceux qui ont intéressé Kelly. Toutefois, il n'emploie que très rarement la même terminologie ou les mêmes formulations théoriques que dans la théorie des construits personnels. Bien que Kelly demeure une figure qui jouit d'un respect exceptionnel, sa théorie est considérée aujourd'hui comme dépassée. Kelly lui-même l'avait d'ailleurs présagé.

L'ÉVALUATION CRITIQUE

Sur quelle base de données l'observation scientifique repose-t-elle?

Comment se positionne la théorie de Kelly en fonction des cinq critères que nous avons établis pour l'évaluation des diverses théories de la personnalité? Pour ce qui concerne le premier critère, les observations scientifiques, la théorie de Kelly fait plutôt bonne figure. Les observations cliniques de Kelly constituaient des analyses aussi fouillées et détaillées que celles de théoriciens comme Freud et Rogers. Avec son «Rep test», Kelly a mis au point un instrument fiable et objectif pour évaluer les caractéristiques de la personnalité des individus. Ce test est particulièrement digne de mention en ce qu'il est parfaitement en adéquation avec la théorie. Dès lors, selon les normes en vigueur au milieu du XXe siècle, le corpus d'observations scientifiques de Kelly est remarquable.

En fonction des normes actuelles, toutefois, les observations scientifiques de Kelly s'avèrent limitées. En effet, elles ne contiennent aucune donnée sur les différences culturelles et ne portent que sur la culture nord-américaine, plus précisément sur celle des États-Unis. De plus, il ne disposait pas d'une grande variété d'outils méthodologiques comme les techniques du temps de réponse et les techniques d'amorçage utilisées par les psychologues sociocognitivistes qui, comme Kelly, ont étudié les systèmes de construits et la personnalité (voir les chapitres 12 et 13). On ne peut évidemment tenir rigueur à Kelly de ne pas avoir recours à des outils qui ont été conçus après son époque. Cela dit, selon les normes actuelles, le corpus d'observations scientifiques de Kelly offre peu de diversité.

Une théorie systématique ?

La théorie des construits personnels est très systématique. En théoricien minutieux, Kelly a formulé sa théorie d'une façon logique et structurée. La théorie des construits personnels s'appuie sur une série bien précise d'hypothèses théoriques et leurs corollaires. En échafaudant sa théorie dans un style très rigoureux, Kelly a été en mesure d'assurer la cohérence de tous les éléments de sa théorie par rapport au cadre général conceptuel où elle s'inscrit.

Contrairement à la plupart des autres théoriciens de la personnalité, Kelly a eu la sagesse de présenter l'ensemble de sa théorie en bloc, dans son ouvrage publié en 1955. Il est en effet plus facile d'assurer la cohérence systématique de tous les éléments d'une théorie dans un seul ouvrage plutôt que dans une série de livres et d'ouvrages publiés sur une longue période pendant laquelle certains aspects de la théorie sont susceptibles de changer.

Une théorie vérifiable ?

Kelly a fait en sorte que sa théorie soit vérifiable de deux façons. D'abord, il a défini une terminologie précise. Puis, il a créé une procédure d'évaluation objective parfaitement en cheville avec la théorie, le test de Kelly. Ces deux éléments combinés, précision théorique et mesure objective, permettent de vérifier de nombreuses hypothèses, notamment que la justesse des prédictions sociales est liée à la complexité cognitive, que l'incapacité du système de construits à interpréter les événements est la cause de l'anxiété, que la thérapie d'assignation de rôle favorise le développement de nouveaux construits chez le patient, etc.

Néanmoins, la théorie de Kelly comporte certains éléments qu'il n'est pas facile de vérifier. On ne peut déterminer par des tests empiriques la justesse de certaines affirmations comme « il faut considérer les gens ordinaires comme des scientifiques », ou « les processus psychologiques sont canalisés par la façon qu'ont les individus de prévoir les événements », ou encore « le constructivisme constitue un principe général de la psychologie humaine ». Il s'agit là de concepts qui sont à la base de la théorie des construits personnels, mais qui ne sont pas vérifiables car il s'agit essentiellement de *suppositions* théoriques. Kelly fait de telles suppositions sur la personnalité, les pose comme prémisses et hypothèses de base sur lesquelles il échafaude sa théorie. Bien sûr, tous les théoriciens font de telles suppositions. Ainsi, lorsque Freud soutenait que l'esprit humain est un système d'énergie, il s'agissait d'une supposition et non pas d'une conclusion fondée sur des données systématiques, et certainement pas une hypothèse vérifiable. La théorie de Kelly n'est donc pas la seule à recourir à de telles affirmations qui ne sont pas directement vérifiables. Toutefois, sa théorie comporte un nombre particulièrement important et diversifié de telles affirmations. On peut assez facilement reformuler la théorie psychanalytique en en retirant le concept de système d'énergie, mais dans le cas de la théorie de Kelly, si l'on exclut l'idée que la façon qu'ont les individus de prévoir les événements permet de canaliser les processus psychologiques, ou encore si l'on exclut le concept de constructivisme, c'est toute la théorie des construits personnels qui s'effondre. Ces affirmations non vérifiables occupent une place particulièrement importante chez Kelly. Enfin, il faut souligner que, bien que les systèmes de construits aient fait l'objet de nombreuses études, il y a peu d'éléments probants qui démontrent l'existence d'un lien entre ces systèmes et les comportements manifestes de l'individu. La théorie donne à penser que ce lien existe, mais la preuve reste à établir.

Une théorie exhaustive ?

Si on accepte le postulat fondamental de la théorie de Kelly – soit que tous les processus psychologiques de l'individu sont canalisés par sa façon de prévoir les événements –, alors la théorie de Kelly est une théorie exhaustive. En principe, donc, elle s'applique à toutes les situations qui présentent un intérêt pour le psychologue de la personnalité et dans desquelles l'individu utilise ses construits personnels pour prévoir les événements de sa vie.

Kelly en un coup d'œil

Structure	Processus	Croissance et développement
Construits	Processus mis en œuvre par la prévision des événements	Complexité accrue et définition du système de construits

Cela dit, si l'on remet en question ce postulat fondamental, la théorie perd son caractère global. Elle s'applique toujours aux situations où l'individu agit « comme le scientifique », mais qu'en est-il des autres situations, par exemple, lorsque l'individu se comporte comme un fou furieux, un ivrogne ou un amoureux totalement irrationnel? Un des premiers critiques de la théorie de Kelly a écrit: « Je pense que la personne qui se met en colère ou qui est follement amoureuse ne fait plus aucune référence à son système [de construits personnels] dans sa globalité! On a l'impression que sa théorie de la personnalité constitue une réaction démesurée à une génération portée par l'irrationalisme » (Bruner, 1956, p. 356).

D'autres éléments de la théorie de Kelly font en sorte qu'elle n'est pas aussi exhaustive que d'autres théories présentées dans cet ouvrage, notamment les processus qui sont en jeu. Par exemple, comment l'individu peut-il déterminer quel construit utiliser et lequel sera le plus efficace pour prévoir les événements? Et comment déterminer quel pôle du construit (similarité ou différence) il doit employer pour être en mesure de prévoir les événements? De plus, Kelly ne s'est pas suffisamment intéressé au développement et à la croissance de la personnalité; idéalement, en effet, il aurait dû préciser comment, durant son enfance, l'individu acquiert un système de construits plutôt qu'un autre, et il aurait dû vérifier ses hypothèses sur cette question. Également, Kelly n'a pas beaucoup étudié la part des émotions dans les construits personnels, bien que des théoriciens qui ont poursuivi son œuvre aient comblé cette lacune (McCoy, 1981). Plus particulièrement, Kelly avait une vision unidirectionnelle des liens entre les construits personnels et les émotions; sa théorie explique en effet comment les construits personnels influent sur l'expérience émotionnelle de la personne, mais elle ne dit à peu près rien sur l'influence des émotions sur les construits personnels qui se forment ou qui deviennent accessibles à un moment donné. Les recherches actuelles confirment l'importance de cette autre « direction », c'est-à-dire l'importance de l'état émotif sur les contenus et processus cognitifs (Forgas, 1995).

Enfin, nous avons vu déjà les limites de la théorie de Rogers, dont l'approche théorique est semblable à celle de Kelly sur plusieurs points. Ainsi, tout comme Rogers, Kelly a exploré plus en profondeur le fonctionnement cognitif et social de l'individu plutôt que ses fonctions biologiques. Aucun des deux n'a accordé aux questions touchant l'évolution, la génétique et les caractéristiques individuelles suffisamment d'attention pour que leurs théories de la personnalité aient réellement une portée globale. Les découvertes récentes sur l'importance de la biologie dans le fonctionnement de l'esprit humain auraient une incidence certaine et manifeste sur la portée de la théorie des construits personnels. C'est le cas, notamment, d'une étude récente sur la cognition corporellement ancrée (Lakoff et Johnson, 1999; Niedenthal, Barsalou, Winkielman, Krauth-Gruber et Ric, 2005), qui a montré que les processus conceptuels comme le raisonnement, la catégorisation et le jugement (ce que Kelly appelait l'interprétation) n'engagent pas un seul système cognitif (ce que Kelly appelait le système de construits personnels), mais plusieurs systèmes distincts.

Pathologie	Changement
Dysfonctionnement du système de construits	Reconstruction psychologique de la vie; thérapie d'affectation de rôles

Les applications

L'un des points forts de la théorie des construits personnels, ce sont les applications qui en découlent. Comme Freud et Rogers, Kelly était un psychologue clinicien. Sa théorie de la personnalité s'est appuyée sur l'expérience clinique et sur des principes détaillés de construction théorique. Il a notamment créé, pour évaluer la personnalité des individus, une méthode objective que le psychologue clinicien peut en principe utiliser pour dégager les caractéristiques individuelles et certaines de leurs conséquences psychologiques. Nous employons ici l'expression « en principe » par prudence, simplement parce que le test de Kelly a servi à ces fins beaucoup moins fréquemment que les tests qui s'appuient sur les théories des traits de la personnalité.

Le deuxième livre important qu'a publié Kelly, en 1955, *The Psychology of Personal Constructs*, est entièrement consacré aux applications thérapeutiques de sa théorie. Kelly a su avec brio mettre sa théorie en pratique. En fait, on a l'impression, en lisant les ouvrages de Kelly, que ses travaux théoriques avaient essentiellement pour but l'application clinique, à savoir d'aider les gens à améliorer leur vie en en réinterprétant les événements.

Principales contributions et résumé

Avec son modèle structurel de la personnalité, Kelly a contribué de façon importante à la théorie de la personnalité. Peu après qu'il eut publié sa théorie, Bruner (1956) a dit de la théorie des construits personnels qu'elle constituait la plus importante contribution à l'étude du fonctionnement de la personnalité humaine de la décennie 1945 à 1955. Kelly a fait preuve d'imagination et d'audace en formulant une théorie aussi éloignée des approches béhavioristes et psychodynamiques, qui constituaient les courants dominants de la psychologie à l'époque. Pour cette seule raison, on doit saluer le travail de Kelly.

Dans les décennies qui ont suivi, toutefois, son approche ne s'est pas développée autant qu'on aurait pu l'espérer. Pour expliquer cet état de fait, certains ont invoqué une certaine déférence pour Kelly lui-même, mais aussi son isolement et le désir de garder une certaine orthodoxie (Rosenberg, 1980 ; Schneider, 1982). Comme l'a souligné un des adeptes de sa théorie, aucune théorie de la personnalité ne peut survivre si on ne la fait pas évoluer avec de nouvelles idées (Sechrest, 1977). À la fin des années 1980, une étude arrivait à la conclusion que les idées de Kelly n'intéressaient plus vraiment qu'un groupe d'adeptes enthousiastes (Jankowicz, 1987). La situation était toutefois différente en Angleterre, où les idées de Kelly sont, encore aujourd'hui, bien connues et enseignées dans la plupart des programmes de formation clinique. Cela dit, si Kelly jouit toujours d'un grand respect aux États-Unis, ses idées n'ont pas suscité un intérêt considérable ni eu un impact important dans le domaine (Winter, 1992). Aujourd'hui, sa contribution est indirecte. Ses travaux ont largement inspiré les théoriciens socioconstructivistes, dont il sera question dans les deux prochains chapitres.

En résumé, la théorie des construits personnels a ses points forts, mais aussi ses limites (tableau 11.2). Pour ce qui est des points forts, (1) Kelly a apporté une contribu-

Tableau 11.2 | **Un résumé des points forts et des limites de la théorie des construits personnels**

Points forts	Limites
1. Les processus cognitifs constituent l'aspect central de la personnalité.	1. Elle n'a pas mené à des recherches qui ont permis de la faire évoluer.
2. Elle offre un modèle de la personnalité qui tient compte à la fois du fonctionnement général de la personnalité humaine et des systèmes de construits propres à chaque personne.	2. Elle a peu contribué à la compréhension de certains aspects importants de la personnalité (croissance et développement, émotions).
3. Elle comprend une technique de recherche et d'évaluation de la personnalité découlant directement de la théorie.	3. Il n'y a pas jusqu'à maintenant de lien avec la recherche générale et la théorie de la psychologie cognitive.

tion appréciable à la psychologie en mettant de l'avant l'importance de la cognition et des systèmes de construits ; (2) il s'agit d'une approche de la personnalité qui tente de saisir à la fois le caractère unique de l'individu et les lois générales du fonctionnement humain ; (3) Kelly a créé une nouvelle et intéressante technique d'évaluation, le « Rep test », qui est totalement cohérente par rapport à la théorie. Pour ce qui est des limites, (1) Kelly a négligé certains aspects importants de l'étude de la personnalité, notamment la croissance et le développement ; (2) la théorie de Kelly est toujours restée en marge des courants dominants et des recherches en matière de psychologie cognitive de la personnalité ; (3) si on a beaucoup parlé de la théorie de Kelly, elle a toutefois suivi une voie peu fréquentée.

RÉSUMÉ

1. La théorie des construits personnels de George Kelly est axée sur la façon dont l'individu se représente ou interprète les événements. Kelly voyait dans l'être humain un scientifique, c'est-à-dire un observateur qui élabore des concepts, ou construits, afin d'organiser les phénomènes, et qui utilise ces construits pour faire des prévisions. L'individu a toujours la possibilité de réinterpréter les événements.

2. Pour Kelly, la personnalité de l'individu correspond à son système de construits personnels, c'est-à-dire aux types de construits qu'il a formés et à son organisation. Les construits s'échafaudent par l'observation des similitudes entre divers événements. Les construits centraux constituent les fondements du système, auxquels se greffent des construits périphériques de moindre importance. Les construits d'ordre supérieur se situent plus haut dans la hiérarchie et comprennent les construits qui se situent sous eux, notamment les construits subordonnés qui se situent plus bas dans la hiérarchie.

3. Kelly a mis au point le répertoire des construits de rôle (aussi appelé «test de Kelly» ou «Rep test»), qui est destiné à évaluer le contenu et la structure du système de construits de l'individu. Le test de Kelly a permis d'étudier le degré de complexité cognitive de l'individu, c'est-à-dire le degré de différenciation de son système de construits.

4. Selon Kelly, les gens éprouvent de l'anxiété lorsqu'ils prennent conscience d'événements qui se situent hors du champ d'application de leur système de construits. Ils ont peur lorsqu'ils constatent qu'un nouveau construit est sur le point d'émerger, et perçoivent une menace à la vue d'un changement susceptible d'ébranler leur système de construits. La façon dont l'individu utilise ses construits pour interpréter de nouveaux événements, pour prévoir les événements et pour organiser son système de construits peut entraîner des réponses désordonnées à l'anxiété. La psychothérapie est un processus qui permet la reconstruction du système de construits. Par la thérapie d'assignation de rôle de Kelly, le patient est incité à se percevoir et à se comporter d'une nouvelle façon, et à interpréter sa vie d'une nouvelle manière.

5. La recherche sur la théorie des construits personnels s'est principalement intéressée au test de Kelly. La recherche récente a démontré que les procédures d'évaluation idiographiques de Kelly révèlent beaucoup de choses sur l'individu que ne révèlent pas les tests de nature nomothétique fondés sur la théorie des traits. D'autres recherches ont exploré la complexité et la simplicité des systèmes de construits d'une manière qui est liée, bien qu'indirectement, aux postulats de la théorie des construits personnels.

CHAPITRE 12

LA THÉORIE SOCIOCOGNITIVE:
Bandura et Mischel

La théorie sociocognitive par rapport aux théories précédentes

Une présentation des théoriciens

La personne selon la théorie sociocognitive

La science de la personnalité selon la théorie sociocognitive

La théorie sociocognitive de la personnalité: la structure

La théorie sociocognitive de la personnalité: le processus

La croissance et le développement selon la théorie sociocognitive

Vous souvenez-vous de votre première journée à l'école secondaire ? Peut-être préférez-vous l'oublier... Rien n'est plus déstabilisant que de ne pas savoir comment se comporter, particulièrement dans un environnement où l'intégration est essentielle. Malgré la nervosité et l'incertitude qui la tenaillaient, une jeune fille décida de faire de cette rentrée une occasion d'apprendre. Elle comptait observer les élèves de cinquième les plus populaires et faire comme eux. Elle prit note de ce dont ils parlaient, des vêtements qu'ils portaient, des lieux qu'ils fréquentaient et du moment où ils le faisaient. Elle devint bientôt la nouvelle la plus populaire de l'école.

Si son nouveau milieu a fortement influencé cette jeune fille, elle-même a joué un rôle très actif dans sa réaction à cette influence. Cette idée voulant que le comportement soit le résultat d'une interaction entre la personne et son milieu est un concept déterminant de la théorie sociocognitive de la personnalité. Cette théorie se distingue par son insistance sur les origines sociales du comportement et l'importance de la cognition (les processus mentaux) dans le fonctionnement humain. Elle considère la personne comme étant capable de diriger sa vie et d'apprendre des modèles de comportement complexes sans récompense à la clé. La théorie sociocognitive a connu un essor considérable au cours des dernières décennies et occupe aujourd'hui une place de choix en psychologie de la personnalité.

LE CHAPITRE...
EN QUESTIONS

1. Quel rôle les processus mentaux, ou cognitifs, jouent-ils dans la personnalité ?

2. Comment les gens apprennent-ils des comportements sociaux complexes ?

3. Comment peut-on faire l'analyse scientifique de la capacité individuelle de personnalisation, c'est-à-dire l'aptitude à influer sur ses actions et son propre développement ?

4. À quels égards les variations – par opposition à la stabilité – de comportement d'une personne révèlent-elles la nature de sa personnalité ?

La théorie sociocognitive trouve ses origines dans la tradition des théories de l'apprentissage (voir le chapitre 10). Dès le début des années 1950, certains théoriciens se sont désintéressés de l'étude des animaux au profit de l'apprentissage *social*, soit l'acquisition de nouveaux modèles de comportements par des humains agissant dans un contexte social. La théorie trouve également des racines dans les travaux de George Kelly : l'étude de la *cognition*, y compris celle des structures cognitives par lesquelles nous interprétons les événements. Des théoriciens ont synthétisé et transcendé ces enseignements pour créer l'approche *sociocognitive*, qui occupe maintenant le devant de la scène dans l'étude contemporaine de la personnalité.

LA THÉORIE SOCIOCOGNITIVE PAR RAPPORT AUX THÉORIES PRÉCÉDENTES

Lorsqu'ils ont élaboré leur théorie de la personnalité, les sociocognitivistes ont tenté de surmonter les limites des théories existantes (celles dont traitent les chapitres précédents). Les critiques qu'ils ont formulées à l'égard de ces dernières constituent une bonne introduction à l'approche sociocognitive (voir Bandura, 1986, 1999 ; Mischel, 1999, 2001).

Tableau 12.1 | **Les caractéristiques de la théorie sociocognitive**

La théorie met l'accent sur :
1. la personne en tant qu'agent actif ;
2. les origines sociales du comportement ;
3. les processus cognitifs ;
4. les tendances comportementales et la variabilité du comportement ;
5. l'apprentissage de modèles complexes de comportement sans récompense à la clé.

Selon les sociocognitivistes, les psychanalystes accordent trop d'importance aux motivations inconscientes et à l'influence des expériences vécues dans la petite enfance. Les théoriciens sociocognitivistes s'intéressent bien plus à la réflexion consciente sur soi et font valoir que les processus de développement essentiels ne surviennent pas que dans la petite enfance, mais toute la vie durant (Aristico et coll., 2011)

Les sociocognitivistes remettent également en question la prémisse sur laquelle repose la théorie des traits de personnalité, à savoir qu'on peut rendre compte de la personnalité par des tendances globales moyennes (c'est-à-dire par le résultat moyen au test des traits). À leurs yeux, les comportements habituels et la *variabilité* dans le comportement révèlent la personnalité encore bien davantage. Vous montrez-vous réservé auprès de certaines personnes, mais extraverti avec d'autres ? Êtes-vous motivé à accomplir certaines tâches alors que vous en remettez d'autres toujours à plus tard ? La théorie sociocognitive voit dans cette variabilité des indices de la structure de la personnalité (Mischel et Shoda, 2008).

Les théoriciens sociocognitivistes contestent par ailleurs l'adéquation de la psychologie évolutionniste. Comment, disent-ils, une perspective évolutionniste peut-elle expliquer les modifications importantes qu'a connues la vie sociale humaine d'une période historique à une autre (Bandura, 2006 ; Bussey et Bandura, 1999) ? Il y a un siècle, les psychologues évolutionnistes ont peut-être expliqué en quoi l'évolution prédispose les femmes à rester à la maison plutôt qu'à intégrer le marché du travail. Or cette explication ne tient plus la route aujourd'hui, après l'entrée en masse des femmes sur le marché du travail.

Enfin, la théorie sociocognitive rejette l'argument béhavioriste voulant que les stimuli environnementaux déterminent le comportement. Les gens sont capables de maîtrise de soi. Leurs aptitudes cognitives leur permettent d'orienter leur propre développement (Bandura, 2006). Ces aptitudes leur permettent aussi d'apprendre de nouveaux modèles de comportement par l'observation, ou le modelage, même en l'absence de renforcement (tableau 12.1).

De nombreux spécialistes contemporains de la personnalité ont apporté leur contribution à la théorie sociocognitive (Cervone et Shoda, 1999b). Deux d'entre eux – Albert Bandura et Walter Mischel – ont cependant apporté une contribution extraordinaire qui a fait d'eux des chefs de file de l'approche sociocognitive. Bien qu'ils s'intéressent à des aspects différents du fonctionnement de la personnalité, leurs contributions se complètent et constituent une part importante des notions théoriques et de la recherche relatives au sociocognitivisme.

UNE PRÉSENTATION DES THÉORICIENS

Albert Bandura (1925-...)

Albert Bandura a grandi dans le nord de l'Alberta, au Canada. Après l'obtention d'un diplôme de premier cycle de l'Université de la Colombie-Britannique, il poursuit ses études de deuxième cycle en psychologie clinique à l'Université de l'Iowa, aux États-Unis, réputée pour l'excellence de ses recherches sur les processus d'apprentissage. Dans une entrevue, Bandura déclarait qu'il aime particulièrement conceptualiser des phénomènes cliniques afin qu'ils puissent être soumis à des tests expérimentaux. Cet intérêt repose sur sa conviction qu'en tant que praticien, il a la responsabilité d'évaluer l'efficacité d'un procédé thérapeutique avant d'y soumettre des patients (Evans, 1976).

Après l'obtention de son doctorat de l'Université de l'Iowa, en 1952, Bandura intègre le corps enseignant de la Stanford University et y passe toute sa carrière. Avec Richard Walters, son premier étudiant au doctorat, il étudie les facteurs sociaux contribuant à l'agressivité chez les enfants et coécrit deux ouvrages, *Adolescent Aggression* (1959) et *Social Learning and Personality Development* (1963). Ce dernier ouvrage, en particulier, pose les fondations de la perspective sociocognitive que Bandura développera durant les trois dernières décennies du XXe siècle. En 1969, la publication de *Principles of Behavior Modification* (Bandura, 1969) redéfinit la pratique de la thérapie comportementale en invitant les thérapeutes à s'intéresser aux processus cognitifs de leurs clients plutôt qu'aux facteurs environnementaux et aux mécanismes de conditionnement chers aux béhavioristes (voir le chapitre 10).

Depuis les années 1970, Bandura a concentré ses travaux sur les processus cognitifs qui font appel aux conceptions de soi et aux objectifs personnels (1977, 1997). Selon lui, ces processus procurent aux gens l'« agentivité » personnelle, qui est la capacité d'influer sur leur propre comportement et leurs expériences. La théorie sociocognitive de Bandura est à cet égard une conception de la nature humaine reposant sur le pouvoir d'agir en toute conscience de soi (Bandura, 1999, 2001). Bandura s'intéresse à l'influence qu'exercent les conditions interpersonnelles, sociales et socioéconomiques sur les croyances qu'entretient une personne à son propre sujet (Bandura, 2006).

L'œuvre monumentale de Bandura, *Social Foundations of Thought and Action* (1986), réunit une somme imposante de connaissance sur les processus, les structures et le développement de la personnalité dans une perspective sociocognitive. Elle constitue l'ouvrage phare de sa position théorique.

Bandura a reçu de nombreuses distinctions. Il a été président de l'American Psychological Association (APA), qui lui a remis le Distinguished Scientific Contribution Award. L'Association for Psychological Science (APS) a également souligné sa contribution remarquable à la psychologie, et des universités de partout en Amérique du Nord et en Europe lui ont décerné des diplômes honorifiques.

Walter Mischel (1930-...)

Walter Mischel est né à Vienne et y a vécu les neuf premières années de sa vie non loin de la résidence de Freud. Voici comment il décrit l'influence qu'ont pu exercer ces années :

> Quand j'ai commencé à étudier la psychologie, c'est Freud qui me fascinait le plus. Pendant mes études à City College (à New York, où s'est installée ma famille après avoir quitté l'Europe, en 1939, à cause d'Hitler), la psychanalyse me semblait proposer une vision complète de l'être humain. Mon enthousiasme a cependant fondu quand, une fois devenu travailleur social, j'ai tenté d'appliquer ses idées auprès des jeunes délinquants du Lower East Side. Pour une raison ou pour une autre, mes efforts pour amener ces jeunes à une certaine « prise de conscience » [insight] se sont avérés vains, pour eux comme pour moi. Les concepts ne collaient pas à ce que j'observais, alors j'en ai cherché de plus utiles ailleurs.
>
> Source : Mischel, 1978, communication personnelle (traduction libre).

Au cours de ses études de troisième cycle à la Ohio State University, Mischel a travaillé auprès du théoricien des construits personnels, George Kelly, de même qu'auprès de Julian Rotter, un théoricien de la personnalité, qui a étendu les principes béhavioristes à l'étude du comportement humain en explorant les attentes des gens à l'égard des renforcements du milieu. Ces deux théoriciens ont eu une influence déterminante sur l'approche de la personnalité qu'adoptera Mischel ultérieurement. Après l'obtention de son doctorat, Mischel a travaillé plusieurs années à Harvard avant d'entrer, comme Bandura, à Stanford. À l'époque (en 1965), il participe à un projet d'évaluation des volontaires du Peace Corps qui allait exercer une profonde influence sur lui. Ce projet l'amène à constater que les instruments de mesure des grands traits sont bien peu efficaces pour prédire le comportement, à tel point qu'il se met à douter des approches présumant des caractéristiques généralisées de la personnalité (Mischel, 1990). Son scepticisme inspirera un livre, *Personality and Assessment* (1968), que certains considèrent comme l'ouvrage le plus influent des cinquante dernières années en psychologie de la personnalité. Mischel y remet en question l'ensemble des hypothèses théoriques et des pratiques méthodologiques de la psychanalyse et de la théorie des traits et réclame que la psychologie de la personnalité étudie non seulement les personnes, mais aussi les contextes dans lesquels elles vivent, et qu'elle s'intéresse de près aux processus par lesquels les gens comprennent et interprètent les événements quotidiens (Orom et Cervone, 2009). Voici comment Mischel exprime son scepticisme :

> Le fait de caractériser les personnes en fonction de dimensions communes (comme la conscience et la sociabilité) avait fourni des aperçus utiles sur leur niveau moyen de comportement, mais avait laissé de côté, me semblait-il, cette étonnante capacité de discrimination que révélait l'observation étroite et prolongée d'une personne dans diverses situations. Se pouvait-il qu'une personne qui, avec sa famille, se montrait plus attentionnée, généreuse et compatissante que la majorité des gens puisse l'être moins que la majorité des gens dans d'autres contextes ? Ces variations selon les situations ne pouvaient-elles pas constituer des modes stables et importants qui caractérisent la personne durablement plutôt que des fluctuations aléatoires ? Le cas échéant, que reflétaient-elles et que fallait-il en comprendre ? Méritaient-elles d'être prises en considération dans l'évaluation de la personnalité pour conceptualiser la stabilité et la flexibilité du comportement humain et de ses propriétés ? Ces questions commencèrent à me tarauder et le désir d'y répondre allait devenir un objectif fondamental pour le reste de ma vie.

Source : Mischel, cité par Pervin, 1996, p. 76 (traduction libre).

En plus de critiquer les approches précédentes, Mischel allait proposer une solution de rechange en 1973 : un ensemble de variables personnelles sociocognitives (Mischel, 1973) (voir ci-après). Celles-ci visaient à expliquer la fonction de discrimination du comportement, c'est-à-dire la façon dont les gens distinguent des situations (même lorsqu'elles semblent similaires) et modulent leurs

actions en fonction de chacune. Mischel en était venu à considérer ces variations de comportements selon le contexte chez une même personne comme partie intégrale de la personnalité. Ces questions ont guidé la recherche de Mischel, y compris son élaboration d'une perspective systémique qui considère la personnalité comme un système complexe de processus cognitifs et affectifs interconnectés, activés par des caractéristiques des situations sociales (Mischel et Shoda, 2008).

Walter Mischel a reçu de nombreuses distinctions, dont le Distinguished Scientist Award de la section de psychologie clinique de l'APA. Cette dernière lui a également décerné le Distinguished Scientific Contribution Award, et l'APS, le William James Award. Il a en outre été reçu à la National Academy of Science des États-Unis en plus d'agir comme directeur du *Psychological Review*, la revue scientifique de référence en psychologie pour les articles théoriques.

La contribution scientifique de Bandura et de Mischel est incontournable. Une étude quantitative de l'impact qu'ont eu les psychologues du XXᵉ siècle a révélé que Bandura et Mischel comptent parmi les 25 personnes les plus influentes de ce siècle, et que seuls 3 autres psychologues – Skinner, Piaget et Freud – ont eu un impact plus grand que celui de Bandura (Haggbloom et coll., 2002). En 2007, une analyse des auteurs de livres les plus cités dans le domaine des lettres, sciences humaines et sciences sociales a révélé que les travaux de Bandura ont été plus fréquemment cités que ceux de tout autre psychologue (*The Higher Education*, 2009).

LA PERSONNE SELON LA THÉORIE SOCIOCOGNITIVE

La façon la plus simple de comprendre la conception de la personne selon la théorie sociocognitive est de poser les questions suivantes : « Qu'est-ce qu'une personne ? » En quoi certains êtres sont-ils des « personnes » alors que d'autres n'en sont pas ? La personne se distingue par trois propriétés psychologiques uniques : (1) elle formule des raisonnements sur le monde en recourant au langage ; (2) elle contemple non seulement les circonstances du moment, mais aussi des événements passés en plus d'envisager d'hypothétiques événements futurs ; et (3) elle pratique l'introspection et analyse ses propres réflexions.

Curieusement, de nombreuses théories de la personnalité n'avaient pas, jusque-là, souligné ces aptitudes exclusives à l'être humain. Les psychanalystes ont mis de l'avant les forces primitives instinctives; les béhavioristes ont considéré la personne comme une machine et fondé leurs théories sur des recherches menées sur des animaux. Quant aux théoriciens des traits, ils ont déclaré que les cinq grands traits de personnalité se retrouvaient également chez les animaux (Gosling et John, 1999).

La théorie sociocognitive, elle, place les capacités cognitives typiquement humaines au cœur de sa démonstration (Bandura, 1999). Comme l'explique Mischel:

> L'image est celle d'un être humain habile à résoudre les problèmes, capable de mettre à profit une vaste gamme d'expériences et de compétences cognitives, doté d'un grand potentiel pour accomplir le bien et le mal, construisant activement son univers psychologique, influant sur son environnement mais influencé par lui selon des règles précises […]. C'est une image très éloignée des modèles instinctuels de réduction des pulsions, de traits globaux statiques et de rapports stimulus-réaction automatiques que proposent les théories traditionnelles de la personnalité.
>
> Source: Mischel, 1976, p. 253 (traduction libre).

LA SCIENCE DE LA PERSONNALITÉ SELON LA THÉORIE SOCIOCOGNITIVE

De nombreux théoriciens de la personnalité sont restés en marge du courant dominant de la psychologie. Freud, Rogers et Kelly, par exemple, faisaient peu de cas des percées qu'enregistrait la science de la psychologie en général. Les sociocognitivistes s'y sont pris différemment. Ils ont plutôt tenté de tabler sur les percées en psychologie de même que sur celles qui ont marqué les sciences humaines connexes (Cervone et Mischel, 2002). Ils ont entrepris d'intégrer les connaissances dans différents domaines pour proposer un portrait cohérent de la nature humaine et de ce qui distingue les personnes.

La science de la personnalité selon le sociocognitivisme se distingue aussi par son intérêt particulier pour la singularité de la personne. Les sociocognitivistes utilisent les méthodes idiographiques (voir le chapitre 7) pour saisir les particularités des personnes (voir Molenaar et Campbell, 2009).

Enfin, Bandura et Mischel se sont employés à développer des applications pratiques de leurs concepts théoriques. Selon eux, une théorie fait ses preuves si elle permet de produire des instruments pratiques utiles au bien-être humain.

LA THÉORIE SOCIOCOGNITIVE DE LA PERSONNALITÉ: LA STRUCTURE

Les structures de la personnalité auxquelles s'intéresse la théorie sociocognitive ont trait aux processus cognitifs. Quatre concepts structuraux retiennent notre attention: les compétences et habiletés, les croyances et les attentes, les normes de comportement et les objectifs personnels.

Les compétences et habiletés

Les habiletés, ou **compétences**, constituent le premier type de structures auxquelles s'intéresse la théorie sociocognitive. Le point central de la théorie veut que les différences entre des personnes que nous observons ne s'expliquent pas forcément par des émotions ou des pulsions différentes, comme d'autres théories l'ont affirmé. La théorie sociocognitiviste pose plutôt que ces différences reflètent des variations dans l'aptitude des personnes à accomplir différentes actions. Par exemple, certaines personnes se comportent de façon réservée parce qu'elles sont dépourvues des habiletés sociales nécessaires pour accomplir des actions qui, pour être socialement efficaces, commandent de l'extraversion.

D'autres personnes peuvent être consciencieuses parce qu'elles ont abondamment cultivé des habiletés cognitives qui leur permettent d'adhérer aux normes sociales. C'est donc dire que les compétences et habiletés cognitives qui contribuent à résoudre des problèmes et à affronter les difficultés de la vie intéressent particulièrement les théoriciens sociocognitivistes (Cantor, 1990; Mischel et Shoda, 1999, 2008). Les compétences désignent autant les façons de réfléchir aux problèmes de la vie que les habiletés à mettre en œuvre des solutions pour les résoudre. Elles désignent deux types de connaissances, soit les connaissances procédurales et les connaissances déclaratives (Cantor et Kihlstrom, 1987). Les connaissances déclaratives sont celles que nous pouvons énoncer en mots. Les

Compétence
Unité structurelle de la théorie sociocognitive qui témoigne de l'aptitude individuelle à résoudre des problèmes et à accomplir les tâches nécessaires à l'atteinte d'objectifs.

connaissances procédurales renvoient aux aptitudes cognitives et comportementales que présente une personne sans qu'elle puisse en décrire la nature exacte ; elle peut ainsi exécuter la « marche à suivre » d'un comportement sans être forcément capable d'expliquer comment elle s'y est prise. Par exemple, vous excellez peut-être à remonter le moral d'un proche qui est déprimé, mais vous ne pourriez pas nécessairement expliquer avec précision ce que vous faites pour arriver à ce résultat. Les compétences comportent donc une combinaison de connaissances déclaratives et procédurales.

Cet accent sur les compétences sous-tend deux implications. La première concerne la **spécificité contextuelle** selon laquelle les structures psychologiques qui sont pertinentes dans certaines situations sociales (ou contextes) ne le sont pas forcément dans d'autres. La spécificité contextuelle est une caractéristique naturelle des compétences (Cantor et Kihlstrom, 1987). Une personne peut présenter de bonnes aptitudes pour l'étude, mais celles-ci s'avèreront inutiles pour obtenir un rendez-vous galant ou trancher un conflit. Chaque contexte comporte des difficultés particulières qui nécessitent des compétences particulières. Une personne compétente dans un contexte ne le sera pas nécessairement dans un autre. Cette insistance sur la spécificité contextuelle (voir également le chapitre 14) distingue la théorie sociocognitive des approches propres à la théorie des traits de personnalité (présentées aux chapitres 7 et 8), qui comporte des variables de personnalité indépendantes du contexte. La théorie sociocognitive rejette généralement les variables qui ne tiennent pas compte du contexte, particulièrement lorsqu'il est question de compétences cognitives. Les sociocognitivistes ne présumeraient jamais qu'une personne est « généralement plus compétente » qu'une autre. Ils affirment plutôt que les compétences d'une personne peuvent varier considérablement d'une sphère de sa vie à une autre.

La seconde implication a trait au changement psychologique. Les compétences s'acquièrent par les interactions sociales et l'observation du monde social (Bandura, 1986). Les personnes qui manquent d'habileté dans un domaine particulier de leur vie peuvent changer. Elles peuvent s'engager dans de nouvelles interactions et faire de nouvelles observations du monde qui leur permettront d'acquérir de nouvelles compétences. Les principes de la théorie sociocognitive s'utilisent donc directement dans des applications cliniques visant l'amélioration des habiletés sociales (voir le chapitre 13).

Les croyances et les attentes

Les trois autres structures sociocognitives peuvent être comprises en examinant trois modes possibles d'appréhension du monde (Cervone, 2004). L'un de ces modes d'appréhension a trait aux croyances à l'égard de *ce qu'est réellement* le monde et de ce qui adviendra dans l'avenir. Lorsqu'elles se rapportent à des événements futurs, ces croyances sont appelées des **attentes**. Un deuxième mode de réflexion concerne les pensées relatives à la façon dont les choses *devraient* être. Ces pensées sont des **normes d'évaluation**, c'est-à-dire des critères mentaux (ou normes) servant à évaluer les événements. Un troisième mode de réflexion correspond aux pensées relatives à ce que la personne *souhaite réaliser un jour*. Ces pensées sont ses **objectifs** personnels. En plus des compétences, les trois autres principales structures sociocognitives de la personnalité sont donc les croyances et attentes, les normes d'évaluation et les objectifs. Examinons d'abord les croyances et attentes, que nous appellerons ici simplement « attentes » parce que la théorie sociocognitive insiste beaucoup sur le rôle que jouent dans le fonctionnement de la personnalité les croyances à l'égard d'événements potentiels à venir.

Selon la théorie sociocognitive, les attentes que nous entretenons à propos de l'avenir constituent le principal

Spécificité contextuelle

Notion voulant qu'une variable donnée de la personnalité soit mise à contribution dans certains contextes, mais pas dans tous, et qui explique la variation systématique du comportement individuel d'un contexte à un autre.

Attente

Dans la théorie sociocognitive, les anticipations ou prédictions quant aux résultats attendus par l'individu dans des situations précises (conséquences présagées).

Norme d'évaluation

Critère permettant d'évaluer la valeur d'une personne ou d'une chose. Dans la théorie sociocognitive, les normes par lesquelles une personne évalue ses propres actions font partie de la régulation du comportement et de l'expérimentation d'émotions comme la fierté, la honte, la satisfaction et l'insatisfaction personnelles.

Objectif

Dans la théorie sociocognitive, événement souhaité qui motive la personne sur de longues périodes et lui permet de transcender les influences du moment.

déterminant de nos actions et de nos émotions. Les gens ont des attentes à l'égard de choses comme le comportement possible d'autrui, les récompenses et les punitions que peuvent entraîner certains types de comportements, de même que leur aptitude à composer avec le stress et les difficultés. Ce système de pensées concernant l'avenir constitue les attentes d'une personne.

Comme nous l'avons vu pour les habiletés et compétences, les attentes d'une personne peuvent varier considérablement d'une situation à l'autre. Tout le monde s'attend à ce qu'une même action entraîne des réactions différentes dans différentes situations (par exemple, un comportement bruyant et jovial dans une réception mais non à l'église). Les gens exercent une discrimination naturelle entre les situations et s'attendent à des possibilités, des récompenses et des contraintes différentes selon le contexte. Bien que des chercheurs étudient parfois des attentes générales, la plupart des sociocognitivistes étudient les attentes spécifiques à un domaine. Autrement dit, ils évaluent les attentes que les gens entretiennent dans des sphères ou des domaines précis de leur vie. Les théoriciens sociocognitivistes admettent que la capacité à varier les attentes et les comportements d'une situation à une autre est essentielle à la survie. Aucun animal ne pourrait survivre sans l'aptitude à exercer une telle discrimination. Grâce à leur prodigieuse capacité cognitive, les êtres humains peuvent discriminer une incroyable variété de situations.

Lorsqu'ils forment des attentes, les gens peuvent regrouper des situations de façon très singulière. C'est là un élément clé de l'approche sociocognitive. Une personne peut relier des situations relatives à la vie scolaire et d'autres relatives à la vie sociale, et entretenir des attentes très élevées pour l'une et des attentes très faibles pour l'autre. Une autre personne peut percevoir les situations selon qu'elles surviennent dans des circonstances paisibles ou anxiogènes, alors que ces circonstances peuvent se présenter dans sa vie sociale ou à l'école. Une autre encore peut avoir conçu une catégorie ayant trait aux « occasions d'obtenir un rendez-vous », lesquelles peuvent être paisibles ou anxiogènes et survenir à l'école ou dans un contexte social. Les gens compartimentent naturellement les situations de leur vie

selon différents paramètres et peuvent donc se donner des modèles idiosyncrasiques d'attentes et de comportement social. Selon les théoriciens sociocognitivistes, l'essence de la personnalité réside dans ces différentes manières dont chaque personne perçoit les situations, conçoit des attentes à l'égard de circonstances futures et adopte des modèles de comportement distincts en fonction de ces perceptions et de ces attentes.

Cette insistance sur les attentes distingue la théorie sociocognitive du béhaviorisme, qui conçoit le comportement comme le résultat de renforcements et de punitions du milieu. Au contraire, la théorie sociocognitive explique le comportement sous l'angle des *attentes à l'égard* des récompenses et des punitions du milieu. La différence est importante. Le fait d'étudier les attentes plutôt que des événements survenant dans un environnement permet au théoricien sociocognitiviste d'expliquer pourquoi deux personnes peuvent réagir différemment au même environnement. L'une et l'autre peuvent vivre le même événement dans le même environnement, mais concevoir des attentes différentes quant à ce qui risque de se produire.

Le soi et le sentiment d'efficacité personnelle

Bien que certaines de nos attentes visent d'autres personnes, les attentes particulièrement importantes pour le fonctionnement de la personnalité visent le soi. Bandura (1997, 2001) est l'un des premiers à avoir déclaré que les attentes qu'entretiennent les gens à l'égard de leur capacité d'accomplir certaines choses constituent l'ingrédient clé de la réalisation et du bien-être. Il désigne ces attentes comme des sentiments d'efficacité personnelle. Le **sentiment d'efficacité personnelle** renvoie donc à la perception qu'ont les gens de leur propre capacité d'action dans des situations à venir.

Pourquoi le sentiment d'efficacité personnelle est-il si important ? Parce qu'il influe sur de nombreux types de comportements nécessaires, à divers moments, à la réalisation humaine. Songez à certains domaines de votre vie dans lesquels vous avez réussi quelque chose. Par exemple, si vous lisez ce manuel, vous avez sans doute bien réussi vos études secondaires, ce qui vous a permis de poursuivre vos études au niveau collégial puis d'être admis à l'université. À quoi cette réussite a-t-elle tenu ? Vous avez dû (1) prendre la décision de présenter une demande d'admission, (2) persévérer dans vos études pour maîtriser la matière et obtenir des résultats satisfaisants, et lors d'examens importants, (3) garder votre calme et (4) faire

Sentiment d'efficacité personnelle
Selon la théorie sociocognitive, perception de sa propre aptitude à composer avec des situations précises.

preuve de réflexion analytique. Ce sont précisément ces quatre mécanismes comportementaux qui subissent l'influence du sentiment d'efficacité personnelle (Bandura, 1997). Les personnes douées d'un grand sentiment d'efficacité personnelle sont les plus susceptibles de décider de s'attaquer à des tâches difficiles, de persévérer, de rester calmes pendant la tâche et d'organiser leurs idées de façon analytique. À l'opposé, les personnes qui doutent de leur capacité de réussir n'essaient parfois même pas d'entreprendre des activités importantes, renoncent lorsque la situation se corse et ont tendance à éprouver de l'anxiété lors de l'exécution de la tâche ; elles cèdent souvent à la panique et ne parviennent pas à réfléchir et à agir calmement, de façon analytique. On dirait familièrement que les personnes dépourvues d'un sentiment d'efficacité personnelle ont tendance à craquer devant des activités difficiles.

Le sentiment d'efficacité personnelle repose en partie sur notre expérience en matière de succès et d'échec. Mark Wohlers était un lanceur émérite jusqu'à ce qu'il perde la maîtrise de son talent, au point de lancer la balle sur le marbre ou au-dessus de la tête du batteur. Sa confiance au zénith s'est émoussée jusqu'à disparaître presque complètement. En quête de sa confiance perdue, il a déclaré : « La confiance vient avec le succès. Ma performance au lancer, l'autre jour, m'a permis de retrouver un peu de cette confiance… Tout ce qu'il faut, c'est d'y aller et de réussir. »

Cette influence de l'efficacité personnelle est expliquée clairement dans ce chapitre et plus loin dans cet ouvrage. Pour l'instant, il importe d'examiner un peu plus en détail comment Bandura conceptualise le sentiment d'efficacité personnelle et sa stratégie d'évaluation de l'efficacité personnelle qui en découle. Le sentiment d'efficacité personnelle se distingue d'autres concepts apparemment similaires, comme l'estime de soi. Celle-ci se définit comme l'évaluation globale que fait la personne de sa valeur personnelle. Le sentiment d'efficacité personnelle renvoie plutôt à l'évaluation que fait la personne de ce qu'elle peut accomplir dans un contexte donné. Les deux concepts se distinguent donc à deux égards : (1) le sentiment d'efficacité personnelle n'est pas une variable globale, il varie souvent d'une situation à une autre ; (2) le sentiment d'efficacité personnelle n'est pas un sentiment abstrait de sa valeur personnelle, mais un jugement sur sa capacité à accomplir quelque chose. Imaginez que vous vous préparez à un important test de mathématiques. Même si vous avez une très bonne estime de soi, il se peut que vous éprouviez un sentiment de faible efficacité personnelle quant à vos chances d'obtenir une bonne note au test. Selon la théorie sociocognitive, il est bien possible que le test vous procure un grand stress, même si votre estime de soi se porte très bien. Ces différences théoriques se sont avérées très importantes dans la pratique. Bien que les corrélations entre les mesures d'estime de soi et de rendement soient très faibles (Baumeister, Campbell, Kruger et Vohs, 2003), de nombreux résultats d'études indiquent une relation très étroite entre le sentiment d'efficacité personnelle et le rendement (Bandura et Locke, 2003 ; Stajkovic et Luthans, 1998).

Il faut également distinguer entre les attentes relatives à l'efficacité personnelle et celles relatives aux résultats (Bandura, 1977). Les attentes relatives aux résultats se définissent comme la croyance relative aux récompenses et punitions qu'entraînera une action donnée. Le sentiment d'efficacité personnelle se définit comme la croyance relative à la capacité de la personne à faire l'action. Supposons que vous cherchez en quoi vous spécialiser dans vos études. Vous pourriez penser qu'une spécialisation en génie électrique vous procurera d'importantes récompenses (par exemple, un excellent revenu quelques années plus tard). Vous auriez alors des attentes de résultat élevées à l'égard du génie électrique. Or vous pourriez aussi penser que vous n'avez pas ce qu'il faut pour faire des études en génie électrique (notamment réussir tous les cours de mathématiques, de physique et de génie inscrits au programme). Vos attentes relatives à votre sentiment d'efficacité personnelle seraient donc faibles en ce qui a trait à des études en génie électrique. Selon la théorie sociocognitive, ces attentes relatives à l'efficacité personnelle pèsent généralement plus lourd que l'attente de résultats dans le choix du comportement. Lorsqu'on ne se croit pas capable d'accomplir quelque chose, les récompenses associées à l'atteinte de cet objectif nous importent probablement peu. Il est peu probable que vous décidiez de vous spécialiser en génie électrique, malgré les brillantes perspectives salariales, si vous n'avez pas un sentiment d'efficacité personnelle pour réussir tous les cours préalables.

Sur le plan de l'évaluation, Bandura privilégie ce qu'il appelle une stratégie de **recherche microanalytique**. Cette stratégie consiste à prendre des mesures détaillées du sentiment d'efficacité personnelle de la personne avant qu'elle n'accomplisse une action dans des situations particulières. Pour ce faire, les chercheurs demandent aux participants d'indiquer dans quelle mesure ils sont certains de réussir à exécuter certaines tâches dans des contextes définis. Une échelle d'efficacité personnelle pour la pratique d'un sport, par exemple le basket-ball, ne poserait pas une question vague du genre « Selon vous, êtes-vous un bon joueur de basket-ball ? ». (La question est vague parce que le terme « bon » est on ne peut plus ambigu : bon comparé à vos coéquipiers ? aux joueurs de la NBA ? à ceux de l'équipe universitaire ? à votre petit frère ?) Les items du questionnaire décriraient plutôt des actions et des réalisations précises et demanderaient aux répondants d'indiquer leur degré de confiance de pouvoir les accomplir. Par exemple, « Dans quelle mesure êtes-vous confiant de pouvoir faire au moins 75 % de vos lancers francs durant un match de basket-ball ? » ou « Dans quelle mesure êtes-vous confiant de pouvoir traverser le terrain en dribblant pendant qu'un joueur défensif aguerri vous couvre ? » Cette stratégie d'évaluation découle directement des considérations théoriques présentées plus haut. Théoriquement, Bandura reconnaît que le sentiment d'efficacité personnelle peut varier d'une situation à l'autre pour n'importe qui. Les méthodes d'évaluation doivent donc recourir à des mesures propres à chaque situation. Ces mesures parviennent beaucoup mieux à saisir les caractéristiques psychologiques de la personne. Les sociocognitivistes critiquent les instruments servant à mesurer

Recherche microanalytique
Stratégie de recherche que propose Bandura pour évaluer le sentiment d'efficacité personnelle en fonction de jugements relatifs à des situations précises plutôt que de jugements globaux.

le concept de soi parce qu'ils ne rendent pas justice à la complexité du sentiment d'efficacité personnelle, lequel varie selon l'activité, le degré d'intensité de l'activité et d'autres conditions environnementales (Bandura, 1986).

Le sentiment d'efficacité personnelle et le rendement

Le rôle du sentiment d'efficacité personnelle dans le comportement est une affirmation fondamentale de la théorie sociocognitive. En y réfléchissant de façon critique, vous vous dites : « Le sentiment d'efficacité personnelle ne joue peut-être pas vraiment un rôle causal. La cause véritable réside peut-être dans d'autres facteurs. » Le niveau de compétence réel de la personne est une autre possibilité. Le niveau de compétence peut influer sur le sentiment d'efficacité personnelle comme le comportement, en plus d'expliquer le rapport entre le sentiment d'efficacité personnelle et l'action motivée. Par exemple, tout le monde a un sentiment aigu d'efficacité personnelle quant à sa capacité de soulever un poids de 3 kilos, mais un très faible sentiment d'efficacité personnelle dès lors qu'il s'agit de soulever un poids de 300 kilos (nous doutons de pouvoir le faire). Or il n'est pas nécessaire d'invoquer la notion de sentiment d'efficacité personnelle pour expliquer que nous pouvons soulever une charge légère mais pas une lourde charge. Nous pouvons alors analyser notre comportement simplement sur la base de nos capacités physiques. Comment savoir, alors, s'il est nécessaire d'invoquer la notion de sentiment d'efficacité personnelle pour expliquer le comportement ?

Les sociocognitivistes ont abordé cette question au moyen de stratégies expérimentales. Il s'agit de manipuler le sentiment d'efficacité personnelle tout en maintenant constants d'autres facteurs – les compétences réelles des participants, par exemple. En manipulant de façon expérimentale le sentiment d'efficacité personnelle, il devient possible de voir si les variations à cet égard agissent sur le comportement.

Bien sûr, la manipulation du sentiment d'efficacité personnelle commande une stratégie. Idéalement, celle-ci doit être simple et subtile, de manière à influer sur le sentiment d'efficacité personnelle sans modifier les compétences réelles de la personne pour l'exécution de la tâche.

L'une de ces stratégies de recherche consiste à appliquer une technique dite d'« ancrage ». L'ancrage renvoie à un processus cognitif qui entre en action lorsque nous essayons de trouver la réponse à un problème. Le plus souvent, la réponse trouvée est grandement déterminée par les *premières* pensées qui occupent notre esprit au moment où nous tentons de résoudre le problème ; la réponse définitive est « ancrée » à notre première estimation. Étonnamment, le phénomène est observable même lorsque la première estimation est déterminée par des facteurs complètement aléatoires et ne présente aucun rapport avec le problème (Tversky et Kahneman, 1974). Imaginez par exemple que vous tentez d'estimer une quantité numérique comme la population en millions de la Russie. Supposons que juste avant, quelqu'un tire un nombre d'un chapeau, le lit à voix haute – « 639 » – puis vous demande : « Selon vous, la population de la Russie est-elle supérieure ou inférieure à 639 millions ? » Vous sauriez, bien sûr, que 639 millions est un bien trop grand nombre. Vous sauriez aussi que ce nombre n'a rien à voir avec la réponse que vous cherchez puisqu'il a été choisi au hasard. N'empêche, si vous répondez comme la plupart des participants aux études sur l'ancrage, votre estimation de la population réelle de la Russie sera beaucoup plus élevée que si vous n'aviez jamais été exposé à la valeur aléatoire. (« Hmm, vous direz-vous, ce n'est sûrement pas 639 millions. Euh… je dirais plutôt 400 millions. ») Votre estimation serait ancrée au nombre le plus élevé. À l'inverse, si vous aviez été exposé à une valeur d'ancrage peu élevée (dans notre exemple de population, disons 20 millions), votre estimation serait probablement inférieure. (« Hmm, 20 millions, c'est bien peu. C'est

peut-être plutôt, euh… 70 millions. ») La présentation de valeurs d'ancrage aléatoires constitue donc une façon de manipuler le jugement d'autrui en laboratoire.

Cervone et Peake (1986) ont appliqué les techniques d'ancrage à la question du sentiment d'efficacité personnelle et du comportement. Avant d'accomplir un exercice comportant plusieurs items, les participants ont été invités à déterminer s'ils croyaient pouvoir résoudre un plus ou moins grand nombre X d'items. Pour tester des ancrages élevés et faibles, le « X » était un nombre correspondant à un rendement élevé ou à un rendement faible. Ce nombre était en fait une valeur aléatoire, littéralement tirée d'un chapeau. Les participants devaient alors indiquer exactement le nombre d'items qu'ils pouvaient résoudre (leur niveau d'efficacité personnelle à accomplir la tâche). Les résultats indiquent que la manipulation par ancrage a influé sur le sentiment d'efficacité personnelle ; les participants exposés à un grand nombre d'items avaient un sentiment d'efficacité personnelle élevé et ceux qui avaient été exposés à un petit nombre avaient un faible sentiment d'efficacité personnelle (voir le tableau de gauche de la figure 12.1). Cette mise en contexte suffit donc pour tester l'influence du sentiment d'efficacité personnelle sur le comportement. Grâce à la manipulation par l'ancrage, le sentiment d'efficacité personnelle *varie* chez les personnes alors qu'elles restent les *mêmes* sur d'autres plans, comme celui de leurs compétences réelles à

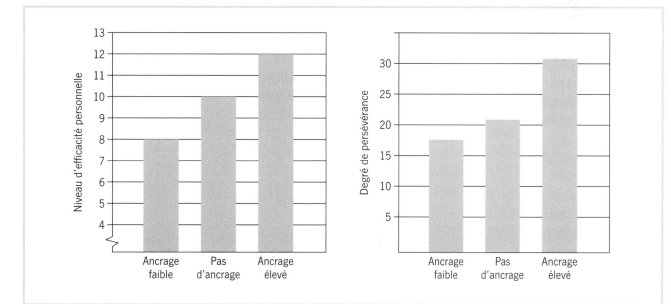

Figure 12.1 | **Les niveaux moyens du sentiment d'efficacité personnelle et du comportement en fonction de l'exposition à des valeurs d'ancrage aléatoires faibles et élevées**

Source : Cervone, D., & Peake, P.K. (1986). Anchoring, efficacy, and action : The influence of judgmental heuristics on self-efficacy judgments and bejavior. *Journal of Personality and Social Psychology*, *50*, 492-501. © 1986, American Psychological Association, reproduction autorisée.

accomplir une tâche. Pour administrer ce test, les expérimentateurs ont demandé aux participants d'effectuer un travail pendant qu'ils mesuraient leur persévérance (c'est-à-dire le temps qu'ils consacraient aux problèmes avant d'abandonner). Les variations en matière de sentiment d'efficacité personnelle ont entraîné des variations équivalentes du comportement (tableau de droite de la figure 12.1). Les groupes qui présentaient un sentiment d'efficacité personnelle fort ou faible ont affiché les mêmes écarts au chapitre de la persévérance, et ce, même si les écarts ont été créés par manipulation, par le simple recours à des valeurs d'ancrage aléatoires.

Ces constatations confirment un aspect central de la théorie sociocognitive, selon lequel la perception subjective qu'une personne a d'elle-même influe sur son comportement. Même lorsqu'un facteur situationnel apparemment sans importance modifie le sentiment d'efficacité personnelle, ce dernier peut avoir une incidence sur les décisions et les actions de la personne.

Le sentiment d'efficacité personnelle influe aussi sur la manière dont les gens composent avec les déceptions et le stress dans la poursuite de leurs objectifs de vie. La recherche laisse généralement penser que le sentiment de maîtrise sur les événements facilite le fonctionnement humain (Schwarzer, 1992). Le sentiment d'efficacité personnelle participe à un tel sentiment de maîtrise. Une étude menée auprès de femmes qui avaient subi un avortement a montré l'importance du sentiment d'efficacité personnelle dans l'adaptation aux événements stressants de la vie (Cozzarelli, 1993). Dans cette étude, des femmes sur le point de subir un avortement ont répondu à un questionnaire mesurant des variables de la personnalité, comme l'estime de soi et l'optimisme. Le questionnaire comportait aussi une échelle du sentiment d'efficacité personnelle qui mesurait les attentes des répondantes quant à leur façon de composer avec la réalité de l'avortement. Par exemple, on leur demandait si elles s'attendaient à pouvoir côtoyer des enfants et des bébés sans malaise, et à continuer d'avoir des relations sexuelles agréables après l'avortement. Les expérimentateurs ont mesuré l'humeur et l'état dépressif des femmes (dans quelle mesure elles éprouvaient des regrets et se sentaient déprimées, soulagées, coupables, tristes ou sereines) immédiatement après l'avortement, puis à nouveau trois semaines plus tard. Les résultats ont clairement confirmé l'hypothèse que le sentiment d'efficacité personnelle est un déterminant clé de l'adaptation après l'avortement. Des variables comme l'estime de soi et l'optimisme ont aussi joué un rôle,

mais leurs effets semblaient liés à leur contribution au sentiment d'efficacité personnelle.

En somme, le sentiment d'efficacité personnelle entraîne sur l'expérience et l'action divers effets que l'on peut décliner comme suit :

La sélection ▪ Le sentiment d'efficacité personnelle agit sur le choix d'objectifs personnels (les personnes qui ont un sentiment aigu d'efficacité personnelle se fixent des objectifs plus stimulants et plus difficiles à atteindre que celles chez qui ce sentiment est faible).

L'effort, la persévérance et le rendement ▪ Les personnes qui ont un sentiment élevé d'efficacité personnelle déploient plus d'efforts, persévèrent et donnent un meilleur rendement que celles chez qui ce sentiment est faible (Stajkovic et Luthans, 1998).

L'affectivité ▪ Les personnes qui ont un sentiment élevé d'efficacité personnelle entreprennent les choses de façon plus positive (elles sont moins anxieuses ou déprimées) que celles qui doutent de leur efficacité personnelle.

La capacité d'adaptation ▪ Les personnes qui ont un sentiment élevé d'efficacité personnelle composent mieux avec le stress et les déceptions que celles qui présentent un faible sentiment d'efficacité personnelle. Bandura résume bien les résultats des recherches entourant les effets du sentiment d'efficacité personnelle sur la motivation et le rendement : « L'amélioration de la condition humaine relève davantage des persévérants que des pessimistes. La confiance en soi n'est pas forcément garante du succès, mais l'absence de confiance en soi engendre indéniablement l'échec » (1997, p. 77, traduction libre).

Bien que cette partie consacrée à la structure traite abondamment du sentiment d'efficacité personnelle, on peut facilement déduire que le point de vue sociocognitif sur la motivation lui accordera aussi une place importante.

Les objectifs

La théorie sociocognitive voit dans les objectifs un troisième type de structure de la personnalité. Un objectif est une représentation mentale du but d'une action ou d'une conduite. L'un des principes fondamentaux de la théorie sociocognitive veut que l'aptitude d'une personne à imaginer l'avenir lui permette d'établir des objectifs qui la motivent et orientent son comportement. Les objectifs nourrissent donc la capacité de maîtrise de soi. Ils nous guident dans l'établissement de priorités et nous aident à choisir parmi plusieurs situations. Ils nous permettent de transcender les influences du moment et d'organiser notre conduite sur de longues périodes.

Nous organisons nos objectifs personnels dans un système selon lequel certains sont plus cruciaux que d'autres. Ce système est souvent conçu comme une structure hiérarchique où les grands objectifs (par exemple, être admis en droit) organisent les objectifs intermédiaires (obtenir de bons résultats scolaires) qui, à leur tour, organisent les objectifs secondaires (étudier la matière). Les systèmes d'objectifs ne sont toutefois pas rigides ou immuables. Nous choisissons de privilégier un objectif ou un autre selon la priorité du moment, les possibilités que semble offrir le milieu et notre sentiment d'efficacité personnelle quant à notre capacité d'atteindre tel ou tel objectif.

Les objectifs entourant un travail peuvent varier à divers égards (Locke et Latham, 1990, 2002). Le degré de difficulté des objectifs constitue la variation la plus évidente. Ainsi, dans un cours, certains étudiants peuvent viser la note de passage alors que d'autres s'imposent l'objectif plus difficile d'obtenir un A. La proximité des objectifs constitue une autre variation. Une personne peut poursuivre un objectif à court ou à long terme. Par exemple, si vous projetez de perdre du poids, vous pourriez avoir pour objectif à court terme de perdre un demi-kilo par semaine, alors que votre objectif à long terme serait de perdre cinq kilos en trois mois. La recherche indique que les objectifs à court terme exercent souvent une influence plus grande sur le comportement que les objectifs à long terme (Bandura et Schunk, 1981 ; Stock et Cervone, 1990). Cette différence s'explique en partie par le fait que les objectifs à long terme permettent un relâchement. Ainsi la personne qui souhaite perdre cinq kilos en trois mois peut se convaincre qu'un congé de régime d'une semaine ne l'empêchera pas d'atteindre son objectif à long terme.

Les objectifs peuvent également se distinguer selon la signification subjective attribuée à l'activité. Devant un travail difficile, certaines personnes peuvent avoir pour objectif d'améliorer leurs connaissances et leurs compétences ; elles voient dans la tâche une occasion d'apprendre. D'autres personnes, en revanche, auront surtout pour objectif de ne pas mal paraître. Le chapitre 13 traite de ces différences entre les objectifs d'apprentissage et de rendement (Dweck et Leggett, 1988).

Les objectifs sont liés aux attentes, le construit précédent. Les attentes influent sur l'établissement des objectifs. Lorsqu'ils se fixent des objectifs, les gens s'appuient généralement sur le rendement qu'ils s'attendent à donner. Les personnes qui ont un sentiment élevé d'efficacité personnelle se fixent souvent des objectifs élevés et s'y tiennent davantage (Locke et Latham, 2002). Inversement, les objectifs peuvent avoir un effet sur les attentes. L'influence peut aussi être réciproque lorsque les gens reçoivent une rétroaction en cours de travail (Grant et Dweck, 1999). Supposons, par exemple, qu'en recevant votre note d'examen, vous apprenez qu'elle correspond à la moyenne du groupe. Si votre objectif était d'apprendre la matière et d'obtenir au moins la note de passage, vous serez sans doute très satisfait de votre rendement. Cependant, si votre objectif était de vous surpasser et d'impressionner vos pairs et votre professeur, vous risquez d'interpréter très négativement cette note moyenne, voire de vous décourager, particulièrement si vous croyez ne plus être en mesure d'atteindre un tel objectif pour ce cours.

Les normes d'évaluation

Les normes d'évaluation forment la quatrième structure de la personnalité selon la théorie sociocognitive. Une norme interne est un critère pour juger de la qualité ou de la valeur d'une personne, d'une chose ou d'un événement. L'étude des normes d'évaluation concerne donc les moyens par lesquels les gens définissent des critères pour évaluer des événements et l'influence qu'exercent ces évaluations sur leurs émotions et leurs actions.

La théorie sociocognitive accorde une importance particulière aux normes d'évaluation du soi, ou « normes personnelles ». Celles-ci sont fondamentales pour la motivation et le rendement. La théorie sociocognitive reconnaît que les gens évaluent habituellement leur comportement selon leurs propres normes internes. Imaginons, par exemple, que vous rédigez un travail de session. À quoi pensez-vous ? D'une part, vous avez en tête la matière dont traitera votre travail : les principaux points à traiter, la thèse que vous devez développer et ainsi de suite. D'autre part, vous vous retrouverez inévitablement à penser à la qualité de votre écriture. Vous évaluerez la formulation des phrases et, au besoin, déciderez de les réviser. Autrement dit, vous jugerez la qualité ou la valeur de votre comportement (l'écriture) selon des normes d'évaluation. Une bonne part de la démarche de rédaction et de révision consiste à modifier votre comportement (votre texte) de manière qu'il corresponde à vos normes personnelles en matière d'écrit.

Les normes d'évaluation déclenchent souvent des réactions émotives. Nous réagissons avec fierté lorsque notre travail est conforme à nos normes de rendement et nous sommes mécontents lorsque ce n'est pas le cas. Bandura désigne ces émotions des **réactions d'autoévaluation**; nous évaluons nos propres actions puis réagissons par une émotion de satisfaction ou d'insatisfaction envers nous-mêmes à la lumière de cette autoévaluation (Bandura, 1986). Ces réactions émotives constituent de l'autorenforcement et sont nécessaires au maintien du comportement sur de longues périodes, particulièrement en l'absence de renforcement extérieur. Ces réactions d'autoévaluation exprimées sous forme de félicitations ou de culpabilité nous permettent de nous récompenser lorsque nous respectons les normes et de nous punir lorsque nous les violons.

La théorie sociocognitive souligne donc le rôle crucial des normes d'évaluation dans le comportement que nous jugeons moral ou immoral. Parmi les normes d'évaluation apprises, certaines visent des principes éthiques et moraux relatifs à notre comportement envers autrui. Si tout le monde, dans une société donnée, connaît ces principes, les gens ne s'y conforment pas toujours pour réguler leur comportement. Par exemple, nul n'ignore que le vol tout comme l'utilisation de contenu plagié dans un travail de session sont des actes répréhensibles, ce qui n'empêche pas certaines personnes de s'en rendre coupables; elles se «désengagent» par rapport à certaines de leurs normes morales lorsqu'elles trouvent un avantage à le faire (Bandura, Barbaranelli, Caprara et Pastorelli, 1996). Les gens qui renoncent à leur sens moral se trouvent des prétextes pour faire fi de leurs propres normes de comportement. Par exemple, un étudiant qui envisage de tricher à l'examen peut se dire que tout le monde triche aux examens et que ce n'est donc pas si grave. Le désengagement des normes d'évaluation permet aux gens de faire des choses dont ils s'abstiendraient habituellement afin de se prémunir de sanctions morales internes.

Dans les foules excitées – telles que celles que forment des partisans célébrant la victoire de leur équipe sportive –, les gens sont plus susceptibles de s'affranchir de leurs normes d'évaluation habituelles, et donc de se livrer à des comportements violents et antisociaux.

Une récente étude d'Osofsky, Bandura et Zimbardo (2005) constitue une démonstration frappante de ce fait. La norme d'évaluation qu'ils avaient choisi d'étudier était la sanction morale qu'entraîne le meurtre d'un être humain. Tuer quelqu'un est un acte répréhensible qui va à l'encontre de la moralité. Or certaines personnes au sein de la société américaine doivent tuer des gens dans le cadre de leurs fonctions; ces personnes participent au processus d'exécution des peines de mort. Comment font-elles? Comment des gens qui, de façon générale, jugent immoral le fait de tuer un être humain peuvent-ils exécuter des prisonniers? Pour répondre à cette question, les chercheurs ont pris pour participants à l'étude des employés de pénitenciers à sécurité maximale. Les employés ne prenaient pas tous part de la même façon à l'exécution des prisonniers. Certains étaient relativement peu mêlés à cette fonction (par exemple, ils servaient de point de contact avec les proches du condamné), alors que d'autres y prenaient part étroitement (ils administraient les injections mortelles). Les chercheurs ont demandé aux participants de remplir un questionnaire mesurant leur aptitude à tirer un trait sur leurs principes moraux concernant les exécutions. Ils ont constaté que le désengagement moral des répondants variait selon le rôle qu'ils jouaient dans l'exécution. Les employés qui prenaient une part active dans les exécutions se désengageaient nettement plus de leurs principes moraux que les autres; ils étaient plus susceptibles d'approuver des énoncés comme «Comparée à un meurtre, l'exécution est un acte de clémence» ou «De nos jours, la peine de mort utilise des procédés qui réduisent la souffrance du condamné». Les énoncés choisis permettaient aux participants de

Réaction d'autoévaluation

Sentiment d'insatisfaction ou de satisfaction (fierté) envers soi que l'on éprouve en réfléchissant à ses actions.

«laisser de côté» temporairement l'interdiction de tuer, ou de s'en «désengager».

L'étude des normes d'évaluation est un autre élément qui distingue la théorie sociocognitive du béhaviorisme. Dans une expérience béhavioriste, l'expérimentateur détermine les normes d'évaluation. Il fixe le nombre de fois qu'un rat devra actionner un levier avant de recevoir un renforcement. Selon les théoriciens sociocognitivistes, ce type d'expérience occulte une réalité fondamentale de la vie humaine, dans la mesure où les normes d'évaluation ne sont pas toujours fixées par un agent extérieur. L'individu fixe ses propres normes d'évaluation. Les gens évaluent leur comportement selon leurs propres principes moraux. Le comportement de tous les jours est donc assujetti à ce système psychique interne et non à des forces extérieures, comme l'affirment les béhavioristes.

La nature des structures sociocognitives de la personnalité

La théorie sociocognitive ne considère pas les quatre structures de la personnalité – croyances et attentes, objectifs, normes d'évaluation ainsi que compétences et habiletés – comme autant d'«objets» indépendants de l'esprit. Ces structures doivent plutôt être comprises comme des niveaux de pensée distincts. Chacune de ces structures est un sous-système cognitif du système de personnalité général. Selon la théorie, les connaissances relatives à la nature actuelle du monde (croyances), aux prétentions individuelles pour l'avenir (objectifs) et à l'état normal des choses (normes) jouent des rôles distincts dans le fonctionnement de la personnalité et devraient donc être considérées comme des structures distinctes de la personnalité. De même, les connaissances déclaratives et procédurales, qui permettent d'agir de manière intelligente et habile (compétences), sont vues comme étant distinctes, sur le plan psychologique, des croyances, des objectifs et des normes d'évaluation, et donc comme une structure distincte de la personnalité.

Selon cette conception de la cognition et de la personnalité, le théoricien sociocognitiviste n'attribuerait jamais à une personne une note unique censée représenter «le taux» de chaque variable présent chez elle. La personnalité est beaucoup trop complexe à leurs yeux pour être réduite à un quelconque ensemble de scores. Les sociocognitivistes jugent plutôt que chacune de ces quatre structures de la personnalité renvoie à un système complexe de cognition

sociale. Les gens poursuivent plusieurs objectifs, entretiennent un grand nombre de croyances, suivent une variété de normes d'évaluation et présentent une diversité d'habiletés. Le rôle des structures de la personnalité varie selon chaque situation sociale. Par l'étude de ce système complexe de structures sociocognitives et de son interaction avec le monde social, les théoriciens sociocognitivistes tentent de saisir la complexité véritable de l'individu.

LA THÉORIE SOCIOCOGNITIVE DE LA PERSONNALITÉ : LE PROCESSUS

La théorie sociocognitive aborde la dynamique des processus de la personnalité de deux façons. La première fait appel à des principes théoriques généraux. Les sociocognitivistes ont énoncé deux principes théoriques que les scientifiques devraient, selon eux, mettre en application lorsqu'ils analysent la dynamique des processus de la personnalité. Le premier est une analyse des causes du comportement appelée **déterminisme réciproque**. Le second est un cadre conceptuel pour étudier les processus de la personnalité connus sous le nom de *système cognitivo-affectif de la personnalité*.

Après avoir étudié ces deux concepts, nous examinerons la seconde façon dont la théorie sociocognitive aborde la dynamique des processus de la personnalité, soit l'analyse des fonctions psychologiques particulièrement importantes dans l'étude scientifique de la personnalité et des différences individuelles. Trois types de fonctions psychologiques ont fait l'objet d'une attention particulière : (1) l'apprentissage par l'observation (ou apprentissage par le modelage), (2) la motivation et (3) la maîtrise de soi.

Le déterminisme réciproque

Bandura (1986) a introduit le principe théorique du déterminisme réciproque. Ce principe s'intéresse au rapport de causalité dans l'étude des processus de la personnalité.

Déterminisme réciproque
Influence mutuelle de deux ou plusieurs variables ; dans la théorie sociocognitive, principe causal fondamental selon lequel des facteurs personnels, environnementaux et comportementaux exercent une influence causale les uns sur les autres.

Voici la nature du problème auquel s'attaque Bandura. L'analyse du comportement d'une personne commande généralement la prise en considération de trois facteurs, soit la personne, son comportement et l'environnement qui est le sien au moment d'agir. Or comment faut-il analyser les causes et les effets dans un tel système tripartite ? Qu'est-ce qui cause quoi ? Devrions-nous dire que les attributs de la personnalité de l'individu expliquent son comportement (comme le sous-entendent certaines théories des traits de personnalité) ? Ou que l'environnement est la cause véritable du comportement (comme l'affirment les béhavioristes) ? Ni l'un ni l'autre, selon Bandura, qui juge ces énoncés trop simplistes. Il croit plutôt que la causalité est une « rue à double sens » ou, selon le terme officiel, réciproque. Les trois facteurs en cause – le comportement, les caractéristiques de la personnalité et l'environnement – influent les uns sur les autres. Ce sont des déterminants réciproques. Le principe du déterminisme réciproque postule donc que la personnalité, le comportement et l'environnement doivent être compris comme un système de forces qui interagissent dans le temps (figure 12.2).

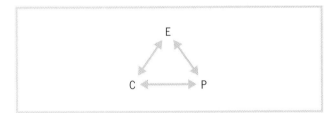

Figure 12.2 | Cette représentation schématique du principe du déterminisme réciproque de Bandura pose que la personnalité, le comportement et l'environnement doivent être compris comme un système de forces qui influent les unes sur les autres.

Source : Bandura, A. (1997). *Self-Efficacy : The Exercise of Control*. New York : Freeman.

Pour bien comprendre ce principe, imaginez-vous en train de converser avec une personne qui vous plaît. Vous souriez, lui consacrez toute votre attention et tentez de vous montrer intéressant et de faire bonne impression. Quel rôle la causalité joue-t-elle dans cette conversation, selon le point de vue d'un chercheur qui étudie la personnalité ? Qu'est-ce qui agit sur quoi ? D'une part, on pourrait dire que l'environnement influe sur votre comportement. L'attrait physique et social de votre interlocuteur vous incite à vous comporter d'une certaine façon. Ce n'est pas incorrect, mais c'est insuffisant. L'environnement est un élément que vous avez interprété, et votre interprétation est plus ou moins déterminée par vos croyances et vos sentiments, qui sont des caractéristiques de votre person-

nalité. De plus, votre aptitude à faire bonne impression dépend de vos habiletés sociales, qui constituent une autre dimension de votre personnalité. Ensuite, par votre comportement, vous agissez sur l'environnement. Si vous parvenez à faire bonne impression, votre interlocuteur sera dans de meilleures dispositions et vous lui plairez davantage ; il vous sourira, vous accordera toute son attention, et ainsi de suite. Autrement dit, vous aurez créé par vos actions un environnement social plus positif. Enfin, si la situation tourne à votre avantage, votre performance vous rendra de meilleure humeur et pourrait avoir un effet sur votre concept de soi ; votre propre comportement influera sur votre personnalité. Selon un tel système, il est vain de chercher la « cause » dans un seul facteur et l'« effet » dans un autre. La personnalité, le comportement et l'environnement doivent plutôt être compris comme des facteurs déterminants aux effets réciproques.

Le principe du déterminisme réciproque constitue un rejet des autres perspectives théoriques. Certaines théories expliquent le comportement principalement en fonction de forces internes : les conflits intérieurs de la psychanalyse, la quête d'actualisation de soi de l'approche phénoménologique, les dispositions génétiques de la théorie des traits de personnalité et les mécanismes psychologiques évolués de la psychologie évolutionniste. D'autres expliquent le comportement par des forces externes, le béhaviorisme étant l'exemple paradigmatique. Bandura rejette tout ce discours sur l'opposition entre les forces internes et les forces externes, qu'il juge globalement inadéquat, parce que ce discours nie l'action réciproque de la psychologie de la personne et de son milieu. Les gens subissent l'influence du milieu, mais ils décident aussi de ce qu'ils feront. La personne réagit aux situations, mais elle détermine et construit aussi des situations. Les gens choisissent des situations autant qu'ils sont façonnés par elles ; les sociocognitivistes voient dans la capacité de choisir le type de situations un élément critique de la capacité individuelle d'être un agent actif qui modifie le cours de son propre développement.

La personnalité en tant que système cognitivo-affectif

Depuis quelques années, les sociocognitivistes insistent de plus en plus sur la nécessité de comprendre la personnalité comme un système. Le terme *système* renvoie généralement à un grand nombre de composantes interactives. Le comportement du système reflète non seulement les composantes, mais aussi la façon dont elles sont liées les unes aux autres. Les systèmes comportant un très grand nombre de parties très intégrées présentent souvent des formes très complexes et cohérentes de comportement, même si leurs parties sont relativement simples. Le cerveau constitue un exemple de cette réalité. Il accomplit des actions d'une remarquable complexité malgré le fait que ses parties – les neurones – soient relativement simples. Les interconnexions multiples des parties procurent au cerveau ses aptitudes complexes (Damasio, 1994 ; Edelman et Tononi, 2000).

La théorie sociocognitive voit la personnalité comme un système complexe. Les variables sociocognitives ne fonctionnent pas de façon isolée. Les connaissances et les affects interagissent de façon organisée et permettent la cohérence du fonctionnement global de la personnalité (Cervone et Shoda, 1999b).

Mischel et Shoda (2008) ont mis au point une perspective systémique des structures de la personnalité qui prend la forme du **système cognitivo-affectif de la personnalité**. Ce modèle comporte trois caractéristiques essentielles. D'abord, les variables cognitives et affectives de la personnalité y sont vues comme étant liées les unes aux autres de façon complexe. Les gens n'ont pas simplement un but (par exemple, obtenir plus de rendez-vous amoureux), un niveau de compétence (de piètres habiletés en matière de fréquentations amoureuses), des attentes particulières (un faible sentiment d'efficacité personnelle en matière de fréquentations amoureuses) et certaines normes d'évaluation et réactions d'autoévaluation (comme se sentir insatisfait sur le plan affectif au chapitre des fréquentations amoureuses). En fait, leur système de personnalité réunit ces connaissances *et* leurs interactions. Les pensées entourant un objectif peuvent déclencher des réflexions sur les habiletés qui, à leur tour, entraînent des pensées sur le sentiment d'efficacité personnelle, et toutes ces pensées influent sur l'autoévaluation et les émotions de la personne.

La deuxième caractéristique clé du système cognitivo-affectif de la personnalité concerne l'environnement social. Selon ce modèle, les situations sociales comportent divers aspects, des caractéristiques contextuelles, qui activent des sous-ensembles du système. Par exemple, une situation au cours de laquelle vous parlez avec une amie qui vous raconte les détails d'un rendez-vous amoureux peut activer chez vous le système des objectifs et des attentes relatifs aux fréquentations dont il est question dans le paragraphe précédent. Toutefois, une conversation sur la politique, les sports ou vos cours pourrait activer un tout autre ensemble de connaissances et d'affects.

La troisième caractéristique découle naturellement de la deuxième : si des caractéristiques contextuelles différentes activent des parties différentes du système de personnalité, le comportement de la personne devrait donc *varier* d'une situation à l'autre. Supposons que le système de personnalité d'une personne renferme des pensées et des sentiments négatifs sur ses habiletés en matière de fréquentations amoureuses, mais des pensées et des sentiments positifs sur ses habiletés scolaires. Les caractéristiques contextuelles qui activent chaque sous-ensemble de pensées et de sentiments (les fréquentations amoureuses et le rendement scolaire) devraient produire chez la personne des modèles complètement différents d'émotions et d'actions. Bien que le système de personnalité de l'individu soit stable, ses expériences et ses actions devraient changer d'une situation à une autre sous l'effet de l'activation de différents sous-ensembles du système. C'est peut-être la caractéristique la plus remarquable du modèle. Il suppose que les *variations* du comportement, et non seulement le degré moyen d'expression du comportement, constituent un aspect déterminant de la personnalité.

La recherche empirique qu'ont menée Mischel et ses confrères illustre l'approche du système cognitivo-affectif de la personnalité (Shoda, Mischel et Wright, 1994). Pendant six semaines, ils ont observé des enfants dans une colonie de vacances, dans différents contextes : en train travailler le bois, de jouer dans une cabane, de regarder la télévision, aux repas, en classe, au terrain de jeu, etc. Les chercheurs ont encodé le type d'interactions sociales qu'ils observaient dans chaque situation, par exemple, si tel enfant interagissait avec un pair ou un moniteur, et si l'interaction était positive (l'enfant recevait des éloges) ou négative (l'enfant était l'objet de taquineries).

Les chercheurs ont également observé le comportement de l'enfant dans ce dernier type de situation, en prêtant attention aux divers types de comportements : agressivité verbale (provocation, menaces) ou physique (coups, bousculades), lamentations ou comportement puéril, compromis ou abdication, ou discours prosocial. Les chercheurs ont noté leurs observations toutes les heures, cinq heures par jour et six jours par semaine, pendant six semaines.

Système cognitivo-affectif de la personnalité
Modèle théorique que proposent Mischel et des collègues et selon lequel la personnalité comprend de nombreux processus cognitifs et affectifs liés les uns aux autres ; les interconnexions assurent le fonctionnement intégré et cohérent de la personnalité, tel un « système ».

Ils ont ainsi cumulé 167 heures d'observation, en moyenne, pour chaque enfant, et produit une somme imposante d'expressions de la personnalité en contexte social.

Les chercheurs ont analysé ces données selon la méthode d'analyse de profils *si... alors...* Cette méthode permet de profiler le comportement d'un participant dans une variété de situations. Il devient ensuite possible de déterminer si le comportement du participant varie systématiquement d'une situation à une autre. On peut, par exemple, déterminer que *si* le participant se retrouve dans une situation *x, alors* il aura tendance à se comporter d'une certaine façon. L'implication *si... alors...* peut varier d'un participant à l'autre. L'analyse de profils révèle donc des tendances idiosyncrasiques propres à une personne.

Quels ont été les résultats de la recherche? Bien sûr, les chercheurs ont relevé d'importantes différences dans les comportements observés au fil des situations. Les gens se comportent effectivement différemment selon la situation. En général, les enfants n'ont pas le même comportement au terrain de jeu et en classe, lorsqu'ils jouent dans une cabane et lorsqu'ils travaillent le bois. Et, bien sûr, les chercheurs ont relevé des différences individuelles dans l'expression moyenne de chacun des cinq types de comportement observés, comme le proposent les tenants de la théorie des traits de personnalité. Cependant, la théorie sociocognitive cherche surtout à déterminer s'il est possible de décrire les personnes en fonction des comportements types qu'elles adoptent selon la situation. Autrement dit, les gens se distinguent-ils selon leurs modes de comportement, même si leurs comportements s'expri-

ment globalement de façon comparable? Se peut-il que deux personnes présentant un degré comparable d'agressivité ne l'expriment pas dans les mêmes situations? Mischel et ses confrères ont effectivement relevé des indices très nets confirmant que les gens présentent des profils stables et distincts d'expression de comportements particuliers dans des groupes de situations précis.

Prenons, par exemple, les profils d'agressivité verbale de deux participants par rapport à cinq types de situations psychologiques (figure 12.3). Les deux participants ont visiblement un profil d'agressivité verbale différent d'une situation à l'autre. Chacun se comporte de façon raisonnablement cohérente au sein de groupes précis de situation, mais différemment entre deux groupes de situations. La présentation des comportements d'une situation à l'autre sous forme de moyennes laisserait dans l'ombre ces modèles distincts de relations entre les situations et les comportements.

Il est intéressant de noter que les non-initiés – c'est-à-dire les personnes qui n'ont pas de formation en psychologie – semblent tenir compte naturellement de l'importance de l'implication *si... alors...* dans la variabilité du comportement. De récentes études de Kammrath et ses collègues (2005) l'ont démontré. Dans l'une d'elles, des non-initiés devaient dire comment, selon eux, des gens dont la personnalité présentait des caractéristiques différentes se comporteraient dans différentes situations. Les résultats indiquent que les non-initiés ne s'attendaient pas à ce que les gens se comportent d'une manière constante et uniforme dans tous les contextes. Ils entrevoyaient plutôt

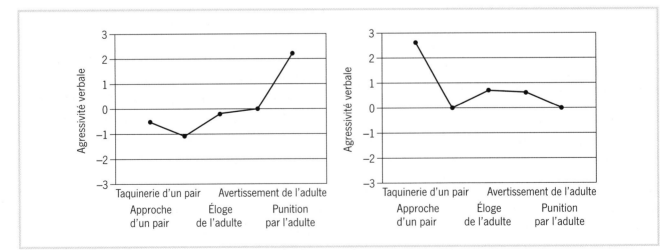

Figure 12.3 | **Les profils individuels de l'agressivité verbale pour deux enfants dans cinq types de situations (représentées par les points)**

Source: Shoda Y., Mischel, W., & Wright, J.C. (1994). Intraindividual stability in the organization and patterning of behavior: Incorporating psychological situations into the idiographic analysis of personality. *Journal of Personality and Social Psychology, 67*, 674-687. © 1994, American Psychological Association, reproduction autorisée.

une variabilité de comportements selon l'implication *si… alors…* et s'attendaient à ce que le comportement varie considérablement d'une situation à une autre. Dans une deuxième étude, les chercheurs ont précisé la nature des situations rencontrées par des personnes dont le comportement variait distinctement d'une situation à l'autre. Les participants n'ont pas été perturbés par ces entorses à la cohérence du comportement. Ils en ont plutôt déduit que des motifs expliquaient la variabilité du comportement des gens (Kammrath, Mendoza-Denton et Mischel, 2005).

Que peut-on conclure de ce programme de recherche? Selon la proposition de Mischel et de ses confrères, les gens présentent des profils distincts de relations entre les situations et les comportements, appelés **empreintes comportementales**. Ce type de stabilité intrinsèque à l'égard du modèle de comportement et de son organisation semble particulièrement crucial pour une psychologie de la personnalité dont l'objet final est la compréhension du caractère unique du fonctionnement individuel (Shoda, Mischel et Wright, 1994). Mischel et ses confrères soulignent que ces modèles de comportement uniques passeraient totalement inaperçus pour quiconque se contenterait de déterminer les tendances de comportement moyennes, au sens statistique du terme, des gens. Ainsi deux personnes qui, par exemple, présentent le même degré général d'anxiété peuvent être fondamentalement différentes. Une analyse de profils selon l'implication *si… alors…* pourrait révéler que l'une de ces personnes est anxieuse lorsqu'elle doit se fixer des objectifs et que l'autre le devient lorsqu'il est question de sa relation amoureuse. L'analyse de profils indiquerait que la dynamique de la personnalité est différente chez ces deux personnes, et ce, même si elles obtenaient le même score sur une échelle mesurant le trait de l'anxiété selon leurs réactions à différentes situations de leur vie. Le message fondamental qu'envoient Mischel et ses confrères aux psychologues est donc qu'il ne sert à rien de tirer une moyenne des différentes situations de leur vie. Il faut plutôt étudier ces personnes de près ainsi que leurs modèles caractéristiques de variabilité de comportement dans diverses situations.

Pour résumer le point de vue sociocognitif sur la motivation, disons qu'une personne se donne des buts ou des normes qui servent de fondement à ses actions. Les gens envisagent différentes actions et en choisissent une selon les résultats qu'ils visent (internes ou externes) et leur sentiment d'efficacité personnelle à l'égard des comportements qu'ils doivent adopter. Une fois l'action accomplie, la personne en évalue le résultat en fonction des récompenses externes qu'elle en tire et de sa propre évaluation. Un bon rendement peut nourrir le sentiment d'efficacité personnelle et entraîner soit un relâchement de l'effort, soit l'établissement de normes de réussite plus élevées pour la prochaine fois. Un rendement médiocre ou l'échec peuvent pousser la personne à abandonner ou à persévérer, selon la valeur qu'elle accorde au résultat et son sentiment d'efficacité personnelle à l'égard de l'effort à déployer.

LA CROISSANCE ET LE DÉVELOPPEMENT SELON LA THÉORIE SOCIOCOGNITIVE

L'apprentissage par l'observation (ou modelage)

Nous avons examiné jusqu'ici les quatre structures de la personnalité qui sont au cœur de la théorie sociocognitive, en plus de revoir deux principes théoriques auxquels recourent Bandura et Mischel pour comprendre la nature de la personnalité et les causes du comportement. Le moment est venu de nous pencher sur des applications pratiques de ces concepts théoriques. Les sociocognitivistes invoquent ces principes pour comprendre deux grandes activités psychologiques, ou ce que nous appellerons ici deux fonctions psychologiques: (1) l'acquisition de connaissances et d'habiletés, particulièrement au moyen de l'apprentissage par observation et (2) la maîtrise (ou l'autorégulation) de ses actions et de ses expériences affectives.

La première de ces deux fonctions psychologiques concerne la façon dont les gens acquièrent des connaissances et des habiletés. Comment nous viennent nos habiletés sociales? Comment intégrons-nous des croyances, des buts et des normes d'évaluation de notre comportement? Les théories que nous avons passées en revue jusqu'ici ont généralement négligé ces questions, et leurs théoriciens ont peu traité de façon explicite de l'acquisition de croyances et d'habiletés sociales. Le béhaviorisme est la théorie qui s'est le plus avancée à cet égard. Rappelons-le, les béhavioristes affirment que nous apprenons par tâtonnements, c'est-à-dire au moyen d'un procédé de façonnement par approximations successives. Au fil d'une longue série de tests d'apprentissage, le renforcement ainsi

---

Empreinte comportementale
Profils individuels de relations entre les situations et les comportements.

obtenu façonne peu à peu un modèle complexe de comportement. Malgré l'abondance d'erreurs au début du processus, le comportement s'approche graduellement du modèle désiré grâce aux mécanismes de renforcement.

Albert Bandura est parvenu à expliquer les défauts de cette théorie béhavioriste et à procurer à la psychologie une autre explication théorique, ce qui constitue une percée d'une grande importance en psychologie. Avec le recul, il est difficile de ne pas voir les défauts de l'approche béhavioriste. Parfois, l'apprentissage ne peut se faire par essai et erreur parce que les erreurs sont trop coûteuses.

Pensons, par exemple, à votre première expérience au volant d'une voiture. Selon la théorie béhavioriste, les renforcements et les punitions façonneraient peu à peu votre comportement au volant. Le premier jour, vous pourriez être mêlé à 9 ou 10 accidents de la route, mais grâce aux mécanismes de renforcement, vous pourriez n'en avoir que 5 ou 6 le deuxième jour. Après quelques essais supplémentaires, vous ne feriez presque plus d'erreurs et l'environnement aurait façonné en vous un comportement de conduite préventive. Est-ce vraiment ce qui se produit? Souhaitons que non! En réalité, la première fois que vous avez pris le volant – avant même d'avoir été récompensé ou puni pour un quelconque comportement sur la route –, vous étiez déjà capable de conduire une voiture de façon à peu près correcte. Ce qu'il importe d'expliquer est la capacité humaine d'apprendre une compétence de cet ordre sans avoir reçu de récompenses ou de punitions préalables.

La théorie sociocognitive explique que les gens peuvent apprendre simplement en observant le comportement d'autrui. La personne observée est le modèle, et cet **apprentissage par observation** est également connu sous le nom de **modelage**. Les capacités cognitives des gens leur permettent d'apprendre des comportements complexes par la simple observation d'un modèle manifestant ces comportements. Comme l'a expliqué en détail Bandura (1986), les gens peuvent former une représentation mentale du comportement observé et s'y référer par la suite. Nous utilisons cette forme d'apprentissage dans une multitude de sphères de notre vie. L'enfant apprend à parler en observant ses parents et d'autres personnes. Vous avez sans

L'apprentissage par observation : Le comportement agressif peut s'apprendre par l'observation de comportements à la télévision.

doute appris des notions de base sur la conduite automobile (où placer vos pieds et vos mains, comment démarrer la voiture, comment tourner le volant, etc.) en observant d'autres conducteurs. Nous apprenons quels sont les comportements acceptables et inacceptables dans des contextes sociaux en observant ce que font les autres.

Ce processus de modelage peut s'avérer beaucoup plus complexe que l'imitation. Ce dernier terme sous-entend la reproduction fidèle d'un modèle restreint de réponses. Par le modelage, cependant, les gens apprennent les règles générales de comportement en observant autrui. Ces règles leur permettent ensuite de générer une variété de comportements. Le concept de modelage que propose

Le modelage : La théorie de l'apprentissage social souligne l'importance de l'observation d'autrui dans l'acquisition de comportements.

Bandura est également plus étroit que la notion psycho-dynamique d'identification. L'identification sous-entend l'intégration de grands modèles de comportements que manifeste une personne donnée. Le modelage, au contraire, sous-entend l'acquisition d'information par l'observation d'autrui, sans pour autant intérioriser les modèles de comportement de la personne observée.

La personne observée (c'est-à-dire le modèle) n'a pas à être présente physiquement. Dans la société contemporaine, le modelage passe en grande partie par les médias. Nous apprenons des styles de pensée et d'action auprès de personnes que nous n'avons jamais rencontrées, mais que nous observons à la télévision ou dans d'autres médias. La présentation fréquente à la télévision de modèles de comportement antisociaux comme l'agressivité est d'ailleurs une source de préoccupation récurrente : la recherche indique qu'une exposition médiatique intensive à l'agressivité durant l'enfance peut favoriser l'apprentissage de modèles de comportement agressif observables plus tard dans la vie. Des chercheurs ont mené une étude longitudinale sur le rôle que l'exposition des enfants à la violence dans les médias peut avoir dans les manifestations de comportements agressifs ultérieurs (Huesmann, Moise-Titus, Podolski et Eron, 2003). Les hommes et les femmes qui, entre 6 et 10 ans, ont été témoins de violence à des degrés élevés manifestaient des comportements plus agressifs que les autres au début de l'âge adulte. L'association entre l'exposition précoce à la violence dans les médias et l'agressivité à l'âge adulte demeurait observable même lorsque d'autres facteurs (comme le statut socio-économique) susceptibles d'être corrélés avec un taux élevé d'agressivité étaient contrôlés. La recherche de Bandura sur le modelage comporte manifestement des implications sociales importantes.

La différence entre l'acquisition et l'exécution

La distinction entre l'**acquisition** et l'**exécution** est une composante importante de la théorie du modelage. S'il est possible d'apprendre ou d'acquérir un modèle de comportement complexe sans recevoir de renforcement, son exécution dépend cependant des récompenses et des punitions. Une étude célèbre de Bandura et de ses collaborateurs illustre cette distinction (Bandura, Ross et Ross, 1963). Au cours de cette étude, trois groupes d'enfants ont observé un modèle qui manifestait un comportement agressif à l'égard d'une poupée de plastique, dite poupée Bobo. Pour le premier groupe, le comportement agressif du modèle n'entraînait pas de conséquences (groupe « sans conséquences ») ; pour le deuxième groupe, le même comportement agressif était suivi d'une récompense (groupe « modèle récompensé »), alors que pour le troisième groupe, le comportement agressif du modèle était suivi d'une punition (groupe « modèle puni »). Après avoir observé le comportement agressif du modèle, les enfants des trois groupes étaient soumis à deux situations. Dans la première, les enfants se retrouvaient seuls dans une pièce avec de nombreux jouets, dont une poupée de plastique. Les chercheurs observaient les enfants derrière un miroir sans tain pour voir s'ils manifesteraient les comportements agressifs du modèle (situation « sans incitation »). Dans la deuxième situation, les enfants recevaient des incitations attrayantes pour reproduire le comportement du modèle (situation « avec incitation »).

L'étude visait à répondre à deux questions. D'abord, les enfants se comporteraient-ils de façon plus agressive s'ils étaient incités à le faire que s'ils ne l'étaient pas ? La situation avec incitation a donné lieu à un nombre beaucoup plus élevé de comportements agressifs que la situation sans incitation (figure 12.4). Autrement dit, les enfants ont appris (acquis) de nombreux comportements agressifs, mais ceux de la situation sans incitation ne les ont pas manifestés (exécutés), contrairement à ceux de la situation avec incitation. Ce résultat illustre la distinction entre l'acquisition et l'exécution. Deuxième question : les conséquences encourues par le modèle exerçaient-elles une influence sur l'expression de comportements agressifs par les enfants ? L'observation du comportement dans la situation sans incitation a révélé des différences incontestables. Les enfants qui avaient vu le modèle puni ont exécuté beaucoup moins d'actes imitatifs que les enfants qui avaient vu le modèle récompensé ou qui n'avaient subi aucune conséquence (figure 12.4). Ces différences ont toutefois disparu lorsque les enfants ont été incités à reproduire le comportement du modèle (situation avec incitation).

Acquisition

L'apprentissage de nouveaux comportements que Bandura considère comme étant indépendants de la récompense, contrairement à l'exécution, qui est conçue comme étant dépendante d'une récompense.

Exécution

Production de comportements appris que Bandura considère comme tributaires de récompenses, par opposition à l'acquisition de nouveaux comportements, qui ne dépendent pas de récompenses.

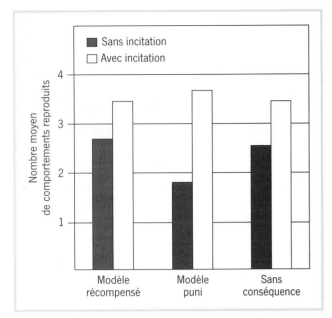

Figure 12.4 | Nombre moyen de comportements d'imitation reproduits par enfant, selon le type de conséquences pour le modèle et selon la présence ou l'absence d'incitations

Source: Bandura, A. (1965). Influence of models' reinforcement contingencies on the acquisition of imitative responses. *Journal of Personality and Social Psychology, 1,* 589-595. © 1965, American Psychological Association, reproduction autorisée.

Bref, les conséquences que le modèle a subies ont eu un effet sur l'exécution de comportements agressifs, mais pas sur l'acquisition de ces comportements par les enfants.

Le conditionnement vicariant

Un certain nombre d'autres études ont montré, depuis, que l'observation des conséquences pour le modèle avait influé sur l'exécution des comportements agressifs par les enfants, mais pas sur leur acquisition. La différence entre l'acquisition et l'exécution laisse cependant croire qu'à certains égards, les enfants étaient influencés par le sort que subit le modèle : sur le plan cognitif, affectif ou sur les deux, les enfants réagissaient aux conséquences dont ils avaient été témoins. On peut donc penser que les enfants ont appris certaines réponses émotives en sympathisant avec le modèle, simplement en l'observant. Ainsi l'observation permet non seulement l'apprentissage de comportements, mais aussi celui de réactions émotives, comme la peur et la joie. Bandura rappelle à cet égard qu'il

Conditionnement vicariant

Concept de Bandura pour désigner le processus d'apprentissage de réponses émotives par l'observation de celles d'autrui.

n'est pas rare que les gens aient de fortes réactions émotives à l'égard de personnes, de choses et de lieux avec lesquels ils n'ont jamais été personnellement en contact (Bandura, 1986, p. 185).

Le processus d'apprentissage de réactions émotives par l'observation d'autrui – ce qu'on appelle le **conditionnement vicariant** – existe chez les humains comme chez les animaux. Au cours d'une étude, les participants qui observaient un modèle exprimant une réaction de peur conditionnée ont acquis une réponse conditionnée à un stimulus auparavant neutre (Bandura et Rosenthal, 1966). De même, une expérience menée auprès d'animaux a montré que de jeunes singes qui avaient vu leurs parents réagir par la peur devant un serpent, réel ou jouet, ont contracté une peur intense et durable des serpents. L'élément le plus remarquable de cette recherche est que la période d'observation de la réaction émotive des parents était parfois très courte. De plus, une fois le conditionnement vicariant installé, la peur s'avérait intense et durable, en plus de se manifester dans des situations différentes de celles où les jeunes singes avaient observé la réaction émotive pour la première fois (Mineka, Davidson, Cook et Kleir, 1984).

Bien que l'apprentissage par l'observation puisse être un processus efficace, on aurait tort de croire qu'il est automatique et que l'observateur suivra forcément les traces du modèle observé. Les enfants, par exemple, ont de nombreux modèles et peuvent apprendre de leurs parents, de leurs frères et sœurs, de leurs enseignants, de leurs pairs et de la télévision. Ils apprennent aussi par expérience directe. À mesure qu'ils grandissent, enfin, les enfants choisissent les modèles qu'ils observeront et tenteront d'imiter.

L'autorégulation et la motivation

Comme nous venons de le voir, l'acquisition de connaissances et d'habiletés – le plus souvent grâce à l'apprentissage par l'observation – est un processus de la personnalité incontournable dans la théorie sociocognitive. Il en existe un second qui consiste à utiliser ces connaissances, et ce deuxième processus renvoie à la motivation humaine.

La théorie sociocognitive aborde la motivation humaine principalement en examinant l'impact motivationnel des pensées personnelles, c'est-à-dire la pensée centrée sur soi. L'idée générale est que les gens orientent et motivent habituellement leurs actions à l'aide de processus cognitifs. Les processus clés concernent souvent le soi. Prenez les processus de motivation qui se trouvent derrière votre

| **La faute aux jeux vidéo ?**

En novembre 2002, la police de l'État du Wisconsin arrêtait un adolescent pour vol de voitures. Les policiers n'avaient pas affaire à un vol mineur : l'adolescent était accusé d'avoir volé une centaine de véhicules ! À quoi peut-on attribuer un tel comportement ? À des pulsions hostiles enfouies dans l'inconscient de l'adolescent ? À un trait de criminalité durable ?

Comme le relate l'agence Associated Press, l'adolescent avait une explication beaucoup plus simple à proposer : il avait trouvé son inspiration dans le jeu vidéo « Grand Theft Auto ». Les adeptes de ce jeu contrôlent des personnages animés qui combattent violemment les forces de l'ordre pour mieux poursuivre leurs activités criminelles, dont le vol de voitures. Aux dires du chef de la police locale, après avoir joué pendant plusieurs heures, l'adolescent s'était dit que le vol de vraies voitures procurerait plus de « défi et de plaisir ». Selon le discours de la théorie sociocognitive, le jeu vidéo proposait des modèles psychologiques de comportement illégal, y compris les avantages (plaisir et défi) que ce comportement permettait d'escompter.

Ce n'est là, bien sûr, qu'un cas isolé. Il ne constitue pas une preuve scientifique que les jeux vidéo ont modelé le comportement de cet adolescent. Il ne répond pas non plus à une question importante : de façon générale, l'utilisation intensive de jeux vidéo violents pousse-t-elle un joueur à se conduire de façon plus violente en société ?

L'analyse d'un grand nombre de cas permet de mesurer l'utilisation de jeux vidéo et l'agressivité dans le monde réel. Il s'agit ensuite de déterminer dans quelle mesure en général l'exposition à des actes violents et criminels dans les jeux vidéo est liée au comportement agressif dans le monde réel.

Les psychologues Craig Anderson et Brad Bushman ont produit ce genre d'étude. Ils ont analysé les résultats de 35 comptes rendus de recherche portant sur le lien entre la consommation de jeux vidéo violents et diverses mesures d'agressivité dans le monde réel. Leur échantillon comptait plus de 4000 participants à des études corrélationnelles (qui étudiaient la corrélation entre la consommation de jeux vidéo et l'agressivité) et expérimentales (c'est-à-dire des études où l'exposition à des jeux vidéo violents était contrôlée en laboratoire).

Selon les conclusions des auteurs, les résultats de leurs analyses soutiennent clairement l'hypothèse selon laquelle l'exposition à des jeux vidéo violents constitue un risque de santé publique pour les enfants et les jeunes, y compris ceux de niveaux collégial et universitaire (Anderson et Bushman, 2001, p. 358). Dans les deux types d'études, l'exposition plus grande à la violence des jeux vidéo était associée à un taux d'agressivité plus élevé, de même qu'à un taux plus faible de comportement prosocial. La corrélation globale entre l'intensité de la consommation de jeux vidéo violents et le taux d'agressivité était légèrement en deçà de 0,2. Bien qu'une telle corrélation signifie que de nombreuses personnes s'adonnent à des jeux vidéo violents sans pour autant faire preuve d'agressivité dans d'autres aspects de leur vie, elle n'en est pas moins suffisamment importante pour indiquer que ce type de jeux peut avoir des effets nuisibles sur un grand nombre de joueurs.

Une autre recherche des mêmes auteurs montre comment la consommation de jeux vidéo peut entraîner ces effets (Bushman et Anderson, 2002). Jouer à des jeux violents produit un « biais d'hostilité prévisible ». Aux fins de cette recherche expérimentale, des participants étaient invités à jouer à un jeu vidéo non violent alors que d'autres jouaient à un jeu vidéo violent. Par la suite, les chercheurs les ont invités à dire si divers conflits interpersonnels décrits dans des histoires (sans lien avec le contenu des jeux vidéo) évoquaient des sentiments d'agressivité et d'hostilité de la part des personnages. Les participants qui avaient joué avec un jeu violent étaient portés à dire que les personnages de l'histoire ressentaient et manifestaient de l'agressivité, en plus d'entretenir des idées agressives. Ce résultat sous-entend que dans leur vie quotidienne, les adeptes de jeux vidéo violents peuvent croire plus souvent que des gens de leur entourage entretiennent des idées hostiles. Une telle attitude pourrait bien sûr nourrir chez eux des sentiments d'hostilité et contribuer à des actes agressifs de leur part.

Il semble bien que le « défi » et le « plaisir » ne soient pas les seuls sentiments que procurent les jeux vidéo violents.

Sources : Anderson et Bushmann, 2001 ; Associated Press, 14 novembre 2002 ; Bushman et Anderson, 2002.

inscription au présent cours de psychologie de la personnalité. Vous avez peut-être choisi ce cours parce que le contenu était susceptible de vous intéresser ; en choisissant ce cours, vous avez peut-être écarté d'autres cours que vous ne vous attendiez pas à réussir aussi bien. Au début de la session, vous vous êtes peut-être fixé des objectifs de rendement personnel pour ce cours.

Vous guidez alors votre étude en vous disant que vous devez avoir lu tels et tels chapitres avant l'examen de mi-session. Ce sont ces attentes et buts personnels, et ce discours intérieur que la théorie sociocognitive conçoit comme étant au cœur de la motivation humaine.

L'**autorégulation** est le terme général qui désigne les processus associés à la motivation personnelle (Gailliot, Mead et Baumeister, 2008). Ce terme renvoie à la capacité de l'individu à se motiver en se fixant des objectifs personnels, en planifiant des stratégies et en évaluant et modifiant son comportement. L'autorégulation est ce qui permet non seulement de fixer des objectifs, mais aussi d'éviter les distractions externes et les pulsions émotives qui pourraient nuire à la poursuite de ces objectifs.

L'autorégulation concerne toutes les structures de la personnalité que nous avons vues jusqu'ici dans la théorie sociocognitive. Les gens régulent leur comportement en se fixant des buts personnels et en évaluant leur comportement au fur et à mesure selon des normes d'évaluation de leur rendement. Les attentes sont également déterminantes, en particulier en ce qui a trait au sentiment d'efficacité personnelle, nécessaire pour persévérer malgré les divers obstacles.

Au sujet de l'autorégulation, la théorie sociocognitive rappelle la capacité de l'individu à entrevoir les résultats et à planifier en conséquence (Bandura, 1990). Selon Bandura, la motivation humaine découle principalement de la cognition (1992). Tout le monde ne se fixe pas les mêmes objectifs. Certaines personnes se fixent des objectifs difficiles et d'autres, des objectifs ambigus ; certains privilégient les objectifs à court terme alors que d'autres préfèrent les objectifs à long terme (Cervone et Williams, 1992). Quoi qu'il en soit, c'est l'anticipation de la satisfaction d'avoir atteint l'objectif et l'anticipation de l'insatisfaction

dans le cas contraire qui mobilisent nos efforts. Selon cette analyse, les gens sont proactifs et ne se contentent pas de réagir aux événements. Ils déterminent leurs propres normes et leurs objectifs plutôt que de réagir aux exigences de l'environnement. Par le développement de mécanismes cognitifs comme les attentes, les normes et l'autoévaluation, nous parvenons à nous fixer des buts et à prendre les rênes de notre destinée (Bandura, 1989a, 1989b, 1999). La croissance et le développement déterminent donc les mécanismes cognitifs associés à l'autorégulation en les modifiant. Ce développement accroît le potentiel de l'autorégulation.

L'efficacité personnelle, les buts et les réactions d'autoévaluation

Les chercheurs sociocognitivistes ont étudié comment ces multiples processus de la personnalité – le sentiment d'efficacité personnelle, les objectifs et l'autoévaluation – contribuent ensemble à l'autorégulation. Bandura et Cervone (1983) ont étudié les effets des objectifs et de la rétroaction sur la motivation. L'hypothèse mise à l'épreuve posait que la motivation est tributaire de la présence d'objectifs et de la connaissance de son rendement par rapport à une norme : l'adoption d'objectifs, qu'ils soient faciles ou difficiles à atteindre, même à défaut d'idées sur son rendement en cours de route, ne semble avoir aucun effet appréciable sur la motivation (1983, p. 123). Les chercheurs postulaient qu'un écart plus grand entre la norme et le rendement entraînerait une plus grande insatisfaction de soi et pousserait la personne à déployer plus d'efforts pour améliorer son rendement. Or l'un des ingrédients essentiels de ces efforts est le sentiment d'efficacité personnelle. La recherche a donc testé l'hypothèse voulant que le sentiment d'efficacité personnelle et les réactions d'autoévaluation interviennent entre l'établissement d'un objectif et le déploiement d'efforts pour l'atteindre.

Pour vérifier cette hypothèse, les chercheurs ont soumis des participants à un exercice épuisant selon l'une des quatre situations suivantes : (1) présentation des objectifs et d'une rétroaction sur le rendement ; (2) présentation des objectifs seulement ; (3) présentation d'une rétroaction seulement ; et (4) absence d'objectif et de rétroaction. Après l'exercice – que les chercheurs avaient présenté comme faisant partie d'un projet de planification et d'évaluation d'un programme de réhabilitation pour les patients coronariens –, les participants devaient indiquer dans quelle mesure ils seraient satisfaits ou insatisfaits d'eux-mêmes s'ils devaient fournir le même rendement lors d'une autre

Autorégulation
Processus psychologique par lequel la personne motive son comportement.

séance. Ils devaient également indiquer leur sentiment d'efficacité personnelle à l'égard de divers niveaux de rendement possibles. Les chercheurs ont ensuite à nouveau mesuré leur rendement à l'effort. Conformément à leur hypothèse, les participants à qui les chercheurs avaient présenté des objectifs et une rétroaction ont été beaucoup plus motivés que ceux qui n'avaient reçu que les objectifs ou qu'une rétroaction (figure 12.5). De plus, l'effort déployé lors de la seconde séance s'est avéré plus intense chez les participants qui s'étaient déclarés insatisfaits de leur rendement – parce qu'il était en deçà de la norme – et qui avaient reconnu avoir un sentiment élevé d'efficacité personnelle pour l'atteinte de meilleurs niveaux de rendement. Ni l'insatisfaction ni le sentiment élevé d'efficacité personnelle n'ont eu un effet comparable à eux seuls. Les participants qui n'étaient pas mécontents de leur rendement et qui n'avaient pas un grand sentiment d'efficacité personnelle, eux, ont souvent réduit leur effort lors de la deuxième séance d'exercice. C'était donc une preuve claire que les objectifs ont un pouvoir de motivation par le truchement des réactions d'autoévaluation et du sentiment d'efficacité personnelle.

La rétroaction sur le rendement et le sentiment d'efficacité personnelle sont également importants pour le développement de l'intérêt intrinsèque. Des psychologues ont réussi à rehausser l'intérêt d'étudiants pour l'apprentissage et le rendement en les aidant à décomposer des tâches au moyen d'objectifs intermédiaires et à évaluer leur rendement, de même qu'en leur fournissant une rétroaction pour améliorer leur sentiment d'efficacité personnelle (Bandura et Schunk, 1981; Morgan, 1985; Schunk et Cox, 1986). L'intérêt intrinsèque se développe lorsque la personne dispose de normes suffisamment exigeantes pour que son autoévaluation soit positive lorsqu'elle les atteint et qu'elle ait un fort sentiment d'efficacité personnelle quant à sa capacité d'atteindre ces normes. C'est cet intérêt intrinsèque qui facilite l'effort soutenu en l'absence de récompenses externes. À l'inverse, il est difficile de rester motivé sans recevoir suffisamment de récompenses externes ou internes (par l'autoévaluation) ou lorsque le sentiment d'efficacité personnelle est si faible que la réussite semble impossible. Un sentiment d'inefficacité personnelle peut annuler le potentiel de motivation des résultats à venir, même les plus désirables. Par exemple, aussi séduisante que soit la perspective de devenir une vedette du cinéma, les gens ne trouveront pas la motivation pour choisir cette voie s'ils ne croient pas avoir le talent nécessaire. À défaut d'un tel sentiment d'efficacité

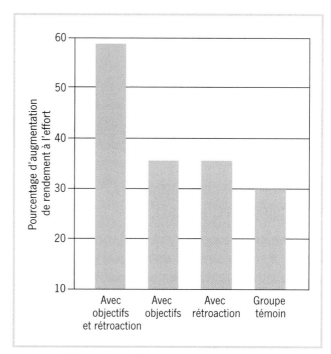

Figure 12.5 | Augmentation moyenne, en pourcentage, du rendement à l'effort selon la présence ou l'absence d'objectifs et de rétroaction

Source: Bandura, A., & Cervone, D. (1983). Self-evaluative and self-efficacy mechanisms governing the motivational effect of goal systems. *Journal of Personality and Social Psychology, 45*, 1017-1028. © 1983, American Psychological Association, reproduction autorisée.

personnelle, la carrière dans le cinéma demeurera un fantasme plutôt qu'un objectif qui pousse à l'action.

La maîtrise de soi et la gratification différée

Il nous arrive parfois de devoir *faire* quelque chose sans arriver pour autant à nous y mettre. Par exemple, vous devez peut-être commencer à préparer un travail de session, dont la remise est exigible à la fin du semestre, mais vous n'avez pas encore écrit la moindre ligne et n'arrivez pas à commencer. C'est dans ces circonstances que deviennent utiles des normes de rendement et des objectifs clairs, de même qu'un sentiment élevé d'efficacité personnelle.

Voyons maintenant un autre type de problème psychologique. Il nous arrive parfois de devoir *cesser* de faire quelque chose. Il peut s'agir d'un comportement qui vous procure du plaisir mais qui est socialement inapproprié ou nuisible à votre santé ou à celle d'autrui. Fumer, faire des excès de table, faire de la vitesse au volant en sont des exemples évidents. La difficulté sur le plan psychologique est alors à l'opposé de celle dont il a été question précédemment. Vous devez réduire le comportement qui vous procure du plaisir. Pour votre bien à long terme, vous devez maîtriser vos pulsions. Lorsque la maîtrise de soi consiste à renoncer à une bonne chose maintenant pour obtenir mieux plus tard (par exemple, renoncer à une deuxième pointe de tarte maintenant pour avoir une plus belle taille l'été venu), le phénomène est ce que nous appelons la gratification différée.

L'apprentissage de la capacité à différer la gratification

La recherche en sociocognitivisme laisse penser que la capacité des gens à remettre à plus tard la gratification repose sur un fondement social. L'apprentissage par observation joue un rôle important dans l'établissement de normes de rendement servant de référence pour différer la gratification. Les enfants dont les modèles se fixaient des normes de rendement élevées pour se récompenser ont davantage tendance à réserver leurs récompenses à des rendements exceptionnels que les enfants dont les modèles se fixaient des normes peu exigeantes ou que les enfants qui n'avaient pas de modèles (Bandura et Kupers, 1964). Les enfants reproduiront des normes exigeantes, même si elles les contraignent à renoncer à des récompenses possibles (Bandura, Grusec et Menlove, 1967). Ces enfants imposeront même leurs normes de rendement à leurs camarades (Mischel et Liebert, 1966). Les enfants peuvent apprendre à tolérer de plus longs délais avant d'être récompensés si leurs modèles le font aussi.

Une étude de Bandura et Mischel (1965) illustre bien l'influence du modèle sur l'enfant à l'égard de la gratification différée. Les chercheurs ont proposé à des enfants capables de retarder la gratification et à d'autres qui en étaient incapables des modèles qui avaient le comportement contraire au leur. Dans une situation comportant un modèle en présence, chaque enfant a observé individuellement une scène où l'on demandait à un modèle adulte de choisir entre une récompense immédiate et un objet de plus grande valeur accessible plus tard. Les enfants capables de retarder longtemps la gratification ont observé le modèle qui choisissait la récompense immédiate et en commentait les avantages, alors que les enfants incapables de retarder longtemps la gratification ont observé un modèle qui choisissait la récompense ultérieure en commentant les avantages de l'attente. Dans une autre situation comprenant cette fois un modèle symbolique, des enfants ont lu un compte rendu de ces comportements; le compte rendu proposé à chaque enfant

décrivait à nouveau le comportement contraire de celui de l'enfant. Enfin, dans une situation sans modèle, des enfants étaient soumis au même choix que le modèle de la première situation. Après avoir été exposés à l'une de ces trois situations, les enfants se voyaient à nouveau offrir de choisir entre une récompense immédiate et une récompense de plus grande valeur accessible plus tard. Les chercheurs ont constaté que dans les trois situations, les enfants capables de différer la gratification avaient sensiblement modifié leur comportement au profit de la récompense immédiate. La situation avec le modèle en présence est celle qui a produit le plus d'effet (figure 12.6). Les enfants qui n'avaient pas coutume de retarder la gratification ont aussi sensiblement modifié leur comportement au profit d'une récompense ultérieure, mais les chercheurs n'ont pas relevé de différence importante entre l'effet d'un modèle en présence et celui d'un modèle symbolique. Pour les deux groupes d'enfants, enfin, les effets de l'expérience sont demeurés stables lorsque les chercheurs ont refait des tests quatre ou cinq semaines plus tard.

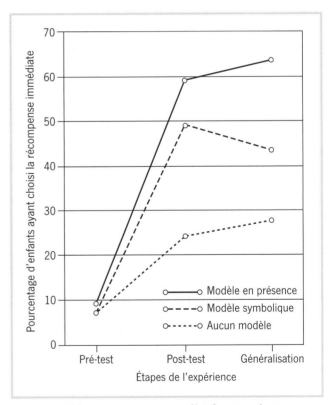

Figure 12.6 | **Pourcentage moyen d'enfants qui ont choisi la récompense immédiate parmi ceux capables de retarder la gratification, à trois périodes de test et dans chacune des trois situations expérimentales**

Source: Bandura, A., & Mischel, W. (1965). Modification of self-imposed delay of reward through exposure to live and symbolic models. *Journal of Personality and Social Psychology*, *2*, 698-705. © 1965, American Psychological Association, reproduction autorisée.

Comme nous l'avons indiqué plus haut, les conséquences pour le modèle observé influent visiblement sur l'expression du comportement observé. Par exemple, après avoir regardé un film dans lequel un enfant s'amuse avec des jouets que lui interdit sa mère sans pour autant infliger de punition, les enfants sont plus enclins à faire de même que les enfants qui n'ont pas vu le film ou que ceux qui ont vu un film dans lequel l'enfant est puni pour son comportement (Walters et Parke, 1964). L'enfant n'imite donc pas tout ce qu'il voit, mais bien ce qui est récompensé ou ce qui n'est pas puni.

Le paradigme de la gratification différée selon Mischel

Outre la question des influences sociales comme celle présentée ci-dessus, les chercheurs ont voulu savoir quels étaient, exactement, les processus cognitifs par lesquels les gens maîtrisent leurs impulsions. Que pouvez-vous faire si vous souhaitez maîtriser vos impulsions ? Par quelles stratégies mentales les gens peuvent-ils retarder la gratification ? La plupart des réponses à ces questions proviennent d'un domaine de recherche particulièrement fertile que Walter Mischel fut le premier à explorer (Mischel 1974 ; Metcalfe et Mischel, 1999).

Dans le paradigme de la **gratification différée** de Mischel, une adulte qui interagit avec un jeune enfant (habituellement d'âge préscolaire) informe ce dernier qu'elle doit le laisser seul pendant quelques minutes. Avant de sortir, l'adulte propose un jeu à l'enfant. Le jeu s'accompagne de deux récompenses différentes. Si l'enfant peut patienter jusqu'au retour de l'adulte, celle-ci lui donnera une plus grosse récompense (quelques guimauves). Si l'enfant est incapable d'attendre le retour de l'adulte, il peut actionner une sonnette et l'adulte reviendra immédiatement ; le cas échéant, cependant, la récompense sera plus petite (une seule guimauve). L'enfant n'aura donc la grosse récompense que s'il repousse la gratification. La variable dépendante ici est donc le nombre de minutes que peuvent laisser passer les enfants avant d'actionner la sonnette.

Cette expérience comportait une manipulation expérimentale cruciale, en l'occurrence la possibilité pour l'enfant de voir ou non la récompense, c'est-à-dire d'être exposé ou non à l'objet de la tentation. Dans une première situation expérimentale, les enfants pouvaient voir la récompense. Dans l'autre situation, la récompense n'était pas soumise à leur attention, mais simplement dérobée à leur regard. Cette simple manipulation expérimentale a considérablement influé sur la capacité des enfants à différer la

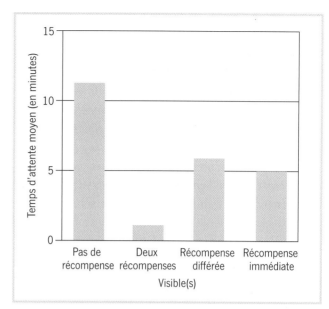

Figure 12.7 | **Temps d'attente volontaire moyen, en minutes, d'une gratification différée dans chacune des conditions d'attention**

Source : Mischel, W., & Ebbesen, E.B. (1970). Attention in delay of gratification. *Journal of Personality and Social Psychology*, *16*, 239-337. © 1970, American Psychological Association, reproduction autorisée.

gratification (figure 12.7). Lorsque la récompense n'était pas visible, les enfants parvenaient à patienter relativement longtemps. Or, lorsque la récompense se trouvait sous leurs yeux, les enfants avaient énormément de difficulté à maîtriser leurs impulsions. Tout indique que le fait de regarder une récompense qu'ils ne peuvent obtenir tout de suite est une expérience frustrante que les enfants ont bien du mal à gérer (Mischel, 1974). L'impossibilité de regarder la récompense rend donc la situation plus tolérable.

Des recherches ultérieures ont montré que ce qui occupe l'esprit des enfants pendant qu'ils attendent la grosse récompense est le facteur clé de la gratification différée. Les enfants arrivent mieux à prendre leur mal en patience lorsqu'ils utilisent des stratégies cognitives pour se distraire du pouvoir d'attraction de la récompense. Lorsqu'on leur apprend à voir les guimauves autrement que comme des aliments (par exemple, comme des nuages), à former des images mentales où la récompense est une photo et non l'objet réel, ou encore à chanter des chansons mentalement ou à imaginer des jeux qui les distraient de

Gratification différée

Report du plaisir à un moment optimal ou opportun, qui constitue un concept particulièrement important dans la théorie sociocognitive, laquelle l'associe à l'autorégulation.

l'attente, les enfants parviennent à différer la gratification même si la récompense est visible (Mischel et Baker, 1975; Mischel et Moore, 1973; Moore, Mischel et Zeiss, 1976). Selon Mischel, l'aptitude de l'enfant à soutenir l'attente requise pour atteindre l'objectif convoité dépend de ce qui occupe son esprit et non de ce qui se trouve devant lui: l'enfant ne peut patienter longtemps s'il imagine l'objet réel comme étant présent, mais sa patience sera beaucoup plus grande s'il imagine des images de l'objet (Mischel, 1990). Le fait d'imaginer une représentation de l'objet constitue un encodage « froid », c'est-à-dire une façon de penser au stimulus qui ne déclenche pas les systèmes d'impulsions émotives « chaudes » (Metcalfe et Mischel, 1999). Les gens semblent plus aptes à maîtriser leurs réactions émotives lorsqu'ils concentrent leur attention sur les caractéristiques peu émotives d'une situation. Nous traitons au chapitre 14 de l'impact de l'encodage « chaud » et de l'encodage « froid » sur les relations interpersonnelles.

Les découvertes de Mischel sur la gratification différée illustrent bien la capacité de l'individu à se maîtriser. Une comparaison de l'approche sociocognitive de Mischel et du béhaviorisme s'avère d'ailleurs instructive. Devant le paradigme de Mischel, un béhavioriste pourrait rétorquer que le principal déterminant du comportement de l'enfant réside dans les contingences de la récompense. Cet argument pose cependant problème dans la mesure où tous les enfants ont eu *exactement les mêmes* contingences de récompense, quelles que fussent les conditions expérimentales (figure 12.7). Tous ont obtenu la petite ou la grosse récompense selon le même comportement. La recherche de Mischel illustre donc le pouvoir de ce que le béhaviorisme classique n'avait jamais considéré, en l'occurrence les *représentations mentales* des récompenses.

L'aptitude à différer la gratification observée chez l'enfant persiste-t-elle plus tard dans sa vie? Pour le savoir, les chercheurs ont revu quelques années plus tard, à l'adolescence, les enfants ayant contribué aux études sur la gratification différée. En comparant les mesures de gratification différée recueillies au préscolaire, les mesures de compétence sociocognitive des adolescents (selon l'évaluation de leurs parents) et leurs résultats aux parties verbale et quantitative du SAT (*Scholastic Assessment Test*, un test normalisé d'aptitudes scolaires pour l'admission aux collèges américains), les chercheurs ont observé une corrélation entre l'aptitude à différer la gratification à l'âge préscolaire et les résultats obtenus à l'adolescence. Les enfants qui avaient montré une tolérance élevée à la gratification différée étaient, à l'adolescence, plus aptes à

maîtriser leurs émotions et à réussir le SAT (tableau 12.1), (Shoda, Mischel et Peake, 1990).

L'aptitude à différer la gratification à l'âge préscolaire permet également de prévoir des enjeux liés à la santé. En comparant l'aptitude à différer la gratification à 4 ans et l'indice de masse corporelle à 11 ans, les chercheurs ont constaté que les enfants qui avaient du mal à différer la gratification étaient plus susceptibles de souffrir d'embonpoint (Seeyave et coll., 2009). Cette conclusion va dans le sens de la recherche montrant que l'aptitude à maîtriser ses impulsions et ses émotions est relativement stable durant toute la vie et joue un rôle déterminant dans la réussite scolaire, la toxicomanie, l'hyperphagie et la gestion de leur argent (Gailliot, Mead et Baumeister, 2008).

Tableau 12.2 | **Corrélations types entre le délai de gratification chez les enfants d'âge préscolaire et l'évaluation par les parents de leurs compétences à l'adolescence ainsi que de leurs résultats au SAT**

Réponses des parents à certains items du questionnaire sur leur adolescent	Mesures de gratification différées (âge préscolaire)
1. Probabilité que des revers mineurs le détournent de son objectif.	−,30*
2. Probabilité qu'il fasse preuve de maîtrise de soi lors de situations frustrantes.	,58***
3. Aptitude à composer avec d'importants problèmes.	,31*
4. Aptitude à réussir en classe lorsqu'il est motivé.	,37*
5. Probabilité qu'il cède à la tentation.	−,50***
6. Probabilité qu'il s'accommode d'un choix immédiat mais moins souhaitable.	−,32*
7. Aptitude à poursuivre des objectifs lorsqu'il est motivé.	,38*
8. Aptitude à garder la maîtrise de soi malgré la présence de tentations.	,36*
9. Aptitude à se concentrer.	,41*
10. Aptitude à se maîtriser lors de situations frustrantes.	,40*
11. Partie verbale du SAT.	,42*
12. Partie quantitative du SAT.	,57

*p < 0,5
**p < ,01
*** p < ,001
Taille de l'échantillon: 43 pour les items 1 à 10, 35 pour les items 11 et 12.

Source: Adapté de Shoda Y., Mischel, W., & Peake, P.K. (1990). Predicting adolescent cognitive and self-regulatory competencies from preschool delay of gratification: Identifying diagnostic conditions. *Developmental Psychology, 26*, 978-986.

Résumé de la perspective sociocognitive de la croissance et du développement

Outre l'importance qu'elle accorde à l'expérience directe, la théorie sociocognitive souligne l'importance des modèles et de l'apprentissage par observation dans le développement de la personnalité. Les gens acquièrent des comportements et des réactions émotives en observant les comportements et les réponses émotives de modèles (apprentissage par observation et conditionnement vicariant). L'exécution fidèle des comportements acquis dépendra de l'expérience directe des conséquences et de l'observation des conséquences encourues par les modèles. Les conséquences externes directes apprennent aux gens à associer des conséquences et des récompenses à des comportements précis dans des contextes précis. Lorsqu'ils observent les conséquences subies par autrui, les gens apprennent des réactions

LA PERSONNALITÉ ET LE CERVEAU

La gratification différée

Comme nous venons de le voir, les différences individuelles au chapitre de la gratification différée sont détectables à un jeune âge et perdurent souvent à l'âge adulte. Or quels sont les fondements neurologiques de ces différences individuelles?

Remarquons l'usage du pluriel pour désigner ces fondements. Sur le plan psychologique de cette analyse, la gratification différée ne comporte pas une, mais deux composantes, soit (1) le désir impulsif d'obtenir une récompense et (2) les stratégies cognitives qu'utilisent les gens pour éviter de céder à cette impulsion. On pourrait donc s'attendre à ce qu'une analyse biologique révèle au moins deux zones du cerveau susceptibles de contribuer aux différences individuelles dans l'aptitude à différer la gratification: un système cérébral régissant les réactions impulsives aux récompenses et un autre qui régit l'aptitude à élaborer des stratégies cognitives.

Des chercheurs ont étudié ces régions du cerveau en sollicitant la participation d'un groupe bien précis, soit les adultes qui, lorsqu'ils étaient enfants, ont participé aux expériences de Mischel sur la gratification différée (Casey et coll., 2011). Ce choix permettait aux chercheurs de comparer l'aptitude à différer la gratification à un jeune âge et l'activité cérébrale à l'âge adulte. Ils prévoyaient de trouver des corrélations entre l'enfance et l'âge adulte parce que les aptitudes de maîtrise de soi sont relativement constantes au cours de la vie.

Les chercheurs ont cerné deux types de participants: les adultes qui (1) parvenaient généralement à retarder la gratification et ceux qui (2) échouaient généralement à le faire à la fois dans l'enfance et à l'âge adulte. Les chercheurs leur ont demandé d'accomplir une tâche qui exigeait de maîtriser leurs impulsions. La tâche, qui commandait des décisions oui/non (une tâche *go/no go*), consistait à appuyer sur un bouton (oui) ou à réfréner l'impulsion de le faire (non) en réaction à divers stimuli apparaissant sur un écran vidéo.

L'aptitude à réfréner l'envie d'appuyer sur le bouton (lorsqu'il ne fallait pas le faire) relève de certaines aptitudes mentales qui sont requises pour retarder la gratification dans le paradigme de Mischel. Les participants ont fait l'exercice oui/non alors qu'ils subissaient un tomodensitomètre crânien. Les chercheurs pouvaient donc observer les variations cérébrales qui correspondaient aux variations dans l'aptitude à différer la gratification. Comme ils s'y attendaient, ils ont observé ces variations dans deux régions du cerveau:

- La première région est celle des lobes frontaux, siège de la planification et de la maîtrise des actions, particulièrement quand vient le temps de choisir entre deux conduites. Les chercheurs ont observé une corrélation positive entre l'aptitude à différer la gratification et l'activité dans les lobes frontaux. Les lobes frontaux des adultes qui, lorsqu'ils étaient enfants, réussissaient le mieux à se maîtriser présentaient une plus grande activité.

- L'autre région du cerveau est une structure appelée *striatum*, située dans la portion inférieure du cerveau. Le striatum est associé au traitement de l'information relative aux récompenses. Les chercheurs ont observé une corrélation *négative* entre la gratification différée et l'activation de cette région. Les participants qui avaient une aptitude *réduite* à différer la gratification lorsqu'ils étaient enfants présentaient une *plus grande* activité cérébrale dans cette région du cerveau associée au traitement des récompenses. Selon les chercheurs, il se peut que cette activité accrue du striatum supplante l'aptitude des lobes frontaux à régir le comportement (Casey et coll., 2011).

Cette recherche nous renseigne donc sur deux fondements neurologiques liés à l'aptitude à différer la gratification.

émotives et des attentes sans avoir eu à les subir eux-mêmes. Par l'expérience directe et l'observation, par les récompenses et les punitions directes, et par le conditionnement vicariant, les gens acquièrent donc d'importantes caractéristiques de leur personnalité, comme des compétences, des attentes, des objectifs, des normes d'évaluation et un sentiment d'efficacité personnelle. Par ces processus, ils acquièrent également des mécanismes d'autorégulation. En développant leurs compétences cognitives et en établissant des normes, les gens peuvent se représenter l'avenir, se récompenser ou se punir selon leur capacité à atteindre les objectifs qu'ils se sont fixés. Ces conséquences autogénérées sont particulièrement importantes pour maintenir un comportement sur de longues périodes en l'absence de renforcement externe.

Il importe de souligner que la théorie sociocognitive s'oppose aux conceptions fondées sur des stades fixes de développement et sur de grands types de personnalité. Selon Bandura et Mischel, les gens développent leurs habiletés et leurs compétences dans des domaines particuliers. Ils n'acquièrent pas une conscience ou un ego sain, mais font plutôt l'apprentissage de compétences et de guides qui motivent leurs actions selon le contexte. Cette conception insiste sur la capacité de discriminer des situations et de réguler la flexibilité du comportement selon des objectifs personnels et les exigences de la situation.

RÉSUMÉ

1. La théorie sociocognitive s'intéresse plus particulièrement aux capacités cognitives exclusives à l'être humain. Grâce à son aptitude à l'introspection, à réfléchir à son passé et à son avenir, l'être humain est considéré comme capable d'exercer une action sur ses propres expériences et son développement. Ces processus sociocognitifs doivent leur nom au fait qu'ils se développent par les interactions avec le milieu social. Albert Bandura et Walter Mischel sont les deux principaux théoriciens ayant contribué au développement de l'approche sociocognitive.

2. Les structures de la personnalité selon la théorie sociocognitive sont les compétences et les habiletés, les attentes et les croyances, les normes comportementales et les objectifs personnels. Ces quatre variables de la personnalité renvoient à quatre formes de cognition ; elles peuvent donc être considérées comme des sous-systèmes du système que constitue la personnalité. Les habiletés, les croyances, les normes et les objectifs des gens varient d'une situation à l'autre. Le comportement varie donc naturellement d'une situation à l'autre d'une façon qui reflète les caractéristiques de la personnalité de chacun.

3. La théorie sociocognitive s'intéresse aux processus cognitifs de deux façons. D'abord, le principe du déterminisme réciproque a trait aux influences qu'exercent l'un sur l'autre la personnalité et l'environnement. Ensuite, la personnalité est construite comme un système cognitivo-affectif. La recherche sur les processus de la personnalité selon un point de vue sociocognitif a principalement porté sur les phénomènes de l'apprentissage par observation, de l'autorégulation et de la maîtrise de soi.

4. L'analyse sociocognitiviste de l'apprentissage par observation souligne que les gens acquièrent des connaissances et des habiletés principalement en observant les autres. Les processus associés à cette forme d'apprentissage comprennent le conditionnement vicariant, c'est-à-dire l'apprentissage de réactions émotives par l'observation de modèles. Les sociocognitivistes soulignent la différence entre l'*acquisition* de modèles de comportement en l'absence de récompense et l'*exécution* de ces comportements.

5. L'analyse sociocognitiviste de la motivation souligne le rôle des réflexions que la personne entretient sur elle-même. Le sentiment d'efficacité personnelle – c'est-à-dire la perception de sa capacité d'exécuter des comportements – est un déterminant de la motivation ; il exerce un effet déterminant sur les objectifs que se fixe la personne, l'effort et la persévérance qu'elle déploiera pour les atteindre, ses émotions avant et pendant la tâche à accomplir et sa capacité de composer avec le stress de même qu'avec les obstacles et les revers. De nombreuses études ont également porté sur les processus entourant l'établissement d'objectifs et le rôle de l'autoévaluation dans le maintien de la motivation.

6. La recherche sur le développement de compétences cognitives et comportementales associées à la gratification différée illustre l'intérêt que l'approche sociocognitive apporte à la maîtrise de soi et au développement de la personnalité. Nous apprenons les normes relatives à la maîtrise de soi par l'observation de modèles et par le renforcement. L'aptitude à différer la gratification passe par le développement de compétences cognitives ayant principalement trait au contrôle de l'attention ; les personnes capables de se distraire de situations frustrantes parviennent mieux à contrôler leurs émotions négatives et leurs impulsions. La recherche indique en outre que les différences individuelles dans la capacité de différer la gratification sont remarquablement stables au cours du développement.

CHAPITRE 13

LA THÉORIE SOCIOCOGNITIVE:
applications, conceptions théoriques connexes et état de la recherche

Les éléments cognitifs de la personnalité :
croyances, objectifs et normes d'évaluation

Les objectifs d'apprentissage et les objectifs de performance

Le stress et les stratégies d'adaptation

L'histoire de Jacques

L'évaluation critique

Un collégien qui travaillait tard le soir à la rédaction de ses demandes d'admission dans diverses facultés de médecine se retrouva à ce point paralysé par l'anxiété qu'il en perdit tous ses moyens. Qu'adviendrait-il de lui s'il était refusé partout ? Sa famille comptait sur lui pour devenir médecin ! De plus, ses amis l'accuseraient de vantardise s'il ne parvenait à être admis dans une faculté après toutes ces années à parler de propédeutique médicale. Cette possibilité occupa tellement son esprit qu'il fut incapable de terminer ses demandes à temps. Il finit tout de même par les envoyer, mais ce retard diminua considérablement ses chances d'être admis. Ainsi, son propre comportement avait augmenté de beaucoup le risque que l'éventualité tant redoutée devienne réalité.

Le comportement de ce jeune homme n'a rien d'exceptionnel. Souvent, lorsque des individus accomplissent une tâche, ils pensent non seulement à ce qu'ils doivent accomplir (par exemple, remplir une demande d'admission), mais aussi à eux-mêmes (leurs objectifs, leurs espoirs et leurs appréhensions). De telles pensées peuvent tout gâcher : elles détournent l'attention de la tâche à accomplir, génèrent de l'anxiété et nuisent au rendement. Un psychologue dirait que ces pensées sont « dysfonctionnelles ». Elles ont un impact négatif sur les individus et sapent leurs efforts pour atteindre leurs objectifs.

La recherche fondamentale sur l'approche sociocognitive a exploré l'effet des croyances, des objectifs et des normes sur les émotions et le comportement des individus, ce qui inclut les émotions négatives qui nuisent au rendement. Grâce aux applications cliniques découlant de cette recherche, les psychologues ont mis au point des moyens permettant de modifier ces croyances dysfonctionnelles. Le présent chapitre examine les prolongements et les applications de l'approche sociocognitive. En guise de conclusion, nous évaluerons la théorie sociocognitive, notamment en la comparant aux théories de la personnalité que nous avons vues jusqu'à présent.

LE CHAPITRE...
EN QUESTIONS

1. En quoi l'étude des structures de la connaissance, ou schémas, permet de comprendre la personnalité et la conception du soi ?

2. Existe-t-il des types d'objectifs et de normes d'autoévaluation qui sont qualitativement différents et dont les effets diffèrent sur la motivation et la vie émotionnelle d'un individu ?

3. Quel est le rôle des perturbations du sentiment d'autoefficacité et d'autres distorsions cognitives dans le fonctionnement psychologique anormal ?

4. Dans quelle mesure une analyse sociocognitive de la personnalité contribue-t-elle au développement de psychothérapies efficaces ?

Au chapitre 12, nous avons vu que la théorie sociocognitive décrit la personnalité en fonction des capacités de raisonnement, ou capacités cognitives. Ses principaux théoriciens, Albert Bandura et Walter Mischel, tentent de comprendre comment les capacités cognitives des individus se développent au gré de leurs interactions avec le monde qui les entoure.

Comme nous l'avons également vu dans le chapitre précédent, les éléments suivants sont trois des variables cognitives de la personnalité :

(1) Les *croyances* des individus quant au soi et au monde.

(2) Leurs buts, ou *objectifs*, personnels.

(3) Les *normes d'évaluation* qu'ils utilisent pour juger le bien-fondé ou la valeur de leurs actions et de celles des autres.

L'idée de base de la théorie sociocognitive est que les croyances, les objectifs et les normes – ainsi que les compétences requises pour émettre certains comportements précis – contribuent au caractère unique et à la cohésion de notre personnalité. Autrement dit, ces cognitions sociales expliquent la constance et la cohérence des modes personnels récurrents sur les plans émotif et comportemental. Prenons un exemple qui vous est familier. Pourquoi êtes-vous en train de lire ce livre alors que vous pourriez voir vos amis, écouter de la musique, regarder la télévision, faire une sieste, prendre une collation et ainsi de suite ? Il est probable que vous le faites parce que : (1) vous *croyez* que vous devez lire ce livre pour réussir le cours sur la personnalité que vous êtes en train de suivre ; (2) vous vous êtes fixé comme objectif de réussir raisonnablement bien ce cours ; (3) vous savez que *l'évaluation* que vous feriez de vous-même serait négative (c'est-à-dire que vous vous sentiriez mal à l'aise face à vous-même) si vous consacriez votre journée à faire la sieste, à parfaire votre bronzage ou à grignoter au lieu de travailler.

Ces cognitions – les croyances, les objectifs et les normes d'évaluation – possèdent deux qualités importantes. D'abord, elles sont acquises socialement. Si vous aviez été éduqué par de gentilles créatures des bois plutôt que par des êtres humains vivant en société, vos croyances, vos objectifs et vos normes seraient différents de ceux que vous avez actuellement. Ensuite, ces cognitions perdurent dans le temps ; généralement, vous conservez d'un jour à l'autre les mêmes croyances, objectifs et normes d'évaluation. Les croyances, les objectifs et les normes d'évaluation sont donc des variables « socio-cognitives » de la personnalité qui contribuent à la perpétuation des modèles de comportement.

Dans ce chapitre, nous passerons en revue la recherche contemporaine à propos de ces trois éléments sociocognitifs de la personnalité. Comme vous le verrez, nous examinerons certaines recherches menées par Bandura et Mischel, les premiers théoriciens de l'approche sociocognitive dont il a été question au chapitre 12. D'autres psychologues de la personnalité se sont également penchés sur cette question. En effet, nombreux sont les chercheurs qui ont analysé la personnalité en examinant le rôle des structures et des processus sociocognitifs. Leurs efforts prolongent et complètent les travaux de Bandura et Mischel, contribuant ainsi à la grande tradition sociocognitive au sein de la psychologie de la personnalité moderne.

LES ÉLÉMENTS COGNITIFS DE LA PERSONNALITÉ : CROYANCES, OBJECTIFS ET NORMES D'ÉVALUATION

Les croyances sur le soi et les schémas de soi

Réfléchir sur soi-même fait partie de la nature humaine. Les individus ne se contentent pas d'être en interaction avec le monde. Ils réfléchissent sur leurs propres interactions, ce qui les amène à adopter des croyances sur ce qu'ils sont. Les croyances se rapportant au soi sont au cœur du fonctionnement de la personnalité. Une grande variété de phénomènes – les émotions, les motivations, le flux des idées qui constituent notre vie mentale – sont conditionnés par ce que nous pensons de nous-mêmes. Les événements suscitent des réactions émotionnelles et deviennent des sources de motivation lorsqu'ils sont perçus comme pertinents par rapport à notre conception du soi.

Comme nous le faisions précédemment observer, l'étude du concept de soi est un domaine qui a été relativement négligé dans l'histoire de la psychologie, particulièrement dans les 75 premières années du XXᵉ siècle. Toutefois, grâce à une coïncidence temporelle remarquable, un changement s'est produit sur la scène intellectuelle en 1977. En effet, plusieurs chercheurs qui travaillaient chacun de leur côté ont publié simultanément des articles de fond où le concept de soi occupait une place importante. Signalons notamment l'énoncé initial de Bandura (1977) sur la théorie de l'autoefficacité (voir le chapitre 12), les recherches montrant que l'information pertinente à propos de soi est plus mémorable que tout autre type d'information (Rogers, Kuiper et Kirker, 1977), et les travaux d'Hazel Markus (1977) sur les schémas de soi que nous allons voir plus en détail. C'est grâce à ces percées que l'étude du soi est aujourd'hui en plein essor (Leary et Tangney, 2012).

L'existence de **schémas** dans notre esprit est une idée qui ne date pas d'hier. Déjà au XVIIIe siècle, le philosophe allemand Emmanuel Kant constatait que nous comprenons les nouvelles expériences en les interprétant à l'aide d'idées préexistantes dans notre esprit (Watson, 1963). Kant appelait ces structures mentales préexistantes des *schémas*. Les schémas sont des structures de connaissance que nous utilisons pour mettre de l'ordre dans ce qui serait autrement un fouillis chaotique de stimuli. Par exemple, supposons que vous écoutez une nouvelle chanson à la radio. Sur le plan strictement du stimulus physique en cause, les sons peuvent sembler incohérents : on entend un tambour, des bruits provenant d'un synthétiseur, quelques accords de guitare, quelqu'un qui chante pendant qu'une autre personne fredonne un air différent. Tous ces sons se produisent simultanément ! C'est le chaos ! Bien entendu, c'est le contraire qui se produit. Vous entendez plutôt une pièce musicale ordonnée, structurée et compréhensible. Vous l'entendez ainsi parce que vous avez acquis des schémas mentaux permettant de comprendre la structure des chansons, et ce sont ces schémas qui guident votre interprétation de cette information (dans le cas présent, les sons qui composent la chanson). Le rôle des schémas devient évident lorsque vous écoutez une forme de musique qui ne vous est pas familière, c'est-à-dire une musique qui ne correspond à aucun de vos schémas musicaux. Par exemple, si vous écoutez de la musique provenant d'une culture différente ou de la musique symphonique contemporaine composée d'accords, de rythmes et de mélodies non traditionnelles, le résultat peut sembler cacophonique à vos oreilles, et ce, même si son compositeur jugeait sa musique parfaitement structurée et organisée. S'il en est ainsi, c'est parce que vous ne possédez pas les schémas musicaux qui permettent de comprendre ces sons.

Schéma
Structure cognitive complexe qui guide le traitement de l'information.

Schéma de soi
Généralisation cognitive à propos du soi qui oriente le traitement de l'information.

Les schémas sont donc des structures mentales que nous utilisons pour appréhender notre environnement. En termes plus techniques, on dira que les schémas sont des structures de savoir qui orientent et organisent le traitement de l'information. Un schéma est beaucoup plus qu'une liste de faits qui a été mémorisée. Il s'agit plutôt d'un réseau organisé de connaissances (Fiske et Taylor, 1991 ; Smith, 1998) dont la complexité est habituellement telle qu'il peut s'avérer impossible pour un individu d'en énumérer le contenu. Par exemple, vous pouvez être incapable de présenter en mots toutes les connaissances musicales que vous possédez (les sons des instruments, les types de rythmes et de mélodies, etc.). Et pourtant, vous pouvez mettre à contribution ces connaissances pour comprendre et évaluer de nouvelles chansons.

Markus (1977) a constaté que bon nombre de nos schémas les plus importants portent sur nous-mêmes. Elle a posé un jalon important dans l'étude de la cognition sociale et de la personnalité en avançant que le soi est un concept ou une catégorie semblable aux autres concepts ou catégories, et que les individus font des généralisations cognitives sur le soi comme ils le font pour tout le reste. Les individus se donnent alors des **schémas de soi**. À travers les interactions avec le monde social, nous construisons des structures de savoir d'ordre général à propos de nous-mêmes. Ces éléments de connaissance sur nous-mêmes guident et organisent le traitement de l'information chaque fois qu'une nouvelle situation se présente à nous.

Plus important encore, chaque individu – avec ses expériences interpersonnelles, sociales et culturelles qui diffèrent de celles des autres – crée ses propres schémas de soi, c'est-à-dire des schémas dont les contenus diffèrent. Par exemple, une personne pourrait posséder un schéma de soi de type indépendance-dépendance. Ainsi, elle pourrait se considérer comme étant une personne indépendante, s'avérer très bien renseignée sur cet aspect de sa personnalité et incidemment interpréter les situations en fonction de leur pertinence par rapport à cette caractéristique précise. En comparaison, une personne qui possède un schéma centré autour du concept de culpabilité-innocence peut utiliser ce schéma pour interpréter diverses situations, et ce, même si ce schéma peut ne pas être présent chez la plupart d'entre nous. Les schémas de soi peuvent donc expliquer pourquoi des individus idiosyncratiques ont des façons relativement uniques de voir le monde qui les entourent.

Les schémas de soi et les méthodes des temps de réponse

Un aspect important du travail de Markus a été de fournir, en plus des concepts théoriques sur les schémas de soi, des outils méthodologiques permettant de les étudier. La méthode de recherche clé employée par Markus (1977) a été la mesure des *temps de réponse*. La mesure des temps de réponse est une méthode expérimentale où l'expérimentateur note non seulement le contenu des réponses d'une personne (par exemple, si celle-ci a répondu par « oui » ou par « non » à une question), mais également le temps qu'il lui a fallu pour répondre aux questions. La pertinence de ces mesures est en lien direct avec l'idée centrale associée au concept de schémas de soi : ce sont les schémas qui orientent le traitement de l'information. Les individus qui possèdent un schéma de soi en lien avec une facette déterminée de la vie sociale devraient donc, en principe, répondre plus rapidement à des questions portant sur cette facette. La mesure des temps de réponse permet d'obtenir l'index des vitesses de réponse qui est nécessaire pour tester ce concept théorique.

Pour illustrer la logique inhérente à la méthode des temps de réaction, supposons que vous êtes une personne qui consacre plusieurs heures par semaine au bénévolat afin d'aider vos concitoyens. Vous avez donc acquis un schéma de soi correspondant à votre « serviabilité ». Supposons maintenant que vous participiez, vous et une autre personne qui fait rarement du bénévolat, à une recherche où vous devez répondre à la question suivante : « Êtes-vous une personne serviable ? » Vous répondez tous les deux « oui ». En effet, même cette autre personne, qui ne fait du bénévolat que de temps à autre, pourrait répondre « oui » à cette question. Cependant, bien que vous ayez répondu tous les deux de la même façon, la théorie des schémas de soi prédirait une différence quant à la « vitesse » à laquelle chacun d'entre vous a donné sa réponse. Comparativement à l'autre personne, vous devriez avoir répondu « oui » plus rapidement puisque la préexistence de votre schéma de soi ayant trait à la serviabilité devrait avoir accéléré le traitement de l'information.

Voilà exactement le type de résultat obtenu par Markus (1977) et confirmé par des recherches ultérieures. Markus a d'abord repéré des individus qui possédaient un schéma de soi lié à l'indépendance (c'est la caractéristique qu'elle a retenue pour sa recherche). Elle y est parvenue en recourant à une méthode à deux étapes où les participants devaient : (1) s'autoévaluer comme étant une personne peu ou très indépendante ; (2) indiquer l'importance que cette caractéristique de la personnalité revêtait pour eux. Seules les personnes qui s'étaient accordé une note très haute ou très basse et qui estimaient que l'indépendance-dépendance était un trait important de leur personnalité ont été considérées comme possédant un schéma lié à cette caractéristique, l'idée étant que nous avons tendance à acquérir des schémas correspondant aux attributs individuels que nous considérons comme socialement importants dans nos vies. Les participants ont été invités par la suite à déterminer si une série d'adjectifs (certains étant liés sémantiquement à indépendance-dépendance) les décrivait. Conformément aux prévisions, les participants qui possédaient un schéma ont fait cette évaluation plus rapidement. Autrement dit, les participants qui possédaient un schéma d'indépendance ont évalué plus rapidement les adjectifs liés à l'indépendance que les adjectifs liés à la dépendance, tandis que les personnes possédant un schéma de dépendance ont évalué plus rapidement les adjectifs liés à la dépendance que les traits liés à l'indépendance (Markus 1977).

Les recherches sur les schémas de soi menées par Markus et par d'autres chercheurs donnent à penser que dès que nous avons adopté des visions de nous-même (nos schémas de soi), il y a de fortes chances pour que celles-ci soient maintenues. Ces schémas orientent ensuite le traitement de l'information et, de ce fait, constituent des préconceptions qui se renforcent elles-mêmes (biais d'autoconfirmation).

Une étude récente montre que les schémas de soi sont liés non seulement au traitement de l'information, mais aussi aux actes qui en découlent : dans le cas qui nous occupe, au comportement sexuel et à l'engagement amoureux. Dans cette étude, les chercheurs avaient posé comme hypothèse que les femmes qui avaient des schémas de soi différents traiteraient différemment l'information interpersonnelle et se comporteraient de manière différente dans leurs rapports sexuels et amoureux (Andersen et Cyranowski, 1994). On a demandé aux femmes de s'autoévaluer à partir d'une liste de 50 adjectifs, dont seulement 26 serviraient à constituer une échelle des schémas sexuels de soi (par exemple, non inhibée, tendre, romantique, passionnée, directe). Elles ont également répondu à des questions portant sur leurs expériences sexuelles et leurs liaisons amoureuses. Les résultats ont indiqué clairement que les femmes qui obtenaient des notes élevées sur l'échelle des schémas sexuels de soi, et surtout celles qui obtenaient des représentations de soi positives quant à leur sexualité, étaient plus actives sexuellement, éprouvaient plus d'excitation et de plaisir sexuel, et étaient

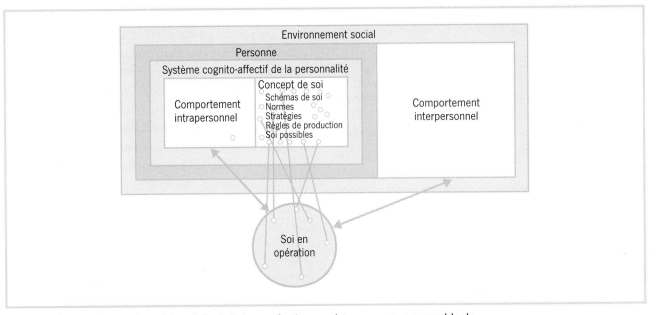

Figure 13.1 | La représentation schématisée du Soi en opération consiste en un sous-ensemble de représentations mentales qui composent la totalité du concept de soi. L'idée maîtresse dans ce diagramme est que les différentes circonstances sociales stimulent différents sous-ensembles liés à la connaissance de soi d'une personne ; en d'autres mots, les différentes situations transmettent à la mémoire de travail une information différente, créant ainsi différents « Soi en opération » dans des environnements différents.

Source : Markus, H., & Wurf, E. (1987). The dynamic self-concept: A social psychological perspective. *Annual Review of Psychology*, *38*, 299-337. Reproduction autorisée par Annual Reviews.

davantage capables de s'engager dans des relations amoureuses que les femmes dont les notes étaient faibles. On a constaté que les femmes « co-schématiques », c'est-à-dire qui possédaient à la fois des schémas positifs centrés autour de leur capacité de ressentir une passion sexuelle et des schémas négatifs liés à un conservatisme ou à une gêne sur le plan sexuel, avaient tendance à s'engager davantage avec leurs partenaires sexuels tout en manifestant des niveaux relativement élevés d'anxiété sexuelle (Cyranowski et Andersen, 1998). Ces expériences peuvent exercer une influence sur les perceptions à propos du soi, créant ainsi un biais d'autoconfirmation où les schémas peuvent contribuer à des expériences qui, à leur tour, confirment les schémas de départ.

Nous *ne* nous limitons *pas* à un seul schéma de soi. Nous tendons plutôt à avoir des vies complexes où nous entretenons diverses visions de nous-mêmes. Par exemple, il se peut que vous ne soyez pas seulement un élève studieux, un ami loyal, un bon danseur ou une personne anxieuse

en période d'examens. Vous pouvez aussi être toutes ces choses à la fois ; autrement dit, vous pouvez posséder des schémas de soi portant sur ces quatre aspects du soi. Ces différents schémas de soi se manifesteraient en fonction de votre milieu de vie. Des déclencheurs situationnels différents amèneraient les schémas de soi correspondants à entrer dans la mémoire à court terme et à ainsi former le concept de **soi en opération** (*working self*) (Markus et Wurf, 1987), c'est-à-dire au sous-ensemble du concept de soi qui se trouve dans la mémoire à court terme à ce moment précis (figure 13.1). Le concept de soi se régule de façon dynamique ; l'information sur le soi qui se trouve dans la conscience et qui guide le comportement à un moment ou à un autre, change au gré des interactions des individus à l'intérieur d'un monde en constante évolution.

La recherche actuelle sur la cognition sociale et le concept de soi semble indiquer que le soi n'est pas une chose unitaire et monolithique. Habituellement, les individus possèdent plusieurs schémas de soi. Souvent, ces différents schémas de soi sont liés les uns aux autres ; par exemple, en reprenant l'exemple ci-contre, il peut exister des liens entre, d'une part, la vision que vous avez de vous-même comme étant un travailleur acharné et une personne qui souffre d'anxiété lorsqu'elle doit passer un examen, et d'autre part votre vision des relations amicales et de la

Soi en opération

Sous-ensemble du concept de soi qui se trouve dans la mémoire à court terme à un moment précis ; concept théorique selon lequel différentes circonstances sociales peuvent activer différents aspects du concept de soi.

danse comme échappatoires aux rigueurs de la vie étudiante. En reconnaissant ces relations, les chercheurs ont avancé qu'au lieu d'avoir un seul schéma de soi, les individus ont tendance à posséder une « famille de schémas » (Cantor et Kihlstrom, 1987), c'est-à-dire un ensemble de perceptions de soi (self-views) qui peuvent être aussi diversifiées que les différents membres d'une même famille tout en partageant des traits familiaux communs. Selon cette perspective, nous sommes beaucoup de choses, dans beaucoup d'endroits et avec beaucoup de gens. Par conséquent, nous avons de nombreux schémas de soi contextuels, chacun doté d'un ensemble de caractéristiques qui se recoupent sous certains aspects et se distinguent sous d'autres aspects. Chacun de nous, donc, abrite une famille de schémas de soi dont le contenu et l'organisation sont particuliers. Dans cette famille de schémas de soi, il peut y avoir un soi prototypique, un concept de soi que nous considérons comme « ce que je suis réellement », et des représentations de soi plus floues, soit des aspects de nous dont la relation exacte avec les autres aspects de nous est moins claire.

Les motivations axées sur le soi et le traitement de l'information motivationnel

Les schémas de soi ne se limitent pas à alimenter la pensée en informations, comme s'il s'agissait d'une encyclopédie dans laquelle on puise la matière permettant de répondre à un jeu-questionnaire. Les schémas de soi motivent également les gens à traiter l'information de certaines façons particulières. Les processus motivationnels sont donc souvent basés sur le soi (Kwan, John, Kenny, Bond et Robins, 2004 ; Leary, 2007). À cet égard, deux motivations liées au soi ont été particulièrement mises en évidence dans la recherche sur la personnalité et la cognition sociale : le désir d'**autovalorisation** et le désir d'**autovérification** (Swann et Bosson, 2008).

Nous savons intuitivement que les individus ont tendance à se voir sous un jour positif. Par exemple, lorsque vous obtenez une mauvaise note à un examen, vous pourriez avoir tendance à rejeter le blâme sur la mauvaise formulation des questions ou sur le caractère inéquitable de l'examen ; à l'inverse, si vous obtenez un bon résultat, votre enseignant vous apparaîtra peut-être comme un génie dans la rédaction d'examens. Dans l'ensemble, la recherche va dans le sens de ces intuitions, c'est-à-dire que les individus ont souvent tendance à être biaisés en faveur de visions positives de soi (Tesser, Pilkington et McIntosh, 1989).

L'hypothèse du désir d'autovalorisation peut expliquer cette partialité. Selon cette hypothèse, l'individu cherche à mettre en place et à conserver des images de soi positives. Ce désir le pousse à préférer la rétroaction positive à la rétroaction négative et à surestimer ses caractéristiques positives (Dunning, Health et Suls, 2004). De plus, nous améliorons nos images de soi en nous comparant avec ceux qui nous sont « inférieurs » (Wood, 1989).

Pourtant, un désir d'autovalorisation ne peut expliquer à lui seul toutes les caractéristiques motivationnelles liées au traitement de l'information. Les individus peuvent également être motivés à se voir comme étant des personnes cohérentes et prévisibles. Les êtres humains aiment croire qu'ils restent fondamentalement les mêmes, jour après jour. Selon le psychologue William Swann, les individus possèdent également un désir d'autovérification (Swann et Bosson, 2008 ; Swann, Rentfrow et Guinn, 2003), c'est-à-dire le désir de solliciter de l'information en provenance d'autres personnes pour confirmer des aspects de leur concept de soi. Par exemple, une personne extravertie peut se présenter aux autres d'une manière qui perpétue son concept de soi extraverti (par exemple, en racontant tout ce qu'elle a fait pour distraire les gens le week-end dernier lors d'une fête extravagante). Ainsi, cette personne conserve une image de soi stable et prévisible.

Ce constat peut sembler évident, mais ce qui l'est moins dans la théorie de Swann, c'est que les gens cherchent à faire confirmer par autrui même leurs schémas de soi négatifs. Autrement dit, un individu qui a un schéma de soi négatif cherchera auprès d'autrui l'information et la rétroaction confirmant cette représentation de soi négative, devenant ainsi lui-même, d'une certaine façon, son pire ennemi. Par exemple, les dépressifs qui ont des schémas de soi négatifs pourront, en recourant à l'autovérification, chercher de l'information qui leur servira à entretenir leur image de soi négative et leur dépression (Giesler, Josephs et Swann, 1996). De manière plus générale, et conformément à son hypothèse sur l'autovérification,

Autovalorisation

Désir de maintenir ou d'améliorer des visions positives du soi.

Autovérification

Désir d'acquérir de l'information qui correspond au concept de soi.

Swann a présenté des données qui montrent que les gens nouent des relations avec ceux qui les voient comme eux-mêmes se voient. Ainsi, non seulement les gens qui ont des images de soi positives sont-ils plus attachés à un conjoint qui a une bonne opinion d'eux qu'à un conjoint qui en a une mauvaise, mais aussi les gens qui ont des images de soi négatives sont plus attachés à un conjoint qui a une mauvaise opinion d'eux qu'à un conjoint qui en a une bonne (De La Ronde et Swann, 1998 ; Swann, De La Ronde et Hixon, 1994). Pour reprendre la célèbre boutade de l'acteur Groucho Marx : « Jamais je ne ferais partie d'un club qui m'accepterait comme membre. »

Mais que se passe-t-il s'il y a conflit entre le désir d'autovalorisation et le désir d'autovérification ? Préférons-nous recevoir une rétroaction exacte ou une rétroaction positive, une vérité désagréable ou une agréable illusion ? Est-ce que nous aimons être aimés pour ce que nous sommes, ou adorés pour ce que vous voudriez être (Strube, 1990 ; Swann, 1991) ? Bref, que se passe-t-il quand il y a conflit entre notre besoin cognitif de cohérence ou d'autovérification et notre besoin émotionnel d'autovalorisation, quand nous sommes pris entre deux feux cognitifs-affectifs, comme l'écrit Swann (Swann, Griffin, Predmore et Gaines, 1987 ; Swann, Pelham et Krull, 1989) ? Nous ne pouvons pas encore répondre à cette question de manière complète, mais la recherche dont nous disposons à présent indique que si nous préférons en général recevoir une rétroaction positive, par contre, lorsque nous avons des représentations de soi négatives, nous préférons

APPLICATIONS ACTUELLES | Les schémas de soi et les expériences d'abus sexuels

La première théorie de la personnalité présentée dans cet ouvrage, celle de Freud, accordait une large place à une expérience traumatisante qui est malheureusement trop fréquente : la violence sexuelle. Compte tenu de l'importance du sujet, on aurait pu s'attendre à ce que de nouvelles théories de la personnalité s'intéressent à ce phénomène de manière détaillée. Si telle était votre attente, vous avez probablement été déçu. Comme nous l'avons vu dans les chapitres précédents, et contrairement à Freud, les théoriciens de la personnalité qui travaillent au sein de courants autres que la théorie psychodynamique ont négligé ce problème.

Des travaux récents ont toutefois permis d'appliquer aux femmes victimes de violence sexuelle les principes sociaux-cognitifs présentés dans ce chapitre – en particulier les travaux de Markus, ainsi que ceux d'Andersen et de Cyranowski. Les chercheurs Meston et ses collègues (2006), de l'Université du Texas et du Kinsey Institute for Sex, Gender et Reproduction, ont émis l'hypothèse que les expériences d'abus peuvent avoir un impact à long terme sur les schémas de soi. Pour tester cette idée, ils ont mené une étude auprès de 48 femmes qui avaient été victimes d'abus sexuels pendant leur enfance ; ces femmes, qui étaient âgées en moyenne dans la fin vingtaine au moment de l'étude, avaient déclaré avoir été victimes de violence sexuelle avant l'âge de 16 ans. Les chercheurs ont également étudié un groupe témoin composé de 71 femmes qui n'avaient pas été victimes d'abus sexuels. Pour mesurer les croyances schématiques sur le soi et sur le comportement sexuel (c'est-à-dire les schémas de soi sexuels), Meston et

ses collaborateurs ont utilisé l'échelle des schémas sexuels de soi mise au point par Anderson et Cyranowski. À l'aide de cette échelle, les participantes indiquaient leurs perceptions sur leur propre sexualité, c'est-à-dire si elles se considéraient comme romantiques, passionnées, facilement excitables, inhibées et ainsi de suite.

Les résultats ont indiqué que les femmes qui avaient été victimes d'abus avaient des schémas de soi différents de celles qui n'en avaient pas été victimes. Plus précisément, les femmes qui avaient été victimes de violence sexuelle se croyaient moins romantiques et passionnées ; elles obtenaient des notes plus faibles pour les éléments romantique-passionné du schéma de soi sexuel. Les expériences d'abus pendant l'enfance avaient modifié de manière durable leur image du soi.

Les chercheurs avaient également demandé à ces femmes d'indiquer si elles ressentaient des émotions négatives (peur, colère) pendant leurs expériences sexuelles. L'analyse des données a montré que les femmes qui avaient été victimes d'abus dans le passé vivaient davantage d'expériences émotionnelles négatives par la suite. De plus, parmi les femmes victimes d'abus sexuels, les schémas sexuels étaient étroitement associés aux émotions ; les femmes dont les schémas de soi romantique-passionnée étaient plus faibles disaient ressentir plus d'émotions négatives (Meston, Rellini et Heiman, 2006). Il existait un lien entre les changements survenus dans les schémas de soi résultant des expériences d'abus pendant l'enfance et les émotions ressenties des années plus tard.

une rétroaction négative. Conformément à ce qui précède, la recherche montre que les événements qui contredisent l'image de soi peuvent entraîner des troubles physiques, mêmes si ces événements sont positifs (Brown et McGill, 1989). Autrement dit, les événements positifs peuvent nuire à la santé s'ils entrent en conflit avec une image de soi négative et ébranlent l'identité négative de l'individu. On note cependant des différences entre les individus à cet égard; un individu peut être plus orienté vers l'auto-valorisation dans certaines de ces relations et vers l'autovérification dans d'autres. Par exemple, les résultats de recherche indiquent que l'autovalorisation est plus importante dans les premiers stades d'une relation, mais que l'autovérification devient de plus en plus importante au fur et à mesure que la relation devient plus intime (Swann, De La Ronde et Hixon, 1994).

LES OBJECTIFS D'APPRENTISSAGE ET LES OBJECTIFS DE PERFORMANCE

Les schémas de soi dont il a été question dans les pages précédentes portent sur les croyances des individus quant à leurs qualités individuelles. La façon dont les individus formulent leurs objectifs en matière de comportement constitue un élément de la personnalité qui revêt une importance pour les approches sociocognitives de la personnalité. Comme nous l'avons vu dans le chapitre précédent, les théoriciens sociocognitifs de la personnalité considèrent les objectifs, qui sont des représentations mentales du but visé par une action ou une séquence d'activités, comme étant au cœur de la motivation humaine.

Dans le chapitre précédent, nous avons pris connaissance de recherches montrant que la présence, ou l'absence, d'objectifs clairs pour une tâche influe considérablement sur les motivations des individus. Nous examinerons maintenant des recherches récentes qui portent sur un phénomène apparenté mais légèrement différent. En effet, les individus peuvent avoir différents *types* d'objectifs pour une même activité donnée. Ils peuvent l'aborder d'une manière différente, et différentes pensées quant aux objectifs à atteindre peuvent leur traverser l'esprit pendant qu'ils accomplissent cette même tâche. Ces différents objectifs peuvent déboucher sur différents modes de pensée, d'émotion et de comportement; en résumé, les objectifs peuvent être à l'origine de ce qu'on pourrait interpréter comme différents styles de personnalité. Même si un certain nombre de distinctions utiles ont été faites entre les types d'objectifs, une distinction particulièrement

révélatrice différentie les objectifs « d'apprentissage » et les objectifs de « performance ».

Dans leur théorie sociocognitive sur la personnalité, le développement et la motivation, Carol Dweck et ses collègues (Dweck et Leggett, 1988; Grant et Dweck, 1999; Olson et Dweck, 2008) établissent une distinction entre les **objectifs d'apprentissage** et les **objectifs de performance**. Ces objectifs représentent diverses façons pour les individus d'envisager un défi à relever. L'exemple suivant permet de mieux saisir cette différence. Supposons que vous participez à un projet d'équipe et que vous devez présenter aux autres membres du groupe la partie du travail qui vous incombait afin qu'ils puissent en évaluer les points forts et les points faibles. Au moment de faire votre présentation, vous pourriez choisir de vous concentrer sur l'information qu'ils vous transmettront et qui vous aidera à améliorer votre travail. Votre objectif est alors un objectif *d'apprentissage*: vous cherchez à apprendre des autres afin d'accroître vos habiletés et de livrer un meilleur résultat. Sinon, vous pourriez opter de vous attacher plutôt à l'impression que vous produirez chez vos coéquipiers; vous pouvez essayer d'avoir « l'air intelligent » et d'éviter de faire quoi que ce soit qui pourrait vous faire paraître ridicule. L'objectif visé serait alors un objectif de performance: vous souhaitez avant toute chose livrer une bonne performance devant ceux qui évalueront vos habiletés.

Les individus qui ont des objectifs d'apprentissage aborderont donc une activité d'une manière différente de ceux qui ont des objectifs de performance, surtout dans le cas où ces derniers n'ont pas confiance en leurs habiletés. Des étudiants qui participaient à une recherche (Elliot et Dweck, 1988) avaient reçu des consignes formulées de manière à les inciter à viser des objectifs d'apprentissage (on disait aux étudiants que la tâche à accomplir amélioreraient leurs aptitudes mentales) ou de performance (on disait aux étudiants que leur rendement serait évalué par des experts) pour résoudre un problème. Les chercheurs

---

Objectif d'apprentissage
Dans l'analyse sociocognitive de Dweck sur la personnalité et la motivation, objectif axé sur la découverte et la maîtrise d'une tâche donnée.

Objectif de performance
Dans l'analyse sociocognitive de Dweck sur la personnalité et la motivation, objectif axé sur l'impression laissée auprès de ceux susceptibles de vous évaluer.

avaient également utilisé une rétroaction fictive portant sur une activité faite précédemment pour manipuler l'opinion des étudiants quant à leur capacité d'accomplir cette tâche. Les chercheurs avaient mesuré le rendement des participants tout en leur demandant de réfléchir à voix haute pendant qu'ils s'attelaient à la tâche ; ce processus de réflexion à voix haute permettait de suivre les pensées qui leur traversaient l'esprit pendant qu'ils travaillaient. La recherche a produit deux résultats clés :

(1) Les étudiants qui poursuivaient des objectifs de performance et qui avaient peu confiance en leurs habiletés ont obtenu de mauvais résultats. Les mesures de leur rendement indiquaient qu'ils étaient moins susceptibles que les autres de concevoir des stratégies utiles pour résoudre le problème qui leur était soumis.

(2) Les étudiants qui poursuivaient des objectifs de performance et qui avaient peu confiance en leurs habiletés éprouvaient de la difficulté à se concentrer uniquement sur la tâche à accomplir. La réflexion à voix haute avait permis de déterminer que ces étudiants, contrairement à leurs camarades ayant des objectifs d'apprentissage, étaient plus tendus et plus anxieux et se préoccupaient davantage de leur incapacité à mieux faire ce qui leur avait été demandé. (« J'en ai mal au ventre », avait confié l'un d'entre eux [Elliot et Dweck, 1988, p. 10].)

Les résultats de cette recherche montrent que les objectifs de performance créent une structure de pensée et d'émotions communément appelée *anxiété devant les tests* ou *anxiété de performance*. Comme vous le savez déjà, certaines personnes deviennent extrêmement tendues lorsqu'elles doivent passer un test, ce qui a pour résultat de provoquer un rendement en deçà de celui qu'elles auraient pu obtenir si elles avaient été plus calmes. L'approche sociocognitive de Dweck permet de dégager un style de pensée qui est une cause sous-jacente de cette anxiété.

Objectifs d'apprentissage et objectifs de performance : les théories implicites

Face à une tâche à accomplir, pourquoi certaines personnes adoptent-elles des objectifs d'apprentissage alors que d'autres optent pour des résultats de performance ? Les **théories implicites** sur l'intelligence, qui diffèrent d'un

Théorie implicite
Croyance d'ordre général que nous ne pouvons pas toujours verbaliser, mais qui influe néanmoins sur notre pensée.

Le phénomène de l'anxiété devant les tests se produit lorsque les individus deviennent obnubilés par la façon dont ils seront évalués par les autres, ce qui peut nuire à leur rendement lors d'un examen.

individu à l'autre, sont un facteur important en ce sens. Les différences sur le plan des théories implicites amènent les individus à adopter des types d'objectifs qui sont également différents.

Les théories implicites sont des idées qui orientent notre raisonnement ; nous entretenons ces idées de manière implicite, même si nous ne les formulons pas explicitement. Dweck et ses collègues se sont particulièrement intéressés à l'aspect suivant des théories implicites sur l'intelligence : l'intelligence est-elle stable ou malléable (notamment Dweck, 1991, 1999 ; Dweck, Chiu et Hong, 1995) ? Les gens qui souscrivent à la *théorie de l'entité* sur l'intelligence croient que les niveaux d'intelligence sont stables. À l'inverse, un autre ensemble de croyances connu sous le nom de *théorie incrémentielle* estime que l'intelligence s'acquiert graduellement et change naturellement au fil du temps.

Les différences au sein des théories implicites ont des effets sur les objectifs que les personnes se fixent et sur leurs réactions face à l'échec (Dweck et Leggett, 1988). Par exemple, les enfants qui voient l'intelligence comme une caractéristique immuable ont tendance à se fixer des objectifs de performance : s'ils croient que l'intelligence ne change pas, il est tout naturel pour eux d'interpréter les activités comme une façon de mettre à l'épreuve leur intelligence, c'est-à-dire que la « performance » qu'ils offriront permettra d'évaluer leur intelligence. À l'inverse, les enfants qui considèrent l'intelligence comme malléable ont tendance à se fixer des objectifs d'apprentissage. S'il est possible d'augmenter l'intelligence, il est alors tout naturel de se fixer des objectifs d'apprentissage afin d'effectuer des expériences qui accroissent l'intelligence. En résumé, les différentes théories implicites amènent les individus à se fixer des objectifs différents qui, à leur tour, ont des répercussions différentes sur le plan des émotions et de la motivation.

Cette analyse théorique a des conséquences concrètes. S'il était possible de modifier les théories implicites des individus – les faire passer de la théorie de l'entité à la théorie incrémentielle –, il serait alors possible de réduire leur anxiété devant les tests et d'améliorer leur rendement. C'est avec cet objectif en tête que Blackwell et ses collègues (2007) ont invité un premier groupe d'élèves de première secondaire à participer à un programme pédagogique conçu pour leur inculquer la théorie incrémentielle de l'intelligence. Ces élèves ont appris que l'étude transforme le cerveau en créant de nouvelles connexions neuronales et en augmentant les aptitudes mentales de la personne. Un deuxième groupe d'élèves n'a pas reçu le même enseignement. Le rendement scolaire des deux groupes a été analysé pour toute une année. À la fin de l'année, les élèves du premier groupe qui avaient participé au programme avait commencé à obtenir de meilleurs résultats que les élèves de l'autre groupe. Ces découvertes donnaient à penser qu'un tel programme pouvait modifier cette structure sociocognitive de la personnalité que sont les théories implicites, et que ce changement pouvait avoir des effets bénéfiques.

L'analyse de Dweck sur les théories implicites s'applique à des domaines autres que ceux liés aux théories de l'intelligence. Les opinions diffèrent également au sujet des théories sur les émotions. Certains croient que les émotions sont malléables et maîtrisables (« Nous pouvons tous apprendre à maîtriser nos émotions »), alors que d'autres voient les émotions comme immuables et échappant à toute emprise (« Peu importe les efforts qu'ils y mettent, les individus ne peuvent modifier réellement les émotions qu'ils ressentent »). Les recherches menées auprès d'élèves effectuant la transition de l'école secondaire vers le cégep montrent que les personnes qui adhèrent à l'une ou l'autre théorie obtiennent des résultats forts différents. Les élèves qui ont des croyances incrémentielles (malléables) sont davantage aptes à réguler leurs émotions et à recevoir un meilleur soutien de la part des nouveaux amis qu'ils se font au cégep (figure 13.2). À la fin de leur première année d'études collégiales, on a constaté que ceux qui

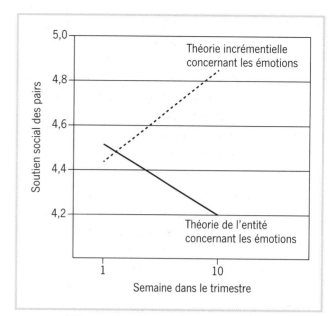

Figure 13.2 | **Estimation du soutien social provenant d'étudiants de niveau collégial, selon la semaine du trimestre, pour la théorie incrémentielle en comparaison avec la théorie de l'entité des émotions selon la semaine du trimestre**

Source : Tamir, M., John, O.P., Srivastava, S., & Gross, J.J. (2007). Implicit theories of emotion : Affective and social outcomes across a major life transition. *Journal of Personality and Social Psychology, 92*, 731-744. © 2007, American Psychological Association, reproduction autorisée.

avaient des croyances incrémentielles avaient un état d'esprit plus positif et une meilleure capacité d'adaptation que ceux qui avaient des croyances relevant de la théorie de l'entité (Tamir, John, Srivastava et Gross, 2007).

Les normes d'évaluation

Au chapitre 12, nous avons vu que les normes d'autoévaluation sont aussi une variable importante de la théorie sociocognitive. Ces normes sont des critères que les individus utilisent pour juger de leur valeur personnelle et déterminer la valeur de leurs actions. Ces normes sont liées aux objectifs tout en étant différentes d'eux (Boldero et Francis, 2002 ; Cervone, 2004). Si les objectifs sont les buts qu'une personne espère atteindre dans le futur, les normes sont des critères utilisés pour évaluer les événements au moment où ils se déroulent. Par exemple, si vous assistez à une compétition de patinage artistique, vous pourrez évaluer si chaque performance est bonne ou mauvaise en vous basant sur les normes que vous avez retenues pour juger la performance des athlètes. Vous pouvez avoir recours à ces normes, que vous ayez ou non comme objectif de vous adonner vous-même au patinage artistique. Les objectifs et les normes renvoient donc à des

Les objectifs

Comme nous venons de le voir, l'approche sociocognitive de la personnalité considère les *objectifs* comme des variables psychologiques bien distinctes. Le sont-elles également sur le plan biologique ? Autrement dit, lorsque les individus réfléchissent à leurs objectifs et aux normes pour évaluer leur rendement, cette réflexion déclenche-t-elle une activité particulière dans leur cerveau ? De récentes percées dans l'étude de la personnalité et du cerveau indiquent que la réponse à cette question est oui.

Avant de prendre connaissance de ces nouvelles données, notons tout d'abord que le mot clé dans le paragraphe qui précède est le suivant : « distinctes ». Il ne fait aucun doute que lorsque des individus établissent des objectifs et des normes d'évaluation, ils utilisent leur cerveau. La question est de savoir si ces pensées sont logées dans des régions du cerveau différentes de celles qui sont actives lorsque les gens réfléchissent à d'autres types de contenu cognitif.

Une équipe de recherche européenne a cherché en à savoir davantage sur les systèmes neuronaux sous-jacents à la capacité des individus de formuler des objectifs personnels (D'Argembeau et coll., 2009). Afin de déterminer si la réflexion liée aux objectifs déclenche des systèmes neuronaux particuliers, les chercheurs ont demandé aux participants d'imaginer des résultats futurs susceptibles de représenter ou non pour eux des objectifs individuels. (Par exemple, si votre objectif était de devenir médecin et que la pêche en haute mer ne vous intéressait d'aucune manière, le premier résultat futur aurait représenté un objectif personnel, et non le second.) Les participants se trouvaient dans un tomodensitomètre crânien lorsqu'ils imaginaient ces deux types de résultats.

L'imagerie encéphalique a révélé deux régions du cerveau qui étaient plus actives lorsque les participants pensaient à leurs objectifs personnels que lorsqu'ils pensaient à des activités futures qui n'étaient pas des objectifs personnels pour eux : le cortex préfrontal médian (CPM) et le cortex cingulaire postérieur (CCP). Ces deux régions revêtent une importance particulière pour les raisons suivantes :

- Le CPM est mis à contribution pour déterminer la pertinence intrinsèque des événements. Il y a chaque jour une foule d'événements (une voiture qui passe ; une conversation entendue au hasard) qui n'ont aucune pertinence pour votre bien-être. Par contre, certains événements (une voiture qui passe et où se trouve un ami que vous cherchez ; une conversation à propos de quelqu'un que vous souhaitez mieux connaître) ont une très grande pertinence pour vous. Le CPM est actif pour détecter la pertinence intrinsèque des événements et traiter cette information.

- Il a été démontré que le CCP est actif lorsqu'un individu se remémore des souvenirs autobiographiques, c'est-à-dire des souvenirs d'événements qu'il a vécus dans le passé. L'activation du CCP pendant la réflexion sur les objectifs personnels laisse supposer que l'activité cérébrale permet de faire le lien entre les objectifs du moment présent et les souvenirs d'événements passés. (Si on reprend l'exemple ci-contre, pendant que vous réfléchissiez à l'objectif de devenir médecin, ce raisonnement aurait pu activer, avec l'aide du CCP, des souvenirs autobiographiques comme les discussions que vous avez eues avec des parents et amis à propos de la possibilité de devenir un médecin.)

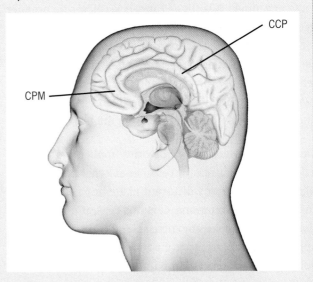

Cette recherche sur le cerveau a des implications sur le plan psychologique. Elle nous rappelle que les objectifs sont un contenu mental psychologiquement riche qui combine la reconnaissance des événements pertinents sur le plan personnel et les données qui se trouvent dans votre « bibliothèque » de souvenirs autobiographiques.

mécanismes psychologiques distincts. Les recherches en psychologie de la personnalité indiquent de façon générale que les individus régulent leur comportement en déterminant si leurs actions sont conformes ou non à leurs normes internes de rendement (notamment Baumeister et Vohs, 2004 ; Carver, Scheier et Fulford, 2008 ; Cervone, Shadel, Smith et Fiori, 2006).

Les travaux de Dweck dont il a été question dans les pages précédentes ont montré qu'il est utile de faire une distinction entre des types d'objectifs qui sont qualitativement différents. De même, il s'avère utile de faire une distinction entre des types de normes d'évaluation qui sont eux aussi qualitativement différents (Dweck, Higgins et Grant-Pillow, 2003). La théorie et les travaux empiriques particulièrement féconds menés par le psychologue Tory Higgins (2006 ; Higgins et Scholer, 2008) ont permis d'étendre la portée des analyses sociocognitives de la personnalité en établissant un lien entre, d'une part, les différents types de normes d'évaluation et, d'autre part, les différents types d'expériences émotionnelles et de motivations.

Les normes personnelles, les écarts avec le soi, l'émotion et la motivation

L'exemple suivant illustre bien le phénomène psychologique auquel s'est intéressé Higgins. Supposons que deux étudiants sont à la bibliothèque en train de lire. C'est le soir, le trimestre tire à sa fin et aucun d'entre eux n'est satisfait de son travail dans un certain cours. Tous les deux accusent un retard dans les lectures à faire et il leur reste peu de temps pour le rattraper. Supposons ensuite qu'ils se ménagent une pause pour faire le point sur leur situation. « Ce cours me rend vraiment nerveux », dit l'un des étudiants d'une voix tendue. « Je voulais un A, mais je ne crois même pas pouvoir obtenir un B. » « Moi, je ne suis pas nerveux », dit l'autre d'un ton abattu. « Je suis *déprimé*. Je voulais un A et je ne crois même pas pouvoir obtenir un B. »

Qu'est-il en train de se passer ? Comment expliquer que deux individus aient des réactions émotionnelles différentes face à un même événement ? Pourquoi le premier est-il menacé par l'anxiété alors que le second l'est par la dépression ? Selon Higgins, c'est parce qu'ils utilisent des types de normes différents pour évaluer la même situation. Même s'ils « veulent » la même chose, un A, la nature subjective de la norme utilisée pour évaluer leur rendement diffère d'un individu à l'autre. La distinction essentielle à faire ici est de différencier les normes

qui représentent « une situation idéale » de celles qui représentent « une situation imposée ». Certaines normes d'évaluation représentent le résultat que les individus *aimeraient idéalement atteindre*. Ces normes représentent les types de comportement auxquels l'individu accorde une valeur positive. Higgins les appelle *normes idéales*, ou aspect du « soi idéal ». (Cette analyse d'Higgins s'apparente à celle de Rogers au chapitre 5.) Par ailleurs, certaines normes d'évaluation représentent des normes correspondant au résultat que les individus croient devoir atteindre. Ces normes représentent des obligations ou des responsabilités. Il s'agit de « normes imposées », ou éléments du « soi imposé ».

L'analyse de Higgins est importante pour l'étude de la personnalité et des différences individuelles, puisque différents individus peuvent évaluer le même comportement au moyen de normes différentes. Des recherches récentes permettent d'illustrer ceci à partir d'un comportement déterminant pour la santé : le tabagisme. Tous les fumeurs qui affirment vouloir arrêter de fumer partagent le même objectif. Toutefois, ceux-ci peuvent avoir des normes d'évaluation différentes concernant la renonciation au tabac. Certains veulent le faire principalement pour être en meilleure santé ; pour eux, le tabagisme enfreint une norme idéale. D'autres se sentent surtout obligés de renoncer au tabac par respect pour les autres (par exemple, pour ne pas déranger les autres avec la fumée de cigarette) ; pour eux, le tabagisme représente une violation d'une norme imposée (Shadel et Cervone, 2006).

L'idée maîtresse d'Higgins est que les différents types de normes, imposées ou idéales, déclenchent différents types d'émotions négatives (Higgins, 1987, 1996). Le raisonnement d'Higgins comporte deux étapes : (1) Les individus ressentent des émotions négatives lorsqu'ils détectent un écart entre la façon dont les choses se déroulent pour eux – le « soi actuel » – et une norme personnelle. Ces **écarts avec le soi** constituent des mécanismes cognitifs qui contribuent à l'expérience émotionnelle. (2) Les écarts avec des normes *différentes* (idéales ou imposées) déclenchent des émotions *différentes*. Les écarts entre le soi actuel et le

Écart avec le soi

Dans les analyses théoriques d'Higgins, disparités entre les croyances sur les attributs psychologiques présents (le soi actuel) et les attributs désirés qui correspondent à des normes idéales.

soi idéal font naître chez les individus des sentiments de tristesse et de découragement; ne pas atteindre les normes idéales que l'on s'est fixées constitue une perte de résultats positifs qui cause de la tristesse. Les écarts entre le soi actuel et le soi imposé provoquent de l'agitation et de l'anxiété; la possibilité de ne pas remplir ses obligations est un résultat négatif potentiel qui est menaçant.

Pour tester leurs idées, Higgins et ses collaborateurs (1986) ont d'abord évalué les différences individuelles dans les écarts au soi. Ils ont cerné un premier groupe d'individus qui avaient principalement des écarts de type actuel-idéal, et un second groupe qui avait principalement des écarts de type actuel-imposé. Pour ce faire, Higgins et ses collègues ont utilisé un simple questionnaire qui demandait aux participants d'énumérer les attributs: (1) qu'ils possèdent; (2) qu'ils aimeraient idéalement posséder; (3) qu'ils estiment qu'ils devraient posséder. Lors d'une séance expérimentale postérieure, les réactions émotionnelles des participants ont été évaluées pendant qu'ils envisageaient un événement négatif. Même s'il s'agissait du *même* événement pour tous les participants, les émotions ressenties étaient *différentes*. Lorsqu'ils songeaient au résultat négatif, les participants dont l'autodescription comportait un grand nombre d'écarts de type actuel-idéal avaient tendance à être tristes, mais sans ressentir d'anxiété. À l'inverse, les participants dont l'autodescription comportait un grand nombre d'écarts de type actuel-imposé ressentaient de l'anxiété, mais sans être tristes.

Ces résultats laissent croire que les écarts au soi sont le fondement cognitif des différences individuelles dans l'expérience émotive. Cependant, ces résultats peuvent vous sembler insuffisants, puisqu'il s'agit uniquement d'une corrélation qui a été établie entre différents types d'écarts et différentes réactions émotionnelles. Comme nous l'avons vu au chapitre 2, la recherche expérimentale produit des résultats plus convaincants qu'une simple recherche corrélationnelle.

Les travaux de Higgins ont pour grand avantage d'avoir permis de produire de telles données expérimentales. En effet, les normes imposées et les normes idéales sont des éléments de connaissance qui peuvent être manipulés expérimentalement à l'aide d'une procédure d'amorçage, consistant à stimuler la connaissance pour la rendre plus saillante au plan mental. Un protocole de recherche permet donc de manipuler expérimentalement les écarts au soi, ce qu'a fait Higgins dans une deuxième étude. Les participants qui affichaient à la fois des écarts actuel-idéal et actuel-imposé ont été soumis de manière aléatoire à des conditions où l'amorçage visait soit les normes idéales, soit les normes imposées. Les normes ainsi amorcées ont provoqué différentes réactions émotionnelles (tableau 13.1). Quand l'amorçage portait sur des écarts avec les normes idéales, les participants éprouvaient un sentiment de découragement. Lorsque l'amorçage portait sur des normes imposées, ils étaient agités. En résumé, une manipulation expérimentale de la cognition entraînait des variations sur le plan émotionnel.

Beaucoup de recherches menées ultérieurement ont produit des résultats confirmant l'idée centrale d'Higgins selon laquelle les écarts concernant les normes idéales ou les normes imposées mènent à différentes expériences émotionnelles. Parmi elles figuraient des études cliniques portant sur des patients souffrant de phobies sociales et de dépression qui présentaient, dans le premier cas, des écarts majoritairement de type actuel-imposé et, dans le second, des écarts majoritairement de type actuel-idéal (Strauman, 1989). Des individus dont l'autodescription montre un écart entre ce qu'ils croyaient être

Tableau 13.1 | **Variation moyenne dans les émotions de découragement et les émotions d'agitation selon le niveau des écarts au soi et le type d'effet d'amorçage**

Niveau des écarts	Amorçage des normes idéales		Amorçage des normes imposées	
	Découragement	Agitation	Découragement	Agitation
	Émotions	Émotions	Émotions	Émotions
Actuel élevé: idéal et actuel; écarts dans les niveaux imposés	3,2	−0,8	0,9	5,1
Actuel faible: idéal et actuel; écarts dans les niveaux imposés	−1,2	0,9	0,3	−2,6

Note: Les huit émotions de découragement et les huit émotions d'agitation ont été mesurées à partir d'une échelle en six points qui s'échelonnait de *pas du tout* à *énormément*. Plus le chiffre est positif, plus l'augmentation de l'inconfort est marquée.

Source: Higgins, E.T., Bond, R.N., Klein, R., & Strauman, T. (1986). Self-discrepancies and emotional vulnerability: How magnitude, accessibility, and type of discrepancy influence affect. *Journal of Personality and Social Psychology, 51*, 5-15. © 1986, American Psychological Association, reproduction autorisée.

présentement et la personne qu'ils estimaient devoir être, affichaient des niveaux élevés de névrosisme et des niveaux faibles de bien-être subjectif (Pavot, Fujita et Diener, 1997). La présence de tels écarts avait des conséquences sur la santé des sujets, car on a constaté chez eux une diminution de l'efficacité du fonctionnement du système immunitaire dans la lutte contre la maladie (Straumann, Lemieux et Coe, 1993). Les cliniciens ont donc commencé à mettre au point des techniques thérapeutiques destinées à réduire ces écarts entre le soi actuel et le soi idéal (Strauman et coll., 2001).

Pour Higgins (2006), les normes d'évaluation avaient un impact non seulement sur l'expérience émotionnelle, mais aussi sur la motivation. Les individus qui évaluent leurs actions principalement à travers des normes idéales ont tendance à avoir une approche « promotion » face aux activités qu'ils entreprennent. Autrement dit, ils sont motivés par la promotion du bien-être, et c'est ce qu'ils font en se concentrant sur les résultats positifs (soit en obtenant des résultats positifs ou en évitant de les perdre une fois qu'ils les ont atteints). Un étudiant en propédeutique médicale qui se concentre sur l'aspect promotion peut songer aux avantages d'une carrière médicale ou à l'importance de maintenir une moyenne élevée dans ses notes. À l'inverse, lorsque l'accent est mis sur les normes imposées, la tendance consiste à viser la prévention, c'est-à-dire à tenter de prévenir les résultats négatifs (ou à profiter de l'absence de résultats négatifs). En reprenant l'exemple précédent, un élève en propédeutique médicale orienté vers la prévention pourrait se concentrer sur la possibilité de ne pas être admis à la faculté de médecine

DÉBATS ACTUELS | Les normes perfectionnistes : bonnes ou mauvaises ?

Nos sociétés modernes sont marquées du sceau de la perfection et de l'ambition. Nous aimons ceux et celles qui connaissent du succès et nous enseignons à nos enfants – dans les salles de classe, sur les terrains de jeu et ailleurs – à viser des normes élevées de réussite. Dans le vocabulaire de la théorie sociocognitive, on dira que la société encourage et récompense l'adoption de normes de performance élevées. En fait, les sociétés contemporaines valorisent parfois des normes si élevées qu'elles peuvent inciter les individus à s'autoévaluer par rapport à des normes perfectionnistes où tout ce qui est en deçà de la perfection est considéré comme inacceptable.

Les normes élevées peuvent pousser les individus à se surpasser. Toutefois, des normes extrêmement élevées et perfectionnistes sont-elles nécessairement une bonne chose ? Un psychologue a dit à ce sujet : « Je suis renversé de constater que les gens voient dans ce perfectionnisme individuel le signe d'une capacité adaptation. Je ne crois pas que le besoin d'atteindre la perfection puisse être considéré comme favorisant l'adaptation. » Paul Hewitt, un psychologue de l'Université de la Colombie-Britannique, est bien placé pour le savoir : pendant des années, il a étudié le perfectionnisme en s'intéressant aux qualités psychologiques qui sont associées aux tendances perfectionnistes. Hewitt et ses collègues ont constaté que les normes perfectionnistes rendent les individus plus vulnérables aux problèmes psychologiques comme la dépression, l'anxiété et les troubles de l'alimentation. Certes, les gens qui adoptent des normes perfectionnistes peuvent exceller, mais ils doivent en payer le prix. Hewitt donne l'exemple d'un étudiant perfectionniste qui avait trimé dur pour obtenir un A + dans un cours, mais qui avait néanmoins été victime de dépression, croyant qu'il aurait été un meilleur étudiant s'il avait obtenu la même note sans avoir à travailler si fort !

Les résultats de recherche vont dans le sens de cette anecdote en supposant un lien entre les normes perfectionnistes et les affects dépressifs. Par exemple, Flett et ses collègues (2005) ont étudié le perfectionnisme chez un groupe d'environ 200 adultes vivant en Israël. Ces personnes ont répondu à un inventaire de perfectionnisme (une autoévaluation de leurs tendances perfectionnistes), rapporté s'ils éprouvaient ou non des symptômes associés à la dépression, et finalement demandé à leurs proches d'indiquer s'ils constataient des symptômes de dépression chez eux. Les participants qui ressentaient le besoin d'être parfaits pour répondre aux attentes de leurs familles et de leurs amis se sont évalués comme éprouvant plus de symptômes de dépression. Ce constat a été corroboré par leurs proches, qui les percevaient aussi comme dépressifs.

Dans notre monde moderne, l'adaptation peut se résumer à un mode de vie qui combine des normes élevées d'accomplissement et la capacité de s'accepter tel que l'on est, y compris avec les aspects de soi qui ne sont pas parfaits.

Sources : Benson, 2003 ; Flett, Besser et Hewitt, 2005.

et pourrait considérer un bon rendement scolaire comme étant principalement un moyen d'éviter un tel résultat négatif. Des processus motivationnels différents entrent en jeu lorsque l'individu se concentre sur la prévention ou la promotion (Shah et Higgins, 1997) ; le comportement des gens leur semble aussi plus naturel lorsque leurs activités sont en phase avec leur orientation motivationnelle principale (Higgins, 2006).

Une approche de la personnalité centrée sur des principes généraux

L'analyse de Higgins (1999) sur la cognition, l'émotion et les différences individuelles comporte un avantage théorique quelque peu subtil, mais néanmoins très important. Cette analyse tente d'expliquer les constances dans le comportement par opposition aux variations dans le comportement dans différentes situations. Comme nous l'avons vu précédemment, certains psychologues de la personnalité considèrent les constances dans le comportement comme une manifestation de la personnalité de l'individu, alors que les variations sont expliquées par l'influence des facteurs externes sur le comportement. Selon cette approche, les « variables de la personnalité » expliquent comment les individus se comportent en moyenne, tandis que les « facteurs situationnels » expliquent les variations par rapport à cette moyenne. Comme le reconnaît Higgins, ce type de raisonnement débouche sur une science des individus bien imparfaite. Elle est imparfaite en ce sens qu'il est nécessaire de recourir à des principes théoriques différents, et sans lien apparent les uns avec les autres, pour expliquer les différents types de comportement chez une même personne.

À l'inverse, les travaux d'Higgins ont permis de formuler des principes généraux ; il décrit sa méthode comme une **approche centrée sur les principes généraux** pour comprendre la personnalité et les influences situationnelles. Les connaissances d'un individu – incluant les normes de rendement idéales et imposées – expliquent les constances dans les émotions et les comportements, car les connaissances sont un élément durable de la personnalité. Par ailleurs, les mécanismes associés à la connaissance peuvent également permettre d'expliquer les influences situationnelles. En effet, différentes situations stimulent ou sollicitent différents aspects de la connaissance, ce qui engendre en retour différents types de réponses émotionnelles et motivationnelles. On obtient alors une vision intégrée des influences personnelles et situationnelles sur les émotions et le comportement régie par un ensemble de principes généraux qui expliquent à la fois la constance dans la pensée et l'action résultant des influences personnelles, ainsi que la variabilité dans la pensée et l'action résultant des influences situationnelles.

Dans notre examen de la théorie sociocognitive, nous nous sommes surtout penchés sur les principes théoriques de base et sur la recherche qui les soutient. Nous nous intéresserons maintenant à un domaine d'application de cette théorie et de cette recherche : la psychologie clinique. Les applications cliniques empruntées aux théories cognitives ont exercé une influence considérable au cours du dernier quart de siècle. En effet, dans bon nombre d'environnements cliniques et de programmes de formation, l'approche cognitive s'est imposée devant toutes les autres orientations théoriques.

Il n'existe pas qu'une seule théorie ou qu'une seule thérapie cognitive. Il existe plutôt une myriade d'approches, souvent adaptées à des problématiques précises, qui reposent toutes sur un certain nombre de postulats communs.

(1) Les cognitions (attributions, croyances, attentes et souvenirs relatifs à soi ou à autrui) déterminent les émotions et les comportements de manière cruciale ; par conséquent, on doit s'intéresser à ce que les gens pensent et disent d'eux-mêmes.

(2) Sans pour autant nier l'importance de certaines attentes et croyances généralisées, on s'intéresse surtout aux cognitions spécifiques liées à certaines situations ou catégories de situations.

(3) La psychopathologie est conçue comme résultant de cognitions inadaptées ou fausses, ou encore de distorsions cognitives, qui concernent le soi, les autres et les événements ; les diverses formes de troubles découlent de différentes cognitions ou de différentes façons de traiter l'information.

(4) Les cognitions erronées ou inadaptées occasionnent des émotions et des comportements problématiques qui engendrent à leur tour des cognitions problématiques ;

Approche centrée sur les principes généraux
Expression utilisée par Higgins pour décrire l'analyse des influences personnelles et situationnelles sur la pensée et les actions, le tout à l'intérieur d'un ensemble de principes de causalité servant à expliquer à la fois la constance dans la pensée et l'action résultant des influences personnelles, ainsi que la variabilité dans la pensée et l'action résultant des influences situationnelles.

il peut ainsi s'instaurer un cercle vicieux où la personne agit de manière à confirmer et à conserver ses distorsions cognitives et ses croyances erronées.

(5) La thérapie cognitive suppose que thérapeute et client travaillent en collaboration afin de déterminer quelles sont les cognitions erronées ou inadaptées qui engendrent des difficultés, puis de les remplacer par des cognitions plus réalistes et plus adaptatives. L'approche thérapeutique tend à être active, structurée et axée sur le présent.

(6) Contrairement à d'autres approches, les approches cognitives ne considèrent pas l'inconscient comme un facteur important, sauf dans la mesure où les clients peuvent ne pas être conscients de leurs façons habituelles de penser à eux-mêmes et à la vie. De plus, ces approches mettent l'accent sur la modification de cognitions spécifiques problématiques plutôt que sur la modification globale de la personnalité.

Dans cette section, nous verrons d'abord les applications cliniques qui découlent directement de la théorie sociocognitive, puis nous nous intéresserons à d'autres applications cliniques qui, sans découler directement des travaux de Bandura et Mischel, appartiennent néanmoins à l'approche sociocognitive en ce qui a trait à la pathologie et au changement.

La psychopathologie et le changement : le modelage, les conceptions de soi et les perceptions d'autoefficacité

Selon la théorie sociocognitive, le comportement inadapté résulte d'un apprentissage dysfonctionnel. Comme c'est le cas pour tout apprentissage, les réponses inadaptées peuvent avoir été apprises par expériences directes ou par observation, c'est-à-dire parce que des modèles inadéquats ou «pathologiques» ont été proposés. Ainsi, selon Bandura, le fait que les parents offrent des modèles de comportements inadaptés constitue souvent un facteur causal important dans l'apparition d'un trouble mental. Encore une fois, il est inutile ici de se mettre en quête d'incidents traumatiques que l'individu aurait vécus dans son enfance ou de conflits non résolus; il n'est pas nécessaire non plus de trouver dans son passé des antécédents de renforcement susceptibles d'expliquer pour quelles raisons ce comportement aurait été acquis au départ. Toutefois, une fois ces comportements appris par observation, il est probable que leur maintien soit attribuable au renforcement direct et vicariant. La recherche consacrée au

conditionnement des réponses émotionnelles par l'observation indique que l'apprentissage par observation et le conditionnement vicariant peuvent expliquer pour une bonne part les peurs et les phobies des êtres humains ; songeons notamment à cette étude portant sur des singes qui, ayant vu leurs parents manifester leur peur des serpents, ont ainsi acquis une réponse émotionnelle conditionnée qui était intense, persistante et qui s'appliquait à d'autres contextes que celui de l'apprentissage initial. Cette constatation laisse entendre que l'apprentissage par observation et le conditionnement vicariant pourraient être à l'origine d'une grande proportion de peurs et phobies humaines.

Si l'apprentissage de certains comportements et de certaines réactions émotionnelles qui se manifestent au grand jour est important pour la psychopathologie, la théorie sociocognitive insiste de plus en plus sur le rôle joué par les **attentes et conceptions de soi dysfonctionnelles.** Les gens peuvent s'attendre à tort à ce que certains événements soient suivis d'autres événements, douloureux, ou associer à tort la souffrance à des situations particulières. Ils pourront ainsi se comporter de manière à éviter de se trouver dans certaines situations ou à créer ces situations mêmes qu'ils essayaient d'éviter. Par exemple, la personne qui s'attend à ce que l'intimité engendre de la souffrance et qui fait preuve d'hostilité à l'égard d'autrui provoque ainsi le rejet, ce qui semble confirmer ses craintes (attentes) que l'intimité n'entraîne que rejet et déception.

Les processus cognitifs peuvent également jouer un rôle dans les troubles mentaux lorsqu'ils donnent lieu à des **autoévaluations dysfonctionnelles**, et en particulier à un faible sentiment d'autoefficacité ou à un sentiment d'inefficacité. On se souvient que le sentiment d'autoefficacité se définit comme la perception qu'entretient l'individu de sa capacité à s'adapter à une situation donnée ou à s'acquitter des tâches qu'elle requiert. L'individu qui se sent inefficace a l'impression de ne pas pouvoir faire

Attente et conception de soi dysfonctionnelles
Dans la théorie sociocognitive, attente inadaptée quant aux conséquences de comportements particuliers.

Autoévaluation dysfonctionnelle
Dans la théorie sociocognitive, norme d'autogratification inadaptée qui a des conséquences importantes sur la psychopathologie.

face aux exigences de la situation ou de ne pas pouvoir s'acquitter des tâches qu'elle requiert. Selon la théorie sociocognitive, le sentiment d'inefficacité joue un rôle central dans l'anxiété et la dépression (Bandura, 1997).

Le sentiment d'autoefficacité, l'anxiété et la dépression

Quel rôle le sentiment d'autoefficacité joue-t-il dans l'anxiété? Selon la théorie sociocognitive, le fait de ressentir un faible sentiment d'autoefficacité par rapport à une menace éventuelle déclenche une forte anxiété. Au regard de l'anxiété, ce n'est pas l'événement menaçant en soi qui est fondamental, mais plutôt le sentiment d'être incapable de s'adapter à lui. La recherche indique que ceux qui se pensent incapables de faire face aux événements menaçants éprouvent une grande détresse. Ils peuvent également acquérir d'autres cognitions dysfonctionnelles, par exemple s'inquiéter de ce qui pourrait arriver. Autrement dit, la personne anxieuse risque de se concentrer sur le désastre qui l'attend et sur son incapacité de faire face à ce désastre, plutôt que sur ce qu'elle pourrait faire pour venir à bout du problème qui se pose à elle. Le sentiment d'être incapable de s'adapter à la situation peut se compliquer du sentiment d'être incapable de s'adapter à l'anxiété elle-même… et avoir «peur de la peur» peut mener à la panique (Barlow, 1991).

Si le sentiment d'inefficacité devant les événements menaçants peut déclencher l'anxiété, le sentiment d'inefficacité par rapport à l'obtention de résultats satisfaisants entraîne la dépression, celle-ci représentant alors la réponse à l'incapacité perçue d'atteindre les résultats satisfaisants désirés. Cependant, chez les dépressifs, le problème s'explique peut-être en partie par des normes personnelles démesurément élevées. Autrement dit, les personnes enclines à la dépression s'imposent souvent des normes personnelles et des objectifs trop exigeants; lorsque les résultats ne répondent pas à leurs attentes, ils s'accablent de reproches et attribuent ce qui est arrivé à leur incapacité et à leur incompétence. En fait, l'autocritique excessive constitue souvent une composante importante de la dépression. Bref, si le sentiment qu'éprouve l'individu d'être incapable d'atteindre les objectifs qu'il s'est fixés est fondamental dans la dépression, le problème tient peut-être en partie au fait qu'il s'est fixé des objectifs irréalistes. De plus, entretenir un faible sentiment d'autoefficacité peut avoir comme effet de diminuer le rendement, de sorte que l'individu sera encore moins à la hauteur de ses normes personnelles et se blâmera encore davantage

(Kavanagh, 1992). Une recherche effectuée sur la dépression durant l'enfance a justement mis au jour une relation de ce type. Cette étude a montré que non seulement le sentiment d'inefficacité sociale et scolaire contribue directement à la dépression, mais qu'il y contribue aussi indirectement, en suscitant des comportements problématiques qui compromettent la réussite sociale et scolaire à venir (Bandura, Pastorelli, Barbaranelli et Caprara, 1999). Ainsi, le faible sentiment d'autoefficacité contribue à la dépression et à des problèmes comportementaux; un cycle autodestructeur s'installe alors, qui débouche sur un sentiment d'inefficacité et une dépression qui ne font que croître.

Bandura (1992) a posé une question intéressante en soulignant le fait que l'écart entre les normes personnelles et le rendement peut avoir des effets différents, entraînant tantôt un effort accru, tantôt l'apathie ou la dépression. Qu'est-ce qui détermine les effets de l'écart entre les normes personnelles et le rendement? Selon Bandura, cet écart déclenche une forte motivation si l'individu se sent capable d'atteindre l'objectif visé. Le sentiment que cet objectif se trouve au-delà des capacités de l'individu et qu'il est par conséquent irréaliste entraîne l'abandon de l'objectif et possiblement l'apathie, mais pas la dépression. La personne qui se dit «Cette tâche est trop difficile» et qui l'abandonne ressentira peut-être de la frustration et de la colère, mais elle ne sera pas déprimée. La dépression survient lorsque l'individu se sent inefficace par rapport à un objectif, mais juge cet objectif raisonnable et croit donc qu'il peut continuer à essayer de l'atteindre. Les effets de l'écart entre les normes personnelles et le rendement sur l'effort et sur l'humeur dépendent donc du sentiment d'autoefficacité qu'éprouve l'individu et de sa manière de percevoir le réalisme et l'importance des normes personnelles ou de l'objectif visé.

La relation entre les états dépressifs et les écarts entre les normes et le rendement va dans les deux sens. Non seulement les écarts suscitent des émotions dépressives, mais les émotions dépressives contribuent à l'apparition de tels écarts. Les recherches où les humeurs des participants sont soumises à des manipulations expérimentales le prouvent (Cervone, Kopp, Schaumann et Scott, 1994; Scott et Cervone, 2002), de même que les travaux qui comparent les personnes dépressives et non dépressives (Tillema, Cervone et Scott, 2001). Les résultats ainsi obtenus indiquent que lorsque les personnes ont une humeur maussade, elles ont tendance à adopter des normes plus perfectionnistes. La routine leur apporte un moins grand réconfort, et c'est pourquoi seules les réalisations hors de l'ordinaire peuvent les satisfaire. Il n'est pas rare que ces normes élevées surpassent le niveau de rendement que les individus croient pouvoir réellement atteindre (Cervone et coll., 1994).

Le sentiment d'autoefficacité et la santé

La relation entre le sentiment d'autoefficacité et la santé représente l'un des points saillants de la recherche sociocognitive. La théorie sociocognitive portant sur la promotion de la santé et la prévention des maladies s'intéresse aux quatre structures que nous avons vues : la *connaissance* des risques pour la santé et des avantages des habitudes de vie saines ; le sentiment d'*autoefficacité* quant à l'emprise que peut exercer l'individu sur ses habitudes de vie ; les attentes sur le plan des *résultats* par rapport aux coûts prévus et aux avantages des différentes pratiques sur le plan de la santé ; les *objectifs en matière de santé* que les individus se fixent et les stratégies mises en œuvre pour les atteindre (Bandura, 2004). La relation entre le sentiment d'autoefficacité et la santé représente l'un des points saillants de la recherche sociocognitive. Les résultats de cette recherche se résument facilement : entretenir un fort sentiment d'autoefficacité est bon pour la santé et le contraire est mauvais pour la santé (Schwarzer, 1992). Le sentiment d'autoefficacité influe sur la santé essentiellement de deux façons : par ses effets sur les comportements liés à la santé et par ses effets sur le fonctionnement physiologique (Contrada, Leventhal et O'Leary, 1990 ; Miller, Shoda et Hurley, 1996). Le sentiment d'autoefficacité influe à la fois sur la probabilité de souffrir de diverses maladies et sur le processus de guérison (O'Leary, 1992).

Le sentiment d'autoefficacité a été associé à des comportements tels que le tabagisme, la consommation d'alcool et l'usage du condom (en relation avec la grossesse ou le sida). Par exemple, le sentiment d'autoefficacité par rapport aux relations sexuelles protégées a été associé à la probabilité d'adopter des pratiques sexuelles protégées. On a utilisé le modelage, la fixation d'objectifs de même que d'autres techniques afin d'accroître le sentiment d'autoefficacité et de réduire le nombre de comportements à risque (O'Leary, 1992). Les changements dans le sentiment d'autoefficacité se sont également révélés importants dans le processus de guérison. Ainsi, pour guérir d'une crise cardiaque, il est important de bien doser l'activité physique. Or, les gens qui se rétablissent d'une crise cardiaque ont parfois un sentiment d'autoefficacité exagéré et abusent de l'exercice ; ces patients doivent alors

ramener leur sentiment d'autoefficacité à un niveau plus réaliste et adopter des habitudes d'exercice plus saines (Ewart, 1992)

Pour ce qui est de la relation entre le sentiment d'autoefficacité et le fonctionnement physiologique, la recherche montre qu'un fort sentiment d'autoefficacité protège contre les effets du stress et améliore le fonctionnement du système immunitaire. On sait qu'un stress excessif peut altérer le fonctionnement du système immunitaire, alors qu'une plus grande capacité de gérer le stress peut améliorer son fonctionnement (O'Leary, 1990). Dans une expérience conçue pour étudier l'effet du sentiment d'autoefficacité sur le système immunitaire par rapport à la maîtrise des facteurs de stress, Bandura et ses associés ont constaté qu'un fort sentiment d'autoefficacité améliorait réellement le fonctionnement du système immunitaire (Weidenfeld et coll., 1990). Dans cette recherche, des personnes souffrant d'une phobie (peur excessive) des serpents ont été testées selon trois modalités : (1) une phase de référence ne comportant pas d'exposition au facteur phobique (serpent) ; (2) une phase d'acquisition du sentiment d'efficacité au cours de laquelle on a aidé les participants à acquérir un certain sentiment

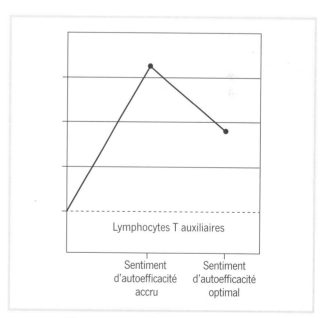

Figure 13.3 | Changements dans les lymphocytes T auxiliaires lors de l'exposition au facteur de stress phobique pendant la phase d'acquisition du sentiment d'autoefficacité et lorsque celui-ci est perçu comme optimal

Source : Wiedenfeld, S.A., Bandura, A., Levine, S., O'Leary, A., Brown, S., & Raska, K. (1990). Impact of perceived self-efficacy in coping with stressors in components of the immune system. *Journal of Personality and Social Psychology, 59,* 1082-1094. © 1990, American Psychological Association, reproduction autorisée.

d'autoefficacité quant à leur capacité de s'adapter à ce facteur de stress ; et (3) une phase où le sentiment d'auto-efficacité était optimal. À chacune de ces phases, on a prélevé un peu de sang chez les participants et on l'a analysé afin de mesurer la présence de cellules pouvant favoriser la régulation du système immunitaire. Par exemple, on a mesuré les lymphocytes T auxiliaires, qui contribuent à la destruction des virus et des cellules cancéreuses. Ces analyses ont indiqué qu'un sentiment d'efficacité accru était associé à une amélioration du fonctionnement du système immunitaire, comme le montrait notamment l'augmentation des lymphocytes T auxiliaires (figure 13.3). De sorte que, même si les effets du stress sont négatifs, le fait d'éprouver un sentiment d'autoefficacité accru par rapport au facteur de stress peut avoir des propriétés adaptatives intéressantes pour ce qui est du fonctionnement du système immunitaire.

Le changement thérapeutique : le modelage et la participation guidée

Le changement comportemental se situait au cœur de leur démarche de Bandura et des autres psychologues d'orientation sociocognitive. Tout en adhérant à cet objectif, Bandura se montrait toutefois extrêmement prudent dans son approche ; selon lui, l'application clinique de telles méthodes favorisant le changement thérapeutique ne devait se faire qu'une fois leurs mécanismes fondamentaux élucidés et leurs effets adéquatement évalués.

Selon Bandura, le processus de changement suppose non seulement qu'on acquière de nouveaux modes de pensée et de comportement, mais également qu'on les applique de manière générale et qu'on les conserve. La perspective sociocognitive de la thérapie insiste donc sur la nécessité d'effectuer des changements dans le sentiment d'auto-efficacité. La thérapie sociocognitive privilégie surtout l'acquisition de compétences cognitives et comportementales grâce au modelage et à la **participation guidée**. Dans le modelage, divers modèles exécutent les activités désirées, qui comportent des effets positifs ou du moins n'entraînent pas de conséquences négatives. Généralement, les modes de comportement complexes proposés en apprentissage sont décomposés et hiérarchisés en habi-letés secondaires et en tâches secondaires de plus en plus difficiles, de façon que les progrès soient optimaux. Dans la participation guidée, on aide l'individu à acquérir, à reproduire et à maîtriser les comportements du modèle. En somme, contrairement aux approches thérapeutiques qui privilégient surtout la communication verbale comme facteur de changement personnel, la théorie sociocognitive préconise la maîtrise des expériences pertinentes comme principal vecteur de changement (Bandura, 1997).

La recherche portant sur le modelage thérapeutique et sur la participation guidée a été effectuée essentiellement en laboratoire, en commençant par les travaux menés par Bandura et ses collègues sur le problème de la phobie des serpents (Bandura, 1977). Un faible pourcentage de la population souffre d'une peur extrême et irrationnelle des serpents qui peut compliquer leurs activités quotidiennes. Bandura a avancé l'hypothèse que des traitements thérapeutiques aideraient ces individus à surmonter leurs peurs uniquement si ces traitements augmentaient en eux l'auto-perception de leurs capacités d'affronter des situations qui provoquent cette peur. Autrement dit, le mécanisme psychologique clé pour le changement consiste à modifier le sentiment d'autoefficacité.

Bandura et ses collègues ont mis en œuvre leur stratégie de recherche microanalytique pour tester cette hypothèse. Ainsi, ils ont mené une expérience où des personnes souffrant d'une phobie chronique des serpents ont été réparties dans des groupes soumis à trois types de conditions : le modelage avec participation (le thérapeute met en place des activités menaçantes pour les individus et les aide à exécuter des tâches de plus en plus difficiles jusqu'à ce qu'ils y arrivent seuls) ; le modelage (les participants observent le thérapeute pendant qu'il accomplit les tâches, mais sans les accomplir eux-mêmes) ; le groupe de contrôle (Bandura, Adams et Beyer, 1977). Avant et après l'expérience, les participants ont passé un test mesurant le comportement d'évitement (Comportemental Avoidance Test ou BAT), constitué de 29 tâches exigeant des interactions de plus en plus anxiogènes avec un boa constricteur à queue rouge, la dernière tâche supposant que le participant laisse le serpent ramper sur ses genoux en gardant les bras ballants. Pour déterminer si le changement s'appliquait de manière générale à la suite du traitement, les participants ont aussi passé le test avec un serpent appartenant à une autre espèce, une couleuvre des blés en l'occurrence. Pour vérifier le rôle joué par le sentiment d'autoefficacité, les chercheurs ont procédé à une évaluation très détaillée où ils ont mesuré le sentiment

---

Participation guidée
Dans la théorie sociocognitive, approche thérapeutique où l'on aide la personne à reproduire les comportements d'un modèle.

La participation guidée: Bandura a mis en lumière l'importance du modelage et de la participation guidée dans la modification comportementale. Ici, une thérapeute aide deux femmes qui ont la phobie des serpents à surmonter leur crainte en modelant le comportement désiré.

d'autoefficacité chez les personnes souffrant d'une phobie des serpents par rapport à une série de tâches de plus en plus exigeantes avec un serpent (par exemple, s'approcher à moins de deux mètres d'un serpent, toucher un serpent, prendre dans ses mains un serpent, etc.). Ces évaluations d'autoefficacité ont été faites avant le traitement, après le traitement, mais avant le deuxième BAT, puis après le deuxième BAT et, encore une fois, un mois plus tard.

Les résultats indiquaient que, conformément aux prévisions, le modelage accompagné de participation guidée avait produit les changements les plus marqués dans le comportement (figure 13.4). Plus important encore pour l'étude du sentiment d'autoefficacité, on notait la présence d'un lien extrêmement étroit entre les sentiments d'auto-efficacité et les changements dans le comportement. Ceci était à la fois le cas dans une perspective intergroupes (c'est-à-dire entre deux groupes expérimentaux) qu'intra-groupe ou individuelles (c'est-à-dire d'un individu à l'autre par rapport au même type de condition). Pour ce qui est des groupes expérimentaux, ceux qui montraient les changements les plus importants sur le plan du sentiment d'autoefficacité étaient également ceux qui montraient les changements les plus importants sur le plan du comportement (figure 13.4). Au niveau individuel, les déclarations relatives au sentiment d'autoefficacité (avant le deuxième BAT) permettaient de prévoir le rendement avec précision, un fort sentiment d'autoefficacité étant associé à des probabilités élevées de réussite dans l'accomplissement de la tâche. Les relations autoefficacité-comportement étaient remarquablement puissantes: Bandura et ses collègues ont rapporté une corrélation de 0,84 entre le niveau d'autoefficacité et le comportement

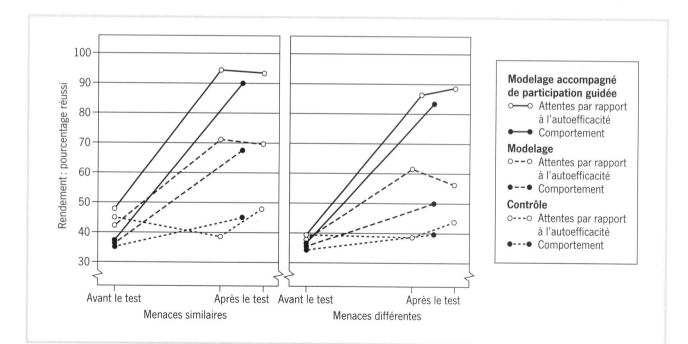

Figure 13.4 | Sentiment d'autoefficacité et comportement d'approche à l'égard de diverses menaces manifestées par les participants qui ont suivi une thérapie de modelage, un modelage accompagné de participation guidée ou aucune thérapie

Dans la phase qui suit le test, le sentiment d'autoefficacité a été mesuré avant que les participants aient passé des tests visant à mesurer le comportement d'évitement et il a été de nouveau mesuré après les tests.

Source: Bandura, A., Adams, N.E., & Beyer, J. (1977). Cognitive processes mediating behavioral change. *Journal of Personality and Social Psychology, 35,* 125-139. © 1977, American Psychological Association, reproduction autorisée.

d'approche correspondant. En fait, on prévoyait mieux le rendement en s'appuyant sur ces attentes d'autoefficacité qu'en se fiant au rendement antérieur! Les données de suivi ont indiqué que non seulement les participants avaient maintenu leurs gains quant au sentiment d'autoefficacité et aux comportements d'approche, mais qu'ils avaient fait de nouveaux progrès. En somme, les données ont confirmé l'utilité de la participation guidée et l'hypothèse sociocognitive selon laquelle les thérapies améliorent le rendement parce qu'elles améliorent le sentiment d'autoefficacité (voir également Bandura et Adams, 1977; Bandura, Adams et Beyer, 1977; Bandura, Reese et Adams, 1982; Williams, 1992).

L'approche sociocognitive a été utilisée dans le traitement de toutes sortes de maladies. Ainsi, les études ont démontré l'utilité d'acquérir des habiletés adaptatives et d'améliorer

le sentiment d'autoefficacité pour gérer l'anxiété avant les examens (Smith, 1989) et pour rendre les femmes moins vulnérables en cas d'agression (Ozer et Bandura, 1990; Weitlauf, Cervone et Smith, 2001). Dans ce cas, les femmes qui avaient suivi un programme de modelage où elles avaient appris à maîtriser les habiletés physiques nécessaires pour se défendre contre des agresseurs non armés ont accru leur liberté d'action et réduit leurs comportements d'évitement. Toutes ces études révèlent que l'expérience de la maîtrise entraîne l'accroissement thérapeutique du sentiment d'autoefficacité (figure 13.5).

Il est important de déterminer la persistance des effets thérapeutiques et leur généralisation à d'autres aspects du fonctionnement de la personne. Ceux qui restent sceptiques par rapport au modelage et à la participation guidée pourraient s'attendre à ce qu'il y ait peu de preuves de

---

Perspective générale

Quel que soit le procédé, les thérapies psychologiques ont pour effets de créer et de renforcer les attentes positives par rapport à l'efficacité personnelle, et d'améliorer le sentiment d'autoefficacité. La thérapie sociocognitive vise l'acquisition de compétences cognitives et comportementales par le modelage et la participation guidée.

Caractéristiques des bons modèles: pertinence et crédibilité

Les modèles qui captent l'attention, qui inspirent la confiance, qui apparaissent comme des figures à qui on peut se comparer de façon réaliste et dont les normes personnelles semblent raisonnables aux yeux de l'apprenant représentent les meilleurs modèles pour le modelage thérapeutique. Ces caractéristiques peuvent se résumer par les termes pertinence et crédibilité.

Quelques règles visant à produire et à maintenir les changements désirés

1. Structurer méthodiquement les tâches à apprendre en une série d'étapes de plus en plus difficiles.
2. Expliquer les règles générales ou les principes généraux et en faire la démonstration. S'assurer que le client les comprend bien et lui fournir des occasions de les clarifier.
3. Organiser des répétitions simulées guidées, comportant une rétroaction sur les réussites et les erreurs.
4. Une fois établi le comportement désiré, fournir au client de plus en plus d'occasions de les mettre lui-même en pratique.
5. Tester les habiletés nouvellement acquises en milieu naturel et dans des conditions susceptibles de donner des résultats positifs.
6. Tester ces habiletés dans des situations de plus en plus exigeantes jusqu'à ce que les compétences et le sentiment d'autoefficacité aient atteint un niveau satisfaisant.
7. Donner au client l'occasion de consulter le thérapeute et d'obtenir une rétroaction durant la période où il s'exerce de façon autonome à maîtriser le comportement désiré.

Effet thérapeutique du modelage

1. *Acquisition de nouvelles habiletés.* L'observation de modèles et la participation guidée permettent d'acquérir de nouveaux modes de comportement et de nouvelles stratégies d'adaptation. Par exemple, les clients soumis peuvent apprendre à reproduire un comportement plus affirmé.
2. *Changement dans les inhibitions touchant l'expression de soi.* Le modelage peut avoir pour résultat d'affaiblir ou de renforcer les réponses dont dispose une personne. Par exemple, le fait d'observer des modèles présentant des comportements qui sont suivis de conséquences négatives peut avoir des effets inhibiteurs. Plus courants en thérapie, les effets désinhibiteurs résultent de l'observation de modèles se livrant à des comportements qui entraînent des conséquences positives ou qui, du moins, n'entraînent pas de conséquences négatives, ce qui permet de surmonter certaines peurs.
3. *Facilitation de certains modes de comportement préexistants.* Sous l'influence du modelage, certains comportements manifestés par l'individu et qui ne sont pas associés à de l'anxiété peuvent devenir plus fréquents. Par exemple, on peut aider des apprenants à mieux maîtriser l'art de la conversation.
4. *Adoption de normes personnelles plus réalistes pour juger de son propre rendement.* L'observation de modèles qui s'octroient des récompenses lorsqu'ils parviennent à tel ou tel rendement peut modifier les normes personnelles d'auto-évaluation de l'apprenant. Par exemple, le modelage peut assouplir les normes personnelles et les exigences très rigides que les dépressifs ont par rapport à eux-mêmes.

Conclusion

«Une documentation foisonnante confirme la valeur des thérapies de modelage pour corriger certaines carences dans les habiletés cognitives et sociales, et pour aider à éliminer le comportement défensif d'évitement.»

Figure 13.5 | **La théorie sociocognitive en bref**

Source: Rosenthal, T., & Bandura, A. (1978). Psychological modeling: Theory and practice. Dans S.L. Garfield et A.E. Bergin (dir.). *Handbook of Psychotherapy and Behavior Change* (p. 621-658). New York: Wiley.

la persistance du changement ou de sa généralisation à d'autres phénomènes tels que, par exemple, la phobie traitée. Cependant, la recherche confirme qu'il y a souvent persistance des effets et transfert du sentiment d'auto-efficacité à d'autres domaines (Cervone et Scott, 1995 ; Williams, 1992). Bandura décrit ces effets comme suit :

Traditionnellement, les traitements psychologiques ont tenté de modifier le comportement par la parole. Selon la perspective sociocognitive, la maîtrise des expériences peut améliorer le fonctionnement humain de manière plus fondamentale et plus durable que la conversation. En traduisant cette notion dans une pratique de traitement des troubles phobiques, mes étudiants et moi avons mis au point une thérapie de participation guidée très efficace. Cette thérapie éradique le comportement phobique et les réactions biochimiques de stress, élimine les ruminations phobiques et les cauchemars récurrents, et engendre des attitudes positives à propos des menaces autrement redoutées. N'importe qui peut bénéficier de ces changements spectaculaires, et ce en très peu de temps. Les changements persistent. Lors des évaluations de suivi, nous avons découvert que non seulement les participants avaient maintenu leurs gains thérapeutiques, mais qu'ils avaient fait des progrès notables dans des domaines assez éloignés du dysfonctionnement traité.

Source : Bandura, cité par Pervin, 1996, p. 82.

Après avoir examiné des applications cliniques directes de la théorie sociocognitive, tournons-nous maintenant vers des applications cliniques plus générales découlant des approches cliniques actuelles.

LE STRESS ET LES STRATÉGIES D'ADAPTATION

Le travail des psychologues d'orientation cognitive a été d'une importance majeure dans les domaines du stress et de la santé (Folkman et Moskowitz, 2004). Lazarus, dont les ouvrages ont eu une influence considérable en la matière, soutient que le stress psychologique dépend de cognitions relatives à la personne et à l'environnement (Lazarus, 1990). Selon la théorie cognitive du stress psychologique et de l'adaptation, le stress survient quand la personne juge que les circonstances dépassent ses capacités ou épuisent ses ressources et menacent son bien-être. Cette théorie suppose une évaluation en deux étapes. Lors de l'évaluation primaire, l'individu analyse les enjeux de

L'expérience du stress dans la vie de tous les jours peut être réduite au moyen de stratégies cognitives aidant les gens à composer avec les sources quotidiennes de stress.

la situation et cherche à déterminer s'il y a menace ou danger. Par exemple, son estime de soi risque-t-elle d'en souffrir ou d'en bénéficier ? Sa santé ou celle d'un être cher est-elle menacée ? Lors de la seconde évaluation, l'individu tente de déterminer s'il peut faire quelque chose pour éviter de subir des dommages, ou pour en limiter l'étendue, ou encore pour tirer parti de la situation. Autrement dit, l'évaluation secondaire suppose que l'individu évalue de quelles ressources il dispose pour faire face au danger ou tirer parti de l'avantage entrevu lors de l'évaluation primaire.

Il existe différentes façons de s'adapter à n'importe quelle situation. La distinction clé à faire ici est de différencier les **stratégies d'adaptation axées sur le problème**, c'est-à-dire les tentatives de s'adapter à une situation stressante

Stratégie d'adaptation axée sur le problème
Tentative visant à s'adapter à une situation stressante en modifiant ses caractéristiques.

en modifiant ses caractéristiques, et les **stratégies d'adaptation centrées sur l'émotion**, où l'individu essaie de s'adapter en améliorant son état émotionnel interne, par exemple par la distanciation émotionnelle ou la recherche de soutien social. La recherche menée par Folkman et ses collègues ont permis de mettre au point un questionnaire appelé Stratégies d'adaptation au stress (*Ways of Coping Scale*) et d'explorer les conséquences sur la santé de diverses stratégies d'adaptation.

Les conclusions de leur recherche sont les suivantes (Folkman, Lazarus, Gruen et DeLongis, 1986; Lazarus 1993).

(1) Les résultats révèlent que les stratégies d'adaptation auxquelles les gens recourent pour composer avec des situations stressantes sont à la fois stables et variables. Si l'utilisation de certaines stratégies semble dépendre des facteurs liés à la personnalité, le recours à de nombreuses stratégies d'adaptation semble fortement déterminé par le contexte situationnel.

(2) En général, plus est élevée l'intensité déclarée du stress et des efforts pour s'y adapter, moins la santé physique des individus est bonne et plus ils sont susceptibles d'éprouver des symptômes psychologiques; au contraire, plus les individus ont l'impression de maîtriser la situation, meilleure est leur santé physique et psychologique.

(3) Bien que la valeur d'une stratégie d'adaptation particulière dépende du contexte dans lequel on l'utilise, de manière générale la résolution de problèmes inscrite dans un plan («Je fais un plan d'action et je le suis» ou «Concentrons-nous simplement sur la prochaine étape») constitue une stratégie plus adaptative que la fuite ou l'évitement («Pourvu qu'un miracle se produise» ou «J'essaie de réduire la tension en mangeant, en buvant ou en me droguant») et que l'affrontement («J'exprime mes émotions d'une manière ou d'une autre» ou «Je manifeste ma colère à ceux qui sont responsables du problème»).

En plus de cette analyse conceptuelle du stress et de l'adaptation, le thérapeute a besoin de procédés concrets visant à réduire le stress. Avec la **technique d'immunisation contre le stress**, Don Miechenbaum (1995) a mis au point une technique basée sur la perspective cognitive du stress. En accord avec Lazarus, Meichenbaum soutient que le stress peut être envisagé selon la perspective cognitive, que ce stress suppose des évaluations cognitives de la part de l'individu et que les gens stressés entretiennent souvent des idées nocives et autodestructrices. De plus, ces cognitions autodestructrices et les comportements qui y sont liés ont une tendance intrinsèque à favoriser l'autoconfirmation de soi (par exemple, les gens obtiennent qu'on les surprotège). Enfin, la perception et la mémorisation des événements se réalisent d'une manière qui s'accorde avec une conception négative de soi, qui est le parti pris par l'individu. La technique d'immunisation contre le stress de Meichenbaum est conçue pour aider les gens à mieux se défendre contre le stress, comme la vaccination les aide à se défendre contre la maladie touchant le corps.

La technique d'immunisation contre le stress suppose qu'on instruise le client sur la nature cognitive du stress, après quoi on lui enseigne des procédés lui permettant de composer avec le stress et de modifier ses cognitions erronées, pour finalement lui montrer comment appliquer ces procédés en situation réelle. En ce qui concerne la nature cognitive du stress, on s'efforce d'amener le client à prendre conscience de ses pensées automatiques négatives et génératrices de stress, par exemple «Faire quoi que ce soit exige beaucoup d'effort» ou «Je ne peux rien faire pour maîtriser ces pensées ou pour changer la situation». Ce qui importe ici, c'est que la personne peut ne pas avoir conscience de ces pensées automatiques et qu'on doit donc lui apprendre à y prêter attention et à en comprendre les effets. En ce qui concerne les techniques d'adaptation au stress et de rectification des cognitions erronées, on enseigne aux clients à pratiquer la relaxation et à recourir à des stratégies cognitives de reformulation des situations qui rendent les problèmes plus facile à gérer. De plus, on enseigne aux clients diverses stratégies de résolution de problèmes: comment définir les problèmes, faire l'inventaire des solutions possibles, évaluer les avantages et les inconvénients de chacune d'entre elles et mettre en œuvre celle qui est la plus souhaitable et la plus facile à mettre en pratique. On apprend aussi au client à recourir à des pensées adaptatives telles que: «Je peux y arriver»; «Une étape à la fois»; «Je me concentre sur le présent; que dois-je faire maintenant?»; «Je peux être satisfait de

---

Stratégie d'adaptation centrée sur l'émotion
Stratégie d'adaptation où l'individu essaie d'améliorer son état émotionnel interne, par exemple par la distanciation émotionnelle ou la recherche de soutien social.

Technique d'immunisation contre le stress
Procédé mis au point par Meichenbaum pour apprendre aux gens à mieux composer avec le stress.

mes progrès » et « Continue à essayer, ne t'attends pas à atteindre la perfection ou le succès du premier coup ». Finalement, on apprend au client à maîtriser tous ces procédés, d'abord en les répétant mentalement, puis en les appliquant dans le monde réel. Lorsqu'il pratique la répétition mentale, le client s'imagine en train d'utiliser ses nouvelles habiletés adaptatives dans diverses situations stressantes. Le passage à la pratique se fait par des jeux de rôle et des exercices de modelage avec le thérapeute, ensuite par des exercices en situation réelle.

La technique d'immunisation contre le stress est un procédé actif, ciblé sur des éléments précis, structuré et bref qui a été utilisé auprès de clients qui étaient sur le point de subir une intervention chirurgicale, auprès d'athlètes qui avaient besoin d'aide pour affronter le stress de la compétition, auprès de victimes d'agressions sexuelles qui avaient besoin de soutien pour surmonter leur traumatisme et auprès de travailleurs et de travailleuses en milieu professionnel qui avaient besoin de stratégies d'adaptation plus efficaces et auprès d'équipes de travailleurs et de gestionnaires placés devant la nécessité de composer avec le changement organisationnel.

La thérapie rationnelle-émotive d'Ellis

Ex-psychanalyste, Albert Ellis a mis au point une approche thérapeutique de modification de la personnalité appelée thérapie rationnelle-émotive (TRÉ) (Ellis, 1962, 1987 ; Ellis et Harper, 1975), ou son équivalent, la théorie rationnelle-émotive comportementale (TRÉC) (notamment Ellis et Tafrate, 1997). Les travaux d'Ellis sur la détresse psychologique et son traitement reposent principalement sur deux thèses.

La première thèse veut que les individus réagissent émotionnellement non pas aux événements, mais *à ce qu'ils croient* par rapport à ces événements. Ellis explique cette idée simplement en suggérant une thérapie rationnelle-émotive « ABC » (Ellis, 1977). Un événement déclencheur (A) peut mener à une conséquence (C) comme une réaction émotionnelle. Une personne qui n'est pas familière avec l'analyse d'Ellis pourrait penser que A est la cause de C. Or, il en va autrement selon Ellis. « Nous … créons des croyances (B) entre A et C. Nos B à propos de A déterminent en grande partie comment nous y réagirons » (Ellis et Tafrate, 1997, p. 31). Cette première prémisse de la thérapie rationnelle-émotive est identique à la prémisse centrale de l'approche sociocognitive de la personnalité, c'est-à-dire que les systèmes de croyances qu'entretiennent les indi-

vidus sont les facteurs proximaux qui déterminent leurs expériences et leurs actions.

La seconde thèse d'Ellis est propre à son approche. Selon lui, les croyances qui causent la détresse psychologique possèdent une qualité particulière : elles sont *irrationnelles*, c'est-à-dire qu'il s'agit de croyances que ne souhaiterait avoir, après réflexion, aucune personne rationnelle, sachant que ces croyances la pousseraient assurément à la détresse psychologique.

Conformément à la théorie d'Ellis, les problèmes psychologiques découlent des croyances ou convictions irrationnelles que nous entretenons à propos de nous-mêmes : *je dois* faire cela, *il faut* que je me sente de telle manière, les autres *devraient toujours* nous traiter de telle manière. Supposons qu'une personne se dit : « S'il m'arrive cette bonne nouvelle, les mauvaises nouvelles suivront » ou « Si j'exprime mes besoins, les autres vont me rejeter. » Ces pensées sont irrationnelles en ce sens que les personnes qui les entretiennent se condamnent elles-mêmes à la détresse psychologique.

Les thérapeutes cognitifs font souvent une distinction entre les différents types de raisonnements inadaptés. Même s'il ne faut pas accorder trop d'importance à ces distinctions, en voici quelques-unes qui vous permettront de mieux comprendre le type de raisonnement négatif qu'Ellis et les autres thérapeutes veulent modifier par la thérapie.

Raisonnements erronés : « J'ai échoué, ce qui prouve mon incompétence » ; « Ils n'ont pas réagi comme je le voulais, ce qui prouve qu'ils ont une piètre opinion de moi ».

Attentes dysfonctionnelles : « S'il est possible que quelque chose aille mal, je n'y échapperai pas » ; « Je cours à la catastrophe ».

Opinions de soi négatives : « J'ai toujours l'impression que les autres sont mieux que moi » ; « Je ne fais jamais rien de bon ».

Attributions inadaptées : « J'ai de mauvais résultats aux examens parce que je suis une personne nerveuse » ; « Si je gagne, c'est un coup de chance ; si je perds, c'est ma faute ».

Distorsions de la mémoire : « Ma vie est horrible et l'a toujours été » ; « Je n'ai jamais réussi en quoi que ce soit ».

Attention inadaptée : « Si j'échoue, ce sera terrible ; je ne pense qu'à ça » ; « Mieux vaut ne pas y penser ; de toute façon, je n'y peux rien ».

Stratégies autodestructrices : « Je vais me déprécier avant que les autres le fassent » ; « Je vais rejeter les autres avant qu'ils me rejettent ; je verrai bien s'ils m'aiment encore ».

Les techniques thérapeutiques d'Ellis sont conçues pour provoquer chez les individus une réflexion sur leur propre raisonnement. Les thérapeutes rationnels-émotifs essaient de susciter chez leurs clients une prise de conscience du caractère irrationnel de leurs propres pensées afin qu'ils puissent les remplacer par un raisonnement calme et rationnel. Pour ce faire, les thérapeutes utilisent une variété de techniques – la logique, les arguments, la persuasion, le ridicule, l'humour – dans le dessein de modifier les croyances irrationnelles qui causent la détresse psychologique.

La thérapie cognitive de la dépression mise au point par Beck

Comme Albert Ellis, Aaron Beck est un psychanalyste désenchanté qui, petit à petit, a élaboré une approche cognitive thérapeutique surtout connue pour sa pertinence dans le traitement de la dépression, mais pouvant néanmoins s'appliquer à d'autres types de troubles psychologiques. Selon Beck (1987), les problèmes psychologiques sont attribuables aux pensées automatiques, aux postulats dysfonctionnels et aux opinions négatives que l'on entretient sur soi.

La triade cognitive de la dépression

Le modèle cognitif de la dépression élaboré par Beck se concentre sur le fait que l'individu dépressif dévalue systématiquement ses expériences antérieures et actuelles, ce qui l'amène à se voir comme un perdant, à considérer le monde comme une source de frustration et à envisager l'avenir sous un jour sinistre. On parle de ces trois visions négatives comme de la triade cognitive de la dépression. Cette triade comprend des visions de soi négatives, comme « Je suis médiocre, non désirable et sans intérêt », des visions du monde négatives, comme « Le monde est trop exigeant à mon égard ; la vie est une suite ininterrompue de défaites », et des visions d'avenir négatives, comme « Je ne connaîtrai jamais rien d'autre que cette vie de souffrance et de privation ». De plus, la personne déprimée est encline aux erreurs de traitement de l'information ; par exemple, elle est portée à considérer les difficultés quotidiennes comme des catastrophes et à sauter au moindre signe de rejet à la conclusion que « Personne ne m'aime ». Pour Beck, ces pensées dysfonctionnelles, ces représentations négatives et ces erreurs cognitives sont les causes de la dépression.

La recherche portant sur les cognitions erronées

Les efforts visant à déterminer le rôle des cognitions erronées dans la dépression et dans d'autres troubles psychologiques ont donné lieu à une recherche d'une ampleur considérable. De manière générale, elle corrobore la présence de la triade cognitive de Beck, ainsi que celle d'autres cognitions erronées (Segal et Dobson, 1992). En particulier, si on les compare aux individus non déprimés, les dépressifs semblent se concentrer davantage sur eux-mêmes (Wood, Saltzberg et Goldsamt, 1990) et recourir à des construits sur soi négatifs plus immédiatement accessibles (Bargh et Tota, 1988 ; Strauman, 1990) ; ils ont également une inclination tendancieuse au pessimisme, particulièrement en relation avec le soi (Epstein, 1992 ; Taylor et Brown, 1988).

Dans l'ensemble, les premières recherches menées sur la cognition et la dépression employaient des devis de recherche « concomitants » dans lesquels on mesure en même temps les cognitions et les symptômes de dépression. De telles mesures concomitantes comportent cependant un inconvénient majeur : la difficulté de déterminer si les relations entre la cognition et la dépression indiquent : (1) l'influence de la cognition sur la dépression (comme Beck et les autres théoriciens cognitifs le prédisent) ; (2) l'influence des émotions dépressives sur la cognition ; (3) l'influence d'un troisième facteur qui agit à la fois sur la cognition et la dépression (par exemple, des événements de vie négatifs qui peuvent influer sur les expériences émotionnelles et les croyances des individus). Les théories cognitives peuvent être évaluées de manière plus convaincante au moyen de devis de recherche « prospectifs » qui mesurent les facteurs cognitifs à un moment précis dans le temps afin de prédire l'apparition ultérieure de symptômes de dépression.

Heureusement, c'est cette approche qui a été retenue pour les recherches menées plus récemment. Par exemple, Hankin et ses collègues (2005) ont demandé dès le début de leur étude aux participants de répondre à un questionnaire qui mesurait leurs tendances à adopter des modes de pensée négatifs susceptibles de prédisposer les individus à la dépression. Ils ont ensuite demandé aux mêmes participants de tenir un journal quotidien pendant une période de 35 jours. Les différences individuelles quant aux tendances vers la pensée négative, que l'on avait mesurées au début de l'étude, permettaient de prédire l'apparition de symptômes dépressifs ; autrement dit, le facteur cognitif permettait de prédire les symptômes de dépression pendant la période ultérieure de 35 jours où les gens devaient tenir un journal (Hankin, Fraley et Abela, 2005).

L'une des questions soulevant la curiosité des psychologues qui croient au rôle des cognitions erronées dans la dépression est la suivante: qu'advient-il de ces cognitions erronées quand la dépression disparaît? Il s'agit d'une question importante, car l'individu qui a souffert d'une dépression grave est enclin à rechuter et présente un risque accru de souffrir d'une autre dépression. Pourquoi serait-ce le cas si ces cognitions erronées ont disparu? La recherche indique de plus en plus clairement que la réponse à cette question est la suivante: les cognitions erronées qui rendent la personne vulnérable à la dépression sont latentes et ne deviennent manifestes que dans certaines conditions de stress (Alloy, Abramson et Francis, 1999; Dykman et Johll, 1988; Ingram, Miranda et Segal, 1998; Wenzlaff et Bates, 1998). Par exemple, les gens enclins à la dépression peuvent être porteurs d'attitudes négatives envers le soi, attitudes qui ne deviennent manifestes que lorsque leur estime de soi chute. L'objectif de la thérapie consiste donc à modifier fondamentalement ces cognitions, mais aussi à amener l'individu à prendre conscience des conditions dans lesquelles elles s'activent.

La thérapie cognitive

La thérapie cognitive de la dépression, qui s'effectue généralement en 15 à 20 séances hebdomadaires, vise à repérer et à corriger les distorsions conceptuelles et les croyances dysfonctionnelles (Beck, 1993; Brewin, 1996). On la décrit habituellement comme une série d'apprentissages très précis où l'on enseigne au client à prêter attention à ses pensées automatiques négatives, à se rendre compte que ses pensées déclenchent des émotions et des comportements problématiques, à soumettre ces cognitions à un examen rigoureux pour y déceler les erreurs et les distorsions, et à y substituer des interprétations qui sont plus proches de la réalité. Le thérapeute aide le client à constater que ses interprétations des événements engendrent des émotions dépressives. Voici, à titre d'exemple, l'extrait d'un dialogue entre un client et un thérapeute.

CLIENT: je suis déprimé quand les choses vont mal. Quand je rate un examen, par exemple.

THÉRAPEUTE: comment le fait de rater un examen peut-il vous déprimer?

CLIENT: eh bien, si je rate un examen, je n'entrerai jamais à la faculté de droit.

THÉRAPEUTE: donc, rater un examen est lourd de sens pour vous. Mais si rater un examen pouvait mener les gens à la dépression clinique, est-ce qu'on ne devrait pas s'attendre à ce que tous ceux qui ratent un examen fassent une dépression grave? (…) Est-ce que tous les étudiants qui ont raté l'examen ont fait une dépression assez grave pour nécessiter un traitement?

CLIENT: non, ça dépend de l'importance que chacun accorde à la réussite de l'examen.

THÉRAPEUTE: c'est vrai. Et qui décide de cela?

CLIENT: Moi.

Source: Beck, Rush, Shaw et Emery, 1979, p. 146.

En plus d'examiner la logique, la validité et la valeur adaptative des croyances irrationnelles, le thérapeute donne au client des «devoirs» à faire pour l'aider à prendre conscience de ses cognitions et postulats inadaptés. Il peut s'agir d'activités conçues pour lui procurer du plaisir et du succès. En général, la thérapie se concentre sur des cognitions précises dont on pense qu'elles contribuent à la dépression. Selon Beck, la thérapie cognitive se distingue de la thérapie analytique classique parce que le thérapeute restructure constamment la thérapie, parce qu'il se concentre sur ce qui se déroule «ici et maintenant» et parce qu'il met l'accent sur les facteurs conscients.

La thérapie cognitive de Beck s'étend aujourd'hui à d'autres troubles psychologiques, notamment à l'anxiété, aux troubles de la personnalité, à la toxicomanie et aux problèmes de couple (Beck, 1988; Beck et Freeman, 1990; Beck, Wright, Newman et Liese, 1993; Clark, Beck et Brown, 1989; Epstein et Beaucom, 1988). Le postulat de base est que chaque difficulté correspond à un ensemble précis de croyances, croyances relatives à l'échec et à la dévalorisation dans le cas de la dépression, à une menace ou à un danger dans le cas de l'anxiété, etc. La recherche confirme l'efficacité de la thérapie cognitive (Antonuccio, Thomas et Danton, 1997; Craighead, Craighed et Ilardi, 1995; Hollon, Shelton et Davis, 1993; Merles et Hayes, 1993). Bien qu'il faille encore déterminer en quoi consistent les aspects thérapeutiques propres à la thérapie cognitive et qu'il reste à établir si la modification des croyances représente vraiment l'ingrédient thérapeutique clé (Dobson et Shaw, 1995; Hollon, DeRubeis et Evans, 1987), certains résultats de recherche obtenus récemment indiquent que le changement cognitif est effectivement suivi d'un changement thérapeutique (Tang et DeRubeis, 1999a, 1999b).

L'histoire de **Jacques**

Jacques avait été évalué 20 ans plus tôt, selon divers points de vue théoriques: l'approche psychanalytique, l'approche phénoménologique, l'approche des construits personnels et l'approche des traits de personnalité. Comme la théorie sociocognitive en était encore à ses premiers balbutiements, Jacques n'avait pas été évalué à ce point de vue; deux décennies plus tard, il fut possible de recueillir quelques données sur Jacques en se plaçant dans ce cadre théorique. Bien qu'il soit difficile de les comparer avec les données recueillies antérieurement à cause du temps écoulé, cette évaluation sociocognitive nous en apprend un peu plus sur la personnalité de Jacques.

Lorsqu'on a demandé à Jacques quels étaient ses objectifs immédiats et ses objectifs à plus long terme, il a déclaré qu'ils étaient essentiellement les mêmes: (1) apprendre à connaître son fils et être un bon père pour lui; (2) devenir plus tolérant et moins sévère envers sa femme et envers les autres; (3) se sentir à l'aise dans son travail de consultant. De manière générale, il estimait avoir de bonnes chances d'atteindre ces objectifs, mais il restait circonspect, car il avait des doutes sur sa capacité de «sortir de [lui]-même» et d'en arriver ainsi à se consacrer davantage à sa femme et à son enfant.

On a également interrogé Jacques à propos des renforçateurs positifs et négatifs (aversifs), c'est-à-dire sur ce qu'il trouvait gratifiant et ce qu'il trouvait déplaisant. Pour ce qui est des renforçateurs positifs, il déclara que l'argent était d'importance «majeure». Il parla aussi du temps passé avec les êtres aimés, de l'ambiance qui régnait dans les premières et, plus généralement, du plaisir d'aller au théâtre et au cinéma. Jacques eut du mal à trouver des renforçateurs aversifs. Il parla du travail d'écriture comme d'une lutte et il ajouta: «Cela me cause des problèmes.» On interrogea Jacques à propos de ses compétences et de ses habiletés intellectuelles et sociales. Sur le plan intellectuel, Jacques déclara qu'il se considérait comme très brillant et qu'il pensait jouir d'un fonctionnement intellectuel de très haut niveau. De même, il avait l'impression de bien écrire du point de vue de l'organisation et de la clarté de la présentation, mais il disait n'avoir jamais écrit quoi que ce soit de créatif ou de novateur. Sur le plan social, Jacques se sentait très compétent aussi: «Cela me vient facilement et naturellement. En société, je peux faire tout ce que je veux et j'ai une grande confiance en moi. Je suis aussi à l'aise avec les hommes qu'avec les femmes, et aussi sûr de moi dans un contexte professionnel que dans un contexte mondain.» Il évoqua une seule préoccupation d'ordre social: il se demandait constamment, disait-il, «jusqu'à quel point je devrais être égocentrique et prendre les choses de façon personnelle». Il avait parfois l'impression de se sentir trop souvent visé personnellement: «Mon sentiment de sécurité dépend de la façon dont je réussis à bien agir avec les autres. Je mets beaucoup d'énergie dans mes amitiés et, quand j'ai de bons rapports avec les autres, je me sens bien.»

Pour ce qui est du sentiment d'autoefficacité, Jacques avait, de toute évidence, beaucoup d'opinions très positives sur lui-même. Il pensait réussir dans la plupart des domaines, se considérant comme un bon athlète, un consultant compétent, un homme brillant et doté de solides compétences en société. Y avait-il des sphères où son sentiment d'autoefficacité était faible? Jacques en mentionna trois. D'abord, il avait l'impression de ne pas vraiment accepter sa femme; ensuite, il éprouvait une difficulté à «se sortir de [lui]-même pour [se] consacrer vraiment aux autres»; enfin, la créativité: «Je sais que je ne suis pas vraiment créatif, alors je n'essaie pas de créer.»

Finalement, en ce qui concerne les croyances irrationnelles, les pensées dysfonctionnelles et les distorsions cognitives, il importe de revenir sur ce que Jacques décrit comme sa tendance à se sentir visé personnellement: «C'est un problème que j'ai. Si quelqu'un ne me téléphone pas, j'attribue cela à ses sentiments envers moi. Parfois, j'en suis terriblement blessé.» En répondant au questionnaire des pensées automatiques (*Automatic Thoughts Questionnaire*), il a rapporté avoir souvent les pensées suivantes: «J'ai laissé tomber des gens»; «J'aimerais être une meilleure personne»; «Je suis déçu de moi», et «Je ne peux pas supporter cela». Ces pensées fréquentes étaient associées à son regret de ne pas être aussi affectueux ou aussi généreux qu'il l'aurait voulu, à ses exigences élevées envers lui-même sur le plan professionnel et physique, à sa peur obsessionnelle que les choses tournent mal et à son incapacité de supporter qu'elles ne se passent pas selon ses désirs. Par exemple, il détestait être coincé dans la circulation: «Je ne peux pas supporter cela, c'est intolérable.» Jacques ne pensait pas grand bien du travail d'Ellis et il a déclaré en entrevue ne pas avoir beaucoup de croyances irrationnelles; pourtant, lorsqu'il a rempli le questionnaire, il a coché quatre éléments sur neuf en déclarant y reconnaître des pensées qu'il avait fréquemment: «J'ai besoin de l'amour ou de l'approbation d'autrui»; «Quand les gens agissent mal, je les blâme»; «Quand je me sens très frustré ou rejeté, j'ai tendance à en faire un drame» et «J'ai tendance à m'inquiéter pour des choses qui me semblent épouvantables». Il a également décrit sa tendance à envisager comme une catastrophe la possibilité d'arriver en retard au cinéma: «C'est une véritable calamité pour moi. Arriver avant le début du film devient une question de vie ou de mort. Je brûle les feux rouges, j'actionne le klaxon et je roule sur les chapeaux de roues. » Ce comportement est d'autant plus intéressant que Jacques a l'habitude d'arriver à presque tous ses rendez-vous avec quelques minutes de retard, rarement plus cependant.

Sous plusieurs aspects, les données sociocognitives dont nous disposons à propos de Jacques sont plus limitées que celles qui sont associées aux autres théories de la personnalité. Nous découvrons certains aspects importants de sa vie, mais de toute évidence, il existe de grandes lacunes, et cela pour deux raisons. D'abord, le temps consacré à l'évaluation était restreint. Deuxièmement, et c'est peut-être là le plus important, les théoriciens sociocognitifs n'ont pas mis au point des tests de la personnalité qui soient complets. Ce n'est que récemment que des chercheurs sociocognitifs ont explicitement dirigé leur attention sur les questions associées à l'évaluation de la personnalité (Cervone, Shadel et Jencius, 2001). En partie, ce manque d'attention reflétait une conviction de la théorie sociocognitive selon laquelle la recherche systématique et la vérification d'hypothèses, plutôt que l'étude fouillée des individus, est cruciale pour bâtir une théorie de la personnalité qui soit valide. Ce manque reflétait peut-être aussi le fait que les théoriciens n'endossent pas les approches traditionnelles de l'évaluation qui insistent sur les constantes de la personnalité dans les diverses sphères. À cet égard, il est intéressant de constater que Jacques avait du mal à expliquer clairement en quoi son fonctionnement différait selon les sphères. En ce sens, son fonctionnement correspondait davantage à celui qu'aurait pu décrire un théoricien traditionnel de la personnalité qu'à celui qu'aurait pu décrire un théoricien sociocognitif; quoique, si on l'avait interrogé plus longuement, il aurait probablement pu préciser en quoi ses objectifs, ses renforçateurs, ses compétences et son sentiment d'autoefficacité varient selon les situations.

À partir de l'approche sociocognitive, que pouvons-nous dire de Jacques au mitan de sa vie? Nous avons vu que de manière générale, il éprouve un fort sentiment d'auto-efficacité par rapport à ses habiletés intellectuelles et sociales, mais qu'il se sent moins efficace en ce qui concerne la pensée créative et la capacité de se montrer généreux et désintéressé avec les gens qui lui sont chers. Il valorise l'argent et la réussite financière, mais il a choisi de se concentrer plutôt sur sa vie de famille et sur son travail de consultant. Il accorde beaucoup d'importance à la responsabilité individuelle et à la maîtrise des événements. Il a un côté pessimiste et dépressif. Il est préoccupé par son besoin d'obtenir l'approbation d'autrui, par son perfectionnisme et par son impatience, ainsi que par sa tendance à s'en faire pour tout et pour rien. Lorsqu'il doit composer avec le stress, il est enclin à se maîtriser plutôt qu'à éviter les problèmes ou à les fuir. Généralement, il se considère comme une personne compétente et se montre d'un optimisme circonspect quant à ses chances d'atteindre ses objectifs de vie.

L'ÉVALUATION CRITIQUE

L'observation scientifique : les données de recherche

Procédons maintenant à une évaluation critique de cette théorie de la personnalité que nous avons abordée : la théorie sociocognitive (tableau 13.2) Comme dans nos évaluations précédentes, nous jaugerons d'abord la qualité des observations scientifiques qui composent la base de données sur laquelle repose cette théorie.

Sur ce critère, la théorie sociocognitive atteint un niveau d'excellence. Bandura, Mischel et leurs collègues ont élaboré leur théorie à partir d'une accumulation systématique de données scientifiques objectives. Une caractéristique particulièrement intéressante de ces données est leur diversité. Pour vérifier l'hypothèse sur l'influence causale exercée par les processus sociocognitifs sur le fonctionnement de la personnalité, les théoriciens sociocognitifs ont mené des expériences contrôlées en laboratoire. Pour étudier le développement des différences individuelles, ils ont mené des études corrélationnelles et employé des méthodes longitudinales. Pour étudier les changements dans le comportement, ils ont mené des études cliniques. Les personnes qui ont participé à ces études représentaient un échantillon diversifié : des enfants, des adolescents, des adultes; des individus qui souffrent de détresse psychologique; des personnes qui excellent dans leurs domaines respectifs. Ils ont mis à profit diverses méthodes de recherche : des questionnaires d'autodéclaration; des rapports sur la personnalité fournis par les parents et par les pairs; des observations directes du comportement dans des environnements naturels; des mesures des processus sociocognitifs effectuées en laboratoire.

Parmi toutes les approches de la personnalité, la théorie sociocognitive et la théorie des traits de personnalité ont

Tableau 13.2 | Avantages et limites de la théorie sociocognitive

Avantages	Limites
1. Présente un impressionnant dossier de recherche.	1. Ne constitue pas une théorie systématique et intégrée.
2. Prend en considération des phénomènes importants.	2. Recèle potentiellement des problèmes associés à l'utilisation de données provenant des auto-déclarations verbales.
3. Évolue de manière constante et cohérente en tant que théorie.	3. Exige une exploration et une élaboration plus poussées dans certains domaines (motivation, affects, propriétés du système organisateur de la personnalité).
4. Attire l'attention sur d'importantes questions théoriques.	4. Fournit des résultats plus préliminaires que concluants en ce qui concerne l'efficacité de la thérapie.

été formulées à partir des ensembles de données scientifiques les plus importants et les plus systématiques. C'est assurément pour cette raison qu'elles ont été les deux cadres théoriques les plus influents dans la psychologie de la personnalité contemporaine (Cervone, 1991).

La théorie sociocognitive : systématique ?

Si la théorie sociocognitive comporte plusieurs avantages, la capacité d'offrir une théorie systématique, c'est-à-dire où tous les éléments théoriques interagissent de manière cohérente, n'en fait pas partie. La théorie sociocognitive n'offre pas de réseaux d'hypothèses globales reliant systématiquement tous les éléments de la perspective théorique. Cette approche ressemble parfois davantage à une stratégie ou à un cadre théorique qu'à une théorie intégrée.

L'absence de théorie systématique et globale devient manifeste lorsque vient le moment de procéder à une évaluation complète de la personnalité à partir d'une perspective sociocognitive. La théorie précise les *types* d'éléments à évaluer : les croyances à propos du soi, ce qui inclut les croyances quant au sentiment d'autoefficacité ; les objectifs et les normes qui dirigent le comportement ; les compétences ; et ainsi de suite. Le problème, c'est qu'il n'existe pas de schéma d'évaluation complet semblable à celui proposé par la théorie des traits de personnalité. (Bien entendu, les théoriciens sociocognitifs rejetteront les

schémas de la théorie des traits de personnalité, les jugeant *trop* simplistes.) Ce problème s'explique par l'absence de description théorique globale de la personne dans son entièreté.

Les dernières années ont vu l'intensification des efforts sur le plan de la systématisation, notamment grâce aux travaux qui tentent de décrire la nature globale, ou l'architecture, des systèmes sociocognitifs de la personnalité (Cervone, 2004 ; voir le chapitre 14).

La théorie sociocognitive : vérifiable ?

Les théoriciens sociocognitifs ont réussi sans l'ombre d'un doute à proposer une théorie de la personnalité que l'on peut tester. Cela est particulièrement évident lorsqu'on songe aux études examinées dans les deux chapitres précédents. Les résultats auraient pu être différents : les hypothèses sociocognitives auraient pu s'avérer erronées. Il demeure toujours possible que le modelage d'un participant ne donne aucun résultat, que l'importance des facteurs attentionnels ne soit pas aussi grande dans la gratification différée, ou encore qu'il n'existe aucun lien entre les croyances d'autoefficacité et le comportement en raison de l'influence d'une « troisième variable ». Dans ces cas comme dans de nombreux autres, les théoriciens sociocognitifs ont défini leurs construits avec clarté et ont proposé des outils de mesure et des méthodes expérimentales qui permettent de tester leurs idées. Sur la base de ce critère, la théorie sociocognitive obtient des notes élevées.

La théorie sociocognitive : complète ?

La théorie sociocognitive est très complète. Ses théoriciens se sont intéressés aux questions portant sur la motivation, le développement, le concept de soi, l'autocontrôle et le changement comportemental. Cette approche s'est même intéressée à un sujet que les autres théories de la personnalité ont évité : l'apprentissage des habiletés sociales et des autres compétences comportementales.

La théorie sociocognitive comporte cependant des lacunes, car certains aspects de l'expérience humaine ont été laissés de côté par les théoriciens sociocognitifs. Par exemple, les forces biologiques de maturation occuperaient une place importante dans les expériences que vivent les individus ; les désirs sexuels pendant l'adolescence ou encore le désir de parentalité pourraient relever davantage d'une composante biologique que de caractéristiques sociales et

Théoricien ou théorie	Structure	Processus
Théorie sociocognitive	Compétences, croyances, objectifs, normes d'évaluation	Le système des processus cognitifs et affectifs opère dans les interactions réciproques avec l'environnement social, surtout dans l'apprentissage par observation, la motivation par autorégulation, et l'autocontrôle.

cognitives de la personnalité. Pourtant, la théorie sociocognitive s'intéresse peu, de manière explicite, à ces facteurs de maturation. Même s'il pouvait exister une interaction entre le tempérament héréditaire et l'expérience sociale dans l'acquisition des systèmes sociocognitifs, ces interactions n'ont pas toujours reçu toute l'attention requise sur le plan de la recherche. D'autres types importants d'expériences – par exemple, les conflits mentaux, les sentiments d'aliénation ou l'anomie, les préoccupations existentielles à propos de la mort – n'ont pas, non plus, été ciblés de manière systématique par la théorisation sociocognitive. Si la portée de la théorie sociocognitive s'est étendue au fil des ans, l'exploration des sujets comme ceux que nous venons d'énumérer représente un défi à relever par la recherche sociocognitive dans les années à venir.

Les applications

Les théoriciens sociocognitifs sont admirablement parvenus à mettre en application leur théorie pour solutionner des problèmes sociaux et soulager la détresse psychologique. Sur ce point, aucune autre théorie de la personnalité ne peut se targuer des succès remportés par les théoriciens sociocognitifs. Il ne fait aucun doute qu'en raison de leur formation de clinicien, Bandura et Mischel étaient davantage conscients de la nécessité d'appliquer de manière concrète leur théorie.

Deux facteurs ont grandement aidé les théoriciens sociocognitifs à négocier le virage de la théorie à la pratique. Le premier est l'absence de frontière artificielle entre la recherche « fondamentale » et la recherche « clinique ». Les théoriciens sociocognitifs ont travaillé sur des questions liées à la recherche fondamentale dans des contextes cliniques : par exemple, le premier test expérimental de la théorie de l'autoefficacité a été effectué dans un environ-

nement clinique (la phobie des serpents). Le second facteur est le rôle central joué par les ouvrages des théoriciens sociocognitifs dans la formation professionnelle d'un grand nombre de psychologues qui, à leur tour, ont fait progresser les applications cliniques. Le livre de Bandura (1969) sur la thérapie comportementale a servi d'ouvrage de référence à beaucoup de cliniciens qui ont fait avancer la théorie cognito-comportementale dans le dernier tiers du XXᵉ siècle. Quant à l'ouvrage de Mischel (1968) sur l'évaluation de la personnalité et la prévision du comportement, ce livre a fourni des leçons pratiques sur les limites des prévisions comportementales basées sur les évaluations psychodynamiques ou des traits de personnalité.

Principales contributions et résumé

La théorie sociocognitive est une théorie présentement en vogue dans les milieux universitaires associés à la psychologie de la personnalité. De même, beaucoup de cliniciens n'hésitent pas à endosser l'étiquette de psychologues sociocognitifs. Les deux principaux théoriciens sociocognitifs, Bandura et Mischel, restent parmi les figures de proue de la psychologie moderne, toutes tendances confondues. Plusieurs facteurs expliquent le succès de cette approche. Certains ont été présentés dans ce chapitre : sa base de données importante et systématique, la possibilité de vérifier ses idées et l'applicabilité de ses principes théoriques. Un dernier facteur mériterait d'être souligné : l'ouverture face au changement manifestée par les théoriciens sociocognitifs. Ceux-ci ont adapté les caractéristiques de leur théorie au fur et à mesure des nouvelles percées scientifiques, lui apportant les modifications dictées par les faits. Si on compare la première mouture de *Social Learning and Personality Development* (1963) de Bandura et Walters avec les dernières versions de la théorie sociocognitive (Bandura, 2006 ; Mischel et Shoda, 2008), on constate l'évolution rapide qu'a connue cette approche. Les

Croissance et développement	Pathologie	Changement
Apprentissage social par observation et par expérience directe ; acquisition de jugements sur l'autoefficacité et normes pour l'autorégulation	Modes de réponse appris ; normes personnelles trop exigeantes ; problèmes associés au sentiment d'autoefficacité	Modelage ; participation guidée ; hausse du sentiment d'autoefficacité

auteurs eux-mêmes qualifient leurs premiers travaux « d'approche socio-behavioriste » (Bandura et Walters, 1963, p. 1), ce qui n'est plus le cas aujourd'hui puisque les théoriciens sont maintenant en mesure d'expliquer les capacités cognitives propres aux individus qui sont le fondement même de la nature humaine. Il est à prévoir que la théorie sociocognitive poursuivra son évolution au cours des années à venir.

RÉSUMÉ

1. La tradition sociocognitive s'est principalement intéressée à trois éléments cognitifs de la personnalité : les croyances, les objectifs et les normes d'évaluation. L'étude des croyances comprenait la recherche sur le rôle des généralisations cognitives sur le soi, ou schémas de soi. La recherche sur les objectifs a exploré les différences entre les types d'objectifs, notamment les objectifs d'apprentissage et les objectifs de performance. Le travail sur les normes d'évaluation a porté sur les écarts entre, d'une part, la vision du soi actuel et, d'autre part, les normes correspondant au soi idéal et au soi imposé.

2. La recherche a montré que les pensées quant aux causes présumées des événements significatifs dans la vie d'un individu influent sur ses motivations et ses réactions émotionnelles.

3. Dans ses applications cliniques, la théorie sociocognitive rejette le modèle médical (symptôme-maladie) proposé par la psychopathologie ; elle y voit plutôt un apprentissage dysfonctionnel de comportements, d'attentes, de normes personnelles pour l'autorécompense, et surtout de croyances relatives à l'autoefficacité. L'apprentissage dysfonctionnel peut se faire par observation de modèles, et en particulier par le conditionnement vicariant, ou encore par l'expérience directe.

4. Selon la théorie sociocognitive, deux éléments clés peuvent provoquer un changement psychologique par l'entremise d'une thérapie. Le premier est le rôle joué par un faible sentiment d'autoefficacité dans une grande variété de dysfonctionnements psychologiques comme l'anxiété et la dépression. Le second est la possibilité d'accroître le sentiment d'autoefficacité par des procédés thérapeutiques comme le modelage et la participation guidée. Dans le modelage, les modèles font la démonstration des habiletés et sous-habiletés qu'exigent des situations particulières. Dans la participation guidée, le thérapeute aide le client à reproduire les comportements du modèle. La recherche confirme que ces procédés contribuent à l'amélioration du sentiment d'autoefficacité.

5. Lorsque l'on compare la théorie sociocognitive avec les théories étudiées jusqu'à présent, on constate qu'elle met l'accent sur : (1) les processus cognitifs conscients et les données expérimentales, par opposition aux processus inconscients et aux données cliniques que privilégie la psychanalyse ; (2) le rôle du contexte social et de la variabilité situationnelle dans la cognition et l'action, par opposition aux conceptions de soi globales que privilégie Rogers ; (3) les capacités individuelles pour agir, incluant le potentiel de contrôler et de modifier ses propres modes de comportement, par opposition aux dispositions générales et stables que privilégie la théorie des traits de personnalité.

6. Parmi les avantages de la théorie sociocognitive, signalons la capacité à mener des recherches systématiques sur des problèmes importants liés au fonctionnement de la personnalité et au comportement social. Le fait qu'elle ne soit pas une théorie unifiée et systématique est la principale limite de la théorie sociocognitive. Le défi pour les théoriciens sociocognitifs est d'établir le lien entre le développement des structures sociocognitives et les qualités biologiques héréditaires qui contribuent aux différences individuelles.

CHAPITRE 14

LA PERSONNALITÉ ET SON CONTEXTE:
les relations interpersonnelles, la culture et le développement tout au long de la vie

Les relations interpersonnelles

Relever les défis sociaux et scolaires:
l'optimisme stratégique et le pessimisme défensif

La constance de la personnalité prise dans son contexte

Le développement de la personnalité et le contexte socioéconomique

Le fonctionnement de la personnalité tout au long de la vie

Les individus et les contextes culturels

La personnalité dans son contexte: une approche pratique

En bref

J'aimerais être comme toi. Tu vois toujours les choses du bon côté.

— Ah oui? Je viens de rompre avec Pierre.

— Qu'est-il arrivé?

— J'étais persuadée qu'il était sur le point de me quitter, alors je l'ai mis au défi de le faire et le tout s'est terminé en grosse dispute.

— Pourquoi croyais-tu que c'était terminé entre lui et toi?

— C'est toujours ce qui arrive, n'est-ce pas?

— Pas du tout. Je suis avec Sam depuis deux ans et je suis convaincue que nous resterons toujours ensemble.

— De nous deux, c'est toi qui est l'optimiste. Sauf lorsqu'il s'agit des examens de fin d'année.

— Je te le répète, je suis sûre que je vais rater l'examen final du cours de psychologie de la personnalité.

— C'est ridicule. Tu disais la même chose à propos de l'examen de milieu de trimestre et tu as eu un A.

Ces deux personnes sont-elles des optimistes? Des pessimistes? Y aurait-il une leçon plus profonde à tirer de ce dialogue?

Pour un grand nombre de psychologues de la personnalité, la leçon à en tirer est qu'il faut replacer ce dialogue «dans son contexte» pour le comprendre. C'est en observant un individu en train d'interagir dans les différentes situations – ou «contextes» – de sa vie que nous découvrons sa personnalité. Même si les deux interlocuteurs ci-dessus sont, en moyenne, des personnes «modérément optimistes», cette description révèle peu de choses sur les différences entre leurs personnalités respectives. Conformément à l'approche élaborée par les psychologues sociocognitifs, il y a ceux qui croient que pour comprendre plus en profondeur ce que sont ces personnes, il est nécessaire d'examiner en détail comment elles réagissent à leurs diverses situations de vie. On ne peut saisir la nature de leur caractère unique et des différences qui existent entre elles en sortant ces personnalités des contextes de leur existence. Pour comprendre qui sont ces individus, il faut se demander *où* ils sont lorsqu'ils manifestent ces façons d'agir et d'être qui leur sont propres et qui sont caractéristiques de leur personnalité.

Dans ce chapitre, nous aborderons le thème de la personnalité et de son contexte sous divers angles: les relations interpersonnelles, les contextes socioéconomiques dans lesquels les individus évoluent, le développement de la personnalité tout au long de la vie, et les façons dont les diverses étapes de la vie deviennent des circonstances qui influent sur les motivations sociales, les interactions entre les individus et la culture, et la possibilité que les principes de la théorie de la personnalité puissent susciter des changements bénéfiques sur le plan social. Malgré la diversité des sujets abordés, vous verrez qu'un thème récurrent s'en dégage. Dans chaque cas, les percées scientifiques effectuées dans la compréhension des individus sont rendues possibles grâce à l'étude minutieuse des personnes et des contextes dans lesquels elles vivent. En outre, nous

nous intéresserons à la manière dont les individus appréhendent – c'est-à-dire comment ils rendent signifiants – les événements sociaux et personnels qui surviennent dans leur vie. Même si nous nous référerons abondamment aux approches sociocognitives de Bandura, de Mischel et des autres chercheurs que nous avons étudiés dans les chapitres 12 et 13, nous puiserons également dans diverses approches plus traditionnelles de la psychologie de la personnalité qui s'intéressent également à la façon dont les individus comprennent le monde qui les entoure.

LE CHAPITRE...
EN QUESTIONS

1. Comment le contexte social influe-t-il sur le développement et l'expression de la personnalité, et comment la personnalité modèle-t-elle les différents contextes sociaux?

2. Quelle influence les conditions socio-économiques exercent-elles sur le développement et le fonctionnement de la personnalité?

3. Quels sont les processus de la personnalité qui aident les adultes âgés à conserver un meilleur bien-être psychologique pendant la vieillesse?

4. Quelle est la nature des relations entre la personnalité et la culture?

l y a deux chapitres dans ce livre – les chapitres 9 et 14 – qui sont différents des autres. Les autres chapitres (ceux qui suivent les chapitres d'introduction 1 et 2) présentaient une théorie de la personnalité. Nous procédions d'abord à un survol théorique, puis nous passions en revue les recherches et les applications pratiques associées à cette théorie. Or, l'objectif visé par cet ouvrage est non seulement de passer en revue les théories de la personnalité, mais également les découvertes récentes faites par la science de la personnalité. Comme bon nombre de découvertes sont associées à l'un ou l'autre cadre théorique, elles ont déjà été rapportées dans les chapitres précédents portant sur les théories connexes. Il reste cependant d'autres découvertes qui, même si elles ne sont liées à aucune théorie en particulier, fournissent une information qui est importante pour tous les psychologues de la personnalité, peu importe la vision théorique à laquelle ils adhèrent.

Un tel ensemble de données a été présenté au chapitre 9 portant sur la recherche qui explore les fondements biologiques de la personnalité. Les travaux analysés dans le présent chapitre représentent «l'envers de la médaille»: la recherche qui explore les fondements culturels, sociaux et interpersonnels de la personnalité.

Les lecteurs qui ont un penchant pour la biologie seront davantage enclins à croire que les éléments fondamentaux de la personnalité ont un fondement biologique, laissant ainsi aux facteurs socioculturels un rôle plutôt secondaire dans les questions liées à la nature humaine. Les tenants d'une telle vision auraient avantage à suivre le sage conseil des philosophes de la psychologie lorsqu'ils lançaient la mise en garde suivante: une science de la personnalité «devrait traiter les individus à des fins scientifiques comme s'il s'agissait d'êtres humains» (Harré et Secord, 1972, p. 87). Certes, les êtres humains sont des amas de biomasse dont l'origine sur le plan évolutionnaire est non humaine. Ce sont également des êtres doués d'une capacité d'introspection qui vivent dans des contextes sociaux et culturels. Sans ces expériences socioculturelles, aucun individu ne serait entièrement humain. Comprendre comment les personnes se développent au gré de leurs interactions avec les contextes socioculturels dans lesquels elles vivent est tout aussi fondamental pour la science de la personnalité que l'étude des fondements biologiques de la personnalité. Le présent chapitre passe en revue la recherche menée en psychologie de la personnalité qui porte sur le développement et le fonctionnement de la personnalité dans des contextes interpersonnels et socioculturels.

LES RELATIONS INTERPERSONNELLES

Les contextes les plus importants de la vie d'un individu sont ceux où d'autres personnes sont présentes. Même lorsque l'individu fait face à diverses exigences sur les plans financier, professionnel et scolaire, les défis qui comportent des relations avec d'autres personnes – amis, famille, conjoint, ex-conjoint, conjoint en devenir – revêtent un caractère particulier. Ils captent l'attention et peuvent réchauffer le cœur, ou le briser. « Les relations étroites avec les autres sont au cœur de nos vies quotidiennes » (Cooper, 2002, p. 758). Dans l'exploration de la personnalité prise dans son contexte, les relations interpersonnelles sont la première chose qui vient à l'esprit et, au cours des dernières années, de plus en plus de psychologues de la personnalité (par exemple, Baldwin, 2005 ; Chen, Boucher et Parker-Tapias, 2006) se sont intéressés à cet aspect de nos vies.

Les relations sont une route à deux sens : elles mettent en scène deux personnes qui s'influencent mutuellement. Le rôle joué par les facteurs liés à la personnalité doit être abordé à partir de chacune de ces deux directions. D'une part, les caractéristiques de la personnalité peuvent inciter une personne à poser des gestes qui sont bénéfiques ou nuisibles à une relation. Par exemple, cette personne peut dénigrer l'apparence de l'autre, provoquer une dispute ou commencer une relation avec un autre partenaire. Elle peut aussi, heureusement, poser des gestes plus positifs visant à soutenir et à consolider la relation. D'autre part, les qualités liées à la personnalité peuvent influer sur l'*interprétation* que l'individu fait du comportement de l'autre, *indépendamment* des gestes qu'il a réellement accomplis. Les perceptions des individus au sujet de l'autre partenaire peuvent être fausses. Ces perceptions comportent des biais qui peuvent induire une personne en erreur et l'amener à croire que son ou sa partenaire l'a insultée, lui cherche querelle ou s'intéresse à une ou un partenaire différent.

La recherche montre comment peut fonctionner l'impact bidirectionnel de la personnalité sur les relations avec les autres. Lorsque des chercheurs ont étudié en profondeur les interactions au sein d'un couple (Gable, Reis et Downey, 2003), ils ont constaté que les comportements positifs (par exemple, manifester son affection) et les comportements négatifs (par exemple, adresser des critiques ou se montrer indifférent) ont respectivement des effets positifs et négatifs sur la satisfaction de l'autre partenaire et sur la sérénité d'une relation. Il s'agit ici d'évidences. Or, les chercheurs ont également constaté que les influences agissent dans l'autre sens : en d'autres mots, les perceptions erronées entretenues par un des partenaires se répercutent sur la relation dans son ensemble. Les individus retirent une moins grande satisfaction de leur relation lorsqu'ils ont l'impression que leur partenaire adopte un comportement négatif à leur endroit – y compris dans les cas où le partenaire se défend d'avoir eu le comportement négatif qu'on lui reproche (Gable, Reis et Downey, 2003). L'importance des perceptions subjectives des individus sur l'autre membre de la relation est illustrée de manière éclatante par des recherches menées sur un trait de personnalité appelé *sensibilité au rejet*.

La sensibilité au rejet

Revenons sur le dialogue figurant en introduction de ce chapitre. Une des interlocutrices – celle qui a rompu avec Pierre – présente un style de personnalité en lien avec le contexte connu sous le nom de **sensibilité au rejet**.

La sensibilité au rejet, sujet auquel se sont intéressés la psychologue Geraldine Downey et ses collègues (notamment Downey et Feldman, 1996 ; voir également Ayduk, Mischel et Downey, 2002 ; Downey, Mougios, Ayduk, London et Shoda, 2004 ; Pietrzak, Downey et Ayduk, 2005), porte sur un type de raisonnement particulier. Cette sensibilité se caractérise par une attente anxieuse du rejet dans les relations interpersonnelles. Certains individus semblent particulièrement enclins à croire qu'une relation – même une relation qui va très bien – prendra inévitablement fin. La possibilité d'être rejeté hante ces personnes et les rend anxieuses.

Ce type de raisonnement présente un intérêt particulier parce qu'il peut endommager une bonne relation. Même si ces attentes anxieuses ne reposent pas sur des faits, elles créent néanmoins une tension interpersonnelle susceptible d'affaiblir une relation autrement solide. L'attente du rejet peut alors devenir une prophétie autoréalisatrice.

Pour évaluer les différences individuelles dans la sensibilité au rejet, Downey et Feldman (1996) ont utilisé le questionnaire sur la sensibilité au rejet (Rejection Sensitivity Questionnaire ou *RSQ*). Le RSQ propose aux

Sensibilité au rejet
Type de raisonnement caractérisé par des appréhensions anxieuses de rejet dans les relations interpersonnelles.

répondants une liste de requêtes interpersonnelles (par exemple, demander à son ou sa partenaire de venir habiter avec soi, ou proposer un rendez-vous à une autre personne). Dans chaque situation, les répondants devaient indiquer s'ils avaient l'impression que l'autre accepterait ou rejetterait la proposition (vivre sous un même toit, accepter le rendez-vous, etc.) Les répondants devaient également indiquer s'ils se sentaient préoccupés ou anxieux quant à la réponse qu'ils recevraient dans chaque situation. Les personnes qui ont répondu à plusieurs reprises qu'il y avait une forte possibilité que leur proposition soit rejetée, et que la perspective du rejet provoquait en eux une forte anxiété, sont classés comme étant très sensibles au rejet.

Les recherches sur la sensibilité au rejet révèlent que certaines personnes sont particulièrement préoccupées par la fin inévitable de la relation dans laquelle ils sont engagés, et ce, même lorsque cette relation va bien.

Une autre recherche (Downey et Feldman, 1996) menée auprès d'étudiants de première année de niveau collégial a montré l'impact potentiel de la sensibilité au rejet sur les relations interpersonnelles. Il s'agissait d'une étude longitudinale dont les mesures clés ont été prises à deux moments différents. Les participants ont d'abord répondu au questionnaire RSQ en tout début d'année scolaire. Quatre mois plus tard, les chercheurs ont identifié un sous-ensemble de personnes qui s'étaient engagées dans une relation amoureuse *après* avoir répondu au RSQ. Ces individus ont été invités à décrire leur nouvelle relation amoureuse ; plus précisément, ils ont répondu à une question mesurant l'attribution d'intentions blessantes au sein de la nouvelle relation. Des comportements hypothétiques susceptibles d'avoir différentes causes (par exemple, votre compagnon ou compagne commence à passer moins de temps avec vous) leur ont été présentés, et ils devaient indiquer pour chacun de ces gestes s'il manifestait une intention blessante. En orientant la recherche de cette façon, c'est-à-dire en ne s'intéressant qu'aux relations qui avaient commencé après avoir répondu au RSQ, les chercheurs s'assuraient que les réponses au RSQ ne constituaient pas en soi une réaction à la relation que les répondants avaient signalée quatre mois après le début de l'année scolaire. Cette manière de faire permettait ainsi à Downey et Feldman de déterminer si la sensibilité au rejet pouvait avoir *contribué* à la façon de voir la relation ultérieure.

Les résultats ont révélé que la sensibilité au rejet permettait effectivement de prédire les croyances au sujet de la nouvelle relation (tableau 14.1, colonne de gauche). Les individus ayant déjà une grande sensibilité au rejet avant leur nouvelle relation étaient enclins à attribuer à leur partenaire une intention hostile une fois la relation engagée. Comme le fait de croire « que mon partenaire est délibérément hostile à mon endroit » peut effectivement nuire à la santé d'une relation, il en découle que ce trait de personnalité peut avoir des conséquences sur la qualité et la longévité d'une relation.

Deuxième constat, les résultats apparaissant dans le tableau 14.1 vont dans le sens du thème du présent chapitre : l'importance du contexte dans l'étude de la personnalité.

Il est à noter que les chercheurs ont traité la variable liée à la personnalité – la sensibilité au rejet – comme une variable de la personnalité *contextuelle*, c'est-à-dire comme un type de raisonnement (appréhension anxieuse) qui se produit dans un contexte précis : les contextes interpersonnels où il existe la possibilité de ne pas être accepté socialement par une personne qui vous est chère. Il en est ainsi par opposition aux variables de la personnalité « décontextualisées » ou « globales », comme le névrotisme (voir les chapitres 7 et 8). Le névrosisme est une tendance généralisée à ressentir une anxiété accompagnée de détresse psychologique.

Restait à déterminer s'il existait une relation plus étroite entre la variable contextualisée, c'est-à-dire la sensibilité au rejet, et les attributions d'intention négative, qu'entre cette même variable et les variables traits. Downey et Feldman (1996) sont parvenus à établir un lien entre la variable contextualisée qu'est la sensibilité au rejet et les variables globales des traits de la personnalité, et ce,

Tableau 14.1 | Les corrélations entre les variables traits, le questionnaire sur la sensibilité au rejet (RSQ) et l'attribution d'une intention blessante au partenaire dans la relation amoureuse

Variables traits	Corrélation partielle entre le RSQ et les attributions (après avoir contrôlé pour l'effet des variables traits)	Corrélation entre les variables traits et les attributions
Névrosisme	,34	,06
Introversion	,35*	,08
Estime de soi	,34*	−,13
Phobie sociale	,30*	,17
Détresse sociale	,31*	,16
Sensibilité interpersonnelle	,35**	,06
Attachement sécurisé	,40**	,04
Attachement anxieux-ambivalent	,42**	−,12
Attachement anxieux-évitant	,43**	−,07

*$p < ,05$, ** $p < ,01$

Note : La corrélation partielle renvoie à une méthode statistique qui permet d'analyser la relation entre deux variables tout en contrôlant les effets d'une troisième variable. Les corrélations apparaissant dans la colonne du centre indiquent qu'il existe corrélation significative entre les résultats du RSQ et les attributions d'intention blessante, même après avoir contrôlé pour les effets des variables traits figurant dans la colonne de gauche.

Source : Downey, G., & Feldman, S.I. (1996). Implications of rejection sensitivity for intimate relationships. *Journal of Personality and Social Psychology*, 70, 1327-1343. © 1977, American Psychological Association, reproduction autorisée.

de la manière suivante. Ils ont d'abord déterminé si la sensibilité au rejet permettait de prédire les pensées à propos de l'hostilité *après* prise en compte de la relation entre ces pensées et divers construits globaux de la personnalité. (Cette vérification a été faite à l'aide de méthodes statistiques qui déterminent le degré du lien entre deux variables tout en contrôlant statistiquement l'effet d'une troisième variable.) Comme vous pouvez le constater dans la colonne de gauche des corrélations (tableau 14.1), la variable contextualisée, la sensibilité au rejet, a permis de prédire les pensées à propos de l'hostilité après avoir contrôlé les effets des variables globales portant sur les traits de la personnalité. Par contre, aucun trait global de la personnalité n'a permis de prédire de manière unique ce que les gens pensaient de leur relation (les corrélations dans la colonne de droite). Ce résultat montre clairement la valeur de l'étude de la personnalité prise dans son contexte.

Les résultats obtenus par la suite indiquent un lien non seulement entre les différences individuelles dans la sensibilité au rejet et les attributions de l'hostilité, mais aussi dans l'avenir à long terme de la relation. En effet, on a constaté une insatisfaction face à la relation autant chez les individus sensibles au rejet que chez leurs partenaires, comparativement aux individus qui sont peu sensibles au rejet (Downey et Feldman, 1996). Comme on pouvait s'y attendre, les relations où l'un des partenaires est sensible

au rejet sont plus sujettes aux ruptures que les relations où les partenaires sont peu susceptibles d'entretenir des appréhensions de rejet (Downey, Freitas, Michaelis et Khouri, 1998).

Focalisation attentionnelle « chaude » et « froide »

Idéalement, les psychologues de la personnalité pourraient non seulement décrire la tendance, autant chez les individus très sensibles au rejet que chez ceux qui le sont peu, à aborder de manière différente leurs relations avec les autres, mais également définir les processus psychologiques leur permettant de reprendre en main leurs relations.

Pour relever ce défi, les chercheurs ont exploré les stratégies cognitives des individus, c'est-à-dire les modes de pensée stratégiques qui, lorsqu'ils sont exécutés correctement, peuvent les aider à se rendre maîtres de leur comportement et de leur vie affective. Les stratégies cognitives qui font appel à l'attention sont particulièrement importantes en ce sens. Dans une situation sociale complexe, beaucoup de choses peuvent capter l'attention. Certaines d'entre elles sont neutres sur le plan affectif alors que d'autres suscitent différentes émotions ; les psychologues emploient les mots *chaud* et *froid* pour décrire les divers aspects d'une situation (Metcalfe et Mischel, 1999).

Ayduk et ses collègues (2002) ont analysé l'influence de la **focalisation attentionnelle chaude ou froide** sur les émotions associées au rejet interpersonnel. Dans cette recherche, les participants étaient invités à se remémorer une expérience antérieure où ils s'étaient sentis rejetés par une autre personne. Par la suite, en fonction de la condition expérimentale qui leur avait été assignée, les participants devaient réfléchir à cette expérience de rejet sous différents angles. Dans la condition expérimentale focalisée sur les aspects chauds, ils revenaient sur les émotions ressenties pendant cet épisode de rejet (par exemple, « Est-ce que votre cœur battait plus vite ? Quelle sensation ressentiez-vous sur votre visage ? »). Dans celle focalisée sur les aspects froids, l'attention des participants était orientée vers des aspects de la situation qui ne comportaient aucune expérience affective, par exemple l'environnement physique où cet épisode avait eu lieu (« Où vous trouviez-vous par rapport aux autres personnes aprésentes et aux objets autour de vous ? »).

Orienter l'attention entre les aspects « chauds » ou « froids » d'une expérience passée a entraîné divers effets. Lorsqu'on leur a demandé de décrire leur humeur après ce retour sur cette expérience de rejet, les participants qui se concentraient davantage sur les aspects « froids » de l'expérience se sont décrits eux-mêmes comme moins enclins à la colère que les participants appartenant au groupe qui s'était plutôt concentré sur les aspects « chauds » ou que ceux appartenant au groupe-témoin qui n'avaient reçu aucune instruction quant aux aspects « chauds » et « froids ». Lorsque les participants ont décrit par écrit les pensées et les émotions que leur inspirait cette expérience, les textes des participants qui s'étaient concentrés sur les aspects froids étaient moins empreints de colère et d'émotion que les textes des autres. Les autres mesures qui ont été prises ont confirmé que le fait de centrer leur attention sur les réactions émotionnelles (les « aspects chauds ») suscitait des pensées hostiles. En résumé, des participants qui réfléchissaient sur le même type de rencontres interpersonnelles, mais qui faisaient porter leur attention sur des *aspects différents* de cette rencontre, vivaient des expériences psychologiques fondamentalement différentes.

Le transfert dans les relations interpersonnelles

Avez-vous déjà rencontré quelqu'un qui vous rappelait vaguement une personne issue de votre passé ? Avez-vous déjà senti intuitivement que vos réactions envers un individu étaient identiques à celles que vous aviez envers une de vos anciennes connaissances ? Au chapitre 4, nous avons vu que cette possibilité intéressait grandement les psychanalystes. Ceux-ci avaient l'impression que leurs patients répétaient en thérapie les mêmes attitudes et les mêmes types d'interactions qu'avec des personnes significatives provenant de leur passé. Ce report sur l'analyse d'attitudes fondées sur des attitudes envers de tels personnages était appelé un transfert.

La recherche expérimentale moderne donne à penser que les processus de transfert ne se limitent pas au cadre thérapeutique. Bon nombre de nos réactions face aux gens que nous rencontrons dans le cadre de nos activités quotidiennes subissent l'influence d'un facteur contextuel clé : le degré de ressemblance entre la personne que nous rencontrons et une personne marquante de notre passé.

Susan Andersen et ses collègues ont mené des travaux très révélateurs à ce sujet. Ils ont mis au point une analyse sociocognitive des transferts dans les relations interpersonnelles (Andersen et Chen, 2002). Autrement dit, même si elle s'est intéressée au même phénomène que celui qui avait intrigué Freud à l'époque, Andersen tente de l'expliquer à l'aide des théories et des méthodes sociocognitives modernes plutôt qu'avec le modèle théorique freudien.

Andersen et Chen (2002) avancent que des processus sociocognitifs primaires pourraient expliquer le phénomène de transfert que Freud avait mis au jour. Supposons que vous rencontrez quelqu'un qui possède certaines qualités évoquant une personne que vous avez bien connue dans le passé. Par exemple, cet individu peut avoir une coupe de cheveux ou une manière de s'exprimer qui est similaire ; il peut également s'agir d'intérêts et de passe-temps communs entre les deux. Ce chevauchement informationnel entre cette nouvelle personne et cette ancienne connaissance peut activer des informations emmagasinées en mémoire à propos de cette dernière. Ces informations devenues actives peuvent influer sur vos pensées et vos émotions à l'égard de cette nouvelle personne. Vous pouvez présumer – sans même vous en rendre compte – que ce nouvel individu possède des qualités identiques à cette ancienne connaissance. En résumé, vous « transférez » sur cette nouvelle personne vos croyances à propos de votre ancienne connaissance.

Focalisation attentionnelle chaude ou froide
Face à une situation ou à un stimulus, pensée qui se concentre sur ses aspects les plus émotionnels (chauds) ou les moins émotionnels (froids).

L'ocytocine et son contexte

Lorsqu'il est question de relations interpersonnelles, nous faisons habituellement le lien avec la psychologie. Or, beaucoup de chercheurs s'intéressent également à la biochimie des relations humaines. Les processus biochimiques du cerveau peuvent en effet provoquer sur le plan affectif des réactions qui ont un effet déterminant sur nos relations avec les autres.

L'ocytocine est une hormone qui n'est pas tout à fait comme les autres. Comme nous le verrons plus loin, la recherche au sujet de l'ocytocine va dans le sens du thème abordé dans ce chapitre: les interactions entre les processus de la personnalité et les contextes sociaux.

L'ocytocine est une hormone qui circule à travers le corps. Parmi ses diverses fonctions, l'ocytocine contribue aux changements physiques qui facilitent la naissance et l'allaitement. Ces fonctions biochimiques sont connues depuis des décennies. Plus récemment, les chercheurs ont constaté que la biochimie avait également des répercussions sur le plan psychologique.

Dans le cadre d'une recherche menée sur les effets psychologiques de l'ocytocine, les chercheurs ont donné de l'ocytocine à quelques personnes (l'ocytocine est administrable avec un pulvérisateur nasal) avant de les inviter à jouer à un jeu de finance qui permet de mesurer le degré de confiance envers son partenaire de jeu. Dans la deuxième condition expérimentale, les joueurs ne recevaient pas d'ocytocine. Les personnes qui recevaient de l'ocytocine prenaient des décisions financières qui montraient un niveau de confiance plus élevé à l'égard de l'autre joueur (Kosfeld, Heinrichs, Zak, Fischbacher et Fehr, 2005). Les chercheurs ont émis l'hypothèse que l'ocytocine pouvait expliquer cet effet en activant dans le cerveau les circuits neuronaux qui déclenchent des émotions et une motivation positives envers autrui.

Cette constatation au sujet de l'ocytocine révèle qu'elle augmente la confiance simplement. Or, des recherches récentes laissent entrevoir que le portrait est plus complexe qu'il n'y paraît. Au lieu de produire un effet constant, l'ocytocine produit des effets qui sont variables. Elle augmente la confiance dans certains contextes sociaux et chez certaines personnes, mais sans avoir le même effet chez d'autres.

La littérature publiée sur le sujet nous montre que, par exemple, l'augmentation de la confiance causée par l'ocytocine pendant un jeu de finance dépend de facteurs contextuels. Parmi ces facteurs, signalons le degré de familiarité avec l'autre joueur dans le jeu, le fait qu'il apparaisse digne de confiance ou non, et son appartenance ou non au même groupe social (Bartz, Zaki, Bolger et Ochsner, 2011). D'autres facteurs contextuels agissent sur les effets de l'ocytocine, par exemple, les expressions faciales produites lors de tâches pendant lesquelles les participants doivent détecter les mimiques du visage; ou encore, le résultat (gagner ou perdre) à un jeu se déroulant dans le cadre d'études examinant la tendance des individus à féliciter ou à envier les autres (présentée dans Bartz et coll., 2011).

Les effets de l'ocytocine varient également d'une personne à l'autre dans un même contexte. Lors d'une recherche, Bartz et ses collègues ont administré de l'ocytocine à des participants dont les compétences sociales étaient variées. On cherchait à déterminer dans quelle mesure ils pouvaient, dans le cadre d'interactions sociales, suivre attentivement le déroulement des événements interpersonnels, détecter l'information importante et participer aux événements de manière constructive. Après avoir reçu de l'ocytocine, on présentait un film aux participants et ceux-ci devaient nommer les émotions exprimées par un personnage. L'ocytocine aidait les individus de niveau bas sur le plan des habiletés sociales à détecter avec précision ces émotions. Chez les individus de niveau élevé, l'ocytocine n'avait aucun effet (en comparaison avec un groupe témoin sans ocytocine).

L'ocytocine n'augmente pas toujours la confiance. Quel effet a-t-elle alors? Il est notamment possible que des niveaux élevés d'ocytocine augmentent la tendance chez les individus à détecter certains indices sociaux (par exemple, ce que les autres disent, les gestes qu'ils posent, leurs expressions faciales) (Bartz et coll., 2010, 2011). Cette possibilité explique les résultats que nous venons de décrire. Les individus compétents sur le plan social possèdent déjà la capacité de détecter de tels indices, ce qui explique le peu d'effets qu'une dose d'ocytocine produit chez eux. À l'inverse, l'ocytocine produit un effet appréciable chez les individus peu compétents socialement et dont l'attention tend à être défaillante à l'égard de tels indices. Une telle hypothèse expliquerait pourquoi l'ocytocine pourrait produire des effets différents selon les contextes où se manifestent naturellement divers indices sociaux.

Andersen et ses collègues ont élaboré des stratégies pour étudier le transfert de manière expérimentale. À la première séance, les participants décrivent par écrit une personne avec laquelle ils ont eu une relation importante à leurs yeux. Lors d'une séance ultérieure, on demande aux participants de lire la description de diverses personnes représentant les stimuli cibles. Certaines descriptions contiennent de l'information qui recoupe celle qu'ils ont faite de la personne marquante pour eux. Par la suite, on demande aux participants de se remémorer le plus possible l'information tirée de ces descriptions. Les « faux positifs » sont ici les mesures dépendantes clés : il y a un faux positif lorsque le participant se rappelle, à propos d'une des personnes cibles, une information qui s'applique plutôt à la personne qui était importante pour lui ; ces souvenirs, qui sont en fait des faux positifs, montrent qu'un transfert s'est effectué entre l'ancienne relation et la nouvelle personne.

Qu'est-ce que cela prouve ? Que les individus sont plus susceptibles d'avoir des souvenirs qui sont des faux positifs lorsque les personnes cibles ressemblent à d'autres personnes représentatives appartenant à leur passé (Andersen et Cole, 1990 ; Andersen, Glassman, Chen et Cole, 1995). Les processus de transfert influent non seulement sur la mémoire, mais également sur les réactions affectives et les désirs visant à établir une relation étroite avec une nouvelle connaissance (Andersen et Baum, 1994 ; Andersen, Reznik et Manzella, 1996). Les individus ont tendance à réagir différemment lorsque celle-ci possède des qualités qui chevauchent celles d'une ancienne connaissance.

Les recherches sur les processus sociocognitifs de transfert, tout comme celles sur la sensibilité au rejet, illustrent le thème du présent chapitre. Cette fois-ci, la variable contextuelle clé utilisée pour comprendre la « personnalité dans son contexte » est la relation entre les attributs d'une nouvelle connaissance et ceux d'une ancienne. Lorsque ces attributs se chevauchent, les tendances comportementales moyennes et générales ne permettent plus d'expliquer ce qu'une personne vit et comment elle agit. Pour le comprendre, il faut plutôt se tourner vers les pensées liées à un contexte donné qui associe une nouvelle rencontre avec une ancienne connaissance. Grâce à ces processus de transfert, même après une rupture, l'autre partenaire peut continuer à « exister dans votre tête » et influer sur vos relations futures avec les autres.

RELEVER LES DÉFIS SOCIAUX ET SCOLAIRES : L'OPTIMISME STRATÉGIQUE ET LE PESSIMISME DÉFENSIF

Les recherches sur la sensibilité au rejet font écho à une phrase qu'il n'est pas rare d'entendre : les gens qui ont des pensées négatives face à quelque chose qui n'est pas encore survenu se « tirent dans le pied » ; leurs attentes négatives peuvent nuire à leur rendement. Est-ce toujours le cas ? À cette question, un axe important de recherche avance que non. Les psychologues Nancy Cantor, Julie Norem et leurs collègues ont constaté que pour certains individus, avoir de « mauvaises » pensées est une bonne chose. Pour certains, la « pensée négative » renferme un « pouvoir positif » (Norem, 2001). Ces personnes sont appelées des pessimistes défensifs.

Le **pessimisme défensif** est une variable cognitive de la personnalité, c'est-à-dire une variable de la personnalité qui implique des types de raisonnement. Les pessimistes défensifs abordent les défis d'une manière différente des autres ; plus précisément, leurs réactions sont différentes de celles des personnes dites « optimistes ». Les optimistes tirent leur épingle du jeu en entretenant des attentes relativement réalistes au sujet de leurs capacités (**optimisme**). S'ils possèdent les habiletés requises pour relever un défi, ils n'hésitent pas à l'affirmer. À l'inverse, les pessimistes défensifs réfléchissent souvent de manière négative. Même lorsqu'ils semblent posséder toutes les habiletés nécessaires pour réussir, ils expriment des doutes et s'attendent au pire.

L'idée qui est au cœur de la recherche sur le pessimisme défensif est que pour les individus qui pensent habituellement de cette façon, le pessimisme est loin d'être une mauvaise chose. Pour certaines personnes, la pensée négative peut représenter une stratégie d'adaptation efficace qui les aide à se motiver elles-mêmes pour atteindre des niveaux de rendement élevés.

Pessimisme défensif
Stratégie d'adaptation au stress qui fait appel au raisonnement négatif.

Optimisme
Stratégie d'adaptation où l'individu entretient des attentes relativement réalistes sur ses capacités.

Une recherche menée sur l'optimisme stratégique et le pessimisme défensif (Cantor, Nerem, Neidenthal, Langston et Brower, 1987) a porté sur une période transitoire qui rappellera des souvenirs à de nombreux lecteurs du présent ouvrage : le passage de l'école secondaire au cégep. Pendant la 5e secondaire, les élèves possèdent souvent des routines rassurantes. Les façons d'être avec leurs amis sont bien établies, ils connaissent beaucoup d'enseignants et de membres de la direction, et ils savent ce qu'il faut faire pour avoir des notes acceptables. Le passage au cégep comporte son lot de nouveaux défis, comme se faire de nouveaux amis, garder le contact avec les anciens amis, s'adapter à de nouvelles matières, participer à la vie étudiante. Ces périodes de transition mouvementées sont d'un grand intérêt pour les psychologues de la personnalité. Parce qu'elles représentent des défis à relever, elles mettent en évidence les différences individuelles en matière d'aptitudes et de stratégies d'adaptation. Tout comme les questions difficiles posées dans les tests sur le quotient intellectuel en révèlent davantage sur l'intelligence analytique qu'une question du type « Quelle est la somme de 2 + 2 ? », les situations qui posent un défi sur le plan social sont plus révélatrices des différences individuelles quant à « l'intelligence sociale » (Cantor et Kihlstrom, 1987).

Dans cette recherche, les chercheurs ont suivi des étudiants du collégial tout au long de leur première année (Cantor et coll., 1987). Au début de l'année, ils ont répondu à un questionnaire qui visait à mesurer leur degré d'optimisme ou de pessimisme défensif face à différents défis. En cours d'année, les chercheurs ont évalué d'autres variables potentiellement importantes sur le plan scolaire, dont la moyenne pondérée cumulative (MPC) et les « écarts avec le soi », c'est-à-dire les écarts entre le soi réel et le soi idéal au niveau scolaire (Higgins, 1987) (voir le chapitre 13). Finalement, les chercheurs ont utilisé le MPC obtenu à la fin de la première année.

Autant les optimistes que les pessimistes défensifs ont obtenu de bons résultats scolaires. Cependant, une différence importante a été relevée, puisque chaque groupe a semblé suivre un itinéraire psychologique différent pour atteindre la réussite. Cette différence a été révélée par les prévisions du MPC basées sur les variables de la personnalité pour chaque groupe. Chez le groupe composé des optimistes, c'est la pensée positive qui permettait de prédire la réussite scolaire : les individus qui prévoyaient d'obtenir de bons résultats et dont les écarts avec le soi étaient relativement peu nombreux en début d'année

scolaire avaient obtenu des notes plus élevées que les autres. À l'inverse, chez les pessimistes défensifs, on ne pouvait établir *aucun lien* entre les attentes quant au rendement scolaire en tout début d'année et les notes obtenues en fin d'année. Si un pessimiste défensif disait « Ma MPC sera faible », cette affirmation ne permettait pas de prédire un rendement déficient dans les mois ultérieurs. De plus, parmi les pessimistes défensifs, l'importance des écarts avec le soi de type réel-idéal permettait de prédire une réussite scolaire *plus grande*, et non moins grande. La pensée négative menait à un résultat positif, et non l'inverse.

Un autre élément tiré de ces résultats montre l'importance d'étudier la personnalité dans son contexte. En effet, l'opposition optimisme-pessimisme n'était pas une variable dont on pouvait généraliser l'application à tous les aspects de la vie étudiante. En fait, beaucoup d'étudiants qui étaient pessimistes sur le plan de la réussite scolaire étaient optimistes face aux autres aspects de leur vie. Cantor et ses collègues (1987) ont étudié les cognitions des optimistes et des pessimistes sur le plan scolaire dans deux contextes précis : l'obtention de bons résultats et la capacité de se faire de nouveaux amis. En ce qui a trait aux résultats, il existait une énorme différence entre les deux groupes sur des facteurs cognitifs comme leurs perceptions de la difficulté, la contrôlabilité et le stress associé aux études. Par contre, face au défi de se faire de nouveaux amis, il n'y avait aucune différence entre les deux groupes ! Lorsqu'on leur posait des questions sur la difficulté, la contrôlabilité et le stress associés à la recherche de nouveaux amis, on ne relevait aucune différence entre les optimistes et les pessimistes.

LA CONSTANCE DE LA PERSONNALITÉ PRISE DANS SON CONTEXTE

Au chapitre 1 du présent manuel, nous avons vu qu'une des caractéristiques qui définissent la personnalité est la capacité des individus à faire preuve de constance dans leurs modes de comportement (leurs expériences et leurs actions) à travers différents contextes de vie. Cette constance qui s'applique à tous les contextes (ou situations) était si importante qu'elle a été incluse dans la définition même du mot *personnalité* pour désigner des types d'expériences et de comportements qui sont stables. Le défi qui est au cœur du travail des psychologues de la personnalité est de cerner et d'expliquer les modes de comportement qui sont constants d'une situation à une autre et qui permettent de distinguer un individu d'un autre individu.

Pour mieux comprendre la nature de ce défi et la façon de le relever, examinons les quatre situations suivantes : raconter une blague, faire du jogging avec des amis, passer un examen pour ce cours, et discuter politique pendant la pause du dîner. Pour la plupart des gens, il n'existe aucun lien entre ces quatre situations. Supposons maintenant que l'on présente ces mêmes situations à une personne, homme ou femme, qui s'estime être très compétitive. Cette personne peut voir un lien étroit entre ces situations, car elle peut aborder chacune sous l'angle de la compétition (raconter la meilleure blague, courir le plus vite, obtenir la meilleure note et invoquer les meilleurs arguments).

Le point à retenir ici est le suivant : les individus peuvent avoir des croyances à propos de leurs qualités personnelles qui déterminent le sens qu'ils donnent à leurs expériences de vie. Les situations qui, en surface, semblent n'avoir aucun lien entre elles peuvent être étroitement liées pour les personnes qui jugent que chaque situation fait appel à l'une ou l'autre de leurs qualités. Ce que ces individus croient à propos d'eux-mêmes peut alors contribuer à l'établissement de modes d'expérience et d'action constants qui définissent leur « personnalité ».

Un modèle théorique mis au point récemment est connu sous le nom d'**architecture de la personnalité connaissance et évaluation** (*knowledge-and-appraisal personality architecture* ou KAPA) (Cervone, 2008 ; Cervone, Caldwell et Orom, 2008). Compte tenu de la complexité du concept, nous expliquerons chacune de ses parties séparément. L'**architecture de la personnalité** désigne la structure globale des systèmes mentaux (affectifs et cognitifs) qui contribuent au fonctionnement de la personnalité. L'ajout des mots « connaissance et évaluation » signifie que pour comprendre les systèmes mentaux de la personnalité, il est nécessaire d'établir une distinction entre deux aspects de la pensée : la connaissance et l'évaluation (Lazarus, 1991). La connaissance s'applique aux informations que nous détenons sur nos caractéristiques personnelles, nos objectifs, les caractéristiques personnelles des autres, leurs objectifs, les objets qui nous entourent, les types de situations sociales, et ainsi de suite. La connaissance demeure relativement stable au fil du temps ; habituellement, nos connaissances de base à propos de nos qualités personnelles et de notre environnement ne varient pas d'une journée (mois, année) à l'autre. Les évaluations dont il est question ici portent

sur la relation qui nous lie à une situation donnée. Nous vivons nos vies en évaluant presque en continu les situations dans lesquelles nous nous trouvons ; sont-elles favorables ou non pour nous ? pouvons-nous nous y adapter et si oui, comment ? et ainsi de suite. Ces évaluations peuvent changer à tout moment et d'une situation à l'autre.

Retournons maintenant à l'exemple ci-contre en gardant cette distinction connaissance-évaluation à l'esprit. Supposons maintenant que notre individu compétitif porte en lui ce bagage de connaissances sur la compétition. Cette connaissance pourrait, par exemple, inclure des objectifs à long terme, notamment surpasser le rendement des autres, et des schémas de soi où le soi est un compétiteur. Lorsqu'il réfléchit aux situations précitées, cet individu pourrait classer chacune en fonction de cette connaissance axée sur la compétition. Ainsi, il estimera que le sens profond de chaque situation comporte une compétition contre les autres, et il réagira de manière similaire dans d'autres contextes.

Plusieurs études ont exploré les processus de connaissance et d'évaluation (notamment Cervone, 1997, 2004 ; Cervone, Shadel et Jencius 2001 / Cervone, Orom, Artistico, Shadel et Kassel, 2007). Pour évaluer ce que les individus savent à propos d'eux-mêmes, ou leurs schémas de soi (voir le chapitre 13), les participants décrivent brièvement par écrit leurs qualités personnelles les plus importantes, incluant les caractéristiques considérées comme des forces et des faiblesses personnelles. Pour évaluer les croyances subjectives sur les situations sociales, ils évaluent la pertinence d'une variété de situations par rapport à chacun de leurs schémas de soi. Lors des séances expérimentales ultérieures, les participants étaient invités à évaluer un large éventail de situations susceptibles de se produire.

Architecture de la personnalité connaissance et évaluation

Analyse théorique de l'architecture de la personnalité qui établit une distinction entre deux aspects du fonctionnement cognitif de la personnalité : une connaissance stable et une évaluation dynamique de la signification des situations que rencontre le soi.

Architecture de la personnalité

Terme qui décrit la structure d'ensemble et les caractéristiques opérationnelles des systèmes psychologiques sous-jacents au fonctionnement de la personnalité.

Ces évaluations sont similaires à celles que nous avons vues au chapitre 12 ; les individus évaluent leur degré d'autoefficacité (Bandura, 2006) dans l'exécution d'un comportement particulièrement exigeant dans chacune de ces situations. La question est de savoir si, et où, les individus affichent une constance lorsqu'ils évaluent si leur autoefficacité est élevée ou faible par rapport à diverses situations.

Les données produites par une participante à cette recherche illustre les résultats que ces méthodes peuvent générer (figure 14.1). Parmi ses schémas se trouvait la croyance qu'elle est une personne « responsable ». Les situations qui étaient liées selon elle à cette caractéristique de sa personnalité étaient intéressantes en ce sens qu'elles étaient idiosyncratiques. Certaines étaient conformes à la définition traditionnelle du terme (par exemple, être économe). Par contre, une circonstance que l'on pourrait considérer comme un geste calculateur et non éthique – se lier d'amitié avec une personne qui a « l'air » intelligente afin de pouvoir profiter de ses notes de cours – était un exemple de comportement qu'elle jugeait « responsable » pour un cégépien. De surcroît, un geste que l'on pouvait potentiellement qualifier de « responsable » – aller voir le professeur si on ne comprend pas la matière enseignée – a été qualifié de non pertinent par rapport à cet attribut par la Participante numéro 37.

Qu'en est-il des jugements sur l'autoefficacité ? Comme le montre la figure 14.2, on a observé des différences très importantes dans l'évaluation de l'autoefficacité face aux situations que les participants estimaient étroitement liées à leurs schémas de soi positifs par opposition à ceux qui étaient négatifs. Cette connaissance de soi schématique semblait effectivement influer sur les évaluations sur l'autoefficacité, c'est-à-dire que les participants s'accordaient une note élevée lorsque les traits étaient liés aux schémas de soi positifs. Il est aussi intéressant de noter que, conformément aux prédictions du modèle KAPA, les résultats obtenus ont été nuls lorsque les participants faisaient des évaluations similaires, mais cette fois avec des traits qui étaient non schématiques pour eux, c'est-à-dire des traits qu'ils n'estimaient pas posséder de manière appréciable.

Notons que ces résultats inversent les rôles par rapport aux arguments traditionnellement avancés à propos de la controverse « personne-situation » (voir les chapitres 8 et 12). À l'origine, la conception voulait que les théoriciens sociocognitifs supposaient que la variabilité dans les actions était simplement tributaire des situations, alors que les théoriciens des traits prédisaient plutôt une constance. Pourtant, ces résultats (Cervone, 2004) montrent que les processus sociocognitifs peuvent amener des individus à regrouper des situations en apparence différentes et, par conséquent, à réagir à ces situations d'une manière qui est constante.

Dans l'ensemble, les résultats révèlent un élément qui est essentiel pour comprendre la personnalité prise dans son contexte : comment définit-on le contexte ? Dans les sciences physiques, les facteurs contextuels sont considérés comme ayant des propriétés invariables. Si on chauffe différentes substances à une température de 50 °C pour voir si elles vont fondre, le facteur contextuel

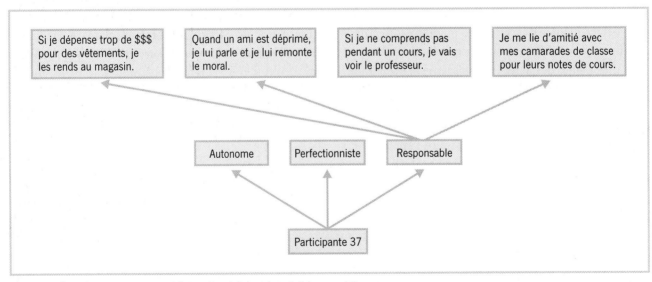

Figure 14.1 | Ce diagramme montre les trois schémas de soi d'une participante à une recherche ainsi que les situations que cette personne a associées à ces schémas et qui montrent selon elle qu'elle est une personne « responsable ».

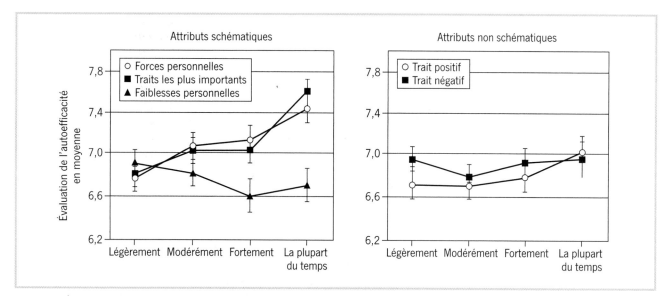

Figure 14.2 | Cette figure présente les tracés des évaluations sur l'autoefficacité moyenne en fonction du type d'attributs de personnalité (schémas de soi par rapport aux attributs non schématiques) et de la connaissance situationnelle (c'est-à-dire les croyances des participants qui établissent les attributs comme étant légèrement, modérément, fortement ou la plupart du temps pertinents par rapport aux situations).

Source : Cervone, D. (2004). The architecture of personality. *Psychological Review*, *111*, 183-204. © 2004, American Psychological Association, reproduction autorisée.

peut être considéré comme étant le même d'une substance à une autre. Si on laisse tomber une série d'objets pour mesurer la vitesse de leur chute, la force de la gravité est immuable ; elle est la même d'un objet à l'autre. Les facteurs situationnels peuvent être vus comme distincts des objets qui existent dans une situation donnée, et ils peuvent être considérés comme possédant des propriétés qui sont fixes, ou constantes, par rapport aux différents objets présents dans cet environnement. Or, il en va tout autrement dans l'étude de la personnalité. Pour réagir à une situation donnée, les individus doivent d'abord l'interpréter. Ils doivent trouver le sens de cette situation. À partir de ce postulat de départ, il devient rapidement évident qu'un grand nombre de situations peuvent comporter différentes significations. La caractéristique la plus importante d'une situation sociale – ce qu'elle signifie pour les personnes qui la vivent – peut varier d'une personne à une autre. Par exemple, raconter des blagues lors d'une fête peut sembler une amusante distraction pour une personne. Cependant, quelqu'un peut aborder cette situation sous l'angle de la compétition. Une troisième personne peut la voir comme une épreuve anxiogène exigeant des habiletés sociales. Autrement dit, les qualités de la personnalité et les facteurs situationnels ne sont pas des forces séparées ; il existe plutôt entre eux une interaction dynamique. Les facteurs de la personnalité déterminent en partie le sens qu'un individu donnera à la situation dans laquelle il se trouve.

LE DÉVELOPPEMENT DE LA PERSONNALITÉ ET LE CONTEXTE SOCIOÉCONOMIQUE

Une des aspects fondamentaux de notre monde moderne est la grande disparité qui existe entre les individus sur le plan socioéconomique. Même au sein des nations industrialisées et relativement prospères, on constate des différences importantes quant aux revenus et aux possibilités d'avancement social qui y sont associées. Dans beaucoup de régions du monde, l'écart entre les riches et les pauvres s'est accru au cours des dernières années.

En quoi les conditions socioéconomiques sont-elles pertinentes quant au développement de la personnalité ? En vous basant sur ce que vous avez appris jusqu'à présent sur la psychologie de la personnalité, vous pourriez croire que cet aspect est «peu pertinent». Historiquement, les théoriciens de la personnalité se sont peu intéressés aux conditions socioéconomiques dans lesquelles vivaient les individus qu'ils étudiaient. Les théoriciens appartenant aux tendances psychanalytiques, behavioristes et de la théorie des traits cherchaient plutôt à identifier les principes généraux du fonctionnement de la personnalité pouvant transcender les conditions sociales particulières (de la même façon, par exemple, qu'un biologiste essaierait de dégager les principes de base de l'anatomie et de la physiologie humaines pouvant transcender les conditions sociales). Toutefois, des travaux récents semblent indiquer que cette approche traditionnelle dans l'étude de la personnalité pourrait s'avérer insuffisante. Plus précisément, les différents attributs de la personnalité pourraient avoir des répercussions différentes sur le plan individuel selon le contexte socioéconomique. Les travaux menés par Caspi et ses collègues (Caspi, 2002 ; Caspi, Bem et Elder, 1989) ont permis d'effectuer des percées importantes à ce sujet.

Pour illustrer ce point, prenons une question simple comme la suivante : En matière d'impulsivité, quelles sont les répercussions des différences individuelles sur le développement social ? Par exemple, en présence d'un groupe d'adolescents montrant différents degrés d'impulsivité, constatera-t-on que les individus les plus impulsifs sont les plus à risque de présenter des problèmes de développement social, comme la délinquance ? Pourrait-on affirmer que les adolescents qui éprouvent davantage de difficultés à contrôler leurs impulsions émotionnelles (c'est-à-dire les adolescents « hautement impulsifs ») éprouveront inévitablement plus de difficultés sociales pendant leur adolescence ? Cette hypothèse s'expliquerait-elle par le fait que la prévention de tels problèmes (par exemple, consommation de stupéfiants et d'alcool, agressivité physique, vandalisme) requiert la maîtrise des impulsions ? Il existe cependant une autre possibilité selon laquelle les effets de l'impulsivité ne sont pas inévitables. Par conséquent, seule l'analyse de la personnalité dans son contexte socioéconomique permet de comprendre les répercussions d'une impulsivité forte ou faible. Dans les quartiers défavorisés, les adolescents peuvent se retrouver dans un nombre relativement important de situations susceptibles de les amener à poser des actes antisociaux, et ce, sans que les conditions du milieu soient contrebalancées par un nombre suffisant de structures communautaires pouvant les aider à accroître leur habileté à se maîtriser. À l'inverse, dans les quartiers mieux nantis, qui bénéficient d'un meilleur soutien social, les possibilités de délinquance s'en trouvent plus restreintes.

Les données indiquent que ces différences entre les quartiers riches et les quartiers pauvres ont des conséquences très importantes. On a constaté que la relation entre l'impulsivité et la délinquance fluctue en fonction du contexte socioéconomique. Lynam et ses collègues (2000) ont utilisé un large échantillon d'adolescents de 13 ans résidant à Pittsburg, en Pennsylvanie. Les conditions socioéconomiques dans lesquelles vivaient ces individus variaient considérablement, allant de quartiers très favo-

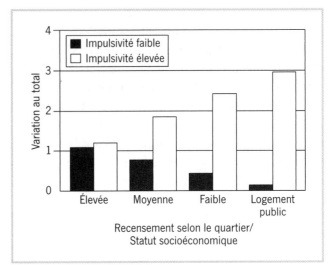

Figure 14.3 | La relation entre l'impulsivité et une mesure de la délinquance (axe vertical) dans des quartiers au statut socioéconomique différent

Source : Lynam, D.R., Caspi, A., Moffit, T.E., Wikstroem, P., Loeber, & Novak, S. (2000). The interaction between impulsivity and neighborhood context on offending: The effects of impulsivity are stronger in poorer neighborhoods. *Journal of Abnormal Psychology, 109*, 563-574. © 2004, American Psychological Association, reproduction autorisée.

risés sur le plan socioéconomique à des quartiers frappés par la pauvreté, y compris des secteurs où les individus vivaient dans des logements publics présentant plusieurs facteurs favorables à la délinquance. Grâce à diverses mesures prises en laboratoire au moment où les participants avaient 13 ans, les chercheurs ont pu déterminer où se situait chacun sur l'échelle de l'impulsivité. Ces données qui tenaient compte à la fois de l'impulsivité et du contexte socioéconomique permettaient à Lynam et à ses collègues de déterminer les différentes répercussions de ce facteur de la personnalité selon les conditions socioéconomiques. C'est ce qu'ils ont fait. Parmi les adolescents qui vivaient dans des quartiers pauvres, les individus très impulsifs étaient plus susceptibles de verser dans les comportements délinquants que les individus peu impulsifs (figure 14.3). À l'inverse, dans les quartiers riches, on ne relevait aucune différence sur le plan de la délinquance entre les individus très impulsifs et ceux qui l'étaient peu. Les ressources communautaires disponibles dans les quartiers favorisés semblaient amortir les effets potentiellement négatifs de cette caractéristique de la personnalité.

Les causes et les effets des attributs de la personnalité

D'autres travaux ont examiné une question aussi importante que difficile à résoudre. On sait que les individus qui vivent dans des quartiers défavorisés présentent habituellement des niveaux élevés de détresse psychologique (par exemple, anxiété, dépression, etc.). Si, à cette étape de vos études en personnalité, vous commencez à « réfléchir comme un psychologue », vous ne tarderez pas à reconnaître l'ambiguïté de la question suivante : est-ce en raison des caractéristiques de leur personnalité que des individus se retrouvent dans des quartiers défavorisés, ou est-ce plutôt le fait de vivre dans un quartier défavorisé qui entraîne une détresse psychologique ?

Caspi (2002) et ses collègues ont étudié cette question en travaillant avec un très grand échantillon de personnes à différents moments dans le temps. Ce canevas de recherche a permis aux spécialistes de la personnalité d'utiliser des méthodes statistiques susceptibles de mettre de l'ordre dans les influences causales potentielles. Plus précisément, Caspi et ses collègues ont travaillé avec des données tirées de l'étude de Dunedin, qui a permis de suivre à la trace la vie de mille individus vivant à Dunedin, en Nouvelle-Zélande, sur une période de 30 ans. Ce projet a produit des résultats qui sont importants non seulement en ce qui a trait aux applications pratiques en matière de détresse psychologique, mais également pour ce qui est des enjeux fondamentaux en psychologie de la personnalité. Une découverte clé tirée de cette étude montre que les questions au sujet des relations de cause à effet (par exemple, « La personnalité exerce-t-elle une influence causale sur la classe sociale ou est-ce l'inverse ? ») *varient* d'une caractéristique de la personnalité à une autre. Par exemple, on a constaté l'existence d'un lien étroit entre l'anxiété et les conditions sociales. Ainsi, les enfants qui grandissaient au sein de familles défavorisées socioéconomiquement devenaient des adolescents relativement plus anxieux. De même, les adolescents qui avaient une scolarité relativement faible devenaient des adultes anxieux. Cependant, si les conditions de vie exerçaient une influence causale sur les niveaux d'anxiété, l'anxiété ne semblait pas avoir un effet similaire sur les questions d'ordre socioéconomique. À titre de comparaison, les analyses sur les désordres antisociaux ont produit un résultat différent. Adopter un comportement antisocial avait un effet sur la classe sociale. Les individus qui affichaient un comportement antisocial éprouvaient davantage d'échecs sur le plan scolaire, ce qui contribuait par la suite à une défavorisation sur le plan économique.

Le point à retenir ici est que la recherche permet aujourd'hui de mieux comprendre les influences réciproques entre la personnalité et la condition sociale, mais uniquement en précisant avec exactitude les caractéristiques de la personnalité à l'étude et en analysant le développement des individus au fil du temps.

LE FONCTIONNEMENT DE LA PERSONNALITÉ TOUT AU LONG DE LA VIE

La recherche en psychologie a porté dans une très large mesure sur les jeunes. Ses détracteurs ont d'ailleurs dénoncé la place disproportionnée accordée aux jeunes adultes qui suivent l'enseignement collégial. À maints égards, cet intérêt accru pour les enfants, les adolescents et les jeunes adultes est compréhensible, puisqu'il s'agit de périodes cruciales dans le développement de l'individu. Toutefois, cette prédominance est en porte-à-faux avec une tendance lourde du XXIe siècle : l'augmentation partout dans le monde du pourcentage d'adultes âgés. Grâce aux avancées en médecine, nous vivons plus vieux qu'avant. Ces changements dans la durée de vie sont spectaculaires. Aujourd'hui en Occident, un grand nombre de personnes vivent jusqu'à l'âge de 70 à 80 ans, voire plus, ce qui est une première dans l'histoire de l'humanité.

La résilience psychologique et la vieillesse

L'augmentation du nombre de personnes âgées ouvre un tout nouveau champ de recherche en psychologie : l'étude du fonctionnement de la personnalité pendant la vieillesse. Au cours de la dernière décennie, les psychologues se sont intéressés à cette question et d'ambitieux programmes de recherche ont étudié le fonctionnement de la personnalité pendant les dernières années de la vie (notamment Baltes et Mayer, 1999).

Une donnée récurrente produite par ces recherches n'est pas sans étonner. En effet, comme la vieillesse s'accompagne d'un grand nombre de difficultés et de défis – la retraite, le déclin sur le plan physique, la mort des pairs et des membres de la famille de même génération –, on pourrait s'attendre à ce que l'expérience psychologique vécue par les adultes âgés soit surtout négative. Or, ce n'est pas le cas. À partir de mesures objectives sur l'estime de soi, le sentiment d'exercer une emprise sur sa vie et le bien-être psychologique par rapport à la dépression, les chercheurs ont régulièrement constaté qu'à ce chapitre, les adultes âgés ne font pas *moins* bien que les jeunes adultes et les adultes situés entre les deux (Baltes et Graf,

1996; Brandstädter et Wentura, 1995). Plutôt que d'être sujet au découragement à l'approche de leurs derniers jours, les individus affirment souvent vivre des expériences affectives profondément riches et satisfaisantes (Carstensen et Charles, 2003).

Les adultes âgés font donc preuve d'une plus grande résilience psychologique. Ils sont habituellement capables de conserver un fort sentiment de soi et un bien-être personnel. Le défi à relever pour les psychologues de la personnalité est de comprendre le processus permettant à beaucoup d'adultes âgés de maintenir une image de soi positive.

Les travaux menés par le psychologue allemand Paul Baltes et ses collègues (Baltes, 1997; Baltes et Baltes, 1990; Baltes et Staudinger, 2000) ont permis d'aller au cœur de cette question. Ces chercheurs ont constaté que le développement comportait, de par sa nature même, une forme d'échange. Si les individus perdent certaines qualités psychologiques en passant d'une étape de leur vie à une autre, ils en gagnent d'autres en revanche. Par exemple, pendant les premières années de la vie, les enfants gagnent sur le plan du raisonnement logique, mais perdent sur le plan de l'imagination. Pendant les dernières années de la vie, les adultes âgés peuvent constater un déclin de certaines fonctions cognitives de base, mais un gain en sagesse (Baltes et Staudinger, 2000). Ces gains en matière de connaissance et de sagesse que les individus font avec l'âge leur permettent souvent de compenser les pertes que subissent leurs capacités cognitives.

L'analyse de Baltes propose un modèle général de développement psychologique et de résilience pendant la vieillesse. Dans le modèle de Baltes, les individus peuvent conserver un bien-être psychologique en sélectionnant les aspects de leur vie sur lesquels ils veulent concentrer leur énergie et leurs connaissances. Même s'il peut être difficile pour un adulte âgé de maintenir un éventail varié d'activités – travail, activité physique, loisir, formation de nouveaux réseaux sociaux, et ainsi de suite –, il ou elle peut être néanmoins extrêmement capable de maintenir des niveaux élevés de rendement et de bien-être dans les domaines particuliers de son choix. En concentrant leur énergie sur quelques aspects importants de leur vie, les adultes âgés parviennent à compenser leur déclin physique ou cognitif et à maintenir un niveau élevé de bien-être.

Une étude à grande échelle menée auprès d'adultes vivant à Berlin (Freund et Baltes, 1998) prouve l'effet bénéfique d'un processus de sélection judicieux. Les participants à cette étude ont répondu à un questionnaire autorapporté qui évaluait le degré de leur engagement dans les processus de sélection visant à optimiser leur rendement pour compenser le déclin physique de la vieillesse. Ce questionnaire mesurait la tendance chez ces gens à choisir un petit nombre d'objectifs de vie représentatifs sur lesquels concentrer leur énergie, ainsi que leur capacité de faire appel à leurs ressources familiales et à leurs réseaux sociaux pour relever les défis. Même après qu'on ait procédé à un contrôle pour d'autres variables de la personnalité, il est ressorti de cette étude que les individus qui avaient eu souvent recours à ces stratégies pour leur vie sociale étaient ceux qui éprouvaient un sentiment accru de bien-être personnel et qui ressentaient le plus d'émotions positives au quotidien.

La vie affective pendant la vieillesse : la sélectivité socioaffective

Les recherches de Laura Carstensen et de ses collègues (Carstensen, 1995, 1998; Carstensen, Isaacowitz et Charles, 1999) nous offrent un exemple de ces processus de sélection. La **théorie de la sélectivité socioaffective** de Carstensen s'intéresse aux changements qui modifient les motivations sociales au cours d'une vie. L'idée fondamentale est que les individus sont conscients des possibilités et des contraintes associées aux différentes étapes de la vie. Par exemple, un individu âgé de 20 ans reconnaîtra probablement que plusieurs décennies de vie familiale et professionnelle l'attendent, tandis qu'un autre âgé de 85 ans reconnaîtra probablement qu'il ou elle amorce la dernière décennie de sa vie ou y est déjà. Cette conscience du temps influe sur le choix des objectifs de vie. Pour le jeune adulte, il est logique de se concentrer sur l'avenir et d'investir son énergie dans les objectifs à long terme comportant l'acquisition de connaissances et d'habiletés qui s'avéreront utiles dans les décennies à venir (par exemple, des habiletés semblables à celles acquises dans les études collégiales) ou pour le développement du soi et de l'identité. À l'inverse, lorsque la personne voit approcher la fin de sa vie, se concentrer sur les objectifs à long

Théorie de la sélectivité socioaffective
Analyse théorique de Carstensen qui s'intéresse aux processus de changement des motivations sociales tout au long d'une vie.

terme n'a guère de sens. Il est alors préférable de choisir un ou deux objectifs qui ont un impact positif immédiat sur sa vie et d'y concentrer son énergie. En vertu de la théorie socioémotionnelle, les objectifs comportant des expériences émotionnelles significatives deviennent plus importants pour l'adulte âgé. Celui-ci sera relativement moins porté à acquérir de nouvelles connaissances sur le monde et à se bâtir de nouveaux réseaux sociaux, mais relativement plus enclin à vivre des expériences émotionnelles positives, ce qu'il peut accomplir en conservant des relations étroites avec la famille et les amis de longue date. En résumé, la théorie de Carstensen prédit que l'adulte âgé, comparativement au jeune adulte, sera davantage susceptible de consacrer son énergie à un nombre restreint de relations sociales qui agrémentent son expérience affective.

Les recherches confirment cette hypothèse. Par exemple, Carstensen et Fredrickson (1998) ont mis à l'épreuve la théorie de la sélectivité socio-émotionnelle lors d'une étude portant sur un échantillon important et diversifié sur le plan ethnique composé d'adultes dont l'âge variait entre 18 et 88 ans. Leur objectif consistait à vérifier l'hypothèse selon laquelle les adultes âgés concentreraient leur attention sur l'amélioration des expériences affectives qu'ils sont en train de vivre, alors que les jeunes adultes se concentreraient plutôt sur leurs perspectives d'avenir, notamment en rencontrant de nouvelles personnes qui pourraient leur apprendre de nouvelles choses. Pour tester cette idée, ils ont distribué aux participants, jeunes et vieux, une longue liste énumérant différents types d'individus (par exemple, un ami intime de longue date, l'auteur d'un livre qu'ils viennent de lire). Ils ont ensuite demandé aux participants d'établir un classement indiquant les aspects (c'est-à-dire les caractéristiques permettant de différencier les individus sur la liste) les plus importantes pour eux lorsqu'ils songeaient aux différentes personnes énumérées.

Comme prévu, les adultes âgés semblaient s'intéresser davantage aux qualités émotionnelles des individus énumérés, tout en accordant moins d'attention à une éventuelle rencontre avec une personne susceptible de les renseigner utilement. À l'inverse, les jeunes adultes semblaient moins s'intéresser aux qualités émotionnelles des individus pour se concentrer plutôt sur la possibilité de rencontres instructives avec de nouvelles personnes, que ces rencontres débouchent ou non sur des expériences positives sur le plan affectif. Les adultes âgés, conscients qu'ils étaient rendus aux dernières années de leur vie, apparaissaient beaucoup plus attentifs aux expériences

sociales susceptibles de leur apporter un bienfait émotionnel immédiat. Fait intéressant à noter, une étude menée par la suite a produit des résultats similaires chez les individus séropositifs qui présentaient des symptômes du sida. Même s'ils n'étaient pas âgés, ces hommes faisaient face à la possibilité d'une vie écourtée et, à la manière des adultes âgés, se concentraient principalement sur les qualités émotionnelles immédiates de leurs relations sociales (Carstensen et Fredrickson, 1998).

Dans les sections précédentes du présent chapitre, les contextes que nous avons examinés étaient principalement des contextes sociaux. Les travaux de Baltes, de Carstensen et de leurs collègues indiquent que l'âge, et surtout le nombre d'années que l'individu croit avoir encore devant lui, est un autre contexte qui joue un rôle clé dans le fonctionnement de la personnalité.

LES INDIVIDUS ET LES CONTEXTES CULTURELS

On ne peut concevoir de nature humaine coupée de toute culture. L'absence de culture ne reléguerait pas les êtres humains au simple rang d'êtres primitifs plus futés que les autres... mais à celui de monstruosités stupides et incapables possédant peu d'instincts utiles et encore moins d'émotions identifiables : bref, des cas désespérés. Comme notre système nerveux central – et en particulier le néocortex, ce joyau qui est à la fois sa bénédiction et sa malédiction – s'est développé en grande partie à travers son interaction avec la culture, il a absolument besoin de systèmes de symboles marquants pour guider notre comportement ou organiser notre façon de vivre.

Source : Geertz, 1973, p. 49.

Deux stratégies pour une réflexion sur la personnalité et la culture

Stratégie n° 1 : Personnalité... et culture ?

Il existe deux stratégies qui permettent d'amorcer une réflexion sur la personnalité et la culture. La première est une stratégie que vous avez vue à plusieurs reprises dans le présent ouvrage. Elle consiste à commencer par un concept théorique ou une hypothèse formulée à partir d'une théorie, puis à tenter de déterminer si cette idée est applicable à toutes les cultures. Comme la science psychologique du XXe siècle s'est développée dans les pays occidentaux (Amérique du Nord et Europe), il s'agit d'une stratégie où : (1) le psychologue de la personnalité part d'une idée sur la nature humaine fondée sur la culture occidentale et reflétant des recherches ou des expériences cliniques menées par des Nord-Américains ou des Européens ; (2) ce psychologue se demande ensuite si cette conception de la personnalité se confirme lorsque les recherches sont menées dans des cultures non occidentales. Nous avons pris connaissance de cette stratégie au chapitre 6 lorsqu'il a été question de la théorie phénoménologique de la personnalité et du soi formulée par Carl Rogers. Après avoir fait le tour de cette théorie, nous avons examiné la recherche contemporaine consistant à déterminer si les processus de Rogers s'appliquent aux cultures asiatiques. Nous sommes revenus sur cette stratégie au chapitre 8 quand nous nous sommes demandé si le modèle théorique des « Cinq Grands » de la théorie des traits de la personnalité (autre produit de la psychologie de la personnalité occidentale) s'appliquait à toutes les cultures.

Dans cette stratégie de réflexion sur la personnalité et la culture, les questions liées à la culture et à la personnalité se résument à ce que les psychologues appellent des questions de « généralisabilité ». Il s'agit ici de déterminer si un résultat se confirme dans différents environnements, c'est-à-dire s'il est généralisable. S'il est possible de se demander si un résultat de recherche peut s'appliquer aux deux sexes, à différentes conditions socioéconomiques ou à diverses tranches d'âges, il est tout aussi possible de se demander si ce résultat s'applique à différentes cultures.

Comme il importe de déterminer s'il est possible de généraliser les résultats de recherche à d'autres cultures, cette première stratégie est utile en ce sens, mais pas suffisamment, puisqu'elle comporte deux limites importantes. Premièrement, elle risque d'omettre des aspects de la personnalité qui sont importants dans d'autres cultures, mais non dans celle des chercheurs. Si ces derniers se contentent d'importer une conception occidentale de la personnalité dans une culture non occidentale, ils peuvent passer par-dessus des aspects de la personnalité qui sont des caractéristiques clés dans une culture non occidentale mais relativement insignifiantes dans leur propre culture.

Par exemple, examinons les efforts déployés par les chercheurs dans l'étude du modèle théorique des « Cinq Grands » (voir le chapitre 8), qui vise à dégager les unités langagières de base qu'utilisent les individus pour se

décrire eux-mêmes et décrire les autres. Lorsque les chercheurs ont transporté cette structure des cinq facteurs à des cultures non occidentales, ils ont effectivement été en mesure de prouver que les personnes appartenant à ces cultures reconnaissaient que ces dimensions de la personnalité étaient des moyens efficaces de différencier les individus (McCrae et Costa, 2008). Notons cependant qu'ont également été trouvées des variations culturelles notables dans le langage sur les différences individuelles (Saucier et Goldbert, 2001).

Or, cette recherche pourrait omettre des aspects importants du langage employé pour décrire la nature humaine provenant d'autres cultures. Prenons à titre d'exemple la culture bouddhiste. Dans ce contexte culturel, le mot *karma* est un terme général désignant les effets positifs et négatifs des actions des individus sur l'évolution de leur conscience, effets qui peuvent se transmettre d'une vie physique à une autre par la réincarnation (Chodron, 1990). Cette conception du karma n'est pas répandue dans les cultures occidentales, là où les facteurs des Cinq Grands ont d'abord été étudiés. Par conséquent, les questionnaires conçus pour mesurer les cinq facteurs de la personnalité contiennent peu d'éléments (voire aucun) qui sont directement liés au concept de karma. Donc, en important dans une culture bouddhiste des questionnaires élaborés en Occident et rédigés dans une langue étrangère comme l'anglais, il est probable que les chercheurs ne parviendront pas à « trouver le karma ». Malgré son importance pour cette culture non occidentale, la notion de karma sera complètement laissée de côté puisqu'elle n'a pas été intégrée dans l'outil de recherche conçu en Occident.

Il existe une deuxième limite à la stratégie qui consiste à simplement se demander si les résultats d'une recherche donnée peuvent être généralisés d'un contexte culturel à un autre. De toute évidence, une telle approche considère la culture comme un élément accessoire dans l'étude de la nature humaine. Elle suppose que le théoricien de la personnalité peut d'abord élaborer un modèle dépeignant les aspects fondamentaux de la personnalité et des différences individuelles où la culture est complètement absente, et ensuite se demander, comme s'il y pensait après coup, si son modèle peut être « peaufiné » afin de tenir compte de la variable culturelle. Une telle approche traite les questions culturelles comme des compléments facultatifs pour l'objet principal de la psychologie de la personnalité, c'est-à-dire les fondements de la nature humaine.

La citation de l'anthropologue Clifford Geertz apparaissant au début de la présente section laisse supposer que cette vision des choses est dépassée. Pour Geertz, il n'existe rien de tel qu'une personnalité sans culture. En fait, le fonctionnement de la psychologie serait culturel dans son essence même. Les individus, qui sont eux-mêmes l'aboutissement de l'expérience culturelle accumulée par les générations précédentes, façonnent leur vision du monde en utilisant les langages et les systèmes de communication transmis par leur culture. Ce qui occupe leurs pensées – les autres, les contextes sociaux, les possibilités à venir, eux-mêmes – prend tout son sens à l'intérieur de systèmes signifiants fondés sur des pratiques culturelles et sociales qui peuvent varier d'un contexte culturel à un autre.

Stratégie n° 2 : La culture et la personnalité

Dans cette approche différente de la première, la culture cesse d'être en marge de la psychologie de la personnalité – elle s'y retrouve au centre. C'est à la faveur des interactions avec leur culture que les individus acquièrent leur identité individuelle.

Cette vision des relations entre la culture et la personnalité a des répercussions importantes sur la façon d'aborder non seulement la personnalité, mais également la culture. Les cultures se composent des mêmes individus qui acquièrent leur identité personnelle à partir d'elle. Autrement dit, la culture et la personnalité se « créent mutuellement » (Shweder et Sullivan, 1990, p. 399).

En vertu de cette perspective, il n'y a pas de personnalité sans culture, ni de culture sans individus. Il y a plutôt des êtres dont le fonctionnement psychologique utilise des outils culturels comme le langage et les systèmes signifiants connexes. Il existe également des cultures dont les pratiques sont perpétuées par ceux-là même qui les inhibent. Pendant plus d'une décennie, cette vision a été portée par un mouvement appelé psychologie culturelle (Shweder et Sullivan, 1993). La psychologie culturelle cherche aussi à déterminer si les résultats d'une recherche sont généralisables d'une culture à une autre (la principale question abordée par ce que nous avons appelé la stratégie n° 1), mais elle pose également des questions qui sont plus fondamentales sur la nature humaine.

Les exemples de différences considérables de la façon de vivre des individus provenant d'une culture donnée sont autant d'arguments qui militent en faveur d'une observation de l'expérience humaine faite à travers la lentille culturelle. Voyons d'abord ce que vous ressentez et comment vous réagissez lorsque, par exemple, vous faites une nouvelle rencontre à l'occasion d'une réception. Si vous appartenez à la culture occidentale, il est probable que vous vous présenterez en disant d'abord votre nom et, si une conversation s'engage et que votre interlocuteur et vous souhaitiez mieux vous connaître, vous parlerez de ce qui vous intéresse, de vos loisirs, de l'endroit d'où vous venez, ou de vos objectifs de vie. Si, le lendemain, vous décrivez cette nouvelle connaissance à un vieil ami, il est également probable que vous emploierez un vocabulaire emprunté à la psychologie des traits de personnalité qui décrit les qualités individuelles permettant de différencier les individus (vous pourriez dire que la personne que vous avez rencontrée est « extravertie », « très ouverte d'esprit », etc.). Pour vous, il ne fait aucun doute que cela ira de soi. Cela ne se passe-t-il pas toujours ainsi ? N'est-ce pas la façon de se présenter et de parler de soi qui est en usage aux quatre coins du monde ? Apparemment non. Des analyses détaillées de l'identité personnelle au sein des cultures traditionnelles de l'île de Bali (Geertz) indique que nos propres façons d'être en tant qu'individus sont loin d'être universelles.

À Bali, les individus n'utilisent pas leur nom pour se présenter. Le nom relève de la sphère privée ; on le traite « comme s'il s'agissait d'un secret militaire » (Geertz, 1973, p. 375). Pour différencier les individus, on emploie des mots qui font référence au rang qu'occupe la personne au sein de sa famille ou de sa communauté. Ces mots servant à décrire une personne ont trait à la famille (une personne est la « mère-de »), au statut social (qui indique clairement

Les pratiques sociales en cours à Bali donnent à penser que la culture balinaise accorde plus d'importance aux relations entre un individu et ses ancêtres familiaux qu'aux traits distinctifs et uniques des individus pris séparément, comme c'est souvent le cas dans les cultures occidentales.

comment une personne doit être abordée) ou à la fonction (par exemple, chef du village). Ce système est le reflet d'une conception culturelle plus large où les personnes ne sont pas considérées d'abord comme des individus uniques, idiosyncratiques, mais comme des éléments d'un ordre social plus vaste et éternel. Ces pratiques culturelles « [relèguent au second plan] les aspects simplement biographiques, plus idiosyncratiques et, par le fait même, plus éphémères [...] de l'existence en tant qu'être humain (ce cadre de référence plus égoïste que nous appelons *personnalité*) en faveur d'aspects plus typiques, hautement conventionnels, et par conséquent plus durables » (Geertz, 1973, p. 370).

La construction sociale de la personnalité et du soi au sein d'une culture

Les travaux menés par Shinobu Kitayama et Hazel Markus (Cross et Markus, 1999 ; Kitayama et Markus, 1999 ; Markus, Uchida, Omoregie, Townsend et Kitayama, 2006), sur les conceptions du soi au sein des cultures nord-américaine et japonaise illustrent de manière saisissante les répercussions de la psychologie culturelle sur l'étude de la personnalité. L'idée au centre de ces travaux est l'existence possible de variations d'une culture à une autre dans les conceptions du soi implicites des individus (Markus et Kitayama, 1991 ; Triandis, 1995). En effet, les croyances sur la signification du « soi » ou de l'individu peuvent différer selon les régions du globe. Des cultures différentes peuvent nourrir des croyances différentes à propos des droits, des devoirs, des possibilités et de la plupart des aspects qui sont au cœur de l'identité individuelle. Ces croyances ne sont pas nécessairement explicites ; autrement dit, il se peut qu'un grand nombre de personnes appartenant à une même culture n'expriment pas explicitement en mots ces croyances culturelles communes sur la nature de la personnalité. Pourtant, même s'il ne s'arrête pas pour y penser explicitement, chacun cultive ses conceptions sur les aspects les plus fondamentaux de la personnalité. Ce sont ces conceptions qui semblent différer d'une culture à l'autre.

Vision du soi indépendante ou interdépendante

Ensemble de croyances implicites à propos du concept de soi où le soi est perçu comme étant doté d'un ensemble de qualités psychologiques distinctes de celles des autres (soi indépendant) ou comme jouant un rôle en relation avec la famille, la société et la communauté (soi interdépendant).

La vision du soi indépendante et interdépendante

Plus particulièrement, on constate ces différences lorsque l'on compare les cultures euro-américaines avec les cultures extrême-orientales. Dans les cultures euro-américaines, le soi se construit essentiellement comme une entité **indépendante**. Cette vision véhicule une conception du soi qui englobe un ensemble de qualités psychologiques (traits de personnalité, objectifs, etc.) qui sont distinctes, ou indépendantes, de celles des autres individus. La personne devient un « contenant » où sont emmagasinés une série de traits psychologiques qui motivent ses actions. Les individus se construisent également comme des êtres possédant des droits, comme le droit au bonheur.

À l'inverse, dans les cultures extrême-orientales, la conception du soi est **interdépendante** (Markus et Kitayama, 1991 ; Triandis, 1995). La conception interdépendante met l'accent sur les relations sociales et sur les rôles que joue l'individu au sein de la famille, et insiste sur les responsabilités qui accompagnent ces rôles plutôt que sur la recherche égoïste du bonheur. Dans les cultures interdépendantes, le comportement n'est pas expliqué par les traits mentaux individuels qui résident dans la tête d'un individu, mais par les réseaux d'obligations sociales. C'est la place qu'occupe l'individu à l'intérieur de ces réseaux qui est vue comme étant la cause de son comportement. Par exemple, on invoquera les obligations sociales pour expliquer qu'une personne puisse manifester en tout temps un comportement « responsable », plutôt qu'en disant qu'elle agit ainsi parce qu'elle possède ce trait de caractère.

Une série de données confirment l'existence de différences entre les cultures orientales et occidentales sur les façons de concevoir le soi. Comme nous l'avons vu au chapitre 6, les processus psychologiques liés à l'estime de soi diffèrent d'une culture à l'autre. Contrairement aux Occidentaux, les Orientaux ont moins tendance à entretenir un degré d'estime de soi élevé (Heine, Lehman, Markus et Kitayama, 1999). En revanche, l'autocritique y occupe une place importante (Kitayama, Markus, Matsumoto et Norasakkunkit, 1997). De plus, à l'inverse des résultats obtenus dans les pays occidentaux, la motivation intrinsèque poussant à accomplir des tâches n'est pas plus grande chez les Orientaux lorsque ces tâches résultent d'un choix personnel ; au contraire, elle est moindre que si ce choix a été fait par des figures d'autorité ou des personnes de confiance (Iyengar et Lepper, 1999). Conformément aux conceptions du soi qui, en Occident, insistent davantage sur les qualités individuelles pour expliquer le comportement, les Nord-Américains ont tendance à survaloriser les facteurs personnels comme étant les causes des actions au détriment des facteurs situationnels. Les populations vivant au Japon, en Inde et en Chine sont moins susceptibles d'afficher un tel a priori d'attribution causale (Kitayama et Masuda, 1997 ; Miller, 1984 ; Morris et Peng, 1994). Les études portant sur le bien-être perçu de manière subjective révèlent également des différences intéressantes entre les différentes cultures. Par exemple, pour prédire le degré de satisfaction des individus envers la vie qu'ils mènent, le caractère agréable des expériences émotionnelles vécues au quotidien est un prédicteur

Les recherches indiquent que les individus de culture orientale sont plus susceptibles que ceux de culture occidentale d'entretenir des visions du soi interdépendantes qui mettent de l'avant les liens entre les membres d'une communauté ainsi que les obligations des individus envers la famille et la société dans son ensemble.

plus révélateur en Occident que dans les cultures orientales (Suh, Diener, Oishi et Triandis, 1998). Tous ces résultats vont dans le sens de l'affirmation selon laquelle les individus vivant dans les cultures orientales ont une conception du soi interdépendante qui est donc différente de la conception du soi indépendante ayant cours dans les cultures occidentales.

Les études portant sur les individus qui passent d'un contexte culturel à un autre révèlent également les interactions entre la culture et la personnalité. Par exemple, voyons ce qui se produit lorsque des gens passent d'une culture orientale à une culture occidentale. On sait que les mœurs sociales en Occident s'intéressent davantage à l'évaluation des attributs personnels qu'on ne le fait en Orient. Le contact avec ces nouvelles pratiques sociales devrait amener les individus à être plus extravertis au fur et à mesure qu'ils assimilent leur nouvelle culture. Il existe des preuves de l'existence d'un tel phénomène. McCrae et ses collègues (1998) se sont intéressés à des étudiants chinois qui fréquentaient une université canadienne. Certains étudiants vivaient en Amérique du Nord depuis plusieurs années tandis que d'autres étaient arrivés depuis peu au moment où l'étude a commencé. Les individus qui avaient été exposés plus longtemps à la culture canadienne avaient tendance à obtenir des scores plus élevés pour la dimension de l'extraversion (MCrae, Yik, Trapnell, Bond et Paulhus, 1998).

Les études sur les individus biculturels illustrent davantage le rôle que jouent les processus cognitifs dans ces différences culturelles. Ces individus sont des personnes ayant vécu suffisamment longtemps au sein de deux cultures différentes pour être en mesure d'assimiler le système de croyances propre à chacune (Hong, Morris, Chiu et Martinez, 2000). Ils sont capables de « changer de cadre culturel ». Autrement dit, ils peuvent changer la grille d'interprétation culturelle à laquelle ils recourent pour comprendre un événement. Détail intéressant chez les individus biculturels, le stimulus cognitif qui permet de changer de cadre culturel influe également sur les processus de pensée ultérieurs. L'exposition à des symboles représentatifs de la culture chinoise ou nord-américaine (par exemple, un drapeau canadien, une image d'un dragon chinois) permettait de provoquer ce changement de cadre de référence culturel. Contrairement à leur façon de réagir lorsqu'ils voyaient des symboles chinois, les individus biculturels avaient tendance à attribuer des causes internes à leurs actions après avoir vu des symboles de la culture nord-américaine. En poussant cette logique jusqu'au bout, on peut affirmer qu'aucune cognition n'est exempte de culture ; en d'autres mots, la culture a un effet déterminant non seulement sur ce que nous savons, mais également sur la façon dont nous pensons (Nisbett, 2003).

LA PERSONNALITÉ DANS SON CONTEXTE : UNE APPROCHE PRATIQUE

La matière examinée jusqu'à présent dans ce chapitre a été surtout théorique. Nous avons vu comment la théorie de la personnalité ainsi que la recherche inspirée par cette théorie peuvent et doivent inclure une analyse des contextes sociaux dans lesquels vivent les individus.

Adoptons maintenant une approche plus pratique pour conclure ce chapitre. Quelles sont les répercussions concrètes découlant de l'étude de la personnalité dans son contexte ? Nous l'aborderons sous deux angles : (1) l'évaluation clinique, vue à travers une étude de cas ; (2) le changement social, vu à travers un programme ambitieux de santé publique.

Évaluer la personnalité dans son contexte : une étude de cas[1]

La recherche fondamentale sur la personnalité prise dans son contexte a des répercussions importantes sur l'évaluation de la personnalité, notamment l'évaluation des participants à une psychothérapie, comme l'illustre l'étude de cas suivante.

Cette étude de cas porte sur une cliente dont les initiales sont S.L., une Euro-Américaine âgée de 55 ans, divorcée et détentrice d'un diplôme d'études secondaires. À son arrivée à la clinique psychologique, S.L. a déclaré qu'elle était « déprimée », qu'elle avait perdu tout intérêt « pour le peu de choses qu'elle aimait faire », et qu'elle devrait « mettre de l'ordre dans sa vie ». Elle a ajouté qu'elle se sentait « extrêmement stressée » en raison de relations sociales « insatisfaisantes », ajoutant qu'elle désirait « rencontrer des adultes pour avoir une vie sociale ».

Les mesures d'évaluation standard utilisées en détresse psychologique indiquaient que S.L. souffrait de dépression et d'anxiété. Les mesures sur la dépression indiquaient qu'elle se situait dans la catégorie dépression sévère, alors que les mesures sur l'anxiété montraient qu'elle manifestait une anxiété modérée.

Pour en savoir davantage sur le fonctionnement de la personnalité de S.L. mise dans son contexte, sa thérapeute a conçu des méthodes d'évaluation novatrices. Ces méthodes ciblaient les trois objectifs d'évaluation suggérés par la recherche sur la personnalité dans son contexte (notamment Cervone, 2004). Ces objectifs sont :

(1) *Identifier les contextes* : Isoler les types de situations, ou contextes sociaux, qui sont pertinents dans la vie psychologique de l'individu à l'étude.

(2) *Dégager les structures de la personnalité* : Évaluer les qualités personnelles stables, incluant les croyances à propos du soi et des autres qui sont particulièrement importantes pour l'individu à l'étude.

(3) *Dresser une carte conceptuelle sur les liens entre la personnalité et le contexte* : Cerner les structures de la personnalité qui sont les plus étroitement liées à chaque contexte social et qui peuvent influer sur l'expérience comportementale et émotionnelle vécue à l'intérieur de ce contexte.

Voyons maintenant plus en détail comment la thérapeute a atteint ces objectifs dans le cas de S.L.

Identifier les contextes ▪ En guise de première étape pour identifier les contextes sociaux qui étaient particulièrement importants pour S.L., la thérapeute lui a d'abord demandé de se concentrer sur les situations de sa vie quotidienne qui suscitent en elle de fortes émotions. S.L. lui a décrit ces circonstances et la thérapeute a utilisé ce point de départ pour dresser une liste de 20 situations qui lui semblaient particulièrement pertinentes.

S.L. s'est ensuite livrée à l'exercice mental suivant. Sa thérapeute lui a demandé de visualiser, pour chacune de ces situations, la dernière fois où celle-ci s'était produite. Après que S.L. l'eut visualisée, sa thérapeute lui a demandé de rapporter ses évaluations cognitives (par exemple, les pensées qui lui ont traversé l'esprit ou les personnes qui étaient présentes) et ce qu'elle a ressenti.

S.L. a ensuite été invitée à réfléchir sur cette liste de 20 situations ainsi qu'aux pensées et aux émotions qui y étaient associées, puis à y relever les « équivalences d'un point de vue fonctionnel ». Plus précisément, elle devait assembler les situations similaires, c'est-à-dire celles qui déclenchaient des types de pensées et d'émotions semblables. S.L. a donc dégagé neuf types de situations – ou neuf contextes sociaux – qui étaient particulièrement représentatifs pour elle. Parmi ces neufs contextes sociaux, on trouvait les suivants :

▪ Quand je pense à ma vie ;

▪ Quand j'ai peur « qu'une catastrophe se produise » ;

▪ Quand j'essaie de paraître meilleure/plus forte que je ne le suis réellement ;

▪ Quand les gens m'abordent, sont gentils avec moi, ou recherchent ma compagnie.

Notons que même si S.L. souffrait de dépression, il y avait parmi les contextes pertinents pour elle des contextes qui étaient principalement positifs à ses yeux.

---

1. Le thérapeute présenté dans cette étude de cas est le professeur Walter D. Scott de l'Université du Wyoming, qui a mis au point des méthodes originales pour l'évaluation contextuelle de la personnalité. L'un des auteurs du présent ouvrage (D.C.) a participé à la rédaction du rapport d'observation clinique ressortissant à ces méthodes.

Dégager les structures de la personnalité ▪ En plus de cette évaluation des contextes sociaux, S.L. a participé à des tâches destinées à évaluer les structures de sa personnalité. Une de ces tâches, conçue pour faire ressortir les caractéristiques structurales de son concept de soi qui étaient particulièrement pertinentes pour sa vie sociale, comportait deux étapes principales.

La première étape prenait la forme d'une tâche de type « soi avec l'autre ». S.L. a identifié environ une douzaine d'individus qui jouaient un rôle important dans sa vie. Ensuite, pour chacun de ces individus, on a demandé à S.L. de visualiser une interaction typique avec cette personne, de décrire les pensées qui lui viennent en tête durant cette interaction et de trouver entre trois et cinq adjectifs qui la décrivaient pendant cette interaction. Voici les résultats de cette démarche.

- Lorsqu'elle décrivait une amie qui jouait un rôle important dans sa vie et qu'elle pensait à un épisode négatif récent avec cette même personne, S.L. a eu les pensées suivantes : « C'est [ma] faute. Je suis stupide et idiote. » Les adjectifs qu'elle employait pour se décrire étaient « frustrée, stupide, idiote, insignifiante ».

- Lorsqu'elle décrivait ses interactions avec d'autres personnes pendant qu'elle magasinait, voici un exemple de ce qu'elle en pensait : « J'ai l'air au bout du rouleau, cela se lit sur mon visage. » Les adjectifs qu'elle utilisait pour se décrire étaient « dure, laide, mauvaise, poquée par la vie ».

- Lorsqu'elle décrivait ses interactions au travail avec les clients, ses pensées étaient complètement différentes, par exemple : « Je suis compétente et les autres me respectent. » Pour se décrire, elle employait les adjectifs « compétente, respectée, bonne ».

En s'intéressant ainsi aux contextes sociaux, la thérapeute a pu évaluer autant les pensées positives que négatives entretenues par cette personne souffrant de dépression.

Dans la deuxième étape de cette démarche d'établissement des structures de la personnalité de type « soi avec l'autre », S.L. a présenté ses descriptions « soi avec l'autre » à sa thérapeute. Après en avoir discuté avec elle, S.L. a groupé les descriptions en six catégories, constituant ainsi six ensembles de croyances générales à propos d'elle-même, ou schémas de soi. En voici quelques exemples :

- Soi-au-bout-du-rouleau, pas à la hauteur
- Soi-inférieure, incompétente
- Soi-travailleuse-compétente

Une autre tâche conçue pour évaluer les structures de la personnalité ciblait les objectifs personnels de S.L. Pour ce faire, on lui a soumis une tâche d'évaluation (voir Cox et Klinger, 2011) où elle devait énumérer ses objectifs les plus importants dans différents aspects de sa vie (par exemple, au travail, à la maison, dans ses relations intimes). Par la suite, S.L. a énuméré ses huit principaux objectifs de vie, qu'elle a classés en trois catégories. Parmi ces objectifs, il y en avait trois qui étaient si importants dans la vie de S.L. que la thérapeute a jugé que ce qu'elle pensait à leur sujet incarnait des structures majeures de sa personnalité. Ces éléments axés sur les objectifs portaient sur les buts suivants de S.L. :

- avoir des relations étroites avec ses enfants et ses petits-enfants ;
- avoir des amis et un compagnon de vie ;
- atteindre la sécurité financière.

Carte conceptuelle et contexte ▪ Jusqu'à présent, les évaluations nous ont donné de l'information sur les contextes sociaux qui dépeignent le quotidien de S.L. et les contenus mentaux qui composent les structures cognitives de sa personnalité. Or, quels liens existent entre les deux ? Idéalement, le thérapeute (ou de manière générale la personne qui procède à l'évaluation) devrait établir des liens entre les contextes sociaux et les structures de la personnalité afin de mieux comprendre les expériences vécues par le client à partir d'une perspective sociale et cognitive à la fois (Cervone et coll., 2001). À son tour, cette compréhension contribuerait à la mise au point de stratégies thérapeutiques. Il est à noter qu'aucune stratégie d'évaluation parmi celles que nous avons vues jusqu'à présent dans cet ouvrage n'utilise de carte conceptuelle. Par exemple, bien que le test Rep de Kelly (voir le chapitre 11) permette de mieux comprendre les structures cognitives de la personnalité (construits), il ne permet pas de dégager les contextes sociaux qui expliquent que tel construit s'imposera dans l'esprit d'un individu. De même, l'analyse de profil « si... alors » de Mischel et ses collègues (voir le chapitre 12) cernait les contextes situationnels associés à des variations dans le comportement d'un individu, mais sans dégager les structures de la personnalité qui étaient activées, pour ce même individu, à l'intérieur de ces contextes.

La thérapeute a procédé de la manière suivante pour dresser la carte conceptuelle de la personnalité de S.L. mise dans son contexte (voir Cervone, 2004). Les neuf contextes sociaux définis précédemment (voir ci-dessus) ont d'abord été présentés à S.L. Celle-ci devait évaluer pour chaque contexte la pertinence des diverses structures de la personnalité qui y sont associées. Plus précisément, elle devait indiquer «dans quelle mesure [votre schéma de soi X ou votre objectif Y] influe sur ce que vous pensez ou ressentez dans cette situation ou sur la façon dont vous y réagissez?» Par exemple, la thérapeute pourrait demander à S.L.: «Dans quelle mesure votre croyance selon laquelle vous êtes inférieure ou incompétente influe-t-elle sur ce que vous avez pensé ou ressenti ou sur la façon dont vous avez agi dans une situation où les gens vous abordaient, vous traitaient avec gentillesse ou recherchaient votre compagnie?» Cette approche a permis d'établir des liens entre les traits de personnalité de S.L. et les contextes sociaux. La figure 14.4 présente un sous-ensemble de cette carte conceptuelle.

La carte conceptuelle a révélé les contextes sociaux qui étaient particulièrement problématiques pour S.L. et a permis de mieux comprendre la source psychologique de ses problèmes. Par exemple, se retrouver seule à réfléchir sur sa vie comptait parmi les situations les plus problématiques pour elle (la situation 1 de la figure 14.4) et se produisait sur une base presque quotidienne. Pour S.L., les schémas de soi auxquels se rattachaient des notions comme Soi démoli ou Soi effondré s'appliquaient particulièrement à cet environnement. Ces schémas de soi peuvent avoir contribué aux pensées et aux émotions négatives rattachées à ce contexte. Lorsqu'elle réfléchissait à sa vie, S.L. se montrait critique face à elle-même, se blâmant pour une vie «à la dérive» qu'elle considérait comme un échec sur le plan professionnel, financier et

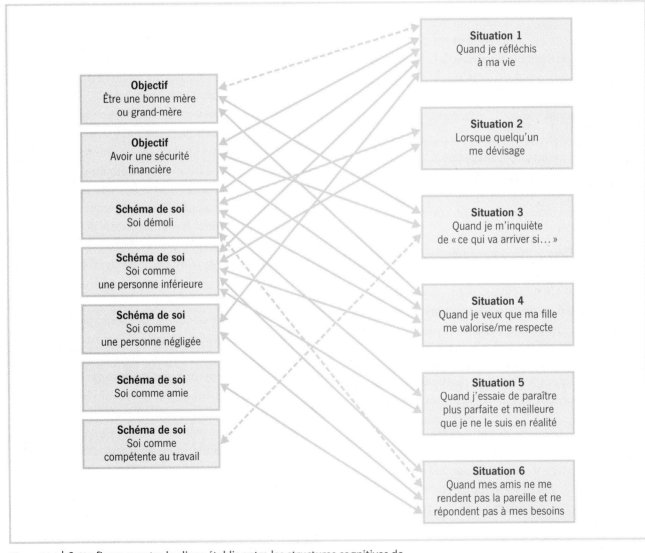

Figure 14.4 | Cette figure montre les liens établis entre les structures cognitives de la personnalité (objectifs et schémas de soi) et les contextes sociaux (six types de situations) dans le cas de S.L. Les traits en caractère gras, les traits pleins et les traits pointillés indiquent, pour chaque situation, les structures de personnalité que S.L. considérait comme très fortes, fortes et modérées.

amoureux. Pendant ces périodes d'introspection, elle se sentait incapable de changer sa situation ou son humeur et doutait que les choses iraient en s'améliorant.

Une analyse de ces évaluations contextualisées a également indiqué à la thérapeute de S.L. que son schéma de Soi effondré (c'est-à-dire la structure cognitive de la personnalité qui la décrivait comme une personne démolie) avait des répercussions négatives sur la façon dont elle abordait différentes situations (figure 14.4). S.L. considérait que son schéma de Soi démoli exerçait une influence « considérable » sur trois des quatre situations les plus problématiques et avait une certaine influence sur toutes les autres situations à l'exception d'une seule. Son schéma de soi « personne inférieure » agissait également sur un large éventail de circonstances.

Ces évaluations visaient non seulement à découvrir le fonctionnement de la personnalité de S.L. tel qu'il se présentait alors, mais également à concevoir un traitement visant à améliorer son mieux-être. C'est ici que la mise en contexte représentait un gros avantage. Pour mieux le comprendre, imaginons d'abord une évaluation moins poussée qui aurait négligé le rôle joué par le contexte social. Par exemple, sa thérapeute aurait pu se limiter à évaluer l'humeur générale et l'estime de soi de S.L., indépendamment des contextes où ces émotions et ces pensées se manifestaient. Une telle évaluation aurait montré que S.L. – en général, en moyenne – affichait une humeur négative et avait une faible estime de soi. Ce qui était effectivement le cas. Cependant, l'information fournie par ces évaluations aurait été insuffisante pour orienter le traitement. Idéalement, les évaluations fournissent des renseignements au sujet d'un client qui deviennent des ressources pour planifier le traitement. C'est ce que permet l'évaluation contextualisée. Elles jettent un regard critique sur ce qui est « bon et mauvais » : non seulement les circonstances où S.L. éprouvait des difficultés, mais également celles où elle se tirait bien d'affaire ; les structures de la personnalité qui contribuaient à sa dépression et celles qui étaient potentiellement utiles pour combattre la dépression. Voyons maintenant la stratégie utilisée par la thérapeute lors d'une discussion avec S.L. quant à son manque de confiance en elle face à la possibilité d'un nouvel emploi dans un supermarché.

THÉRAPEUTE : Vous dites que vous ne croyez pas être capable de faire le travail dans ce supermarché où vous avez postulé un emploi. Selon vous, d'où vient cette pensée ?

(S.L. relie cette pensée à son schéma de soi comme étant une personne inférieure.)

THÉRAPEUTE : Exactement, de votre schéma de soi comme étant une personne inférieure. Ce schéma repose sur les messages négatifs à propos de vous-même provenant des expériences vécues avec votre beau-père, votre mère, votre ex-conjoint. Qu'en est-il de vos expériences actuelles à votre travail ? Certaines d'entre elles – des expériences positives qui attestent votre compétence – pourraient-elle influer sur votre capacité à faire fonctionner une caisse enregistreuse dans un supermarché ? Parlez-moi des expériences que vous vivez dans votre emploi actuel.

(S.L. discute de sa situation au travail.)

THÉRAPEUTE : Bon, mettons tout sur la table et examinons toutes ces preuves. Qu'en pensez-vous ? Croyez-vous être en mesure de pouvoir réellement faire fonctionner une caisse enregistreuse ?

Après cette discussion, S.L. s'est déclarée plus en confiance (par exemple, un plus grand sentiment d'autoefficacité ; voir le chapitre 12) pour occuper l'emploi dans un supermarché. Par rapport à la carte conceptuelle de la figure 14.4, elle « voyait des liens plus forts » entre son soi en tant que travailleuse compétente et cette perspective d'une nouvelle situation, un emploi dans un supermarché.

Ces évaluations qui tenaient compte de la personne et de ses contextes de vie ont donc permis à la thérapeute de repérer les forces et les faiblesses dans la structure de la personnalité et les expériences sociales de S.L. L'évaluation des forces est devenue une ressource thérapeutique pour l'aider à mieux affronter les aspects plus problématiques de sa vie.

Les processus de la personnalité et le contexte : susciter un changement social

Voyons maintenant un deuxième exemple où les concepts liés à l'étude de la personnalité dans son contexte ont été mis en application. Cet exemple est de plus grande envergure que celui que nous venons d'examiner. Plutôt que de s'intéresser à un client individuel qui suit une psychothérapie, il vise plutôt un changement psychologique à l'échelle d'une société.

Il n'y a pas si longtemps, des chercheurs de la Tanzanie, un pays d'Afrique de l'Est, ont été aux prises avec le problème suivant. Le nombre de cas de VIH/sida dans ce pays avait atteint des sommets catastrophiques. Beaucoup de Tanzaniens en savaient très peu sur les causes d'une infection au VIH, ne sachant pas comme prévenir la maladie et colportant des fausses informations qui donnaient lieu à de folles rumeurs affirmant que les jeunes étaient immunisés contre la maladie, que les condoms étaient inefficaces ou qu'il était possible par simple observation de déterminer si un partenaire sexuel potentiel était porteur du virus (Vaughn, Rogers, Singhal et Swalehe, 2000). Il existait également un déséquilibre entre les sexes, les femmes étant moins susceptibles que les hommes de recevoir de l'information sur le VIH/sida et de passer des tests de dépistage.

Pour combattre l'épidémie, les chercheurs avaient besoin d'une méthode capable de susciter un changement de comportement dans la société tanzanienne tout entière. Ils ont adopté une approche de la personnalité que nous avons vue lors de l'étude de la théorie sociocognitive : l'apprentissage par observation, ou modelage (voir le chapitre 12). L'intervention de modelage qui a été conçue correspondait au contexte social dans lequel vivent les Tanzaniens : un radioroman (Mohammed, 2001 ; Vaughn et coll., 2000).

Pendant plus de cinq ans, de 1993 à 1999, les citoyens de Tanzanie ont pu entendre à la radio un radioroman intitulé *Twende na Wakati* (*Vivre avec son temps*). À bien des égards, il s'agissait d'un divertissement classique avec ses multiples personnages dont les vies étaient graduellement révélées au fil des épisodes. Il y avait toutefois un élément qui était tout à fait unique : l'émission était produite par le gouvernement de Tanzanie en collaboration avec Population Communication International (PCI), organisation à but non lucratif, dans le but de réduire la prévalence du sida en offrant un contenu à la fois divertissant et éducatif sur les comportements à risque.

Les personnages de *Twende na Wakati* modelaient l'éventail complet des possibilités au sujet du VIH/sida, de manière à ce que les auditeurs prennent conscience non seulement des avantages de la prévention du VIH, mais également des coûts associés à l'absence de prévention. Les modèles négatifs (par exemple, un camionneur aux mœurs dissolues qui n'utilisait pas de condom et qui a contracté le VIH) donnaient des exemples de comportements à risque. De leur côté, les modèles positifs fournissaient de l'information exacte sur le plan médical et

offraient des conseils aux autres personnages. Plus important encore, l'émission présentait des modèles « transitionnels ». Il s'agissait de personnages qui, au début, ne pratiquaient pas le sexe sans risque et qui, graduellement, adoptaient de tels comportements sous la pression des autres personnages. La recherche (Bandura, 1986, 1997) indique que les modèles transitionnels augmentent considérablement la perception d'autoefficacité des individus, puisque les auditeurs peuvent d'abord s'identifier aux problèmes vécus par les personnages et peuvent ensuite, grâce à cette identification, observer ces personnages les surmonter. Grâce à cette connaissance des contextes de vie et des défis que devaient relever quotidiennement les Tanzaniens, les auteurs du radioroman ont pu concevoir des modèles transitionnels dans lesquels les auditeurs pouvaient se reconnaître.

Autre élément remarquable, le gouvernement tanzanien a mené parallèlement une expérience à grande échelle afin de jauger l'efficacité du programme. Entre 1993 et 1995, l'émission a été diffusée uniquement dans certaines régions du pays ; cette diffusion s'est ensuite étendue à l'ensemble du pays. Cette façon de procéder permettait de comparer les différentes régions pour évaluer si l'émission atteignait sa cible. Cette expérience a été menée à l'aide d'entrevues et de sondages qui portaient sur la pratique de comportements précis visant à prévenir l'infection au VIH (Vaughn et coll., 2000).

La diffusion de *Twende na Wakati* a eu plusieurs effets bénéfiques. Les autoévaluations faites par les auditeurs ont permis de constater que l'écoute de l'émission amenait les individus à parler davantage des risques associés au VIH (Vaughn et coll., 2000). Les analyses indiquent que dans l'ensemble, l'impact qu'a eu l'émission s'expliquait en partie par le fait qu'elle encourageait les gens à discuter de manière plus ouverte des problèmes liés à la prévention du VIH/sida (Mohammed, 2001). L'émission avait également un effet déterminant sur les attitudes et les croyances au sujet du VIH/sida. Les chercheurs ont notamment examiné le pourcentage d'individus qui déclaraient posséder plusieurs facteurs de risque du VIH/sida (par exemple, avoir de multiples partenaires, avoir des relations sexuelles non protégées) et qui croyaient ne pas courir le risque d'être eux-mêmes infectés. Au cours de la période 1993-1995, ce pourcentage pour les individus vivant dans les régions où *Twende na Wakati* avait été diffusée est passé de 21 à 10 %. À l'inverse, dans les régions où l'émission n'avait pas été diffusée, le pourcentage d'individus affirmant ne courir aucun risque avait augmenté

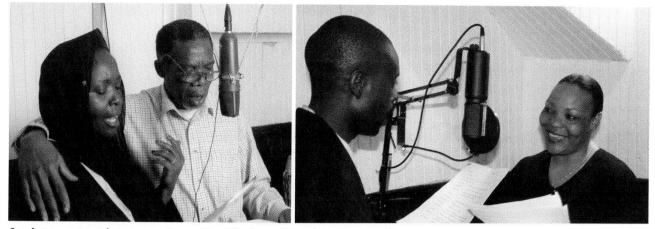

Ces photos montrent des acteurs qui ont créé et diffusé, en collaboration avec l'organisation Population Communication International, un radioroman conçu pour amener des changements sociaux bénéfiques.

au cours de la même période (Vaughn et coll., 2000). Plus important encore, le modelage des pratiques sexuelles sans risque présenté par l'émission de radio avait influé de manière significative sur les pratiques sexuelles des auditeurs. Dans les régions de diffusion, autant les hommes que les femmes avaient indiqué une diminution du nombre de leurs partenaires sexuels pendant la période 1993 à 1995. (Une telle diminution a également été constatée dans les régions où l'émission n'avait pas été diffusée à l'origine, mais seulement après sa diffusion.) De plus, l'usage du condom avait augmenté plus rapidement dans les régions de diffusion que dans les régions qui n'avaient pas été exposées au radioroman (Vaughn et coll., 2000).

En résumé, l'émission avait atteint son objectif de départ. En appliquant les principes de la psychologie de la personnalité d'une manière qui était adaptée aux contextes sociaux dans lesquels les gens vivaient, les chercheurs ont pu amener des changements dans les comportements à risque du VIH/sida qui touchaient l'ensemble de la société. À tous ceux et celles qui se demandent si les psychologues peuvent faire quelque chose de socialement utile avec les théories de la personnalité, les résultats obtenus en Tanzanie répondent par un « oui » retentissant.

EN BREF

Ce chapitre rend compte d'une série de programmes de recherche qui ont été menés au cours des dernières années en psychologie de la personnalité. Les sujets abordés, quoique diversifiés, tournaient autour d'un thème commun : les interactions entre les individus et les contextes sociaux dans lesquels ils vivent. Les questions

concernant les relations interpersonnelles, la cohérence dans les expériences vécues et les actions posées d'une situation à une autre, le développement de la personnalité par rapport à son contexte socioéconomique, le développement humain à travers les différentes périodes de la vie, la personnalité et la culture ainsi que les processus de la personnalité et les changements sociaux, ont été traitées à l'aide de stratégies de recherche qui s'intéressaient à la fois à la personnalité et à son contexte social.

D'une manière très générale, ce survol de la recherche contemporaine sur la personnalité et son contexte nous lance un message à propos du domaine scientifique en nous montrant les percées effectuées dans l'étude scientifique de la personnalité. Il y a à peine une génération, beaucoup de chercheurs considéraient les individus et les situations comme deux forces indépendantes et distinctes. On présumait que chacune produisait sur le comportement son propre effet : un effet individu et un effet situation. Comme nous avons pu le constater lorsque nous avons parlé de la controverse personne-situation, un débat a eu lieu parmi les chercheurs quant à l'importance relative de chaque effet (voir le chapitre 8), ce qui s'est parfois traduit par la compilation d'indices statistiques mesurant l'importance de chaque facteur pris séparément (notamment Funder et Ozer, 1983).

Les recherches passées en revue dans ce chapitre montrent comment la science de la personnalité a évolué depuis ce temps. Les données dont nous disposons actuellement montrent que la « personne » et le « contexte » ne sont pas deux forces indépendantes ; bien au contraire, il existe une interaction dynamique entre les deux. Ils se « créent mutuellement » (Shweder et Sullivan, 1990, p. 399). Les contextes se composent principalement d'individus et ce sont les individus qui donnent un sens aux situations sociales dans lesquelles ils se retrouvent. Ce point de vue théorique peut sembler abstrait. Or, comme nous l'avons vu, la reconnaissance de ce point de vue n'est pas sans avantages pratiques. Il ouvre la voie à une psychologie de la personnalité capable de nous montrer comment les individus essaient de s'adapter aux défis du quotidien et d'aider ces individus à relever des défis.

RÉSUMÉ

1. La recherche contemporaine montre comment il est possible de comprendre la personnalité en examinant les interactions entre les individus et leurs contextes de vie. Le premier exemple de cette affirmation générale porte sur les relations interpersonnelles, lesquelles, dans un contexte de relations amoureuses, pouvaient induire des pensées négatives, pessimistes et, finalement, vouées à l'échec chez les personnes dont la personnalité comporte une sensibilité au rejet. D'autres recherches montrent comment les individus peuvent transférer à une nouvelle relation les pensées et les émotions appartenant à une relation passée.

2. La recherche sur les stratégies d'adaptation appelées *optimisme* et *pessimisme défensif* montre comment les individus peuvent appréhender le même agent stressant avec des stratégies très différentes – mais dont l'efficacité est parfois la même – qui font appel à des types de raisonnement optimistes ou pessimistes.

3. La recherche sur la connaissance, l'évaluation et la cohérence dans différentes situations illustre comment un aspect de la connaissance peut jouer un rôle dans des contextes en apparence différents et produire des autoévaluations cohérentes dans des environnements diversifiés.

4. Les travaux sur le développement de la personnalité prise dans son contexte montrent l'influence des conditions socioéconomiques sur l'évolution de la personnalité.

5. La recherche sur la personnalité et la culture montre comment la vision de la personnalité et du soi peut varier d'une culture à une autre; il existe des différences majeures entre les visions du soi dépendantes et interdépendantes.

CHAPITRE 15

ÉVALUATION DES THÉORIES DE LA PERSONNALITÉ ET DE LA RECHERCHE

Structures, processus, développement et changement thérapeutique

L'histoire de Jacques

Comment ont-ils fait ? Une évaluation critique de la personnalité

Conclusion: les théories comme coffres à outils

« **A** lors… *Comment je me débrouille ?* » Voilà la question que posait un ancien maire de la ville de New York à ses commettants tout au long de son mandat. La même question appliquée à la psychologie de la personnalité serait formulée ainsi : Est-ce que la psychologie de la personnalité atteint ses objectifs sur le plan scientifique ? Est-ce qu'elle remplit le mandat auquel la société est en droit de s'attendre d'une science de la personne ?

En répondant à ces questions alors que nous arrivons au dernier chapitre de cet ouvrage, nous élargissons notre perspective. Plutôt que de considérer les théories à la pièce, nous les évaluons globalement, ce qui nous amène à poser un certain nombre de questions : Comment peut-on comparer les diverses théories et la façon qu'a chacune d'expliquer le quoi, le comment et le pourquoi de la personnalité ? Et quel enseignement pouvons-nous tirer des divers portraits de Jacques qui ont été tracés au fil des procédures d'évaluation ? En comparant les diverses théories, on doit maintenant se demander si chacune d'elles réussit à atteindre les cinq objectifs fixés tout au long de ce livre.

LE CHAPITRE…
EN QUESTIONS

1. Comment pouvons-nous expliquer qu'il existe de nombreuses théories de la personnalité ? Et comment pouvons-nous comprendre leur développement en unités d'analyse aussi différentes pour rendre compte des structures et des processus de la personnalité ?

2. Comment peut-on concilier les différents portraits de Jacques que tracent les diverses théories et leurs instruments d'évaluation privilégiés ?

3. Dans quelle mesure ces diverses théories de la personnalité atteignent-elles les objectifs fixés au chapitre 1 ?

STRUCTURES, PROCESSUS, DÉVELOPPEMENT ET CHANGEMENT THÉRAPEUTIQUE

Tout au long de cet ouvrage, nous avons abordé les théories de la personnalité en fonction de quatre éléments d'analyse de la personnalité: (1) la structure, (2) les processus, (3) la croissance et le développement ainsi que (4) le soulagement de la détresse psychologique par la thérapie. Nous reprenons ici ces quatre éléments afin, d'une part, de voir le chemin que nous avons parcouru dans l'étude de la personnalité et, d'autre part, de comparer les diverses théories.

La structure de la personnalité

Les théories de la personnalité diffèrent grandement les unes des autres dans leur façon de concevoir la structure de la personnalité. La principale différence, et nous l'avons relevée tout au long de cet ouvrage, tient au fait qu'elles ont eu recours à des unités structurales qualitativement différentes. Les variables de base de chaque théorie ne sont pas les mêmes. Les adeptes de la théorie psychodynamique concluent à l'existence de systèmes mentaux conscients et inconscients qui sont en conflit l'un avec l'autre. Les spécialistes de la théorie des traits de personnalité, au contraire (particulièrement ceux de l'école des Cinq Grands facteurs), n'envisagent pas la personnalité sous l'angle du conflit et, à proprement parler, ne concluent même pas à l'existence des systèmes mentaux. Pour ces théoriciens, les variables structurelles sont plutôt des traits de personnalité, c'est-à-dire des tendances manifestes à mener diverses actions et à vivre diverses expériences émotionnelles. Quant aux béhavioristes, ils n'admettent l'existence ni d'une structure des traits de personnalité, ni de structures psychodynamiques. Ils soutiennent plutôt que les individus ont des capacités de réponses comportementales diverses résultant de leurs antécédents de conditionnement classique et opérant. Les variables structurelles des théories de Rogers, de Kelly, de Bandura et de Mischel ont de nombreux points communs, mais se distinguent des approches psychodynamique, des traits et béhavioriste. Ces dernières mettent l'insistance sur les processus cognitifs conscients, les croyances stables à propos du soi et les divers contextes sociaux dans lesquels ces croyances se manifestent. Lorsqu'on fait un survol de l'ensemble de ces théories, on découvre d'énormes différences dans leurs variables structurelles.

Les théories étudiées diffèrent par le degré d'abstraction de leurs unités structurales. Au degré d'abstraction le plus simple, on trouve la principale unité structurale qu'ont élaborée les théoriciens de l'apprentissage pour décrire le comportement: la réponse comportementale. Ainsi, l'individu ne passe pas d'un acte particulier à une unité structurale abstraite. Plutôt que d'être une unité interne de l'organisme qui n'est qu'indirectement observable, la réponse fait plutôt partie du comportement observable de l'organisme. Au début, l'approche sociocognitive, elle, s'est appuyée sur la réponse comportementale manifeste. Les unités structurales de la personne étaient concrètes, clairement définies et objectivement mesurables. En soulignant l'importance des activités cognitives et du comportement autorégulateur, la théorie sociocognitive a évolué vers l'examen d'unités structurales plus abstraites. Des concepts comme les normes personnelles, les objectifs et le sentiment d'autoefficacité ont dans l'ensemble un caractère plus abstrait que le concept de réponse. De plus, ils exigent des instruments de mesure différents. Dans la théorie psychanalytique, les unités structurales (c'est-à-dire le ça, le moi et le surmoi) se situent à un degré d'abstraction bien supérieur, avec les problèmes de mesure qui en découlent.

Les théories de la personnalité diffèrent par leur degré d'abstraction, mais aussi par la complexité de l'organisation structurelle. On peut juger de la complexité d'une organisation structurelle au nombre d'unités qu'elle comporte et à la configuration des relations hiérarchiques que ces unités entretiennent les unes avec les autres. Prenons, par exemple, la structure relativement simple que décrivent la plupart des théoriciens de l'apprentissage: les réponses s'inscrivent dans un petit nombre de catégories; on ne voit pas dans le comportement l'expression conjuguée de plusieurs unités; et un biais défavorable existe à l'égard du concept de types de personnalité, qui implique que de nombreuses réponses dénotent une organisation stable. À l'autre extrême, la grille de compréhension fournie par la psychanalyse propose de nombreuses unités structurales entre lesquelles il est possible d'établir des rapports d'une façon quasi illimitée. Il en va de même de la grille de Kelly, qui ouvre la porte à un système complexe comportant de nombreux construits, certains d'ordre supérieur, d'autres subordonnés.

Les processus

Notre revue des processus rattachés aux théories de la personnalité a permis de révéler la grande diversité des principales conceptions relatives au pourquoi du comportement. Pour Freud, l'individu cherche à exprimer ses pulsions sexuelles et ses pulsions agressives afin de réduire la tension associée à ces pulsions. Pour Rogers, l'individu est plus proactif, recherchant les occasions de croissance et d'autoactualisation même au prix d'une tension accrue. Rogers insiste aussi sur un troisième facteur motivationnel : la cohérence. Pour Rogers, cette cohérence prend principalement la forme de la congruence entre le soi et l'expérience. Quant à Kelly, s'il insiste lui aussi sur la cohérence, les variables pertinentes sont pour lui différentes. Selon lui, il importe que les construits de l'individu soient cohérents pour éviter de donner lieu à des prévisions contradictoires. Il importe également que les prévisions correspondent aux expériences, autrement dit que les événements confirment et valident le système de construits. Pour Skinner, les processus de la personnalité s'appuient sur le renforcement. Pour lui, les concepts de motivation et de tension sont inutiles. La théorie sociocognitive ne fait pas appel elle non plus aux variables de la motivation, mais plutôt à des processus cognitifs dynamiques, notamment les buts que l'on se donne et le soi, qui sont des éléments centraux de la motivation humaine.

Notons que tous ces modèles motivationnels ne se contredisent que dans la mesure où l'on suppose que tous les comportements doivent obéir aux mêmes principes motivationnels. Lorsqu'on parle de structure, rien ne nous oblige à penser que l'individu n'a que des motivations ou qu'il n'a qu'un concept de soi, ou encore qu'il n'a que des construits personnels. De même, rien ne nous oblige à croire que l'individu ne cherche que la réduction de la tension ou que l'autoactualisation ou que la cohérence. Il se peut que ces trois modèles motivationnels aient chacun leur pertinence lorsqu'on veut rendre compte du comportement. Un individu pourrait à certains moments s'efforcer de réduire la tension, à d'autres moments de s'autoactualiser et à d'autres moments encore d'atteindre une certaine cohérence cognitive. Il se peut également qu'à un moment donné deux types de motivation entrent en conflit. Ainsi, un individu peut chercher à libérer ses pulsions agressives en frappant quelqu'un, alors qu'il aime cette personne et qu'il est lui-même étonné d'avoir ce comportement. Il existe encore une troisième possibilité, soit que divers types de motivation se combinent et se renforcent l'une l'autre. Ainsi, faire l'amour avec quelqu'un peut représenter à la fois la réduction de la tension liée aux pulsions sexuelles, l'actualisation du soi et un acte congruent avec le concept de soi de l'individu et les prévisions de son système de construits. S'il y a ainsi place pour plus d'un modèle de processus, il revient alors aux psychologues de découvrir quelles sont les conditions favorables à l'expression de chaque type de motivation et comment différents types de motivation peuvent se combiner pour déterminer le comportement.

Pourquoi tant de diversité dans le traitement des processus de la personnalité ? Pour nous éclairer, adoptons une perspective historique. Les diverses théories ont été élaborées à différentes époques, chacune marquée par ses conceptions de l'esprit et des comportements humains, et les théoriciens ont été bien sûr influencés par les idées qui avaient cours en leur temps. Freud a commencé sa carrière alors que la perspective déterministe était en vogue et que l'on voyait le monde physique comme un système d'énergie. Il a donc élaboré un modèle des processus de la personnalité fondé sur les systèmes d'énergie. Rogers, lui, influencé par les philosophes existentialistes si populaires en son temps, a mis l'accent sur l'introspection. Si Rogers avait vécu à l'époque de Freud et Freud à l'époque de Rogers, leurs théories respectives auraient eu une tout autre approche de la motivation des êtres humains. La théorie sociocognitive est née après l'émergence des modèles fondés sur le traitement de l'information, et ces divers modèles ont incité les sociocognitivistes à mettre l'insistance sur la cognition – les attentes, les buts et les habiletés cognitives – comme élément central de leur théorie des processus de la personnalité.

La croissance et le développement

De façon générale, les théories que nous avons examinées n'accordent pas toute l'attention qu'il faudrait à la croissance et au développement de la personnalité. Il y a toutefois quelques exceptions. Les théoriciens des traits de personnalité ont accompli d'importants travaux sur les influences de l'hérédité et de l'environnement, de même que sur les tendances liées à l'âge dans le développement de la personnalité. Les théoriciens psychanalytiques se sont intéressés fortement aux questions relatives au développement de la personnalité sur le plan théorique, mais, à l'exception des théoriciens de l'attachement, ils se sont peu préoccupés de l'enfant en développement. Il est malheureux que Rogers et Kelly ne se soient pas intéressés de façon plus soutenue aux processus du développement. Les béhavioristes ont accordé peu d'attention aux facteurs biologiques du développement et, en rétrospective, leur contribution à la compréhension du développement des personnes fut minime. La contribution des sociocognitivistes fut plus substantielle, comme celle de Bandura, qui a exploré le rôle des modèles dans le développement de la personnalité, et de Mischel, qui s'est intéressé aux questions relatives au délai de la gratification. Néanmoins, les théories de la personnalité n'ont pas profité de la recherche dans le domaine de la psychologie développementale autant qu'on aurait pu l'espérer et n'y ont pas contribué non plus. Le développement de la personnalité constitue un champ de recherche fascinant, mais les théories classiques de la personnalité n'ont pas su intégrer totalement la perspective développementale.

Lorsqu'on étudie les théoriciens dont il est question dans cet ouvrage, on constate qu'en ce qui concerne le développement, leurs avis divergent sur deux points : d'abord, l'utilité du concept de stades de développement, puis l'importance des expériences de la petite enfance dans le développement de la personnalité. La théorie psychanalytique attache une grande importance aux premières années de la vie ainsi qu'au concept de stades de développement. À propos des années de la petite enfance, les adeptes de la psychanalyse insistent sur les effets psychologiques des expériences vécues au sein de la famille. Par contraste, les théoriciens des traits, rejetant l'existence des stades de développement, mettent l'accent sur l'influence de l'hérédité plutôt que de la famille. Les sociocognitivistes, eux, s'opposant aux psychanalystes, réfutent le concept des stades de développement et l'idée que la personnalité a été relativement établie par ce qui s'est passé durant la petite enfance. Ils soutiennent au contraire que les diverses composantes de la personnalité peuvent se développer de diverses manières et que les expériences ultérieures peuvent entraîner des changements. Il est intéressant de souligner que lorsqu'on demande à des étudiants si les premières expériences vécues dans leur vie ont contribué au développement de leur personnalité, ils répondent par l'affirmative. La majorité d'entre eux répondent également par l'affirmative lorsqu'on leur demande si leur personnalité fondamentale a changé au fil des années. Il est en effet tout à fait possible à la fois que les expériences de la petite enfance contribuent de façon importante au développement de la personnalité, et que la personnalité puisse se modifier de façon tout aussi importante au cours de la vie.

La psychopathologie et le changement

Les théoriciens de la personnalité proposent des interprétations fort différentes quant aux forces en jeu dans les troubles psychiques. La plupart d'entre eux toutefois s'entendent sur le fait que le concept de conflit est crucial. C'est particulièrement le cas de la théorie psychanalytique. Selon Freud, les troubles mentaux surviennent quand les pulsions instinctives du ça entrent en conflit avec le fonctionnement du moi. Bien que Rogers ne mette pas l'accent sur la notion de conflit en tant que telle, on peut décrire le problème de l'incongruence comme un conflit entre l'expérience et le concept de soi. La théorie de l'apprentissage offre un certain nombre d'explications des troubles psychiques et au moins l'une de ces explications insiste sur le rôle des conflits approche-évitement. Même si les théoriciens cognitifs n'insistent pas sur l'importance du conflit, on peut penser dans leur cas aux notions d'objectifs conflictuels ou encore de croyances ou d'attentes conflictuelles. De plus, sur les questions d'ordre motivationnel, ils reconnaissent la possibilité de conflit entre les motivations d'autovérification et d'autoévaluation.

De nombreuses questions complexes concernant les troubles mentaux sont toujours sans réponse. Par exemple, nous savons que la fréquence des diverses formes de troubles mentaux varie selon les cultures. La dépression est rare en Afrique et très courante en Amérique du Nord. Pourquoi en est-il ainsi ? Relativement communs au temps de Freud, les symptômes de conversion, comme la paralysie du bras ou de la jambe de nature hystérique, le sont beaucoup moins aujourd'hui. Pourquoi ? Y a-t-il de grandes différences entre les problèmes auxquels les gens font face dans diverses cultures ? Ou est-ce plutôt qu'ils s'adaptent différemment au même type de problèmes ? Ou encore, est-ce seulement qu'on est plus enclin à se plaindre de certains problèmes dans une culture et de certains autres problèmes dans une autre ? Si aujourd'hui les gens se préoccupent davantage des problèmes d'identité que des problèmes de culpabilité, s'ils cherchent plus à résoudre les questions relatives à la quête de sens qu'à soulager les pulsions sexuelles, quelles seront les conséquences de ces constatations pour la théorie psychanalytique et pour les autres théories de la personnalité ?

La plupart des théories de la personnalité ont accordé une attention primordiale aux troubles psychiques classiques. Pour reprendre le terme de Kelly, c'est là leur principal domaine d'application. Pourtant, nous avons constaté que les vues concernant la nature des troubles mentaux différent considérablement. Et même s'il existe des théories de la personnalité qui découlent d'observations effectuées hors du cadre thérapeutique, elles n'en ont pas moins reconnu la nécessité de rendre compte des troubles mentaux. La question qui se pose ici n'est pas tant de savoir si les théories de la personnalité devraient proposer des explications concernant les troubles mentaux, mais plutôt de déterminer si le sujet occupe la place centrale dans une théorie donnée et sur quelles variables celle-ci met l'accent. Il est fascinant d'observer jusqu'à quel point les diverses théories de la personnalité – chacune comportant ses propres unités structurales et ses propres processus – peuvent se distinguer dans leur façon d'interpréter un phénomène.

Il y a eu, bien sûr, des différences importantes entre les diverses théories relativement au potentiel de changement psychologique profond. À une extrémité du spectre, la théorie psychanalytique soutient qu'il est passablement difficile de changer fondamentalement la personnalité, et certaines variantes de la théorie des traits soutiennent que la personnalité change relativement peu du fait de l'expérience. Cependant, comme nous l'avons vu, les résultats de la recherche démontrent que le changement peut être bien réel. Reconnaissant ce fait, certains théoriciens tentent aujourd'hui d'expliquer comment et pourquoi la personnalité d'un individu change au cours de sa vie. En cherchant à savoir comment les individus changent, nous sommes en mesure de voir, encore une fois, dans quelle mesure les diverses théories de la personnalité mettent en

Tableau 15.1 | **Les principaux concepts théoriques en un coup d'œil**

Théoricien, théorie ou approche	Structure	Processus	Croissance et développement	Psychopathologie	Changement
Freud	Ça, moi, surmoi : Inconscient, préconscient, conscient	Pulsions sexuelles et pulsions agressives ; angoisse et mécanismes de défense	Zones érogènes ; stade de développement oral, anal et phallique ; complexe d'Œdipe	Sexualité infantile ; fixation et régression ; conflit ; symptômes	Transfert ; résolution des conflits intrapsychiques ; « le moi naît du ça »
Rogers	Soi, soi idéal	Autoactualisation ; congruence entre le soi et l'expérience ; incongruence, déformation et déni défensifs	Congruence et autoactualisation, par opposition à incongruence et attitude de défense	Maintien défensif du soi ; état d'incongruence	Attitudes du thérapeute : congruence/ authenticité, acceptation positive inconditionnelle et compréhension empathique
Théorie des traits de personnalité	Traits	Traits comme cause de l'action	Part de l'hérédité et de l'environnement dans les traits	Scores extrêmes dans les dimensions des traits (p. ex., névrosisme)	(aucun modèle formel)
Approches fondées sur l'apprentissage	Réponse comportementale	Conditionnement classique ; conditionnement instrumental ; conditionnement opérant	Programmes de renforcement et façonnement par approximations successives	Réponses apprises et inadaptées	Extinction ; discrimination de réponse ; contre-conditionnement ; renforcement positif ; désensibilisation systématique ; modification du comportement
Kelly	Construits	Processus psychologiques façonnés par l'anticipation des événements	Définition, complexification accrue du système de construits	Manque d'ordre dans le fonctionnement du système de construits	Reconstruction psychologique de la vie ; « disposition accueillante » ; thérapie d'assignation de rôles
Approche sociocognitive	Croyances ; standards personnels ; buts ; compétences	Apprentissage par observation ; conditionnement vicariant ; processus symboliques ; autoévaluation et processus d'autorégulation (normes personnelles)	Apprentissage social par observation et par expérience directe ; acquisition de jugements sur l'autoefficacité et normes d'autorégulation	Modes de réponse appris ; standards personnels trop exigeants ; perception d'autoefficacité dysfonctionnelle	Modelage ; participation guidée ; augmentation de la perception d'autoefficacité

relief les processus de changement, les conditions de ces changements et les changements qui se produisent dans les divers aspects du fonctionnement de la personnalité. Certaines de ces différences entre les diverses théories peuvent donner lieu à des conceptions différentes ou même conflictuelles, alors que d'autres supposent des processus similaires. Enfin, certaines différences peuvent résulter du fait que les théories touchent différents aspects de la personne. Il revient tant aux professionnels du domaine qu'aux étudiants de dégager un portrait clair de ces différences.

L'histoire de **Jacques**

L'histoire de Jacques nous a permis de comparer les évaluations cliniques en fonction des diverses théories de la personnalité. Que pouvons-nous retenir de ces comparaisons ?

D'une part, un certain nombre des thèmes récurrents émergent des divers tests administrés à Jacques. Lorsque Jacques étudiait au collège, tous les tests révélaient la présence de tension, d'insécurité et d'anxiété. Certains tests révélaient des difficultés dans ses relations avec les femmes, mais aussi de façon générale, dans ses relations interpersonnelles, particulièrement en ce qui a trait au fait de ressentir et de manifester de la chaleur. Finalement, les tests révélaient avec une certaine constance la présence de rigidité, d'inhibition, de compulsion et de difficulté à se montrer créatif.

Sous d'autres aspects, les portraits de Jacques tracés à l'aide des diverses approches diffèrent qualitativement quant à sa personnalité, sans toutefois être contradictoires. Par exemple, les images de vampires et du «comte Dracula qui suce le sang» que fournit le test de Rorschach peuvent être interprétées comme un indice de sadisme. Ces images diffèrent toutefois des observations auto-rapportées de Jacques relativement à ses problèmes de relations interpersonnelles. De plus, les tests projectifs ont mis en évidence certains de ses conflits et de ses mécanismes de défense. Le test 16 PF mettait en lumière ses plaintes somatiques et ses sautes d'humeur. L'entrevue autobiographique a révélé une perception de lui-même comme étant un individu profond, gentil et fondamentalement bon.

Nous avons pu suivre Jacques sur un parcours de 20 ans, alors qu'il passait de l'étudiant incertain de son avenir et de sa carrière au mari, au père et au professionnel établi qu'il est devenu. Vingt ans après les premiers tests, on décèle toujours chez lui de la tension et du névrosisme, des difficultés à être aussi chaleureux et tendre qu'il le voudrait, et une tendance à la compulsion. Entre-temps, Jacques a tout de même beaucoup changé. Vingt ans plus tard, il est un homme plus heureux, affiche une plus grande perception d'autoefficacité quant à ses compétences intellectuelles et sociales, et moins d'inquiétude quant à ses capacités sexuelles. Il se montre davantage capable de sortir de lui-même et, alors qu'il arrive au mitan de sa vie, il a l'impression d'aller dans la bonne direction. Le tableau qui émerge est un tableau de stabilité et de changement, de continuité avec le passé, mais non de reproduction exacte de ce passé.

Jacques a eu accès aux résultats de ses divers tests de personnalité. Qu'a-t-il pensé de ces tests et des esquisses de sa personnalité qui en ont émergé ? Selon lui, les données projectives ont bien cerné ses conflits et ses mécanismes de défense, mais ont surestimé ses insécurités psychologiques. Pour lui, les données phénoménologiques et les données relatives aux construits personnels (différenciation sémantique, test de Kelly) traçaient un portrait assez exact de sa personnalité au moment où il a passé les divers tests. Jacques estimait aussi que l'approche des traits de personnalité avait réussi à cerner une partie de ce qu'il était à l'époque où il a passé ces tests. Il avait également l'impression que les diverses méthodes d'évaluation et les diverses approches thérapeutiques peuvent bien servir les différents types d'individus.

Les conclusions auxquelles Jacques est arrivé sont particulièrement intéressantes. Elles mettent en évidence le fait que chaque aspect de la personnalité peut être révélé avec justesse par l'une ou l'autre des méthodes d'évaluation. Il semble aussi que chaque approche théorique et ses instruments d'évaluation associés apportent une contribution particulière, mais qu'ils ont aussi leurs propres biais ou sources d'erreurs. Par conséquent, si nous nous en tenons à une seule approche pour la recherche ou pour l'évaluation, nous risquons de limiter nos observations aux phénomènes se rapportant directement à telle ou telle position théorique. Mieux vaut donc apprécier à leur juste valeur les apports que diverses théories et méthodes de recherche et divers instruments d'évaluation peuvent fournir à notre compréhension du comportement humain. Comme Jacques, nous pouvons envisager la possibilité que chaque approche cerne différents aspects de la personne, mette en lumière différentes facettes de la personnalité tout en dégageant certains thèmes communs.

COMMENT ONT-ILS FAIT ?
UNE ÉVALUATION CRITIQUE
DE LA PERSONNALITÉ

Les théories et la recherche

Un jour, vous avez entrepris la lecture du premier chapitre de cet ouvrage. Il commençait par une mise en situation écrite par des gens semblables à vous – ou plutôt semblables à qui vous étiez avant la lecture de ce livre : des étudiants d'un cours sur la psychologie de la personnalité, écrivant leurs conceptions de la personnalité lors de leur tout premier cours. Devant la sophistication de ces conceptions, nous nous sommes demandé ce que les psychologues professionnels sont en mesure de faire que ne fait pas déjà le non-professionnel simplement avisé qui observe les gens et tente de comprendre les différences entre eux.

Nous avons répondu à cette question en dégageant les cinq activités qui sont propres au psychologue professionnel de la personnalité. Au fil des chapitres, les sections intitulées « Évaluation critique » nous ont permis d'évaluer chacune des théories étudiées à la lumière de ces cinq activités. Cet exercice fut fort révélateur et nous a permis de comprendre les énormes différences qui existent d'une théorie à l'autre. Certaines étaient des théories globales, mais n'étaient pas facilement vérifiables, alors que c'était l'inverse pour d'autres théories. Certains théoriciens fondaient leur approche sur une masse de données considérable alors que d'autres s'appuyaient sur l'observation d'un petit nombre de patients. Ces cinq critères d'analyse permettaient de faire ressortir les forces et les limites relatives de chaque théorie.

Dans la présente section, nous élargissons notre perspective. Plutôt que de passer en revue une à une les diverses théories, nous nous demandons dans quelle mesure la psychologie de la personnalité, dans son ensemble, a réussi à atteindre ses objectifs pour chacun des critères d'analyse.

Ces questions, nous les posons en sachant que nous nous adressons à deux types de lecteurs. D'abord, la plupart d'entre vous ne travailleront pas dans le domaine de la psychologie. Pourtant, connaître les bases de la psychologie de la personnalité vous sera utile. Peut-être qu'un de vos amis aura des problèmes de santé mentale et vous voudrez savoir comment vous pourrez aider cette personne. Vous serez peut-être dirigeant d'entreprise et devrez évaluer quels candidats seront des employés fiables, dignes de confiance et travailleurs. Vous aurez peut-être des enfants et vous inquièterez de savoir s'ils se développent « normalement ». Vous serez peut-être représentant des ventes pour une multinationale et voudrez savoir si vos clients de l'étranger ont les mêmes perceptions que vous. Dans ces situations, devrez-vous simplement vous fier à votre intuition ou aurez-vous acquis des connaissances suffisantes en psychologie de la personnalité pour bien appuyer vos décisions ?

L'autre type de lecteurs regroupe ceux d'entre vous qui feront carrière dans le domaine de la psychologie. Nous espérons alors qu'en découvrant les forces et les faiblesses de cette discipline encore imparfaite qu'est la psychologie de la personnalité, vous aurez la même attitude qui nous a incités, nous les auteurs, à faire carrière dans ce domaine : puisqu'il s'agit d'une discipline encore imparfaite, tentons de l'améliorer et de la faire avancer.

L'observation scientifique : la base de données

Dans un monde idéal, les théories de la personnalité s'appuieraient sur une base de données vaste et diversifiée issue de l'observation scientifique, mesurable de façon objective et fiable, et reposant sur des méthodes de recherche capables de révéler les systèmes de la personnalité tant sur les plans cognitif et affectif que sur le plan biologique. Dans quelle mesure les théoriciens, pris comme un tout, y sont-ils parvenus ?

On ne peut qu'être impressionnés par la diversité des méthodes de recherche élaborées par les scientifiques pour étudier la personnalité. Jetons un coup d'œil sur les diverses méthodes que nous avons vues au fil des chapitres et qui ont été utilisées par les psychologues de la personnalité : études corrélationnelles sur les différences individuelles, expériences en laboratoire portant sur des processus sociaux, cognitifs et émotionnels précis ou encore études de cas traçant un portrait détaillé des personnes. Les psychologues ont également eu recours à divers outils de mesure scientifiques : questionnaires psychométriques sophistiqués, mesure du temps de réaction en recherche sur la psychologie cognitive, techniques de génétique moléculaire ou d'imagerie cérébrale qui témoignaient des progrès des sciences biologiques et étude des cultures en s'appuyant sur les idées et les méthodes issues des sciences sociales connexes comme l'anthropologie. Il est vrai que la plupart des théoriciens fondaient leur argumentation sur seulement quelques techniques, ce qui limitait parfois de façon importante la portée de leurs théories, mais nous devons reconnaître que globalement, la base de données sur laquelle se fonde la psychologie de la personnalité est diversifiée et objective.

Comment aurait-il été possible de faire mieux ? La plus grande lacune de la psychologie de la personnalité est probablement l'absence relative de méthodes de recherche idiographique dans le champ principal de recherche. Misant sur les idées avancées par les chercheurs européens de la fin du XIXe siècle, Allport (1937) invitait les psychologues de la personnalité à confirmer leurs études sur les différences individuelles en utilisant des méthodes de recherche susceptibles de révéler l'organisation des caractéristiques psychologiques chez l'individu (Hurlburt et Knapp, 2006). En 1938, Henry Murray, collègue de Allport à Harvard et cocréateur du TAT (voir le chapitre 4), a publié son livre intitulé *Explorations in Personality*, devenu un classique, qui portait sur l'étude intensive des individus au moyen d'une variété de méthodes de recherche. Les décennies ont passé et il est légitime aujourd'hui de revenir dans le temps pour voir dans quelle mesure les psychologues de la personnalité ont entendu l'appel d'Allport. Pour ce qui est de la formulation des théories, ils ont bien suivi ses conseils. En effet, les théories de la personnalité que nous avons étudiées rendaient compte de façon systématique de l'organisation des structures et des dynamiques internes, à l'intérieur de l'individu, à l'exception de la théorie béhavioriste, qui explique les comportements humains sans spéculer sur les structures mentales et la dynamique interne des individus, et le modèle des Cinq Grands facteurs, qui est en réalité plus une taxonomie des différences individuelles au sein des populations qu'un modèle des structures psychologiques internes.

Ils ont été moins attentifs en ce qui concerne la recherche, qui n'a pas toujours été à la hauteur de la théorie. Kelly, Rogers, Bandura et Mischel ont montré comment, en théorie, les multiples structures psychologiques internes se développent et interagissent avec l'environnement social. On pouvait alors espérer que les chercheurs conçoivent des programmes de recherche pour évaluer, au fil du temps, de façon systématique et en tenant compte du contexte, ces multiples systèmes psychologiques. Ce ne fut pas le cas. Les chercheurs ont plutôt eu recours à des stratégies de recherche plus simples, se contentant de sélectionner une ou deux variables d'une théorie sur lesquelles ils ont mené des études corrélationnelles ou expérimentales traditionnelles. Certes, ces travaux de

recherche ont permis de recueillir une information utile, mais n'ont pas fourni de méthodes objectives et fiables pour étudier en profondeur les personnes au fil du temps et en tenant compte du contexte.

On peut toutefois espérer que les progrès récents dans le domaine de la psychologie de la personnalité permettront de combler ces lacunes dans les prochaines années, comme le laissent entrevoir les nouvelles méthodes d'évaluation idiographiques de la personnalité. Certaines de ces nouvelles méthodes sont issues de progrès sur le plan méthodologique, notamment pour la collecte et l'analyse des données. De nouvelles technologies permettent aujourd'hui d'évaluer l'expérience psychologique des individus en tenant compte du contexte dans lequel ils évoluent quotidiennement (Bolger, Davis et Rafaeli, 2003). Ainsi, l'utilisation des téléphones intelligents permet de recueillir une masse importante de données pour mener une évaluation psychologique d'un individu alors qu'il évolue dans son environnement habituel. Pour ce qui est de l'analyse des données, les spécialistes de la psychologie quantitative ont mis au point de nouvelles méthodes d'analyses réseau qui permettent de mettre en évidence les liens entre des actions précises et les expériences de l'individu plutôt que de mesurer simplement des variables abstraites qui valent pour la moyenne des individus (Schmittmann et coll., 2011). Enfin, nous devons à des étudiants de la théorie psychodynamique certains progrès qui étaient fort attendus. En effet, Huprich et Meyer (2011) ont passé en revue les tentatives des spécialistes de la théorie psychodynamique pour « [remettre] la conception idiographique complexe de la personne au cœur même du processus d'évaluation » (p. 109).

Des théories systématiques ?

Les psychologues de la personnalité ont-ils réussi à tracer un portrait systématique et cohérent de l'individu ? Si l'on y regarde de près, est-ce que les chercheurs ont réussi à dégager une théorie de la personne réellement intégrée à partir d'une série disparate de renseignements sur la nature humaine ?

Il n'est pas facile de répondre à cette question, car tout dépend de l'époque que l'on considère. Les psychologues professionnels s'entendent pour affirmer que la psychologie de la personnalité a connu, au milieu du XXe siècle, sa période glorieuse des « grandes théories ». Grandes théories à deux égards. D'abord par leur portée : les théoriciens en effet ont cherché à comprendre tous les aspects du fonctionnement et du développement psychologique de l'individu. Puis, par leur excellence. Ainsi Freud, Jung, Eysenck, Cattell et Kelly ont tous élaboré des modèles de la personnalité hautement systématiques qui se sont imposés comme des exemples remarquables de construction théorique.

Vers la fin du xxᵉ siècle, il s'est produit un changement de perspective qui a permis d'élargir les horizons sur le plan intellectuel. Les psychologues sont devenus plus critiques des grandes théories formulées par ceux qui les ont précédés, les considérant désormais comme des spéculations sans fondements plutôt que comme des contributions définitives à la science des personnes. Ce changement de perspective présentait de réels avantages. Les psychologues se sont alors mis à fonder leurs théories sur un corpus de données plus important et systématique. Ces théories en étaient d'autant plus convaincantes. Ainsi, pendant le dernier quart du xxᵉ siècle, l'évolution qu'ont connue le modèle des «Cinq Grands» et la théorie sociocognitive illustre bien l'émergence de stratégies de construction théorique scientifiquement rigoureuses. Cette prudence a toutefois un prix: les théories contemporaines, en effet, sont moins systématiques et laissent certaines questions sans réponse. Par exemple, pourquoi parle-t-on de cinq grands facteurs et non pas de huit? Existe-t-il une relation fonctionnelle entre le degré d'extraversion d'un individu et son degré de névrosisme (par exemple, certaines personnes sont-elles moins extraverties parce qu'elles éprouvent un fort degré d'anxiété du névrosisme?)? Ou encore, pour ce qui concerne la théorie sociocognitive, est-ce que l'adoption de normes d'autoévaluation rigides peut entraîner chez l'individu une modification de la perception d'autoefficacité? Ou encore, l'enfant capable de différer une gratification est-il plus apte à atteindre des objectifs d'apprentissage ou de rendement? Non seulement est-il difficile de répondre à ces questions d'un point de vue empirique, il est même difficile d'envisager des réponses possibles qui s'appuient sur une théorie des traits ou une théorie sociocognitive bien définies. Cette difficulté donne à penser que les théories contemporaines ne sont pas assez systématiques.

Des théories vérifiables?

Des cinq critères d'analyse qui nous servent à évaluer les théories de la personnalité, c'est sur leur caractère vérifiable que ces théories se classent le mieux. Certes, les premiers théoriciens de l'approche psychodynamique avaient élaboré leur théorie de telle manière qu'elle était difficile à vérifier. Toutefois, pour la plupart des théories qui ont été élaborées par la suite, les énoncés théoriques étaient suffisamment clairs et précis pour qu'on puisse les tester sans ambiguïté. À maintes reprises dans cet ouvrage, on a fait état d'études dans lesquelles les chercheurs ont été capables de formuler des hypothèses précises à partir d'une théorie et de vérifier ces hypothèses par la méthode scientifique.

Les succès obtenus en psychologie de la personnalité témoignent de l'excellence générale des normes contemporaines dans le domaine de la science psychologique. Une théorie, quelle qu'elle soit, n'est valable que si elle permet de formuler des hypothèses qui peuvent être vérifiées sans ambiguïté. D'ailleurs, les publications scientifiques n'acceptent que les comptes rendus de recherches dont les hypothèses ont été vérifiées scientifiquement avec rigueur. Depuis des décennies, la psychologie de la personnalité se fonde sur un ensemble de données. On peut se demander si les théories sont suffisamment systématiques et globales, mais on ne peut remettre en question le fait qu'elles ont mené à de nombreuses hypothèses vérifiables et ont réellement fait l'objet de vérifications par des méthodes objectives.

Un indice indirect du fait que les théoriciens ont été sensibles à l'importance d'élaborer des théories vérifiables est le nombre relativement restreint de théories que nous avons examinées dans cet ouvrage. De nombreux autres théoriciens, dont il n'a pas été question dans le présent ouvrage, ont élaboré au cours du dernier siècle un cadre conceptuel global pour étudier l'être humain. Le principal critère que nous avons retenu pour déterminer si une théorie devait figurer dans ce livre était justement son caractère vérifiable. Nous n'avons retenu que les théories vérifiables d'un point de vue empirique, qui avaient cumulé des preuves suffisantes et qui étaient toujours d'une importance réelle dans le contexte de la recherche contemporaine en psychologie.

Des théories globales?

Prises séparément, les théories que nous avons passées en revue n'étaient généralement pas suffisamment globales. Les théories de Freud et Skinner touchent une diversité impressionnante de phénomènes, mais elles constituent l'exception, et de nombreux chercheurs contemporains peuvent remettre en question la validité de plusieurs de leurs prolongements. Parmi les théories contemporaines que nous avons étudiées, seule celle de Bandura (1986), qui a appliqué sa théorie sociocognitive à un grand nombre de phénomènes sociaux et personnels, peut prétendre être aussi globale que celles de Freud et Skinner. Cela dit, la théorie sociocognitive ne touche pas directement certains aspects importants de l'expérience humaine, comme nous l'avons signalé dans notre évaluation de cette théorie.

Cependant, si l'on adopte une vue d'ensemble de la psychologie de la personnalité, on doit constater que la gamme des sujets abordés est impressionnante. Si les diverses théories n'ont pas répondu adéquatement à toutes les questions que l'on peut se poser sur la personnalité humaine, la plupart de ces questions ont été tout au moins abordées. Nous avons couvert tout le spectre de l'aventure humaine, de la petite enfance (par exemple, la recherche de Kagan sur le tempérament, au chapitre 9) jusqu'au grand âge (par exemple, les analyses de Baltes et Carstensen, au chapitre 14). Nous avons abordé les déterminants de la personnalité depuis la théorie de l'évolution jusqu'aux phénomènes socioculturels contemporains. Théories et recherches se sont penchées sur les structures cognitives inconscientes et les expériences phénoménologiques conscientes ; sur les émotions impulsives et les stratégies rationnelles d'autocontrôle ; sur les différences individuelles stables au fil du temps et sur les schémas de comportements sociaux qui changent selon le contexte.

En même temps, les psychologues de la personnalité se préoccupent de la possibilité que, dans leurs recherches des lois scientifiques universelles de la cognition et du comportement, les chercheurs aient perdu le contact avec la réalité de l'expérience quotidienne des êtres humains. Certains spécialistes s'inquiètent de la possibilité que les principes généraux énoncés par la plupart des théoriciens ne trouvent pas écho dans la réalité quotidienne qui teinte les actions des individus et leurs expériences sociales. Cette réalité englobe les normes culturelles et les obligations associées aux relations entre les individus (membres de la famille, amis, patrons, subalternes) ; des règles implicites du comportement dans certaines situations (dans une fête, à des funérailles, dans un ascenseur) ; des croyances partagées par des membres d'un groupe (une entreprise, un club, une communauté religieuse) qui possède son histoire propre ; des émotions profondes que des personnes éprouvent en se regardant droit dans les yeux. Scheibe (2000, p. 2), par exemple, parle de la psychologie du quotidien, c'est-à-dire d'une psychologie des gestes, des expériences et des contextes sociaux que l'être humain expérimente chaque jour. Plutôt que de chercher à dégager

les lois générales du comportement, il a analysé les actions et les expériences particulières de la vie humaine : des conversations sérieuses plutôt que simplement anodines ; la fonction sociale de l'habillement, du maquillage et du costume ; les motifs de la cupidité ou encore les sentiments de compassion ou de piété. En abordant ces thèmes, les diverses théories ne font généralement que les assimiler à une loi ou à un principe général. Mais lorsque ces principes ou ces lois ne parviennent pas à expliquer les règles, rôles, normes et contraintes sociales qui encadrent les comportements des individus à certains moments précis, alors la « psychologie ne réussit pas à rendre compte de façon convaincante et satisfaisante de la diversité des événements de notre vie quotidienne » (Scheibe, 2000, p. 2). Une telle psychologie ne saurait être une science globale.

Si toutes les théories présentées dans cet ouvrage contribuent chacune à sa façon à notre compréhension de la personnalité, peut-on les regrouper et dégager ainsi une compréhension réellement globale de la personnalité ? Plutôt que de les opposer l'une à l'autre, une approche intégrée permettrait à la science de la personnalité de profiter de l'effet cumulatif qu'apporterait chaque théorie. C'est ce qu'ont proposé Mischel et Shoda (2008) avec leur théorie unifiée de la personnalité. Selon eux, une telle approche aurait le mérite de reconnaître l'existence de caractéristiques de la personnalité stables s'appuyant sur les facteurs biologiques et les structures cognitives (les théories des traits et sociocognitive), l'existence des processus cognitifs inconscients et motivationnels (la théorie psychodynamique) et l'importance de la perception du soi et des situations (la phénoménologie, Kelly et Rogers). C'est là un noble objectif, mais encore faudrait-il qu'il soit partagé par les adeptes des diverses théories.

Les applications

Pour ce qui concerne notre dernier critère d'analyse, soit les applications pratiques de chaque théorie, il s'agit d'un domaine où les progrès ont été réels et importants. Nous avons déjà parlé des applications cliniques en psychothérapie individuelle des théories de Freud, de Rogers et de Kelly, de même que de l'approche sociocognitive. Pour ce qui est du modèle des traits, nous avons déjà fait observer qu'il met l'accent sur la stabilité relative du changement et qu'il n'est lié à aucune forme particulière de psychothérapie. Toutefois, la théorie des traits est souvent utilisée dans un domaine connexe, soit le cadre d'organisation en entreprise pour la sélection des candidats aux divers postes. La dimension *conscience*, par exemple, est un trait qui est commun à de nombreuses catégories de postes (Sackett et Lievens, 2008). D'autres traits de personnalité, par ailleurs, sont associés à des postes bien particuliers. Ainsi, la *sociabilité* ou l'*extraversion* sont des qualités importantes pour le représentant des ventes, mais pas pour le scientifique. En ce qui a trait aux formes de psychothérapie les mieux adaptées aux divers traits de personnalité, on peut penser que la thérapie cognitive comportementale convient mieux aux individus qui ont un faible degré d'ouverture à l'expérience qu'une thérapie utilisant une approche freudienne ou rogérienne. Il s'agit toutefois là d'un domaine fort peu exploré et, pour cette raison, on ne peut s'avancer à faire des recommandations.

Les diverses théories trouvent des applications nombreuses et variées dans des domaines autres que le traitement psychothérapeutique individuel. La théorie freudienne a été beaucoup utilisée en psychothérapie de groupe et en consultation organisationnelle. En thérapie de groupe, on y a recours dans les processus de développement des groupes (par exemple, pour les enjeux liés à la confiance, puis au pouvoir et au contrôle, puis à la compétition) et, de façon plus générale, pour régler les conflits entre les membres du groupe. Pour ce qui est de la consultation organisationnelle, les entreprises font appel aux consultants adeptes de la théorie freudienne pour aborder les questions liées au pouvoir, à l'autorité et au leadership. Comme nous l'avons vu au chapitre 5, Rogers a lui aussi adapté son approche thérapeutique aux groupes sous forme d'ateliers. Quant à l'approche sociocognitive, elle est utilisée en thérapie de groupe pour le traitement des comportements mésadaptés et pour l'acquisition de comportements psychologiquement sains. La théorie sociocognitive trouve aussi de nombreuses applications ailleurs qu'en psychothérapie, notamment dans des domaines comme l'éducation, la psychologie sportive et la psychologie de la santé.

CONCLUSION : LES THÉORIES COMME COFFRES À OUTILS

Ceux d'entre vous qui possèdent une bonne mémoire se souviendront de la métaphore que nous avons employée au chapitre 1, à savoir que les théories de la personnalité sont des coffres à outils. Chaque théorie en effet est un coffre à outils qui permet au psychologue d'effectuer un travail précis. Chaque coffre comprend trois types d'outils : (1) des concepts théoriques, (2) des procédures d'évaluation de la personnalité et (3) des techniques permettant d'opérer des changements dans la personnalité de l'individu. Ces outils servent tant dans les réflexions sur les principes de base (comprendre la structure, les processus, le développement de la personnalité et les différences individuelles) que dans les interventions appliquées (prévoir les résultats, régler les problèmes personnels et sociaux).

Le fait de rappeler la métaphore du coffre à outils nous permet d'aller au-delà de la simple question de savoir quelle théorie est la meilleure. Comme nous l'avons vu, chaque théorie a son utilité bien particulière. L'approche psychodynamique offre des outils conceptuels pour réfléchir aux questions touchant le symbolisme, les rêves et l'inconscient que n'offre aucune autre théorie. Les outils utilisés dans l'approche rogérienne servent à la compréhension de l'expérience phénoménologique et du concept de soi et, en thérapie, à développer la relation avec le patient. Pour classer et évaluer les différences individuelles, le coffre à outils de la théorie des traits convient parfaitement. Le coffre à outils béhavioriste est tout à fait indiqué dans le cas des changements du comportement, même si Kelly trouvait l'approche béhavioriste stérile, car elle ne permettait pas de révéler la capacité de réflexion complexe des individus. Les sociocognitivistes ont utilisé les mêmes outils que Kelly, mais ils ont rapidement senti le besoin d'en concevoir de nouveaux afin de mieux comprendre comment se développent les habiletés et la capacité d'autorégulation des individus et de maximiser l'efficacité de la psychothérapie.

Si vous vous destinez à des études ou à des professions qui sont hors du champ de la psychologie, vous serez certainement amenés à certains moments à user de psychologie. Puissiez-vous alors vous rappeler que les diverses théories de la personnalité peuvent vous fournir des outils qui vous seront utiles. Si vous vous destinez à une carrière en psychologie, puissiez-vous mettre au service de la profession toute votre créativité : elle a et aura toujours besoin de nouveaux outils.

RÉSUMÉ

1. La psychologie de la personnalité, comme discipline, peut être évaluée à la lumière d'une série de critères auxquels nous nous sommes référés tout au long de ce livre. Au cours de ce chapitre, nous avons tenté de voir, à la lumière de ces critères, dans quelle mesure la discipline a su démontrer sa valeur et développer des théories de la personnalité qui sont (1) systématiques, (2) vérifiables, (3) globales, (4) fondées sur des preuves scientifiques et (5) ont trouvé des applications utiles.

2. Au cours de ce chapitre, nous avons également tenté de voir comment les diverses théories de la personnalité ont su aborder quatre thèmes principaux : les structures de la personnalité, les processus de la personnalité, la croissance et le développement, et enfin la psychopathologie et le changement.

3. Nous avons considéré les diverses théories comme autant d'outils conceptuels qui aident les psychologues et spécialistes de la science de la personnalité à résoudre les problèmes liés à la personnalité des individus et qui ont chacun leur valeur et leur utilité propre.

GLOSSAIRE

Acquisition   L'apprentissage de nouveaux comportements que Bandura considère comme étant indépendants de la récompense, contrairement à l'exécution, qui est conçue comme étant dépendante d'une récompense.

Activation psychodynamique subliminale   Méthode expérimentale associée à la théorie psychanalytique, dans laquelle on présente des stimuli sous le seuil de la perception consciente (subliminal) pour activer divers désirs et craintes.

Actualisation de soi   Tendance fondamentale de l'organisme à s'actualiser, à se maintenir et à s'améliorer, et à réaliser son potentiel; concept mis de l'avant par Rogers et d'autres représentants du mouvement humaniste.

Analyse factorielle   Méthode statistique utilisée pour déterminer les variables ou les réponses aux questionnaires qui sont en corrélation. Servant à élaborer les tests de personnalité, elle est employée dans la théorie des traits (p. ex., chez Cattell, Eysenck).

Analyse fonctionnelle   Dans les approches béhavioristes, et en particulier dans l'approche skinnérienne, détermination des stimuli environnementaux qui régulent le comportement.

Angoisse   Dans la théorie psychanalytique, émotion pénible qui signale au moi la présence d'une menace ou d'un danger.

Angoisse de castration   Concept freudien désignant la peur qu'éprouve le garçon, durant le stade phallique, devant la possibilité que son père lui coupe le pénis en raison de leur rivalité sexuelle à l'égard de la mère.

Annulation rétroactive   Mécanisme de défense utilisé pour annuler magiquement un acte ou un désir associé à l'angoisse en accomplissant un deuxième acte juste après.

Anxiété   Émotion suscitée par la perception de l'imminence d'une menace ou d'un danger; dans la théorie des construits personnels de Kelly, celle-ci surgit lorsque l'individu prend conscience que les événements qu'il perçoit se situent hors du champ d'application de son système de construits.

Apprentissage par observation (modelage)   Selon Bandura, processus par lequel les gens apprennent en observant le comportement de personnes qui tiennent lieu de modèles.

Approche centrée sur les principes généraux   Expression utilisée par Higgins pour décrire l'analyse des influences personnelles et situationnelles sur la pensée et les actions, le tout à l'intérieur d'un ensemble de principes de causalité servant à expliquer à la fois la constance dans la pensée et l'action résultant des influences personnelles, ainsi que la variabilité dans la pensée et l'action résultant des influences situationnelles.

Approximations successives   Dans la théorie du conditionnement opérant de Skinner, façonnement de comportements complexes par le renforcement des éléments comportementaux qui ressemblent de plus en plus à la forme définitive du comportement qu'on veut produire.

Architecture de la personnalité connaissance et évaluation   Analyse théorique de l'architecture de la personnalité qui établit une distinction entre deux aspects du fonctionnement cognitif de la personnalité : une connaissance stable et une évaluation dynamique de la signification des situations que rencontre le soi.

Architecture de la personnalité   Terme qui décrit la structure d'ensemble et les caractéristiques opérationnelles des systèmes psychologiques sous-jacents au fonctionnement de la personnalité.

Association libre   En psychanalyse, méthode par laquelle le patient est encouragé à faire part à l'analyste de tout ce qui lui vient à l'esprit.

Attente   Dans la théorie sociocognitive, les anticipations ou prédictions quant aux résultats attendus par l'individu dans des situations précises (conséquences présagées).

Attente et conception de soi dysfonctionnelles   Dans la théorie sociocognitive, attente inadaptée quant aux conséquences de comportements particuliers.

Authenticité   Comportement qui concorde avec le soi, par opposition à un comportement qui s'inscrit dans des rôles factices.

Autodescription ou autoévaluation   Ensemble de données ou de renseignements fournis par le participant sur lui-même.

Autoévaluation dysfonctionnelle   Dans la théorie sociocognitive, norme d'autogratification inadaptée qui a des conséquences importantes sur la psychopathologie.

Autonomie fonctionnelle   Concept élaboré par Allport, selon lequel la motivation peut se détacher de ses origines infantiles; chez les adultes, notamment, la motivation peut s'affranchir de son premier objectif, qui était de réduire la tension.

Autorégulation   Processus psychologique par lequel la personne motive son comportement.

Autovalorisation   Désir de maintenir ou d'améliorer des visions positives du soi.

Autovérification   Désir d'acquérir de l'information qui correspond au concept de soi.

Béhaviorisme   Approche de la psychologie élaborée par Watson dans laquelle on se contente d'étudier le comportement manifeste, observable.

Besoin de considération positive   Dans la théorie rogérienne, besoin fondamental de l'être humain d'obtenir l'acceptation et le respect d'autrui.

Ça Un des trois systèmes de l'appareil psychique de la seconde topique freudienne désignant la partie de la personnalité contenant la source de toute l'énergie des pulsions.

Caractère de type anal Concept freudien désignant un type de personnalité caractérisé par une fixation au stade anal du développement et un mode d'adaptation de la personne au monde extérieur s'exprimant par un désir de contrôle ou de pouvoir et une préoccupation de donner ou retenir.

Caractère de type oral Concept freudien désignant un type de personnalité caractérisé par une fixation au stade oral du développement, un mode d'adaptation de la personne au monde extérieur s'exprimant par le désir d'être nourri ou de dévorer et une préoccupation de recevoir et de prendre.

Caractère de type phallique Concept freudien désignant un type de personnalité caractérisé par une fixation au stade phallique du développement et un mode d'adaptation de la personne au monde extérieur s'exprimant par le désir de réussite et une préoccupation à propos de la rivalité et de l'estime.

Catharsis Technique permettant de se libérer de ses émotions grâce à la parole.

Cause immédiate Explication relative aux comportements associés aux processus biologiques prenant place de manière actuelle dans l'organisme.

Champ d'application Dans la théorie des construits personnels de Kelly, événements ou phénomènes auxquels s'appliquent un construit ou un système de construits.

Champ phénoménal Perception et expérience subjectives du monde.

« Cinq Grands » Dans la théorie des traits de personnalité, les cinq grandes catégories de traits, qui comprend des facteurs d'affectivité, d'activité et de sociabilité.

Coefficient d'héritabilité Estimation de la part de variance qu'on peut attribuer aux déterminants génétiques pour une caractéristique donnée, mesurée d'une façon particulière, dans une population déterminée.

Coefficient de corrélation Indice statistique qui permet de quantifier à quel point deux variables sont associées de façon linéaire l'une à l'autre.

Cohérence Concept rogérien désignant l'absence de conflit dans la perception du soi.

Compétence Unité structurelle de la théorie sociocognitive qui témoigne de l'aptitude individuelle à résoudre des problèmes et à accomplir les tâches nécessaires à l'atteinte d'objectifs.

Complexe d'Œdipe Concept freudien exprimant l'attrait sexuel de l'enfant pour le parent du sexe opposé et des sentiments ambivalents pour le parent du même sexe, considéré comme un rival. C'est aussi un conflit qui organise et structure la personnalité (p. ex., les relations sont organisées autour de trois personnes et non plus deux seulement).

Complexité-simplicité cognitive Dimension du fonctionnement cognitif d'une personne, qui se définit à un extrême par l'utilisation d'un très grand nombre de construits ayant entre eux de multiples relations (degré élevé de complexité cognitive) ou, à l'autre extrême, par l'utilisation d'un nombre restreint de construits ayant peu de relations entre eux (faible degré de complexité cognitive).

Comportement cible (réponse cible) Dans l'évaluation du comportement, détermination d'un comportement précis à observer et à mesurer en fonction des changements environnementaux.

Comportement opérant Dans la théorie du conditionnement de Skinner, comportement qui apparaît (est émis) sans être spécifiquement associé à un stimulus antérieur (déclencheur) et qu'on étudie en le mettant en rapport avec les événements renforçateurs qui le suivent.

Concept de soi (ou le soi) Ensemble des perceptions et significations accordées au soi, au moi ou au je.

Condition de valorisation de soi Chacun des critères d'évaluation d'une personne qui ne reposent pas sur les sentiments, préférences et penchants véritables de cette personne, mais sur ce que les autres considèrent comme étant des formes d'action souhaitables.

Conditionnement classique Processus mis en lumière par Pavlov dans lequel un stimulus jusque-là neutre acquiert la capacité de déclencher une réponse à cause de son association à un stimulus qui déclenche automatiquement la même réponse ou une réponse similaire.

Conditionnement opérant Dans la théorie de Skinner, processus par lequel les caractéristiques d'une réponse sont déterminées par ses conséquences.

Conditionnement vicariant Concept de Bandura pour désigner le processus d'apprentissage de réponses émotives par l'observation de celles d'autrui.

Congruence Concept rogérien désignant l'absence de conflit entre le concept de soi et l'expérience; l'une des trois conditions dites essentielles au développement et au progrès thérapeutique.

Conscient Un des trois systèmes de l'appareil psychique de la première topique freudienne contenant des pensées, des expériences et des sentiments dont on a conscience.

Considération positive inconditionnelle Expression employée par Rogers pour désigner l'acceptation de la personne dans sa totalité et sans conditions; c'est également l'une des trois conditions que doit remplir le thérapeute pour qu'il y ait progrès au cours de la thérapie.

Constructivisme (*constructive alternativism*) Position de Kelly selon laquelle il n'existe pas de réalité objective ou de vérité absolue à découvrir, mais seulement plusieurs manières d'interpréter les événements.

Construit Dans la théorie de Kelly, façon de percevoir ou d'interpréter les événements.

Construit central Dans la théorie des construits personnels de Kelly, construit qui est fondamental dans le système de construits d'un individu et dont la modification entraîne nécessairement des répercussions majeures sur le reste du système.

Construit d'ordre supérieur Dans la théorie des construits personnels de Kelly, construit qui se situe plus haut dans la hiérarchie du système de construits et qui comprend donc des construits plus restreints et plus précis (les construits subordonnés).

Construit périphérique Dans la théorie des construits personnels de Kelly, construit qui n'est pas fondamental dans le système des construits d'un individu et dont la modification n'a pas de répercussions importantes sur le reste du système.

Construit préverbal Dans la théorie des construits personnels de Kelly, construit qu'on utilise sans pouvoir le traduire en mots parce qu'il s'est formé avant l'acquisition du langage.

Construit submergé Dans la théorie des construits personnels de Kelly, construit qui a pu s'exprimer en mots, mais dont l'un des pôles, ou l'un des deux, ne peut se verbaliser.

Construit subordonné Dans la théorie des construits personnels de Kelly, construit qui se situe plus bas dans la hiérarchie du système de construits et qui est donc compris dans un construit plus large (le construit d'ordre supérieur).

Construit verbal Dans la théorie des construits personnels de Kelly, construit qui peut se traduire en mots.

Contingence de l'estime de soi Ensemble des événements positifs et négatifs dont dépend l'estime de soi.

Contre-conditionnement Apprentissage (ou conditionnement) d'une nouvelle réponse qui est incompatible avec une réponse existante à un stimulus.

Contrôle volontaire Caractéristique du tempérament qui donne à l'individu la capacité d'interrompre une action (réponse dominante) pour entreprendre une autre action.

Courant humaniste Groupe de psychologues dont faisaient partie Rogers et Maslow et qui s'intéressait à l'actualisation ou à la réalisation du potentiel individuel, notamment l'ouverture à l'expérience.

Débat personne-situation Controverse opposant, d'une part, les psychologues, selon qui le comportement reste stable dans toutes les situations, et, d'autre part, ceux qui soulignent l'importance de la variabilité du comportement selon la situation.

Défense perceptive Processus de défense (inconscient) mis en place pour se protéger contre la prise de conscience d'un stimulus perçu comme menaçant.

Déformation Selon Rogers, mécanisme de défense qui consiste à modifier l'expérience pour la rendre conforme au concept de soi.

Déni Mécanisme de défense, posé par Freud et Rogers, qui bloque la prise de conscience des sentiments menaçants et par lequel on refuse de croire ou même de percevoir une réalité interne ou externe pénible.

Désaccord entre le soi et l'expérience Source de conflit à laquelle s'intéressait Rogers entre le concept de soi et l'expérience, et qui donne naissance à la psychopathologie.

Désensibilisation systématique Dans la thérapie comportementale, technique qui consiste à inhiber l'anxiété par le conditionnement d'une réponse qui fait concurrence (la relaxation, par exemple) aux stimuli anxiogènes.

Déterminisme Croyance qu'un événement est provoqué par un événement dont la cause peut être expliquée par les principes de base de la science ; le déterminisme s'oppose au libre arbitre.

Déterminisme réciproque Influence mutuelle de deux ou plusieurs variables ; dans la théorie sociocognitive, principe causal fondamental selon lequel des facteurs personnels, environnementaux et comportementaux exercent une influence causale les uns sur les autres.

Discrimination Dans le conditionnement, la réponse différentielle des stimuli selon qu'ils ont été associés à du plaisir, à de la douleur, ou à des événements neutres.

Domaine d'application Dans la théorie des construits personnels de Kelly, événement ou phénomène auquel la théorie s'applique avec le plus de pertinence.

Donnée biographique Donnée ou renseignement au sujet de l'individu recueilli dans ses antécédents personnels ou d'autres données archivées ; dans la théorie de Cattell, données se rapportant au comportement dans la vie quotidienne ou à l'évaluation d'un tel comportement.

Donnée fournie par les tests objectifs Dans la théorie de Cattell, donnée provenant des tests objectifs ou renseignement au sujet de la personnalité fourni par l'observation du comportement dans des situations en miniature.

Donnée provenant de questionnaires Dans la théorie de Cattell, données au sujet de la personnalité qu'on tire des questionnaires.

Écart avec le soi Dans les analyses théoriques d'Higgins, disparités entre les croyances sur les attributs psychologiques présents (le soi actuel) et les attributs désirés qui correspondent à des normes idéales.

Économie de jetons Environnement thérapeutique conçu selon les principes du conditionnement opérant de Skinner : les comportements considérés comme désirables chez les individus sont récompensés par des jetons.

Effet attribuable à l'expérimentateur Effet involontairement induit par le comportement de l'expérimentateur et qui amène les participants à se comporter de façon à corroborer l'hypothèse de ce dernier.

Électroencéphalogramme Méthode servant à enregistrer l'activité électrique du cerveau à l'aide d'électrodes placées sur le cuir chevelu.

Empathie Terme utilisé par Rogers pour décrire la capacité de percevoir et de comprendre les expériences et les sentiments d'autrui ; c'est également l'une des trois conditions que doit remplir le thérapeute pour que le progrès soit possible au cours de la thérapie.

Empreinte comportementale Profils individuels de relations entre les situations et les comportements.

Envie du pénis Dans la théorie psychanalytique, envie qu'éprouve la fillette de posséder un pénis lorsqu'elle découvre la différence des sexes.

Estime de soi Évaluation globale du soi par la personne ou jugement personnel qu'elle porte sur sa valeur.

État Changement émotionnel et changement d'humeur (p. ex., angoisse, dépression, épuisement) qui, selon Cattell, peuvent influer sur le comportement d'un individu à un moment donné. On suggère d'évaluer les traits de personnalité et l'état pour prévoir le comportement.

Étude d'adoption Méthode de recherche utilisée pour établir des relations entre les déterminants génétiques et le comportement en comparant des frères et sœurs biologiques élevés ensemble avec des frères et sœurs élevés séparément (adoptés). Ce type d'études est généralement combiné à des études de jumeaux.

Étude d'environnements partagés et non partagés En génétique comportementale, comparaison à des fins de recherche des répercussions observées sur des frères et sœurs qui ont grandi dans le même environnement ou dans des environnements différents. Les chercheurs tentent plus particulièrement d'établir si les frères et sœurs élevés dans la même famille partagent ou non les mêmes expériences dans l'environnement familial.

Étude de cas (recherche clinique) Méthode de recherche qui permet d'étudier un individu de manière détaillée. Cette stratégie est habituellement associée à la recherche clinique, c'est-à-dire la recherche effectuée par un thérapeute dans le cadre d'interactions répétées et permettant d'approfondir les expériences d'un client.

Étude de croisements sélectifs Méthode de recherche servant à établir des relations entre les déterminants génétiques et le comportement par le croisement de générations successives d'animaux possédant une caractéristique particulière.

Étude de jumeaux Modèle de recherche utilisé pour établir des relations entre les déterminants génétiques et le comportement en comparant le degré de similarité que présentent de vrais jumeaux, de faux jumeaux et des frères et sœurs qui ne sont pas jumeaux.

Évaluation ABC Évaluation du comportement où l'on examine les antécédents (A) du comportement, le comportement lui-même (B pour behavior) et ses conséquences (C) ; analyse fonctionnelle du comportement qui exige qu'on détermine les conditions environnementales régulatrices de comportements donnés.

Évaluation du comportement Évaluation fondée sur l'importance de comportements précis associés à des caractéristiques situationnelles données (l'évaluation ABC, par exemple).

Exécution Production de comportements appris que Bandura considère comme tributaires de récompenses, par opposition à l'acquisition de nouveaux comportements, qui ne dépendent pas de récompenses.

Exigence implicite de la situation expérimentale Tout signal implicite inhérent au milieu expérimental ou qui influe sur le comportement du participant étudié.

Existentialisme Approche permettant de comprendre l'individu et d'orienter la thérapie ; on l'associe au courant humaniste, qui souligne l'importance de la phénoménologie et des préoccupations inhérentes à l'existence humaine ; l'existentialisme a sa source dans un courant philosophique plus général.

Extinction Dans le conditionnement, affaiblissement progressif de l'association entre un stimulus et une réponse, parce que le stimulus conditionné, dans le conditionnement classique, n'est plus suivi du stimulus inconditionné, ou parce que la réponse, dans le conditionnement opérant, n'est plus suivie d'un renforcement.

Extraversion Dans la théorie d'Eysenck, l'un des pôles de la dimension extraversion-introversion de la personnalité ; l'extraverti a tendance à être sociable, amical, impulsif et intrépide.

Facette Chacun des traits spécifiques (ou composantes) inhérents à chacun des cinq grands facteurs fondamentaux. Par exemple, les facettes de l'extraversion sont le degré d'activité, l'affirmation de soi, la quête de sensations fortes, les émotions positives, la grégarité et la chaleur.

Façonnement Dans la théorie du conditionnement opérant de Skinner, processus par lequel un organisme apprend un comportement complexe qui, graduellement, ressemble de plus en plus au comportement que l'on désire obtenir.

Fidélité Stabilité, fiabilité et capacité de reproduire les observations.

Fixation Concept freudien qui exprime l'arrêt ou l'interruption du développement psychosexuel de l'individu à un moment donné.

Focalisation attentionnelle chaude ou froide Face à une situation ou à un stimulus, pensée qui se concentre sur ses aspects les plus émotionnels (chauds) ou les moins émotionnels (froids).

Formation réactionnelle Mécanisme de défense qui sert à exprimer le contraire d'une impulsion inacceptable.

Généralisation Dans le conditionnement, association d'une réponse avec des stimuli similaires au stimulus par lequel cette réponse a d'abord été conditionnée ou à laquelle elle a été rattachée.

Génétique comportementale Discipline qui tente de déterminer la part génétique dans les comportements qui intéressent les psychologues, principalement en comparant le degré de similarité entre des individus présentant divers degrés de similarité biologique-génétique.

Gratification différée Report du plaisir à un moment optimal ou opportun, qui constitue un concept particulièrement important dans la théorie sociocognitive, laquelle l'associe à l'autorégulation.

Hiérarchie Système dans lequel certaines unités occupent un rang supérieur et, de ce fait, régissent les fonctions des autres unités.

Hypothèse lexicale fondamentale Hypothèse selon laquelle les différences individuelles les plus importantes dans les interactions humaines ont été, avec le temps, encodées dans la langue sous la forme de termes uniques.

Identification Acquisition, en tant que caractéristiques personnelles, de traits de personnalité appartenant à des personnes importantes pour soi (p. ex., les parents).

Idiographique Se dit de toute stratégie d'évaluation et de recherche dont l'objectif premier est de dresser le portrait d'un individu potentiellement unique et idiosyncratique.

Imagerie par résonance magnétique fonctionnelle Méthode qui permet de dépeindre l'activité cérébrale pendant qu'une personne effectue différentes tâches, en profitant du fait que le flux sanguin irriguant les différentes parties du cerveau fluctue lorsque celles-ci deviennent actives en réaction à ces tâches.

Incongruence Concept rogérien désignant l'existence d'une divergence ou d'un conflit entre le concept de soi et l'expérience.

Inconscient Un des trois systèmes de l'appareil psychique de la première topique freudienne contenant des pensées, des expériences et des sentiments dont nous ne sommes pas conscients. Selon Freud, une partie du contenu de l'inconscient est la conséquence du refoulement.

Inconscient collectif Terme proposé par Carl Jung pour désigner les caractéristiques héréditaires, universelles et inconscientes de la vie psychique qui reflètent l'expérience de l'espèce humaine au cours de l'évolution.

Introversion Dans la théorie d'Eysenck, l'un des pôles de la dimension extraversion-introversion de la personnalité; l'introverti tend à être placide, réservé, réfléchi et prudent.

IRMf (Imagerie par résonance magnétique fonctionnelle) Technique d'imagerie cérébrale qui permet de déterminer quelles régions précises du cerveau sont sollicitées lorsqu'une personne répond à un stimulus ou exécute une tâche. Cette technique permet d'enregistrer les modifications du flux sanguin dans le cerveau.

Isolation Mécanisme de défense par lequel l'émotion est isolée d'un désir ou d'un souvenir pénible.

Libido Terme psychanalytique désignant l'énergie psychique associée d'abord aux pulsions sexuelles et plus tard à la pulsion de vie.

Libre association En psychanalyse, méthode par laquelle le patient tente de rendre compte à l'analyste de tout ce qui lui vient à l'esprit sans filtrer ses pensées. La libre association rencontre la résistance du patient.

Mécanisme Mouvement intellectuel du XIXᵉ siècle selon lequel les principes de base des sciences naturelles peuvent expliquer non seulement le comportement des objets physiques, mais également le comportement et les pensées de l'être humain.

Mécanisme de défense Concept freudien désignant chacun des mécanismes utilisés par le moi en vue de réduire l'angoisse. C'est par leur intervention que certains désirs, pensées ou émotions sont exclus du champ de la conscience.

Mécanisme psychologique évolué Chacun des mécanismes psychologiques fondamentaux qui, selon la perspective évolutionniste, résultent d'une évolution sélective, c'est-à-dire qu'ils existent et perdurent parce qu'ils se sont révélés favorables à la survie et à la reproduction.

Menace Dans la théorie des construits personnels de Kelly, perception de l'individu qui prend conscience de l'imminence d'un changement majeur susceptible d'ébranler son système de construits.

Métaphore de la personne perçue comme scientifique Métaphore utilisée par Kelly pour conceptualiser la personne; cette métaphore met en évidence le fait que les caractéristiques fondamentales du fonctionnement usuel de la personnalité sont semblables à la démarche du scientifique, qui utilise des construits pour comprendre et prévoir les événements.

Méthode fondée sur les échantillons Terme utilisé par Mischel pour décrire les approches de l'évaluation où l'on s'intéresse au comportement lui-même en relation avec les conditions environnementales, par opposition à la méthode fondée sur les signes.

Méthode fondée sur les signes Terme utilisé par Mischel pour décrire les approches de l'évaluation qui font l'inférence de l'existence de traits de la personnalité à partir des questionnaires, par opposition à la méthode fondée sur les échantillons.

Modèle de recherche ABA Variante skinnérienne du modèle expérimental consistant à soumettre un individu à trois phases expérimentales : période de référence (A); introduction de renforçateurs pour modifier la fréquence d'un comportement précis (B); retrait du renforcement et observation du comportement pour voir s'il revient à sa fréquence du départ (période de référence) (A).

Modèle de tempérament à trois facteurs Modèle selon lequel les différences de tempérament entre les individus peuvent se ramener à trois superfacteurs : AN (affectivité négative), AP (affectivité positive) et DoI (désinhibition ou inhibition).

Modèle interne opérant Concept de Bowlby qui désigne chacune des représentations mentales (images) du soi et d'autrui qui se développent au cours des premières années de vie de l'enfant, en particulier avec la personne qui en prend soin le plus souvent.

Moi Un des trois systèmes de l'appareil psychique de la seconde topique freudienne désignant la partie de la personnalité qui tente de satisfaire les pulsions conformément à la réalité et aux valeurs morales de l'individu.

NEO-PI-R Inventaire de personnalité conçu pour mesurer le classement des gens selon le modèle à cinq facteurs, tant pour ces derniers que pour chacune des facettes qu'ils comportent.

Neurotransmetteur Toute substance chimique qui transmet l'information d'un neurone à l'autre en traversant l'espace synaptique (comme la dopamine et la sérotonine).

Névrosisme Dans la théorie d'Eysenck, dimension de la personnalité qui se définit par deux pôles : stabilité et faible angoisse d'une part, instabilité et grande anxiété d'autre part.

Nomothétique Se dit de toute stratégie d'évaluation et de recherche dont l'objectif premier est de cerner un ensemble commun de principes et de lois qui s'appliquent à tous les membres d'une population d'individus.

Norme d'évaluation Critère permettant d'évaluer la valeur d'une personne ou d'une chose. Dans la théorie sociocognitive, les normes par lesquelles une personne évalue ses propres actions font partie de la régulation du comportement et de l'expérimentation d'émotions comme la fierté, la honte, la satisfaction et l'insatisfaction personnelles.

Objectif Dans la théorie sociocognitive, événement souhaité qui motive la personne sur de longues périodes et lui permet de transcender les influences du moment.

Objectif d'apprentissage Dans l'analyse sociocognitive de Dweck sur la personnalité et la motivation, objectif axé sur la découverte et la maîtrise d'une tâche donnée.

Objectif de performance Dans l'analyse sociocognitive de Dweck sur la personnalité et la motivation, objectif axé sur l'impression laissée auprès de ceux susceptibles de vous évaluer.

Observation Donnée ou renseignement fourni par des observateurs bien informés tels que les parents, les amis ou les enseignants.

OCEAN Acronyme répandu pour mémoriser les cinq traits fondamentaux : Ouverture, Conscience, Extraversion, Agréabilité et Névrosisme.

Optimisme Stratégie d'adaptation où l'individu entretient des attentes relativement réalistes sur ses capacités.

Participation guidée Dans la théorie sociocognitive, approche thérapeutique où l'on aide la personne à reproduire les comportements d'un modèle.

Perception sans prise de conscience Perception inconsciente, ou perception d'un stimulus sans véritable prise de conscience d'une telle perception.

Période de latence Dans la théorie psychanalytique, période venant après le stade phallique et pendant laquelle on assiste à une baisse des pulsions et de l'intérêt sexuels.

Personnalité Ensemble de caractéristiques d'une personne qui expliquent les modes stables de son comportement.

Pessimisme défensif Stratégie d'adaptation au stress qui fait appel au raisonnement négatif.

Peur Dans la théorie des construits personnels de Kelly, émotion qui survient lorsque l'individu prend conscience qu'un nouveau construit est sur le point d'être intégré à son système de construits.

Phénoménologie Étude de l'expérience humaine ; en psychologie de la personnalité, approche qui porte sur les perceptions et expériences subjectives de soi et du monde.

Phrénologie Fondée par Gall au début du XIXe siècle, discipline qui avait pour objet la localisation des zones du cerveau auxquelles on attribuait divers aspects du fonctionnement émotionnel et comportemental. Bientôt considérée comme de la superstition et du charlatanisme, la phrénologie tomba rapidement dans le discrédit.

Plasticité Capacité que possède le système neurobiologique de changer au fil des expériences, temporairement et pour de longues périodes, tout en restant à l'intérieur des paramètres génétiques, et cela, afin de répondre aux exigences adaptatives.

Pôle de différence Dans la théorie des construits personnels de Kelly, pôle du construit déterminé par la façon dont un troisième élément du construit est perçu comme différent des deux éléments qui constituent le pôle de similarité.

Pôle de similarité Dans la théorie des construits personnels de Kelly, pôle d'un construit déterminé par la façon dont deux éléments sont perçus comme similaires.

Postulat fondamental (de la théorie des construits personnels de Kelly) Postulat voulant que tous les processus psychologiques qui sont à l'œuvre chez l'individu et qui sont susceptibles d'intéresser le psychologue de la personnalité sont modelés, ou canalisés, par la façon dont il prévoit les événements.

Préconscient Un des trois systèmes de l'appareil psychique de la première topique freudienne désignant les pensées, les expériences et les sentiments inconscients, mais que nous pouvons facilement ramener à la conscience.

Principe de plaisir Selon Freud, un des deux principes régissant le fonctionnement mental et qui a pour but de procurer du plaisir et d'éviter la douleur ou le déplaisir.

Principe de réalité Selon Freud, un des deux principes régissant le fonctionnement mental reposant sur la réalité et dans lequel la satisfaction du plaisir est différée jusqu'au moment le plus propice.

Processus Dans la théorie de la personnalité, concept qui se rapporte aux aspects motivationnels de la personnalité.

Processus primaire Dans la théorie psychanalytique, mode de pensée qui n'obéit pas à la logique ou ne subit pas l'épreuve de la réalité et que l'on observe dans les rêves ou dans d'autres manifestations de l'inconscient.

Processus secondaire Dans la théorie psychanalytique, mode de pensée qui obéit à la réalité et qui est associé au développement du moi.

Programme de renforcement Dans la théorie du conditionnement opérant de Skinner, fréquence et intervalles des renforcements qui reçoivent les réponses (p. ex., intervalles de temps ou intervalles entre les réponses).

Programme de renforcement fixe Programme de renforcement par lequel la relation entre les comportements et les renforçateurs est constante.

Programme de renforcement variable Programme de renforcement par lequel la relation entre les comportements et les renforçateurs change de façon imprévisible.

Projection Mécanisme de défense par lequel on attribue aux autres (ou on projette sur eux) ses propres pulsions ou désirs inacceptables.

Psychotisme Dans la théorie d'Eysenck, dimension de la personnalité qui se définit, à un pôle, par une propension à être solitaire et insensible et, à l'autre pôle, par l'acceptation des normes sociales et à une attitude empathique.

Pulsion de mort Concept freudien désignant la pulsion ou source d'énergie orientée vers la mort ou le retour à un état inorganique.

Pulsion de vie Concept freudien désignant les pulsions ou les sources d'énergie (libido) axées sur l'autoconservation et la satisfaction sexuelle.

Punition Stimulus aversif qui suit une réponse.

Rationalisation Mécanisme de défense employé pour donner une justification acceptable à un motif ou à un acte inacceptable.

Réaction d'autoévaluation Sentiment d'insatisfaction ou de satisfaction (fierté) envers soi que l'on éprouve en réfléchissant à ses actions.

Réaction émotionnelle conditionnée Terme de Watson et Rayner désignant l'apparition d'une réaction émotionnelle en réponse à un stimulus jusque-là neutre (comme la peur des rats manifestée par le petit Albert).

Recherche corrélationnelle Méthode de recherche qui consiste à mesurer et à relier statistiquement les différences entre les individus, plutôt que de les manipuler dans le cadre d'une recherche expérimentale.

Recherche expérimentale Méthode de recherche qui permet à l'expérimentateur de manipuler des variables, habituellement en affectant au hasard les participants aux différentes conditions expérimentales.

Recherche microanalytique Stratégie de recherche que propose Bandura pour évaluer le sentiment d'efficacité personnelle en fonction de jugements relatifs à des situations précises plutôt que de jugements globaux.

Refoulement Mécanisme de défense fondamental qui permet de repousser une pensée, une idée ou un désir hors du champ de la conscience.

Régression Concept freudien qui désigne le retour à un stade antérieur de développement dans la façon dont l'individu se comporte envers autrui et envers lui-même.

Renforçateur Événement (stimulus) qui suit une réponse et augmente la probabilité qu'elle survienne.

Renforçateur généralisé Dans la théorie du conditionnement opérant de Skinner, renforçateur qui permet d'obtenir d'autres avantages (de l'argent, par exemple).

Répertoire des construits de rôles (test de Kelly) Test conçu par Kelly pour déterminer les construits qu'utilise une personne, les relations entre ces construits et la façon dont ils s'appliquent à des personnes précises.

Réponse inadaptée Dans l'approche skinnérienne des troubles mentaux, apprentissage d'une réponse qui n'est pas adaptée ou que le milieu considère comme inacceptable.

Résultat d'épreuve Donnée recueillie par la méthode expérimentale ou les tests psychométriques standardisés.

Rôle Comportement de l'individu considéré comme approprié selon la place ou la position qu'il occupe dans la société. Selon Cattell, l'une des variables qui réduisent l'influence exercée sur le comportement par les variables de la personnalité au bénéfice de l'influence des situations.

Schéma Structure cognitive complexe qui guide le traitement de l'information.

Schéma de soi Généralisation cognitive à propos du soi qui oriente le traitement de l'information.

Sensibilité au rejet Type de raisonnement caractérisé par des appréhensions anxieuses de rejet dans les relations interpersonnelles.

Sentiment d'efficacité personnelle Selon la théorie sociocognitive, perception de sa propre aptitude à composer avec des situations précises.

Soi en opération Sous-ensemble du concept de soi qui se trouve dans la mémoire à court terme à un moment précis ; concept théorique selon lequel différentes circonstances sociales peuvent activer différents aspects du concept de soi.

Soi idéal Concept de soi que la personne souhaite posséder ; notion clé de la théorie de Rogers.

Spécificité contextuelle Notion voulant qu'une variable donnée de la personnalité soit mise à contribution dans certains contextes, mais pas dans tous, et qui explique la variation systématique du comportement individuel d'un contexte à un autre.

Spécificité situationnelle Dans la perspective béhavioriste, terme signifiant que le comportement varie en fonction de la situation, contrairement à la conception préconisée par les théoriciens des traits de personnalité, qui insistent sur la constance du comportement dans diverses situations.

Stade anal Concept freudien désignant la période de la vie pendant laquelle l'anus constitue la source de l'excitation ou de la tension corporelle.

Stade génital Dans la théorie psychanalytique, stade de développement associé à l'apparition de la puberté et à la formation de structures psychiques importantes (p. ex., le surmoi).

Stade oral   Concept freudien désignant la période de la vie pendant laquelle la bouche constitue la source de l'excitation ou de la tension corporelle.

Stade phallique   Concept freudien désignant la période de la vie pendant laquelle l'excitation ou la tension commence à prendre source dans les organes génitaux et au cours de laquelle l'enfant est attiré par le parent du sexe opposé.

Stratégie d'adaptation axée sur le problème   Tentative visant à s'adapter à une situation stressante en modifiant ses caractéristiques.

Stratégie d'adaptation centrée sur l'émotion   Stratégie d'adaptation où l'individu essaie d'améliorer son état émotionnel interne, par exemple, par la distanciation émotionnelle ou la recherche de soutien social.

Structure   Dans la théorie de la personnalité, concept qui se rapporte aux aspects les plus stables et les plus durables de la personnalité.

Style de réponse   Tendance des participants à répondre aux éléments du test d'une manière systématiquement biaisée en se fondant sur la forme des questions ou des réponses plutôt que sur leur contenu.

Subception   Mécanisme rogérien par lequel la personne perçoit un stimulus sans en avoir une représentation consciente.

Sublimation   Mécanisme de défense par lequel on remplace la première expression de la pulsion par un objectif culturel de plus haut niveau ou un comportement socialement acceptable.

Superfacteur   Facteur d'ordre supérieur ou de deuxième niveau, représentant un niveau d'organisation des traits plus élevé que les facteurs issus de l'analyse factorielle.

Surmoi   Un des trois systèmes de l'appareil psychique de la seconde topique freudienne désignant la partie de la personnalité qui juge et critique les comportements de l'individu selon nos idéaux et nos valeurs morales.

Symptôme   En psychopathologie, expression d'un conflit psychologique ou d'un fonctionnement psychologique perturbé; selon Freud, un symptôme est l'expression déguisée d'une pulsion refoulée.

Système   Ensemble d'éléments étroitement liés les uns aux autres et qui fonctionnent ensemble; dans l'étude de la personnalité, des mécanismes psychologiques distincts peuvent fonctionner ensemble en tant que système et produire le phénomène psychologique de la personnalité.

Système cognitivo-affectif de la personnalité   Modèle théorique que proposent Mischel et des collègues et selon lequel la personnalité comprend de nombreux processus cognitifs et affectifs liés les uns aux autres; les interconnexions assurent le fonctionnement intégré et cohérent de la personnalité, tel un «système».

Système comportemental d'attachement   Concept de Bowlby soulignant l'importance du lien qui s'établit entre le nourrisson et la figure maternelle, généralement la mère.

Système d'énergie   Conception freudienne de la personnalité selon laquelle celle-ci résulterait de l'interaction de diverses forces (p. ex., les pulsions sexuelles et les pulsions du moi) ou sources d'énergie.

Technique d'immunisation contre le stress   Procédé mis au point par Meichenbaum pour apprendre aux gens à mieux composer avec le stress.

Technique du Q-Sort   Instrument d'évaluation qui invite la personne à classer des énoncés selon une distribution normale; utilisée par Rogers pour mesurer des énoncés relatifs au soi et au soi idéal.

Tempérament   Tendances émotionnelles et comportementales d'origine héréditaire qui apparaissent tôt dans l'enfance.

Tempéraments inhibé et non inhibé   Comparativement à l'enfant non inhibé, l'enfant inhibé réagit aux personnes ou aux événements qui ne lui sont pas familiers par la réserve, l'évitement et la détresse; il met plus de temps à se détendre dans des situations nouvelles et il connaît plus de peurs et de phobies inhabituelles. L'enfant non inhibé, lui, semble prendre plaisir à ces mêmes situations qui paraissent si stressantes à l'enfant inhibé; il réagit avec spontanéité aux situations nouvelles, et se montre facilement souriant et enjoué.

Test projectif   Test qui comprend généralement des stimuli vagues et ambigus permettant au participant de révéler des éléments particuliers de sa personnalité dans ses réponses (test de Rorschach, test d'aperception thématique).

Théorie de l'investissement parental   Théorie selon laquelle les femmes investissent davantage que les hommes dans leur progéniture parce qu'elles ne peuvent transmettre leurs gènes qu'à un moins grand nombre de descendants qu'eux.

Théorie de la sélectivité socioaffective   Analyse théorique de Carstensen qui s'intéresse aux processus de changement des motivations sociales tout au long d'une vie.

Théorie des cinq facteurs   Consensus émergeant parmi les théoriciens des traits au sujet des cinq facteurs fondamentaux de la personnalité humaine: le névrosisme, l'extraversion, l'ouverture, l'agréabilité et la conscience.

Théorie implicite   Croyance d'ordre général que nous ne pouvons pas toujours verbaliser, mais qui influe néanmoins sur notre pensée.

Thérapie centrée sur le client   Expression utilisée par Rogers au début de sa carrière; elle désigne l'approche selon laquelle le thérapeute s'intéresse à l'expérience du soi et du monde telle que le client la vit.

Thérapie d'assignation de rôle   Technique thérapeutique fondée sur le jeu de rôle que Kelly a mise au point pour encourager le patient à se comporter et à se percevoir d'une nouvelle façon.

Trait cardinal Concept élaboré par Allport et désignant une disposition si marquée et si envahissante dans la vie d'un individu qu'elle imprègne presque tous ses actes.

Trait central Concept élaboré par Allport pour désigner une disposition à se comporter d'une manière donnée dans un éventail de situations.

Trait d'aptitude, trait de tempérament et trait dynamique Dans la théorie des traits de Cattell, chacune de trois catégories de traits qui englobent les principaux aspects de la personnalité.

Trait de personnalité Caractéristique psychologique durable d'un individu ; ou type de construit psychologique (« construit de trait ») qui fait référence à cette caractéristique.

Trait de source Dans la théorie de Cattell, comportement qui varie de façon concomitante, qui forme une dimension indépendante de la personnalité et que l'analyse factorielle permet de découvrir.

Trait de surface Dans la théorie de Cattell, comportement qui semble aller de pair avec d'autres sans toutefois se trouver en corrélation avec eux.

Trait secondaire Concept élaboré par Allport pour désigner une disposition à se comporter d'une manière donnée dans un nombre restreint de situations.

Transfert En psychanalyse, processus par lequel le patient manifeste envers l'analyste des attitudes et des sentiments enracinés dans les expériences qu'il a connues antérieurement auprès de figures parentales.

Type Ensemble de traits de personnalité qui peut former une catégorie qualitativement distincte de personnes (c'est-à-dire un type de personnalité).

Unités d'analyse Variables de base d'une théorie ; les unités d'analyse utilisées pour conceptualiser la structure de la personnalité diffèrent d'une théorie à l'autre.

Validité Pertinence des données recueillies par rapport au phénomène ou aux variables qui nous intéressent (aussi appelé « validité du construit »).

Vision du soi indépendante ou interdépendante Ensemble de croyances implicites à propos du concept de soi où le soi est perçu comme étant doté d'un ensemble de qualités psychologiques distinctes de celles des autres (soi indépendant) ou comme jouant un rôle en relation avec la famille, la société et la communauté (soi interdépendant).

Zone érogène Selon Freud, chacune des régions du corps qui sont des sources de tension ou d'excitation et qui fournissent un but à la pulsion sexuelle.

BIBLIOGRAPHIE

ADAMS, N. (2012). Skinner's *Walden Two*: An anticipation of positive psychology? *Review of General Psychology, 16*, 1-9.

ADAMS-WEBBER, J.R. (1979). *Personal Construct Theory: Concepts and Applications*. New York: Wiley.

ADAMS-WEBBER, J.R. (1982). Assimilation and contrast in personal judgment: The dichotomy corollary. Dans J.C. Mancuso & J.R. Adams-Webber (dir.), *The Construing Person* (p. 96-112). New York: Praeger.

ADAMS-WEBBER, J.R. (1998). Differentiation and sociality in terms of elicited and provided constructs. *American Psychological Society, 9*, 499-501.

ADLER, A. (1927). *Understanding Human Nature*. New York: Garden City Publishing.

AINSWORTH, A., BLEHER, M., WATERS, E., & WALL, S. (1978). *Patterns of Attachment: A Psychological Study of the Strange Situation*. Hillsdale, NJ: Erlbaum.

AINSWORTH, M.D.S., & BOWLBY, J. (1991). An methological approach to personality development. *American Psychologist, 46*, 333-341.

ALEXANDER, F., & FRENCH, T.M. (1946). *Psychoanalytic Therapy*. New York: Ronald.

ALLEN, J.J., IACONO, W.G., DEPUE, R.A., & ARBISI, P. (1993). Regional electroencephalographic asymmetries in bipolar seasonal affective disorder before and after exposure to bright light. *Biological Psychiatry, 33*, 642-646.

ALLIK, J., REALO, A., MORRUS, R., BORKENAU, P., KUPPENS, P., & HREBICKOVA, H. (2010). How people see others is different from how people see themselves: A replicable pattern across cultures. *Journal of Personality and Social Psychology, 99*, 870-882.

ALLOY, L.B., ABRAMSON, L.Y., & FRANCIS, E.L. (1999). Do negative cognitive styles confer vulnerability to depression? *Current Directions in Psychological Science, 8*, 128-132.

ALLPORT, F.H., & ALLPORT, G.W. (1921). Personality traits: Their classification and measurement. *Journal of Abnormal and Social Psychology, 16*, 1-40.

ALLPORT, G.W. (1937). *Personality: A Psychological Interpretation*. New York: Holt, Rinehart & Winston.

ALLPORT, G.W. (1961). *Pattern and Growth in Personality*. New York: Holt, Rinehart & Winston.

ALLPORT, G.W. (1967). Autobiography. Dans E.G. Boring & G. Lindzey (dir.), *A History of Psychology in Autobiography* (p. 126). New York: Appleton-Century-Crofts.

ALLPORT, G.W., & ODBERT, H.S. (1936). Trait-names: A psycholexical study. *Psychological Monographs, 47* (numéro complet 211).

American Psychological Association (1981). Ethical principles of psychologists. *American Psychologist, 36*, 633-638.

ANDERSEN, B.L., & CYRANOWSKI, J.M. (1994). Women's sexual self-schema. *Journal of Personality and Social Psychology, 67*, 1079-1100.

ANDERSEN, S.M., & BAUM, A. (1994). Transference in interpersonal relations: Inferences and affect based on significant-other representations. *Journal of Personality, 67*, 459-498.

ANDERSEN, S.M., & CHEN, S. (2002). The relational self: An interpersonal social-cognitive theory. *Psychological Review, 109*, 619-645.

ANDERSEN, S.M., & COLE, S.W. (1990). "Do I know you?" The role of significant others in general social perception. *Journal of Personality and Social Psychology, 59*, 384-399.

ANDERSEN, S.M., GLASSMAN, N.S., CHEN, S., & COLE, S.W. (1995). Transference in social perception: The role of chronic accessibility in significant-other representations. *Journal of Personality and Social Psychology, 69*, 41-57.

ANDERSEN, S.M., REZNIK, I., & MANZELLA, L.M. (1996). Eliciting facial affect, motivation, and expectancies in transference: Significant-other representations in social relations. *Journal of Personality and Social Psychology, 71*, 1108-1129.

ANDERSON, A.K., & PHELPS, E.A. (2002). Is the human amygdala critical for the subjective experience of emotion? Evidence of intact dispositional affect in patients with amygdala lesions. *Journal of Cognitive Neuroscience, 14*, 709-720.

ANDERSON, C.A., & BUSHMAN, B.J. (2001). Effects of violent video games on aggressive behavior, aggressive cognition, aggressive affect, physiological arousal, and prosocial behavior: A meta-analytic review of the scientific literature. *Psychological Science, 12*, 353-359.

ANDERSON, C.A., LINDSAY, J.J., & BUSHMAN, B.J. (1999). Research in the psychological laboratory: Truth or triviality? *Current Directions in Psychological Science, 8*, 3-9.

ANDERSON, N., & ONES, D.S. (2003). The construct validity of three entry level personality inventories used in the UK: Cautionary findings from a multiple inventory investigation. *European Journal of Personality, 17*, S39-S66.

ANDERSON, M.C., OCHSNER, K.N., KUUHL, B., COOPER, J., ROBERTSON, E., GABRIELI, S., GLOVER, G.H., & GABRIELI, D.E. (2004). Neural systems underlying the suppression of memories. *Science, 303*, 232-235.

ANTONUCCIO, D.O., THOMAS, M., & DANTON, W.G. (1997). A cost-effectiveness analysis of cognitive behavior therapy and fluoxetine (Prozac) in the treatment of depression. *Behavior Therapy, 28*, 187-210.

ARONSON, E., & METTEE, D.R. (1968). Dishonest behavior as a function of differential levels of induced self-esteem. *Journal of Personality and Social Psychology, 9*, 121-127.

ARTISTICO, D., OROM, H., CERVONE, D., KRAUSS, S., & HOUSTON, E. (2010). Everyday challenges in context: The influence of contextual factors on everyday problem solving among young, middle-aged, and older adults. *Experimental Aging Research, 36*, 1-18.

ARTISTICO, D., BERRY, J.M., BLACK, J., CERVONE, D., LEE, C., & OROM, H. (2011). Psychological functioning in adulthood: A self-efficacy analysis. Dans C.H. Hoare (dir.), *The Oxford Handbook of Adult Development and Learning* (2e éd.) (p. 215-247). New York: Oxford University Press.

ASENDORPF, J.B., BANSE, R., & MÜCKE, D. (2002). Double dissociation between implicit and explicit personality self-concept: The case of shy behavior. *Journal of Personality and Social Psychology, 83*, 380-393.

ASENDORPF, J.B., CASPI, A., & HOFSTEE, W.K.B. (dir.) (2002). The puzzle of personality types. *European Journal of Personality, 16* (numéro spécial).

ASENDORPF, J.B., & VAN AKEN, M.A.G. (1999). Resilient over-controlled, and undercontrolled personality prototypes in childhood: Replicability, predictive power, and the trait-type issue. *Journal of Personality and Social Psychology, 77*, 815-832.

ASHTON, M.C., LEE, K., & PAUNONEN, S.V. (2002). What is the central feature of extraversion? Social attention versus reward sensitivity. *Journal of Personality and Social Psychology, 83*, 245-252.

ASHTON, M.C., LEE, K., PERUGINI, M., SZAROTA, P., DEVRIES, R.E., DIBLAS, L. BOIES, K., & DERAAAD, B. (2004). A six-factor structure of personality descriptive adjectives: Solutions from psycholexical studies in seven languages. *Journal of Personality and Social Psychology, 86*, 356-366.

ASPINWALL, L.G., & STAUDINGER, U.M. (dir.) (2002). *A Psychology of Human Strengths: Perspectives on an Emerging Field*. Washington, DC: American Psychological Association.

Associated Press (2002, 14 novembre). *Teen Says Game Inspired Crime Spree*.

AYDUK, O., MISCHEL, W., & DOWNEY, G. (2002). Attentional mechanisms linking rejection to hostile reactivity: The role of "hot" versus "cool" focus. *Psychological Science, 13*, 443-448.

AYLLON, T., & AZRIN, H.H. (1965). The measurement and reinforcement of behavior of psychotics. *Journal of the Experimental Analysis of Behavior, 8*, 357-383.

BACCUS, J.R., BALDWIN, M.W., & PACKER, D.J. (2004). Increasing implicit self-esteem through classical conditioning. *Psychological Science, 15*, 498-502.

BAKERMANS-KRANENBURG, M.J., & VAN IZENDOORN, M.H. (1993). A psychometric study of the Adult Attachment Interview: Reliability and discriminant validity. *Developmental Psychology, 29*, 870-879.

BALAY, J., & SHEVRIN, H. (1988). The subliminal psychodynamic activation method. *American Psychologist, 43*, 161-174.

BALAY, J., & SHEVRIN, H. (1989). SPA is subliminal, but is it psychodynamically activating? *American Psychologist, 44*, 1423-1426.

BALDWIN, A.L. (1949). The effect of home environment on nursery school behavior. *Child Development, 20*, 49-61.

BALDWIN, M.W. (1999). Relational schemas: Research into social-cognitive aspects of interpersonal experience. Dans D. Cervone & Y. Shoda (dir.), *The Coherence of Personality: Social-Cognitive Bases of Consistency, Variability, and Organization* (p. 127-154). New York: Guilford Press.

BALDWIN, M.W. (dir.) (2005). *Interpersonal Cognition*. New York: Guilford Press.

BALTES, P.B. (1997). On the incomplete architecture of human ontogeny: Selection, optimization, and, compensation as foundation of developmental theory. *American Psychologist, 52*, 366-380.

BALTES, P.B., & BALTES, M.M. (1990). *Successful Aging: Perspective from the Behavioral Sciences*. Cambridge, UK: Cambridge University Press.

BALTES, P.B., & GRAF, P. (1996). Psychological aspects of aging: Facts and frontiers. Dans D. Magnusson (dir.), *The Lifespan Development of Individuals: Behavioral, Neurobiological, and Psychosocial Perspectives* (p. 427-460). Cambridge, UK: Cambridge University Press.

BALTES, P.B., & MAYER, K.U. (1999). *The Berlin Aging Study: Aging from 70 to 100*. Cambridge, UK: Cambridge University Press.

BALTES, P.B., & STAUDINGER, U.M. (2000). Wisdom: A metha-teuristic (pragmatic) to orchestrate mind and virtue toward excellence. *American Psychologist, 55*, 122-136.

BALTES, P.B., STAUDINGER, U.M., & LINDENBERGER, U. (1999). Lifespan psychology: Theory and application to intellectual functioning. *Annual Review of Psychology, 50*, 471-507.

BANDURA, A. (1965). Influence of models' reinforcement contingencies on the acquisition of imitative responses. *Journal of Personality and Social Psychology, 1*, 589-595.

BANDURA, A. (1969). *Principles of Behavior Modification*. New York: Holt, Rinehart and Winston.

BANDURA, A. (1977). Self-efficacy: Toward a unifying theory of behavioral change. *Psychological Review, 84*, 191-215.

BANDURA, A. (1986). *Social Foundations of Thought and Action: A Social Cognitive Theory*. Englewood Cliffs, NJ: Prentice Hall.

BANDURA, A. (1989a). Social cognitive theory. *Annals of Child Development, 6*, 1-60.

BANDURA, A. (1989b). Self-regulation of motivation and action through internal standards and goal systems. Dans L.A. Pervin (dir.), *Goal Concepts in Personality and Social Psychology* (p. 19-85). Hillsdale, NJ: Erlbaum.

BANDURA, A. (1990). Self-regulation of motivation through anticipatory and self-reactive mechanisms. *Nebraska Symposium on Motivation, 38*, 69-164.

BANDURA, A. (1992). Self-efficacy mechanism in psychobio-logic functioning. Dans R. Schwarzer (dir.), *Self-Efficacy: Thought Control of Action* (p. 335-394). Washington, DC: Hemisphere.

BANDURA, A. (1997). *Self-Efficacy: The Exercise of Control*. New York: Freeman.

BANDURA, A. (1999). Social cognitive theory of personality. Dans L.A. Pervin & O.P. John (dir.), *Handbook of Personality: Theory and Research* (p. 154-196). New York: Guilford Press.

BANDURA, A. (2001). Social cognitive theory: An agentic perspective. *Annual Review of Psychology, 52*, 1-26.

BANDURA, A. (2002). Environmental sustainability by socio-cognitive deceleration of population growth. Dans P. Schmuch & W. Schultz (dir.), *The Psychology of Sustainable Development* (p. 209-238). Dordrecht, The Netherlands: Kluwer.

BANDURA, A. (2004). Health promotion by social cognitive means. *Health Education and Behavior, 31*, 143-164.

BANDURA, A. (2006). Toward a psychology of human agency. *Perspectives on Psychological Science, 1*, 164-180.

BANDURA, A., & ADAMS, N.E. (1977). Analysis of self-efficacy theory of behavioral change. *Cognitive Therapy and Research, 1*, 287-310.

BANDURA, A., & CERVONE, D. (1983). Self-evaluative and self-efficacy mechanisms governing the motivational effect of goal systems. *Journal of Personality and Social Psychology, 45*, 1017-1028.

BANDURA, A., & KUPERS, C.J. (1964). Transmission of pat-terns of self-reinforcement through modeling. *Journal of Abnormal and Social Psychology, 69*, 1-9.

BANDURA, A., & LOCKE, E.A. (2003). Negative self-efficacy and goal effects revisited. *Journal of Applied Psychology, 88*, 87-99.

BANDURA, A., & MISCHEL, W. (1965). Modification of self-imposed delay of reward through exposure to live and symbolic models. *Journal of Personality and Social Psy-chology, 2*, 698-705.

BANDURA, A., & ROSENTHAL, T.L. (1966). Vicarious classical conditioning as a function of arousal level. *Journal of Personality and Social Psychology, 3*, 54-62.

BANDURA, A., & SCHUNK, D.H. (1981). Cultivating compe-tence, self-efficacy, and intrinsic interest. *Journal of Personality and Social Psychology, 41*, 586-598.

BANDURA, A., & WALTERS, R.H. (1959). *Adolescent Aggression*. New York: Ronald.

BANDURA, A., & WALTERS, R.H. (1963). *Social Learning and Personality Development*. New York: Holt, Rinehart & Winston.

BANDURA, A., ADAMS, N.E., & BEYER, J. (1977). Cognitive processes mediating behavioral change. *Journal of Personality and Social Psychology, 35*, 125-139.

BANDURA, A., GRUSEC, J.E., & MENLOVE, F.L. (1967). Some social determinants of self-monitoring reinforcement systems. *Journal of Personality and Social Psychology, 5*, 449-455.

BANDURA, A., REESE, L., & ADAMS, N.E. (1982). Microanalysis of action and fear arousal as a function of differential levels of perceived self-efficacy. *Journal of Personality and Social Psychology, 43*, 5-21.

BANDURA, A., ROSS, D., & ROSS, S. (1963). Imitation of film-mediated aggressive models. *Journal of Abnormal and Social Psychology, 66*, 3-11.

BANDURA, A., BARBARANELLI, C., CAPRARA, G.V., & PASTORELLI, C. (1996). Mechanisms of moral disenga-gement in the exercise of moral agency. *Journal of Personality and Social Psychology, 71*, 364-374.

BANDURA, A., PASTORELLI, C., BARBARANELLI, C., & CAPRARA, G.V. (1999). Self-efficacy pathways to childhood depression. *Journal of Personality and Social Psychology, 76*, 258-269.

BARENBAUM, N.B., & WINTER, D.G. (2008). History of modern personality theory and research. Dans O.P. John, R.R.W. Robins & L.A. Pervin (dir.), *Handbook of Personality: Theory and Research* (p. 29-60). New York: Guilford Press.

BARGH, J.A. (1997). The automaticity of everyday life. Dans R.S. Wyer, Jr. (dir.), *Advances in Social Cognition* (vol. 10, p. 1-61). Mahwah, NJ: Erlbaum.

BARGH, J.A. (2004). Being here now: Is consciousness neces-sary for human freedom? Dans J. Greenberg, S.L. Koole & T. Pyszczynski (dir.), *Handbook of Experimental Existential Psychology* (p. 385-397). New York: Guilford Press.

BARGH, J.A., & BARNDOLLAR, K. (1996). Automaticity in action: The unconscious as a repository of chronic goals and motives. Dans P.M. Gollwitzer & J.A. Bargh (dir.), *The Psychology of Action* (p. 457-481). New York: Guilford Press.

BARGH, J.A., & FERGUSON, M.J. (2000). Beyond behaviorism: On the automaticity of higher mental processes. *Psychological Bulletin, 126*, 925-945.

BARGH, J.A., & GOLLWITZER, P.M. (1994). Environmental control of goal-directed action: Automatic and strategic contingencies between situations and behavior. Dans W.D. Spaulding (dir.), *Nebraska Symposium on Motivation. Vol. 41: Integrative Views of Motivation, Cognition, and Emotion* (p. 71-124). Lincoln: University of Nebraska Press.

BARGH, J.A., & TOTA, M.E. (1988). Context-dependent auto-matic processing in depression: Accessibility of negative constructs with regard to self but not at hers. *Journal of Personality and Social Psychology, 54*, 925-939.

BARLOW, D.H. (1991). Disorders of emotion. *Psychological Inquiry, 2*, 58-71.

BARONDES, S.H. (1998). *Mood Genes: Hunting for the Origins of Mania and Depression*. New York: W.H. Freeman.

BARRICK, M.R., & MOUNT, M.K. (1991). The Big Five perso-nality dimensions and job performance: A meta-analysis. *Personnel Psychology, 44*, 1-26.

BARSALOU, L.W., SIMMONS, W.K., BARBEY, A.K., & WILASON, C.D. (2003). Grounding conceptual knowledge in modality-specific systems. *Trends in Cognitive Sciences, 7*, 84-91.

BARTHOLOMEW, K., & HOROWITZ, L.K. (1991). Attachment styles among young adults : A test of a four-category model. *Journal of Personality and Social Psychology, 61*, 226-244.

BARTZ, J., ZAKI, J., BOLGER, N., & OCHSNER, K. (2011). Social effects of oxytocin in humans : Context and person matter. *Trends in Cognitive Sciences, 15*, 301-309.

BARTZ, J.A., ZAKI, J., BOLGER, N., HOLLANDER, E., LUDWIG, N.N., KOLEVZON, A., & OCHSNER, K.N. (2010). Oxytocin selectively improves empathic accuracy. *Psychological Science, 21*, 1426-1428.

BASEN-ENGQUIST, K. (1994). Evaluation of theory-based HIV prevention intervention in college students. *AIDS Education and Prevention, 6*, 412-424.

BAUMEISTER, R.F. (dir.) (1991). *Escaping the Self.* New York : Basic Books.

BAUMEISTER, R.F. (1999). On the interface between personality and social psychology. Dans L.A. Pervin & O.P. John (dir.), *Handbook of Personality : Theory and Research* (p. 367-377). New York : Guilford Press.

BAUMEISTER, R.F., & VOHS, K.D. (dir.) (2004). *Handbook of Self-regulation : Research, Theory, and Applications.* New York : Guilford Press.

BAUMEISTER, R.F., CAMPBELL, J.D., KRUEGER, J.I., & VOHS, K.D. (2003). Does high self-esteem cause better performance, interpersonal success, happiness, or healthier lifestyles ? *Psychological Science in the Public Interest, 4* (numéro complet, suppl.).

BECHARA, A., DAMASIO, H., & DAMASIO, A.R. (2000). Emotion, decision making and the orbitofrontal cortex. *Cerebral Cortex, 10*, 295-307.

BECK, A.T. (1987). Cognitive models of depression. *Journal of Cognitive Psychotherapy, 1*, 2-27.

BECK, A.T. (1988). *Love is Never Enough.* New York : Harper & Row.

BECK, A.T. (1993). Cognitive therapy : Past, present, and future. *Journal of Consulting and Clinical Psychology, 61*, 194-198.

BECK, A.T., & FREEMAN, A. (1990). *Cognitive Therapy of Personality Disorders.* New York : Guilford Press.

BECK, A.T., RUSH, A.J., SHAW, B.F., & EMERY, G. (1979). *Cognitive Therapy of Depression.* New York : Guilford.

BECK, A.T., WRIGHT, F.D., NEWMAN, C.D., & LIESE, B.S. (1993). *Cognitive Therapy of Drug Abuse.* New York : Guilford Press.

BEILOCK, S.L., LYONS, L.M., MATTARELLA-MICKE, A., NUSBAUM, H.C., & SMALL, S.L. (2008). Sports expertise changes the neural processing of language. *Proceedings of the National Academy of Sciences USA, 105*, 13269-13273.

BENET-MARTINEZ, V., & JOHN, O.P. (1998). Los Cinco Grandes across cultures and ethnic groups : Multi-trait multimethod analyses of the Big Five in Spanish and English. *Journal of Personality and Social Psychology, 75*, 729-750.

BENET-MARTINEZ, V., & OISHI, S. (2008). Culture and personality. Dans O.P. John, R.W. Robins & L.A. Pervin (dir.), *Handbook of Personality : Theory and Research* (p. 542-567). New York : Guilford Press.

BENJAMIN, J., LIN, L., PATTERSON, C., GREENBERG, B.D., MURPHY, D.L., & RAMER, D.H. (1996). Population and familial association between the D4 dopamine receptor gene and measures of novelty seeking. *Nature Genetics, 12*, 81-84.

BENSON, E. (2003). The many faces of perfectionism. *Monitor on Psychology, 34.* www.apa.org/monitor/nov03/manyfaces. html (page consultée le 9 octobre 2004).

BENSON, E. (2004). Behavioral genetics : Meet molecular biology. *Monitor on Psychology, 35*, 42-45.

BERGMAN, L.R., MAGNUSSON, D., & EL-KHOURI, B.M. (2003). *Studying Individual Development in an Interindividual Context : A Process-Oriented Approach.* Mahwah, NJ : Erlbaum.

BERKOWITZ, L., & DONNERSTEIN, E. (1982). External validity is more than skin deep. *American Psychologist, 37*, 245-257.

BERNDT, T.J. (2002). Friendship quality and social development. *Current Directions in Psychological Science, 11*, 7-10.

BIERI, J. (1955). Cognitive complexity-simplicity and predictive behavior. *Journal of Abnormal and Social Psychology, 51*, 263-268.

BIERI, J. (1986). Beyond the grid principle. *Contemporary Psychology, 31*, 672-673.

BLACKWELL, L.A., TRZESNIEWSKI, K.H., & DWECK, C.S. (2007). Theories of intelligence and achievement across the junior high school transition : A longitudinal study and an intervention. *Child Development, 78*, 246-263.

BLOCK, J. (1971). *Lives Through Time.* Berkeley, CA : Bancroft Books.

BLOCK, J. (1993). Studying personality the long way. Dans D.C. Funder, R.D. Parke, C. Tomlinson-Keasey & K. Widaman (dir.), *Studying Lives Through Time* (p. 9-41). Washington, DC : American Psychological Association.

BLOCK, J., & ROBINS, R.W. (1993). A longitudinal study of consistency and change in self-esteem from early adolescence to early childhood. *Child Development, 64*, 909-923.

BOGAERT, A.F. (2006). Biological versus nonbiological older brothers and men's sexual orientation. *Proceedings of the National Academy of Sciences, 103*, 10771-10774.

BOLDERO, J., & FRANCIS, J. (2002). Goals, standards, and the self : Reference values serving different functions. *Personality and Social Psychology Review, 6*, 232-241.

BOLGER, N., DAVIS, A., & RAFAELI, E. (2003). Diary methods : Capturing life as it is lived. *Annual Review of Psychology, 54*, 579-616.

BORKENAU, P., & OSTENDORF, F. (1998). The Big Five as states : How useful is the five-factor model to describe intraindividual variations over time? *Journal of Research in Personality, 32*, 202-221.

BORNSTEIN, R.F., & MASLING, J.M. (1998). *Empirical Perspectives on the Psychoanalytic Unconscious.* Washington, DC: American Psychological Association.

BORSBOOM, D., MELLENBERGH, G.J., & VAN HEERDEN, J. (2003). The theoretical status of latent variables. *Psychological Review, 110*, 203-219.

BOUCHARD, T.J., JR., & MCGUE, M. (1981). Familial studies of intelligence: A review. *Science, 212*, 1055-1059.

BOUCHARD, T.J., JR., LYKKEN, D.T., MCGUE, M., SEGAL, N.L., & TELLEGEN, A. (1990). Sources of human psychological differences: The Minnesota study of twins reared apart. *Science, 250*, 223-228.

BOYLE, G.J., MATTHEWS, G., & SAKLOFSKE, D.H. (dir.) (2008). *The Sage Handbook of Personality Theory and Assessment.* New York: Sage.

BOZARTH, J.D. (1992, octobre). Coterminous intermingling of doing and being in person-centered therapy. *The Person-Centered Journal: An International Journal Published by the Association for the Development of the Person-Centered Approach.* www.adpca.org/sites/default/files/library/Doing&Being%20Person_Centered.pdf.

BRADLEY, R.H., & CORWYN, R.F. (2002). Socioeconomic status and child development. *Annual Review of Psychology, 53*, 371-399.

BRANDTSTÄDTER, J., & WENTURA, D. (1995). Adjustment to shifting possibility frontiers in later life: Complementary adaptive modes. Dans R.A. Dixon & L. Backman (dir.), *Compensating for Psychological Deficits and Declines: Managing Losses and Promoting Gains.* Mahwah, NJ: Erlbaum.

BRAUDEL, F. (1981). *The Structures of Everyday Life: Civilization and Capitalism, 15th-18th century* (vol. 1). New York: Harper & Row.

BRESSLER, S.L. (2002). Understanding cognition through large-scale cortical network. *Current Directions in Psychological Science, 11*, 58-61.

BRETHERTON, I. (1992). The origins of attachment theory: John Bowlby and Mary Ainsworth. *Developmental Psychology, 28*, 759-775.

BREWIN, C.R. (1996). Theoretical foundations of cognitive-behavior therapy for anxiety and depression. *Annual Review of Psychology, 47*, 33-57.

BROWN, J.D. (1998). *The Self.* New York: McGraw-Hill.

BROWN, J.D., & MCGILL, K.K.L. (1989). The cost of good fortune: When positive life events produce negative health consequences. *Journal of Personality and Social Psychology, 57*, 1103-1110.

BRUNER, J.S. (1956). You are your constructs. *Contemporary Psychology, 1*, 355-356.

BUCHHEIM, A., HEINRICHS, M., GEORGE, C., POKORNY, D., KOOPS, E., HENNINGSEN, P., O'CONNOR, M., & GUNDEL, H. (2009). Oxytocin enhances the experience of attachment security. *Psychoneuroendocrinology, 34*, 1417-1422.

BULLER, D.J. (2005). *Adapting Minds: Evolutionary Psychology and the Persistent Quest for Human Nature.* Cambridge, MA: MIT Press.

BULLMORE, E., & SPORNS, O. (2009). Complex brain networks: Graph theoretical analysis of structural and functional systems. *Nature Reviews: Neuroscience, 10*, 186-198.

BUSHMAN, B.J., & ANDERSON, C.A. (2002). Violent video games and hostile expectations: A test of the general aggression model. *Personality and Social Psychology Bulletin, 28*, 1679-1686.

BUSS, A.H. (1989). Personality as traits. *American Psychologist, 44*, 1378-1388.

BUSS, A.H., & PLOMIN, R. (1975). *A Temperament Theory of Personality Development.* New York: Wiley Interscience.

BUSS, A.H., & PLOMIN, R. (1984). *Temperament: Early developing Personality Traits.* Hillsdale, NJ: Erlbaum.

BUSS, D.M. (1989). Sex differences in human mate preferences: Evolutionary hypotheses tested in 37 cultures. *Behavioral and Brain Sciences, 12*, 1-14.

BUSS, D.M. (1991). Evolutionary personality psychology. *Annual Review of Psychology, 42*, 459-492.

BUSS, D.M. (1995). Evolutionary psychology: A new paradigm for psychological science. *Psychological Inquiry, 6*, 1-30.

BUSS, D.M. (1999). Human nature and individual differences: The evolution of human personality. Dans L.A. Pervin & O.P. John (dir.), *Handbook of Personality: Theory and Research* (p. 31-56). New York: Guilford Press.

BUSS, D.M. (2000). The evolution of happiness. *American Psychologist, 55*, 15-23.

BUSS, D.M. (dir.) (2005). *The Handbook of Evolutionary Psychology.* Hoboken, NJ: Wiley.

BUSS, D.M. (2008). Human nature and individual differences: Evolution of human personality. Dans O.P. John, R.W. Robins & L.A. Pervin (dir.), *Handbook of Personality: Theory and Research* (p. 29-60). New York: Guilford Press.

BUSS, D.M., & HAWLEY, P.H. (dir.) (2011). *The Evolution of Personality and Individual Differences.* New York: Oxford University Press.

BUSS, D.M., & KENRICK, D.T. (1998). Evolutionary social psychology. Dans D.T. Gilbert, S.T. Fiske & G. Lindzey (dir.), *The Handbook of Social Psychology* (4e éd.). New York: McGraw-Hill.

BUSS, D.M., LARSEN, R., WESTEN, D., & SEMMELROTH, J. (1992). Sex differences in jealousy: Evolution, physiology and psychology. *Psychological Science, 3*, 251-255.

BUSSEY, K., & BANDURA, A. (1999). Social cognitive theory of gender development and differentiation. *Psychological Bulletin, 106*, 676-713.

BUTLER, J.M., & HAIGH, G.V. (1954). Changes in the relation between self-concepts and ideal concepts consequent upon client-centered counseling. Dans C.R. Rogers &

R.F. Dymond (dir.), *Psychotherapy and Personality Change* (p. 55-75). Chicago: University of Chicago Press.

BUTLER, R. (2009). Coming to terms with personal construct theory. Dans R. Butler (dir.), *Reflections in Personal Construct Theory* (p. 3-20). West Sussex, UK: Wiley-Blackwell.

CACIOPPO, J.T. (1999, 3 juin). The case for social psychology in the era of molecular biology. *Keynote Address at the Society for Personality and Social Psychology Preconference*, Denver, CO.

CAMPBELL, J.B., & HAWLEY, C.W. (1982). Study habits and Eysenck's theory of extroversion-introversion. *Journal of Research in Personality, 16*, 139-146.

CAMPBELL, R.S., & PENNEBAKER, J.W. (2003). The secret life of pronouns. *Psychological Science, 14*, 60-65.

CAMPBELL, W.K. (1999). Narcissism and romantic attraction. *Journal of Personality and Social Psychology, 77*, 1254-1270.

CANLI, T. (2008). Toward a "molecular psychology" of personality. Dans O.P. John, R.W. Robins & L.A. Pervin (dir.), *Handbook of Personality: Theory and Research* (p. 311-327). New York: Guilford Press.

CANTOR, N. (1990). From thought to behavior: "Having" and "doing" in the study of personality and cognition. *American Psychologist, 45*, 735-750.

CANTOR, N., & KIHLSTROM, J.F. (1987). *Personality and Social Intelligence*. Englewood Cliffs, NJ: Prentice Hall.

CANTOR, N., NEREM, J.K., NEIDENTHAL, P.M., LANGSTON, C.A., & BROWER, A.M. (1987). Life tasks, self-concept ideals, and cognitive strategies in a life transition. *Journal of Personality and Social Psychology, 53*, 1178-1191.

CAPORAEL, L.R. (2001). Evolutionary psychology: Toward a unifying theory and a hybrid science. *Annual Review of Psychology, 52*, 706-628.

CAPRARA, G.V., & CERVONE, D. (2000). *Personality: Determinants, Dynamics, and Potentials*. New York: Cambridge University Press.

CAPRARA, G.V., & PERUGINI, M. (1994). Personality described by adjective: The generalizability of the Big Five to the Italian lexical context. *European Journal of Personality, 8*, 351-369.

CAPRARA, G.V., VECCHIONE, M., ALESSANDRI, G., GERBINO, M., BARBARANELLI, C. (2011). The contribution of personality traits and self-efficacy beliefs to academic achievement: A longitudinal study. *British Journal of Educational Psychology, 81*, 78-96.

CARNELLEY, K.B., PIETROMONACO, P.R., & JAFFE, K. (1994). Depression, working models of others, and relationships functioning. *Journal of Personality and Social Psychology, 66*, 127-140.

CARSTENSEN, L.L. (1995). Evidence for a life-span theory of socioemotional selectivity. *Current Directions in Psychological Science, 4*, 151-156.

CARSTENSEN, L.L. (1998). A life-span approach to social motivation. Dans J. Heckhausen & C. Dweck (dir.), *Motivation and Self-Regulation Across the Life Span* (p. 341-364). New York: Cambridge University Press.

CARSTENSEN, L.L., & CHARLES, S.T. (2003). Human aging: Why is even good news taken as bad? Dans L.G. Aspinwall & U.M. Staudinger (dir.), *A Psychology of Human Strengths: Perspectives on an Emerging Field* (p. 75-86). Washington, DC: American Psychological Association.

CARSTENSEN, L.L., & FREDRICKSON, B.L. (1998). Influence of HIV status and age on cognitive representations of others. *Health Psychology, 17*, 494-503.

CARSTENSEN, L.L., ISAACOWITZ, D.M., & CHARLES, S.T. (1999). Taking time seriously: A theory of socioemotional selectivity. *American Psychologist, 54*, 165-181.

CARTWRIGHT, D.S. (1956). Self-consistency as a factor affecting immediate recall. *Journal of Abnormal and Social Psychology, 52*, 212-218.

CARVER, C.S., & SCHEIER, M.F. (1998). *On the Self-Regulation of Behavior*. New York: Cambridge University Press.

CARVER, C.S., SCHEIER, M.F., & FULFORD, D. (2008). Self-regulatory processes, stress, and coping. Dans O.P. John, R.W. Robins & L.A. Pervin (dir.), *Handbook of Personality: Theory and Research* (p. 725-742). New York: Guilford Press.

CASEY, B.J., SOMERVILLE, L.H., GOTLIB, I.H., AYDUK, O., FRANKLIN, N.T., ASKREN, M.K., *et al.* (2011). Behavioral and neural correlates of delay of gratification 40 years later. *Proceedings of the National Academy of Sciences, 108*, 14998-15003.

CASPI, A. (2000). The child is father of the man: Personality correlates from childhood to adulthood. *Journal of Personality and Social Psychology, 78*, 158-172.

CASPI, A. (2002). Social selection, social causation, and developmental pathways: Empirical strategies for better understanding how individuals and environments are linked across the life course. Dans L. Pulkkinen & A. Caspi (dir.), *Paths to Successful Development: Personality in the Life Course* (p. 281-301). Cambridge, UK: Cambridge University Press.

CASPI, A., & BEM, D.J. (1990). Personality continuity and change across the life course. Dans L.A. Pervin (dir.), *Handbook of Personality: Theory and Research* (p. 549-575). New York: Guilford Press.

CASPI, A., & ROBERTS, B. (1999). Personality continuity and change across the life course. Dans L.A. Pervin & O.P. John (dir.), *Handbook of Personality: Theory and Research* (p. 300-326). New York: Guilford Press.

CASPI, A., BEM, D.J., & ELDER, G.H. (1989). Continuities and consequences of interactional styles across the life course. *Journal of Personality, 57*, 375-406.

CASPI, A., SUGDEN, K., MOFFITT, T.E., TAYLOR, A., CRAIG, I.W., HARRINGTON, H., *et al.* (2003). Influence of life stress on depression: Moderation by a polymorphism in the 5-HTT gene. *Science, 301*, 386-389.

CASSIDY, J., & SHAVER, P.R. (dir.) (1999). *Handbook of Attachment Theory and Research*. New York: Guilford Press.

CASSON, A.J., SMITH, S., DUNCAN, J.S., & RODRIGUEZ-VILLEGAS, E. (2010). Wearable EEG: What is it, why is it needed and what does it entail? *IEEE Engineering in Medicine and Biology Magazine, 29*, 44-56.

CATTELL, R.B. (1965). *The Scientific Analysis of Personality.* Baltimore: Penguin.

CATTELL, R.B. (1979). *Personality and Learning Theory.* New York: Springer.

CATTELL, R.B., & GRUEN, W. (1955). The primary personality factors in 11-year-old children, by objective tests. *Journal of Personality, 23*, 460-478.

CAVALLI-SFORZA, L.L., & CAVALLI-SFORZA, F. (1995). *The Great Human Diasporas: The History of Diversity and Evolution.* Reading, MA: Addison-Wesley.

CERVONE, D. (1991). The two disciplines of personality psychology. *Psychological Science, 6*, 371-377.

CERVONE, D. (1997). Social-cognitive mechanisms and personality coherence: Self-knowledge, situational beliefs, and cross-situational coherence in perceived self-efficacy. *Psychological Science, 8*, 43-50.

CERVONE, D. (2000). Evolutionary psychology and explanation in personality psychology: How do we know which module to invoke? [numéro spécial: Evolutionary Psychology (J. Heckhausen & p. Boyer, dir.)]. *American Behavioral Scientist, 6*, 1001-1014.

CERVONE, D. (2004). The architecture of personality. *Psychological Review, 111*, 183-204.

CERVONE, D. (2005). Personality architecture: Within person structures and processes. *Annual Review of Psychology, 56*, 423-452.

CERVONE, D. (2008). Explanatory models of personality: Social-cognitive theories and the knowledge-and-appraisal model of personality architecture. Dans G.J. Boyle, G. Matthews & D.H. Saklofske (dir.), *The Sage Handbook of Personality Theory and Assessment* (p. 80-100). London: Sage Publications.

CERVONE, D., & CAPRARA, G.V. (2001). Personality assessment. Dans N.J. Smelser & P.B. Baltes (dir.), *International Encyclopedia of the Social and Behavioral Sciences* (p. 11281-11287). Oxford, UK: Elsevier.

CERVONE, D., & MISCHEL, W. (2002). Personality science. Dans D. Cervone & W. Mischel (dir.), *Advances in Personality Science* (p. 1-26). New York: Guilford Press.

CERVONE, D., & PEAKE, P.K. (1986). Anchoring, efficacy, and action: The influence of judgmental heuristics on self-efficacy judgments and behavior. *Journal of Personality and Social Psychology, 50*, 492-501.

CERVONE, D., & SCOTT, W.D. (1995). Self-efficacy theory of behavioral change: Foundations, conceptual issues, and therapeutic implications. Dans W. O'Donohue & L. Krasner (dir.), *Theories in Behavior Therapy.* Washington, DC: American Psychological Association.

CERVONE, D., & SHADEL, W.G. (2003). Idiographic methods. Dans R. Ferdandez-Ballasteros (dir.), *Encyclopedia of Psychological Assessment* (p. 456-461). London: Sage.

CERVONE, D., & SHODA, Y. (1999a). Beyond traits in the study of personality coherence. *Current Directions in Psychological Science, 8*, 27-32.

CERVONE, D., & SHODA, Y. (dir.) (1999b). *The Coherence of Personality: Social-Cognitive Bases of Consistency, Variability, and Organization.* New York: Guilford Press.

CERVONE, D., & WILLIAMS, S.L. (1992). Social cognitive theory and personality. Dans G. Caprara & G.L. Van Heck (dir.), *Modem Personality Psychology* (p. 200-252). New York: Harvester Wheatsheaf.

CERVONE, D., CALDWELL, T.L., & OROM, H. (2008). Beyond person and situation effects: Intraindividual personality architecture and its implications for the study of personality and social behavior. Dans A. Kruglanski & J. Forgas (Series dir.) & F. Rhodewalt (Volume dir.), *Frontiers of Social Psychology: Personality and Social Behavior* (p. 9-48). New York: Psychology Press.

CERVONE, D., SHADEL, W.G., & JENCIUS, S. (2001). Social-cognitive theory of personality assessment. *Personality and Social Psychology Review, 5*, 33-51.

CERVONE, D., KOPP, D.A., SCHAUMANN, L., & SCOTT, W.D. (1994). Mood, self-efficacy, and performance standards: Lower moods induce higher standards for performance. *Journal of Personality and Social Psychology, 67*, 499-512.

CERVONE, D., SHADEL, W.G., SMITH, R.E., & FIORI, M. (2006). Self-regulation: Reminders and suggestions from personality science. *Applied Psychology: An International Review, 55*, 333-385.

CERVONE, D., OROM, H., ARTISTICO, D., SHADEL, W.G., & KASSEL, J. (2007). Using a knowledge-and-appraisal model of personality architecture to understand consistency and variability in smokers' self-efficacy appraisals in high-risk situations. *Psychology of Addictive Behaviors, 21*, 44-54.

CHAPLIN, W.F., JOHN, O.P., & GOLDBERG, L.R. (1988). Conceptions of states and traits: Dimensional attributes with ideals as prototypes. *Journal of Personality and Social Psychology, 54*, 541-557.

CHEN, S., BOUCHER, H.C., & PARKER-TAPIAS, M. (2006). The relational self revealed: Integrative conceptualization and implications for interpersonal life. *Psychological Bulletin, 132*, 151-179.

CHENG, C., WANG, F., & GOLDEN, D.L. (2011). Unpacking cultural differences in interpersonal flexibility: Role of culture-related personality and situational factors. *Journal of Cross-Cultural Psychology, 42*, 425-444.

CHEUNG, F.M., LEUNG, K., FAN, R.M., SONG, W.Z., ZHANG, J.X., & ZHANG, J.P. (1996). Development of the Chinese Personality Assessment Inventory. *Journal of Cross-Cultural Psychology, 27*, 181-199.

CHIAO, J.Y., HARADA, T., KOMEDA, H., LI, Z., MANO, Y., SAITO, D., PARRISH, T.B., SADATO, N., & IIDAKA, T. (2009). Neural basis of individualistic and collectivistic views of self. *Human Brain Mapping, 30*, 2813-2820.

CHODORKOFF, B. (1954). Self-perception, perceptual defense, and adjustment. *Journal of Abnormal and Social Psychology, 49*, 508-512.

CHODRON, T. (1990). *Open Heart, Clear Mind*. Ithaca, NY: Snow Lion.

CHOMSKY, N. (1959). A review of B.F. Skinner's *Verbal Behavior. Language, 35*, 26-58.

CHOMSKY, N. (1987). Psychology and ideology. Dans J. Peck (dir.), *The Chomsky Reader* (p. 157-182). New York: Pantheon Books.

CHURCHLAND, P.S. (2002). *Brain-Wise: Studies in Neuro-philosophy*. Cambridge, MA: MIT Press.

CLARK, D.A., BECK, A.T., & BROWN, G. (1989). Cognitive mediation in general psychiatric outpatients: A test of the content-specificity hypothesis. *Journal of Personality and Social Psychology, 56*, 958-964.

CLARK, L.A., & WATSON, D. (1999). Temperament: A new paradigm for trait psychology. Dans L.A. Pervin & O.P. John (dir.), *Handbook of Personality: Theory and Research* (p. 399-423). New York: Guilford Press.

CLARK, L.A., & WATSON, D. (2008). Temperament: An organizing paradigm for trait psychology. Dans O.P. John, R.W. Robins & L.A. Pervin (dir.), *Handbook of Personality: Theory and Research* (p. 265-286). New York: Guilford Press.

CLONINGER, C.R. (2004). *The Science of Well-Being*. New York: Oxford University Press.

CLONINGER, C.R., SVRAKIC, D.M., & PRZYBECK, T.R. (1993). A psychobiological model of temperament and character. *Archives of General Psychiatry, 50*, 975-990.

COAN, J.A. (2010). Adult attachment and the brain. *Journal of Social and Personal Relationships, 27*, 210-217.

COLVIN, C.R. (1993). "Judgable" people: Personality, behavior, and competing explanations. *Journal of Personality and Social Psychology, 64*, 861-873.

COLVIN, C.R., & BLOCK, J. (1994). Do positive illusions foster mental health? An examination of the Taylor and Brown formulation. *Psychological Bulletin, 116*, 3-20.

COLVIN, C.R., BLOCK, J., & FUNDER, D.C. (1995). Overly positive self-evaluations and personality: Negative implications for mental health. *Journal of Personality and Social Psychology, 68*, 1152-1162.

COLZATO, L.S., SLAGTER, H.A., VAN DEN WILDENBERG, W.P.M., & HOMMEL, B. (2009). Closing one's eyes to reality: Evidence for a dopaminergic basis of psychoticism from spontaneous eye blink rates. *Personality and Individual Differences, 46*, 377-380.

CONLEY, J.J. (1985). Longitudinal stability of personality traits: A multitrait-multimethod-multioccasion analysis. *Journal of Personality and Social Psychology, 49*, 1266-1282.

CONNELLY, B.S., & ONES, D.S. (2010). Another perspective on personality: Meta-analytic integration of observers' accuracy and predictive validity. *Psychological Bulletin, 136*, 1092-1122.

CONTRADA, R.J., CZARNECKI, E.M., & PAN, R.L. (1997). Health-damaging personality traits and verbal-autonomic dissociation: The role of self-control and environmental control. *Health Psychology, 16*, 451-457.

CONTRADA, R.J., LEVENTHAL, H., & O'LEARY, A. (1990). Personality and health. Dans L.A. Pervin (dir.), *Handbook of Personality: Theory and Research* (p. 638-669). New York: Guilford Press.

CONWAY, M.A., & PLEYDELL-PEARCE, C.W. (2000). The construction of autobiographical memories in the self-memory system. *Psychological Review, 107*, 261-288.

COOPER, M.L. (2002). Personality and close relationships: Embedding people in important social contexts. *Journal of Personality, 70*, 757-782.

COOPER, R.M., & ZUBEK, J.P. (1958). Effects of enriched and restricted early environments on the learning ability of bright and dull rats. *Canadian Journal of Psychology, 12*, 159-164.

COOPERSMITH, S. *(1967). The Antecedents of Self-Esteem.* San Francisco: Freeman.

COSMIDES, L. (1989). The logic of social exchange: Has natural selection shaped how humans reason? Studies with the Wason selection task. *Cognition, 31*, 187-276.

COSTA, P.T., JR., & MCCRAE, R.R. (1985). *The NEO Personality Inventory Manual*. Odessa, FL: Psychological Assessment Resources.

COSTA, P.T., JR., & MCCRAE, R.R. (1989). *The NEOPII NEO-FFI Manual Supplement*. Odessa, FL: Psychological Assessment Resources.

COSTA, P.T., JR., & MCCRAE, R.R. (1992). *NEO-PI-R: Professional Manual*. Odessa, FL: Psychological Assessment Resources.

COSTA, P.T., JR., & MCCRAE, R.R. (1994). Stability and change in personality from adolescence through adulthood. Dans C.F. Halverson, Jr., G.A. Kohnstamm & R.P. Martin (dir.), *The Developing Structure of Temperament and Personality from Infancy to Adulthood* (p. 139-155). Hillsdale, NJ: Erlbaum.

COSTA, P.T., JR., & MCCRAE, R.R. (1995). Primary traits of Eysenck's PEN system: Three- and five-factor solutions. *Journal of Personality and Social Psychology, 69*, 308-317.

COSTA, P.T., JR., & MCCRAE, R.R. (1998). Trait theories of personality. Dans D.F. Barone, M. Hersen & V.B. van Hasselt (dir.), *Advanced Personality* (p. 103-121). New York: Plenum.

COSTA, P.T., JR., & MCCRAE, R.R. (2001). A theoretical context for adult temperament. Dans T.D. Wachs & G.A. Kohnstamm (dir.), *Temperament in Context* (p. 1-22). Mahwah, NJ: Erlbaum.

COSTA, P.T., JR., & MCCRAE, R.R. (2002). Looking backward: Changes in the mean levels of personality traits from

80 to 12. Dans D. Cervone & W. Mischel (dir.), *Advances in Personality Science* (p. 219-237). New York: Guilford Press.

COSTA, P.T., JR., & WIDIGER, T.A. (dir.) (1994). *Personality Disorders and the Five-Factor Model of Personality*. Washington, DC: American Psychological Association.

COSTA, P.T., JR., & WIDIGER, T.A. (2001). *Personality Disorders and the Five-Factor Model of Personality* (2ᵉ éd.). Washington, DC: American Psychological Association.

COX, T., & MACKAY, C. (1982). Psychosocial factors and psychophysiological mechanisms in the etiology and development of cancer. *Social Science and Medicine, 16*, 381-396.

COX, W.M., & KLINGER, E. (2011). *Handbook of Motivational Counseling: Goal-Based Approaches to Assessment and Intervention with Addiction and Other Problems*. West Sussex, UK: John Wiley & Sons.

COZZARELLI, C. (1993). Personality and self-efficacy as predictors of coping with abortion. *Journal of Personality and Social Psychology, 65*, 1224-1236.

CRAIGHEAD, W.E., CRAIGHEAD, L.W., & ILARDI, S.S. (1995). Behavior therapies in historical perspective. Dans B. Bongar & L.E. Bentler (dir.), *Comprehensive Textbook of Psychotherapy* (p. 64-83). New York: Oxford University Press.

CRAMER, P. (1991). *The Development of Defense Mechanisms: Theory, Research and Assessment*. New York: Springer-Verlag.

CRAMER, P. (1996). *Storytelling, Narrative, and the Thematic Apperception Test*. New York: Guilford Press.

CRAMER, P. (2003). Personality change in later adulthood is predicted by defense mechanism use in early adulthood. *Journal of Research in Personality, 37*, 76-104.

CRAMER, P., & BLOCK, J. (1998). Preschool antecedents of defense mechanism use in young adults: A longitudinal study. *Journal of Personality and Social Psychology, 74*, 159-169.

CREWS, F. (1993, 18 novembre). The unknown Freud. *The New York Review of Books*, 55-66.

CREWS, F. (dir.) (1998). *Unauthorized Freud: Doubters Confront a Legend*. New York: Penguin Books.

CROCKER, J., & KNIGHT, K.M. (2005). Contingencies of self-worth. *Current Directions in Psychological Science, 14*, 200-203.

CROCKER, J., & WOLFE, C.T. (2001). Contingencies of self-worth. *Psychological Review, 108*, 593-623.

CROCKER, J., SOMMERS, S.R., & LUHTANEN, R.K. (2002). Hopes dashed and dreams fulfilled: Contingencies of self-worth and graduate school admissions. *Personality and Social Psychology Bulletin, 28*, 1275-1286.

CROCKETT, W.H. (1982). The organization of construct systems: The organization corollary. Dans J.C. Mancuso & J.R. Adams-Webber (dir.), *The Construing Person* (p. 62-95). New York: Praeger.

CRONBACH, L.J., & MEEHL, P.E. (1955). Construct validity in psychological tests. *Psychological Bulletin, 52*, 281-302.

CROSS, H.J. (1966). The relationship of parental training conditions to conceptual level in adolescent boys. *Journal of Personality, 34*, 348-365.

CROSS, S.E., & MARKUS, H.R. (1999). The cultural constitution of personality. Dans L.A. Pervin & O.P. John (dir.), *Handbook of Personality: Theory and Research* (2ᵉ éd.) (p. 378-396). New York: Guilford Press.

CSIKSZENTMIHALYI, M. (1990). *Flow: The Psychology of Optimal Experience*. New York: Harper & Row.

CURTIS, R.C., & MILLER, K. (1986). Believing another likes or dislikes you: Behaviors making the beliefs come true. *Journal of Personality and Social Psychology, 51*, 284-290.

CYRANOWSKI, J.M., & ANDERSEN, B.L. (1998). Schemas, sexuality, and romantic attachment. *Journal of Personality and Social Psychology, 74*, 1364-1379.

DABBS, J.M., JR. (2000). *Heroes, Rogues and Lovers: Outcroppings of Testosterone*. New York: McGraw-Hill.

DAMASIO, A.R. (1994). *Descartes' Error*. New York: Avon.

DAMASIO, H., GRABOWSKI, T., FRANK, R., GALABURDA, A.M., & DAMASIO, A.R. (1994). The return of Phineas Gage: Clues about the brain from a famous patient. *Science, 264*, 1102-1105.

DANNER, D.D., SNOWDON, D.A., & FRIESEN, W.V. (2001). Positive emotions in early life and longevity: Findings from the nun study. *Journal of Personality and Social Psychology, 80*, 804-813.

D'ARGEMBEAU, A., FEVERS, D., MAJERUS, S. COLLETTE, F., VAN DER LINDEN, M., MAOUET, P., & SALMON, E. (2008). Self-reflection across time: Cortical midline structures differentiate between present and past selves. *Social Cognitive and Affective Neuroscience, 3*, 244-252.

D'ARGEMBEAU, A., STAWARCZYK, D., MAJERUS, S., COLLETTE, F., VAN DER LINDEN, M., & SALMON, E. (2010). Modulation of medial prefrontal and inferior parietal cortices when thinking about past, present, and future selves. *Social Neuroscience, 5*, 187-200.

D'ARGEMBEAU, A., STAWARCZYK, D., MAJERUS, S., COLLETTE, F., VAN DER LINDEN, M., FEVERS, D., MAOUET, P., SALMON, E. (2010). The neural basis of personal goal processing when envisioning future events. *Journal of Cognitive Neuroscience, 22*, 1701-1713.

DARLEY, J.M., & FAZIO, R. (1980). Expectancy confirmation processes arising in the social interaction sequence. *American Psychologist, 35*, 867-881.

DARWIN, C. (1859). *The Origin of the Species*. London: Murray.

DARWIN, C. (1872). *The Expression of the Emotions in Man and Animals*. London: Murray.

DAVIDSON, R.J. (1994). Asymmetric brain function, affective style, and psychopathology. *Development and Psychopathology, 66*, 486-498.

DAVIDSON, R.J. (1995). Cerebral asymmetry, emotion, and affective style. Dans R.J. Davidson & K. Hugdahl (dir.), *Brain Asymmetry* (p. 361-387). Cambridge, MA : Massachusetts Institute of Technology.

DAVIDSON, R.J. (1998). Affective style and affective disorders : Perspectives from affective neuroscience. *Cognition and Emotion, 12*, 307-330.

DAVIDSON, R.J., & FOX, N.A. (1989). Frontal brain asymmetry predicts infants' response to maternal separation. *Journal of Abnormal Psychology, 98*, 127-131.

DAVIS, P.J., & SCHWARTZ, G.E. (1987). Repression and the inaccessibility of affective memories. *Journal of Personality and Social Psychology, 52*, 155-162.

DAWES, R.M. (1994). *House of Cards : Psychology and Psychotherapy Built on Myth.* New York : The Free Press.

DECI, E.L., & RYAN, R.M. (1985). *Intrinsic Motivation and Self-Determination in Human Behavior.* New York : Plenum.

DECI, E.L., & RYAN, R.M. (1991). A motivational approach to self : Integration in personality. *Nebraska Symposium on Motivation, 38*, 237-288.

DE FRUYT, F., & SALGADO, J.F. (dir.) (2003). Personality and industrial, work and organizational applications. *European Journal of Personality, 17* (numéro complet).

DE FRUYT, F., WIELE, L.V., & VAN HEERINGEN, C. (2000). Cloninger's psychobiological model of temperament and character and the five-factor model of personality. *Personality and Individual Differences, 29*, 441-452.

DE LA RONDE, C., & SWANN, W.B., JR. (1998). Partner verification : Restoring shattered images of our intimates. *Journal of Personality and Social Psychology, 75*, 374-382.

DE HOUWER, J., TEIGE-MOCIGEMBA, S., SPRUYT, A., & MOORS, A. (2009). Implicit measures : A normative analysis and review. *Psychological Bulletin, 135*, 347-368.

DENES-RAJ, V., & EPSTEIN, S. (1994). Conflict between intuitive and rational processing : When people behave against their better judgment. *Journal of Personality and Social Psychology, 66*, 819-829.

DENOLLET, J., MARTENS, E.J., NYKLICEK, I., CONRAADS, V.M., & DE GELDER, B. (2008). Clinical events in coronary patients who report low distress : Adverse effect of repressive coping. *Health Psychology, 27*, 302-308.

DEPUE, R.A. (1995). Neurobiological factors in personality and depression. *European Journal of Personality, 9*, 413-439.

DEPUE, R.A. (1996). A neurobiological framework for the structure of personality and emotion : Implications for personality disorders. Dans J. Clarkin & M. Lenzenweger (dir.), *Major Theories of Personality Disorders* (p. 347-390). New York : Guilford Press.

DEPUE, R.A., & COLLINS, P.F. (1999). Neurobiology of the structure of personality : Dopamine, facilitation of incentive motivation, and extraversion. *Behavioral and Brain Sciences, 22*, 491-517.

DE RAAD, B. (2005). Situations that matter to personality. Dans A. Eliasz, S.E. Hampson & B. de Raad (dir.), *Advances in Personality Psychology* (vol. 2, p. 179-204). Philadelphia, PA : Psychology Press.

DE RAAD, B., & BARELDS, D.P.H. (2008). A new taxonomy of Dutch personality traits based on a comprehensive and unrestricted list of descriptors. *Journal of Personality and Social Psychology, 94*, 347-364.

DE RAAD, B., & PEABODY, D. (2005). Cross-culturally recurrent personality factors : Analyses of three factors. *European Journal of Personality, 19*, 451-474.

DERAKSHAN, N., & EYSENCK, M.W. (1997). Interpretive biases for one's own behavior and physiology in high-trait-anxious individuals and repressors. *Journal of Personality and Social Psychology, 73*, 816-825.

DESTENO, D., BARTLETT, M.Y., BRAVERMAN, J., & SALOVEY, P. (2002). Sex differences in jealousy : Evolutionary mechanism or artifact of measurement ? *Journal of Personality and Social Psychology, 83*, 1103-1116.

DEWSBURY, D.A. (1997). In celebration of the centennial of Ivan p. Pavlov's (1897/1902) *The Work of the Digestive Glands. American Psychologist, 52*, 933-935.

DEYOUNG, C.G., HIRSCH, J.B., SHANE, M.S., PAPADEMETRUS, X., RAIEEVAN, N., GRAY, J.R. (2010). Testing predictions from personality neuroscience : Brain structure and the big five. *Psychological Science, 21*, 820-828.

DI BLAS, L., & FORZI, M. (1999). Refining a descriptive structure of personality attributes in the Italian language : The abridged big three circumplex structure. *Journal of Personality and Social Psychology, 76*, 451-481.

DOBSON, K.S., & SHAW, B.F. (1995). Cognitive therapies in practice. Dans B. Bongar & L.E. Bentler (dir.), *Comprehensive Textbook of Psychotherapy* (p. 159-172). New York : Oxford University Press.

DOLNICK, E. (1998). *Madness on the Couch : Blaming the Victim in the Heyday of Psychoanalysis.* New York : Simon & Schuster.

DOMJAN, M. (2005). Pavlovian conditioning : A functional perspective. *Annual Review of Psychology, 56*, 179-206.

DONAHUE, E.M. (1994). Do children use the Big Five, too ? Content and structural form in personality descriptions. *Journal of Personality, 62*, 45-66.

DONAHUE, E.M., ROBINS, R.W., ROBERTS, B., & JOHN, O.P. (1993). The divided self : Concurrent and longitudinal effects of psychological adjustment and self-concept differentiation. *Journal of Personality and Social Psychology, 64*, 834-846.

DOWNEY, G., & FELDMAN, S.I. (1996). Implications of rejection sensitivity for intimate relationships. *Journal of Personality and Social Psychology, 70*, 1327-1343.

DOWNEY, G., FREITAS, A.L., MICHAELIS, B., & KHOURI, H. (1998). The self-fulfilling prophecy in close relationships : Rejection sensitivity and rejection by romantic partners. *Journal of Personality and Social Psychology, 75*, 545-560.

DOWNEY, G., MOUGIOS, V., AYDUK, O., LONDON, B.E., & SHODA, Y. (2004). Rejection sensitivity and the defensive motivational system: Insights from the startle response to rejection cues. *Psychological Science, 15*, 668-673.

DRAGANSKI, B., GASER, C., BUSCH, V., SCHUIERER, G., BOGDAHN, I., & MAY, A. (2004). Changes in grey matter induced by training. *Nature, 427*, 311-312.

DUCK, S. (1982). Two individuals in search of agreement: The commonality corollary. Dans J.C. Mancuso & J.R. Adams-Webber (dir.), *The Construing Person* (p. 222-234). New York: Praeger.

DUNN, J., & PLOMIN, R. (1990). *Separate Lives: Why Siblings Are So Different.* New York: Basic Books.

DUNNING, D., HEATH, C., & SULS, J.M. (2004). Flawed self-assessment: Implications for health, education, and the workplace. *Psychological Science in the Public Interest, 5*, 69-106.

DUTTON, K.A., & BROWN, J.D. (1997). Global self-esteem and specific self-views as determinants of people's reactions to success and failure. *Journal of Personality and Social Psychology, 73*, 139-148.

DWECK, C.S. (1991). Self-theories and goals: Their role in motivation, personality, and development. Dans R.D. Dienstbier (dir.), *Nebraska Symposium on Motivation* (p. 199-235). Lincoln: University of Nebraska Press.

DWECK, C.S. (1999). *Self-Theories: Their Role in Motivation, Personality, and Development.* Philadelphia: Psychology Press/Taylor & Francis.

DWECK, C.S., & LEGGETT, E. (1988). A social-cognitive approach to motivation in personality. *Psychological Review, 95*, 256-273.

DWECK, C.S., CHIU, C., & HONG, Y. (1995). Implicit theories and their role in judgments and reactions: A world from two perspectives. *Psychological Inquiry, 6*, 267-285.

DWECK, C.S., HIGGINS, E.T., & GRANT-PILLOW, H. (2003). Self-systems give unique meaning to self variables. Dans M.R. Leary & J.P. Tangney (dir.), *Handbook of Self and Identity* (p. 239-252). New York: Guilford Press.

DYKMAN, B.M. (1998). Integrating cognitive and motivational factors in depression: Initial tests of a goal orientation approach. *Journal of Personality and Social Psychology, 74*, 139-158.

DYKMAN, B.M., & JOHLL, M. (1998). Dysfunctional attitudes and vulnerability to depressive symptoms: A 14-week longitudinal study. *Cognitive Therapy and Research, 22*, 337-352.

EAGLE, M., WOLITZKY, D.L., & KLEIN, G.S. (1966). Imagery: Effect of a concealed figure in a stimulus. *Science, 18*, 837-839.

EAGLY, A.H., & WOOD, W. (1999). The origins of sex differences in human behavior. *American Psychologist, 54*, 408-423.

EBSTEIN, R.P., NOVICK, O., UMANSKY, R., PRIEL, B., OSHER, Y., BLAINE, D., *et al.* (1996). Dopamine D4 receptor (D4DR) exon III polymorphism associated with the human personality trait of novelty seeking. *Nature Genetics, 12*, 78-80.

The Economist (2005). *Pocket World in Figures.* London: Profile Books.

EDELMAN, G.M., & TONONI, G. (2000). *A Universe of Consciousness: How Matter Becomes Imagination.* New York: Basic Books.

EDELSON, M. (1984). *Hypothesis and Evidence in Psychoanalysis.* Chicago: University of Chicago Press.

EHRLICH, P.R. (2000). *Human Natures: Genes, Cultures, and the Human Prospect.* Washington, DC: Island Press.

EISENBERG, N., FABES, R.A., GUTHRIE, I.K., & REISER, M. (2000). Dispositional emotionality and regulation: Their role in predicting quality of social functioning. *Journal of Personality and Social Psychology, 78*, 136-157.

EKMAN, P. (1992). An argument for basic emotions. *Cognition and Emotion, 6*, 169-200.

EKMAN, P. (1993). Facial expression and emotion. *American Psychologist, 48*, 384-392.

EKMAN, P. (1994). Strong evidence for universals in facial expressions: A reply to Russell's mistaken critique. *Psychological Bulletin, 115*, 268-287.

EKMAN, P. (dir.) (1998). *Third Edition of Charles Darwin: The Expression of Emotions in Man and Animals.* New York: Oxford University Press.

ELFENBEIN, H.A., & AMBADY, N. (2002). On the universality and cultural specificity of emotion recognition: A meta-analysis. *Psychological Bulletin, 128*, 203-235.

ELLIOT, A.J., & DWECK, C.S. (1988). Goals: An approach to motivation and achievement. *Journal of Personality and Social Psychology, 54*, 5-12.

ELLIOT, A.J., & SHELDON, K.M. (1998). Avoidance personal goals and the personality-illness relationship. *Journal of Personality and Social Psychology, 75*, 1282-1299.

ELLIOT, A.J., SHELDON, K.M., & CHURCH, M.A. (1997). Avoidance personal goals and subjective well-being. *Personality and Social Psychology Bulletin, 9*, 915-927.

ELLIS, A. (1962). *Reason and Emotion in Psychotherapy.* Secaucus, NJ: Lyle Stuart.

ELLIS, A. (1987). The impossibility of achieving consistently good mental health. *American Psychologist, 42*, 364-375.

ELLIS, A., & HARPER, R.A. (1975). *A New Guide to Rational Living.* North Hollywood, CA: Wilshire.

ELLIS, A., & TAFRATE, R.C. (1997). *How to Control your Anger Before It Controls You.* New York: Citadel Press.

EMMONS, R.A. (1987). Narcissism: Theory and measurement. *Journal of Personality and Social Psychology, 52*, 11-17.

EPEL, E.S., BLACKBURN, E.H., LIN, J., DHABHAR, F.S., ADLER, N.E., MORROW, J.D., & CAWTHON, R.M. (2004). Accelerated telomere shortening in response to life stress. *Proceedings of the National Academy of Sciences, 101*, 17312-17315.

EPSTEIN, N., & BAUCOM, N. (1988). *Cognitive-Behavioral Marital Therapy.* New York: Springer.

EPSTEIN, S. (1983). A research paradigm for the study of personality and emotions. Dans M.M. Page (dir.), *Personality: Current Theory and Research* (p. 91-154). Lincoln: University of Nebraska Press.

EPSTElN, S. (1992). The cognitive self, the psychoanalytic self, and the forgotten selves. *Psychological Inquiry, 3,* 34-37.

EPSTEIN, S. (1994). Integration of the cognitive and the psychodynamic unconscious. *American Psychologist, 49,* 709-724.

EPTING, F.R., & ELIOT, M. (2006). A constructive understanding of the person: George Kelly and humanistic psychology. *The Humanistic Psychologist, 34,* 21-37.

ERDLEY, C.A., LOOMIS, C.C., CAIN, K.M., & DUMASHINES, F. (1997). Relations among children's social goals, implicit personality theories, and responses to social failure. *Developmental Psychology, 33,* 263-272.

ERDELYI, M. (1985). *Psychoanalysis: Freud's Cognitive Psychology.* New York: Freeman.

ERICSSON, K.A., & SIMON, H.A. (1993). *Protocol Analysis: Verbal Reports as Data.* Cambridge, MA: MIT Press.

ERIKSON, E. (1950). *Childhood and Society.* New York: Norton.

ERIKSON, E. (1982). *The Life Cycle Completed: A Review.* New York: Norton.

ESTERSON, A. (1993). *Seductive Mirage: An Exploration of the Work of Sigmund Freud.* New York: Open Court.

EVANS, R.I. (1976). *The Making of Psychology.* New York: Knopf.

EWART, C.K. (1992). The role of physical self-efficacy in recovery from heart attack. Dans R. Schwarzer (dir.), *Self-Efficacy: Thought Control of Action* (p. 287-304). Washington, DC: Hemisphere.

EXNER, J.E. (1986). The Rorschach: A comprehensive system: Basic foundations (2ᵉ éd.) (vol. 1). New York: Wiley.

EYSENCK, H.J. (1953). *Uses and Abuses of Psychology.* London: Penguin.

EVSENCK, H.J. (1970). *The Structure of Personality* (3ᵉ éd.). London: Methuen.

EYSENCK, H.J. (1982). *Personality Genetics and Behavior.* New York: Praeger.

EYSENCK, H.J. (1990). Biological dimensions of personality. Dans L.A. Pervin (dir.), *Handbook of Personality: Theory and Research* (p. 244-276). New York: Guilford Press.

EYSENCK, H.J. (1998). *Intelligence: A New Look.* London: Transaction Publishers.

FARBER, I.E. (1964). A framework for the study of personality as a behavioral science. Dans P. Worchel & D. Byrne (dir.), *Personality Change* (p. 3-37). New York: Wiley.

FAZIO, R.H., & OLSON, M.A. (2003). Implicit measures in social cognition research: Their meaning and use. *Annual Review of Psychology, 54,* 297-327.

FEENEY, J.A., & NOLLER, P. (1990). Attachment style as a predictor of adult romantic relationships. *Journal of Personality and Social Psychology, 58,* 281-291.

FERSTER, C.B. (1973). A functional analysis of depression. *American Psychologist, 28,* 857-870.

FERSTER, C.B., & SKINNER, B.F. (1957). *Schedules of Reinforcement.* New York: Appleton-Century-Crofts.

FISHER, K. (1982). The spreading case of fraud. *APA Monitor, 13,* 1.

FISKE, A.P., KITAYAMA, S., MARKUS, H.R., & NISBETT, R.E. (1998). The cultural matrix of social psychology. Dans D.T. Gilbert, S.T. Fiske & G. Lindzey (dir.) (1998), *The Handbook of Social Psychology* (4ᵉ éd.) (p. 915-981). New York: McGraw-Hill.

FISKE, S.T., & TAYLOR, S.E. (1991). *Social Cognition.* New York: McGraw-Hill.

FLAVELL, J.H. (1999). Cognitive development: Children's knowledge about the mind. *Annual Review of Psychology, 50,* 21-45.

FLEESON, W. (2001). Toward a structure – and process – integrated view of personality: Traits as density distributions of states. *Journal of Personality and Social Psychology, 80,* 1011-1027.

FLEESON, W., & LEICHT, C. (2006). On delineating and integrating the study of variability and stability in personality psychology: Interpersonal trust as illustration. *Journal of Research in Personality, 40,* 5-20.

FLETT, G.L., BESSER, A., & HEWITT, P.L. (2005). Perfectionism, ego defense styles, and depression: A comparison of self-reports versus informant ratings. *Journal of Personality, 73,* 1355-1396.

FODOR, J.A. (1983). *The Modularity of Mind: An Essay on Faculty Psychology.* Cambridge, MA: MIT Press.

FOLKMAN, S., & MOSKOWITZ, J.T. (2004). Coping: Pitfalls and promises. *Annual Review of Psychology, 55,* 745-774.

FOLKMAN, S., LAZARUS, R.S., GRUEN, R.J., & DELONGIS, A. (1986). Appraisal, coping, health status, and psychological symptoms. *Journal of Personality and Social Psychology, 50,* 571-579.

FORGAS, J. (1995). Mood and judgment: The affect infusion model. *Psychological Bulletin, 117,* 39-66.

FOX, N.A., HENDERSON, H.A., MARSHALL, P.J., NICHOLS, K.E., & GHERA, M.A. (2005). Behavioral inhibition: Linking biology and behavior within a developmental framework. *Annual Review of Psychology, 56,* 235-262.

FOX, N.A., & REEB-SUTHERLAND, B.C. (2010). Biological moderators of infant temperament and its relation to social withdrawal. Dans K.H. Rubin & R.J. Coplan (dir.), *The Development of Shyness and Social Withdrawal* (p. 84-103). New York: Guilford Press.

FRALEY, R.C. (1999). *Attachment Continuity from Infancy to Adulthood: Meta-Analysis and Dynamic Modeling of*

Developmental Mechanisms. Manuscrit inédit, University of California, Davis.

FRALEY, R.C. (2002). Attachment stability from infancy to adulthood: Meta-analysis and dynamic modeling of developmental mechanisms. *Personality and Social Psychology Review, 6,* 123-151.

FRALEY, R.C. (2007). Using the Internet for personality research: What can be done, how to do it, and some concerns. Dans R.W. Robins, R.C. Fraley & R.F. Krueger (dir.), *Handbook of Research Methods in Personality Psychology* (p. 130-148). New York: Guilford Press.

FRALEY, R.C., & ROBERTS, B.W. (2005). Patterns of continuity: A dynamic model for conceptualizing the stability of individual differences in psychological constructs across the life course. *Psychological Review, 112,* 60-74.

FRALEY, R.C., & SHAVER, P.R. (1998). Airport separations: A naturalistic study of adult attachment dynamics in separating couples. *Journal of Personality and Social Psychology, 75,* 1198-1212.

FRALEY, R.C., & SHAVER, P.R. (2008). Attachment theory and its place in contemporary personality theory and research. Dans O.P. John, R.W. Robins & L.A. Pervin (dir.), *Handbook of Personality: Theory and Research* (p. 518-541). New York: Guilford Press.

FRALEY, R.C, & SPIEKER, S.J. (2003). Are infant attachment patterns continuously or categorically distributed? A taxometric analysis of strange situation behavior. *Developmental Psychology, 39,* 387-404.

FRANKL, V.E. (1955). *The Doctor and the Soul.* New York: Knopf.

FRANKL, V.E. (1958). On logotherapy and existential analysis. *American Journal of Psychoanalysis, 18,* 28-37.

FREDRICKSON, B.L. (2001). The role of positive emotions in positive psychology: The broaden-and-build theory of positive emotions. *American Psychologist, 56,* 218-226.

FREUD, A. (1936). *The Ego and the Mechanisms of Defense.* New York: International Universities Press.

FREUD, S. (1915/1970). Instincts and their vicissitudes. Dans W.A. Russell (dir.), *Milestones in Motivation: Contributions to the Psychology of Drive and Purpose* (p. 324-331). New York: Appleton-Century-Crofts.

FREUD, S. (1923). *The Ego and the Id.* Vienna: W.W. Norton & Company.

FREUD, S. (1933). *New Introductory Lectures on Psychoanalysis.* New York: Norton.

FREUD, S. (1930/1949). *Civilization and its Discontents.* London: Hogarth Press.

FREUD, S. (1900/1953). The interpretation of dreams. Dans *Standard Edition* (vol. 4 et 5). London: Hogarth Press.

FREUD, S. (1909/1959). Analysis of a phobia in a five-year-old boy. Dans *Standard Edition* (vol. 10). London: Hogarth Press.

FREUND, A.M., & BALTES, P.B. (1998). Selection, optimization, and compensation as strategies of life management: Correlations with subjective indicators of successful aging. *Psychology and Aging, 13,* 531-543.

FRIEDMAN, H.S., TUCKER, J.S., SCHWARTZ, J.E., MARTIN, L.R., TOMLINSON-KEASY, C., WINGARD, D.L., & CRIOUI, M.H. (1995a). Childhood conscientiousness and longevity: Health behaviors and cause of death. *Journal of Personality and Social Psychology, 68,* 696-703.

FRIEDMAN, H.S., TUCKER, J.S., SCHWARTZ, J.E., TOMLINSON-KEASY, C., MARTIN, L.R., WINGARD, D.L., & CRIOUI, M.H. (1995b). Psychosocial and behavioral predictors of longevity: The aging and death of the "Termites". *American Psychologist, 50,* 69-78.

FROMM, E. (1959). *Sigmund Freud's Mission.* New York: Harper.

FUNDER, D.C. (1989). Accuracy in personality judgment and the dancing bear. Dans D.M. Buss & N. Cantor (dir.), *Personality Psychology: Recent Trends and Emerging Directions* (p. 210-223). New York: Springer-Verlag.

FUNDER, D.C. (1993). Judgments of personality and personality itself. Dans K.H. Craik, R. Hogan & R.N. Wolfe (dir.), *Fifty Years of Personality Psychology* (p. 207-214). New York: Plenum.

FUNDER, D.C. (1995). On the accuracy of personality judgment: A realistic approach. *Psychological Review, 102,* 652-670.

FUNDER, D.C. (2008). Persons, situations, and person-situation interactions. Dans O.P. John, R.W. Robins & L.A. Pervin (dir.), *Handbook of Personality: Theory and Research* (p. 568-582). New York: Guilford Press.

FUNDER, D.C., & OZER, D.J. (1983). Behavior as a function of the situation. *Journal of Personality and Social Psychology, 44,* 107-112.

FUNDER, D.C., KOLAR, D.C., & BLACKMAN, M.C. (1995). Agreement among judges of personality: Interpersonal relations, similarity, and acquaintanceship. *Journal of Personality and Social Psychology, 69,* 656-672.

GABLE, S.L., & HAIDT, J. (2005). What (and why) is positive psychology? *Review of General Psychology, 9,* 103-110.

GABLE, S.L., REIS, H.T., & DOWNEY, G. (2003). He said, she said: A quasi-signal detection analysis of daily interactions between close relationship partners. *Psychological Science, 14,* 100-105.

GAENSBAUER, T.J. (1982). The differentiation of discrete affects. *Psychoanalytic Study of the Child, 37,* 29-66.

GAILLIOT, M.T., MEAD, N.L., & BAUMEISTER, R.F. (2008). Self-regulation. Dans O.P. John, R.W. Robins & L.A. Pervin (dir.), *Handbook of Personality: Theory and Research* (p. 472-491). New York: Guilford Press.

GALATZER-LEVY, R.M., BACHRACH, H., SKOLNIKOFF, A., & WALDRON, S., JR. (2000). *Does Psychoanalysis Work?* New Haven: Yale University Press.

GALLO, L.C., & MATTHEWS, K.A. (2003). Understanding the association between socioeconomic status and physical health: Do negative emotions play a role? *Psychological Bulletin, 129,* 10-51.

GAY, P. (1998). *Freud: A Life for our Time.* New York: Norton.

GEEN, R.G. (1984). Preferred stimulation levels in introverts and extroverts: Effects on arousal and performance. *Journal of Personality and Social Psychology, 46,* 1303-1312.

GEEN, R.G. (1997). Psychophysiological approaches to personality. Dans R. Hogan, J.A. Johnson & S.R. Briggs (dir.), *Handbook of Personality Psychology* (p. 387-414). San Diego: Academic Press.

GEERTZ, C. (1973). *The Interpretation of Cultures.* New York: Basic Books.

GEERTZ, C. (2000). *Available Light: Anthropological Reflections on Philosophical Topics.* Princeton, NJ: Princeton University Press.

GEISLER, C. (1986). The use of subliminal psychodynamic activation in the study of repression. *Journal of Personality and Social Psychology, 51,* 844-851.

GERARD, H.B., KUPPER, D.A., & NGUYEN, L. (1993). The causal link between depression and bulimia. Dans J.M. Masling & R.F. Bomstein (dir.), *Psychoanalytic Perspectives in Psychopathology* (p. 225-252). Washington, DC: American Psychological Association.

GERGEN, K.J. (1971). *The Concept of Self.* New York: Holt.

GERGEN, K.J. (2001). Psychological science in a postmodern context. *American Psychologist, 56,* 803-813.

GIERE, R.N. (1999). *Science Without Laws.* Chicago: University of Chicago Press.

GIESLER, R.B., JOSEPHS, R.A., & SWANN W.B., JR. (1996). Self-verification in clinical depression: The desire for negative evaluation. *Journal of Abnormal Psychology, 105,* 358-368.

GLADUE, B.A., BOECHLER, M., & MCCAUL, D.D. (1989). Hormonal response to competition in human males. *Aggressive Behavior, 15,* 409-422.

GOBLE, F. (1970). *The Third Force: The Psychology of Abraham Maslow.* New York: Grossman.

GOLDBERG, L.R. (1981). Language and individual differences: The search for universals in personality lexicons. Dans L. Wheeler (dir.), *Review of Personality and Social Psychology* (p. 141-165). Beverly Hills, CA: Sage.

GOLDBERG, L.R. (1990). An alternative "description of personality": The Big-Five factor structure. *Journal of Personality and Social Psychology, 59,* 1216-1229.

GOLDBERG, L.R. (1992). The development of markers for the Big-Five factor structure. *Psychological Assessment, 4,* 26-42.

GOLDBERG, L.R., & ROSOLACK, T.K. (1994). The Big Five factor structure as an integrative framework: An empirical comparison with Eysenck's P-E-N model. Dans C.F. Halverson, Jr., G.A. Kohnstamm & R.P. Martin (dir.), *The Developing Structure of Temperament and Personality from Infancy to Adulthood* (p. 7-35). New York: Erlbaum.

GOLDSMITH, H.H., & CAMPOS, J.J. (1982). Toward a theory of infant temperament. Dans R.M. Emde & R.J. Harmon (dir.), *The Development of Attachment and Affiliative Systems* (p. 161-193). New York: Plenum.

GOLDSTEIN, K. (1939). *The Organism.* New York: American Book.

GOSLING, S.D., & JOHN, O.P. (1998, mai). Personality dimensions in dogs, cats, and hyenas. *Paper Presented at the Annual Meeting of the American Psychological society,* Washington, DC.

GOSLING, S.D., & JOHN, O.P. (1999). Personality dimensions in nonhuman animals: A cross-species review. *Contemporary Directions in Psychological Science, 8,* 69-75.

GOSLING, S.D., RENTFROW, P.J., & SWANN, W.B., JR. (2003). A very brief measure of the Big Five personality domains. *Journal of Research in Personality, 37,* 504-528.

GOSLING, S.D., JOHN, O.P., CRAIK, K.H., & ROBINS, R.W. (1998). Do people know how they behave? Self-reported act frequencies compared with online codings by observers. *Journal of Personality and Social Psychology, 74,* 1337-1349.

GOSLING, S.D., KO, S.J., MANNARELLI, T., & MORRIS, M.E. (2002). A room with a cue: Judgments of personality based on offices and bedrooms. *Journal of Personality and Social Psychology, 82,* 379-398.

GOSLING, S.D., VAZIRE, S., SRIVASTAVA, S., & JOHN, O.P. (2004). Should we trust web-based studies? *American Psychologist, 59,* 93-104.

GOTTLIEB, G. (1998). Normally occurring environmental and behavioral influences on gene activity: From central dogma to probabilistic epigenesis. *Psychological Review, 105,* 792-802.

GOULD, E. (2005, mars). Early-life traumas: Studies relate life experiences in brain structure. Cité dans *Princeton Weekly Bulletin,* 6-7.

GOULD, E. (2008, 9 juillet). Page Internet.

GOULD, E., REEVES, A.J., GRAZIANO, M.S.A., & GROSS, C.G. (1999). Neurogenesis in the neocortex of adult primates. *Science, 286,* 548-552.

GOULD, S.J. (1981). *The Mismeasure of Man.* New York: Norton.

GRANT, H., & DWECK, C. (1999). A goal analysis of personality and personality coherence. Dans D. Cervone & Y. Shoda (dir.), *The Coherence of Personality: Social Cognitive Bases of Consistency, Variability, and Organization* (p. 345-371). New York: Guilford Press.

GRAY, J.A. (1987). *The Psychology of Fear and Stress.* Cambridge, UK: Cambridge University Press.

GRAY, J.A. (1990). A critique of Eysenck's theory of personality. Dans H.J. Eysenck (dir.), *A Model for Personality* (2e éd.) Berlin: Springer-Verlag.

GRAY, J.A. (1991). Neural systems, emotion and personality. Dans J. Madden IV (dir.), *Neurobiology of Learning, Emotion and Affect.* New York: Raven Press.

GREENBERG, J.R., & MITCHELL, S.A. (1983). *Object Relations in Psychoanalytic Theory.* Cambridge, MA: Harvard University Press.

GREENBERG, J.R., SOLOMON, S., & ARNDT, J. (2008). A basic but uniquely human motivation: Terror management.

Dans J. Shah (dir.), *Handbook of Motivation Science* (p. 114-134). New York : Guilford Press.

GREENE, B. (2004). *The Fabric of the Cosmos : Space, Time, and the Texture of Reality*. New York : Knopf.

GREENE, J.D., SOMMERVILLE, R.B., NYSTROM, L.E., DARLEY, J.M., & COHEN, J.D. (2001). An fMRI investigation of emotional engagement in moral judgment. *Science, 293*, 2105-2108.

GREENWALD, A.G., & BANAJI, M.R. (1995). Implicit social cognition : Attitudes, self-esteem, and stereotypes. *Psychological Review, 102*, 4-27.

GREENWALD, A.G., BANAJI, M.R., RUDMAN, L.A., FARN-HAM, S.D., NOSEK, B.A., & MELLOT, D.S. (2002). A unified theory of implicit attitudes, stereotypes, self-esteem, and self-concept. *Psychological Review, 109*, 3-25.

GRICE, J.W. (2004). Bridging the idiographic-nomothetic divide in ratings of self and others on the Big Five. *Journal of Personality, 72*, 203-241.

GRICE, J.W., JACKSON, B.J., & MCDANIEL, B.L. (2006). Bridging the idiographic-nomothetic divide : A follow-up study. *Journal of Personality, 74*, 1191-1218.

GRIFFIN, D., & BARTHOLOMEW, K. (1994). Models of the self and other : Fundamental dimensions underlying measures of adult attachment. *Journal of Personality and Social Psychology, 67*, 430-445.

GRIGORENKO, E.L. (2002). In search of the genetic engram of personality. Dans D. Cervone & W. Mischel (dir.), *Advances in Personality Science* (p. 29-82). New York : Guilford Press.

GRODDECK, G. (1923/1961). *The Book of the It*. New York : Vintage.

GROSS, J.J. (1999). Emotion and emotion regulation. Dans L.A. Pervin & O.P. John (dir.), *Handbook of Personality : Theory and Research* (p. 525-552). New York : Guilford Press.

GROSS, J.J. (2008). Emotion and emotion regulation : Personality processes and individual differences. Dans O.P. John, R.W. Robins & L.A. Pervin (dir.), *Handbook of Personality : Theory and Research* (p. 701-724). New York : Guilford Press.

GRUNBAUM, A. (1984). *Foundations of Psychoanalysis : A Philosophical Critique*. Berkeley : University of California Press.

GRUNBAUM, A. (1993). *Validation in the Clinical theory of Psychoanalysis : A Study in the Philosophy of Psychoanalysis*. Madison, CT : International Universities Press.

GUENTHER, H.V., & KAWAMURA, L.S. (1975). *Mind in Buddhist Psychology*. Berkeley, CA : Dharma Press.

HAGGBLOOM, S.J., WARNICK, R., WARNICK, J.E., JONES, V.K., YARBROUGH, G.L., RUSSELL, T.M., *et al*. (2002). The 100 most eminent psychologists of the 20th century. *Review of General Psychology, 6*, 139-152.

HALL, C.S. (1954). *A Primer of Freudian Psychology*. New York : Mentor.

HALPERN, J. (1977). Projection : A test of the psychoanalytic hypothesis. *Journal of Abnormal Psychology, 86*, 536-542.

HALVERSON, C.F., KOHNSTAMM, G.A., & MARTIN, R.P. (dir.) (1994). *The Developing Structure of Temperament and Personality from Infancy to Adulthood*. Hillsdale, NJ : Erlbaum.

HAMER, D. (1997). The search for personality genes : Adventures of a molecular biologist. *Current Directions in Psychological Science, 6*, 111-114.

HAMER, D., & COPELAND, P. (1998). *Living with our Genes*. New York : Doubleday.

HAMPSON, S.E., & FRIEDMAN, H.S. (2008). Personality and health : A life-span perspective. Dans O.P. John, R.W. Robins & L.A. Pervin (dir.), *Handbook of Personality : Theory and Research* (p. 770-794). New York : Guilford Press.

HAMPSON, S.E., GOLDBERG, S.E., VOGT, T.M., & DUBANOSKI, J.P. (2006). Forty years on : Teachers' assessments of children's personality traits predict self-reported health behaviors and outcomes at midlife. *Health Psychology, 25*, 57-64.

HAMPSON, S.E., GOLDBERG, S.E., VOGT, T.M., & DUBANOSKI, J.P. (2007). Mechanisms by which childhood personality traits influence adult health status : Educational attainment and healthy behaviors. *Health Psychology, 26*, 121-125.

HANKIN, B.L., FRALEY, R.C., & ABELA, J.R.Z. (2005). Daily depression and cognitions about stress : Evidence for a trait like depressogenic cognitive style and the prediction of depressive symptoms in a prospective daily diary study. *Journal of Personality and Social Psychology, 88*, 673-685.

HARARY, K., & DONAHUE, E. (1994). *Who Do You Think You Are ?* San Francisco : Harper.

HARKNESS, A.R., & LILIENFELD, S.O. (1997). Individual differences science for treatment planning : Personality traits. *Psychological Assessment, 9*, 349-360.

HARMON-JONES, E. (2003). Clarifying the emotive functions of asymmetrical frontal cortical activity. *Psychophysiology, 40*, 838-848.

HARRÉ, R. (1998). *The Singular Self : An Introduction to the Psychology of Personhood*. London : Sage.

HARRÉ, R. (2002). *Cognitive Science : A Philosophical Introduction*. London : Sage.

HARRÉ, R., & SECORD, P.F. (1972). *The Explanation of Social Behaviour*. Oxford, UK : Blackwell.

HARRINGTON, D.M., BLOCK, J.H., & BLOCK, J. (1987). Testing aspects of Carl Rogers's theory of creative environments : Child-rearing antecedents of creative potential in young adolescents. *Journal of Personality and Social Psychology, 52*, 851-856.

HARRIS, B. (1979). Whatever happened to Little Albert ? *American Psychologist, 34*, 151-160.

HARRIS, C.R. (2000). Psychophysiological responses to imagined infidelity : The specific innate modular view of jealousy reconsidered. *Journal of Personality and Social Psychology, 78*, 1082-1091.

HARRIS, C.R. (2002). Sexual and romantic jealousy in heterosexual and homosexual adults. *Psychological Science, 13*, 7-12.

HARRIS, J.R. (1995). Where is the child's environment? A group socialization theory of development. *Psychological Review, 102*, 458-489.

HARRIS, J.R. (1998). *The Nurture Assumption: Why Children Turn Out the Way They Do.* New York: Free Press.

HARRIS, J.R. (2000). Context-specific learning, personality, and birth order. *Current Directions in Psychological Science, 9*, 174-177.

HARTSHORNE, H., & MAY, M.A. (1928). *Studies in the Nature of Character. Vol. l: Studies in Deceit.* New York: Macmillan.

HAWKINS, R.P., PETERSON, R.F., SCHWEID, E., & BIJOU, S.W. (1966). Behavior therapy in the home: Amelioration of problem parent-child relations with the parent in a therapeutic role. *Journal of Experimental Child Psychology, 4*, 99-107.

HAYDEN, B.C. (1982). Experience – a case for possible change: The modulation corollary. Dans J.C. Mancuso & J.R. Adams-Webber (dir.), *The Construing Person* (p. 170-197). New York: Praeger.

HAZAN, C., & SHAVER, P. (1987). Romantic love conceptualized as an attachment process. *Journal of Personality and Social Psychology, 52*, 511-524.

HAZAN, C., & SHAVER, P. (1990). Love and work: An attachment-theoretical perspective. *Journal of Personality and Social Psychology, 59*, 270-280.

HEILBRONER, R.L. (1986). *The Worldly Philosophers: The Lives, Times and Ideas of the Great Economic Thinkers.* New York: Simon and Schuster.

HEIMPEL, S.A., WOOD, J.V., MARSHALL, M.A., & BROWN, J.D. (2002). Do people with low self-esteem really want to feel better? Self-esteem differences in motivation to repair negative moods. *Journal of Personality and Social Psychology, 82*, 128-147.

HEINE, S.J., LEHMAN, D.R., MARKUS, H.R., & KITAYAMA, S. (1999). Is there a universal need for positive self-regard? *Psychological Review, 106*, 766-794.

HELLER, W., SCHMIDTKE, J.I., NITSCHKE, J.B., KOVEN, N.S., & MILLER, G.A. (2002). States, traits, and symptoms: Investigating the neural correlates of emotion, personality, and psychopathology. Dans D. Cervone & W. Mischel (dir.), *Advances in Personality Science* (p. 106-126). New York: Guilford Press.

HELSON, R., & KWAN, V.S.Y. (2000). Personality change in adulthood: The broad picture and processes in one longitudinal study. Dans S. Hampson (dir.), *Advances in Personality Psychology* (vol. l, p. 77-106). East Sussex, UK: Psychology Press, Ltd.

HELSON, R., KWAN, V.S.Y., JOHN, O.P., & JONES, C. (2002). The growth of evidence for personality change in adulthood: Findings from research with personality inventories. *Journal of Research in Personality, 36*, 287-306.

HERMANS, H.J.M. (2001). The construction of a personal position repertoire: Method and practice. *Culture and Psychology, 7*, 323-365.

HESSE, H. (1951). *Siddhartha.* New York: New Directions.

HIGGINS, E.T. (1987). Self-discrepancy: A theory relating self and affect. *Psychological Review, 94*, 319-340.

HIGGINS, E.T. (1990). Personality, social psychology, and person-situation relations: Standards and knowledge activation as a common language. Dans L.A. Pervin (dir.), *Handbook of Personality: Theory and Research* (p. 301-338). New York: Guilford Press.

HIGGINS, E.T. (1996). Knowledge activation: Accessibility, applicability, and salience. Dans E.T. Higgins & A.W. Kruglanski (dir.), *Social Psychology: Handbook of Basic Principles* (p. 133-168). New York: Guilford Press.

HIGGINS, E.T. (1997). Beyond pleasure and pain. *American Psychologist, 52*, 1280-1300.

HIGGINS, E.T. (1999). Persons and situations: Unique explanatory principles or variability in general principles? Dans D. Cervone & Y. Shoda (dir.), *The Coherence of Personality* (p. 61-93). New York: Guilford Press.

HIGGINS, E.T. (2006). Value from regulatory fit. *Current Directions in Psychological Science, 14*, 209-213.

HIGGINS, E.T., & KING, G.A. (1981). Accessibility of social constructs: Information processing consequences of individual and contextual variability. Dans N. Cantor & J.F. Kihlstrom (dir.), *Personality, Cognition, and Social Interaction* (p. 69-121). Hillsdale, NJ: Erlbaum.

HIGGINS, E.T., & SCHOLER, A.A. (2008). When is personality revealed? A motivated cognition approach. Dans O.P. John, R.W. Robins & L.A. Pervin (dir.), *Handbook of Personality: Theory and Research* (p. 182-207). New York: Guilford Press.

HIGGINS, E.T., KING, G.A., & MAVIN, G.H. (1982). Individual construct accessibility and subjective impressions and recall. *Journal of Personality and Social Psychology, 43*, 35-47.

HIGGINS, E.T., BOND, R.N., KLEIN, R., & STRAUMAN, T. (1986). Self-discrepancies and emotional vulnerability: How magnitude, accessibility, and type of discrepancy influence affect. *Journal of Personality and Social Psychology, 51*, 5-15.

The Higher Education (2009). *Most Cited Authors of Books in the Humanities, 2007.* www.timeshighereducation.co.uk/405956.article

HOFMANN, S.G., MOSCOVITCH, D.A., LITZ, B.T., KIM, H.J., DAVIS, L.L., & PIZZAGALLI, D.A. (2005). The worried mind: Autonomic and prefrontal activation during worrying. *Emotion, 5*, 464-475.

HOFSTEE, W.K.B. (1994). Who should own the definition of personality? *European Journal of Personality, 8*, 149-162.

HOFSTEE, W.K.B., KIERS, H.A., DERAAD, B., GOLDBERG, L.R., & OSTENDORF, F. (1997). A comparison of Big Five structures of personality traits in Dutch, English, and German. *European Journal of Personality, 11*, 15-31.

HOGAN, J., & ONES, D.S. (1997). Conscientiousness and integrity at work. Dans R. Hogan, J. Johnson & S. Briggs (dir.), *Handbook of Personality Psychology* (p. 849-870). San Diego, CA: Academic Press.

HOLENDER, D. (1986). Semantic activation without conscious identification in dichotic listening, parafoveal vision, and visual masking: A survey and appraisal. *Behavioral and Brain Sciences, 9*, 1-66.

HOLLAND, J.L. (1985). *Making Vocational Choices: A Theory of Vocational Personality and Work Environments.* Englewood Cliffs, NJ: Prentice-Hall.

HOLLON, S.D., & KENDALL, P.C. (1980). Cognitive self-statements in depression: Development of an Automatic Thoughts Questionnaire. *Cognitive Therapy and Research, 4*, 383-395.

HOLLON, S.D., DERUBEIS, R.J., & EVANS, M.D. (1987). Causal mediation of change in treatment for depression: Discriminating between nonspecificity and noncausality. *Psychological Bulletin, 102*, 139-149.

HOLLON, S.D., SHELTON, R.C., & DAVIS, D.D. (1993). Cognitive therapy for depression: Conceptual issues and clinical efficacy. *Journal of Consulting and Clinical Psychology, 61*, 270-275.

HOLMES, D.S. (1981). The evidence for repression: An examination of sixty years of research. Dans J.L. Singer (dir.), *Regression and Dissociation: Implications for Personality Theory, Psychopathology, and Health* (p. 85-102). Chicago: University of Chicago Press.

HOLT, R.R. (1978). *Methods in Clinical Psychology.* New York: Plenum.

HONG, Y., MORRIS, M.W., CHIU, C., & MARTINEZ, V. (2000). Multicultural minds: A dynamic constructivist approach to culture and cognition. *American Psychologist, 55*, 709-720.

HORNEY, K. (1937). *The Neurotic Personality of our Time.* New York: Norton.

HORNEY, K. (1945). *Our Inner Conflicts.* New York: Norton.

HORNEY, K. (1973). *Feminine Psychology.* New York: Norton.

HOUGH, L.M., & OSWALD, F.L. (2000). Personal selection: Looking toward the future – remembering the past. *Annual Review of Psychology, 51*, 631-664.

HUESMANN, L.R., ERON, L.D., & DUBOW, E.F. (2002). Childhood predictors of adult criminality: Are all risk factors reflected in childhood aggressiveness? *Criminal Behaviour and Mental Health, 12*, 185-208.

HUESMANN, L.R., MOISE-TITUS, J., PODOLSKI, C., & ERON, L.D. (2003). Longitudinal relations between children's exposure to TV violence and their aggressive and violent behavior in young adulthood: 1977-1992. *Developmental Psychology, 39*, 201-221.

HULL, J.G., YOUNG, R.D., & JOURILES, E. (1986). Applications of the self-awareness model of alcohol consumption: Predicting patterns of use and abuse. *Journal of Personality and Social Psychology, 51*, 790-796.

HUPRICH, S.K., & MEYER, G.J. (2011). Introduction to the JPA Special Issue: Can the Psychodynamic Diagnostic Manual put the complex person back at the center-stage of personality assessment? *Journal of Personality Assessment, 93*, 109-111.

HURLBURT, R.T., & KNAPP, T.J. (2006). Munsterberg in 1898, not Allport in 1937, introduced the terms "idiographic" and "nomothetic" to American psychology. *Theory and Psychology, 16*, 287-293.

HYMAN, S. (1999). Susceptibility and "second hits". Dans R. Conlan (dir.), *States of Mind* (p. 24-28). New York: Wiley.

INGRAM, R.E., MIRANDA, J., & SEGAL, Z.V. (1998). *Cognitive Vulnerability to Depression.* New York: Guilford Press.

IYENGAR, S.S., & LEPPER, M.R. (1999). Rethinking the value of choice: A cultural perspective on intrinsic motivation. *Journal of Personality and Social Psychology, 76*, 349-366.

IZARD, C.E. (1994). Innate and universal facial expressions: Evidence from developmental and cross-cultural research. *Psychological Bulletin, 115*, 288-299.

JACK, R.E., CALDARA, R., & SCHYNS, P.G. (2011). Internal representations reveal cultural diversity in expectations of facial expressions of emotion. *Journal of Experimental Psychology: General, 141*, 19-25.

JACKSON, D.N., & PAUNONEN, S.V. (1985). Construct validity and the predictability of behavior. *Journal of Personality and Social Psychology, 49*, 554-570.

JACOBY, L.L., LINDSAY, D.S., & TOTH, J.P. (1992). Unconscious influences revealed. *American Psychologist, 47*, 802-809.

JAMES, W. (1890). *Principles of Psychology.* New York: Holt.

JANKOWICZ, A.D. (1987). Whatever became of George Kelly? *American Psychologist, 42*, 481-487.

JENSEN, M.R. (1987). Psychobiological factors predicting the course of breast cancer. *Journal of Personality, 55*, 317-342.

JIN, M.K., JACOBVITZ, D., HAZEN, N., & HOON, S. (2012). Maternal sensitivity and infant attachment security in Korea: Cross-cultural validation of the Strange Situation. *Attachment and Human Development, 14*, 33-44.

JOHN, O.P. (1990). The "Big Five" factor taxonomy: Dimensions of personality in the natural language and in questionnaires. Dans L.A. Pervin (dir.), *Handbook of Personality: Theory and Research* (p. 66-100). New York: Guilford Press.

JOHN, O.P., & ROBINS, R.W. (1993). Gordon Allport: Father and critic of the Five-Factor model. Dans K.H. Craik, R.T. Hogan & R.N. Wolfe (dir.), *Fifty Years of Personality Psychology* (p. 215-236). New York: Plenum.

JOHN, O.P., & ROBINS, R.W. (1994). Accuracy and bias in self-perception: Individual differences in self-enhancement and the role of narcissism. *Journal of Personality and Social Psychology, 66*, 206-219.

JOHN, O.P., & SRIVASTAVA, S. (1999). The Big Five: History, measurement, and development. Dans L.A. Pervin & O.P. John (dir.), *Handbook of Personality: Theory and Research* (p. 102-138). New York: Guilford Press.

JOHN, O.P., ANGLEITNER, A., & OSTENDORF, F. (1988). The lexical approach to personality : A historical review of trait taxonomic research. *European Journal of Personality, 2*, 171-203.

JOHN, O.P., HAMPSON, S.E., & GOLDBERG, L.R. (1991). The basic level in personality-trait hierarchies : Studies of trait use and accessibility in different contexts. *Journal of Personality and Social Psychology, 60*, 348-361.

JOHN, O.P., NAUMANN, L.P., & SOTO, C.J. (2008). Paradigm shift to the Big Five trait taxonomy : History, measurement, and conceptual issues. Dans O.P. John, R.W. Robins & L.A. Pervin (dir.), *Handbook of Personality : Theory and Research* (p. 114-158). New York : Guilford Press.

JOHN, O.P., ROBINS, R.W., & PERVIN, L.A. (dir.) (2008). *Handbook of Personality : Theory and Research*. New York : Guilford Press.

JOHN, O.P., CASPI, A., ROBINS, R.W., MOFFITT, T.E., & STOUTHAMER-LOEBER, M. (1994). The "Little Five" : Exploring the nomological network of the Five-Factor model of personality in adolescent boys. *Child Development, 65*, 160-178.

JONAS, E., & GREENBERG, J. (2004). Terror management and political attitudes : The influence of mortality salience on Germans' defence of the German reunification. *European Journal of Social Psychology, 34*, 1-9.

JONES, A., & CRANDALL, R. (1986). Validation of a short index of self-actualization. *Personality and Social Psychology Bulletin, 12*, 63-73.

JONES, M.C. (1924). A laboratory study of fear. The case of Peter. *Pedagogical Seminar, 31*, 308-315.

JOST, J.T., GLASER, J., KRUGLANSKI, A.W., & SULLOWAY, F.J. (2003). Political conservatism as motivated social cognition. *Psychological Bulletin, 129*, 339-375.

JOURARD, S.M., & REMY, R.M. (1955). Perceived parental attitudes, the self, and security. *Journal of Consulting Psychology, 19*, 364-366.

JUNG, C.G. (1939). *The Integration of the Personality*. New York : Farrar & Rinehart.

JUNG, C.G., VON FRANZ, M.-L., HENDERSON, J.L., JAFFÉ, A, & JACOBI, J. (1964). *Man and his Symbols*. New York : Doubleday & Company.

KAGAN, J. (1994). *Galen's Prophecy : Temperament in Human Nature*. New York : Basic Books.

KAGAN, J. (1998). *Three Seductive Ideas*. Cambridge, MA : Harvard University Press.

KAGAN, J. (1999). Born to be shy ? Dans R. Conlan (dir.), *States of Mind* (p. 29-51). New York : Wiley.

KAGAN, J. (2002). *Surprise, Uncertainty, and Mental Structures*. Cambridge, MA : Harvard University Press.

KAGAN, J. (2003). Biology, context, and developmental inquiry. *Annual Review of Psychology, 54*, 123.

KAGAN, J. (2011). Three lessons learned. *Perspectives on Psychological Science, 6*, 107-113.

KAGAN, J., ARCUS, D., & SNIDMAN, N. (1993). The idea of temperament : Where do we go from here ? Dans R. Plomin & G.E. McClearn (dir.), *Nature, Nurture and Psychology* (p. 197-210). Washington, DC : American Psychological Association.

KAMIN, L.J. (1974). *The Science and Politics of IQ*. Hillsdale, NJ : Erlbaum.

KAMMRATH, L.K., MENDOZA-DENTON, R., & MISCHEL, W. (2005). Incorporating if... then... personality signatures in person perception : Beyond the person-situation dichotomy. *Journal of Personality and Social Psychology, 88*, 605-618.

KANDEL, E.R. (2000). *Autobiography*. www.nobelprize.org/nobel_prizes/medicine/laureates/2000/kandel-bio.html.

KANFER, F.H., & SASLOW, G. (1965). Behavioral analysis : An alternative to diagnostic classification. *Archives of General Psychiatry, 12*, 519-538.

KASSER, T., & RYAN, R.M. (1996). Further examining the American dream : Differential correlates of intrinsic and extrinsic goals. *Personality and Social Psychology Bulletin, 22*, 280-287.

KAVANAGH, D. (1992). Self-efficacy as a resource factor in stress appraisal processes. Dans R. Schwarzer (dir.), *Self-Efficacy : Thought Control of Action* (p. 177-194). Washington, DC : Hemisphere.

KAZDIN, A.E. (1977). *The Token Economy : A Review and Evaluation*. New York : Plenum.

KEHOE, E.G., TOOMEY, J.M., BALSTERS, J.H., & BOKDE, A.L.W. (2012). Personality modulates the effects of emotional arousal and valence on brain activation. *Social Cognitive and Affective Neuroscience, 7*, 858-870.

KELLER, H., & ZACH, U. (2002). Gender and birth order as determinants of parental behaviour. *International Journal of Behavioral Development, 26*, 177-184.

KELLEY, W.M., MACRAE, C.N., WYLAND, C.L., CAGLAR, S., INATI, S., & HEATHERTON, T.F. (2002). Finding the self ? An event-related fMRI study. *Journal of Cognitive Neuroscience, 14*, 785-794.

KELLY, G.A. (1955). *The Psychology of Personal Constructs*. New York : Norton.

KELLY, G.A. (1958). Man's construction of his alternatives. Dans G. Lindzey (dir.), *Assessment of Human Motives* (p. 33-64). New York : Holt, Rinehart & Winston.

KELLY, G.A. (1964). The language of hypothesis : Man's psychological instrument. *Journal of Individual Psychology, 20*, 137-152.

KELTNER, D., GRUENFELD, D.H., & ANDERSON, C. (2003). Power, approach, and inhibition. *Psychological Review, 110*, 265-284.

KENNY, D.A. (1994). *Interpersonal Perception*. New York : Guilford Press.

KENNY, D.A., ALBRIGHT, L., MALLOY, T.E., & KASHY, D.A. (1994). Consensus in interpersonal perception : Acquaintance and the Big Five. *Psychological Bulletin, 116*, 245-258.

KENRICK, D.T. (1994). Evolutionary social psychology: From sexual selection to social cognition. *Advances in Experimental Social Psychology, 26*, 75-121.

KIHLSTROM, J.F. (2002). No need for repression. *Trends in Cognitive Science, 6*, 502-503.

KIHLSTROM, J.F. (2008). The psychological unconscious. Dans O.P. John, R.W. Robins & L.A. Pervin (dir.), *Handbook of Personality: Theory and Research* (p. 583-602). New York: Guilford Press.

KIHLSTROM, J.F., BARNHARDT, T.M., & TATARYN, D.J. (1992). The cognitive perspective. Dans R.F. Bornstein & T.S. Pittman (dir.), *Perception Without Awareness* (p. 17-54). New York: Guilford Press.

KIM, Y. (dir.) (2009). *Handbook of Behavior Genetics*. New York: Springer.

KING, J.E., & FIGUEREDO, A.J. (1997). The Five-Factor Model plus dominance in chimpanzee personality. *Journal of Research in Personality, 31*, 257-271.

KIRKPATRICK, L.A. (1998). God as a substitute attachment figure: A longitudinal study of adult attachment style and religious change in college students. *Personality and Social Psychology Bulletin, 9*, 961-973.

KIRKPATRICK, L.A., & DAVIS, K.E. (1994). Attachment style, gender, and relationship stability: A longitudinal analysis. *Journal of Personality and Social Psychology, 66*, 502-512.

KIRSCHENBAUM, H. (1979). *On Becoming Carl Rogers.* New York: Delacorte.

KIRSCHENBAUM, H., & JOURDAN, A. (2005). The current status of Carl Rogers and the person-centered approach. *Psychotherapy: Theory, Research, Practice, Training, 42*, 37-51.

KITAYAMA, S., & MARKUS, H.R. (1999). Yin and Yang of the Japanese self: The cultural psychology of personality coherence. Dans D. Cervone & Y. Shoda (dir.), *The Coherence of Personality: Social-Cognitive Bases of Consistency, Variability, and Organization* (p. 242-302). New York: Guilford Press.

KITAYAMA, S., & MASUDA, T. (1997). [A cultural mediation model of social inference; Correspondence bias in Japan]. Dans K. Kashiwagi, S. Kitayama & H. Azuma (dir.), [*Cultural Psychology: Theory and Research*] (p. 109-127). Tokyo: University of Tokyo Press. (En japonais; cité par Kitayama & Markus, 1999.)

KITAYAMA, S., MARKUS, H.R., MATSUMOTO, H., & NORASAKKUNKIT, V. (1997). Individual and collective processes of self-esteem management: Self-enhancement in the United States and self-depreciation in Japan. *Journal of Personality and Social Psychology, 72*, 1245-1267.

KLINGER, M.R., & GREENWALD, A.G. (1995). Unconscious priming of association judgments. *Journal of Experimental Psychology: Learning, Memory, and Cognition, 21*, 569-581.

KNUTSON, B., WOLKOWITZ, O.M., COLE, S.W., CHAN, T., MOORE, E.A., JOHNSON, R.C., *et al.* (1998). Selective alteration of personality and social behavior by serotonergic intervention. *American Journal of Psychiatry, 155*, 373-378.

KOCHANSKA, G., & KNAACK, A. (2003). Effortful control as a personality characteristic of young children: Antecedents, correlates, and consequences. *Journal of Personality, 71*, 1087-1112.

KOESTNER, R., LEKES, N., POWERS, T.A., & CHICOINE, E. (2002). Attaining personal goals: Concordance plus implementation intentions equals success. *Journal of Personality and Social Psychology, 83*, 231-244.

KOSFELD, M., HEINRICHS, M., ZAK, P.J., FISCHBACHER, U., & FEHR, E. (2005). Oxytocin increases trust in humans. *Nature, 435*, 673-676.

KRANTZ, D.S., & MANUCK, S.B. (1984). Acute psychophysiologic reactivity and risk of cardiovascular disease: A review and methodologic critique. *Psychological Bulletin, 96*, 435-464.

KRASNER, L. (1971). The operant approach in behavior therapy. Dans A.E. Bergin & S.L. Garfield (dir.), *Handbook of Psychotherapy and Behavior Change* (p. 612-652). New York: Wiley.

KRETSCHMER, E. (1925). *Physique and Character.* London: Routledge & Kegan Paul.

KROSNICK, J.A., BETZ, A.L., JUSSIM, L.J., LYNN, A.R., & KIRSCHENBAUM, D. (1992). Subliminal conditioning of attitudes. *Journal of Personality and Social Psychology, 18*, 152-162.

KRUEGER, R.F., & JOHNSON, W. (2008). Behavioral genetics and personality: A new look at the integration of nature and nurture. Dans O.P. John, R.W. Robins & L.A. Pervin (dir.), *Handbook of Personality: Theory and Research* (p. 287-310). New York: Guilford Press.

KUHL, J., & KOOLE, S.L. (2004). Workings of the will: A functional approach. Dans J. Greenberg, S.L. Koole & T. Pyszczynski (dir.), *Handbook of Experimental Existential Psychology* (p. 411-430). New York: Guilford Press.

KWAN, V.S.Y., JOHN, O.P., KENNY, D.A., BOND, M.H., & ROBINS, R.W. (2004). Reconceptualizing individual differences in self-enhancement bias: An interpersonal approach. *Psychological Review, 111*, 94-110.

LAKOFF, G., & Johnson, M. (1999). *Philosophy in the Flesh: The Embodied Mind and its Challenge to Western Thought.* New York: Basic Books.

LANDFIELD, A.W. (1971). *Personal Construct Systems in Psychotherapy.* Chicago: Rand McNally.

LANDFIELD, A.W. (1982). A construction of fragmentation and unity. Dans J.C Mancuso & J.R. Adams-Webber (dir.), *The Construing Person* (p. 198-221). New York: Praeger.

LANSFORD, J.E., CHANG, L., DODGE, K.A., MALONE, P.S., OBURU, P., PALMÉRUS, K., *et al.* (2005). Physical discipline and children's adjustment: Cultural normativeness as a moderator. *Child Development, 76*, 1234-1246.

LAVINE, T.Z. (1984). *From Socrates to Sartre: The Philosophic Quest.* New York: Bantam Books.

LAZARUS, A.A. (1965). Behavior therapy, incomplete treatment and symptom substitution. *Journal of Nervous and Mental Disease, 140*, 80-86.

LAZARUS, R.S. (1990). Theory-based stress measurement. *Psychological Inquiry, 1*, 313.

LAZARUS, R.S. (1991). *Emotion and Adaptation*. New York: Oxford University Press.

LAZARUS, R.S. (1993). From psychological stress to the emotions: A history of changing outlooks. *Annual Review of Psychology, 44*, 1-21.

LEARY, M.R. (2007). Motivational and emotional aspects of the self. *Annual Review of Psychology, 58*, 317-344.

LEARY, M.R., & TANGNEY, J.P. (dir.) (2012). *Handbook of Self and Identity* (2e éd.). New York: Guilford Press.

LECKY, P. (1945). *Self-Consistency: A Theory of Personality*. New York: Island.

LEDOUX, J.L. (1995). Emotion: Clues from the brain. *Annual Review of Psychology, 46*, 209-235.

LEDOUX, J.L. (1999). The power of emotions. Dans R. Conlan (dir.), *States of Mind* (p. 123-149). New York: Wiley.

LEVY, S. (1991). Personality as a host risk factor: Enthusiasm, evidence, and their interaction. *Psychological Inquiry, 2*, 254-257.

LEWIS, M. (2002). Models of development. Dans D. Cervone & W. Mischel (dir.), *Advances in Personality Science* (p. 153-176). New York: Guilford Press.

LEWIS, M., & BROOKS-GUNN, J. (1979). *Social Cognition and the Acquisition of Self*. New York: Plenum.

LEWIS, M., FEIRING, C., MCGUFFOG, C., & JASKIR, J. (1984). Predicting psychopathology in six-year-olds from early social relations. *Child Development, 55*, 123-136.

LEWONTIN, R. (2000). *The Triple Helix: Gene, Organism, and Environment*. Cambridge, MA: Harvard University Press.

LIEBERMAN, M.D., JARCHO, J.M., & SATPUTE, A.B. (2004). Evidence-based and intuition-based self-knowledge: An fMRI study. *Journal of Personality and Social Psychology, 87*, 421-435.

LILIENFELD, S.O., WOOD, J.M., & GARB, H.N. (2000). The scientific status of projective techniques. *Psychological Science in the Public Interest, 1* (numéro complet).

LINVILLE, P. (1985). Self-complexity and affective extremity: Don't put all your eggs in one basket. *Social Cognition, 3*, 94-120.

LINVILLE, P. (1987). Self-complexity as a cognitive buffer against stress-related illness and depression. *Journal of Personality and Social Psychology, 52*, 663-676.

LITTLE, B.R. (1999). Personality and motivation: Personal action and the conative revolution. Dans L.A. Pervin & O.P. John (dir.), *Handbook of Personality: Theory and Research* (p. 501-524). New York: Guilford Press.

LITTLE, B.R. (2000). Free traits and personal contexts: Expanding a social ecological model of well-being. Dans W.B. Walsh, K.H. Craik & R. Price (dir.), *Person Environment Psychology* (2e éd.) (p. 87-116). New York: Guilford Press.

LITTLE, B.R. (2006). Personality science and self-regulation: Personal projects as integrative units. *Applied Psychology: An International Review, 55*, 419-427.

LOCKE, E.A., & LATHAM, G.P. (1990). *A Theory of Goal Setting and Task Performance*. Englewood Cliffs, NJ: Prentice-Hall.

LOCKE, E.A., & LATHAM, G.P. (2002). Building a practically useful theory of goal setting and task motivation: A 35-year odyssey. *American Psychologist, 57*, 705-717.

LOEHLIN, J.C. (1982). Rhapsody in G. *Contemporary Psychology, 27*, 623.

LOEHLIN, J.C. (1992). *Genes and Environment in Personality Development*. Newbury Park, CA: Sage.

LOEHLIN, J.C., & NICHOLS, R.C. (1976). *Heredity, Environment, and Personality: A Study of 850 Sets of Twins*. Austin: University of Texas Press.

LOEHLIN, J.C, MCCRAE, R.R., COSTA, P.T., & JOHN, O.P. (1998). Heritabilities of common and measure specific components of the Big Five personality factors. *Journal of Research in Personality, 32*, 431-453.

LOEVINGER, J. (1993). Measurement in personality: True or false. *Psychological Inquiry, 4*, 1-16.

LOFTUS, E.F. (1993). The reality of repressed memories. *American Psychologist, 48*, 518-537.

LOFTUS, E.F. (1997). Creating childhood memories. *Applied Cognitive Psychology, 11*, 75-86.

LUBORSKY, L., & BARRETT, M.S. (2006). The history and empirical status of key psychoanalytic concepts. *Annual Review of Clinical Psychology, 2*, 1-19.

LUCAS, R.E., & DIENER, E. (2008). Personality and subjective well-being. Dans O.P. John, R.W. Robins & L.A. Pervin (dir.), *Handbook of Personality: Theory and Research* (p. 795-814). New York: Guilford Press.

LUCAS, R.E., DIENER, E., GROB, A., SUH, E.M., & SHAO, L. (2000). Cross-cultural evidence for the fundamental features of extraversion. *Journal of Personality and Social Psychology, 79*, 452-468.

LYKKEN, D.T., BOUCHARD, T.J., JR., MCGUE, M., & TELLEGEN, A. (1993). Heritability of interests: A twin study. *Journal of Applied Psychology, 78*, 649-661.

LYNAM, D.R., CASPI, A., MOFFIT, T.E., WIKSTROEM, P., LOEBER, & NOVAK, S. (2000). The interaction between impulsivity and neighborhood context on offending: The effects of impulsivity are stronger in poorer neighborhoods. *Journal of Abnormal Psychology, 109*, 563-574.

LYONS, I.M., MATIARELLA-MICKE, A., CIESLAK, M., NUSBAUM, H.C., SMALL, S.L., & BEILOCK, S.L. (2010). The role of personal experience in the neural processing of action-related language. *Brain and Language, 112*, 214-222.

MAGNUSSON, D. (1999). Holistic interactionism: A perspective for research on personality development. Dans

L.A. Pervin & O.P. John (dir.), *Handbook of Personality: Theory and Research* (p. 219-247). New York: Guilford Press.

MAGNUSSON, D. (2012). The human being in society: Psychology as a scientific discipline. *European Psychologist, 17*, 21-27.

MANCUSO, J.C., & ADAMS-WEBBER, J.R. (dir.) (1982). *Person.* New York: Praeger.

MANUCK, S.B., BLEIL, M.E., PETERSEN, K.L., FLORY, J.D., MANN, J.J., FERRELL, R.E., & MULDOON, M.F. (2005). The socio-economic status of communities predicts variation in brain serotonergic responsivity. *Psychological Medicine, 35*, 519-528.

MARCIA, J. (1994). Ego identity and object relations. Dans J.M. Masling & R.F. Bomstein (dir.), *Empirical Perspectives on Object Relations Theory* (p. 59-104). Washington, DC: American Psychological Association.

MARINO, G. (dir.) (2004). *Basic Writings of Existentialism.* New York: Modern Library.

MARKUS, H. (1977). Self-schemata and processing information about the self. *Journal of Personality and Social Psychology, 35*, 63-78.

MARKUS, H. (1983). Self-knowledge: An expanded view. *Journal of Personality, 51*, 543-565.

MARKUS, H., & CROSS, S. (1990). The interpersonal self. Dans L.A. Pervin (dir.), *Handbook of Personality: Theory and Research* (p. 576-608). New York: Guilford Press.

MARKUS, H., & KITAYAMA, S. (1991). Culture and the self: Implications for cognition, emotion, and motivation. *Psychological Review, 98*, 224-253.

MARKUS, H., & KITAYAMA, S. (2011). Cultures and selves: A cycle of mutual constitution. *Perspectives on Psychological Science, 5*, 420-430.

MARKUS, H., & WURF, E. (1987). The dynamic self-concept: A social psychological perspective. *Annual Review of Psychology, 38*, 299-337.

MARKUS, H.R., UCHIDA, Y., OMOREGIE, H., TOWNSEND, S.S.M., & KITAYAMA, S. (2006). Going for the gold: Models of agency in Japanese and American contexts. *Psychological Science, 17*, 103-112.

MASLOW, A.H. (1954). *Motivation and Personality.* New York: Harper.

MASLOW, A.H. (1968). *Toward a Psychology of Being.* Princeton, NJ: Van Nostrand.

MASLOW, A.H. (1971). *The Farther Reaches of Human Nature.* New York: Viking.

MATTHEWS, G. (1997). The Big Five as a framework for personality assessment. Dans N. Anderson & P. Herriot (dir.), *International Handbook of Selection and Assessment* (p. 475-492). Chichester, UK: Wiley.

MAY, E.R., & ZELIKOW, P.D. (dir.) (1997). *The Kennedy Tapes: Inside the White House During the Cuban Missile Crisis.* Cambridge, MA: Harvard University Press.

MAYO, C.W., & CROCKETT, W.H. (1964). Cognitive complexity and primacy: Recency effects in impression formation. *Journal of Abnormal and Social Psychology, 68*, 335-338.

MAZZONI, G., & MEMON, A. (2003). Imagination can create false childhood memories. *Psychological Science, 14*, 186-188.

MCADAMS, D.P. (1994). A psychology of the stranger. *Psychological Inquiry, 5*, 145-148.

MCADAMS, D.P. (2006). *The Redemptive Self: Stories Americans Live By.* New York: Oxford University Press.

MCADAMS, D.P. (2011). Exploring psychological themes through life-narrative accounts. Dans J.A. Holstein & J.F. Gubrium (dir.), *Varieties of Narrative Analysis* (p. 15-32). Los Angeles: Sage.

MCCAUL, K.D., GLADUE, B.A., & JOPPE, M. (1992). Winning, losing, mood, and testosterone. *Hormones and Behavior, 26*, 486-504.

MCCLELLAND, D., KOESTNER, R., & WEINBERGER, J. (1989). How do self-attributed and implicit motives differ? *Psychological Review, 96*, 690-702.

MCCOY, M.M. (1981). Positive and negative emotion: A personal construct theory interpretation. Dans H. Bonarius, R. Holland & S. Rosenberg (dir.), *Personal Construct Psychology: Recent Advances in Theory and Practice* (p. 96-104). London: Macmillan.

MCCRAE, R.R. (1996). Social consequences of experiential openness. *Psychological Bulletin, 120*, 323-337.

MCCRAE, R. (2002). The maturation of personality psychology: Adult personality development and psychological well-being. *Journal of Research in Personality, 36*, 307-317.

MCCRAE, R.R., & COSTA, P.T., JR. (1987). Validation of the five-factor model of personality across instruments and observers. *Journal of Personality and Social Psychology, 52*, 81-90.

MCCRAE, R.R., & COSTA, P.T., JR. (1990). *Personality in Adulthood.* New York: Guilford Press.

MCCRAE, R.R., & COSTA, P.T., JR. (1994). The stability of personality: Observations and evaluations. *Current Directions in Psychological Science, 3*, 173-175.

MCCRAE, R.R., & COSTA, P.T., JR. (1996). Toward a new generation of personality theories: Theoretical contexts for the five-factor model. Dans J.S. Wiggins (dir.), *The Five-factor Model of Personality: Theoretical Perspectives* (p. 51-87). New York: Guilford Press.

MCCRAE, R.R., & COSTA, P.T., JR. (1997). Personality trait structure as a human universal. *American Psychologist, 52*, 509-516.

MCCRAE, R.R., & COSTA, P.T., JR. (1999). A five-factor theory of personality. Dans L.A. Pervin & O.P. John (dir.), *Handbook of Personality: Theory and Research* (p. 139-153). New York: Guilford Press.

MCCRAE, R.R., & COSTA, P.T., JR. (2003). *Personality in Adulthood, a Five-factor Theory Perspective* (2e éd.). New York: Guilford Press.

MCCRAE, R.R., & COSTA, P.T., JR. (2008). The five-factor theory of personality. Dans O.P. John, R.W. Robins & L.A. Pervin (dir.), *Handbook of Personality: Theory and Research* (p. 159-181). New York: Guilford Press.

MCCRAE, R.R., YIK, S.M., TRAPNELL, P.D., BOND, M.H., & PAULHUS, D.L. (1998). Interpreting personality profiles across cultures: Bilingual, acculturation, and peer rating studies of Chinese undergraduates. *Journal of Personality and Social Psychology, 74,* 1041-1055.

MCCRAE, R.R., COSTA, P.T., JR., OSTENDORF, F., ANGLEITNER, A., HREBICKOVA, M., AVIA, M.D., *et al.* (2000). Nature over nurture: Temperament, personality, and life span development. *Journal of Personality and Social Psychology, 78,* 173-186.

MCGINNIES, E. (1949). Emotionality and perceptual defense. *Psychological Review, 56,* 244-251.

MCGREGOR, I., & LITTLE, B.R. (1998). Personal projects, happiness, and meaning: On doing well and being yourself. *Journal of Personality and Social Psychology, 74,* 494-512.

MCGUE, M., BOUCHARAD, T.J., JR., IACONO, W.G., & LYKKEN, D.T. (1993). Behavioral genetics of cognitive ability: A life-span perspective. Dans R. Plomin & G.E. McClearn (dir.), *Nature, Nurture, and Psychology* (p. 59-76). Washington, DC: American Psychological Association.

MCMILLAN, M. (2004). *The Person-Centred Approach to Therapeutic Change.* London: Sage.

MEANEY, M.J. (2010). Epigenetics and the biological definition of gene x environment interactions. *Child Development, 81,* 41-79.

MEDINNUS, G.R., & CURTIS, F.J. (1963). The relation between maternal self-acceptance and child acceptance. *Journal of Consulting Psychology, 27,* 542-544.

MEEHL, P. (1992). Factors and taxa, traits and types, differences of degree and differences in kind. *Journal of Personality, 60,* 117-174.

MEICHENBAUM, D. (1995). Cognitive-behavioral therapy in historical perspective. Dans B. Bongar & L.E. Bentler (dir.), *Comprehensive Textbook of Psychotherapy* (p. 140-158). New York: Oxford University Press.

MENAND, L. (2002). *The Metaphysical Club: A Story of Ideas in America.* New York: Farrar, Straus & Giroux.

MENAND, L. (2002, 25 novembre). What comes naturally: Does evolution explain who we are? *The New Yorker.*

MENDEL, G. (1865/1966). Experiments on plant hybrids. Dans C. Stem & E.R. Sherwood (dir.), *The Origin of Genetics: A Mendel Source Book.* San Francisco: Freeman.

MENDOZA-DENTON, R., & AYDUK, O. (2012). Personality and social interaction: Interpenetrating processes. Dans K. Deaux & M. Snyder (dir.), *The Oxford Handbook of Personality and Social Psychology* (p. 446-466). New York: Oxford University Press.

MESTON, C.M., RELLINI, A.H., & HEIMAN, J.R. (2006). Women's history of sexual abuse, their sexuality, and sexual self-schemas. *Journal of Consulting and Clinical Psychology, 74,* 229-236.

METCALFE, J., & MISCHEL, W. (1999). A hot/cool-system analysis of delay of gratification: Dynamics of willpower. *Psychological Review, 106,* 3-19.

MIKULINCER, M., & SHAVER, P. (2012). An attachment perspective on psychopathology. *World Psychiatry, 11,* 11-15.

MIKULINCER, M., FLORIAN, V., & WELLER, A. (1993). Attachment styles, coping strategies, and post-traumatic psychological distress: The impact of the Gulf War in Israel. *Journal of Personality and Social Psychology, 64,* 817-826.

MILGRAM, S. (1965). Some conditions of obedience and disobedience to authority. *Human Relations, 18,* 57-76.

MILLER, J.G. (1984). Culture and the development of everyday social explanation. *Journal of Personality and Social Psychology, 46,* 961-978.

MILLER, L.C, PUTCHA-BHAGAVATULA, A., & PEDERSEN, W.C. (2002). Men's and women's mating preferences: Distinct evolutionary mechanisms? *Current Directions in Psychological Science, 11,* 88-93.

MILLER, S.M., SHODA, Y., & HURLEY, K. (1996). Applying cognitive-social theory to health-protective behavior: Breast self-examination in cancer screening. *Psychological Bulletin, 119,* 70-94.

MILLER, T.R. (1991). Personality: A clinician's experience. *Journal of Personality Assessment, 57,* 415-433.

MINEKA, S., DAVIDSON, M., COOK, M., & KLEIR, R. (1984). Observational conditioning of snake fear in rhesus monkeys. *Journal of Abnormal Psychology, 93,* 355-372.

MISCHEL, W. (1968). *Personality and Assessment.* New York: Wiley.

MISCHEL, W. (1971). *Introduction to Personality.* New York: Holt, Rinehart & Winston.

MISCHEL, W. (1973). Toward a cognitive social learning reconceptualization of personality. *Psychological Review, 80,* 252-283.

MISCHEL, W. (1974). Processes in delay of gratification. Dans L. Berkowitz (dir.), *Advances in Experimental Social Psychology* (vol. 7, p. 249-292). San Diego, CA: Academic Press.

MISCHEL, W. (1976). *Introduction to Personality.* New York: Holt, Rinehart & Winston.

MISCHEL, W. (1990). Personality dispositions revisited and revised: A view after three decades. Dans L.A. Pervin (dir.), *Handbook of Personality: Theory and Research* (p. 111-134). New York: Guilford Press.

MISCHEL, W. (1999). Personality coherence and dispositions in a cognitive-affective processing system (CAPS) approach. Dans D. Cervone & Y. Shoda (dir.), *The Coherence of Personality: Social-Cognitive Bases of Consistency, Variability, and Organization* (p. 37-60). New York: Guilford Press.

MISCHEL, W. (2004). Toward an integrative science of the person. *Annual Review of Psychology, 55,* 1-22.

MISCHEL, W., & BAKER, N. (1975). Cognitive transformations of reward objects through instructions. *Journal of Personality and Social Psychology, 31*, 254-261.

MISCHEL, W., & EBBESEN, E.B. (1970). Attention in delay of gratification. *Journal of Personality and Social Psychology, 16*, 239-337.

MISCHEL, W., & LIEBERT, R.M. (1966). Effects of discrepancies between observed and imposed reward criteria on their acquisition and transmission. *Journal of Personality and Social Psychology, 3*, 45-53.

MISCHEL, W., & MOORE, B. (1973). Effects of attention to symbolically-presented rewards on self-control. *Journal of Personality and Social Psychology, 28*, 172-197.

MISCHEL, W., & MORF, C. (2002). The self as a psychosocial dynamic processing system: A meta-perspective on a century of the self in psychology. Dans M.R. Leary & J.P. Tangney (dir.), *Handbook of Self and Identity* (p. 15-43). New York: Guilford Press.

MISCHEL, W., & PEAKE, P.K. (1983). Analyzing the construction of consistency in personality. Dans M.M. Page (dir.), *Personality: Current Theory and Research* (p. 233-262). Lincoln: University of Nebraska Press.

MISCHEL, W., & SHODA, Y. (1995). A cognitive-affective system theory of personality: Reconceptualizing the invariances in personality and the role of situations. *Psychological Review, 102*, 246-286.

MISCHEL, W., & SHODA, Y. (1998). Reconciling processing dynamics and personality dispositions. *Annual Review of Psychology, 49*, 229-258.

MISCHEL, W., & SHODA, Y. (1999). Integrating dispositions and processing dynamics within a unified theory of personality: The cognitive-affective personality system. Dans L.A. Pervin & O.P. John (dir.), *Handbook of Personality: Theory and Research* (p. 197-218). New York: Guilford Press.

MISCHEL, W., & SHODA, Y. (2008). Toward a unified theory of personality: Integrating dispositions and processing dynamics within the cognitive-affective processing system. Dans O.P. John, R.W. Robins & L.A. Pervin (dir.), *Handbook of Personality: Theory and Research* (p. 208-241). New York: Guilford Press.

MOHAMMED, S. (2001). Personal communication networks and the effects of an entertainment-education radio soap opera in Tanzania. *Journal of Health Communication, 6*, 137-154.

MOLENAAR, P.C.M., & CAMPBELL, C.G. (2009). The new person-specific paradigm in psychology. *Current Directions in Psychological Science, 18*, 112-117.

MOORE, B., MISCHEL, W., & ZEISS, A.R. (1976). Comparative effects of the reward stimulus and its cognitive representation in voluntary delay. *Journal of Personality and Social Psychology, 34*, 419-424.

MOORE, M.K., & NEIMEYER, R.A. (1991). A confirmatory factor analysis of the threat index. *Journal of Personality and Social Psychology, 60*, 122-129.

MORF, C.C., & RHODEWALT, F. (2001). Unraveling the paradoxes of narcissism: A dynamic self-regulatory processing model. *Psychological Inquiry, 12*, 177-196.

MORGAN, M. (1985). Self-monitoring of attained subgoals in private study. *Journal of Educational Psychology, 77*, 623-630.

MORGAN, M., & MORRISON, M. (dir.) (1999). *Models as Mediators.* New York: Cambridge University Press.

MOROKOFF, P.J. (1985). Effects of sex, guilt, repression, sexual "arousability," and sexual experience on female sexual arousal during erotica and fantasy. *Journal of Personality and Social Psychology, 49*, 177-187.

MORRIS, M.W., & PENG, K. (1994). Culture and cause: American and Chinese attributions for social and physical events. *Journal of Personality and Social Psychology, 67*, 949-971.

MORRISON, J.K., & COMETA, M.C. (1982). Variations in developing construct systems: The experience corollary. Dans J.C. Mancusco & J.R. Adams-Webber (dir.), *The Construing Person* (p. 152-169). New York: Praeger.

MOSKOWITZ, D.S., & HERSCHBERGER, S.L. (dir.) (2002). *Modeling Intraindividual Variability with Repeated Measures Data: Methods and Applications.* Mahwah, NJ: Lawrence Erlbaum Associates.

MOSKOWITZ, D.S., & ZUROFF, D.C. (2005). Robust predictors of flux, pulse, and spin. *Journal of Research in Personality, 39*, 130-147.

MOSS, D. (2001). The roots and genealogy of humanistic psychology. Dans K.J. Schneider, J.F.T. Bugental & J.F. Pierson (dir.), *The Handbook of Humanistic Psychology* (p. 5-20). Thousand Oaks, CA: Sage.

MOSS, P.D., & MCEVEDY, C.P. (1966). An epidemic of over-breathing among school-girls. *British Medical Journal, 2*, 1295-1300.

MURPHY, G. (1958). *Human Potentialities.* New York: Basic Books.

MURRAY, H.A. (1938). *Explorations in Personality.* New York: Oxford University Press.

NADEL, L. (2005, novembre). Why we can't remember when. *Monitor on Psychology*, 36-37.

NAKAMURA, J., & CSIKSZENTMNIALYI, M. (2009). Flow theory and research. Dans S.J. Lopez & C.R. Snyder (dir.), *Handbook of Positive Psychology* (p. 195-206). New York: Oxford University Press.

NASH, M. (1999). The psychological unconscious. Dans V.J. Derlega, B.A. Winstead & W.H. Jones (dir.), *Personality: Contemporary Theory and Research* (p. 197-228). Chicago: Nelson-Hall.

NEIMEYER, G.J. (1992). Back to the future with the psychology of personal constructs. *Contemporary Psychology, 37*, 994-997.

NEIMEYER, R.A. (1994). *Death Anxiety Handbook: Research, Instrumentation, and Application.* Washington, DC: Taylor & Francis.

NEIMEYER, R.A., & NEIMEYER, G.J. (dir.) (1992). *Advances in Personal Construct Psychology* (vol. 2). Greenwich, CT: JAI Press.

NESSELROADE, J.R., & DELHEES, K.H. (1966). Methods and findings in experimentally based personality theory. Dans R.B. Cattell (dir.), *Handbook of Multivariate Experimental Psychology* (p. 563-610). Chicago: Rand McNally.

NEWMAN, L.S., DUFF, K.J., & BAUMEISTER, R.F. (1997). A new look at defensive projection: Thought suppression, accessibility, and biased person perception. *Journal of Personality and Social Psychology, 72*, 980-1001.

Newsweek Magazine (2006, 27 mars). Freud is *not* dead (article vedette en manchette).

New York Times (1990, 20 août). B.F. Skinner, the champion of behaviorism, is dead at 86. www.nytimes.com/1990/08/20/obituaries/b-f-skinner-the-champion-of-behaviorism-is-dead-at-86.html

New York Times (2011, 2 novembre). Fraud case seen as red flag for psychology research.

NICHOLSON, I.A.M. (2002). *Inventing Personality: Gordon Allport and the Science of Selfhood.* Washington, DC: American Psychological Society.

NIEDENTHAL, P.M., BARSALOU, L., WINKIELMAN, P., KRAUTH-GRUBER, S., & RIC, F. (2005). Embodiment in attitudes, social perception, and emotion. *Personality and Social Psychology Review, 9*, 184-211.

NISBETT, R.E. (2003). *The Geography of Thought: How Asians and Westerners Think Differently.* New York: Free Press.

NISBETT, R.E., & ROSS, L. (1980). *Human Inference: Strategies and Shortcomings of Social Judgment.* Englewood Cliffs, NJ: Prentice Hall.

NISBETT, R.E., & WILSON, T.D. (1977). Telling more than we know: Verbal reports on mental processes. *Psychological Review, 84*, 231-279.

NISBETT, R.E., PENG, K., CHOI, I., & NORENZAYAN, A. (2001). Culture and systems of thought: Holistic versus analytic cognition. *Psychological Review, 108*, 291-310.

NOREM, J.K. (2001). *The Positive Power of Negative Thinking: Using Defensive Pessimism to Manage Anxiety and Perform at your Peak.* New York: Basic Books.

NORMAN, W.T. (1963). Toward an adequate taxonomy of personality attributes. *Journal of Abnormal and Social Psychology, 66*, 574-583.

NOWAK, A., VALLACHER, R.R., & ZOCHOWSKI, M. (2002). The emergence of personality: Personality stability through interpersonal synchronization. Dans D. Cervone & W. Mischel (dir.), *Advances in Personality Science* (p. 292-331). New York: Guilford Press.

NOZICK, R. (1981). *Philosophical Explanations.* Cambridge, MA: Belknap Press of Harvard University Press.

OH, I., WANG, G., & MOUNT, M.K. (2011). Validity of observer ratings of the five-factor model of personality traits: A meta-analysis. *Journal of Applied Psychology, 96*, 762-773.

OHMAN, A., & SOARES, J.P. (1993). On the automaticity of phobic fear: Conditional skin conductance responses to masked phobic stimuli. *Journal of Abnormal Psychology, 102*, 121-132.

O'LEARY, A. (1990). Stress, emotion, and human immune function. *Psychological Bulletin, 108*, 363-382.

O'LEARY, A. (1992). Self-efficacy and health: Behavioral and stress-physiological mediation. *Cognitive Therapy and Research, 16*, 229-245.

O'LEARY, K.D. (1972). The assessment of psychopathology in children. Dans H.C. Quay & J.S. Werry (dir.), *Psychopathological Disorders of Childhood* (p. 234-272). New York: Wiley.

OLSON, K.R., & DWECK, C.S. (2008). A blueprint for social cognitive development. *Perspectives on Psychological Science, 3*, 193-202.

ORNE, M.T. (1962). On the social psychology of the psychological experiment: With particular reference to demand characteristics and their implications. *American Psychologist, 17*, 776-783.

OROM, H., & CERVONE, D. (2009). Personality dynamics, meaning, and idiosyncrasy: Identifying cross-situational coherence by assessing personality architecture. *Journal of Research in Personality, 43*, 228-240.

ORR, B.A. (2003, 27 février). Darwinian storytelling. *The New York Review of Books, 50*, 17-20.

ORTNER, T.M., & SCHMITT, M. (sous presse). Objective Personality Tests. *European Journal of Psychological Assessment*, numéro spécial.

OSGOOD, C.E., & LURIA, Z. (1954). A blind analysis of a case of multiple personality using the semantic differential. *Journal of Abnormal and Social Psychology, 49*, 579-591.

OSGOOD, C.E., SUCI, G.J., & TANNENBAUM, P.H. (1957). *The Measurement of Meaning.* Urbana: University of Illinois Press.

OSOFSKY, M.J., BANDURA, A., & ZIMBARDO, P.G. (2005). The role of moral disengagement in the execution process. *Law and Human Behavior, 29*, 371-393.

OWENS, C., & DEIN, S. (2006). Conversion disorder: The modern hysteria. *Advances in Psychiatric Treatment, 12*, 152-157.

OZER, D.J. (1999). Four principles for personality assessment. Dans L.A. Pervin & O.P. John (dir.), *Handbook of Personality: Theory and Research* (p. 671-686). New York: Guilford Press.

OZER, E., & BANDURA, A. (1990). Mechanisms governing empowerment effects: A self-efficacy analysis. *Journal of Personality and Social Psychology, 58*, 472-486.

PARK, R. (2004). Development in the family. *Annual Review of Psychology, 55*, 365-399.

PATTON, C.J. (1992). Fear of abandonment and binge eating. *Journal of Nervous and Mental Disease, 180*, 484-490.

PAULHUS, D.L., FRIDHANDLER, B., & HAYES, S. (1997). Psychological defense: Contemporary theory and research. Dans R. Hogan, J. Johnson & S. Briggs (dir.), *Handbook of Personality Psychology* (p. 543-579). San Diego, CA: Academic Press.

PAULHUS, D.L., TRAPNELL, P.D., & CHEN, D. (1999). Birth order effects on personality and achievement within families. *Psychological Science, 10,* 482-488.

PAVLOV, I.P. (1927). *Conditioned Reflexes.* London: Oxford University Press.

PAVOT, W., FUJITA, F., & DIENER, E. (1997). The relation between self-aspect congruence, personality and subjective well-being. *Personality and Individual Differences, 22,* 183-191.

PEDERSEN, N.L., PLOMIN, R., MCCLEARN, G.B., & FRIBERG, L. (1998). Neuroticism, extraversion, and related traits in adult twins reared apart and reared together. *Journal of Personality and Social Psychology, 55,* 950-957.

PENNEBAKER, J.W. (1985). Traumatic experience and psychosomatic disease: Exploring the roles of behavioral inhibition, obsession, and confiding. *Canadian Psychology, 26,* 82-95.

PENNEBAKER, J.W. (1990). *Opening Up: The Healing Powers of Confiding in Others.* New York: Morrow.

PERVIN, L.A. (1964). Predictive strategies and the need to confirm them: Some notes on pathological types of decisions. *Psychological Reports, 15,* 99-105.

PERVIN, L.A. (1967a). A twenty-college study of student/college interaction using TAPE (Transactional Analysis of Personality and Environment): Rationale, reliability, and validity. *Journal of Educational Psychology, 58,* 290-302.

PERVIN, L.A. (1967b). Satisfaction and perceived self-environment similarity: A semantic differential study of student-college interaction. *Journal of Personality, 35,* 623-634.

PERVIN, L.A. (1983). Idiographic approaches to personality. Dans J. McV. Hunt & N. Endler (dir.), *Personality and the Behavior Disorders* (p. 261-282). New York: Wiley.

PERVIN, L.A. (1994). A critical analysis of current trait theory. *Psychological Inquiry, 5,* 103-113.

PERVIN, L.A. (1996). *The Science of Personality.* New York: Wiley.

PERVIN, L.A. (1999). Epilogue: Constancy and change in personality theory and research. Dans L.A. Pervin & O.P. John (dir.), *Handbook of Personality: Theory and Research* (p. 689-704). New York: Guilford Press.

PERVIN, L.A. (2003). *The Science of Personality* (2e éd.). London: Oxford University Press.

PETRIE, K.J., BOOTH, R.J., & PENNEBAKER, J.W. (1998). The immunological effects of thought suppression. *Journal of Personality and Social Psychology, 75,* 1264-1272.

PFUNGST, O. (1911). *Clever Hans: A Contribution to Experimental, Animal, and Human Psychology.* New York: Holt, Rinehart & Winston.

PHILLIPS, A.G., & SILVIA, P.J. (2005). Self-awareness and the emotional consequences of self-discrepancies. *Personality and Social Psychology Bulletin, 31,* 703-713.

PICKERING, A.D., & GRAY, J.A. (1999). The neuroscience of personality. Dans L.A. Pervin & O.P. John (dir.), *Handbook of Personality: Theory and Research* (p. 277-299). New York: Guilford Press.

PIETRZAK, J., DOWNEY, G., & AYDUK, O. (2005). Rejection sensitivity as an interpersonal vulnerability. Dans M.W. Baldwin (dir.), *Interpersonal Cognition* (p. 62-84). New York: Guilford Press.

PINKER, S. (1997). *How the Mind Works.* New York: Norton.

PINKER, S. (1999). *Words and Rules: The Ingredients of Language.* New York: Basic Books.

PINKER, S. (2002). *The Blank Slate: The Modern Denial of Human Nature.* New York: Viking.

PLAUT, V.C., MARKUS, H.R., & LACHMAN, M.E. (2002). Place matters: Consensual features and regional variation in American well-being and self. *Journal of Personality and Social Psychology, 83,* 160-184.

PLOMIN, R. (1990). *Nature and Nurture.* Pacific Grove, CA: Brooks/Cole.

PLOMIN, R. (1994). *Genetics and Experience: The Interplay Between Nature and Nurture.* Newbury Park, CA: Sage.

PLOMIN, R., & CASPI, A. (1999). Behavioral genetics and personality. Dans L.A. Pervin & O.P. John (dir.), *Handbook of Personality: Theory and Research* (p. 251-276). New York: Guilford Press.

PLOMIN, R., & DANIELS, D. (1987). Why are children in the same family so different from each other? *Behavioral and Brain Sciences, 10,* 1-16.

PLOMIN, R., & NEIDERHISER, J.M. (1992). Genetics and experience. *Current Directions in Psychological Science, 1,* 160-163.

PLOMIN, R., & RENDE, R. (1991). Human behavioral genetics. *Annual Review of Psychology, 42,* 161-190.

PLOMIN, R., CHIPUER, H.M., & LOEHLIN, J.C. (1990). Behavioral genetics and personality. Dans L.A. Pervin (dir.), *Handbook of Personality: Theory and Research* (p. 225-243). New York: Guilford Press.

PLOTNIK, J.M., DE WAAL, F.B.M., & REISS, D. (2006). Self-recognition in an Asian elephant. *Proceedings of the National Academy of Sciences, 103,* 17053-17057.

POMERANTZ, E.M., & THOMPSON, R.A. (2008). Parents role in children's personality development: The psychological resource principle. Dans O.P. John, R.W. Robins & L.A. Pervin (dir.), *Handbook of Personality: Theory and Research* (p. 351-374). New York: Guilford Press.

PONOMAREV, I., & CRABBE, J.C. (1999). Genetic association between chronic ethanol withdrawal severity and acoustic startle parameters in WSP and WSR mice. *Alcoholism: Clinical and Experimental Research, 23,* 1730-1735.

POWELL, R.A., & BOER, D.P. (1994). Did Freud mislead patients to confabulate memories of abuse? *Psychological Reports, 74,* 1283-1298.

PROCTOR, R.W., & CAPALDI, E.J. (2001). Empirical evaluation and justification of methodologies in psychological science. *Psychological Bulletin, 127*, 759-772.

PULKKINEN, L., & CASPI, A. (dir.) (2002). *Paths to Successful Development: Personality in the Life Course.* New York: Cambridge University Press.

RAFAELI-MOR, E., & STEINBERG, J. (2002). Self-complexity and well-being: A review and research synthesis. *Personality and Social Psychology Review, 6*, 31-58.

RÄIKKÖNEN, K., MATTHEWS, K.A., & SALOMON, K. (2003). Hostility predicts metabolic syndrome risk factors in children and adolescents. *Health Psychology, 22*, 279-286.

RALEIGH, M.J., & MCGUIRE, M.T. (1991). Bidirectional relationships between tryptophan and social behavior in vervet monkeys. *Advances in Experimental Medicine and Biology, 294*, 289-298.

RAMMSTEDT, B., & JOHN, O.P. (2007). Measuring personality in one minute or less: A 10-item short version of the Big Five Inventory in English and German. *Journal of Research in Personality, 41*, 203-212.

RASKIN, R., & HALL, C.S. (1979). A narcissistic personality inventory. *Psychological Reports, 45*, 590.

RASKIN, R., & HALL, C.S. (1981). The Narcissistic Personality Inventory: Alternate form reliability and further evidence of construct validity. *Journal of Personality Assessment, 45*, 159-162.

RASKIN, R., & SHAW, R. (1987). *Narcissism and the Use of Personal Pronouns.* Manuscrit inédit.

RASKIN, R., & TERRY, H. (1987). *A Factor-Analytic Study of the Narcissistic Personality Inventory and Further Evidence of its Construct Validity.* Manuscrit inédit.

REISS, D. (1997). Mechanisms linking genetic and social influences in adolescent development: Beginning a collaborative search. *Current Directions in Psychological Science, 6*, 100-105.

REISS, D., NEIDERHISER, J., HETHERINGTON, E.M., & PLOMIN, R. (1999). *The Relationship Code: Deciphering Genetic and Social Patterns in Adolescent Development.* Cambridge, MA: Harvard University Press.

REYNOLDS, G.S. (1968). *A Primer of Operant Conditioning.* Glenview, IL: Scott, Foresman.

RHODEWALT, F., & MORF, C.C. (1995). Self and interpersonal correlates of the Narcissistic Personality Inventory: A review and new findings. *Journal of Research in Personality, 29*, 1-23.

RHODEWALT, F., & SORROW, D.L. (2002). Interpersonal self-regulation: Lessons from the study of narcissism. Dans M.R. Leary & J.P. Tangney (dir.), *Handbook of Self and Identity* (p. 519-535). New York: Guilford Press.

RICOEUR, P. (1970). *Freud and Philosophy* (traduction de D. Savage). New Haven, CT: Yale University Press.

RIDLEY, M. (2003). *Nature Via Nurture: Genes, Experience, and What Makes Us Human.* New York: HarperCollins.

RIEMANN, R., ANGLEITNER, A., & STRELAU, J. (1997). Genetic and environmental influences on personality: A study of twins reared together using the self and peer report NEO-FFI scales. *Journal of Personality, 65*, 449-476.

ROBERTS, B.W. (1997). Plaster or plasticity: Are adult work experiences associated with personality change in women? *Journal of Personality, 65*, 205-232.

ROBERTS, B.W., & CHAPMAN, C.N. (2000). Change in dispositional well-being and its relation to role quality: A 30-year longitudinal study. *Journal of Research in Personality, 34*, 26-41.

ROBERTS, B.W., & DEL VECCHIO, W.F. (2000). The rank order consistency of personality traits from childhood to old age: A quantitative review of longitudinal studies. *Psychological Bulletin, 126*, 3-25.

ROBERTS, B.W., & HOGAN, R. (dir.) (2001). *Personality in the Workplace.* Washington, DC: American Psychological Association.

ROBERTS, B.W., WOOD, D., CASPI, A. (2008). The development of personality traits in adulthood. Dans O.P. John, R.W. Robins & L.A. Pervin (dir.), *Handbook of Personality: Theory and Research* (p. 375-398). New York: Guilford Press.

ROBERTS, J.A., GOTLIB, I.H., & KASSEL, I.D. (1996). Adult attachment security and symptoms of depression: The mediating roles of dysfunctional attitudes and low self-esteem. *Journal of Personality and Social Psychology, 70*, 310-320.

ROBINS, C.J., & HAYES, A.M. (1993). An appraisal of cognitive therapy. *Journal of Consulting and Clinical Psychology, 61*, 205-214.

ROBINS, R.W., & JOHN, O.P. (1997). Self-perception, visual perspective, and narcissism: Is seeing believing? *Psychological Science, 8*, 37-42.

ROBINS, R.W., NOREM, J.K., & CHEEK, J.M. (1999). Naturalizing the self. Dans L.A. Pervin & O.P. John (dir.), *Handbook of Personality: Theory and Research* (p. 443-477). New York: Guilford Press.

ROBINS, R.W., TRACY, J.L., & TRZESNIEWSKI, K.H. (2008). Naturalizing the self. Dans O.P. John, R.W. Robins & L.A. Pervin (dir.), *Handbook of Personality: Theory and Research* (p. 421-447). New York: Guilford Press.

ROBINSON, R.G., & DOWNHILL, J.E. (1995). Lateralization of psychopathology in response to focal brain injury. Dans R.J. Davidson & K. Hugdahl (dir.), *Brain Asymmetry* (p. 693-711). Cambridge, MA: MIT Press.

ROCCAS, S., & BREWER, M. (2002). Social identity complexity. *Personality and Social Psychology Review, 6*, 88-106.

ROGERS, C.R. (1951). *Client-Centered Therapy.* Boston: Houghton Mifflin.

ROGERS, C.R. (1954). The case of Mrs. Oak: A research analysis. Dans C.R. Rogers & R.F. Dymond (dir.), *Psychotherapy and Personality Change* (p. 259-348). Chicago: University of Chicago Press.

ROGERS, C.R. (1956). Some issues concerning the control of human behavior. *Science, 124,* 1057-1066.

ROGERS, C.R. (1959). A theory of therapy, personality, and interpersonal relationships as developed in the client-centered framework. Dans S. Koch (dir.), *Psychology: A Study of Science* (p. 184-256). New York: McGraw-Hill.

ROGERS, C.R. (1961). *On Becoming a Person.* Boston: Houghton Mifflin.

ROGERS, C.R. (1963). The actualizing tendency in relation to "motives" and to consciousness. Dans M.R. Jones (dir.), *Nebraska Symposium on Motivation* (p. 1-24). Lincoln: University of Nebraska Press.

ROGERS, C.R. (1964). Toward a science of the person. Dans T.W. Wann (dir.), *Behaviorism and Phenomenology* (p. 109-133). Chicago: University of Chicago Press.

ROGERS, C.R. (1966). Client-centered therapy. Dans S. Arieti (dir.), *American Handbook of Psychiatry* (p. 183-200). New York: Basic Books.

ROGERS, C.R. (1968). *Le développement de la personne.* Paris: Bordas.

ROGERS, C.R. (1970). *On Encounter Groups.* New York: Harper.

ROGERS, C.R. (1977). *Carl Rogers on Personal Power.* New York: Delacorte Press.

ROGERS, C.R. (1980). *A Way of Being.* Boston: Houghton Mifflin.

ROGERS, T.B., KUIPER, N.A., & KIRKER, W.S. (1977). Self-reference and the encoding of personal information. *Journal of Personality and Social Psychology, 35,* 677-688.

Rolling Stone (1995, 5 octobre). Dwayne Goettel 1964-1995, *718,* 25.

RORER, L.G. (1990). Personality assessment: A conceptual survey. Dans L.A. Pervin (dir.), *Handbook of Personality: Theory and Research* (p. 693-720). New York: Guilford Press.

ROSENBERG, S. (1980). A theory in search of its zeitgeist. *Contemporary Psychology, 25,* 898-900.

ROSENTHAL, R. (1994). Interpersonal expectancy effects: A 30-year perspective. *Current Directions in Psychological Science, 3,* 176-179.

ROSENTHAL, R., & RUBIN, D. (1978). Interpersonal expectancy effects: The first 345 studies. *Behavioral and Brain Sciences, 3,* 377-415.

ROSENTHAL, T., & BANDURA, A. (1978). Psychological modeling: Theory and practice. Dans S.L. Garfield & A.E. Bergin (dir.), *Handbook of Psychotherapy and Behavior Change* (p. 621-658). New York: Wiley.

ROSENZWEIG, S. (1941). Need-persistive and ego-defensive reactions to frustration as demonstrated by an experiment on repression. *Psychological Review, 48,* 347-349.

ROSS, L. (1977). The intuitive psychologist and his shortcomings: Distortions in the attribution process. Dans L. Berkowitz (dir.), *Advances in Experimental Social Psychology* (p. 173-220). New York: Academic Press.

ROTHBARD, J.C., & SHAVER, P.R. (1994). Continuity of attachment across the life-span. Dans M.B. Sperling & W.H. Berman (dir.), *Attachment in Adults: Clinical and Developmental Perspectives* (p. 31-71). New York: Guilford Press.

ROTHBART, M.K. (2011). *Becoming Who We Are: Temperament and Personality Development.* New York: Guilford Press.

ROTHBART, M.K., & BATES, J.E. (1998). Temperament. Dans W. Damon (dir.), *Handbook of Child Psychology. Vol. 3: Social, Emotional, and Personality Development* (5e éd.) (p. 105-176). New York: Wiley.

ROTHBART, M.K., AHAM, S.A., & EVANS, D.E. (2000). Temperament and personality: Origins and outcomes. *Journal of Personality and Social Psychology, 78,* 122-135.

ROTHBART, M.K., ELLIS, L.K., RUEDA, M.R., & POSNER, M.I. (2003). Developing mechanisms of temperamental effortful control. *Journal of Personality, 71,* 1113-1143.

ROWE, D.C. (1999). Heredity. Dans V.J. Derlega, B.A. Winstead & W.H. Jones (dir.), *Personality: Contemporary Theory and Research* (p. 66-100). Chicago: Nelson-Hall.

ROZIN, P., & FALLON, A.E. (1985, juillet). That's disgusting. *Psychology Today, 19,* 60-63.

ROZIN, P., & ZELLNER, D. (1985). The role of Pavlovian conditioning in the acquisition of food likes and dislikes. *Annals of the New York Academy of Sciences, 443,* 189-202.

RUGGIERO, K.M., & MARX, D.M. (2001). Less pain and more to gain: Why high-status group members blame their failure on discrimination: Retraction. *Journal of Personality and Social Psychology, 81,* 178.

RUTTER, M. (2012). Gene-environment interdependence. *European Journal of Developmental Psychology, 9,* 391-412.

RYAN, R.M. (1993). Agency and organization: Intrinsic motivation, autonomy, and the self in psychological development. Dans J. Jacobs (dir.), *Nebraska Symposium on Motivation* (vol. 40, p. 1-56). Lincoln: University of Nebraska Press.

RYAN, R.M., & DECI, E.L. (2000). Self-determination theory and the facilitation of intrinsic motivation, social development, and well-being. *American Psychologist, 55,* 68-78.

RYAN, R.M., & DECI, E.L. (2008). Self-determination theory and the role of basic psychological needs in personality and the organization of behavior. Dans O.P. John, R.W. Robins & L.A. Pervin (dir.), *Handbook of Personality: Theory and Research* (p. 654-678). New York: Guilford Press.

RYFF, C.D. (1995). Psychological well-being in adult life. *Current Directions in Psychological Science, 4,* 99-104.

RYFF, C.D., & SINGER, B. (1998). The contours of positive human health. *Psychological Inquiry, 9,* 1-28.

RYFF, C.D., & SINGER, B. (2000). Interpersonal flourishing: A positive health agenda for the new millennium. *Personality and Social Psychology Review, 4,* 30-44.

SACKETT, P.R., & LIEVENS, F. (2008). Personnel selection. *Annual Review of Psychology, 59,* 1-32.

SANDERSON, C., & CLARKIN, J.F. (1994). Use of the NEO-PI personality dimensions in differential treatment planning. Dans P.T. Costa, Jr. & T.A. Widiger (dir.), *Personality Disorders and the Five-Factor Model of Personality* (p. 219-236). Washington, DC: American Psychological Association.

SANFREY, A.G., RILLING, J.K., ARONSON, J.A., NYSTROM, L.E., & COHEN, J.D. (2003). The neural basis of economic decision-making in the Ultimatum Game. *Science, 300,* 1755-1758.

SAPOLSKY, R.M. (1994). *Why Zebras Don't Get Ulcers.* New York: W.H. Freeman.

SARTRE, J.P. (1957/2004). Existentialism. Dans G. Marino (dir.), *Basic Writings of Existentialism* (p. 341-368). New York: Modern Library.

SAUCIER, G. (1997). Effects of variable selection on the factor structure of person descriptors. *Journal of Personality and Social Psychology, 73,* 1296-1312.

SAUCIER, G., & GOLDBERG, L.R. (1996). Evidence for the Big Five in analyses of familiar English personality adjectives. *European Journal of Personality, 10,* 61-77.

SAUCIER, G., & GOLDBERG, L.R. (2001). Lexical studies of undigenous personality factors: Premises, products, and prospects. *Journal of Personality, 69,* 847-880.

SAUCIER, G., HAMPSON, S.E., & GOLDBERG, L.R. (2000). Cross-language studies of lexical personality factors. Dans S.E. Hampson (dir.), *Advances in Personality Psychology* (vol. 1, p. 1-36). East Sussex, UK: Psychology Press, Ltd.

SAUDINO, K. (1997). Moving beyond the heritability question: New directions in behavioral genetic studies of personality. *Current Directions in Psychological Science, 6,* 86-90.

SCHAFER, R. (1954). *Psychoanalytic Interpretation in Rorschach Testing.* New York: Grune & Stratton.

SCHEIBE, K.E. (2000). *The Drama of Everyday Life.* Cambridge, MA: Harvard University Press.

SCHEIER, M.F., & CARVER, C.S. (1985). Optimism, coping, and health: Assessment and implications of generalized outcome expectancies. *Health Psychology, 4,* 219-247.

SCHMIDT, L.A., & FOX, N.A. (2002). Individual differences in childhood shyness: Origins, malleability, and developmental course. Dans D. Cervone & W. Mischel (dir.), *Advances in Personality Science* (p. 83-105). New York: Guilford Press.

SCHMITT, D.P., REALO, A., VORACEK, M., & ALLIK, J. (2008). Why can't a man be more like a woman? Sex differences in Big Five personality traits across 55 cultures. *Journal of Personality and Social Psychology, 94,* 168-182.

SCHMITTMANN, V.D., CRAMER, A.O.J., WALDORP, L.J., EPSKAMP, S., KIEVIT, R.A., & BORSBOOM, D. (2011). Deconstructing the construct: A network perspective on psychological phenomena. *New Ideas in Psychology.* doi:10.1016/j.newideapsych.2011.02.007

SCHNEIDER, D.J. (1982). Personal construct psychology: An international menu. *Contemporary Psychology, 27,* 712-713.

SCHULTHEISS, O.C. (2008). Implicit motives. Dans O.P. John, R.W. Robins & L.A. Pervin (dir.), *Handbook of Personality: Theory and Research* (p. 603-633). New York: Guilford Press.

SCHUNK, D.H., & COX, P.D. (1986). Strategy training and attributional feedback with learning disabled students. *Journal of Educational Psychology, 78,* 201-209.

SCHUTTER, D., & VAN HONK, J. (2009). The cerebellum in emotion regulation: A repetitive transcranial magnetic stimulation study. *Cerebellum, 8,* 28-34.

SCHWARTZ, C.E., WRIGHT, C.I., SHIN, L.M., KAGAN, J., & RAUCH, S.L. (2003). Inhibited and uninhibited children "grown up": Amygdalar response to novelty. *Science, 300,* 1952-1953.

SCHWARZ, N. (1999). Self-reports: How the questions shape the answers. *American Psychologist, 54,* 93-105.

SCHWARZER, R. (dir.) (1992). *Self-Efficacy: Thought Control of Action.* Washington, DC: Hemisphere.

SCOTT, J.P., & FULLER, J.L. (1965). *Genetics and the Social Behavior of the Dog.* Chicago: University of Chicago Press.

SCOTT, W.D., & CERVONE, D. (2002). The impact of negative affect on performance standards: Evidence for an affect-as-information mechanism. *Cognitive Therapy and Research, 26,* 19-37.

SECHREST, L. (1963). The psychology of personal constructs. Dans I.M. Wepman & R.W. Heine (dir.), *Concepts of Personality* (p. 206-233). Chicago: Aldine.

SECHREST, L. (1977). The psychology of personal constructs. Dans J.M. Weprnan & R.W. Heine (dir.), *Concepts of Personality* (p. 206-233). Chicago: Jessey-Bass.

SECHREST, L., & JACKSON, D.N. (1961). Social intelligence and accuracy of interpersonal predictions. *Journal of Personality, 29,* 167-182.

SEEYAVE, D.M., COLEMAN, S., APPUGLIESE, D., CORWYN, R.F., BRADLEY, R.H., DAVIDSON, N.S., *et al.* (2009). Ability to delay gratification at age 4 years and risk of overweight at age 11 years. *Archives of Pediatrics and Adolescent Medicine, 163,* 303-308.

SEGAL, Z.V., & DOBSON, K.S. (1992). Cognitive models of depression: Report from a consensus development conference. *Psychological Inquiry, 3,* 219-224.

SELIGMAN, M.E.P., & CSIKSZENTMIHALYI, M. (2000). Positive psychology. *American Psychologist, 55,* 5-14.

SELIGMAN, M.E.P., & PETERSON, C. (2003). Positive clinical psychology. Dans L.G. Aspinwall & U.M. Staudinger (dir.), *A Psychology of Human Strengths: Fundamental Questions and Future Directions for a Positive Psychology* (p. 305-317). Washington, DC: American Psychological Association.

SELIGMAN, M.E.P., RASHID, T., & PARKS, A.C. (2006). Positive psychotherapy. *American Psychologist, 61,* 774-788.

SHADEL, W.G., & CERVONE, D. (2006). Evaluating social cognitive mechanisms that regulate self-efficacy in response to provocative smoking, to resist smoking in high risk situations: An experimental investigation. *Psychology of Addictive Behaviors, 20,* 91-96.

SHAH, J., & HIGGINS, E.T. (1997). Expectancy x value effects: Regulatory focus as a determinant of magnitude and direction. *Journal of Personality and Social Psychology, 73*, 447-458.

SHAPIRO, L. (2011). *Embodied Cognition*. New York: Routledge.

SHAVER, P.R., & MIKULINCER, M. (2005). Attachment theory and research: Resurrection of the psychodynamic approach to personality. *Journal of Research in Personality, 39*, 22-45.

SHEDLER, J., MAYMAN, M., & MANIS, M. (1993). The illusion of mental health. *American Psychologist, 48*, 1117-1131.

SHELDON, K.M., & ELLIOT, A.J. (1999). Goal striving, need satisfaction, and longitudinal well-being: The self-concordance model. *Journal of Personality and Social Psychology, 76*, 482-497.

SHELDON, K.M., RYAN, R.M., RAWSTHORNE, L.J., & ILARDI, B. (1997). Trait self and true self: Cross-role variation in the Big-Five personality traits and its relations with psychological authenticity and subjective well-being. *Journal of Personality and Social Psychology, 73*, 1380-1393.

SHELDON, W.H. (1940). *The Varieties of Human Physique*. New York: Harper.

SHELDON, W.H. (1942). *Varieties of Temperament*. New York: Harper.

SHINER, R.L. (1998). How shall we speak of children's personalities in middle childhood? A preliminary taxonomy. *Psychological Review, 124*, 308-332.

SHODA, Y., MISCHEL, W., & PEAKE, P.K. (1990). Predicting adolescent cognitive and self-regulatory competencies from preschool delay of gratification: Identifying diagnostic conditions. *Developmental Psychology, 26*, 978-986.

SHODA, Y., MISCHEL, W., & WRIGHT, J.C. (1994). Intraindividual stability in the organization and patterning of behavior: Incorporating psychological situations into the idiographic analysis of personality. *Journal of Personality and Social Psychology, 67*, 674-687.

SHOWERS, C.J. (2002). Integration and compartmentalization: A model of self-structure and self-change. Dans D. Cervone & W. Mischel (dir.), *Advances in Personality Science* (p. 271-291). New York: Guilford Press.

SHUMYATSKY, G.P., MALLERET, G., SHIN, R., TAKIZAWA, S., TULLY, K., TSVETKOV, E., *et al.* (2005). *Stathmin*, a gene enriched in the amygdala, controls both learned and innate fear. *Cell, 123*, 697-709.

SHWEDER, R.A., & SULLIVAN, M.A. (1990). The semiotic subject of cultural psychology. Dans L.A. Pervin (dir.), *Handbook of Personality* (p. 399-416). New York: Guilford Press.

SHWEDER, R.A., & SULLIVAN, M.A. (1993). Cultural psychology: Who needs it? *Annual Review of Psychology, 44*, 497-523.

SIEGEL, S. (1984). Pavlovian conditioning and heroin overdose: Reports by overdose victims. *Bulletin of the Psychonomic Society, 22*, 428-430.

SIEGEL, S., HINSON, R.E., KRANK, M.D., & MCCULLY, J. (1982). Heroin "overdose" death: Contribution of drug-associated environmental cues. *Science, 216*, 436-437.

SIGEL, I.E. (1981). Social experience in the development of representational thought: Distancing theory. Dans I.E. Sigel, D. Brodzinsky & R. Golinkoff (dir.), *New Directions in Piagetian Theory and Practice* (p. 203-217). Hillsdale, NJ: Erlbaum.

SILVERMAN, L.H. (1976). Psychoanalytic theory: The reports of its death are greatly exaggerated. *American Psychologist, 31*, 621-637.

SILVERMAN, L.H. (1982). A comment on two subliminal psychodynamic activation studies. *Journal of Abnormal Psychology, 91*, 126-130.

SILVERMAN, L.H., ROSS, D.L., ADLER, J.M., & LUSTIG, D.A. (1978). Simple research paradigm for demonstrating subliminal psychodynamic activation: Effects of Oedipal stimuli on dart-throwing accuracy in college men. *Journal of Abnormal Psychology, 87*, 341-357.

SIMPSON, B., LARGE, B., & O'BRIEN, M. (2004). Bridging difference through dialogue: A constructivist perspective. *Journal of Constructivist Psychology, 17*, 45-59.

SKINNER, B.F. (1948). *Walden Two*. New York: Macmillan.

SKINNER, B.F. (1953). *Science and Human Behavior*. New York: Macmillan.

SKINNER, B.F. (1956). A case history in the scientific method. *American Psychologist, 11*, 221-233.

SKINNER, B.F. (1959). *Cumulative Record*. New York: Appleton-Century-Crofts.

SKINNER, B.F. (1967). Autobiography. Dans E.G. Boring & G. Lindzey (dir.), *A History of Psychology in Autobiography* (vol. 5, p. 385-414). New York: Appleton-Century-Crofts.

SKINNER, B.F. (1971). *Beyond Freedom and Dignity*. New York: Knopf.

SKINNER, B.F. (1974). *About Behaviorism*. New York: Knopf.

SMITH, D. (2002, octobre). The theory heard 'round the world: Albert Bandura's social cognitive theory is the foundation of television and radio shows that have changed the lives of millions. *APA Monitor on Psychology, 33*, 30.

SMITH, D. (2003, janvier). Five principles for research ethics: Cover your bases with these ethical strategies. *Monitor on Psychology, 34*, 56.

SMITH, E.R. (1998). Mental representations and memory. Dans D.T. Gilbert, S.T. Fiske & G. Lindzey (dir.), *The Handbook of Social Psychology* (4e éd.) (vol. 1, p. 391-445). Boston: McGraw-Hill.

SMITH, R.E. (1989). Effects of coping skills training on generalized self-efficacy and locus of control. *Journal of Personality and Social Psychology, 56*, 228-233.

SOLOMON, R.C., & HIGGINS, K.M. (1996). *A Short History of Philosophy*. New York: Oxford University Press.

SOLOMON, S., GREENBERG, J., & PYSZCZYNSKI, T. (2004). The cultural animal: Twenty years of terror management theory and research. Dans J. Greenberg, S.L. Koole & T. Pyszczynski (dir.), *Handbook of Experimental Existential Psychology* (p. 13-34). New York: Guilford Press.

SOMER, O., & GOLDBERG, L.R. (1999). The structure of Turkish trait-descriptive adjectives. *Journal of Personality and Social Psychology, 76*, 431-450.

SPENCER, S.J., STEELE, C.M., & QUINN, D.M. (1999). Stereotype threat and women's math performance. *Journal of Experimental Social Psychology, 35*, 4-28.

SPERLING, M.B., & BERMAN, W.H. (dir.) (1994). *Attachment in Adults: Clinical and Developmental Perspectives.* New York: Guilford Press.

SPINOZA, B. (1677/1952). *Ethics* (traduction de W.H. White). Chicago: Encyclopedia Britannica.

SPORNS, O. (2011). *Networks of the Brain.* Cambridge, MA: MIT Press.

SRIVASTAVA, S., JOHN, O.P., GOSLING, S.D., & POTTER, J. (2003). Development of personality in early and middle adulthood: Set like plaster or persistent change? *Journal of Personality and Social Psychology, 84*, 1041-1053.

SROUFE, L.A., CARLSON, E., & SHULMAN, S. (1993). Individuals in relationships: Development from infancy. Dans D.C. Funder, R.D. Parke, C. Tomlinson-Keasey & K. Widaman (dir.), *Studying Lives Through Time* (p. 315-342). Washington, DC: American Psychological Association.

STADDON, J.E.R., & CERUTTI, D.T. (2003). Operant conditioning. *Annual Review of Psychology, 54*, 115-144.

STAJKOVIC, A.D., & LUTHANS, F. (1998). Self-efficacy and work-related performance: A meta-analysis. *Psychological Bulletin, 124*, 240-261.

ST. CLAIR, M. (1986). *Object Relations and Self Psychology: An Introduction.* Monterey, CA: Brooks Cole.

STEELE, C.M. (1997). A threat in the air: How stereotypes shape intellectual identity and performance. *American Psychologist, 52*, 613-629.

STEINER, J.F. (1966). *Treblinka.* New York: Simon & Schuster.

STEPHENSON, W. (1953). *The Study of Behavior.* Chicago: University of Chicago Press.

STOCK, J., & CERVONE, D. (1990). Proximal goal-setting and self-regulatory processes. *Cognitive Therapy and Research, 14*, 483-498.

STONE, V.E., COSMIDES, L., TOOBY, J., KROLL, N., & KNIGHT, R.T. (2002). Selective impairment of reasoning about social exchange in a patient with bilateral limbic system damage. *Proceedings of the National Academy of Sciences, 99*, 11531-11536.

STRAUMAN, T.J. (1989). Self-discrepancies in clinical depression and social phobia: Cognitive structures that underlie emotional disorders? *Journal of Abnormal Psychology, 98*, 14-22.

STRAUMAN, T.J. (1990). Self-guides and emotionally significant childhood memories: A study of retrieval efficiency and incidental negative emotional content. *Journal of Personality and Social Psychology, 59*, 869-880.

STRAUMAN, T.J., LEMIEUX, A.M., & COE, C.L. (1993). Self-discrepancy and natural killer cell activity: Immunological consequences of negative self-evaluation. *Journal of Personality and Social Psychology, 64*, 1042-1052.

STRAUMAN, T.J., KOLDEN, G.G., STROMQUIST, V., DAVIS, N., KWAPIL, L., HEEREY, E., & SCHNEIDER, K. (2001). The effects of treatments for depression on perceived failure in self-regulation. *Cognitive Therapy and Research, 25*, 693-712.

STRELAU, J. (1997). The contribution of Pavlov's typology of CNS properties to personality research. *European Psychologist, 2*, 125-138.

STRELAU, J. (1998). *Temperament: A Psychological Perspective.* New York: Plenum Press.

STRUBE, M.J. (1990). In search of self: Balancing the good and the true. *Personality and Social Psychology Bulletin, 16*, 699-704.

SUEDFELD, P., & TETLOCK, P.E. (dir.) (1991). *Psychology and Social Policy.* New York: Hemisphere.

SUGIYAMA, L.S., TOOBY, J., & COSMIDES, L. (2002). Cross-cultural evidence of cognitive adaptations for social exchange among the Shiwiar of Ecuadorian Amazonia. *Proceedings of the National Academy of Sciences, 99*, 11537-11542.

SUH, E., DIENER, E., OISHI, S., & TRIANDIS, H.C. (1998). The shifting basis of life satisfaction judgments across cultures: Emotions versus norms. *Journal of Personality and Social Psychology, 74*, 482-493.

SUINN, R.M., OSBORNE, D., & WINFREE, P. (1962). The self-concept and accuracy of recall of inconsistent self-related information. *Journal of Clinical Psychology, 18*, 473-474.

SULLIVAN, H.S. (1953). *The Interpersonal Theory of Psychiatry.* New York: Norton.

SULLOWAY, F.J. (1979). *Freud: Biologist of the Mind.* New York: Basic Books.

SULLOWAY, F.J. (1991). Reassessing Freud's case histories. *ISIS, 82*, 245-275.

SULLOWAY, F.J. (1996). *Born to Rebel: Birth Order, Family Dynamics, and Creative Lives.* New York: Pantheon.

SUOMI, S. (1999, juin). Jumpy monkeys. *Address Presented at the Annual Meeting of the American Psychological Association,* Denver, CO.

SUOMI, S. (2006). Risk resilience and gene x environment interactions in rhesus monkeys. *Annals of the New York Academy of Sciences, 1094*, 52-62.

SUPPE, F. (1977) (dir.) *The Structure of Scientific Theories.* Urbana: University of Illinois Press.

SWANN, W.B., JR. (1991). To be adored or to be known? The interplay of self-enhancement and self-verification. Dans E.T. Higgins & R.M. Sorrentino (dir.), *Handbook of Motivation and Cognition* (p. 408-450). New York: Guilford Press.

SWANN, W.B., JR. (1992). Seeking "truth," finding despair: Some unhappy consequences of a negative self-concept. *Current Directions in Psychological Science, 1*, 15-18.

SWANN, W.B., JR., & BOSSON, J.K. (2008). Identity negotiation: A theory of self and social interaction. Dans O.P. John, R.W. Robins & L.A. Pervin (dir.), *Handbook of Personality: Theory and Research* (p. 448-471). New York: Guilford Press.

SWANN, W.B., JR., DE LA RONDE, C., & HIXON, J.G. (1994). Authenticity and positivity strivings in marriage and courtship. *Journal of Personality and Social Psychology, 66*, 857-869.

SWANN, W.B., JR., PELHAM, B.W., & KRULL, D.S. (1989). Agreeable fancy or disagreeable truth? Reconciling self-enhancement and self-verification. *Journal of Personality and Social Psychology, 57*, 782-791.

SWANN, W.B., JR., RENTFROW, P.J., & GUINN, J.S. (2003). Self-verification: The search for coherence. Dans M.R. Leary & J.P. Tangney (dir.), *Handbook of Self and Identity* (p. 367-383). New York: Guilford Press.

SWANN, W.B., JR., GRIFFIN, J.J., JR., PREDMORE, S.C., & GAINES, B. (1987). The cognitive-affective crossfire: When self-consistency confronts self-enhancement. *Journal of Personality and Social Psychology, 52*, 881-889.

TAMIR, M., JOHN, O.P., SRIVASTAVA, S., & GROSS, J.J. (2007). Implicit theories of emotion: Affective and social outcomes across a major life transition. *Journal of Personality and Social Psychology, 92*, 731-744.

TANG, T.Z., & DERUBEIS, R.J. (1999a). Reconsidering rapid early response in cognitive behavioral therapy for depression. *Clinical Psychology: Science and Practice, 6*, 283-288.

TANG, T.Z., & DERUBEIS, R.J. (1999b). Sudden gains and critical sessions in cognitive-behavioral therapy for depression. *Journal of Consulting and Clinical Psychology, 67*, 894-904.

TAUBER, A.I. (2010). *Freud: The Reluctant Philosopher.* Princeton, NJ: Princeton University Press.

TAYLOR, C. (1985). *Human Agency and Language: Philosophical Papers I.* Cambridge, UK: Cambridge University Press.

TAYLOR, S.E. (1989). *Positive Illusions: Creative Self-Deception and the Healthy Mind.* New York: Basic Books.

TAYLOR, S.E., & ARMOR, D.A. (1996). Positive illusions and coping with adversity. *Journal of Personality, 64*, 874-898.

TAYLOR, S.E., & BROWN, J.D. (1988). Illusion and well-being: Where two roads meet. *Psychological Bulletin, 103*, 193-210.

TAYLOR, S.E., & BROWN, J.D. (1994). Positive illusions and well-being revisited: Separating fact from fiction. *Psychological Bulletin, 116*, 21-27.

TAYLOR, S.E., KEMENY, M.E., REED, G.M., BOWER, J.E., & GRUENWALD, T.L. (2000). Psychological resources, positive illusions, and health. *American Psychologist, 55*, 99-109.

TELLEGEN, A. (1985). Structures of mood and personality and their relevance to assessing anxiety, with an emphasis on self-report. Dans A.H. Tuma & J.D. Maser (dir.), *Anxiety and the Anxiety Disorders* (p. 681-706). Mahwah, NJ: Erlbaum.

TELLEGEN, A., & WALLER, N.G. (2008). Exploring personality through test construction: Development of the Multi-Dimensional Personality Questionnaire. Dans G.J. Boyle, G. Matthews & D.H. Saklofske (dir.), *The Sage Handbook of Personality Theory and Assessment. Vol. II: Personality Measurement and Testing* (p. 261-292). London: Sage.

TELLEGEN, A., LYKKEN, D.T., BOUCHARD, T.J., JR., WILCOX, K.J., SEGAL, N.L., & RICH, S. (1988). Personality similarity in twins reared apart and together. *Journal of Personality and Social Psychology, 54*, 1031-1039.

TEMOSHOK, L. (1985). The relationship of psychosocial factors to prognostic indicators in cutaneous malignant melanoma. *Journal of Psychosomatic Research, 29*, 139-153.

TEMOSHOK, L. (1991). Assessing the assessment of psychosocial factors. *Psychological Inquiry, 2*, 276-280.

TESSER, A. (1993). The importance of heritability in psychological research: The case of attitudes. *Psychological Review, 100*, 129-142.

TESSER, A., PILKINGTON, C.J., & MCINTOSH, W.O. (1989). Self-evaluation maintenance and the mediational role of emotion: The perception of friends and strangers. *Journal of Personality and Social Psychology, 57*, 442-456.

TETLOCK, P.E., PETERSON, R.S., & BERRY, J.M. (1993). Flattering and unflattering personality portraits of integratively simple and complex managers. *Journal of Personality and Social Psychology, 64*, 500-511.

THOMAS, A., & CHESS, S. (1977). *Temperament and Development.* New York: Brunner/Mazel.

TILLEMA, J., CERVONE, D., & SCOTT, W.D. (2001). Dysphoric mood, perceived self-efficacy, and personal standards for performance: The effects of attributional cues on self-defeating patterns of cognition. *Cognitive Therapy and Research, 25*, 535-549.

TOBACYK, J.J., & DOWNS, A. (1986). Personal construct threat and irrational beliefs as cognitive predictors of increases in musical performance anxiety. *Journal of Personality and Social Psychology, 51*, 779-782.

TONONI, G., & EDELMAN, G.M. (1998). Consciousness and complexity. *Science, 282*, 1846-1851.

TOOBY, J., & COSMIDES, L. (1992). The psychological foundations of culture. Dans J.H. Barkow, L. Cosmides & J. Tooby (dir.), *The Adapted Mind: Evolutionary Psychology and the Generation of Culture.* New York: Oxford University Press.

TOOBY, J., & COSMIDES, L. (2005). Conceptual foundations of evolutionary psychology. Dans D.M. Buss (dir.), *The Handbook of Evolutionary Psychology* (p. 5-67). Hoboken, NJ: Wiley.

TOULMIN, S. (1961). *Foresight and Understanding: An Enquiry into the Aims of Science.* Bloomington: Indiana University Press.

TRIANDIS, H. (1995). *Individualism and Collectivism.* Boulder, CO: Westview Press.

TRIVERS, R. (1972). Parental investment and sexual selection. Dans B. Camp bell (dir.), *Sexual Selection and the Descent of Man: 1871-1971* (p. 136-179). Chicago: Aldine.

TRIVERS, R. (1976). Foreword. Dans R. Dawkins, *The Selfish Gene*. New York: Oxford University Press.

TUGADE, M.M., & FREDRICKSON, B.L. (2004). Resilient individuals use positive emotions to bounce back from negative emotional experiences. *Journal of Personality and Social Psychology, 86*, 320-333.

TURKHEIMER, E. (2006). Using genetics to understand human behavior: Promises and risks. Dans E. Parens, A.R. Chapman & N. Press (dir.), *Wrestling with Behavior Genetics: Science, Ethics, and Public Conversation* (p. 242-250). Baltimore: Johns Hopkins University Press.

TVERSKY, A., & KAHNEMAN, D. (1974). Judgment under uncertainty: Heuristics and biases. *Science, 185*, 1124-1131.

TWENGE, J. (2002). Birth cohort, social change, and personality: The interplay of dysphoria and individualism in the 20th century. Dans D. Cervone & W. Mischel (dir.), *Advances in Personality Science* (p. 196-218). New York: Guilford Press.

ULMER, S., & JANSEN, O. (dir.) (2010). *fMR1: Basics and Clinical Applications*. Berlin: Springer-Verlag.

United Nations Population Fund (2002). *State of World Population 2002: People, Poverty, and Possibilities*. New York: United Nations.

VAN DER LINDEN, D., TSAOUSIS, I., & PETRIDES, K.V. (2012). Overlap between general factors of personality in the Big Five, Giant Three, and trait emotional intelligence. *Personality and Individual Differences, 53*, 175-179.

VAN IJZENDOORN, M.H., & KROONENBERG, P. (1988). Cross-cultural patterns of attachment: A metaanalysis of the strange situation. *Child Development, 59*, 147-156.

VAN LIESHOUT, C.F., & HASELAGER, G.J. (1994). The Big Five personality factors in Q-sort descriptions of children and adolescents. Dans C.F. Halverson, G.A. Kohnstamm & R.P. Martin (dir.), *The Developing Structure of Temperament and Personality from Infancy to Childhood* (p. 293-318). Hillsdale, NJ: Erlbaum.

VAUGHN, P.W., ROGERS, E.M., SINGHAL, A., & SWALEHE, R.M. (2000). Entertainment-education and HIV/AIDS prevention: A field study in Tanzania. *Journal of Health Communication, 5* (suppl.), 81-200.

VAZIRE, S. (2010). Who knows what about a person? The self-other knowledge asymmetry (SOKA) model. *Journal of Personality and Social Psychology, 98*, 281-300.

VOON, V., BREZING, C., GALLEA, C., & HALLETT, M. (2011). Aberrant supplementary motor complex and limbic activity during motor preparation in motor conversion disorder. *Movement Disorders, 26*, 2396-2403.

VOON, V., BREZING, C., GALLEA, C., AMERUI, R., ROELOFS, K., LAFRANCE, W.C., JR., & HALLETT, M. (2010). Emotional stimuli and motor conversion disorder. *Brain, 133*, 1526-1536.

WALKER, B.M., & WINTER, D.A. (2007). The elaboration of personal construct psychology. *Annual Review of Psychology, 58*, 453-477.

WALLER, N.G., & SHAVER, P.R. (1994). The importance of non-genetic influences on romantic love styles. *Psychological Science, 5*, 268-274.

WALTERS, R.H., & PARKE, R.D. (1964). Influence of the response consequences to a social model on resistance to deviation. *Journal of Experimental Child Psychology, 1*, 269-280.

WASHTON, A.M., & ZWEBEN, J.E. (2006). *Treating Alcohol and Drug Problems*. New York: Guilford Press.

WATSON, D. (2000). *Mood and Temperament*. New York: Guilford Press.

WATSON, D., & CLARK, L.A. (1997). Extraversion and its positive emotional core. Dans R. Hogan, J. Johnson & S. Briggs (dir.), *Handbook of Personality Psychology* (p. 681-710). San Diego, CA: Academic Press.

WATSON, D., & TELLEGEN, A. (1999). Issues in the dimensional structure of affect-effects of descriptors, measurement error, and response formats: Comment on Russell and Carroll. *Psychological Bulletin, 125*, 601-610.

WATSON, D., WIESE, D., VAIDYA, J., & TELLEGEN, A. (1999). The two general activation systems of affect: Structural findings, evolutionary considerations, and psychobiological evidence. *Journal of Personality and Social Psychology, 76*, 820-838.

WATSON, J.B. (1913). Psychology as the behaviorist views it. *Psychological Review, 20*, 158-177.

WATSON, J.B. (1914). *Behavior*. New York: Holt, Rinehart & Winston.

WATSON, J.B. (1919). *Psychology from the Standpoint of a Behaviorist*. Philadelphia: Lippincott.

WATSON, J.B. (1924). *Behaviorism*. New York: People's Institute Publishing.

WATSON, J.B. (1936). Autobiography. Dans C. Murchison (dir.), *A History of Psychology in Autobiography* (p. 271-282). Worcester, MA: Clark University Press.

WATSON, J.B., & RAYNER, R. (1920). Conditioned emotional reactions. *Journal of Experimental Psychology, 3*, 1-14.

WATSON, M.W., & GETZ, K. (1990). The relationship between Oedipal behaviors and children's family role concepts. *Merrill-Palmer Quarterly, 36*, 487-506.

WATSON, R.I. (1963). *The Great Psychologists: From Aristotle to Freud*. Philadelphia: Lippincott.

WEAVER, I.C.G., MEANEY, M.J., & SZYF, M. (2006). Maternal care effects on the hippocampal transcriptome and anxiety-mediated behaviors in the offspring that are reversible in adulthood. *Proceedings of the National Academy of Sciences, 103*, 3480-3485.

WEBER, S.J., & COOK, T.D. (1972). Subject effects in laboratory research: An examination of subject roles, demand characteristics, and valid inference. *Psychological Bulletin, 77*, 273-295.

WEGNER, D.M. (1992). You can't always think what you want: Problems in the suppression of unwanted thoughts. *Advances in Experimental Social Psychology, 25*, 193-225.

WEGNER, D.M. (1994). Ironic processes of mental control. *Psychological Review, 101*, 34-52.

WEGNER, D.M. (2002). *The Illusion of Conscious Will.* Cambridge, MA: MIT Press.

WEGNER, D.M. (2003). The mind's best trick: How we experience conscious will. *Trends in Cognitive Science, 7*, 65-69.

WEGNER, D.M., SHORTT, G.W., BLAKE, A.W., & PAGE, M.S. (1990). The suppression of exciting thoughts. *Journal of Personality and Social Psychology, 58*, 409-418.

WEINBERGER, D.A. (1990). The construct reality of the repressive coping style. Dans J.L. Singer (dir.), *Repression and Dissociation: Implications for Personality, Psychopathology, and Health* (p. 337-386). Chicago: University of Chicago Press.

WEINBERGER, D.A., & DAVIDSON, M.N. (1994). Styles of inhibiting emotional expression: Distinguishing repressive coping from impression management. *Journal of Personality, 62*, 587-595.

WEINBERGER, J. (1992). Validating and demystifying subliminal psychodynamic activation. Dans R.F. Bornstein & T.S. Pittman (dir.), *Perception Without Awareness* (p. 170-188). New York: Guilford Press.

WEINBERGER, J., & WESTEN, D. (2008). RATS, we should have used Clinton: Subliminal priming in political campaigns. *Political Psychology, 29*, 631-651.

WEINER, B. (1979). A theory of motivation for some classroom experiences. *Journal of Educational Psychology, 71*, 3-25.

WEINSTEIN, T.A.R., CAPITANIO, J.P., & GOSLING, S.D. (2008). Personality in animals. Dans O.P. John, R.W. Robins & L.A. Pervin (dir.), *Handbook of Personality: Theory and Research* (p. 328-348). New York: Guilford Press.

WEITLAUF, J., CERVONE, D., & SMITH, R.E. (2001). Assessing generalization in perceived self-efficacy: Multidomain and global assessments of the effects of self-defense training for women. *Personality and Social Psychology Bulletin, 27*, 1683-1691.

WENZLAFF, R.M., & BATES, D.E. (1998). Unmasking a cognitive vulnerability to depression: How lapses in mental control reveal depressive thinking. *Journal of Personality and Social Psychology, 75*, 1559-1571.

WEST, S.G., & FINCH, J.F. (1997). Personality measurement: Reliability and validity issues. Dans R. Hogan, J. Johnson & S. Briggs (dir.), *Handbook of Personality Psychology* (p. 143-165). San Diego, CA: Academic Press.

WESTEN, D. (1990). Psychoanalytic approaches to personality. Dans L.A. Pervin (dir.), *Handbook of Personality: Theory and Research* (p. 21-65). New York: Guilford Press.

WESTEN, D. (1991). Clinical assessment of object relations using the TAT. *Journal of Personality Assessment, 56*, 56-74.

WESTEN, D., & GABBARD, G.O. (1999). Psychoanalytic approaches to personality. Dans L.A. Pervin & O.P. John (dir.), *Handbook of Personality: Theory and Research* (p. 57-101). New York: Guilford Press.

WESTEN, D., GABBARD, G.O., & ORTIGO, K.M. (2008). Psychoanalytic approaches to personality. Dans O.P. John, R.W. Robins & L.A. Pervin (dir.), *Handbook of Personality: Theory and Research* (p. 61-113). New York: Guilford Press.

WESTEN, D., BLAGOV, P.S., HARENSKl, K., KILTS, C., & HAMANN, S. (2006). Neural bases of motivated reasoning: An fMRI study of emotional constraints on partisan political judgments in the 2004 U.S. presidential election. *Journal of Cognitive Neuroscience, 18*, 1947-1958.

WHITE, P. (1980). Limitations of verbal reports of internal events: A refutation of Nisbett and Wilson and of Bem. *Psychological Review, 87*, 105-112.

WIDIGER, T.A. (1993). The DSM-III-R categorical personality disorder diagnoses: A critique and an alternative. *Psychological Inquiry, 4*, 75-90.

WIDIGER, T.A., & SMITH, G.T. (2008). Personality and psychopathology. Dans O.P. John, R.W. Robins & L.A. Pervin (dir.), *Handbook of Personality: Theory and Research* (p. 743-769). New York: Guilford Press.

WIDIGER, T.A., VERHEUL, R., & VAN DEN BRINK, W. (1999). Personality and psychopathology. Dans L.A. Pervin & O.P. John (dir.), *Handbook of Personality: Theory and Research* (p. 347-366). New York: Guilford Press.

WIEDENFELD, S.A., BANDURA, A., LEVINE, S., O'LEARY, A., BROWN, S., & RASKA, K. (1990). Impact of perceived self-efficacy in coping with stressors in components of the immune system. *Journal of Personality and Social Psychology, 59*, 1082-1094.

WIGGINS, J.S. (1984). Cattell's system from the perspective of mainstream personality theory. *Multivariate Behavioral Research, 19*, 176-190.

WILLIAMS, L. (1994). Recall of childhood trauma: A prospective study of women's memories of child sexual abuse. *Journal of Consulting and Clinical Psychology, 62*, 1167-1176.

WILLIAMS, S.L. (1992). Perceived self-efficacy and phobic disability. Dans R. Schwarzer (dir.), *Self-Efficacy: Thought Control of Action* (p. 149-176). Washington, DC: Hemisphere.

WILSON, T.D. (1994). The proper protocol: Validity and completeness of verbal reports. *Psychological Science, 5*, 249-252.

WILSON, T.D., HULL, J.G., & JOHNSON, J. (1981). Awareness and self-perception: Verbal reports on internal states. *Journal of Personality and Social Psychology, 40*, 53-71.

WINTER, D.A., & VINEY, L.L. (2005). *Personal Construct Psychotherapy: Advances in Theory, Practice, and Research.* London: Whurr.

WINTER, D.G. (1992). Content analysis of archival productions, personal documents, and everyday verbal productions. Dans C.P. Smith (dir.), *Motivation and Personality: Handbook of Thematic Content Analysis* (p. 110-125). Cambridge, UK: Cambridge University Press.

WISE, R.A. (1996). Addictive drugs and brain stimulation reward. *Annual Review of Neuroscience, 19*, 319-340.

WITTGENSTEIN, L. (1953). *Philosophical Investigations* (traduction de G.E.M. Anscombe). Oxford, UK: Blackwell.

WOIKE, B.A. (1995). Most memorable experiences: Evidence for a link between implicit and explicit motives and social cognitive processes in everyday life. *Journal of Personality and Social Psychology, 68*, 1081-1091.

WOIKE, B.A., & POLO, M. (2001). Motive-related memories: Content, structure, and affect. *Journal of Personality, 69*, 391-415.

WOIKE, B.A., GERSHKOVICH, l., PIORKOWSKI, R., & POLO, M. (1999). The role of motives in the content and structure of autobiographical memory. *Journal of Personality and Social Psychology, 76*, 600-612.

WOLFE, J., & RACHMAN, S. (1960). Psychoanalytic "evidence." A critique based on Freud's case of Little Hans. *Journal of Nervous and Mental Disease, 130*, 135-148.

WOLPE, J. (1961). The systematic desensitization treatment of neuroses. *Journal of Nervous and Mental Disorders, 132*, 189-203.

WOOD, J.V. (1989). Theory and research concerning social comparison of personal attributes. *Psychological Bulletin, 106*, 231-248.

WOOD, J.V., SALTZBERG, J.A., & GOLDSAMT, L.A. (1990). Does affect induce self-focused attention? *Journal of Personality and Social Psychology, 58*, 899-908.

WOOD, W., & EAGLY, A.H. (2002). A cross-cultural analysis of the behavior of women and men: Implications for the origins of sex differences. *Psychological Bulletin, 128*, 699-727.

WOODWARD, S.A., LENZENWEGER, M.F., KAGAN, J., SNIDMAN, N., & ARCUS, D. (2000). Taxonic structure of infant reactivity: Evidence from a taxometric perspective. *Psychological Science, 11*, 296-301.

ZHU, Y., ZHANG, L., FAN, J., & HAN, S. (2007). Neural basis of cultural influence on self-representation. *Neuroimage, 34*, 1310-1316.

ZIMBARDO, P.G. (1973). On the ethics of intervention in human psychological research: With special reference to the Stanford prison experiment. *Cognition, 2*, 243-256.

ZUCKERMAN, M. (1991). *Psychobiology of Personality.* New York: Cambridge University Press.

ZUCKERMAN, M. (1995). Good and bad humors: Biochemical bases of personality and its disorders. *Psychological Science, 6*, 325-332.

ZUCKERMAN, M. (1996). The psychobiological model for impulsive unsocialized sensation seeking: A comparative approach. *Neuropsychobiology, 34*, 125-129.

ZUROFF, D.C. (1986). Was Gordon Allport a trait theorist? *Journal of Personality and Social Psychology, 51*, 993-1000.

SOURCES DES ILLUSTRATIONS

Couverture et ouverture des chapitres : Lina Vandal (1952-). *Within 9* (2013). Mix media (acrylique, fusain, pigments sur toile), 30 × 40. © Lina Vandal, tous droits réservés.

CHAPITRE 1

Page 12 : Mick Stevens/The New Yorker Collection/The Cartoon Bank. **Page 13 :** Maridav/Thinkstock. **Page 15 :** Altrendo images/Thinkstock. **Page 20 (à gauche) :** Mike Stewart/Sygma/Corbis ; **(à droite) :** Stock Light/Shutterstock. **Page 21 :** Sze Fei Wong/Thinkstock. **Page 22 :** Lwa/Larry Williams/Thinkstock.

CHAPITRE 2

Page 41 : Wave Break Media/Thinkstock. **Page 42 (les deux) :** Photographee/Shutterstock. **Page 43 :** Krasno Polski/Thinkstock. **Page 44 :** Sergey Galushko/Thinkstock. **Page 48 :** Lisa F. Toung/Thinkstock.

CHAPITRE 3

Page 61 : Keystone Pictures USA/Alamy. **Page 69 :** © Sidney Harris/Science Cartoons Plus. **Page 76 :** J.B. Handelsman/The New Yorker Collection/The Cartoon Bank. **Page 79 :** Calvin and Hobbes © 1992 Watterson. Reproduction autorisée par Universal Uclick. Tous droits réservés. **Page 82 :** K Zenon/Thinkstock. **Page 88 :** Mark Goldman/UPI/Newscom. **Page 89 :** Ted Streshinsk/Corbis. **Page 90 :** Toby Burrows/Thinkstock.

CHAPITRE 4

Page 98 : Al Ross/The New Yorker Collection/The Cartoon Bank. **Page 99 :** © Marmaduke St. John/Alamy. **Page 100 :** Reproduction autorisée par l'éditeur de Henry A. Murray, *Thematic Apperception Test*, Planche 12 F, Cambridge, MA : Harvard University Press ; © 1943 President & Fellows of Harvard College, © 1971 Henry A. Murray. **Page 106 :** Geraint Lewis/Alamy. **Page 113 :** TDC Photography/Shutterstock. **Page 116 (à gauche) :** Francois Werli/Alamy ; **(à droite) :** Panoramic Images/Getty Images. **Page 119 :** Jupiter Images/Thinkstock. **Page 126 :** Dorling Kindersley/Thinkstock.

CHAPITRE 5

Page 140 : Dorling Kindersley/Thinkstock. **Page 145 :** Maridav/Shutterstock. **Page 149 :** Gregory/The New Yorker Collection/The Cartoon Bank. **Page 150 :** Jeff Randall/Thinkstock. **Page 151 :** Pure Stock/Thinkstock.

CHAPITRE 6

Page 159 : Wave Break Media/Thinkstock. **Page 163 :** Banana Stock/Thinkstock. **Page 165 :** VIP Flash/Shutterstock. **Page 178 (à gauche) :** Digital Vision/Thinkstock ; **(à droite) :** Stuart Jenner/Shutterstock.

CHAPITRE 7

Page 193 : Catherine Yeulet/Thinkstock. **Page 201 :** Ralph Son David/AFP/Getty Images/Newscom.

CHAPITRE 8

Page 227 : Ed Stock/iStock. **Page 229 :** Tim Graham/Alamy. **Page 231 :** Monkey Business Images/Thinkstock. **Page 237 :** Bernard Schoenbaum/The New Yorker Collection/The Cartoon Bank.

CHAPITRE 9

Page 245 : Bsip Sa/Alamy. **Page 246 :** Photos.com/Thinkstock. **Page 249 :** Asife/Thinkstock. **Page 251 :** ERPI. **Page 253 :** Gracieuseté de Grazyna Kochanska. **Page 260 :** Monkey Business Images/Shutterstock. **Page 262 :** Matt Campbell/Afp/Newscom. **Page 268 :** Monkey Business Images/Shutterstock. **Page 276 :** Fotot Dietrich/Thinkstock. **Page 278 (à gauche) :** AP Photos ; **(à droite) :** Album/Newscom.

CHAPITRE 10

Page 291 : Sidney Harris/Science Cartoons Plus. **Page 293 :** Photo tirée du film « *Little Albert* ». **Page 295 :** Sidney Harris/Science Cartoons Plus. **Page 296 :** ERPI. **Page 300 :** © Chris Whalen. **Page 303 :** Wave Break Media/Shutterstock. **Page 304 :** ERPI.

CHAPITRE 11

Page 323 (en haut) : LD Prod/Shutterstock ; **(en bas) :** Jupiter Images, Brand X Pictures/Thinkstock. **Page 330 :** North Foto/Shutterstock. **Page 331 :** Bike Rider London/Shutterstock. **Page 333 :** Olesia Bilkei/Thinkstock. **Page 335 :** Peter Lippman/The New Yorker Collection/The Cartoon Bank.

CHAPITRE 12

Page 351 : John Bazemore/AP/Wide World Photos. **Page 356 :** Steve Bosch/MCT/Newscom. **Page 362 (en haut) :** Reproduction de Etta Hulme autorisée par Newspaper Enterprise Association, Inc ; **(en bas) :** Everett Opie The New Yorker Collection/The Cartoon Bank. **Page 365 :** David Grossman/Alamy.

CHAPITRE 13

Page 384 : Radius Images/Corbis. **Page 386 :** Dorling Kindersley/Thinkstock. **Page 395 :** Michael Newman/Photo Edit. Page 397 : Petrol/Thinkstock.

CHAPITRE 14

Page 411 : Iurii Sokolov/Thinkstock. **Page 425 :** Lindsay Hebberd/Corbis. **Page 427 :** Maxim Tupikov/Shutterstock. **Page 433 :** Une gracieuseté de Media Impact.

INDEX DES AUTEURS

Abramson, L.Y., 401
Adams, N., 285, 394-396
Adams-Webber, J.R., 324, 327, 333
Adler, Alfred, 87, 113-114, 132
Ainsworth, A., 122, 123, 126
Albright, L., 34
Allen, J.J., 271
Allik, J., 222
Alloy, L.B., 401
Allport, Gordon W., 8, 34, 185-242, 301, 443
Andersen, B.L., 380, 382
Andersen, S.M., 106, 413, 415
Anderson, A.K., 251
Anderson, C., 114
Anderson, C.A., 54, 365, 379
Anderson, N., 74, 231
Angleitner, A., 265, 266, 268
Antonuccio, D.O., 401
Arbisi, P., 271
Armor, D.A., 79
Arndt, J., 173
Aronson, J.A., 146
Artistico, D., 39, 345
Asendorpf, J.B., 11, 181, 229
Ashton, M.C., 196, 229, 230
Aspinwall, L.G., 168
Ayduk, O., 37, 410, 413
Ayllon, T., 307
Azrin, H.H., 307
Baccus, J.R., 297
Bachrach, H., 130
Baker, N., 370
Balay, J., 71
Baldwin, A.L., 128
Baldwin, M.W., 150, 410
Balsters, J.H., 207
Baltes, P.B., 91, 421, 422
Bandura, A., 19, 22, 235, 343-373, 377, 391-397, 405, 406, 409, 432, 437-447
Banse, R., 181
Barbaranelli, C., 32, 356, 392
Barenbaum, N.B., 240
Bargh, J.A., 73, 173, 285, 400
Barlow, D.H., 392
Barnhardt, T.M., 74
Barrett, M.S., 72
Barrick, M.R., 230
Barsalou, L.W., 340
Bartholomew, K., 127, 128

Bartlett, M.Y., 260
Bartz, J.A., 414
Bates, J.E., 247, 401
Baucom, N., 401
Baum, A., 415
Baumeister, R.F., 21, 80, 163, 176, 351, 366, 370, 387
Bechara, A., 280
Beck, Aaron, 400, 401
Beilock, S.L., 326
Bem, D.J., 90
Benet-Martinez, V., 15, 17, 178, 219, 221
Benjamin, J., 266
Benson, E., 250, 389
Berkowitz, L., 54
Berman, W.H., 128
Berndt, T.J., 18, 420
Berry, J.M., 327
Betz, A.L., 297
Beyer, J., 394-396
Bieri, James, 325, 335
Bijou, S.W., 305-306
Blackman, M.C., 34
Blackwell, L.A., 385
Bleher, M., 123
Blell, M.E., 277
Block, J., 31, 99, 143, 152
Boechler, M., 275
Boer, D.P., 129
Bogaert, A.F., 272
Bokde, A.L.W., 207
Boldero, J., 385
Bolger, N., 414, 443
Bond, M.H., 381, 388
Bond R.N., 175
Booth, R.J., 67
Borkenau, P., 225
Bornstein, R.F., 74
Borsboom, D., 39, 225
Bosson, J.K., 381
Bouchard, T.J., 262-265
Boucher, H.C., 410
Bowlby, J., 122, 126, 128, 132
Bozarth, J.D., 162
Bradley, R.H., 17
Brändstadter, J., 422
Bressler, S.L., 246
Bretherton, I., 122
Brewer, M., 64, 327

Brewin, C.R., 401
Brezing, C., 65
Brown, J.D., 79, 148, 152, 180, 383, 400, 401
Bruner, J.S., 340
Buchheim, A., 126
Buller, D.J., 16-17
Bullmore, E., 216
Buossey, 345
Bush, George W., 330
Bushman, B.J., 54, 365
Buss, A.H., 15, 228, 247, 254, 255, 257, 258, 260, 265
Butler, R., 161, 162
Cacioppo, J.T., 297
Caldwell, T.L., 417
Campbell, C.G., 208
Campbell, J., 348, 351
Campbell, R.S., 176
Campbell, W.K., 121
Campos, J.J., 248
Cantor, N., 348, 349, 381, 416
Capaldi, E.J., 26
Capitanio, J.P., 218
Caporael, Linnda, 254
Caprara, G.V., 32, 33, 219, 356, 392
Carlson, E., 32
Carnelley, K.B., 128
Carstensen, Laura, 422-423
Cartwright, D.S., 146
Carver, C.S., 12, 387
Casey, B.J., 371
Caspi, A., 11, 90, 206, 225, 228, 265, 266, 269, 420, 421
Casson, A.J., 36
Cattell, Raymond, 32, 54, 185-242, 301, 444
Cavalli-Sforza, L.L., 15
Cerutti, D.T., 285
Cervone, D., 20, 33, 35, 39, 55, 345, 347, 348, 349, 353, 355, 359, 366, 385, 387, 392, 393, 396, 397, 403, 404, 417-419, 428-429
Chaplin, W.F., 192, 217
Chapman, C.N., 152, 153
Charcot, Jean, 62
Charles, S.T., 422
Cheek, J.M., 21
Chen, S., 6, 18, 106, 114, 410, 413, 415
Chess, Stella, 247

Cheung, F.M., 219
Chiao, J.Y., 179
Chiu, C., 384, 427
Chodorkoff, B., 146
Chodron, T., 424
Choi, I., 17
Chomsky, Noam, 310
Church, M.A., 177
Clark, Lee Anna, 208, 221, 273, 281, 401
Cleckley, Harvey, 142
Cloninger, C.R., 273
Coan, J.A., 126
Coe, C.L., 389
Cole, S.W., 415
Collins, P.F., 273, 274
Colvin, C.R., 34
Cometa, M.C., 333
Connelly, B.S., 222
Conraads, V.M., 83
Contrada, R.J., 83, 393
Conway, M.A., 21
Cook, M., 364
Cook, T.D., 53
Cooper, M.L., 267
Cooper, R.M., 410
Coopersmith, S., 150
Copeland, P., 251, 274, 275
Corwyn, R.F., 17
Cosmides, Leda, 254, 255, 256
Costa, P.T., 19, 33, 34, 188, 213, 214, 213-242, 424
Cox, P.D. 367
Cox, T., 83
Cox, W.M., 429
Cozzarelli, C., 354
Crabbe, J.C., 261
Craighead, L.W., 401
Craik, K.H., 208
Cramer, P., 99, 100, 228
Crandall, R., 144
Crews, F., 129, 130
Crocker, J., 175, 176
Crockett, W.H., 327, 333, 338
Cronbach, L.J., 38
Cross, H.J., 333
Cross, S.E., 178
Csikszentmihalyi, M., 37, 168, 170
Curtis, F.J., 150
Curtis, R.C., 148
Cyranowski, J.M., 379, 380, 382
Czarnecki, E.M., 83
D'Argembeau, A., 140-141, 386
Dabbs, J.M., 275
Damasio, A.R., 245, 274, 280, 359

Damasio, H., 280
Daniels, D., 18, 268
Danner, D.D., 45
Danton, W.G., 401
Darley, J.M., 148
Darwin, Charles, 218, 247
Davidson, Richard, 83, 271, 274, 281, 364
Davis, P.J., 83, 128, 401
Dawes, R.M., 101
De Fruyt, F., 222, 230
De Houwer, J., 32
De La Ronde, C., 382, 383
De Raad, Boele, 188, 219, 230
De Young, C.G., 216
Deci, E.L., 177
Dein, S., 65
Del Vecchio, W.F., 20, 225, 229
Delhees, K.H., 200
DeLongis, A., 398
Denes-Raj, V., 93
Denollet, J., 83
Depue, R.A., 271, 273, 274
Derakshan, N., 83
DeRubeis, R.J., 401
DeSteno, D., 260
Dewsbury, D.A., 290
Di Blas, L., 219
Diener, E., 34, 196, 231, 389, 427
Dobson, K.S., 400, 401
Dollard, John, 299
Dolnick, E., 131
Domjan, M., 285
Donahue, E.M., 147, 160, 328, 333
Donnerstein, E., 54
Dostoïevsky, F., 82
Downey, G., 410-412
Downhill, J.E., 271
Downs, A., 332
Draganski, B., 216, 275
Dubanoski, J.P., 231
Dubow, E.F., 32
Duck, S., 338
Duff, K.J., 80
Dunn, J., 265, 268
Dutton, K.A., 152
Dweck, Carol, 355, 383-385, 387
Dykman, B.M., 177, 401
Eagle, M., 70
Eagly, A.H., 259
Ebbesen, E.B., 369
Ebstein, R.P., 266
Edelman, G.M., 21, 246, 359
Edelson, M., 129
Einstein, Albert, 62, 129

Ekman, P., 15, 218
Elder, G.H., 420
Eliot, M., 315
Elliot, A.J., 177, 383-384
Ellis, Albert, 252, 399, 400
Epel, E.S., 277-278
Epstein, S., 74, 93, 236, 400, 401
Epting, F.R., 315
Erdelyi, M., 70
Ericsson, K.A., 50
Erikson, Erik, 88-90
Eron, L.D., 32, 363
Esterson, A., 129
Evans, M.D., 401
Evans, R.I., 346
Ewart, C.K., 393
Exner, J.E., 100
Eysenck, Hans, 54, 83, 129, 185-242, 268, 273, 301, 444
Fan, R.M., 179
Farber, I.E., 287
Fazio, R., 148
Fehr, E., 414
Feiring, C., 91
Feldman, S.I., 410-412
Ferguson, M.J., 285
Ferrell, R.E., 277
Ferster, C.B., 302, 304
Figueredo, A.J., 218
Finch, J.F., 38, 39, 50
Fiori, M., 387
Fischbacher, U., 414
Fiske, S.T., 378
Fleeson, W., 236, 237
Flett, G.L., 389
Florian, V., 128
Flory, J.D., 277
Fodor, J.A., 255
Folkman, S., 397-398
Forgas, J., 340
Forzi, M., 219
Fox, N.A., 14, 249, 250, 251, 271
Fraley, R.C., 20, 51, 124, 127, 128, 150, 225, 227
Francis, E.L., 385
Francis, J., 401
Frankl, Viktor, 171, 184
Fredrickson, B.L., 169, 170, 423
Freeman, A., 401
Freitas, A.L., 412
Freud, Anna, 81
Freud, Sigmund, 19, 24, 54, 59-132, 135, 196, 252, 296, 315, 347, 437-447
Freund, A.M., 422

Fridhandler, R.B., 34
Friedman, H.S., 231
Friesen, W.V., 44, 45
Fromm, Erick, 62, 117
Fujita, F., 389
Fulford, D., 387
Fuller, J.L., 261
Funder, D.C., 34, 238, 433
Gabbard, G.O., 74, 119, 129, 130, 132, 241
Gable, S.L., 168, 170, 410
Gaensbauer, T.J., 91
Gage, Phineas, 245
Gailliot, M.T., 366, 370
Gaines, B., 382
Galatzer-Levy, R.M., 130
Galien, 204, 274
Gall, Franz Joseph, 246, 274
Gallea, C., 65
Gallo, L.C., 276
Galton, Francis, 244
Garb, H.N., 100
Gay, P., 61, 62, 114
Geen, R.G., 206, 208
Geertz, Clifford, 23, 194, 423-426
Geisler, C., 71
Gerard, H.B., 71
Gerbino, M., 32
Gergen, K.J., 147
Gershkovich, I., 100
Ghera, M.A., 14
Giesler, R.B., 381
Gladue, B.A., 275
Glaser, J., 330
Glassman, N.S., 415
Goble, F., 167
Goettel, Dwayne, 292
Goldberg, L.R., 192, 214, 215, 217, 219, 220, 221, 231, 240, 424
Golden, D.L., 6
Goldsamt, L.A., 400
Goldsmith, H.H., 248
Goldstein, Kurt, 167, 184
Gollwitzer, P.W., 285
Gosling, S.D., 33, 189, 208, 216, 218, 227, 348
Gotlib, I.H., 128
Gottlieb, G., 14
Gould, E., 275
Graf, P., 421
Grant, H., 355, 383
Grant-Pillow, H., 387
Gray, J.A., 209, 248, 273
Graziano, M.S.A., 275
Greenberg, J., 173

Greenberg, J.R., 63, 117, 119
Greene J.D., 280
Greenwald, A., 74, 181
Grice, J.W., 238, 325
Griffin, D., 127, 128, 382
Grigorenko, E.L., 264, 266
Grob, A., 196
Groddeck, G., 68
Gross, J.J., 275, 385
Gruen, R.J., 398
Gruen, W., 32
Gruenfeld, D.H., 114
Grunbaum, A., 129
Grusec, J.E., 368
Guinn, J.S., 381
Haggbloom, S.J., 196, 202, 299, 347
Haidt, J., 168, 170
Haigh, G.V., 161, 162
Hall, C.S., 63, 120
Hallett, M., 65
Halpern, J., 80
Halverson, C.F., 228
Hamer, D., 251, 272, 274, 275
Hampson, S.E., 231, 240
Hankin, B.L., 400-401
Harary, K., 147, 160
Harkness, A.R., 232
Harmon-Jones, E., 271
Harper, R.A., 399
Harré, R., 21, 23, 409
Harrington, D.M., 152
Harris, C.R., 18, 260, 294
Hartshorne, H., 236
Haselager, G.J., 228
Hawkins, R.P., 305-306
Hawley, C.W., 208, 254
Hawley, P.H., 15
Hayden, B.C., 333
Hayes, A.M., 401
Hayes, S., 34
Hazan, C., 123, 124, 125
Hazen, N., 123
Heilbroner, R.L., 17
Heiman, J.R., 382
Heimpel, S.A., 148
Heine, S.J., 178, 180, 426
Heinrichs, M., 414
Heller, W., 271
Helson, Ravenna, 227
Henderson, H.A., 14
Hermans, Hubert, 41-43
Herschberger, S.L., 236
Hesse, H., 183
Hetherington, E.M., 269

Higgins, Tory, 35, 80, 174-175, 338, 387-390, 416
Hippocrate, 204, 246
Hixon, J.G., 382-383
Hofmann, S.G., 271
Hofstee, W.K.B., 11, 34, 217
Hogan, J., 189, 230
Holender, D., 71
Holland, J.L., 201
Hollon, S.D., 401
Holmes, D.S., 80
Hong, Y., 384, 427
Horney, Karen, 117-118, 132
Horowitz, L.K., 127, 128
Hough, L.M., 230
Houston, E., 39
Huesmann, L.R., 32, 363
Hull, J.G., 50, 163
Huprich, S.K., 35, 443
Hurlburt, R.T., 443
Hurley, K., 393
Hyman, S., 269, 272
Ilardi, S.S., 176, 401
Ingram, R.E., 401
Isaacowitz, D.M., 422
Iyengar, S.S., 426
Izard, C.E., 15
Jack, R.E., 15
Jackson, D.N., 236, 238, 333
Jacobvitz, D., 123
Jacoby, L.L., 71
Jaffe, K., 128
James, William, 16-17
Jankowicz, A.D., 341
Jansen, O., 36
Jarcho, J.M., 140
Jaskir, J., 91
Jencius, S., 35, 403
Jin, M.K., 123
Johll, M., 401
John, R.W., 33, 34, 121, 147, 192, 208, 213, 214, 216, 217, 218, 219, 221, 227, 228, 238, 240, 348, 381, 385
Johnson, R.C., 50, 206
Johnson, W., 340
Jones, C., 144, 227, 294
Joppe, M., 275
Josephs, R.A., 381
Jost, J.T., 330
Jourard, S.M., 150
Jourdan, A., 162
Jouriles, E., 163
Jung, Carl G., 114-117, 123, 132, 141, 196, 444
Jussim, L.J., 297

Kagan, J., 14, 34, 90, 245, 246, 248-251, 273, 281, 445
Kamin, L.J., 40
Kammrath, L.K., 361
Kandel, Eric, 298
Kanfer, F.H., 305
Kant, Emmanuel, 246
Kashy, D.A., 34
Kassel, 128
Kasser, T., 177
Kavanagh, D., 392
Kazdin, A.E., 308
Kehoe, E.G., 207
Keller, H., 18
Kelley, W.M., 279-280
Kelly, George A., 34, 313-342, 345, 346, 437-447
Keltner, D., 114
Kenny, D.A., 34, 222, 381
Kihlstrom, J.F., 21, 72, 74, 348, 349, 381, 416
Kim, Y., 14
King, J.E., 35, 80, 218
Kirkpatrick, L.A., 128
Kirschenbaum, H., 162, 181, 297
Kitayama, Shinobu, 17, 178, 180, 426-427
Klein, G.S., 70
Klein, R., 175, 388
Kleir, R., 364
Klinger, E., 429
Klinger, M.R., 74
Knaack, A., 252, 253
Knapp, T.J., 443
Knight, K.M., 175
Knight, R.T., 256
Knutson, B., 273
Ko, S.J., 189
Kochanska, G., 252, 253
Koestner, R., 37, 100, 177
Kohnstamm, G.A., 228
Kolar, D.C., 34
Kopp, D.A., 392
Kosfeld, M., 414
Koven, N.S., 271
Krantz, D.S., 44
Krasner, L., 307
Krauss, D., 39
Krauth-Gruber, S., 340
Kretschmer, Ernst, 247
Kroll, N., 256
Kroonenberg, P., 123
Krosnick, J.A., 297
Krueger, J.I., 176, 206
Krueger, R.F., 351

Kruglanski, A.W., 330
Kuiper, N.A., 378
Kupers, C.J., 368
Kupper, D.A., 71
Kwan, V.S.Y., 381
Landfield, A.W., 323, 338
Larsen, R., 258
Lavine, T.Z., 172
Lazarus, R.S., 296, 397-398, 417
Leary, M.R., 378, 381
Lecky, P., 145
LeDoux, J.L., 274
Lee, C., 196
Leggett, E., 355, 383-384
Lehman, D.R., 178, 180
Leicht, C., 236
Lemieux, A.M., 389
Lepper, M.R., 178, 426
Leventhal, H., 393
Levy, S., 83
Lewis, M., 20, 90, 91, 119
Lewontin, R., 14
Lieberman, M.D., 140
Liebert, R.M., 368
Liese, B.S., 401
Lievens, F., 446
Lilienfeld, S.O., 100, 101, 232
Lindenberger, U., 91
Lindsay, J.J., 54
Lindsay, D.S., 71
Linville, Patricia, 327
Little, B.R., 144
Locke, E.A., 351, 355
Loeber, M., 420
Loehlin, J.C., 14, 206, 209, 265, 268
Loevinger, J., 333
Loftus, E.F., 85-86
London, B.E., 410
Luborsky, L., 72
Lucas, R.E., 34, 196, 231
Luhtanen, R.K., 176
Luria, Z., 143, 144
Lustig, D.A., 87
Lykken, D.T., 262, 264
Lynam, D.R., 420
Lynn, A.R., 297
Lyons, L.M., 326
Mackay, C., 83
Magnusson, D., 8
Malloy, T.E., 34
Manis, M., 52
Mann, J.J. 277
Mannarelli, T., 189
Manuck, S.B., 44, 276, 277
Manzella, L.M., 415

Marino, G., 171
Markus, Hazel, 17, 35, 178, 180, 378, 379, 380, 382, 426
Marshall, M.A., 14
Marshall, P.J., 148
Martens, E.J., 83
Martin, L.R., 228
Martinez, V., 427
Marx, D.M., 40
Marx, Groucho, 382
Masling, J.M., 74
Maslow, Abraham, 167-168, 170, 184
Masuda, T., 427
Matsumoto, H., 180
Mattarella-Micke, A., 326
Matthews, G., 46-47, 230, 276
Mavin, G.H., 35
May, A., 236, 330
Mayer, K.U., 421
Mayman, M., 52
Mayo, C.W., 327
Mazzoni, G., 85-86
McAdams, D.P., 35, 201, 238
McCaul, K.D., 275
McClelland, David, 37, 100
McCoy, M.M., 340
McCrae, R.R., 19, 33, 34, 188, 213-242, 424, 427
McDaniel, B.L., 238
McEvedy, C.P., 208
McGill, K.K.L., 383
McGinnies, E., 70
McGregor, I., 144
McGue, M., 262, 263, 264, 265
McGuffog, C., 91
McGuire, M.T., 275
McIntosh, W.O., 381
McMillan, M., 135, 158, 159, 162, 163
Mead, N.L., 366, 370
Meaney, M.J., 14
Medinnus, G.R., 150
Meehl, P., 38, 127
Mellenbergh, G.J., 39, 225
Memon, A., 85-86
Menand, Louis, 16-17
Mendel, Gregor, 247
Mendoza-Denton, R., 37
Menlove, F.L., 368
Meston, C.M., 382
Metcalfe, J., 369-370, 412
Mettee, D.R., 146
Meyer, G.J., 35, 443
Michaelis, B., 412
Milgram, S., 39

Miller, Neal, 148, 232, 259, 271, 299, 393, 427
Mineka, S., 364
Miranda, J., 401
Mischel, Walter, 19, 20, 32, 235, 236, 240, 307, 343-373, 377, 391, 405, 409, 410, 412, 437-447
Mitchell, S.A., 63, 117, 119
Moffitt, T.E., 228, 420
Mohammed, S., 432
Moise-Titus, J., 363
Molenaar, P.C.M., 348
Moore, B., 332, 370
Morf, C.C., 121, 122
Morgan, Christina, 99, 367
Morokoff, P.J., 82
Morris, M.E., 32, 189
Morris, M.W., 427
Morrison, M., 333
Moskowitz, J.T., 236, 397
Moss, D., 136, 208
Mougios, V., 410
Mount, M.K., 222, 230
Muldoon, M.F., 277
Murphy, Gardner, 167
Murray, Henry, 49, 50, 99, 120, 443
Müucke, D., 181
Nadel, L., 74
Nakamura, J., 37
Naumann, L.P., 213, 217, 219, 238, 240
Neiderhiser, J.M., 264, 269, 270
Neimeyer, G.J., 315, 316, 332, 337
Nesselroade, J.R., 200
Newman, C.D., 401
Newman, L.S., 80
Newton, Isaac, 129
Nguyen, L., 71
Nichols, K.E., 14
Nicholson, I.A.M., 194
Niedenthal, P.M., 340
Nisbett, R.E. 17, 50, 196, 254, 427
Nitschke, J.B., 271
Norasakkunkit, V., 180
Norem, J.K., 21, 415
Norenzayan, A., 17
Norman, W.T., 214
Novak, S., 420
Nowak, A., 21
Nusbaum, H.C., 326
Nyklicek, I., 83
O'Leary, A., 305, 393
Ochsner, K., 414
Odbert, H.S., 192
Oh, I., 222
Ohman, A., 297

Oishi, S., 15, 17, 219, 427
Olson, K.R., 383
Ones, D.S., 222, 230, 231
Orne, M.T., 53
Orom, H., 39, 347, 417
Orr, B.A., 16-17
Ortigo, K.M., 129, 130, 132, 241
Ortner, T.M., 32
Osborne, D., 146
Osgood, C.E., 142, 143, 144
Osofsky, M.J., 356
Ostendorf, F., 225
Oswald, F.L., 230
Owens, C., 65
Ozer, D.J., 32, 38, 39, 396, 433
Pan, R.L., 83
Park, R., 17
Parke, C., 369
Parker-Tapias, M., 410
Parks, A.C., 168, 169
Pastorelli, C., 356, 392
Patton, C.J., 71
Paulhus, D.L., 18, 34, 114
Paunonen, S.V., 196, 236
Pavlov, Ivan, 202, 284-312
Pavot, W., 389
Peabody, D., 219
Peake, P.K., 236, 353, 370
Pedersen, N.L., 265
Pelham, B.W., 382
Peng, K., 17, 427
Pennebaker, J.W., 67
Perugini, M., 219
Pervin, L.A., 21, 33, 34, 40, 49, 142, 222, 235, 329, 347, 397
Petersen, K.L., 277
Peterson, C., 168, 169
Peterson, R.F., 305-306
Peterson, R.S., 327
Petrie, K.J., 67
Petrides, K.V., 37
Pfungst, O., 53
Phelps, E.A., 251
Phillips, A.G., 175
Piaget, 347
Pickering, A.D., 273
Pietromonaco, P.R., 128
Pietrzak, J., 410
Pilkington, C.J., 381
Pinker, S., 16-17, 20, 254, 255
Piorkowski, R., 100
Pleydell-Pearce, C.W., 21
Plomin, R., 18, 206, 228, 247, 264, 265, 266, 267, 268, 269, 270
Podolski, C., 363

Polo, M., 35, 100
Pomerantz, E.M., 17, 90, 150
Ponomarev, I., 261
Posner, M.I., 252
Potter, J., 227
Powell, R.A., 129
Predmore, S.C., 382
Proctor, R.W., 26
Przybeck, T.R., 273
Pyszczynski, T., 173
Quinn, D.M., 48
Rachman, S., 297
Rafaeli-Mor, E., 327
Raïkkönon, 46-47
Raleigh, M.J., 275
Rammstedt, B., 216
Rashid, T., 168, 169
Raskin, R., 120, 121
Rauch, S.L., 250
Rawsthorne, L.J., 176
Rayner, Rosalie, 289-290, 293-294
Reeb-Sutherland, B.C., 14
Reese, L., 396
Reeves, A.J., 275
Reis, H.T., 410
Reiss, D., 269
Rellini, A.H., 382
Remy, R.M., 150
Rende, R., 265
Rentfrow, P.J., 216, 381
Reynolds, G.S., 301
Reznik, I., 415
Rhodewalt, F., 121, 122
Ric, F., 340
Ricoeur, P., 130
Ridley, M., 270
Riemann, R., 265, 266, 268
Roberts, B., 20, 128, 147, 152, 153, 189, 225, 227, 229, 230
Robins, R.W., 21, 34, 121, 143, 147, 175, 208, 228, 381
Robinson, R.G., 271
Roccas, S., 327
Rogers, Carl, 133-184, 196, 201, 297, 301, 309, 315, 329, 378, 424, 437-447
Rorer, L.G., 101, 225
Rorschach, Hermann, 98
Rosenberg, S., 341
Rosenthal, R., 53, 364, 396
Rosenzweig, S., 82
Rosolack, T.K., 221
Ross, D., 87, 196, 363
Rothbard, J.C., 122
Rothbart, M.K., 245, 246, 247, 252

Rozin, P., 296
Rubin, D., 53
Rueda, M.R, 252
Ruggiero, K.M., 40
Rutter, M., 14
Ryan, R.M., 176, 177
Sackett, P.R., 446
Salgado, J.F., 230
Salomon, K., 46-47
Salovey, P., 260
Saltzberg, J.A., 400
Sanfrey, A.G., 280
Sapolsky, R.M., 274
Sartre, Jean-Paul, 171-173
Saslow, G., 305
Satpute, A.B., 140
Saucier, G., 219, 240, 424
Saudino, K., 247
Schafer, R., 99
Schaumann, L., 392
Scheibe, K.E., 445
Scheier, M.F., 12
Schmidt, L.A., 14, 249, 250
Schmidtke, J.I., 271
Schmitt, M., 32
Schmittmann, V.D., 443
Schneider, D.J., 341
Scholer, A.A., 174, 338, 387
Schultheiss, O.C., 100
Schunk, D.H., 355, 367
Schutter, D., 126
Schwartz, G.E., 34, 83, 250
Schwarzer, R., 354, 393
Schweid, E., 305-306
Schyns, P.G., 15
Scott, W.D., 261, 392, 397
Sechrest, L., 320, 333, 341
Secord, P.F., 409
Seeyave, D.M., 370
Segal, N.L., 262, 400, 401
Seligman, M.E.P., 168, 169
Semmelroth, J., 258
Shadel, W.G., 35, 387, 403
Shah, J., 390
Shao, L., 196
Shapiro, L.326
Shaver, P., 122, 123, 124, 125,
    128, 150
Shaw, B.F., 120, 401
Shedler, J., 52
Sheldon, William, 176, 177, 247
Shelton, R.C., 401
Shevrin, H., 71
Shin, L.M., 250
Shiner, R.L., 247

Shoda, Y., 19, 20, 32, 240, 345, 348,
    359, 361, 370, 393, 405, 410, 445
Shulman, S., 32
Shumyatsky, G.P., 250
Shweder, R.A., 425, 433
Siegel, Sheppard, 292
Sigel, I.E., 333
Silverman, L.H., 70, 87
Simon, H.A., 50
Singer, B., 144
Skinner, B.F., 19, 173, 284-312,
    319, 347
Skolnikoff, A., 130
Small, S.L., 326
Smith, D., 17, 39
Smith, G.T., 231, 232
Smith, R.E., 378, 387, 396
Snowdon, D.A., 44, 45
Soares, J.P., 297
Solomon, S., 173
Sommers, S.R., 176
Sorrow, D.L., 121
Soto, C.J., 213, 217, 219, 238, 240
Spencer, S.J., 48
Sperling, M.B., 128
Spieker, S.J., 127
Sporns, O., 21, 216, 246
Spruyt, A., 32
Srivastava, S., 33, 221, 227, 228, 385
Sroufe, L.A., 32
St. Clair, M., 119, 120
Staddon, J.E.R., 285
Stajkovic, A.D., 351, 354
Staudinger, U.M., 91, 168, 422
Steele, Claude, 47-49
Steinberg, J., 327
Steiner, J.F., 79
Stephenson, W., 141
Stock, J., 355
Stouthamer-Loeber, M., 228
Strauman, T.J., 175, 388, 389, 400
Strelau, J., 14, 246, 247, 248, 265,
    266, 268, 290
Strube, M.J., 382
Suci, G.J., 142
Suedfeld, P., 330
Sugiyama, L.S., 256
Suh, E., 196, 427
Suinn, R.M., 146
Sullivan, Harry Stack, 118-119, 132,
    425, 433
Sulloway, F.J., 61, 66, 77, 114, 330
Suls, J.M., 381
Suomi, S., 229
Svrakic, D.M., 273

Swann, William, 148, 216, 381-383
Tafrate, R.C., 399
Tamir, M., 385
Tang, T.Z., 401
Tangney, J.P., 378
Tannenbaum, P.H., 142
Tataryn, D.J., 74
Tauber, A.I., 66
Taylor, Charles, 79, 139, 378, 400
Teige-Mocigemba, S., 32
Tellegen, A., 32, 262, 264, 265, 273
Temoshok, L., 83
Terry, H., 121
Tesser, A., 265, 381
Tetlock, Philip, 327, 330
Thigpen, Corbet, 142
Thomas, Alexander, 247, 401
Thompson, R.A., 17, 90, 150
Tillema, J., 392
Tobacyk, J.J., 332
Tononi, G., 21, 246, 359
Tooby, J., 254-256
Toomey, J.M., 207
Tota, M.E., 400
Toth, J.P., 71
Toulmin, S., 189
Tracy, J.L., 21, 175
Trapnell, P.D., 17, 114
Triandis, H.C., 426-427
Trivers, R., 257
Trzesniewski, K.H., 21, 175
Tsaousis, I., 37
Tugade, M.M., 169, 170
Twenge, J., 225
Ulmer, S., 36
Vaidya, J., 273
Vallacher, R.R., 21
Van Aken, M.A.G., 229
Van der Linden, D., 37
Van Heerden, J., 39
Van Heeringen, C., 222
Van Honk, J., 126
Van Ijzendoorn, M.H., 123
Van Lieshout, C.F., 228
Vaughn, P.W., 432-433
Vazire, S., 33, 222
Vecchione, M., 32
Viney, L.L., 336
Vogt, T.M., 231
Vohs, K.D., 351, 387
Von Helmholtz, Hermann, 63
Voon, V., 65
Wagner, 50
Waldron S., 130
Walker, B.M., 316

Wall, S., 123
Waller, N.G., 32, 128
Walters, R.H., 369, 406
Wang, F., 6, 222
Washton, A.M., 163
Waters, E., 123
Watson, David, 273, 281
Watson, John B., 54, 87, 208, 221,
    289-290, 293-294, 298, 312, 378
Weber, S.J., 53
Wegner, D.M., 67, 173, 285, 308
Weinberger, D.A., 37, 70, 71, 72,
    83, 100
Weinstein, T.A.R., 218
Weitlauf, J., 396
Weller, A., 128
Wentura, D., 422
Wenzlaff, R.M., 401
West, S.G., 38, 39, 50
Westen, D., 72, 74, 100, 101, 102, 119,
    129, 130, 132, 241, 258

White, P., 50
Widiger, T.A., 231, 232
Wiese, D., 273
Wiggins, J.S., 200
Wikstroem, P., 420
Williams, S.L., 85-86, 366, 396, 397
Wilson, T.D., 50
Winfree, P., 146
Winkielman, P., 340
Winter, D.A., 240, 315, 316, 336, 341
Wise, R.A., 272
Wittgenstein, L., 9
Woike, B.A., 35, 100
Wolfe, Tom, 175, 176, 200
Wolitzky, D.L., 70
Wolpe, J., 295, 297
Wood J.M., 100
Wood J.V., 148, 381, 400
Wood, W., 259
Woodward, S.A., 249
Wright, C.I., 250

Wright F.D., 401
Wright, J.C., 32, 359, 361
Wurf, E., 380
Young, R.D., 163
Zach, U., 18
Zak, P.J., 414
Zaki, J., 414
Zeiss, A.R., 370
Zelikow, P.D., 330
Zellner, D., 296
Zhu, Y., 179
Zimbardo, P.G., 39, 356
Zochowski, M., 21
Zubek, J.P., 267
Zuckerman, M., 265, 273, 274, 275
Zuroff, D.C., 194, 236
Zweben, J.E., 163

INDEX DES SUJETS

ABA, modèle de recherche, **307**

ABC, évaluation, **305**

Abus sexuels et schémas de soi, 382

Acquisition, **363**-364

Activation psychodynamique subliminale, **70**

Actualisation de soi, **144,** 152-153

Actuel, soi, 160

Adaptation
  capacité d', 354
  stratégies d', 397-403
    axées sur le problème, **397**-398
    centrées sur l'émotion, **398**-399

Adolescence, recherche sur l'enfance et l', 228

Adoption, études d', **263**-264

Adultes, différences attribuables à l'âge des, 225-228
  agréabilité, 227
  conscience, 226

Affectivité, 354

Agréabilité, 214-242

Agressivité verbale, 360-361

Alcool, consommation d', 163

Amygdale, 250-251, 274

Anal
  caractère de type, **102**
  stade, **86**

Analyse
  factorielle, 194, **195**-196
  fonctionnelle, **305**
  unités d', **10**-13

Ancrage, 352-353

Angoisse, **78**
  de castration, **86**

Annulation rétroactive, **81**-82

Anxiété, **331**-333, 392-393

Aperception thématique, test d', 99-100

Application(s), 445-446
  champ d', **318**
  cliniques de l'approche phénoménologique, 157-167
  domaine d', **318**
  du modèle à cinq facteurs, 230-235

Apprentissage
  approches fondées sur l', 283-312, 435-447
  de la capacité à différer la gratification, 368-370
  objectifs d', 383-397
  par l'observation, 361, **362**-364

Approche(s)
  centrée sur les principes généraux, **390**-391
  fondées sur l'apprentissage, 283-312, 435-447
  phénoménologique, 133-184, 435-447
    applications cliniques, 157-167
    et recherche, 174-180

pratique, personnalité et son contexte, 427-433
  psychodynamique, 59-94, 435-447

Approximations successives, **303**

Aptitude, trait d', **197**

Arbitre, libre, 308-309

Architecture de la personnalité, **417**-419
  connaissance et évaluation, **417**-419

Assignation de rôle, thérapie d', 334, **335**-337

Association, libre, **62, 105**

Attachement, 126-127
  styles d', 123-125
  système comportemental de l', **122**-123
  théorie de l', 119-128

Attente(s), **349**-350
  et conception de soi dysfonctionnelle, **391**-392

Attentionnelle, focalisation, chaude ou froide, 412-**413**

Authenticité, **159,** 176-178
  sentiment d', 137-138

Autodescription, **32**-33

Autoefficacité, 391-397

Autoévaluation, **32**-33, 222
  dysfonctionnelle, **391**-392
  réaction d', **356,** 366-367

Autonomie fonctionnelle, **193**

Autorégulation, 364-365, **366**-367

Autotélique, expérience, 170

Autovalorisation, **381**-383

Autovérification, **381**-383

Base de données, 442-443

Béhaviorisme, 283-284, **285**-312, 345, 435-447
  expérimentation, 288-289

Béhavioriste, conception,
  de la personne, 285-286
  de la science de la personnalité, 286-289

Besoin(s)
  de considération positive, **148**-149, 178-180
  hiérarchie des, 168

Bien-être
  subjectif, 231
  ultérieur, 152-153

Biographique, donnée, **32, 197**-199

Biologique(s), fondement(s)
  de la personnalité, 243-281
    interprétation des données, 250-251
    recherche contemporaine, 248-253
  des traits de personnalité, 206-208

Biologiques, plasticité des processus, 275-277

Buts, 366-367
  de la recherche, 38-40

Ça, 74, **75**-76

Capacité
    d'adaptation, 354
    à différer la gratification, 368-370
Caractère de type
    anal, **102**
    oral, **102**
    phallique, **103**
Cardinal, trait, **192**
Cas, étude de, **41**-43
Castration, angoisse de, **86**
Catharsis, **64**
Cause immédiate, **253**
Central
    construit, **322**
    trait, **193**
Centrée sur les principes généraux, approche, **390**-391
Cerveau, 35-36, 250-251
    et concept de soi, 278-279
    humeur, émotions et, 270-275
    et jugement moral, 279-280
Champ
    d'application, **318**
    phénoménal, **137**
Changeant, soi, 147
Changement
    de comportement, 18
        et psychopathologie, 209
    de personnalité, 228-229
    psychologique, 104-113, 158-167
    psychopathologie et, 293-296
    social, 431-433
Chaude ou froide, focalisation attentionnelle,
    412-**413**
Choix d'un partenaire, 257-258
Cible, comportement, **305**
Cinq facteurs
    modèle à, 211-242
    théorie des, **223**
« Cinq Grands », **213**-242
    modèle théorique des, 222-225
Classe sociale, 17
Classique, conditionnement, 289, **290**-298
    principes, 290-293
Client, thérapie centrée sur le, **158**-167
Clinique, recherche, **41**-43
Coefficient
    de corrélation, **43**-45
    d'héritabilité, **264**
Cognitif(s)
    éléments, de la personnalité, 377-383
    inconscient, 73-74
    processus, 92-93
Cognitions erronées, 400-401
Cognitive
    complexité-simplicité, **325**-327, 330
        et leadership et crises internationales, 330
    théorie, 313-342, 435-447

thérapie, 401-403
    de la dépression, 400
    triade, de la dépression, 400
Cognitivo-affectif, système, 358, **359**-361
Cohérence du soi, 144-**145**
    recherche, 146-148
Cohérent, soi, 147
Collectif, inconscient, **115**
Compétences, **348**-349
Complexe d'Œdipe, **86**
Complexité
    de l'identité sociale, 327
    intégrative, 330
Complexité-simplicité cognitive, **325**-327, 330
    leadership et crises internationales, 330
Comportement
    changement de, 18
        et psychopathologie, 209
    cible, **305**
    déterminants du, 19
    évaluation du, **305**
    moyen, 37
    opérant, **301**
    social, extraversion et, 208
    unité du, 20-21
    variabilité dans le, 37, 199-200
Comportemental(e)
    de l'attachement, système, **122**-123
    empreinte, **361**
    génétique, **261**-267
Concept de soi, 42-43, **139**-144
    cerveau et, 278-279
Conception(s)
    d'Allport, d'Eysenck et de Cattell, 185-210
    de la personne,
        béhavioriste, 285-286
        constructiviste, 319-320
        philosophique, 18-19
        selon Rogers, 137-138
    voisines, 167-174
Condition(s)
    thérapeutiques, 158-161
    de valorisation de soi, **149**
Conditionnée
    peur, 294
    réaction émotionnelle, **293**-294
Conditionnement
    classique, 289, **290**-298
        principes, 290-293
    opérant, 298, **299**-309
    vicariant, **364**
Congruence, 144-**145**, **157**
    recherche, 146-148
Connaissance et évaluation, architecture
    de la personnalité, **417**-419
Conscience, 171-173, 214-242
    développement de la, 251-253

états de, 21
  perception sans prise de, **70**
  de soi, 163
Conscient(e), **67**-68
  pensée, 37
Considération positive
  besoin de, **148**-149, 178-180
  inconditionnelle, **159**
Consommation
  d'alcool, 163
  de drogue, 292
Constance de la personnalité, 416-419
Constitution et tempérament, 243-281
  études longitudinales, 247-248
Constructive alternativism, voir Constructivisme
Constructivisme, **317**
  conception de la personne, 319-320
Construit(s), **320**
  central, **322**
  et expertise, 326
  d'ordre supérieur, **322**
  périphérique, **322**
  personnels
    évaluation des, 324-325
    théorie des, 313-342, 435-447
    postulat fondamental de la théorie des, **329**
    visions connexes et évolution de la théorie
      des, 337-338
  préverbal, **321**-322
  et répercussions sur les rapports interpersonnels,
    321
  de rôles, répertoire des, **324**
  submergé, **322**
  subordonné, **322**
  système de, 321-328
  types de, 321-328
  verbal, **321**-322
Contemporain(e)
  existentialisme expérimental, 173-174
  recherche, biologie, tempérament
    et développement, 248-253
Contexte(s)
  culturels, individus et, 423-427
  personnalité et son, 407-434
    approche pratique, 427-433
    socioéconomique, 419-421
Contextuelle, spécificité, **349**
Contingence de l'estime de soi, 175-**176**
Contre-conditionnement, **295**-296
Contrôle volontaire, 251, **252**-253
Conversion, trouble de, 65
Corrélation, coefficient de, **43**-45
Corrélationnelle, recherche, **43**-45
Cortisol, 274
Courant humaniste, **167**-168
Crises internationales, complexité cognitive,
  leadership et, 330

Critique, évaluation
  de la personnalité, 442-446
  de la théorie psychanalytique, 128-132
  de la théorie phénoménologique, 180-184
Croisements sélectifs, études de, **261**
Croyances, 349-350, 377-383
  sur le soi, 377-383
Culture, 407-434
  et le soi, 179
Culturels
  facteurs, 117-119
  individus et contextes, 423-427
Débat(s), 18-23
  personne-situation, **235**-238
Défense
  mécanismes de, **78**-84, 103-104, 145-146
  perceptive, **70**
Défensif, pessimisme, **415**-416
Définition de la personnalité, 8-9
Déformation, **146**
Déni, **78**-80, **146**
Dépression, 392-393
  thérapie cognitive de la, 400
  triade cognitive de la, 400
Désaccord entre le soi et l'expérience, 157-**158**
Description, 189
Désensibilisation systématique, 295, **296**-297
Détection de la tricherie, 255-256
Déterminants
  du comportement, 19
  environnementaux, 15-18
  génétiques, 14-15
Déterminisme, **285**
  environnemental, 286-288
  réciproque, **357**-358
Développement, 407-434
  de la conscience, 251-253
  et contexte socioéconomique, 419-421
  de la personnalité, recherche contemporaine, 248-253
  des processus cognitifs, 92-93
  psychosocial, 88-90
  des pulsions, 84-88
Différée, gratification, 367-368, **369**-371
Différence(s)
  attribuables à l'âge des adultes, 225-228
    agréabilité, 227
    conscience, 226
  entre les sexes, 256-257, 259-260
  individuelles, 272
  pôle de, **320**
Différenciateur sémantique, 166-167
Différer la gratification, apprentissage de la capacité
  à, 368-370
Dimensions du tempérament, 273-275
Dirigeants d'entreprise, 201
Discrimination, **291**
Divergences entre les éléments du soi, 174-175

Domaine d'application, **318**
Dominance hémisphérique, 271
Donnée(s)
    base de, 442-443
    biographique, **32**, **197**-199
    fournies par les tests objectifs, **197**-199
    interprétation des, fondements biologiques
        de la personnalité, 250-251
    de la psychologie de la personnalité, 31-37
        types de, 31-33
    de questionnaires, **197**-199
    sources de, 33-34
Dopamine, 272-275
Drogue, consommation de, 292
Dynamique, trait, **197**
Dysfonctionnelle
    attente et conception de soi, **391**-392
    autoévaluation, **391**-392
Écarts avec le soi, **387**-390
Échange social, 255-256
Échantillons, modèle fondé sur les, **307**
Économie de jetons, **307**-308
Effet attribuable à l'expérimentateur, **53**
Efficacité personnelle, 366-367
    sentiment d', **350**-354
Effort, 354
Électroencéphalogramme, **36**
Éléments
    cognitifs de la personnalité, 377-383
    du soi, divergences entre les, 174-175
Émotionnelle conditionnée, réaction, **293**-294
Émotion(s), 387-390
    humeur, et cerveau, 270-275
    positives, 169-170
    stratégies d'adaptation centrées sur l', **398**-399
Empathie, **159**
Empreintes comportementales, **361**
Énergie, système d', **63**-64
Enfance, recherche sur l', et l'adolescence, 228
Enfants inhibés et non inhibés, 248-253
Entreprises, dirigeants d', 201
Envie du pénis, **87**
Environnemental, déterminisme, 286-288
Environnementaux
    déterminants, 15-18
    facteurs, 267-270
Environnements
    non partagés, 267, **268**-269
        effets, 269
    partagés, 267, **268**-269
Épreuve, résultat d', **32**
Érogènes, zones, **84**
Erronées, cognitions, 400-401
Esprit humain, 63-64
Estime de soi, **150**
    contingence de l', 175-**176**
    fluctuations de l', 175-176

État(s), **200**
    de conscience, 21
Éthique de la recherche, 39-40
Étude(s)
    d'adoption, **263**-264
    de cas, **41**-43
    de croisements sélectifs, **261**
    interculturelles sur le soi, 178-180
    de jumeaux, **261**-263
    longitudinales sur la constitution et le tempérament,
        247-248
    de la personnalité, 8
        selon Rogers, 139
    scientifique de l'être humain, 29-57
Évaluation
    ABC, **305**
    architecture de la personnalité connaissance et,
        417-419
    du comportement, **305**
    des construits personnels, 324-325
    critique
        du modèle à cinq facteurs, 238-241
        de la personnalité, 442-446
        de la théorie psychanalytique, 128-132
        de la théorie phénoménologique, 180-184
    des méthodes de recherche, 49-54
    normes d', **349**, 355-357, 377-383
    de la personnalité, 55-56
    de la recherche, 435-447
    du soi, 141-144
    théorie de la personnalité et, 36-37
    des théories, 23-24, 435-447
    par un tiers, 222
Événements
    mentaux inconscients, 37
    prévision des, 329-331
Évolué, mécanisme psychologique, **254**
Évolution, 253-260
    différences entre les sexes, 256-257
    de la personnalité, 16-17
    de la théorie psychanalytique, 113-119
Évolutionniste, psychologie, 253-260, 345
Exécution, **363**-364
Exigence implicite de la situation expérimentale, **53**
Existentialisme, 170, **171**-174
    expérimental contemporain, 173-174
    de Sartre, 171-173
Expérience(s)
    autotélique, 170
    désaccord entre le soi et l', 157-**158**
    optimale, 170
    premières, 90-92
    subjectivité de l', 137-138
Expérimental(e)
    contemporain, existentialisme, 173-174
    période, 306-307
    recherche, **45**-48

Expérimentateur, effet attribuable à l', **53**
Expérimentation béhavioriste, 288-289
Expertise, construits et, 326
Explication, 189-190
Extinction, **291**
Extraversion, **204,** 214-242
    et comportement social, 208
    et névrosisme, 207
Facette, **220**
Façonnement, **303**
Facteurs
    culturels, 117-119
    environnementaux, 267-270
    interpersonnels, 117-119
    mesure des, 205
    modèle à cinq, 211-242
    modèle à six, 229-230
    modèle de tempérament à trois, **273**-275
    théorie des cinq, **223**
Factorielle, analyse, 194, **195**-196
Famille, 17-18
Fidélité, **38**
Fixation, **102**
Fixe, programme de renforcement, **302**
Flow, 170
Fluctuations de l'estime de soi, 175-176
Focalisation attentionnelle chaude ou froide, 412-**413**
Fonctionnelle
    analyse, **305**
    autonomie, **193**
    imagerie par résonance magnétique, **36, 207, 279**
Fonctionnement de la personnalité, 421-423
Fonctions psychologiques de haut niveau, 277-280
Fondamentale, hypothèse lexicale, **217**
Fondement(s) biologique(s)
    de la personnalité, 243-281
        interprétation des données, 250-251
    des traits de personnalité, 206-208
Forces
    humaines, 168-169
    motivationnelles, 117-119
Formation réactionnelle, **81**-82
Froide, focalisation attentionnelle chaude ou, 412-**413**
Généralisation, **291**
Généralisé, renforçateur, **302**
Gènes et personnalité, 260-270
Gènes-environnement, interaction, 267-270
Génétique(s)
    comportementale, **261**-267
    déterminants, 14-15
    moléculaire, 266-267
Génital, stade, **88**
Globales, théories, 444-445
Goûts, 296
Gratification différée, 367-368, **369**-371
Groupes d'individus, 6
Guidée, participation, **394**-397

Habiletés, voir Compétences
Haut niveau, fonctions psychologiques de, 277-280
Hémisphérique
    dominance, 271
    latéralisation, 274
Héritabilité
    coefficient d', **264**
    de la personnalité, 264-265
Hiérarchie, **12**-13
    des besoins, 168
Humain(e)s
    esprit, 63-64
    forces, 168-169
    motivation, 138
Humaniste, courant, **167**-168
Humeur, émotions et cerveau, 270-275
Hypothèse lexicale fondamentale, **217**
Hystérie, 65
Idéal, soi, 160
Identification, **88**
Identité sociale, complexité de l', 327
Idiographique(s)
    mesures, 34-**35**
    recherche, 193-194
Imagerie par résonance magnétique fonctionnelle, **36, 207, 279**
Immédiate, cause, **253**
Immunisation contre le stress, technique d', **398**-399
Implicite
    exigence, de la situation expérimentale, **53**
    théorie, **384**
Inadaptée, réponse, **304**-305
Inconditionnelle, considération positive, **159**
Incongruence, **145**-146
Inconscient(e)(s), 21, **67**-68, 105
    cognitif, 73-74
    collectif, **115**
    événements mentaux, 37
    motivations, 69
        et politiques, 72
    et la recherche, 69-71
    statut scientifique, 71-73
Indépendante, vision du soi, ou interdépendante, **426**-427
Individu(s), 10-18
    et contextes culturels, 423-427
    groupes d', 6
    et la société, rapports entre l', 62-66
Individuelles, différences, 271
Inhibé(s)
    enfants, 248-253
    tempérament, **250**
Intégrative, complexité, 330
Interactions
    gènes-environnement, 267-270
    nature-culture, 269-270
Interculturelle(s)
    recherche, 217-220

sur le soi, études, 178-180
Interdépendante, vision du soi indépendante ou, **426**-427
Internationales, complexité cognitive, leadership
    et crises, 330
Interpersonnel(le)s
    construits et répercussions sur les rapports, 321
    facteurs, 117-119
    relations, 407-434
        transfert dans les, 413-415
Interprétation des données, fondements biologiques
    de la personnalité, 250-251
Intrinsèques, motivations, 176-178
Introversion, **204**
Intuitif, soi, 140-141
Inventaires de personnalité, 220-222
Investissement parental, théorie de l', **257**
Isolation, **80**-82
Jalousie, 258-259
Jetons, économie de, **307**-308
Jeux vidéo, 365
Jugement moral, cerveau et, 279-280
Jumeaux, études de, **261**-263
Latence, période de, **88**
Latéralisation hémisphérique, 274
Leadership et crises internationales,
    complexité cognitive, 330
Lexicale fondamentale, hypothèse, **217**
Liberté, 171-173
Libido, 76-**77**
Libre arbitre, 308-309
Libre, association, **62, 105**
Longitudinales, études, sur la constitution
    et le tempérament, 247-248
Magnétique, imagerie par résonance,
    fonctionnelle, **36**, 207, **279**
Maîtrise de soi, 367-368
Mécanisme(s), **61**
    de défense, **78**-84, 103-104, 145-146
    psychologique évolué, **254**
Mémoire, 85-86
Menace, **331**-333
Mentaux inconscients, événements, 37
Mesure(s)
    des facteurs, 205
    idiographiques, 34-**35**
    nomothétiques, 34-**35**
Métaphore de la personne perçue comme scientifique, **334**
Méthode(s)
    de recherche, 40-54
        évaluation des, 49-54
    fondée sur les échantillons, **307**
    fondée sur les signes, **307**
Microanalytique, recherche, **352**
Modelage, voir Apprentissage par l'observation
Modèle
    à cinq facteurs, 211-242
    de recherche ABA, **307**

à six facteurs, 229-230
    de tempérament à trois facteurs, **273**-275
    théorique des «Cinq Grands», 222-225
Moi, 74-76
Moléculaire, génétique, 266-267
Moral, cerveau et jugement, 279-280
Mort
    prépondérance de la, 174
    pulsion de, 76-**77**
Motivation(s), 387-390
    autorégulation et, 364-367
    humaine, 138
    inconscientes, 69
        et politiques, 72
    intrinsèques, 176-178
Motivationnelles, forces, 117-119
Moyen, comportement, 37
Narcissique, personnalité, 119-121
Nature-culture, interactions, 269-270
Néant, 171-173
NEO-PI-R, **220**
Neurotransmetteurs, **272**-275
Névrosisme, **204,** 214-242
    et extraversion, 207
Nomothétiques, mesures, 34-**35**
Non inhibé(s)
    enfants, 248-253
    tempérament, **250**
Non partagés, environnements, 267, **268**-269
    effets, 269
Normes
    d'évaluation, **349,** 355-357, 377-383
    perfectionnistes, 389
    personnelles, 387-390
Objectifs, **349**-350, 377-383, 386
    d'apprentissage, 383-397
    données fournies par les tests, **197**-199
    de performance, 383-397
Objet, relation d', 119-128
    théorie de la, 119-128
Observable, variable, 288-289
Observation(s), **32**
    apprentissage par l', 361, **362**-364
    scientifiques, 6
OCEAN, **214**
Œdipe, complexe d', **86**
Opérant
    comportement, **301**
    conditionnement, 298, **299**-309
Opération, soi en, **380**
Optimale, expérience, 170
Optimisme, **415**-416
Oral
    caractère de type, **102**
    stade, **84**
Ordre supérieur, construit d', **322**
Ouverture, 214-242

Pairs, 18
Parental, théorie de l'investissement, **257**
Parentalité, 258
Parents-enfants, relation, 150-152
Partagés, environnements, 267, **268**-269
Partenaire, choix d'un, 257-258
Participation guidée, **394**-397
Pénis, envie du, **87**
Pensée consciente, 37
Perception sans prise de conscience, **70**
Perceptive, défense, **70**
Perfectionnistes, normes, 389
Performance, objectifs de, 383-397
Période
    expérimentale, 306-307
    de latence, **88**
    de référence, 306-307
Périphérique, construit, **322**
Persévérance, 354
Personnalité, **9**
    architecture de la, **417**-419
        connaissance et évaluation, **417**-419
    changement de, 228-229
    constance de la, 416-419
    et son contexte, 407-434
        approche pratique, 427-433
    définition de la, 8-9
    éléments cognitifs de la, 377-383
    étude de la, 8
        selon Rogers, 138
    évaluation de la, 55-56
        critique, 442-446
    évolution de la, 16-17
    fonctionnement de la, 421-423
    fondement(s) biologique(s)
        de la personnalité, 243-281
        recherche contemporaine, 248-253
        des traits de, 206-208
    gènes et, 260-270
    et héritabilité, 264-265
    inventaires de, 220-222
    narcissique, 119-121
    psychologie de la, 29-57
        données de la, 31-37
    et santé, 46-47
    science de la, 22-23, 66
        conception béhavioriste de la, 286-289
        selon la théorie sociocognitive, 348
    système cognitivo-affectif de la, 358, **359**-361
    théorie de la, 3-27
        et évaluation, 36-37
        objectifs, 6-8
        et la recherche, 54-55
        selon Rogers, 138-153
        skinnérienne, 301-309
    traits de, **11**, **188**
        postulats et hypothèses communs, 190-191

théoriciens des, 187
théorie des, 185-242, 345
types de, 102-103
Personne
    conception de la
        béhavioriste, 285-286
        constructiviste, 319-320
        philosophique, 18-19
        sociocognitive, 347-348
        selon Rogers, 137-138
    métaphore de la, perçue comme scientifique, **334**
Personne-situation, débat, **235**-238
Personnel(le)(s)
    efficacité, 366-367
    évaluation des construits, 324-325
    normes, 387-390
    sentiment d'efficacité, **350**-354
    théorie des construits, 313-342
        postulat fondamental de la, **329**
        visions connexes et évolution de la, 337-338
Perspective phénoménologique, 138
Pessimisme défensif, **415**-416
Peur, **331**-333
    conditionnée, 294
Phallique
    caractère de type, **103**
    stade, **86**
Phénoménal, champ, **137**
Phénoménologique,
    approche, 133-184
        applications cliniques, 157-167
        et recherche, 174-180
    perspective, 138
    théorie, 166-167
        évaluation critique, 180-184
Philosophique de la personne, conception, 18-19
Plaisir, principe de, **75**
Plasticité, **275**-277
    des processus biologiques, 275-277
Pôle
    de différence, **320**
    de similarité, **320**
Politiques, motivations inconscientes et, 72
Positive(s)
    besoin de considération, **148**-149, 178-180
    considération, inconditionnelle, **159**
    émotions, 169-170
    psychologie, 168-170
Postulat fondamental de la théorie des construits
    personnels, **329**
Pratique, approche, personnalité et son contexte, 427-433
Préconscient, **67**-68
Prédiction, 189
Premières expériences, 90-92
Prépondérance de la mort, 174
Présence, 162-167
Préverbal, construit, **321**-322

Prévision des événements, 329-331

Primaire, processus, **92**

Principe(s)

approche centrée sur les, généraux, **390**-391

de plaisir, **75**

de réalité, **75**

Prise de conscience, perception sans, **70**

Problème, stratégies d'adaptation axées sur le, **397**-398

Processus, **13**, 437-441

biologiques, plasticité des, 275-277

cognitifs, 92-93

primaire, **92**

secondaire, **92**

Programme de renforcement, **302**

fixe, **302**

variable, **302**

Projectif, test, **97**-102

efficacité, 100-102

Projection, **80**

Psychanalytique, théorie, 66-132, 345

évaluation critique de la, 128-132

évolution de la, 113-119

Psychodynamique

activation, subliminale, **70**

approche, 59-94, 435-447

Psychologie

évolutionniste, 253-260, 345

de la personnalité, 29-57

données de la, 31-37

positive, 168-170

du soi, 119-128

Psychologique(s)

changement, 104-113, 158-167

fonctions, de haut niveau, 277-280

mécanisme, évolué, **254**

résilience, 421-422

Psychopathologie, 18, 102-104, 157-158, 304-305,
334, 391-397

et changement, 209, 293-296

Psychosocial, développement, 88-90

Psychotisme, **205**

Pulsion(s)

développement des, 84-88

de mort, 76-**77**

de vie, 76-**77**

Punition, **303**

Questionnaires, données provenant de, **197**-199

Rapports

construits et répercussions sur les, interpersonnels,
321

entre l'individu et la société, 62-66

sociaux, 50-51

Rationalisation, **81**-82

Rationnelle-émotive, thérapie, 399-403

Réaction

d'autoévaluation, **356**

émotionnelle conditionnée, **293**-294

Réactionnelle, formation, **81**-82

Réalité, principe de, **75**

Recherche, 442

buts de la, 38-40

clinique, **41**-43

sur la cohérence du soi et la congruence, 146-148

corrélationnelle, **43**-45

sur l'enfance et l'adolescence, 228

éthique de la, 39-40

expérimentale, **45**-48

idiographique, 193-194

inconscient et, 69-71

interculturelle, 217-220

méthodes de, 40-54

évaluation des, 49-54

microanalytique, **352**

modèle de, ABA, **307**

théorie de la personnalité et, 54-55

théorie phénoménologique et, 174-180

Réciproque, déterminisme, **357**-358

Redouté, soi, 160

Référence, période de, 306-307

Refoulement, **82**-84

Régression, **102**

Rejet, sensibilité au, **410**-413

Relation(s)

interpersonnelles, 407-434

transfert dans les, 413-415

d'objet, 119-128

théorie de la, 119-128

parents-enfants, 150-152

sociales, 152-153

Rendement, 352-354

Renforçateur, **301**

généralisé, **302**

Renforcement, programme de, **302**

fixe, **302**

variable, **302**

Répercussions sur les rapports interpersonnels,
construits et, 321

Répertoire des construits de rôles, **324**

Réponse

cible, voir Comportement cible

inadaptée, **304**-305

style de, **52**

temps de, 379-381

Résilience psychologique, 421-422

Résonance magnétique fonctionnelle,
imagerie par, **36**, 207, **279**

Responsabilité, 171-173

Résultat d'épreuve, **32**

Rétroactive, annulation, **81**-82

Rêves, 68, 105

Rôle(s), **200**

répertoire des construits de, **324**

thérapie d'assignation de, 334, **335**-337

Rorschach, test de, 98-99

Santé, 393-394
    personnalité et, 46-47
Schémas, **378**
    de soi, 377, **378**-383
        et abus sexuels, 382
Science de la personnalité, 22-23, 66
    conception béhavioriste de la, 286-289
    selon la théorie sociocognitive, 348
Scientifique(s)
    étude, de l'être humain, 29-57
    observations, 6
Secondaire
    processus, **92**
    trait, **193**
Sélectifs, études de croisements, **261**
Sélection, 354
Sélectivité socioaffective, théorie de la, **422**-423
Sémantique, différenciateur, 166-167
Sensibilité au rejet, **410**-413
Sentiment
    d'authenticité, 137-138
    d'efficacité personnelle, **350**-354
Sérotonine, 272-275
    statut socioéconomique et, 276-277
Sexes, différences entre les, 256-257, 259-260
Sexuels, abus, schémas de soi et, 382
Signes, méthode fondée sur les, **307**
Similarité, pôle de, **320**
Simple, système, 288-289
Situation expérimentale, exigence implicite
        de la, **53**
Situationnelle, spécificité, **287**
Six facteurs, modèle à, 229-230
Skinnérienne de la personnalité, théorie, 301-309
Social(e)(s)
    changement, 431-433
    classe, 17
    complexité de l'identité, 327
    échange, 255-256
    extraversion et comportement, 208
    relations, 152-153
Sociaux, rapports, 50-51
Société, rapports entre l'individu et la, 62-66
Socioaffective, théorie de la sélectivité, **422**-423
Sociocognitive
    structure, 357
    théorie, 343-406, 435-447
        personne selon la, 347-348
        par rapport aux autres théories, 345
        théoriciens, 346-347
Socioéconomique
    personnalité et son contexte, 419-421
    et sérotonine, statut, 276-277
Soi, 20-21, 42-43, **139**-144, 350-352
    actualisation de, **144,** 152-153
    actuel, 160
    cerveau et concept de, 278-279

    changeant, 147
    cohérence du, 144-**145,** 146-148
    cohérent, 147
    conception de, dysfonctionnelle, **391**-392
    condition de valorisation de, **149**
    conscience de, 163
    croyances sur le, 377-383
    culture et le, 179
    désaccord entre le, et l'expérience, 157-**158**
    divergence entre les éléments du, 174-175
    écarts avec le, **387**-390
    estime de, **150**
        contingence de l', 175-**176**
        fluctuations de l', 175-176
    études interculturelles sur le, 178-180
    évaluation du, 141-144
    idéal, 160
    intuitif, 140-141
    maîtrise de, 367-368
    en opération, **380**
    psychologie du, 119-128
    redouté, 160
    schémas de, 377, **378**-383
        et abus sexuels, 382
    vision du, indépendante ou interdépendante, **426**-427
Source(s)
    de données, 33-34
    traits de, **196**-197
Spécificité
    contextuelle, **349**
    situationnelle, **287**
Stabilité, 19-20
Stade
    anal, **86**
    génital, **88**
    oral, **84**
    phallique, **86**
Statut socioéconomique et sérotonine, 276-277
Stratégies d'adaptation, 397-403
    axées sur le problème, **397**-398
    centrées sur l'émotion, **398**-399
Stress
    technique d'immunisation contre le, **398**-399
    et stratégies d'adaptation, 397-403
    et vieillissement, 277-278
Structures, 437-441
    sociocognitives, 357
Style(s)
    d'attachement, 123-125
    de réponse, **52**
Subception, **146**
Subjectif, bien-être, 231
Subjectivité de l'expérience, 137-138
Sublimation, 81-82
Subliminale, activation psychodynamique, **70**
Submergé, construit, **322**
Subordonné, construit, **322**

Successives, approximations, **303**

Superfacteur(s), **191**, 202-205

Supérieur, construit d'ordre, **322**

Surface, traits de, **196**-197

Surmoi, 74, **75**-76

Symptôme, **104**

Systématiques, théories, 443-444

Système, **12**

    cognitivo-affectif, 358, **359**-361

    comportemental de l'attachement, **122**-123

    de construits, 321-328

    d'énergie, **63**-64

    simple, 288-289

Technique d'immunisation contre le stress,
    398-399

Tempérament, **14,** 245-253

    constitution et, 246-247

        études longitudinales, 247-248

    dimensions du, 273-275

    inhibé, **250**

    modèle de, à trois facteurs, **273**-275

    neurotransmetteurs et, **272**-275

    non inhibé, **250**

    trait de, **197**

Temps de réponse, 379-381

Test(s),

    d'aperception thématique, 99-100

    objectifs, données de, **197**-199

    projectif, **97**-102

        efficacité, 100-102

    de Rorschach, 98-99

Testostérone, 274

Thématique, test d'aperception, 99-100

Théoriciens de la théorie sociocognitiviste, 346-347

Théorie(s), 442

    de Allport, 191-194

    de l'attachement, 119-128

    de Cattell, 196-201

    des cinq facteurs, **223**

    cognitive, 313-342, 435-447

    des construits personnels, 313-342, 435-447

        postulat fondamental de la, **329**

        visions connexes et évolution de la, 337-338

    évaluation des, 23-24, 435-447

    d'Eysenck, 202-210

    de Freud, voir Approche psychodynamique

    globales, 444-445

    implicite, **384**

    de l'investissement parental, **257**

    de Kelly, voir Théorie des construits personnels

    de la personnalité, 3-27

        applications, 7-8

        et l'évaluation, 36-37

        exhaustive, 7

        objectifs, 6-8

        et la recherche, 54-55

        selon Rogers, 138-153

        systématique, 7

        vérifiable, 7

    phénoménologique, 166-167

        et recherche, 174-180

        évaluation critique, 180-184

    psychanalytique, 66-132, 345, 435-447

        évaluation de la, 128-132

        évolution de la, 113-119

    de la recherche, 435-447

    de la relation d'objet, 119-128

    de la sélectivité socioaffective, **422**-423

    skinnérienne de la personnalité, 301-309

    sociocognitive, 343-406, 435-447

        personne selon la, 347-348

        par rapport aux autres théories, 345

        théoriciens, 346-347

    systématiques, 443-444

    des traits de personnalité, 185-242, 345

    des trois facteurs, 202-210

    vérifiables, 444

Thérapeutiques, conditions, 158-161

Thérapie,

    d'assignation de rôle, 334, **335**-337

    centrée sur le client, **158**-167

    cognitive, 401-403

        de la dépression, 400

    rationnelle-émotive, 399-403

Tiers, évaluation par un, 222

Trait(s)

    d'aptitude, **197**

    cardinal, **192**

    central, **193**

    dynamique, **197**

    de personnalité, **11, 188**

        postulats et hypothèses communs, 190-191

        fondement biologique des, 206-208

        théoriciens des, 187

        théorie des, 185-242, 345

    secondaire, **193**

    de source, **196**-197

    de surface, **196**-197

    de tempérament, **197**

Transfert, **105**-107

    dans les relations interpersonnelles, 413-415

Traumatisme, 85-86

Triade cognitive de la dépression, 400

Tricherie, détection de la, 255-256

Trois facteurs, théorie des, 202-210

Trouble de conversion, 65

Type(s), **11**

    de construits, 321-328

    de données, 31-33

    de personnalités, 102-103

Ultérieur, bien-être, 152-153

Unité(s)

    d'analyse, **10**-13

    du comportement, 20-21

Validité, **38**-39

Valorisation de soi, condition de, **149**

Variabilité dans le comportement, 37, 199-200

Variable

    observable, 288-289

    programme de renforcement, **302**

Verbal(e)

    agressivité, 360-361

    construit, **321**-322

Vérifiables, théories, 444

Vicariant, conditionnement, **364**

Vidéo, jeux, 365

Vie, pulsion de, 76-**77**

Vieillesse, 421-423

Vieillissement, stress et, 277-278

Vision du soi indépendante ou interdépendante, **426**-427

Voisines, conceptions, 167-174

Volontaire, contrôle, 251, **252**-253

Zones érogènes, **84**